Beth Greenfield, Robert Reid
et Ginger Adams Otis

New York

TRANCHES DE VILLE

NEW YORK EST LEUR VILLE ET PERSONNE NE SAIT MIEUX EN PARLER QU'EUX. LAISSEZ-VOUS SÉDUIRE PAR LES NEW-YORKAIS, TOUJOURS PRÊTS À VOUS FAIRE DÉCOUVRIR LEUR QUARTIER. LA SURPRISE SERA TOUJOURS AU RENDEZ-VOUS – ET L'ÉMOTION AUSSI (P. 108).

Les taxis new-yorkais savent emmener leurs clients au cœur de l'action

"IL Y A CHAQUE JOUR UNE NOUVELLE EXPÉRIENCE À FAIRE, UNE NOUVELLE PERSONNE À RENCONTRER, UN NOUVEAU DÉFI À RELEVER."

FRANCESCA SMITH
POMPIER DE NEW YORK
WILLIAMSBURG

Le point fort de votre quartier ? Il est plus calme et silencieux que Manhattan, avec moins de voitures et de gratte-ciel, même si cela commence à changer. J'aime ce mélange d'ancien et de nouveau, les bâtiments peu élevés et les boutiques polonaises et italiennes traditionnelles qui subsistent encore. **Vos loisirs favoris ?** Éteindre les incendies ! **Votre souvenir le plus mémorable ?** Un jour, j'ai vu un type passer en rollers avec son chien en laisse, en train de téléphoner avec son portable tout en mangeant une part de pizza.

Incroyable ! **Votre péché mignon ? La pizza. Que pensez-vous du mémorial de Ground Zero sur le site du World Trade Center ?** Je pense que les familles des personnes tuées le 11 Septembre devraient avoir le dernier mot quant au monument qui sera édifié. Beaucoup de gens sont concernés, ils ont donné énormément d'argent et leur opinion doit être prise en compte. Les familles des victimes ne peuvent avoir un pouvoir de décision total, mais on devrait leur accorder le vote final sur toutes les propositions. **Ce qui vous plaît le plus dans votre métier ?** Il y a chaque jour une nouvelle expérience à faire, une nouvelle personne à rencontrer, un nouveau défi à relever. J'aime la discipline et le savoir-faire qu'exige ce métier, l'un des meilleurs que l'on puisse faire dans cette ville.

Le lac (p. 191) de Central Park bordé d'immeubles chic

Dans les stations de métro new-yorkaises, tout est possible

3

Décrépits ou opulents, les *brownstones* sont un des must new-yorkais

VIE DE QUARTIER

NEW YORK EST UNE JUXTAPOSITION DE PETITES VILLES ÉCLECTIQUES ET ANIMÉES : L'EAST VILLAGE, OÙ SE CÔTOIENT LES ANCIENS ET LES CLUBBERS ; CHELSEA, PEUPLÉ D'APOLLONS GAYS ; L'UPPER WEST SIDE ET SES NOURRICES ; HARLEM, RICHE EN LIEUX CULTURELS ET EN VOIE D'EMBOURGEOISEMENT ; ET BROOKLYN, LE NOUVEAU QUARTIER BRANCHÉ (P. 108).

Une pause-trottoir imposée par des toutous chouchoutés

JANE MADEMBO
GÉRANTE DE
MAGASIN/ÉCRIVAIN
HARLEM

Le point fort de votre quartier ? Je connais mes voisins. C'est une communauté soudée, très diverse et accueillante, peuplée de visages amicaux. **Comment sera votre quartier dans cinq ans ?** Un peu plus de monde ; peut-être que je ne connaîtrai plus mes voisins. Plus bourgeois, je suppose, avec de nouveaux arrivants tous les jours. **Votre péché mignon ?** Faire les boutiques d'occasion. On peut faire de bonnes affaires dans les marchés aux puces, mais les friperies sont aussi un très bon filon. Quand j'ai envie d'une robe ou d'une chemise, je vais chiner dans l'East Village. On trouve de très beaux vêtements de marque et c'est agréable d'acheter des vêtements originaux qui ne sont pas fabriqués en série. **Un piège à touristes qui mérite la visite ?** Sylvia's, à Harlem, pour un brunch sur fond de gospel. **Qu'aimez-vous le plus à New York ?** L'impression que tous les rêves sont possibles. Tout est à portée de main, tout semble faisable. Certes, vous n'obtenez peut-être pas tout ce que vous voulez et vous devez travailler dur, mais le choix vous appartient. Vous avez toujours l'impression que votre rêve est au coin de la rue, à attendre que vous le saisissiez. New York est une ville qui vous galvanise, grâce aux rencontres que vous y faites, à tous ces gens aux occupations si intéressantes et si différentes. Mon pays d'origine, l'Afrique, est magnifique mais vous ne pouvez pas vraiment choisir votre vie. Ici, on a le sentiment que tout est possible.

Le terrain de basket de West 4th Street (p. 139)

FAMILLE LAWSON
JULIAN, CATHERINE ET ANGELINA LAWSON
INFORMATICIEN,
ÉDITRICE ET MÈRE,
ÉLÈVE DE MATERNELLE
MIDTOWN EAST

Le point fort de votre quartier ? Son ambiance familiale et conviviale. Il n'a pas encore été envahi par les tours et les immeubles et il regorge d'excellents restaurants indiens. **Vos loisirs favoris ?** Flâner dans l'Hudson River Park en été. **Votre souvenir le plus mémorable ?** Nous étions dans un bar de l'East Village, dont les toilettes étaient aménagées dans un ancien placard à balais. Un clochard s'y était installé et réclamait un dollar aux clients qui voulaient les utiliser. Comme personne ne le mettait dehors, il était impossible de se servir des toilettes ! Un jour, j'ai même croisé le Dalaï-lama devant le Tibetan Kitchen sur Third Avenue. **Comment la ville a-t-elle changé ces cinq dernières années ?** Elle est plus chère, et plus propre. **Comment sera votre quartier dans cinq ans ?** Les vieux immeubles en brique auront disparu. **Votre péché mignon ?** Un kebab acheté à un marchand ambulant. **Votre saison préférée et les activités auxquelles elle se prête ?** Les entre-saisons, quand la température est idéale pour les balades. **Que faire avec des enfants ?** En été, les parcs organisent des tas de choses pour les moins de 12 ans : lectures, concerts, etc. Nous nous connectons sur le www.nycgovpark.org et en profitons tout l'été. Et tout est gratuit !

Célèbre pour Wall Street, Lower Manhattan abrite
aussi des rues aux murs couverts de graffitis

ARTS ET CULTURE

CONTEMPLER DES CHEF-D'ŒUVRES IMPRESSIONNISTES, ASSISTER À UN
HAPPENING OU À UN SPECTACLE DE DANSE CONTEMPORAINE, ÉCOUTER
UN ORCHESTRE PHILARMONIQUE : LA SCÈNE ARTISTIQUE NEW-YORKAISE
EST AUJOURD'HUI PLUS VIVANTE QUE JAMAIS. LA PLUPART DES HABITANTS
DE NEW YORK CONSIDÈRENT L'ART COMME UNE NÉCESSITÉ (P. 52) !

Œuvres de George Segal, les statues de
deux couples gays dans Christopher Park,
Greenwich Village (p. 140)

ANITA PETRASKE
ÉDITRICE
GREENWICH VILLAGE

Le point fort de votre quartier ? La vie de quartier ! Il y règne une ambiance communautaire et l'on se croirait vraiment dans un village, la plupart du temps. Et puis le fait que je puisse y trouver ce que je veux quand je veux. **Vos loisirs favoris ?** Faire du jogging, danser la salsa et écumer les librairies. **Votre souvenir le plus mémorable ?** Un ami du Kansas était venu me rendre visite. Nous marchions dans la rue et nous avons vu arriver l'une des personnalités du quartier, une lesbienne célèbre, juchée sur un énorme tricycle, drapée dans des vêtements excentriques, en train de jouer *Taps* au clairon. Nous l'avons regardée passer, puis je me suis tournée vers mon ami et je lui ai dit : "Bienvenue à New York !" **Comment la ville a-t-elle changé ces cinq dernières années ?** Elle est devenue incroyablement chère et bien plus conservatrice, sans doute à cause du départ des artistes, poussés dehors par l'arrivée des riches. **Comment sera votre quartier dans cinq ans ?** Exactement comme aujourd'hui, j'espère. **Un piège à touristes qui mérite la visite ?** Manhattan. **Votre saison préférée et les activités auxquelles elle se prête ?** Toutes les saisons – il suffit de sortir marcher dans les rues. **Le meilleur livre sur New York, fiction ou non-fiction ?** *Juifs sans argent,* de Michael Gold, un livre sur le Lower East Side.

Le Museum of Modern Art (MoMA, p. 154), aux œuvres aussi démesurées que l'ego des artistes

Intérieur du Solomon R. Guggenheim Museum (p. 163), dont l'architecture a inspiré plus d'un centre commercial

MICHEAL DE FEO
ARTISTE
CHELSEA

Le point fort de votre quartier ? Ses nombreuses galeries et sa merveilleuse High Line. **Vos loisirs favoris ?** Quand je ne suis pas dans les galeries et les musées, je fais des installations dans la rue. **Comment la ville a-t-elle changé ces cinq dernières années ?** Depuis le 11 Septembre, la ville a retrouvé une cohésion à tous les niveaux. Les New-Yorkais ont toujours été chaleureux et ils ont montré de quoi ils étaient capables après les attentats. **Votre péché mignon ?** M'offrir de temps en temps un hot dog. Et j'adore aussi les sandwichs grecs. **Un piège à touristes qui mérite la visite ?** La Mela, un restaurant de Mulberry Street dans Little Italy. Il est pris d'assaut par les touristes mais la cuisine est formidable. Et le bar tournant en haut du Marriott Marquis, à Times Square. **Votre saison préférée et les activités auxquelles elle se prête ?** L'été, pour marcher pieds nus sur la pelouse de Sheep Meadow dans Central Park, faire du cerf-volant, jouer au Frisbee, faire la sieste. Et les barbecues sur les toits-terrasses, à l'occasion du 4 Juillet, avec les feux d'artifice ! **Le meilleur livre sur New York, fiction ou non-fiction ?** Mon livre pour enfants, *Alphabet City : Out on the Streets,* un abécédaire traditionnel illustré avec mes œuvres de rue réalisées dans Manhattan. On peut le voir sur le www.mdefeo.com. **Votre quartier préféré pour travailler ?** Tous, du moment que c'est vers 3h du matin.

GASTRONOMIE

NEW YORK CONVIENT À TOUS LES GOÛTS ET TOUS LES BUDGETS, TOUS LES RÉGIMES ET TOUTES LES ENVIES. LES "SPÉCIALITÉS NEW-YORKAISES" ? UN HOT DOG, UN PLAT D'INDE DU SUD OU UN HAMBURGER ALOYAU-TRUFFES À 29 $! ICI LA CUISINE EST MONDIALE ET EN CONSTANTE ÉVOLUTION (P. 88).

Miss Maude's Spoonbread Too (p. 254), Harlem

BENNY VRENEZI
VENDEUR DE PIZZAS
BROOKLYN
DRITAN SALIHAZ
VENDEUR DE PIZZAS
MANHATTAN

Benny : **Le point fort de votre quartier ?** On peut entendre n'importe quelle langue à n'importe quel moment et la Macédoine ne me manque jamais quand je suis à Brooklyn. **Vos loisirs favoris ?** Sortir en boîte. **Votre souvenir le plus mémorable ?** Ils le sont tous. Je n'arrive toujours pas à croire à la chance que j'ai de vivre ici. **Comment la ville a-t-elle changé ces cinq dernières années ?** Depuis que je suis ici, elle est devenue plus animée, plus peuplée mais aussi plus excitante à mesure qu'elle croît et

se développe. **Comment sera votre quartier dans cinq ans ?** Encore plus cosmopolite, je pense. Aujourd'hui, des gens de tous horizons viennent s'installer à Brooklyn. **Pensez-vous que les Knicks vont remonter la pente ?** Non, il est vraiment trop tard pour eux, ils sont finis. Selon moi, c'est au foot qu'on devrait jouer à New York. Il est temps que la Coupe du monde ait lieu ici.
Dritan : **Et vous ? Que pensez-vous des Knicks ?** Je suis d'accord avec Benny. Passons au foot ! **Qu'aimez-vous le plus à New York ?** Je peux manger de la cuisine albanaise à 3h du matin.

Trois sortes de martinis

Lombardi's Pizza (p. 238), Little Italy

Vendeur de fruits frais dans Catherine Street, Chinatown, Manhattan (p. 232)

À VOIR ET À FAIRE

SE PROMENER AU HASARD DANS CENTRAL PARK... SAUTER DANS UN BUS, DESCENDRE AU GRÉ DE SA FANTAISIE ET PARTIR EXPLORER LA VILLE... SE PERDRE DANS L'ENTRECROISEMENT DES RUES DU WEST VILLAGE... CONSULTER LE TABLEAU D'AFFICHAGE DU CAFÉ DU COIN ET TROUVER UN SPECTACLE À ALLER VOIR...(P. 113).

Attrape-moi si tu peux : glissades à la patinoire du Rockefeller Center (p. 315)

Allez les Yankees ! (p. 307)

DAVID TAFT
RANGER DU NATIONAL
PARKS SERVICE AU JAMAICA
BAY WILDLIFE REFUGE
FOREST HILLS, QUEENS

Le point fort de votre quartier ? Son côté verdoyant, ses arbres et ses parcs. **Vos loisirs favoris ?** La pêche. **Votre souvenir le plus mémorable ?** J'ai vu des buses à queue rousse sur Broadway et même, un jour, un émerillon. **Comment la ville a-t-elle changé ces cinq dernières années ?** Elle semble plus frénétique. C'est peut-être moi qui change mais je trouve qu'il y a plus de voitures, surtout des 4x4, et que les gens sont moins patients. **Comment sera votre quartier dans cinq ans ?** Encore plus vert qu'aujourd'hui, j'espère. Je pense qu'on va de plus en plus se préoccuper de protéger les espaces naturels et les parcs et j'espère que la ville continuera à devenir de plus en plus verdoyante. **Votre péché mignon ?** Pousser la porte de ces vieux pubs en bois qu'on trouve encore dans certains quartiers. Il y en a quelques-uns que j'aime beaucoup vers University Place. **Un piège à touristes qui mérite la visite ?** Times Square la nuit, c'est phénoménal. **Votre saison favorite et les activités auxquelles elle se prête ?** Depuis quelque temps j'ai un faible pour le printemps mais j'ai toujours aimé l'automne. Au printemps, on peut pêcher la truite. En automne, je me rabats sur la perche. **Le meilleur livre sur New York, fiction ou non-fiction ?** *The Big Oyster* de Mark Kurlansky, une histoire de l'huître vue à travers l'histoire de New York.

La statue de la Liberté (p. 114)

Façade du Radio City Music Hall (p. 155)

STYLE

TOUT EST DANS LES ACCESSOIRES : IL FAUT AVOIR LE BON SAC, LES CHAUSSURES DERNIER CRI ET UN I-POD BLANC OU ACIDULÉ DANS LA POCHE. ET SURTOUT, PAS DE JEANS TAILLE HAUTE NI DE BASKETS MONTANTES (P. 31) !

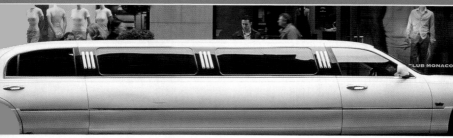

En haut Bloomingdale's (p. 350), la crème du shopping **Ci-dessus** Gare à votre budget sur Fifth Avenue, Midtown (p. 343)

DIDEM ATAHAN
PSYCHOTHÉRAPEUTE
UPPER EAST SIDE

Le point fort de votre quartier ? Les vestiges de l'immigration hongroise et allemande. Le restaurant Heidelberg's et le marché allemand Schaller & Weber juste au coin de ma rue, et la pâtisserie Andrea's. **Vos loisirs favoris ?** Le tour des galeries aux environs de W 20th St. Par un après-midi d'hiver glacial ou d'été torride, je me réfugie dans les salles égyptiennes et africaines du Met. **Comment la ville a-t-elle changé ces cinq dernières années ?** Elle s'est étendue ! La vie artistique et culturelle était centrée sur Manhattan, mais aujourd'hui on voit pousser un peu partout des communautés d'artistes, des galeries et des musées – même Staten Island abrite une colonie d'artistes. **Votre péché mignon ?** Century 21. **Un piège à touristes qui mérite la visite ?** Coney Island en été. Surtout les œuvres d'art formidables qui fleurissent sur la promenade. **Comment explorer toute l'offre culturelle de la ville ?** Il faut prendre son temps sous peine de saturer. Les grands musées, le Met, le Guggenheim, le MoMA, sont fabuleux, mais en général je me fixe une exposition, une section ou une époque particulière au lieu d'essayer de tout voir. L'un de mes endroits favoris est le Museo del Barrio et j'aime aussi beaucoup le musée Noguchi dans le Queens et les galeries de Long Island City. Le Lower East Side est un bon endroit pour trouver des galeries alternatives.

VIE NOCTURNE

COMÉDIE MUSICALE À BROADWAY OU VIRÉE EN DISCOTHÈQUE ? CONCERT D'UNE SUPERSTAR DU ROCK OU CLUB DE JAZZ À BROOKLYN ? GRAND SUCCÈS HOLLYWOODIEN DANS UN MULTIPLEXE OU FILM D'ART ET D'ESSAI EUROPÉEN ? QUELLES QUE SOIENT VOS ENVIES, NEW YORK NE MANQUE JAMAIS DE RESSOURCES (P. 279).

En haut La patience est de rigueur pour entrer dans les bars branchés **Ci-dessus** Times Square (p. 283), sous le feu des projecteurs

ALEX COLLINS
COURSIER POUR UNE
SOCIÉTÉ DE PRODUCTION
**FRONTIÈRE DE FORT
GREENE/WILLIAMSBURG**

Le point fort de votre quartier ? Tout est à portée de main : le Fort Greene Park, à deux minutes à pied, d'excellents restaurants sur Dekalb Ave, de bonnes boutiques de vêtements dans Fulton St et un accès facile aux lignes de métro conduisant à Manhattan. **Vos loisirs favoris ?** Le vélo. J'ai une vue splendide sur l'horizon de Manhattan à chaque fois que je traverse le pont de Brooklyn. **Vos boîtes ou bars favoris ?** Le Webster Hall passe de bons groupes mais j'apprécie aussi le Bowery Ballroom. J'aime le Metropolitan, un bon bar gay alternatif,

et le Barcade dans Union St à Williamsburg, rempli de jeux d'arcade à l'ancienne. **Votre souvenir le plus mémorable ?** J'ai atterri un jour dans une boîte de nuit polonaise en plein Chinatown à 3h du matin, où j'ai entendu du rap polonais suivi directement des Beatles. **Brooklyn est-il "fini" ?** Je ne pense pas, mais selon moi Williamsburg est arrivé au terme de sa "branchitude". Les nouveaux endroits à la mode sont Greenpoint et "East Williamsburg", deux quartiers très bon marché remplis de lofts où vivent des jeunes d'une vingtaine d'années. **Un piège à touristes qui mérite la visite ?** L'Empire State Building qui permet de voir New York d'en haut et vous donne une nouvelle perspective de la ville. **Votre saison préférée et les activités auxquelles elle se prête ?** L'automne, pour voir les feuilles tourner au brun rouge dans Central Park.

Les "curiosités" de Coney Island (p. 181)

NULLE PART AILLEURS

EXPOSITIONS CANINES, CARNAVALS ANTILLAIS, PARADE DE CONEY ISLAND, TOURNOI DU GRAND CHELEM, FESTIVALS DE MUSIQUE, D'ART OU DE CINÉMA, DÉFILÉS COSTUMÉS, IL SE PASSE TOUJOURS QUELQUE CHOSE À NEW YORK (P. 23).

RAVEN SNOOK
AUTEUR/ARTISTE/DIVA
(ET MÈRE DEPUIS PEU)
UPPER EAST SIDE À LA LISIÈRE DE HARLEM

Le point fort de votre quartier ? Central Park. **Vos loisirs favoris ?** Aller au restaurant. **Le genre de choses qui n'arrive qu'à New York ?** J'attendais le métro à hauteur de 110th St quand un type m'a demandé si j'avais un petit ami. J'ai dit oui et il m'a demandé : "Il est blanc ?" J'ai répondu : "Non" et il a dit : "Je le savais. Aucun Blanc ne saurait apprécier un derrière pareil." **Comment la ville a-t-elle changé ces cinq dernières années ?** Depuis dix ans, elle s'uniformise de plus en plus. Les quartiers se fondent les uns dans les autres et perdent leur identité. **Comment sera votre quartier dans cinq ans ?** Probablement toujours pareil, hélas. **Votre péché mignon ?** Me cogner dans les touristes avec mon panier-repas à Times Square. **Un piège à touristes qui mérite la visite ?** Love Saves the Day, à hauteur de Second Ave et Seventh St, ne serait-ce que pour contempler les jouets en vente. **Votre saison préférée et les activités auxquelles elle se prête ?** Le printemps pour me promener. **Le meilleur livre sur New York, fiction ou non-fiction ?** Le livre pour enfants *The Little Red Lighthouse*, moitié fiction, moitié réel. **Comment manger pour pas cher dans votre quartier ?** Acheter des *tamales* à 1 $ aux vendeurs ambulants mexicains. J'adore Nico's for Mediterranean, à Morningside Heights, et Three Little Guys Diner à hauteur de 96th St et Madison Ave.

Défilé d'Halloween haut en couleur au Village (p. 27)

Le Naked Cowboy, sans cheval ni vêtements, Times Square

Superman le retour... ou le Village dans les nuages?

New York
5ᵉ édition
Traduit de *New York City (5th edition),*
September 2006
© Lonely Planet Publications Pty Ltd 2006

Traduction française : place
© Lonely Planet 2007 , des
éditeurs

12 avenue d'Italie, 75627 Paris cedex 13
☎ 01 44 16 05 00
✉ lonelyplanet@placedesediteurs.com
🖥 www.lonelyplanet.fr

Dépôt légal
Janvier 2007
ISBN 978-2-84070-582-6

Photographies © Dan Herrick, Angus Oborn et comme
mentionnées (p. 428), 2006

Sommaire

Les auteurs

Beth Greenfield

Originaire du New Jersey, Beth écrit sur New York depuis 15 ans et a vécu dans différents quartiers, comme Chelsea, Park Slope, l'East Village et Boerum Hill. Actuellement installée dans l'Upper West Side, elle est rédactrice et correctrice pour *Time Out New York* et travaille aussi pour le *New York Times* et *Out Traveler*. Ses articles ont paru dans *Esquire*, le *Village Voice* et *Out*. Beth a rédigé la précédente édition de *New York* ainsi que les guides *Miami & the Keys*, *Mexique* et *États-Unis*. Elle vit avec sa partenaire Kiki et son chat Elijah.

UNE JOURNÉE IDÉALE SELON BETH

Après un café et une omelette dans un bon *diner* (p. 93), je fais le plein de produits frais au Greenmarket (p. 146) de mon quartier, dont l'ambiance conviviale me réjouit. Un peu de lèche-vitrines à Nolita (p. 332) et Soho (p. 326) pour dénicher une nouvelle paire de jeans à l'Atrium (p. 330) et une veste rétro à Zacharay's Smile (p. 330), puis une pause dans un coin intime comme le Café Gitane (p. 233), et me voilà prête à rejoindre le West Village (p. 140) pour flâner dans les rues verdoyantes en fin d'après-midi. Au coucher du soleil, je fais une promenade autour de l'étincelant réservoir Jacqueline Onassis (p. 193), à Central Park, ou une balade à vélo dans l'Hudson River Park (p. 143). Le soir, je sors et me lance dans une aventure gastronomique – la cuisine thaïe raffinée de Kittichai (p. 231) ou les plats végétariens haut de gamme de Heirloom (p. 94) – avant d'assister à un spectacle ou un concert au PS 122 (p. 288), dans l'East Village, ou au Beacon Theater (p. 281), dans l'Upper West Side. Pour finir la soirée, je m'offre une vue de la ville du haut du 102e étage de l'Empire State Building (p. 149).

Robert Reid

Fraîchement diplômé de l'université de l'Oklahoma, Robert s'installe à Manhattan dans un appartement miteux de E 2nd St et passe ses journées à rédiger des articles pour *House Beautiful*, improviser quelques séances inespérées de photos pour *Glamour* et coproduire pour la chaîne publique de Manhattan une émission de télévision, *Unghasted Lake of Splendour*, mêlant le quotidien d'une équipe imaginaire de crosse du Saskatchewan, des théories sur les liens entre Roosevelt Island et Delft et des concerts live de rock. En 1997, après un voyage au Vietnam, Robert intègre le bureau américain de Lonely Planet avant de rejoindre celui de Londres. Depuis 2003, il est de retour à New York, où il écrit à plein temps dans un appartement de Brooklyn donnant sur Prospect Park et le pont de Verrazano Narrows.

Ginger Adams Otis

Auteur indépendant, Ginger habite au cœur de Manhattan et écrit sur la ville et la politique locale pour plusieurs magazines new-yorkais. Elle travaille également pour des radios comme AP, la BBC et NPR.

PHOTOGRAPHE

Dan Herrick vit à New York depuis 4 ans. Il a particulièrement aimé photographier Coney Island, avec ses personnages hauts en couleur, son histoire, sa plage, ses frites au fromage et sa fête foraine (où il n'a pas gagné la moindre peluche). Comme la plupart des New-Yorkais, il n'avait jamais visité la statue de la Liberté et le Cloisters, qu'il a découverts pour la première fois à l'occasion de ce guide.

Introduction

Les New-Yorkais ont de la chance, mais ils ne sont pas les seuls : leur ville fait le bonheur des explorateurs. Ses boroughs sont pareils à des continents, et ses quartiers semblables à des provinces. Les rues de New York fourmillent de monde, qu'il s'agisse de cadres de la finance se hâtant vers la Bourse ou de jeunes gens branchés promenant leur pitbull au petit matin. Plus vous flânerez, plus vous ferez de découvertes, et plus vous serez émerveillé par le champ des possibles.

À elle seule, la scène théâtrale new-yorkaise est un miroir de ce qu'offre la ville. Il y a d'abord l'incontournable Broadway, avec son kaléidoscope de lumières. L'émotion qui nous saisit en assistant à l'une de ses comédies musicales ne naît pas seulement du spectacle qui se déroule sous nos yeux, mais de tout ce qui s'y trouve associé : depuis l'attente dans le hall jusqu'au lever de rideau, le moindre détail participe du mythe… On est a Broadway ! En marge de cette invasion scénique, attendent les merveilles de l'off-Broadway et de l'off-off Broadway. Ces productions avant-gardistes et expérimentales sont propres à Downtown (certaines se donnant dans des salles de 40 places à peine). Il y a des théâtres pour enfants, des pièces en langues étrangères et en langage des signes jouées par d'excellents acteurs amateurs, ainsi qu'une myriade de spectacles en plein air durant l'été, comme le remarquable festival "Shakespeare in the Park" (entrée libre) au Delacorte Theater.

Et encore ne s'agit-il que d'un exemple. Cette ville étonne et fascine à la fois, et l'on y trouve un choix pratiquement inépuisable d'activités culturelles : de la danse aux concerts, du cinéma aux conférences, chacun y trouve ce qu'il cherche.

Mais souvenez-vous qu'il ne s'agit là que des loisirs "consacrés". Vous pouvez aussi vivre des expériences inoubliables n'importe où dans la ville, sur les trottoirs bondés, dans les parcs ou les wagons du métro. Le point commun des divers aspects de la vie new-yorkaise tient à ce que tout s'y révèle de manière saisissante. Ainsi en va-t-il de l'architecture audacieuse de la ville, de son incessante circulation, de son exceptionnelle vie culturelle, de ses débats politiques animés, et de son histoire foisonnante et radicale. Une volonté constante de renouveau s'y manifeste par des vagues de nouvelles constructions, de créations d'entreprises et d'étrangers venus de loin pour réussir. C'est ce flot continuel de nouveaux arrivants qui alimente le dynamisme de la ville. Or quoi de mieux pour digérer cet incessant déferlement de nouveauté que de l'épouser pleinement ? New York est passé maître dans l'art d'accueillir et d'accepter les nouveaux venus. Et c'est là son atout majeur pour les visiteurs.

L'exploration de la ville pourra être aventureuse ou programmée. Vous pouvez vous concocter un itinéraire exhaustif, à base de musées, de restaurants et de spectacles. Ou bien opter pour une approche plus intuitive, en vous perdant dans des quartiers choisis au hasard ou en vous imprégnant de l'ambiance d'une rue, d'un parc ou d'un café, comme le ferait un New-Yorkais en vacances. Vous pourriez ainsi découvrir un déroutant film étranger ou commander fortuitement la meilleure *torta* mexicaine servie au nord du Rio Grande. C'est le genre d'endroit où entendre des langues différentes à chaque coin de rue, où déguster une *spanikopita* dans un restaurant grec (à 4h du matin), et flâner dans des endroits comme le surréaliste Diamond District (quartier des diamantaires), où des colporteurs de toutes les nationalités vous harponneront à grands cris. C'est la ville de toutes les rencontres, des adeptes du tai-chi posant dans les parcs aux amateurs de courses de carlins, en passant par les militants écologistes choisissant leur *bok choy* dans un marché de produits bio, ou les femmes distinguées faisant une pause-déjeuner après avoir dépensé une fortune dans les boutiques chic de la Cinquième Avenue.

Que vous séjourniez au printemps, à l'époque où les parcs sont en fleurs, en automne, quand le paysage se pare d'or, en été, lorsque la ville est désertée, ou en hiver, quand les intérieurs se font chaleureux et douillets, soyez sûr de l'authenticité de vos découvertes. Car les New-Yorkais, malgré la routine et la surprotection, sont pétris de spontanéité. Pour eux, la sincérité n'est pas un vain mot.

La ville au quotidien

La ville au quotidien

NEW YORK AUJOURD'HUI

On a du mal à imaginer que New York ne soit pas toujours au sommet. Malgré les crises économiques et les problèmes de sécurité, la ville a su garder son statut de symbole d'énergie et d'opportunités aux yeux de ceux qui la connaissent, et de ceux qui, de par le monde, l'imaginent ainsi. Pourtant, le fait que la cité traverse actuellement une phase de renaissance implique que, récemment encore, elle n'était pas au meilleur de sa forme. Après une longue récession consécutive au 11 Septembre, qui mit de nombreux New-Yorkais au chômage face à une administration impuissante, les redémarrages se multiplient dans tous les domaines, donnant à la ville le sentiment qu'elle va enfin trouver sa place dans le siècle excitant qui s'annonce.

Avec un taux de chômage de 5,8 % – le plus bas depuis 2000 – et un nombre de locaux commerciaux vacants en constante diminution, la situation financière n'a jamais été aussi bonne. Ceci grâce, essentiellement, au développement du tourisme, qui fournit plus de 329 000 emplois et distribue 12 milliards de dollars de salaires. En 2005, la ville a accueilli un nombre record de 41 millions de visiteurs, américains aussi bien qu'étrangers – un chiffre en augmentation constante depuis 2001. Des attractions nouvelles ont fait leur apparition, au premier rang desquelles le Top of the Rock (p. 156), le Museum of Modern Art rénové (p. 154) et l'Hotel on Rivington du Lower East Side (LES ; p. 359).

Signe d'une santé économique retrouvée, tous les excès du luxe bénéficient d'un regain de popularité : vastes et coûteux restaurants aux décors impressionnants, construction et planification de nombreuses et luxueuses tours résidentielles confiées à de grands noms de l'architecture et du design (tel le 50 Gramercy Park North, au Gramercy Park Hotel, par Ian Schrager ; la Urban Glass House à Soho par Philip Johnson ; ou la Residence Inn de Marriott, en construction près du parc Bryant). L'embourgeoisement d'anciens quartiers déshérités, depuis le Lower East Side jusqu'au Meatpacking District, n'a pas épargné une seule pierre. Il en résulte un changement des quartiers "convoités" et de profondes transformations démographiques dans des quartiers traditionnellement noirs, comme Harlem – devenu une destination privilégiée pour plus d'un branché blanc –, ou certaines parties de Brooklyn et d'autres *boroughs* (quartiers) extérieurs, où les jeunes artistes se sont précipités sur des locaux à bas loyers, délogeant du même coup la population traditionnelle noire, latino ou d'autres minorités ethniques.

Construction et reconstruction (et pour qui, pour quoi et à quel prix) sont les grandes questions qui agitent New York actuellement. Le maire, Michael Bloomberg, voudrait faire passer un vaste plan englobant les cinq boroughs de New York et visant à satisfaire les besoins de logements et de bureaux d'une population croissante. Ses grands axes sont la construction de résidences le long de l'East River et à Chelsea ouest, la création de parcs au bord de l'eau et le prolongement de la ligne ferroviaire est-ouest n°7 afin de desservir la partie ouest de Manhattan. Cette zone, choisie pour y construire un nouveau stade, fut au centre d'une vive polémique, mais le projet fut abandonné après l'échec de la candidature de New York aux Jeux olympiques de 2012 – au grand soulagement de beaucoup.

LES SUJETS CHAUDS DU MOMENT

- À quand le déménagement à Brooklyn ?
- La construction de tours est devenue incontrôlable.
- Johnny Damon ? Chez les Yankees? Maintenant on sait que l'argent peut tout faire.
- On voudrait acheter un appart – mais les deux pièces sont de vrais placards !
- Avez-vous réussi à capter le Wifi de votre voisin ?
- Hier soir, j'ai croisé Matthew Broderick dans Perry St.
- Je savais bien que James Frey et J. T. Leroy étaient des charlatans !
- Incroyable, on a fouillé mon sac à dos à l'entrée du métro.
- Avez-vous vu un de ces taxis à moteur électrique ?
- Je vais rester coincé à vie dans mon appartement à loyer stable.

NEW YORK VERSION XXIᵉ SIÈCLE

Le circuit touristique new-yorkais comporte certains arrêts obligés, que l'on soit jeune ou moins jeune, conservateur ou branché : ils s'appellent Statue de la Liberté, shopping chez Macy's et autre pique-nique à Central Park. S'ils méritent toujours qu'on y consacre du temps, le paysage touristique a cependant beaucoup évolué ces derniers temps. Ainsi, vous aurez certainement envie d'ajouter un ou deux des tout nouveaux musées à votre liste, notamment le Museum of Modern Art (p. 154), refait à neuf, avec son restaurant au design sobre et rutilant, le Modern (p. 247). N'omettez pas non plus de jeter un coup d'œil aux nouveaux Museum of American Finance (p. 121) et National Sports Museum (p. 122), tous deux logés dans de superbes bâtiments de Lower Manhattan, dont l'ouverture est prévue fin 2006, et au Skyscraper Museum – relativement récent – (musée des Gratte-Ciel ; p. 118) à la gloire de l'architecture locale. Il faut absolument se promener dans les quartiers qui ont récemment connu des changements drastiques, tel le Meatpacking District (p. 141), devenu une concentration de boutiques de luxe, de restaurants et de discothèques à la mode ; Nolita (p. 132) et ses petites rues pittoresques regorgeant de cafés intimistes, ayant de quoi satisfaire toutes les boulimies de shopping ; et le borough de Brooklyn (p. 172), riche en offres culturelles, tant à Williamsburg (p. 182) qu'à Fort Greene (p. 176). Il faudra aussi lécher les vitrines des petites boutiques de Downtown et des nouveaux et immenses espaces commerciaux tels Whole Foods (p. 343), Adidas (p. 326) et la galerie marchande dénommée Shops at Columbus Circle (p. 347) – ou réserver une table dans l'un de ses nombreux et vastes restaurants dernier cri orientés design. Et n'oubliez pas, en tout cas, de regarder tout ça de haut depuis le tout nouveau poste d'observation de la ville : l'historique Top of the Rock (p. 156), rouvert en 2005, qui offre une vue panoramique 70 étages au-dessus de Midtown.

En revanche, personne ne se plaindrait de la constante diminution de l'insécurité depuis 10 ans. Avec une baisse de 5% de la criminalité en 2005 – meurtres et agressions violentes confondus –, New York reste en tête des 10 grandes métropoles américaines dans ce domaine. Cette information intéressera tous ceux qui en sont restés à la réputation du New York des années 1970. Beaucoup de visiteurs sont aujourd'hui surpris devant l'absence de graffitis dans le métro, d'individus louches dans les rues ou de prostituées exhibant leurs charmes. Très largement médiatisé, le grand nettoyage effectué par Rudy Giuliani, l'ex-maire de la ville – poursuivi de la même façon par Bloomberg –, a indéniablement porté ses fruits, et la reprise en main radicale de la ville a donné des résultats incontestables. Les néons et les enseignes de Times Sq et de la célèbre 42nd St continuent toujours à scintiller dans une atmosphère bon enfant, et leurs anciens cinémas porno ne seront bientôt plus qu'un lointain souvenir.

Les touristes les plus méfiants n'hésitent plus à emprunter le métro la nuit – et il n'est pas rare de voir des New-Yorkais pianoter sur un ordinateur portable pendant leur trajet (vision impensable il y a encore deux ou trois ans) –, chacun rassuré par la diminution du taux de criminalité, une signalisation claire, la présence accrue de la police, et des rames de métro flambant neuves. Quant aux quartiers périphériques de Manhattan, ils ne présentent quasiment plus aucun danger une fois la nuit tombée. Récemment, la preuve fut faite de la nouvelle civilité des New-Yorkais, lors de la grève des ouvriers des transports en 2005. Des milliers de personnes furent contraintes de rentrer chez elles à pied la nuit venue et de partager des taxis avec des étrangers, ce qui, à New York, est bien en dessous du niveau de confort. Néanmoins, tous s'y sont pliés sans bagarres ni émeutes. Ainsi va la vie, plus calme et plus douce, dans le New York du XXIᵉ siècle.

AGENDA

New York semble être le théâtre permanent de toutes sortes de festivités. Les jours fériés, les manifestations religieuses ou les simples week-ends constituent autant d'occasions d'organiser des animations dans les rues. Citons tout particulièrement l'annuelle Lesbian & Gay Pride March, la Caribbean Day Parade de Brooklyn et Halloween, pendant laquelle une foule joyeusement costumée déferle en soirée dans les rues de West Village.

Les horaires d'ouverture et de circulation des transports publics changent parfois pendant les jours fériés. Mieux vaut éviter les démarches administratives ces jours-là. Pour davantage de détails sur les programmes de la ville, consultez le site www.nycvisit.com, et reportez-vous p. 413 pour vérifier que votre séjour ne coïncide pas avec des jours fériés.

JANVIER

L'année démarre par une grasse matinée pour se remettre du réveillon et du feu d'artifice tiré dans Central Park. Martin Luther King est fêté le troisième lundi du mois. Pendant ces journées froides et souvent enneigées qui suivent Noël, les New-Yorkais se jettent frénétiquement dans les salles de remise en forme et fréquentent assidûment cinémas et boutiques.

THREE KINGS PARADE
☎ 212-831-7272
Le 5 janvier, des écoliers, des ânes et des moutons défilent dans les rues de Spanish Harlem, de Fifth Ave à 116th St, pour célébrer l'Épiphanie.

WINTER RESTAURANT WEEK
☎ 212-484-1222 ; www.nycvisit.com
Cette semaine, qui se déroule traditionnellement en juin, se reproduit désormais une deuxième fois, fin janvier. C'est l'occasion de découvrir le luxe des restaurants de vos rêves : quelque 200 établissements proposent à cette occasion un déjeuner à 20 $ et un dîner à 30 $.

FÉVRIER

Le temps est au froid, à la neige et aux bourrasques de vent. Les rigueurs de l'hiver ne donnent guère envie de traîner dehors, mais on trouve largement de quoi s'occuper à l'intérieur. Lors du Presidents'Day, le troisième lundi du mois, la plupart des administrations municipales et fédérales sont fermées.

LUNAR NEW YEAR FESTIVAL
☎ 212-966-0100
La célébration new-yorkaise du Nouvel An chinois, l'une des plus importantes du pays, permet d'admirer des feux d'artifice, des dragons ondulants et des chars extravagants dans les rues de Chinatown. La date varie chaque année en fonction du calendrier lunaire, entre fin janvier et début février.

OLYMPUS FASHION WEEK
www.olympusfashionweek.com
La deuxième semaine de février, la haute couture investit les rues de Manhattan pour présenter les nouvelles collections. Une autre semaine de la mode se déroule la deuxième semaine de septembre.

WESTMINSTER KENNEL CLUB DOG SHOW
www.westminsterkennelclub.org
Ne manquez pas l'inénarrable défilé de chiens de pure race à l'occasion de cette exposition canine des plus sérieuses.

MARS

Le temps se fait plus doux et ensoleillé et les températures atteignent facilement les 10°C. L'air printanier attire les New-Yorkais dans les parcs et dans les rues pour assister aux grands défilés du mois.

ST PATRICK'S DAY PARADE
☎ 718-793-1600
Les amateurs de bière, le visage peinturluré en vert pour certains, se pressent en nombre le long de Fifth Ave pour assister, le 17 mars, à cet immense défilé qui rassemble joueurs de cornemuse, chars d'un vert éclatant et personnalités politiques irlandophiles. Un petit groupe d'homosexuels proteste bruyamment chaque année en début de parcours, au niveau de 42nd St, contre la décision des organisateurs d'interdire le défilé à la communauté gay.

AVRIL

C'est le mois des arbres en fleurs et des averses passagères. Les températures se réchauffent nettement et avoisinent les 15°C l'après-midi. Le printemps s'installe et c'est alors la saison idéale pour visiter la ville.

ORCHID SHOW
☎ 212-632-3975 ; www.rockefellercenter.com
Cette gigantesque exposition d'orchidées, qui se déroule depuis plus de 25 ans, au milieu du mois, est devenue au fil du temps la plus grosse manifestation mondiale du genre. Elle comprend des concours de fleurs et de parfums.

MAI

Un mois idéal à New York : il fait doux (aux alentours de 20°C) et une certaine excitation pré-estivale règne partout. Le Memorial Day, à la fin du mois (ou parfois, début juin), marque l'arrivée officielle de l'été.

CHERRY BLOSSOM FESTIVAL
☎ 718-623-7200 ; www.bbg.org
"Sakura Matsuri" en japonais, cette fête annuelle célèbre, le premier week-end de

mai, les magnifiques fleurs roses des cerisiers qui bordent la fameuse esplanade du jardin botanique de Brooklyn. Elle s'accompagne de diverses animations.

TRIBECA FILM FESTIVAL
☎ 846-941-3378 ; www.tribecafilmfestival.com
Robert De Niro co-organise ce festival cinématographique qui a lieu la première semaine de mai, à Downtown, et jouit d'une cote grandissante. Des films américains et étrangers sont projetés en avant-première dans divers lieux du quartier.

BIKE NEW YORK
☎ 212-932-2453 ; www.bikemonthnyc.org
Mai est le mois du vélo. Au programme de ce Bike Month : des circuits, des fêtes et d'autres manifestations destinées aux cyclistes new-yorkais. L'événement majeur est cependant le Bike New York, lorsque des milliers de cyclistes participent à une course de 67 km qui emprunte des rues fermées à la circulation et qui traverse les cinq *boroughs* (arrondissements) de la ville.

FLEET WEEK
☎ 212-245-0072 ; www.intrepidmuseum.com
À la fin du mois, Manhattan semble se replonger une semaine durant au cœur des années 1940. Des marins en uniforme débarquent chaque année du monde entier.

JUIN
Le premier mois de l'été voit se succéder les défilés, les festivals de rues et les concerts en plein air, tels les spectacles du SummerStage de Central Park (voir l'encadré p. 295) qui rassemblent un étonnant mélange de groupes pop, rock et de world-music. Les températures dépassent alors régulièrement les 20°C.

PUERTO RICAN DAY PARADE
☎ 718-401-0404
La deuxième semaine du mois, des milliers de personnes suivent le grand défilé organisé, depuis 45 ans, par la communauté portoricaine, à l'extrémité de Fifth Ave, de 44th à 86th St.

RESTAURANT WEEK
☎ 212-484-1222 ; www.nycvisit.com
Pour la deuxième fois de l'année (la première est en janvier), les meilleurs restaurants de la ville offrent, pendant une semaine, des déjeuners à 20 $ et des dîners à 30 $.

LESBIAN, GAY, BISEXUAL & TRANSGENDER PRIDE
☎ 212-807-7433 ; www.heritageofpride.org
La Gay Pride dure tout le mois et s'achève par un immense défilé sur Fifth Ave (le dernier samedi du mois), véritable spectacle de 4 à 5 heures rassemblant danseurs, drag-queens, policiers gays, adeptes du SM, parents et autres représentants des diverses communautés homosexuelles. Citons également la Dyke March, qui démarre à 17h devant la New York Public Library (p. 150) la veille du défilé, la foire en plein air sur Christopher St Pier (p. 140) et les innombrables fêtes organisées dans les bars et les discothèques. Avant le week-end final, d'autres défilés se déroulent à Brooklyn (☎ 718-670-3337) et dans le Queens (☎ 718-429-5648), souvent considérés comme plus amusants et moins communautaristes que la parade de Manhattan. Celui du Queens est particulièrement original et multiculturel.

MERMAID PARADE
☎ 718-372-5159 ; www.coneyisland.com
Le dernier samedi après-midi du mois, des jeunes femmes revêtent leurs plus beaux atours de sirène pour défiler sur la promenade de Coney Island. Il n'est pas rare de les revoir un peu plus tard dans la Dyke March, qui démarre juste après à Manhattan.

JVC JAZZ FESTIVAL
☎ 212-501-1390 ; www.festivalproductions. net/jvcjazz.htm
Les différents clubs de la ville proposent plus d'une quarantaine de concerts de jazz en milieu de mois, avec de grandes pointures comme Abbey Lincoln, João Gilberto ou Ornette Coleman.

RIVER TO RIVER FESTIVAL
www.rivertorivernyc.org
Se déroulant tout au long de l'été, mais culminant en juin, c'est le plus grand festival

Petit bœuf entre amis, Central Park, SummerStage

d'arts libres de New York, avec des centaines de créateurs et d'artistes donnant des spectacles de théâtre, de musique, de danse et de cinéma, dans une ribambelle de parcs de Downtown.

JUILLET

L'arrivée des fortes chaleurs (parfois plus de 30°C) correspond aux feux d'artifice du 4 juillet et aux escapades du week-end sur les plages voisines. Ceux qui restent dans la ville désertée peuvent alors profiter tout à loisir des bars et des restaurants.

FEU D'ARTIFICE DU 4 JUILLET
☎ 212-494-4495
Le feu d'artifice tiré sur l'East River pour célébrer le jour de l'Indépendance (Independence Day) commence à 21h. On le voit très bien depuis le parc en bordure du fleuve de Lower East Side, les pubs qui surplombent Williamsburg, Brooklyn et toutes les terrasses en hauteur. Orchestré par le célèbre artificier Grucci, le spectacle, considéré comme l'un des meilleurs du genre, est époustouflant.

NATHAN'S FAMOUS HOT DOG-EATING CONTEST
www.nathansfamous.com
Chaque année, le 4 juillet, a lieu le concours du plus gros mangeur de hot dogs. Cette loufoque célébration de la gloutonnerie attire les plus grands ingurgiteurs mondiaux de "chiens chauds" à Coney Island. Le champion 2005, le mince Japonais Takeru Kobayashi, a avalé 49 spécimens en 12 minutes.

PHILHARMONIC IN THE PARK
☎ 212-875-5656 ; www.newyorkphilharmonic.org
Les concerts nocturnes du New York Philarmonic Orchestra constituent une expérience unique. Prévoyez pique-nique et couverture et optez pour Central Park ou Prospect Park à Brooklyn, ou encore les parcs du Queens, du Bronx ou de Staten Island. L'orchestre joue un concert différent dans chaque lieu, au début du mois.

AOÛT

Malgré la chaleur, les touristes affluent tandis que les New-Yorkais vont trouver refuge sur les plages ou en montagne. Réjouissez-vous, car de nombreuses animations et fêtes de rues vous attendent.

FRINGE FESTIVAL
☎ 212-279-4488 ; www.fringenyc.org
Ce festival de théâtre, qui se tient au milieu du mois, permet de découvrir les nouveaux talents de la scène avant-gardiste de New York.

HOWL! FESTIVAL
☎ 212-505-2225 ; www.howlfestival.com
Relativement récente, cette manifestation célèbre pendant une semaine les différentes formes d'art dans l'East Village, avec notamment le Charlie Parker Jazz Festival au Tompkins Sq Park, l'Ave A Processional, l'Art Around the Park, l'Allen Ginsberg Poetry Festival et plusieurs autres spectacles et lectures publiques.

TOURNOI DE TENNIS DE L'US OPEN
☎ 914-696-7000 ; www.usopen.org
L'un des quatre tournois du grand chelem du tennis professionnel. Les matchs se déroulent à l'USTA National Tennis Center (p. 318), dans le Queens.

SEPTEMBRE

C'est la rentrée scolaire. Avec le retour à des températures plus supportables en journée et des soirées plus fraîches, c'est un mois propice aux visites.

WEST INDIAN AMERICAN DAY CARNIVAL PARADE
☎ 718-467-1797; www.wiadca.com
Pour la plupart des New-Yorkais, le Labor Day est une journée mélancolique qui marque la fin de l'été. Mais, pour 2 millions d'Américains caribéens et autres spectateurs aimant la fête, c'est le moment d'aller sur Eastern Pkwy à Brooklyn, pour le carnaval annuel, un défilé et une fête hauts en couleur qui durent toute la journée, avec costumes extravagants, cuisine caribéenne délicieuse et musique non-stop.

OLYMPUS FASHION WEEK
www.olympusfashionweek.com
Semaine de la mode, deuxième round, pour les créateurs, les passionnés de mode et autres personnalités de la jet-set, qui viennent découvrir les tendances du printemps suivant.

SAN GENNARO FESTIVAL
www.sangennaro.org
Une foule joyeuse envahit Little Italy pour participer au carnaval, se gaver de sandwichs à la saucisse et au poivre, de beignets et

autres délices italiens. Ne manquez pas cette fête, qui existe depuis 75 ans.

OCTOBRE

Le dernier jour du mois est consacré à Halloween et à tout le folklore qui l'accompagne – citrouille orange dans tous les *deli* (delicatessen), décorations spéciales et soirées déguisées dans les bars et les clubs. Les températures fraîchissent (10°C environ) et les parcs prennent de jolis tons d'automne. Côté base-ball, c'est le début de la saison des Yankees.

D.U.M.B.O. ART UNDER THE BRIDGE FESTIVAL

www.dumboartscenter.org

Les artistes du Dumbo ouvrent leurs ateliers et galeries et organisent des spectacles et des expositions dans la rue.

OPEN HOUSE NEW YORK

www.ohny.org

Le temps d'un week-end, au début du mois, New-York nous ouvre ses portes. La plus grande manifestation d'architecture et de design du pays comprend des visites spéciales guidées par des architectes, des conférences, des ateliers de design, des visites de studios et des performances contextuelles.

HALLOWEEN

www.halloween-nyc.com

Toutes sortes de créatures et de monstres déferlent dans les rues pour une longue nuit de fête. Les spectateurs ne se lassent pas d'admirer les costumes, du plus sophistiqué au plus décadent.

NOVEMBRE

Novembre symbolise l'entrée dans l'hiver, le retour du froid, mais aussi les grands repas familiaux de Thanksgiving, le quatrième jeudi du mois. Les vacances commencent dès le lendemain et le Black Friday est traditionnellement le jour de l'année où s'effectuent le plus d'achats.

MARATHON DE NEW YORK

www.nycmarathon.org

Ce grand marathon (42 km) qui traverse les rues des cinq boroughs, attire chaque année, la première semaine de novembre, des milliers de coureurs du monde entier et presque autant de spectateurs venus les encourager.

PARADE DE THANKSGIVING

www.macysparade.com

Ce défilé de chars et de ballons multicolores traverse Broadway, depuis W 72nd St jusqu'à Herald Sq. Dès la veille au soir, les curieux se rendent à l'angle sud-ouest de Central Park pour assister au gonflage des ballons.

DÉCEMBRE

Tout au long du mois de décembre, les préparatifs de Noël sont la grande affaire partout dans la ville. Les rues et les immeubles se parent de guirlandes lumineuses et pas un magasin n'échappe à la tradition des cantiques de Noël. Le froid s'installe (températures avoisinant 0°C) et il peut commencer à neiger.

ARBRE DE NOËL DU ROCKEFELLER CENTER

☎ 212-632-3975

Des centaines de New-Yorkais se rassemblent devant le Rockefeller Center à Midtown pour admirer les illuminations du plus grand arbre de Noël du monde.

RÉVEILLON DE LA NOUVELLE ANNÉE

☎ 212-883-2476 ; www.visitnyc.com

Décompte des dernières secondes de l'année à Times Sq, course à pied du Midnight Run à Central Park (☎ 212-860-4455) et feux d'artifice tirés à minuit à Central Park, Prospect Park et South Street Seaport.

CULTURE

LES NEW-YORKAIS

Les New-Yorkais ont du caractère et aiment à le montrer. Il ne faudrait pourtant pas les croire mal élevés, contrairement à ce qu'ont longtemps pensé les visiteurs. Disons plutôt qu'ils sont tout à la fois inflexibles, intrépides, blasés, débordés et extrêmement sérieux. Prenons l'exemple du métro : chacun évite soigneusement de croiser le regard de son voisin, préférant "éviter d'engager la conversation avec un dingue" ou "ne pas perdre son temps à échanger des banalités avec des inconnus". Cependant, demandez-leur votre chemin, ils se lanceront aimablement dans des explications détaillées, voire vous accompagneront – s'ils vont dans la même direction.

Ils n'en conservent pas moins une attitude blasée et fermée. Cette apparence est toutefois bien souvent guidée par la nécessité. Comment réussir en effet à garder son sang-froid en croisant tous ces sans-abri affamés, comment parvenir à s'en sortir dans cette ville hors de prix, comment éviter de penser à un nouvel attentat terroriste lorsqu'une partie d'un immeuble en construction s'effondre ? Les New-Yorkais doivent sans cesse composer avec leur énergie débordante et ce sentiment de stress permanent. Certes, ils en font parfois

un peu trop. Tous ces gens qui hurlent dans leur téléphone portable en pleine rue ne sont pas tous les VIP qu'ils s'imaginent être. Ils mettent un point d'honneur à crouler sous le travail et s'inventent volontiers des responsabilités infernales ou des délais intenables dignes d'un jeu télévisé. Néanmoins, la plupart sont effectivement très occupés, voire débordés, et très préoccupés par leur carrière. Le fameux "Si je réussis ici, je réussirai n'importe où" pourrait constituer leur devise.

Autant de raisons de devenir passablement névrosé ! D'où l'autre obsession des New-Yorkais : les psychothérapies. Bien que légèrement caricaturaux, Woody Allen et les personnages de ses films (généralement en analyse depuis une bonne vingtaine d'années) ne sont finalement pas si éloignés de la réalité. Le nombre de New-Yorkais qui voient un psychothérapeute bat sans doute des records statistiques. Ils veulent tout comprendre et tout expliquer, y compris eux-mêmes, et pas forcément en suivant la voie spirituelle chère à la Côte Ouest (ce mouvement prend toutefois de l'ampleur ici aussi). Ils veulent des réponses et des solutions pratiques et assument parfaitement leur quête en la matière. Ainsi ils n'hésiteront pas à vous dire qu'ils ne sont pas libres tel soir parce qu'ils voient leur psy.

Les New-Yorkais sont aussi extrêmement à l'affût des dernières tendances et s'en détournent dès qu'elles commencent à se généraliser. Actuellement, l'iPod est l'accessoire qui fait fureur – quel meilleur moyen d'éviter de parler à son voisin ? Personne dans la foule des banlieusards qui prennent le métro pour aller travailler ne semble pouvoir s'en passer. Il est cependant fort probable qu'il subira prochainement le sort des précédentes lubies – les bottes Uggs, les jeans Seven, les blousons North Face, les Rollerblades, les tatouages tribaux autour du bras, les piercings et l'Ecstasy –, emportant dans son sillage tous les Vespa, téléphones portables avec appareil photo et autres jeans Joe's, aujourd'hui très en vogue.

Ces grandes caractéristiques ne peuvent pas, bien sûr, s'appliquer à tous les New-Yorkais. La ville est en effet avant tout célèbre pour son extrême diversité – un melting-pot que l'on ne retrouve nulle part ailleurs. Si toutes les communautés ne s'entendent pas à la perfection, elles réussissent tout de même à cohabiter relativement bien. New York compte 8 millions de personnes qui présentent d'énormes différences économiques, culturelles et religieuses. Difficile donc de généraliser. C'est une ville jeune, où la moyenne d'âge est de 35 ans. Elle rassemble 45% de Blancs, 26% de Noirs (12% au niveau national), 28% de Latino-Américains (14% au niveau national) et 11% d'Asiatiques. Le revenu annuel moyen par ménage dans toute l'agglomération est de 42 000 \$ (légèrement plus à Manhattan) et 20% de la population vit au-dessous du niveau de pauvreté. Quelque 36% sont d'origine étrangère (à peu près la moitié dans le Queens) et parlent des dizaines de langues différentes. Enfin, environ 78% de la population au-dessus de 25 ans a fait des études secondaires, et parmi ces derniers, plus de 31% ont poursuivi ensuite des études supérieures. Sachez aussi que 67% des New-Yorkais vivent en location, contre seulement 33% propriétaires de leur habitation.

Sur le plan des pratiques religieuses, New York compte beaucoup plus de juifs que le reste du pays (12% contre 2% au niveau national). D'après des statistiques récentes, la communauté juive serait toutefois passée au-dessous de la barre du million (972 000 personnes) pour la première fois depuis le début du XXe siècle, nombre de familles juives préférant habiter en banlieue. Près de 70% des New-Yorkais sont chrétiens, catholiques pour la plupart. Les autres sont de confession musulmane ou hindoue. Soulignons toutefois qu'environ 14% de la population ne revendiquent aucune appartenance religieuse. Ce chiffre, deux fois plus élevé qu'il y a dix ans, apparaît davantage comme une force que comme une défaite. Les habitants cherchent désormais leurs réponses en eux-mêmes et cette introspection ne peut que renforcer la convivialité du New-Yorkais nouveau !

MODE DE VIE

On repère vite le comportement des New-Yorkais en société – ils sont toujours pressés et toujours en mouvement – mais comment vivent-ils dans l'intimité ?

Il faut savoir tout d'abord que la question du logement représente une véritable obsession, essentiellement en raison de la pénurie des appartements. Le taux de logements vides ne dépasse jamais les 4% et les loyers figurent parmi les plus élevés du pays. Le marché de la location est en outre soumis à une kyrielle invraisemblable de lois. Ces lois concernent les New-Yorkais moyens qui consacrent près des trois quarts de leur salaire à la location de leur appartement. La majorité occupe un logement à loyer stable (fixé avant 1940), dont les autorités municipales décident chaque année du taux d'augmentation (généralement de 3 à 6%). Ces loyers peuvent être déréglementés si le locataire déménage ou si le propriétaire entreprend de gros travaux de rénovation. Il peut ensuite augmenter le loyer jusqu'à ce que l'on appelle le "prix du marché", généralement un niveau particulièrement élevé qui peut s'avérer trois fois supérieur au montant initial. C'est pourquoi ceux qui ont la chance d'habiter un logement à loyer stable affirment souvent y être "coincés". Ils n'en retrouveront certainement pas un s'ils déménagent, à moins de connaître quelqu'un qui souhaite lui-même partir en cours de bail par exemple. Il existe aussi des appartements à loyer contrôlé, mis en place dans les années 1930 mais qui tendent à disparaître, et des logements publics subventionnés par l'État et réservés à ceux qui vivent au-dessous du seuil de pauvreté. Enfin, la propriété est un luxe réservé aux catégories les plus fortunées, un studio à Manhattan coûtant en moyenne dans les 680 000 $.

Les New-Yorkais qui occupent un emploi (le taux de chômage est d'environ 5,8%) travaillent généralement dans l'un des quatre principaux secteurs de la ville : la santé, les services aux entreprises (comptabilité, publicité, finance, relations publiques), les médias et les spectacles (télévision, édition, industrie du film et du disque) et le tourisme (qui emploie à lui seul 329 000 personnes). Si le revenu moyen avoisine les 42 000 $, il varie grandement en fonction des postes. Le rédacteur en chef d'un grand magazine peut gagner dans les 100 000 $ alors qu'un fonctionnaire ne dépassera pas les 35 000 $ (tout en bénéficiant toutefois d'une excellente couverture maladie). Tous travaillent beaucoup, au moins 40 heures par semaine. Si la plupart suivent les horaires de bureau classiques, comme dans le reste du pays, beaucoup de ceux qui exercent une profession créative au sens large travaillent en free-lance, à leurs propres horaires et souvent à domicile. C'est sans doute pourquoi les discothèques font salle comble tous les soirs ou que l'on rencontre du monde à la laverie ou au café, à toute heure du jour.

Qu'ils soient influencés par la publicité ou par la réputation de leur ville d'initier toutes les tendances – de la mode à la restauration –, les New-Yorkais accordent en tout cas une importance extrême à leur statut social. Quel que soit leur revenu, ils se plaignent toujours de manquer d'argent. De fait, ils veillent scrupuleusement à arborer la bonne tenue, la bonne coiffure et suivent le mouvement pour décorer leur intérieur, choisir le dernier ordinateur portable, réserver une table dans le restaurant du moment. Il en va de même pour la location de vacances ad hoc, l'adhésion dans le bon club de sport, la poussette dernier cri, le bon agenda électronique, le bon mobile, voire le bon chien (absolument, il y a des bons et des mauvais chiens ! Ceux qui ont un pedigree figurent bien sûr parmi les bons, surtout les mini-dachshunds (teckels) et les bulldogs français, de même que les hybrides, tel le très populaire "puggle", croisement de beagle et de carlin). La plupart des habitants ne possèdent pas de voiture, en raison du faible nombre de places de stationnement dans les rues, du prix exorbitant des parkings (environ 400 $ par mois) et de l'excellente organisation des transports en commun régionaux. Néanmoins, les New-Yorkais sont de plus en plus nombreux à sacrifier à la mode du 4x4 qui s'est abattue sur le pays, peut-être pour bien montrer que cette tendance-là, elle non plus, ne leur a pas échappé ! D'autres, à l'inverse, préfèrent les voitures minuscules comme la Mini Cooper BMW.

Il suffit souvent de désirer un objet ou un service pour qu'il apparaisse miraculeusement, moyennant une certaine somme, évidemment. Vous voulez faire livrer vos courses à domicile ? Connectez-vous au nouveau service de livraison de produits d'alimentation, Fresh Direct, remplissez votre panier virtuel et vous recevrez vos victuailles dans les 2 heures. Vous vous êtes laissé surprendre par la pluie ? Pas de problème, des vendeurs proposant des parapluies à 5 $ vont surgir à chaque coin de rue en moins de temps qu'il n'en faut pour le dire. Vous êtes pressé ? Levez la main, un taxi viendra à votre rescousse dans la minute.

Pour les New-Yorkais qui ont des enfants, la question du statut social ne se limite pas au choix de la poussette (sachez toute de même que la dernière Maclaren est un *must* dans l'Upper West Side). Il faut aussi envoyer ces chers petits dans une bonne école privée (et ce, dès l'école maternelle, car c'est là que se prépare l'entrée dans les universités de la Ivy League), les habiller correctement et dénicher la perle des nounous. Cependant, dans les quartiers moins favorisés, le premier souci des parents concerne plutôt la sécurité – et le nombre suffisant de manuels scolaires – au sein de l'école publique.

Tout en s'interrogeant en permanence sur la meilleure marque du moment, les New-Yorkais cherchent aussi par tous les moyens à évacuer leur stress. Les cours de yoga et de remise en forme remportent un succès croissant, de même que les instituts de beauté qui proposent massages et soins relaxants. On frise cependant l'absurde dans nombre de cas. En effet, certains ont du mal à se départir totalement de tout esprit de compétition, même dans un cours de yoga ("Est-ce que je réussis ma "salutation au soleil" aussi bien que la blonde là-bas ?"). Les New-Yorkais sont aussi des marcheurs invétérés – parcourant parfois jusqu'à

À NEW YORK, FAITES COMME LES NEW-YORKAIS

- Hélez un taxi uniquement si la lumière sur le toit est allumée. Elle comprend 3 ampoules ; si celle du milieu est allumée, il est libre. Les lumières latérales signifient qu'il n'est pas en service. Si elles sont toutes éteintes, c'est qu'il transporte déjà un passager. Il n'y a bien que les touristes pour héler un taxi dont toutes les lumières sont éteintes !
- Sachez qu'en raison d'horaires de changement d'équipe d'une insondable ineptie, les taxis sont en repos aux heures de pointe. Il vaut mieux éviter de devoir recourir à leurs services entre 16h et 17h en semaine.
- N'attendez pas le signal lumineux "walk" pour traverser. Lancez-vous sur la chaussée dès que la circulation vous paraît moins dense.
- Dites "How-sten Street" et pas "Hew-sten". C'est compris ?...Bien !
- Imposez-vous poliment mais fermement dans le métro. Si vous attendez patiemment votre tour pour entrer dans la rame, vous risquez fort de rester sur le quai.
- En attendant le métro, tâchez de trouver à quelle extrémité de la rame vous devrez descendre et dirigez-vous vers elle pour éviter de perdre du temps.
- Quand vous marchez sur le trottoir, comportez-vous comme si vous étiez en voiture : ne vous arrêtez pas brutalement, veillez à respecter les limitations de vitesse et garez-vous soigneusement sur le côté pour regarder un plan ou fouiller dans votre sac.
- Ne dites pas "Bonjour" aux gens que vous croisez dans la rue. C'est triste, mais tout le monde vous croira dérangé.
- Dites "Merci" au chauffeur de bus si vous descendez par la porte avant (ne le criez pas de l'arrière du bus). C'est l'une des quelques amabilités auxquelles les New-Yorkais sont attachés.

25 km par jour – ; l'exercice est ainsi constitutif de leur mode de vie. La recherche d'un corps sain passant par une alimentation saine, est une tendance à la hausse, à en croire le nombre des supermarchés de produits bio Whole Foods qui ont ouvert ces temps-ci dans toute la ville.

Ainsi, les paradoxes constituent à n'en point douter un élément essentiel de la vie à New York, ville où se côtoient et se heurtent différentes communautés et divers modes de vie. Les passionnés de vélo ne supportent pas les automobilistes. Ils réclament davantage de pistes cyclables, la fermeture des rues aux voitures et insultent copieusement les conducteurs qui ouvrent inopinément leur portière. Les propriétaires de chien défendront coûte que coûte les droits de leur animal favori, sans oublier de demander la création de davantage d'espaces réservés dans les parcs. Les "sans chien" haïssant ouvertement la population canine, qu'ils jugent envahissante, soulignent notamment les problèmes posés par les déjections en pleine rue. Certains ne supportent pas l'idée que des chaînes de magasins s'installent en plein centre, les accusant de détruire l'âme de la ville, tandis que d'autres s'en réjouissent, ravis de pouvoir enfin bénéficier des mêmes rabais que les banlieusards.

MODE

Contrairement à ce que laissent croire les films qui se passent à New York, les émissions TV et les magazines de mode, on peut très bien vivre à Manhattan sans une paire de Jimmy Choos. Si un nombre incroyablement élevé de femmes et d'hommes se sont effectivement offert ces chaussures à 400 $, il est plutôt rassurant de constater que, sur la plupart des clichés, les stars locales portent des jeans et des bottes toutes simples – quoique coûteuses. Dans la mesure où les États-Unis ont enseigné au reste du monde l'usage du jean et où les plus grands couturiers américains, Calvin Klein, Ralph Lauren, Michael Kors et Donna Karan, ont bâti leurs empires grâce à leurs collections sportswear, on ne s'étonnera pas qu'à New York, chic rime avec informel. Porter des tenues trop habillées ou suivre la mode de trop près constitue la faute de goût suprême en la matière.

Si les jeunes punks traînant sur l'Ave A ou les danseurs de Broadway qui s'entassent à six dans le même appartement ne se préoccupent guère de la mode, c'est un sujet qui intéresse quasiment tout le monde à New York. La définition que chacun en donne varie selon les quartiers. Le très classique et conservateur Upper East Side (Diane Sawyer) n'appréciera pas le chic industriel de Tribeca (Robert De Niro). Les employés de Wall St ne s'habilleront pas de la même façon que ceux de Williamsburg, et inversement.

Et si jeans et baskets sont couramment de mise, les accessoires font l'objet du plus grand soin pour composer un look en réalité très étudié. Il faut tout d'abord posséder le bon jean (Joe's, AG's Angel) et les bonnes chaussures (New Balance, Adidas) et glisser un iPod blanc ou rose dans sa poche. Et n'espérez pas vous en sortir simplement avec un Levi's de base et un petit haut quelconque !

Ce culte de la tenue décontractée peut surprendre des Londoniens, beaucoup plus hardis en matière de mode et sujets à des tocades vestimentaires, ou des Parisiens, pour qui la haute-couture est une affaire sérieuse. L'anonymat étant l'une des clés de la vie urbaine, les New-Yorkais préfèrent mélanger quelques articles de créateurs à leurs tenues habituelles afin de ne pas se faire remarquer ou se transformer en vitrine vivante.

Ils sont en revanche d'une exigence rare en ce qui concerne les soins physiques. Le vrai métrosexuel ne se repère pas à la couleur de sa cravate mais à ses ongles parfaitement manucurés et à sa coiffure faussement négligée. C'est tout un art de donner ainsi l'illusion que cela n'est que le fruit du hasard. La ville comptera néanmoins toujours des créatures sophistiquées qui se font leur couleur tous les 15 jours ou se maquillent les jambes pour paraître bronzées en plein hiver. Cependant, à Manhattan, après des années de brushing acharnés et des tentatives désastreuses de soins japonais ou autres à 1 000 $ la séance, les femmes ont fini par reconnaître les bienfaits d'une coupe simple et facile à vivre.

À l'instar des starlettes et des rédactrices de mode, certains fréquentent assidûment les défilés de la Fashion Week (semaine de la mode ; p. 26), qui se déroulent en février et en septembre sous des tentes installées dans Bryant Park. La plupart des grands couturiers et des magazines américains étant installés à New York, il n'est pas surprenant que la ville soit à l'origine des dernières tendances. Les collections présentées pendant la Fashion Week se diversifient de plus en plus depuis quelques années, en s'ouvrant notamment au monde du hip-hop, avec Sean Combs (alias Diddy) et Beyoncé Knowles dans le rôle des créateurs et des muses, et en relation avec l'émission de téléréalité *Project Runway* de la chaîne Bravo, qui cherche à dénicher les jeunes stylistes pleins de promesses. Toutefois, la plupart des New-Yorkais ne se précipitent pas dans ces défilés et se contentent d'en découvrir les temps forts sur le site www.style.com.

Pour acheter des articles de créateurs, les New-Yorkais attendent les soldes (p. 322), qui tout en tournant souvent à la foire d'empoigne, offrent aussi des réductions de 30 à 90%. Vous saurez tout sur www.nysale.com ou sur www.dailycandy.com. On peut aussi faire de bonnes affaires chez Century 21 (p. 323), grand magasin qui vend des articles de créateurs à prix réduit. Souvent fréquenté par des stylistes insupportables, il mérite tout de même une visite. Si vous ne pouvez pas attendre les soldes pour acheter le sac de vos rêves, vous devriez trouver votre bonheur dans Canal St. Vérifiez quand même que votre soi-disant Louis Vuitton ne soit pas un Looey Vitawn !

SPORTS

New York est bien sûr la ville des banques, de l'avant-garde artistique, de la presse internationale, des créateurs excentriques, du punk rock et des rats dans le métro. Mais c'est aussi la ville du sport, et les New-Yorkais encouragent chaleureusement leurs équipes et adorent jouer.

Les sports traditionnellement pratiqués sur des terrains se sont souvent adaptés au manque d'espaces verts pour se jouer dans la rue, tels le *stickball*, version urbaine du base-ball (voir l'encadré p. 317), ou le *pegacide*, sorte d'hybride de *dodgeball* (balle aux prisonniers) et de handball qui se joue contre un simple mur. Toute l'année, Central Park attire toutes sortes de sportifs – coureurs, patineurs, cyclistes, skieurs de fond et footballeurs. Et nombre de petites ligues sportives (foot, hockey, *softball*, *flag-football*, basket) se classent très honorablement. L'été, les vétérans des équipes de *softball* (descendant du base-ball) ne manquent pas une rencontre à Central Park et des spectateurs enthousiastes se pressent autour des matchs de basket-ball en plein air. Le sport occupe à New York une place si importante que lorsqu'une ancienne jetée, construite par les architectes de la

Joggueurs et cyclistes se côtoient sur la piste de l'Hudson River Park (p. 143)

gare de Grand Central Terminal, fut menacée de fermeture, la municipalité décida de la transformer en un gigantesque complexe sportif baptisé Chelsea Piers (p. 142).

Quand les New-Yorkais ne pratiquent pas eux-mêmes un sport, ils regardent les matchs dans les stades, sur les courts ou à la télévision dans les bars. Les saisons se chevauchent les unes les autres : le célèbre US Open de tennis (qui se joue dans le Queens) se déroule en août, au milieu de la saison de base-ball de *major league* et de basket-ball féminin, juste avant le début de la saison de football américain et de basket-ball masculin. Avant et après les matchs, chacun se plonge dans les chroniques sportives des journaux (les dernières pages du *New York Daily News* par exemple), souvent très critiques à l'encontre des entraîneurs. Ces dernières années, la fièvre sportive est même montée de quelques degrés, avec des projets de nouveaux stades dans les cartons : notamment pour les Yankees, qui bénéficieront, en 2009, d'un nouveau stade de 1,2 milliard de dollars devant être construit à côté du stade actuel du Bronx, et pour les Mets (avec un budget de 600 millions de dollars et une ouverture prévue également en 2009). Ces projets viennent d'être approuvés malgré l'échec de la candidature de New York aux Jeux olympiques de 2012, qui fut pourtant à l'origine du projet des Mets. Toujours à propos de cette équipe, traditionnellement dans l'ombre des Yankees, l'opinion générale est qu'elle pourrait bien devenir l'équipe à battre grâce à l'intégration de nouveaux joueurs de gros calibre, tels Billy Wagner et Carlos Delgado, mais on surveillera avec intérêt le comportement des Yankees depuis l'arrivée de Johnny Damon – arraché de curieuse façon aux rivaux ancestraux de cette équipe, les Red Sox de Boston. Pour compléter le tableau base-ballistique, des stades ont été construits récemment pour les équipes de *minor league* à Coney Island (le KeySpan Park des Brooklyn Cyclones) et Staten Island (le stade de Richmond County Bank des Staten Island Yankees). À Staten Island toujours, la Nascar (National Association for Stock Car Auto Racing) livre actuellement une bataille pour la construction d'un nouveau circuit de course contre ses opposants – principalement la population locale – qui craignent des difficultés supplémentaires de circulation.

Il semblerait qu'aujourd'hui le basket soit devenu le sport le plus prisé à New York. Malheureusement, les Knicks, malmenés en NBA depuis des années, ont du mal à témoigner dignement de cet engouement, et des drames comme l'accusation de harcèlement sexuel portés, début 2006, contre leur président, Isaiah Thomas, par une ancienne employée ne contribuent pas à améliorer la situation. Cependant les New-Yorkais, optimistes à tout crin, ne perdent pas espoir.

Pour savoir où pratiquer un sport, reportez-vous au chapitre *Activités sportives* (p. 306).

MÉDIAS

Avec tous ses magazines, ses chaînes télé et ses maisons d'édition, New York peut facilement prétendre au titre de capitale mondiale des médias. Elle jouit en outre dans ce domaine d'un passé particulièrement riche. C'est en effet là que le concept de "liberté de la presse" a pris son sens pour la première fois. Si William Bradford fonda le premier journal new-yorkais, le *New York Gazette*, c'est toutefois le *New York Weekly Journal*, créé en 1733 par John Peter Zenger, qui influença nettement la pratique du journalisme. Zenger publia des informations polémiques sur le gouverneur de la colonie, une attitude audacieuse à une époque où les journaux étaient à la solde du gouvernement. Arrêté et jeté en prison pour acte séditieux, Zenger fut sauvé par son avocat, qui défendit ardemment le principe de la liberté et de la vérité. Déclaré innocent, Zenger joua ainsi un grand rôle dans l'éthique des journalistes.

Alors que ces principes – qualité et intégrité – ont largement fluctué depuis cette époque, la ville a néanmoins continué à voir fleurir des journaux toujours plus nombreux et influents. Si l'offre de quotidiens a diminué par rapport à la fin du XIXe siècle (on comptait alors vingt parutions quotidiennes ; en 1940 il en restait encore huit), on ne peut pas dire qu'il y ait pénurie de journaux aujourd'hui. Les tabloïds, le *Daily News* et le *New York Post*, qui font leurs choux gras avec des titres à sensation et des accidents dramatiques, et le *New York Times*, quotidien de référence pour les professionnels et les intellectuels, figurent parmi les plus connus. Citons aussi le *New York Newsday*, cousin du *Long Island Newsday*, qui reparaît après une longue interruption. Longtemps surnommé "the Gray Lady" (la dame grise), pour son approche sans fioritures et souvent ennuyeuse de l'actualité, le *Times* a fait peau neuve ces dernières années afin de convaincre des lecteurs tentés de lui préférer la télévision ou Internet. Il reste aujourd'hui le quotidien le plus lu de la ville, même si l'on se moque désormais volontiers du changement incessant de ses rubriques. Il est suivi de près par le quotidien économique *Wall Street Journal*.

La presse alternative et ethnique connaît aussi une forte explosion. Avec les quelque 280 journaux new-yorkais vendus actuellement en kiosque, autant dire que toutes les opinions peuvent trouver à s'exprimer. Les hebdomadaires *The New York Press* et le *Village Voice* occupent le terrain du journalisme d'investigation anti-establishement. Hebdomadaire également, le *New York Observer*, de couleur saumon, s'adresse davantage aux classes les plus fortunées. Enfin, divers titres ethniques, notamment *Haitian Times*, *Polish Times*, *Jewish Forward*, *Korea Times*, *Pakistan Post*, *Irish Echo*, *El Diario* ou *Amsterdam News*, proposent des reportages sous des angles différents, en fonction de leur lectorat. Quant à *Metro* et *AM New York*, deux nouveaux quotidiens gratuits distribués à l'entrée du métro, ils offrent aux lecteurs pressés un condensé d'informations facile à digérer.

TOP 5 DES MÉDIAS

- **NY1** (Time Warner Cable , channel 1; www.ny1. com) Chaîne de télévision locale : Infos locales en continu, débats politiques, arts, sports et météo
- **New York Metro** (www.nymetro.com) Excellent site Internet du *New York Magazine*, avec des bases de données exploitables de restaurants, de bars et de commerces, entre autres
- **Gothamist** (www.gothamist.com) Site Internet culturel dynamique, couvrant tous les domaines, de la cuisine au sport
- **Curbed** (www.curbed.com) Site culturel 100% branché, avec des potins croustillants à la rubrique "The Gutter"
- **WNYC** (radio 820-AM et 93.9-FM ; www.wnyc. org) La radio WNYC locale, avec des débats intéressants comme le *Brian Lehrer Show*

Outre les grands éditeurs de livres, New York regroupe aussi nombre d'éditeurs de magazines. L'un des plus grands, Condé Nast, installé à Times Sq, publie *Gourmet*, *Vogue*, *Vanity Fair* et le *New Yorker*. Citons aussi Hearst (*Cosmopolitan*, *Marie Claire*, *Esquire*), également propriétaire de plusieurs quotidiens nationaux, et Hachette Filipacchi (*Première*, *Elle*, *Woman's Day*). Viennent ensuite des groupes de moindre envergure comme Martha Stewart Living Omnimedia. Enfin, des magazines régionaux traitent plus spécifiquement des loisirs et des restaurants, comme *New York Magazine*, *Paper* et *Time Out New York* (pour davantage de détails à ce sujet, reportez-vous p. 412).

Peu d'acteurs, une poignée à peine, règnent sur ces innombrables publications. On risque fort par conséquent de limiter ses informations à une ou deux sources différentes si l'on ne fait pas l'effort de chercher une presse alternative. News Corporation, par exemple, détient entre autres le réseau Fox News, Fox Sports Net, National Geographic Channel, le Madison Square Garden Network, le *New York Post*, la 20th Century Fox, ainsi que 35 stations de radio dans tout le pays. Time Warner, plus vaste conglomérat du secteur au monde, possède des kyrielles de sociétés, dont CNN, HBO, Warner Books, *Time*, *In Style*, *Entertainment Weekly*, Time Warner Cable, le Warner Music Group (avec les labels Maverick, Elektra et Rhino), Fine Line Features, pour ne citer que les plus importantes tant la liste est vertigineuse. Il est même propriétaire de la chaîne de télé locale d'actualités, New York 1, dont le ton décalé et impertinent enchante les New-Yorkais.

Ces groupes nuisent à la diversité des opinions ou des analyses et les passionnés d'actualité apprécient d'autant plus les titres du type *Village Voice* ou *Jewish Forward*. Difficile toutefois de déterminer le réel succès de cette presse. Il faudra sans doute attendre encore quelques années pour savoir quels titres indépendants ont réussi à tirer leur épingle du jeu.

LANGUE

Les chiffres suivants donnent une idée de la diversité linguistique de New York : 46% de la population âgée de plus de 5 ans parlent une autre langue que l'anglais chez eux, soit une hausse de 5% par rapport à 1990. Le nombre de New-Yorkais d'origine étrangère, soit 2,9 millions d'individus, n'a jamais été aussi élevé et pas moins de 1,7 million d'habitants

PETIT VOCABULAIRE NEW-YORKAIS

Ces termes typiquement new-yorkais vous aideront à mieux vous faire comprendre, ou tout du moins, à mieux comprendre ce qu'on vous dit.

Bridge-and-Tunnel Terme méprisant désignant les habitants du New Jersey, de Long Island ou d'autres banlieues situées de l'autre côté des ponts et des tunnels de la ville, qui viennent faire la fête à New York, par exemple : "Yuk, that club's crowd is so bridge-and-tunnel now !" (Quelle horreur, cette boîte n'attire plus que des banlieusards !).

Hack Vieux surnom donné aux chauffeurs de taxi.

Hizzoner Mot d'argot désignant le maire, souvent employé par le *New York Post*

New York's Finest Le service de police de New York.

Regular Manière ancienne de commander un café, signifiant qu'on le désire avec un sucre et une goutte de lait, par exemple : " Small coffee, regular."

Schmear Petite quantité de fromage à tartiner, terme souvent employé pour commander un bagel, par exemple : "I'll have a sesame bagel with a schmear" (un bagel au sésame avec du fromage).

Slice Portion de pizza, par exemple : "Let's get a slice" (Et si on mangeait une pizza ?).

Straphangers Passagers du métro.

The train Le métro.

ne parlent pas couramment anglais. Ils sont 52% à parler espagnol, 28%, une langue indo-européenne (français, allemand, suédois, etc.) et 17%, une langue asiatique (essentiellement chinois et coréen). Les kiosques à journaux illustrent bien cette multiplicité : des centaines de journaux en langues étrangères sont publiés à New York, aussi bien en hébreu, en arabe, en allemand ou en russe, qu'en croate, italien, polonais, grec ou hongrois. De même, selon les quartiers, les DAB et les automates Metrocard proposent leur mode d'emploi en espagnol, chinois, russe ou français.

Cette diversité linguistique constitue une véritable aventure au quotidien. Tendez bien l'oreille dans la rue ou dans le métro, vous repérerez certainement au moins cinq langues différentes en moins d'une heure, sans parler des sabirs mêlant l'anglais et d'autres langues : dialecte jamaïcain émaillé de tournures typiquement new-yorkaises ; "Spanglish", mélange d'espagnol portoricain et d'américain, ou "Desi", l'anglais américain enrichi de mots hindi parlé par les jeunes d'origine indienne. Et l'accent des chauffeurs de taxi : pakistanais, sri-lankais, russe ou arabe ? Si vous vous rendez dans certains districts des boroughs, vous découvrirez des enclaves où l'on ne parle quasiment jamais anglais. C'est le cas des quartiers dominicain dans la partie sud du Bronx, coréen à Flushing, dans le Queens, chinois à Sunnyside, Brooklyn, ainsi que dans les zones de Bukharian (descendants de juifs d'Asie centrale) à Rego Park, dans le Queens.

L'anglais américain a bien sûr évolué au gré des différentes vagues d'immigrants débarqués à New York. Les Allemands ont ainsi apporté leur *hoodlums* (truands). On doit au yiddish des mots comme *schmuck* (idiot) et au gaélique, l'expression *galore* (en abondance). N'oublions pas le vieux dialecte Noo Yawk parlé par les New-Yorkais pur jus et que les autres comprennent toujours avec difficultés (voir l'encadré ci-dessus).

ÉCONOMIE ET COÛT DE LA VIE

Depuis l'annonce de la fin de la récession en 2004, les bonnes nouvelles se sont succédées sur le front économique – un changement bienvenu après la déprime des premières années du siècle. Dans un discours sur l'état de la ville, début 2006, le maire Bloomberg a rapporté, entre autres, que les revenus de Wall St avaient retrouvé les niveaux d'avant le 11 Septembre, que les visiteurs de New York avaient atteint le chiffre record de 41 millions en 2005 (le tourisme employant 329 000 personnes) et que le nombre de commerces vacants était le plus faible de tout le pays.

Autrement dit, cela signifie qu'un séjour à New York revient cher, même si la ville offre tout ce qu'il faut pour les touristes. Il existe cependant bien des manières de découvrir la ville, en fonction de ses goûts et de son budget et, avec un peu d'organisation et d'inventivité, on peut même dénicher de bonnes affaires.

À moins de pouvoir loger chez des amis ou des parents sur place, il faut dans un premier temps prévoir votre budget hébergement. La nuit dans un hôtel revient en moyenne à 250 $, 85 $ dans les établissements les moins chers et même 35 $ dans les auberges de jeunesse. Si le cœur vous en dit, vous pouvez évidemment vous offrir une chambre à 400 $, voire bien davantage encore pour les plus luxueuses avec vue exceptionnelle et équipement ultramoderne. Les sites de réservation en ligne offrent de nombreuses réductions et, concurrence oblige, les prix s'avèrent souvent intéressants (voir p. 410).

Vient ensuite le budget alimentation. Pour dépenser le moins possible, préparez vous-même tous vos repas (si vous avez une cuisine) sans jamais aller au restaurant ou contentez-vous des repas tout préparés vendus dans les supermarchés. Les traiteurs, omniprésents, vendent des sandwichs œuf et fromage pour le petit déjeuner (2,50 $ en moyenne) et divers sandwichs le reste de la journée, du type pain de seigle avec salade et œuf (5 $) ou petit pain au rosbif (6 $). Les marchands ambulants permettent aussi de se nourrir à peu de frais (à défaut de se régaler), avec un hot dog à 1,75 $ ou un kebab à 3 $ par exemple. Pour des produits plus sains, essayez l'un des marchés de producteurs (Greenmarket Farmers Markets ; www.cenyc.org) de la ville, où acheter fruits, pain et fromages pour préparer vous-même vos sandwichs. Les restaurants reviennent évidemment plus cher, mais la gamme de prix varie considérablement. La catégorie petits budgets propose des repas copieux, généralement de cuisine exotique, pour moins de 10 $. Dans les restaurants de catégorie moyenne avec service à table, comptez de 10 à 15 $ par personne pour le dîner. Dans la catégorie supérieure, tout est possible. Un dîner de trois plats avec une bouteille de vin dans un cinq étoiles peut facilement revenir à 150 ou 250 $ par personne. En famille, privilégiez les *diners* (petits restaurants à l'ancienne ouverts à toute heure) et autres établissements bon marché qui proposent des menus enfants (p. 94) très avantageux.

La gamme de prix est tout aussi large en ce qui concerne les achats, toutes catégories confondues. Pour les vêtements, faites un tour chez Daffy's, Century 21, Loehmann's et H&M qui divisent souvent au moins par deux les prix pratiqués dans les autres magasins (voir p. 324). Tentez également votre chance aux ventes de modèles d'exposition (p. 322). De leur côté, les loisirs et les sorties coûtent cher. L'entrée des musées (comme l'onéreux MoMA) revient en général à 20 $, mais il est possible de faire des économies en choisissant les jours et les heures "pay-what-you-wish" (participation libre). Les étudiants et les seniors bénéficient généralement de tarifs réduits. On peut aussi dénicher des places à moitié prix pour un spectacle de Broadway (prix courant 100 $), dans l'un des deux kiosques TKTS de Manhattan (p. 287). Une multitude de salles (concerts, cabaret, danse, théâtre) offrent régulièrement des représentations peu chères (5 à 10 $) ou gratuites, annoncées dans les journaux spécialisés comme *Time Out New York* ou le *Village Voice* par exemple.

COMBIEN ÇA COÛTE ?

- 1 bouteille d'eau (250 ml) : 1,50 $
- 1 bagel au fromage : 1,50 $
- 1 milk-shake protéiné dans un bar à jus de fruits : 5 $
- *Sunday Times* : 4,50 $
- 1 hot dog : 1,75 $
- 1 parapluie vendu dans la rue : 5 $
- 1 place de cinéma : 10 $
- 1 jean AG : 160 $
- 1 timbre pour une carte postale aux USA : 24 ¢
- le trajet en taxi de Midtown à Upper West Side : 12 $
- 1 paquet de Marlboros : 7,30 $

INSTITUTIONS POLITIQUES

Doté d'institutions politiques avant les États-Unis eux-mêmes, New York peut se targuer de posséder un passé politique riche et mouvementé, marqué notamment par William "Boss" Tweed, Fiorello LaGuardia, Nelson Rockefeller et Edward Koch. Traditionnellement démocrate, la ville compte néanmoins quelques bastions conservateurs dans les quartiers ouvriers du Queens et de Brooklyn. Le borough de Staten Island est exclusivement républicain. Cette tendance fortement démocrate n'empêche toutefois pas les New-Yorkais de voter parfois en faveur de républicains réformateurs, comme Rudy Giuliani, élu maire à deux reprises et transformé par certains en héros après le 11 septembre 2001, ainsi que

Ellis Island : aux portes du rêve américain ; Immigration Museum (p. 115)

l'actuel dirigeant de la ville, le milliardaire Michael Bloomberg qui, de démocrate se fit républicain afin de se présenter contre un challenger, démocrate, à la mairie. Élu une première fois en 2001 dans un contexte difficile, Michael Bloomberg a été vivement critiqué pour sa politique fiscale draconienne et ses mesures à l'égard du système scolaire public, embourbé dans de nombreux problèmes. On le critiqua ensuite pour avoir promu un plan de développement controversé du West Side à la faveur d'une candidature de New York aux Jeux 2012, et pour avoir efficacement barré la route à la légalisation du mariage homosexuel. Néanmoins, "Bloomie", comme on le surnomme dans les tabloïds, a été confortablement réélu pour un second mandat (commencé en 2006), avec 20% de votes d'avance sur son concurrent Fernando Ferrer. Ses dernières propositions comprennent un plan d'accélération de la reconstruction de Ground Zero et du prolongement de la ligne 7 du métro, l'amélioration de la formation des enseignants et le lancement de nouveaux programmes de lutte contre la pauvreté.

La ville regroupe par ailleurs cinq présidents de borough, qui gèrent leur quartier avec leur propre budget et leur propre équipe. Le gouvernement municipal comprend aussi un contrôleur (administrateur et auditeur du budget), un avocat (sollicité essentiellement pour la défense des consommateurs) et un conseil de 51 membres. Ces élus, rétribués plus de 90 000 $ par an, représentent les différents quartiers de la ville et contrôlent théoriquement les décisions du maire. En 2006, Christine Quinn, lesbienne déclarée, fut élue par ses pairs à la présidence du conseil municipal – un poste important qui donne notamment un droit de regard sur le budget. Cette élection fut un véritable événement, doublé d'une victoire pour les activistes des mouvements gays et des droits de l'homme car, durant les années passées, Quinn s'est souvent opposée frontalement à Bloomberg sur ses orientations les plus marquantes. Chaque borough rassemble en outre des comités municipaux (59 au total), constitués de personnes non rémunérées nommées par le président du borough. Ils jouent un rôle consultatif pour toutes les questions d'urbanisation, de projets et de services municipaux ou de prévision budgétaire.

CADRE DE VIE

GÉOGRAPHIE

Bien que l'on s'en rende difficilement compte aujourd'hui, la géologie de New York offre un tableau précis du processus d'évolution de la Terre. Sa formation remonte à plus d'un milliard d'années. Né de la transformation de glaciers et de l'érosion de rochers de quartz, de feldspath et de mica, le sol, traversé par de nombreuses fissures, s'est profondément modifié pendant l'ère glaciaire. Les mouvements de l'océan, l'érosion permanente ainsi que les déplacements de terrain continuent aujourd'hui à transformer la côte.

Les cours d'eau ont largement favorisé le développement et la croissance de la ville. La baie de New York occupe environ 100 km^2 de côte fluviale et plus de 1 000 km^2 de côte maritime. La mer assurait la subsistance des Amérindiens et des premiers colons, et l'importance stratégique de cette côte s'imposa aux Britanniques. Un nombre croissant de bateaux y abordèrent au fil des ans et le port de New York devint l'un des plus importants du monde. Ce trafic incessant, ainsi que le rejet des eaux usées et de certains déchets toxiques – pratiques désormais interdites – ont considérablement pollué les eaux et tué la faune marine (rassurez-vous, l'eau du robinet provient de réservoirs situés dans les terres). Les mesures prises dans les années 1970 et 1980 pour contrôler le système d'assainissement des eaux et les programmes récents destinés également à diminuer la pollution atmosphérique ont quelque peu amélioré la situation.

La qualité de l'air à Lower Manhattan fait, depuis le 11 septembre 2001, l'objet de débats houleux. L'Environmental Protection Agency (EPA), la mairie, des groupes privés et des mouvements de citoyens mènent en effet respectivement des tests afin de tenter d'évaluer la pollution atmosphérique. La polémique n'est pas près de s'éteindre depuis qu'un juge fédéral a considéré, début 2006, que Christine Whitman, ancienne administratrice à l'EPA, avait trompé les habitants en déclarant que l'air après les attaques était sain ; le juge a décidé de recevoir l'action collective contre Whitman entreprise pour le compte des résidents et écoliers en raison du danger encouru.

ENVIRONNEMENT

Aujourd'hui, grâce aux différentes réformes environnementales, bars, aloses, perches et crabes bleus peuplent de nouveau l'Hudson et l'East River et seraient même parfaitement comestibles. La réhabilitation du Gowanus Canal de Brooklyn s'avère encore plus spectaculaire. Après la rupture de son système d'alimentation il y a une trentaine d'années, il s'était transformé en un cloaque d'une couleur brunâtre peu ragoûtante. Nettoyé et restauré de fond en comble, il abrite de nouveau, depuis quelques années, crabes bleus et vairons et fait la joie des amateurs de canoë (p. 176). Enfin, au chapitre des réussites écologiques, citons aussi le retour des pygargues à tête blanche à Inwood Hill Park, à l'extrémité de Northern Manhattan.

Bien que la politique environnementale ne soit aucunement comparable à ce qui se pratique dans d'autres grandes villes, sur la Côte Ouest par exemple, il faut tout de même souligner que les mentalités évoluent. La suspension du programme de recyclage des déchets, une décision de Bloomberg au début de son mandat pour réduire les frais municipaux, avait suscité de vives protestations. Il a finalement été remis en place en avril 2004.

La population semble finalement surtout prête à se mobiliser pour les espaces verts. Le programme Community Gardens (jardins communautaires), lancé durant la Grande Dépression avec la mise à disposition des habitants de terrains municipaux, connut un nouvel essor après la Seconde Guerre mondiale, puis dans les années 1970, lorsque des communautés menées par des activistes écologiques comme les Green Guerrillas entreprirent de transformer des terrains vagues ou des décharges. L'opération Green Program offre également des lopins de terre aux jardiniers moyennant 1 $ par an. Certains disparaissent toutefois dans les projets d'urbanisme, notamment à East Village, touché depuis quelque temps par une urbanisation intensive. Durant l'année écoulée, le concept d'"espaces publics" a intégré celui de détente, avec l'apparition de chaises longues – longtemps refusées par peur de les voir occupées par des sans-abri – notamment dans le Riverside Park (p. 159) et le Gantry Plaza State Park de Long Island City.

Le goût pour les produits biologiques s'est accentué ces dernières années, comme en témoigne l'apparition de plusieurs magasins bio (notamment l'ouverture, réalisée ou projetée, de 5 nouveaux magasins Whole Foods à Manhattan et Brooklyn), la popularité croissante des groupes d'agriculture communautaire (Community Supported Agriculture), ainsi que l'explosion récente des adhésions à la Park Slope Food Coop (www.foodcoop. com), un magasin d'alimentation naturelle possédé et géré par ses membres, ouvert à Brooklyn en 1969.

New York abrite également le premier immeuble "écologique" du pays, Solaire, à Battery Park City, qui consomme 35% de moins d'énergie et 50% de moins d'eau qu'un immeuble traditionnel. Un programme ambitieux vise aussi à promouvoir des transports plus propres. Grâce au Clean Fuel Bus Program, New York est la première ville du pays à avoir abandonné les bus au diesel au profit de bus à carburant à faible teneur en soufre et équipés de filtres à particules. Un autre programme est à l'essai pour les émissions de gaz des taxis ; six modèles hybrides ont été introduits en 2005.

Le Council on the Environment de New York (www.cenyc.org), une organisation de citoyens vivant de fonds privés et siégeant au cabinet du maire, intervient sur quasiment toutes les questions environnementales de la ville. Il soutient notamment le programme Open Space Greening (jardins communautaires), le Greenmarket & New Farmer Development Project (qui prévoit l'ouverture de 42 marchés dans la ville), ainsi que les programmes Environmental Education (éducation écologique) et Waste Prevention & Recycling (triage et recyclage des ordures), qui encouragent la mise en place de pratiques durables dans les écoles et les diverses institutions publiques.

URBANISME ET DÉVELOPPEMENT

Le sujet de l'urbanisme n'a jamais été aussi débattu, et ce pour toute une série de raisons : la révision pâté de maison par pâté de maison du plan de zonage afin d'augmenter les disponibilités en espaces commerciaux et résidentiels ; l'intérêt croissant du public pour les questions d'architecture et d'aménagement du territoire consécutif aux débats publics autour

Les lumières scintillantes de Times Sq (p. 156)

de l'avenir du site du World Trade Center (p. 124), et le développement économique continu de la ville. Le site le plus discuté est, naturellement, toujours Ground Zero, en particulier depuis que Michael Bloomberg a promis d'accélérer le mouvement en offrant divers avantages alléchants à l'appétit du promoteur Larry Silverstein. Il a également demandé à la Metropolitan Transit Authority de donner la priorité au prolongement de la ligne 7 au-delà de son terminus actuel de Times Sq. Ce projet est considéré comme un élément indispensable du futur Special West Chelsea District, entre 16th St et 30th St, 10th Ave et 11th Ave, où seront construits 2,23 millions de m² de bureaux et plus de 13 000 unités résidentielles.

En liaison avec l'aménagement de West Chelsea, on projette de transformer en Coulée Verte la High Line (voir l'encadré p. 140), un tronçon abandonné de voie aérienne du métro situé à 10 m de hauteur. Phénomène rare, ce projet n'a suscité aucune hostilité. Autre projet d'espace vert : le très attendu Brooklyn Bridge Park (p. 50), un espace de détente et de loisir de 34 ha au bord de l'eau, qui a été approuvé par l'État début 2006. On attend beaucoup de ce projet qui devrait convertir des kilomètres d'anciennes zones industrielles, à l'instar de ce qui a été fait sur la rive ouest de Manhattan avec le très apprécié Hudson River Park (p. 143).

Présentation des quartiers périphériques

Présentation des quartiers périphériques

Le panneau qui s'étire le long du pont de Williamsburg en direction de Manhattan est explicite : "Vous quittez Brooklyn. Oy vey !" Placé sur le pont par le Service des transports de la ville de New York en 2005 (à la demande du président du borough de Brooklyn, Marty Markowitz), il résume bien l'opinion actuelle : Manhattan, autrefois symbole exclusif de la ville, ne représente qu'une facette de l'extraordinaire diversité de la vie new-yorkaise. Pour goûter pleinement ce que la ville a à vous offrir, laissez l'île derrière vous pour plonger dans l'ambiance multiculturelle et multiethnique des boroughs périphériques.

New York se compose de cinq boroughs : Manhattan, Brooklyn, le Queens, le Bronx et Staten Island. Manhattan reste le plus connu mais, au cours des vingt dernières années, la hausse vertigineuse des loyers et l'urbanisation ont transformé cette bande de terre en un rêve impossible, poussant des vagues de familles ouvrières et d'artistes à s'installer dans les boroughs périphériques. Jeunes cadres, étudiants et autres bohèmes dans la vingtaine les ont suivis, en quête d'espace et de loyers moins élevés. Chaque borough possède un patrimoine et une personnalité qui lui sont propres. Si Manhattan concentre toujours le plus grand nombre de gratte-ciel et d'entreprises (du moins pour le moment), les autres ne sont pas en reste en matière de diversité culturelle, de bons restaurants et de vie nocturne.

Pour le voyageur, cette richesse permet de découvrir la ville de mille façons différentes. Manhattan offre toujours une expérience enivrante, mais un court trajet en métro ou en ferry vous fera découvrir un New York plus ancien, plus pur et, par bien des côtés, plus authentique, qui vous enchantera par son originalité (p. 49) et vous offrira de nombreuses occasions de plonger plus profondément dans la culture urbaine.

LA RENAISSANCE DE BROOKLYN

De tous les boroughs, aucun n'a connu un renouveau de popularité plus important que Brooklyn, géant endormi réveillé au début des années 1990 par la promesse d'ambitieux projets d'urbanisme et un sursaut de créativité.

Il suffit pour s'en rendre compte de voir les flots de New-Yorkais qui se rendent à Brooklyn tous les soirs. Si vous ne vivez pas en ville, l'idée de traverser l'East River vers 20h pour manger un morceau peut sembler un peu incongru, mais si vous êtes sur place il serait vraiment dommage de ne pas franchir cette fine étendue d'acier qu'est le pont de Brooklyn. Outre le fait que beaucoup de restaurants, bars et clubs sont moins chers sur l'autre rive de l'East River et que la plupart des célibataires et des moins de 35 ans vivent de ce côté du pont, sachez que ce quartier est actuellement en proie au plus important sursaut artistique qu'ait connu l'État de New York depuis les années 1980, lorsque Basquiat illuminait l'East Village de ses graffitis.

Où aller ? Tout dépend de votre personnalité et de vos envies. Les habitants de Manhattan affluent à Brooklyn tous les soirs, généralement pour manger au restaurant ou assister à un vernissage dans une galerie d'art de Williamsburg, Park Slope ou Boerum Hill/Carroll Gardens. Si vous aimez la cuisine casher, essayez Borough Park (foyer d'une communauté juive florissante, les Bobover), Flatbush Ave ou Williamsburg. Pour des spécialités polonaises, optez pour Fort Greene, à la lisière de Williamsburg. Une envie de *jerk chicken* ou d'un autre plat caribéen ? Eastern Pkwy ou Crowne Heights vous attendent. Vous trouverez de bons restaurants un peu partout, mais à Brooklyn Heights, Park Slope et Boerum Hill certains sortent vraiment du lot. Si vous voulez simplement vous laisser guider par le hasard, faites comme les habitants de Brooklyn et flânez dans Smith St, le long de Carroll Gardens ; la rue regorge d'établissements dignes d'intérêt.

Côté artistique, Williamsburg demeure la référence. Le Galapagos (p. 278) propose des soirées d'improvisation et des présentations de films, et d'autres clubs et lieux tout au long de Bedford Ave organisent des manifestations similaires. N'oubliez pas de faire un tour à

Dumbo (Down Under the Manhattan Bridge Overpass), premier quartier à avoir été investi dans les années 1990 par les artistes qui fuyaient les loyers exorbitants de Manhattan. Installés dans d'immenses lofts, nombre d'entre eux présentent leurs œuvres lors de portes ouvertes et d'expositions nocturnes (vous trouverez une liste de galeries à la rubrique "arts" du www. hellobrooklyn.com). Autre adresse incontournable, le St Ann's Warehouse, dans Water St, est un ancien entrepôt qui présente des pièces de théâtre parmi les plus novatrices de la ville. Lorsque les frères Coen (Joel et Ethan, géniaux réalisateurs de *Fargo* et de *The Big Lebowski*) décidèrent de s'associer à Charlie Kaufman (scénariste de *Dans la peau de John Malkovich* et *Eternal Sunshine of the Spotless Mind*) pour produire la pièce *Theatre of the New Ear* (avec Meryl Streep, Steve Buscemi et Philip Seymour Hoffman), c'est ici, et non dans la fausse authenticité de l'East Village, qu'ils montèrent cette pièce acclamée par la critique et le public.

Pour échapper à la foule, vous avez toujours la possibilité de vous rendre à Coney Island, même si rien ne garantit que vous y serez réellement seul. Les soirs et les week-ends d'été, le front de mer grouille en effet d'habitants de Brooklyn à la recherche d'un peu de fraîcheur. Régulièrement, des feux d'artifice parent d'une beauté soudaine et éphémère l'étrange carnaval de Coney Island. Ici, la langue véhiculaire est le russe, puisque le quartier environnant de Brighton Beach, surnommé Little Odessa, accueille les émigrés fraîchement arrivés de l'ex-URSS.

Pour retrouver l'ambiance du Brooklyn d'autrefois, celui qui vivait du commerce portuaire et de l'industrie, rendez-vous à Red Hook, un ancien village hollandais en train de se transformer en paradis des gourmets ; certains restaurants de Columbia St peuvent rivaliser avec ceux de Smith St ou même de Manhattan.

LE QUEENS, LE BRONX ET STATEN ISLAND

Curieusement, rares sont les visiteurs qui s'aventurent dans le Queens. Il s'agit pourtant d'un vaste borough très vivant, doté de deux aéroports et situé juste au nord de Brooklyn.

Caractérisée depuis toujours par son hétérogénéité ethnique, cette enclave autrefois calme et banlieusarde est devenue un lieu d'une extraordinaire diversité culturelle. Ses parties les plus excentrées, comme Sunnyside, conservent une partie de leur ambiance d'autrefois, mais ailleurs maisons mitoyennes et immeubles d'habitations rutilants commencent à pousser comme des champignons. Les exilés qui avaient quitté Manhattan au profit de Brooklyn commencent à investir le Queens, transformant le bastion grec d'Astoria en un quartier peuplé de Turcs, de Coréens, de Chinois et, plus récemment, de Serbes, de Bosniaques et d'Albanais. De ce fait, une scène artistique dynamique a fait son apparition le long des entrepôts de Long Island City.

Le grand frisson sur le Cyclone, l'une des attractions phares de Coney Island (p. 181)

Au nord du Queens, de l'autre côté de l'East River, s'étend le Bronx où l'embourgeoisement pointe également son nez. Verdoyant et ombragé, Riverdale a toujours été un endroit agréable à vivre. Le South Bronx, tristement célèbre dans les années 1970, connaît lui aussi une nouvelle popularité. SoBro, comme on l'appelle désormais, a été récemment choisi comme le prochain grand chantier de réhabilitation. Depuis quelques années, les artistes et autres pionniers urbains commencent donc à s'y installer, dans des lofts décrépits et sinistres qu'ils transforment en résidences spacieuses ou en galeries commerciales. Dans leur sillage, les promoteurs immobiliers ont acquis les immeubles disponibles, donnant le coup d'envoi d'un afflux massif qui a apporté au quartier une certaine prospérité mais a aussi eu pour conséquence le déplacement de beaucoup de ses habitants les plus vulnérables (voir l'encadré *Le futur Brooklyn ?* p. 184).

À 25 minutes en ferry de la pointe sud de Manhattan se trouve le borough le plus méconnu de la ville : Staten Island. Certes, il abrite une population peu fortunée, reste farouchement républicain dans une ville démocrate et offre une vue peu attrayante sur les péniches qui transportent les ordures jusqu'à Delaware. Mais un simple coup d'œil à la pittoresque enclave de St George, à la sortie du débarcadère, suffit à faire oublier tout cela. Avec ses immeubles à tourelles et hauts plafonds, ses arbres, ses vastes parcs, ses grands espaces propices à la pratique du vélo, du roller et du jogging, ce borough connaît depuis une quinzaine d'années une croissante lente mais régulière. Et bien que l'on n'y trouve pas tout (la pléthore de boutiques bio ou spécialisées établies ailleurs dans la ville brille ici par son absence) et qu'une voiture soit indispensable, les deux derniers maires républicains (Rudolph Giuliani et Michael Bloomberg) ont récompensé Staten Island de sa loyauté en maintenant la gratuité du ferry qui y mène.

UNE BRÈVE HISTOIRE DES BOROUGHS

Le Queens est le plus vaste, mais Brooklyn reste le plus peuplé. Chacun des cinq boroughs est suffisamment étendu pour être considéré comme une ville à part entière.

L'histoire de la façon dont ces zones autonomes se sont amalgamées pour former une ville est longue et compliquée, mais elle se résume en quelques mots : la soif immobilière. Tout ce qui pouvait être acheté le fut, ce qui ne le pouvait pas se trouva annexé. Lorsque le progrès technique le permit, des ponts et des métros furent construits pour desservir des municipalités encore plus éloignées, qui se trouvèrent elles aussi absorbées.

Seul borough de New York à être relié au continent, le Bronx était autrefois une terre agricole, propriété de Jonas Bronck, un capitaine de marine hollandais (ou suédois au dire de certains) qui s'installa dans une ferme de 250 ha le long de la Harlem River en 1636. Jusqu'à la Première Guerre mondiale, la population resta clairsemée mais l'extension du métro suscita un boom immobilier. Les arrivants étaient pour la plupart irlandais, mais aussi polonais, italiens et juifs (comme en témoignent les nombreuses synagogues, dont peu sont encore en activité aujourd'hui). Le Bronx devint le refuge des bootleggers pendant la Prohibition et acquit une réputation douteuse à mesure qu'y proliféraient les bars clandestins (les "speakeasies").

Dans les années 1930, la plupart des Polonais et des Allemands partirent vers d'autres régions du pays, attirés par des conditions de vie meilleures. La population devint majoritairement latino-américaine (notamment portoricaine, dominicaine et cubaine) et afro-américaine, avec une petite communauté italienne ; c'est toujours le cas aujourd'hui.

C'est un euphémisme de dire que la vie dans le Bronx prit un tour désastreux dans les années 1960. Beaucoup de projets de rénovation, comme la voie rapide Cross Bronx Expwy de l'urbaniste Robert Moses, firent disparaître l'atmosphère villageoise des quartiers existants et les transformèrent en cités HLM sinistres et surpeuplées. Parallèlement, de nombreuses sociétés délocalisèrent leurs activités industrielles dans les États du Sud en laissant derrière elles des usines rouillées et inutilisables. Le coup fut très dur et, avec la crise budgétaire des années 1970 et 1980 qui réduisit les effectifs des pompiers et des policiers, le borough sombra dans une quasi-anarchie. Les propriétaires qui souhaitaient se débarrasser de leurs immeubles y mirent le feu pour récupérer l'argent de l'assurance et la brigade des pompiers se trouva débordée. C'est à cette époque, en 1974, que la phrase "The Bronx is Burning" (le Bronx brûle) apparut dans les reportages de la BBC et les articles du *New York Times*. Elle devint célèbre en 1977 lorsque le commentateur sportif Howard Cosell la prononça pendant un match des World Series de base-ball au Yankee Stadium en voyant des flammes embraser l'horizon.

Si les choses furent difficiles pour le Bronx, Brooklyn connut un sort encore moins enviable durant le premier siècle de son rattachement à New York. Les pâturages et le littoral rural d'abord occupés par les tribus indiennes puis par les Hollandais et ensuite par les Britanniques constituèrent une entité indépendante jusqu'en 1898. Avec l'ouverture de la ligne de métro de Brighton Beach et la création d'un service de ferries entre Lower Manhattan et Brooklyn Heights, il parut alors sage de rejoindre officiellement la ville de New York. Une décision rapidement baptisée par la plupart des journaux "la grande erreur de 1898", car Brooklyn perdit la majeure partie de son commerce naval au profit des ports de Manhattan tandis que les boutiques étaient encouragées à déménager "en ville". Dès lors, Brooklyn passa toujours au second plan du développement économique. Le borough acquit le surnom de "dortoir de New York", car la quasi-totalité des habitants travaillaient à Manhattan et n'y rentraient que pour dormir.

Après la Seconde Guerre mondiale, Brooklyn bénéficia d'une douce prospérité à laquelle la crise budgétaire donna un coup d'arrêt, les quartiers défavorisés du borough sombrant alors dans la criminalité. Certaines parties de Bedford-Stuyvesant, Bushwick et Crowne Heights ne se sont toujours pas remises de la pauvreté qui s'est emparée de Brooklyn il y a près de 40 ans, mais le borough fait aujourd'hui l'objet de nombreux projets de réhabilitation.

Le rattachement du Queens à New York en 1898 se fit beaucoup plus aisément. Sa vaste superficie donna aux entreprises locales plus d'espace vital et des sociétés comme Steinway & Sons (toujours en activité aujourd'hui) et autres entreprises gérées par les immigrés résistèrent à la tentation de s'installer à Manhattan. Dans la seconde moitié du XXᵉ siècle, la proximité des aéroports JFK et La Guardia fournit à la population un réservoir d'emplois. Certes, le borough a lui aussi subi le contrecoup des aléas économiques du XXᵉ siècle, mais sa mosaïque de communautés a mieux encaissé le choc que Brooklyn.

Staten Island, aujourd'hui surnommée le borough oublié (ce qui n'est pas totalement faux), a joué un rôle essentiel dans l'histoire américaine. L'île servit à deux reprises de base aux Britanniques pour reprendre puis conserver le contrôle de New York durant la Révolution américaine et c'est là que les dirigeants anglais prirent connaissance de la déclaration d'indépendance. L'armée de Sa Majesté fut si longtemps cantonnée sur l'île durant la révolution, qu'on la considère comme largement responsable de la déforestation survenue à cette époque.

Après la guerre d'indépendance, Staten Island resta largement ignorée jusqu'à la construction du pont de Verrazano Narrows en 1964. Ce pont, ainsi que trois autres plus petits, permit aux habitants de l'île de rejoindre Brooklyn, Long Island et Manhattan en voiture et les relia au New Jersey, ce qui accrut immédiatement l'attrait de l'île aux yeux des New-Yorkais mais eut également pour conséquence la destruction de nombreux villes et villages, rasés pour laisser passer les routes ; ce chantier fut confié à Robert Moses, le plus important urbaniste de la ville et l'auteur de certains des meilleurs (et des pires) projets d'aménagement encore visibles aujourd'hui.

Jusqu'à une date récente, Staten Island n'était connue que pour son immense décharge, Fresh Kills. Celle-ci a été fermée et l'île compte aujourd'hui parmi les boroughs qui connaissent la croissance la plus rapide du comté.

PETIT TOUR DANS LES BOROUGHS

Trop de gens regroupent les boroughs périphériques sous l'étiquette unique de "tout ce qui n'est pas Manhattan" et s'en désintéressent. C'est dommage, car visiter ces boroughs, c'est comme faire un tour du monde. On y trouve tellement d'histoires, de cultures et de sites différents que parcourir un de leurs pâtés de maisons tient presque de la traversée d'un continent.

Brooklyn

Pour découvrir facilement ce borough et son histoire, franchissez à pied le pont de Brooklyn (en faisant attention aux vélos) et pénétrez dans Brooklyn Heights, un quartier qui abrite plus de 600 demeures historiques et offre une vue grandiose sur les gratte-ciel de Manhattan. La visite des rues Henry, Hicks et Orange est un must. C'est lorsqu'il vivait ici que Walt Whitman écrivit *Feuilles d'herbe*, son grand recueil de poésie, et le mouvement abolitionniste fit son apparition à New York par l'intermédiaire de la Plymouth Church of the Pilgrims, dans Orange St.

Si cela vous tente, allez jeter un œil au quartier qui s'étend autour de Grand Army Plaza. Cette esplanade aux allures de mini-rotonde fut conçue par les urbanistes Frederick Law Olmsted et Calvert Vaux (également les concepteurs de Central Park) pour compléter la grandiose entrée de Prospect Park, un bel espace vert où se tiennent souvent le week-end des manifestations qui surpassent de beaucoup celles organisées par son grand frère de Manhattan. Tous les jours, les amateurs de jogging, de vélo et de marche s'y retrouvent et, en été, sa Great Lawn (grande pelouse) retentit des rires des familles et amis qui viennent jouer au badminton, au Frisbee et au football européen et américain.

De l'entrée de Prospect Park, on aperçoit le chef-d'œuvre Art déco qu'est la Brooklyn Public Library. En passant devant la bibliothèque et en descendant Eastern Pkwy, vous rejoindrez en 10 minutes à pied le jardin botanique de Brooklyn et le Museum of Art.

Pour gagner Williamsburg (surnommé Billyburg ou Billburg), prenez la ligne L jusqu'à Bedford Ave. Là vous attendent de nombreuses galeries. Le quartier n'a rien de très esthétique – malgré sa toute nouvelle popularité, ce coin sale et sinistre n'a jamais eu pour vocation de servir de lieu d'habitation, sinon pour les ouvriers polonais qui travaillaient autrefois dans les usines et sur le port. Écologiquement parlant, Williamsburg possède un passé douteux et, bien que reclassé en zone résidentielle (afin d'absorber l'afflux des jeunes branchés et des propriétaires de galeries qui fuient les loyers exorbitants de Chelsea), il compte toujours une usine de retraitement des déchets toxiques en son centre. Les habitants organisent régulièrement des manifestations, menées par la vénérable People's Firehouse Organization, pour exiger de la municipalité un projet de développement plus responsable.

Le Queens

Le Queens, d'ancrage plutôt ouvrier et de classe moyenne, est probablement la révélation de New York ; il s'y passe tant de choses ! Astoria est sans doute le quartier le plus connu, facilement accessible en train depuis Midtown et considéré comme la capitale européenne de New York. Si vous voulez passer la soirée à manger, boire et danser sur les derniers beats Euro-techno du moment, rendez-vous dans les clubs de "La Mecque", ainsi que les Grecs surnomment Astoria. En dépit d'occasionnelles tensions ethniques dues à une pénurie de logements qui a contraint les nouveaux immigrés albanais, bosniaques et serbes à une cohabitation délicate, les résidents vivent généralement en bonne entente.

Astoria Blvd est l'artère principale, mais on fréquente aussi beaucoup Grand Ave (également appelée 30th Ave) pour ses boutiques et ses cafés, ainsi que Broadway, à deux rues au sud, où l'influence grecque cède la place à une atmosphère bengali et latine. Entre Astoria Blvd et 28th St, on trouve certains des meilleurs restaurants moyen-orientaux de New York.

Si Astoria ne vous semble pas suffisamment multiethnique, Jackson Heights offre une mixité culturelle encore plus étourdissante. Cette zone (dont la majeure partie est classée district historique) fut aménagée après la création de la ligne de métro aérienne de Flushing dans les années 1920. Il s'agit de la première communauté urbaine de jardins mise en place aux États-Unis : on compte plus de parcs privés ici que dans n'importe quelle ville américaine. La plupart se cachent derrière des immeubles d'appartements mais ils furent aménagés ainsi à dessein, afin que les citadins aient accès à leurs propres espaces verts semi-privés. Autrefois exclusivement juif, polonais, irlandais et russe, le quartier accueille aujourd'hui une communauté asiatique, originaire notamment d'Inde, du Pakistan, du Bangladesh, de Chine et de Corée, ainsi que des Latino-Américains (Colombiens, Cubains, Équatoriens, Dominicains et Mexicains). Little India, à hauteur de Roosevelt Ave et Broadway, regroupe les meilleurs restaurants indiens de New York et cette zone est considérée comme la plus accueillante pour les homosexuels, juste avant Park Slope.

À ne pas manquer également, Long Island City (LIC), ville industrielle sur le déclin, est devenue un grand centre de l'industrie cinématographie. La série Sex and the City, par exemple, a été presque entièrement tournée dans ses usines réhabilitées. Plusieurs chaînes d'information sud-américaines émettent depuis ce quartier, et on y filme une multitude de productions coréennes destinées à être diffusées au Pays du matin calme, mais dont l'action se déroule à New York. Le secteur comprend également de nombreux lofts d'artistes et autres galeries (voir Arts et culture dans les boroughs, ci-contre).

Le Bronx

Numéro un par sa diversité, le Bronx présente deux visages radicalement opposés. Au nord de 183rd St s'étendent des zones agréables et très résidentielles dotées de quelques entreprises commerciales, comme Riverdale, Spuyten Duyvil et Woodlawn. Throgs Neck, Parkchester et Co-Op City, dans l'East Bronx, sont des quartiers pauvres où s'installent les familles de la classe ouvrière qui n'ont plus les moyens de loger à Manhattan, tandis que le South Bronx – Morrisania, Mott Haven, Morris Heights –, autrefois surnommé par l'ancien président Jimmy Carter "le pire quartier de l'Amérique", semble destiné à un prochain embourgeoisement malgré des problèmes de délinquance et de drogue et un taux de pauvreté extraordinairement élevé en regard de sa riche voisine Manhattan.

Hormis le Yankee Stadium et le zoo, qui attirent de nombreux visiteurs, le Bronx n'est guère fréquenté par les touristes bien qu'il offre nombre de sites dignes d'intérêt : le jardin botanique de New York, le quartier italien d'Arthur Ave, l'université de Fordham, deux des plus grands parcs de New York (Pelham Bay et Van Cortlandt), et le Hall of Fame for Great Americans, un monument national conçu par Stanford White en surplomb de la Harlem River et de l'Hudson.

Ne manquez pas l'Edgar Allen Poe Cottage (visites sur réservation auprès de la Brooklyn Historical Society ☎ 718-881-8900), situé dans Kingsbridge Rd à hauteur de Grand Concourse. Le poète torturé passa les dernières années de sa vie, de 1846 à 1849, dans cette minuscule ferme en bois qui bénéficiait autrefois d'une vue dégagée jusqu'à Long Island.

Staten Island

Par beau temps, la visite de cette île est l'une des plus mémorables expériences que New York puisse offrir. Les sublimes points de vue et le trajet amusant – et gratuit – en ferry depuis Lower Manhattan méritent à eux seuls le détour. Des sites merveilleux s'offrent dès l'arrivée à St George, accueillant village perché sur les collines qui descendent vers le débarcadère.

Ce vaste borough ne possède pas de ligne de métro mais des bus desservent sa vingtaine de localités. Accessible à pied de St George, Bay St Landing est une petite ville en plein essor, située entre le terminal des ferries et Victory Blvd. L'ouverture en 2001 du Richmond County Bank Ballpark, où s'entraîne une équipe de base-ball de la

Transport gratuit avec le ferry de Staten Island (p. 116)

minor league, les Staten Island Yankees, lui a apporté un nouveau souffle.

Le principal attrait du borough tient à ses vastes et magnifiques parcs, notamment l'Historic Richmond Town, le Blue Heron Park de 111 ha avec son centre de découverte de la nature de plusieurs millions de dollars, la Clay Pit Ponds State Preserve, une zone humide protégée propice à l'observation des oiseaux, le Willowbrook Park, le jardin botanique de Staten Island et bien d'autres encore. On trouve aussi ici un nombre surprenant de musées, comme l'Alice Austen House, le Garibaldi-Meucci Museum et le Staten Island Museum (juste en face du débarcadère : un régal pour les enfants).

ARTS ET CULTURE DANS LES BOROUGHS

La scène artistique du Queens

L'art contemporain règne en maître dans le Queens, à commencer par le PS1 Contemporary Art Center (p. 185) affilié au Museum of Modern Art. Ce centre artistique à but non lucratif est le plus ancien du pays et le deuxième par sa taille. Aménagé dans une ancienne école, il fait vivre, grâce à l'octroi de subventions et de bourses, une communauté artistique florissante à Long Island City, non loin. En été, ses festivals de musique gratuits attirent une foule de mélomanes.

Quelques pâtés de maisons plus bas est installé 5 Pointz, également appelé Institute of Higher Burnin'. Il ne s'agit pas exactement d'un musée ni d'une galerie mais cet entrepôt reconverti héberge de nombreux ateliers d'artistes et des créateurs de tout poil qui acceptent volontiers de parler de leur travail. Le lieu vaut surtout pour sa façade couverte de graffitis visibles depuis la ligne 7 du métro aérien, qui passe derrière le bâtiment.

Des sculptures de toutes sortes sont exposées dans deux endroits : le SculptureCenter, une petite galerie expérimentale accueillant de nombreux artistes contemporains, et le Socrates Sculpture Park, un lieu d'exposition en plein air qui organise également des manifestations artistiques en été.

Des conservateurs indépendants gèrent le Dorsky Gallery Curatorial Program, une salle d'exposition de 120 m^2 consacrée à l'art contemporain.

Enfin, ne manquez surtout pas l'Isamu Noguchi Garden Museum (p. 185) ; le Queens Art Museum (p. 188), situé dans le Flushing Meadows Corona Park, mérite également le détour.

La naissance du hip-hop dans le Bronx

Conséquence directe de la pauvreté qui s'empara du Bronx à la fin des années 1960, le hip-hop fut créé comme un antidote au désespoir et au découragement de nombreux jeunes.

Né en Jamaïque, DJ Kool Herc, considéré comme le pionnier du hip-hop, aurait importé de son pays d'origine, à la fin des années 1960, un style de musique consistant à parler sur un fond musical, le "toasting". Il inspira Kevin Donovan, jeune membre du gang des Black Spades qui, après un voyage en Afrique en 1973, décida de changer de vie – et de nom : il devint alors Afrika Bambaataa, surnom emprunté à un chef zoulou.

De retour à New York, Afrika Bambaataa fonda l'Universal Zulu Nation, qui transforma de nombreux gangs new-yorkais en "équipes" s'affrontant avec des mots (les "battles"). En 1977, il organisait et animait des fêtes de rue dans tout le Bronx. Mêlant le toasting de DJ Kool Herc à des styles musicaux rapportés d'Afrique, il réalisa la nécessité d'allonger la durée des chansons pour obtenir les rythmes qu'il recherchait. La naissance de la platine double s'ensuivit, et son style musical évolua pour donner naissance au hip-hop, tandis que le breakdance faisait son apparition sur les pistes de danse.

Né dans le Bronx, le hip-hop s'est depuis répandu à travers le monde (devenant du même coup une industrie multimillionnaire). Mais ce n'est désormais plus d'ici que viennent la plupart de ses grands noms. L'honneur revient au Queens, dont la célèbre cité HLM de Queensbridge, la plus grande du pays, construite à LIC en 1933, constitue une pépinière de talents. Roxanne Shante, The Bravehearts, Mobb Deep, Big Noyd, Nas, Capone, MC Shan et bien d'autres ont grandi dans "The Bridge", comme on surnomme la cité. Fans de hip-hop, rendez-vous dans les discothèques du Queens.

La culture noire à Brooklyn et dans le Queens

La Brooklyn Academy of Music (BAM ; p. 177) répond à la demande artistique traditionnelle de nombreux habitants du Queens et de Brooklyn en proposant d'excellents spectacles de musique, de danse et de théâtre dont beaucoup font intervenir des artistes noirs. Mais ces deux boroughs sont également intimement liés à l'expérience afro-américaine et aux vagues successives d'immigrés noirs en provenance d'Afrique, des Caraïbes et de pays d'Amérique latine comme la Guyane.

Brooklyn rend hommage à son histoire en donnant à beaucoup de ses sites le nom de chefs de file de la culture noire et de la lutte pour les droits civiques : on peut citer le Simmons African Arts Museum, le Paul Robeson Theater, le Billie Holiday Theater et le Medgar Evers College, dont les étudiants sont majoritairement noirs. Le Queens possède l'African American Museum, tout à fait à la périphérie du borough, près de Long Island, le Museum for African Art (p. 185) à LIC, le Jamaica Center for Arts & Learning (p. 201), l'Afrikan Poetry Theatre (☎ 718-523-3312 ; www.afrikapoetrytheatre.com ; 176-03 Jamaica Ave, Jamaica) et le Langston Hughes Cultural Center (☎ 718-651-1100 ; www.queens.lib.ny.us/branches ; Northern Blvd, entre 32nd Ave et 34th Ave, Corona).

Par ailleurs, le Queens a récemment déclaré monument d'importance nationale la maison de brique rouge occupée par Louis Armstrong pendant 30 ans, désormais transformée en musée, et a toujours pris soin de la maison d'East Elmhurst longuement occupée par Malcolm X et sa famille au n°23-11 de 97th St. Après la rupture de Malcolm X avec la Nation of Islam (NOI), celle-ci, propriétaire de la maison, lui ordonna de quitter les lieux. Il refusa et le bâtiment fut attaqué à la bombe incendiaire.

Bedford-Stuyvesant, quartier de Brooklyn qui vit grandir Spike Lee et Chris Rock et figure souvent dans les films du premier et l'émission télévisée autobiographique du second (*Everybody Hates Chris*), fut la première communauté afro-américaine libre de la ville, fondée en 1827 peu après l'abolition de l'esclavage à New York. Certaines maisons afro-américaines historiques de Hunterfly St sont aujourd'hui classées. La visite des musées de Brooklyn se doit d'inclure le Brooklyn Children's Museum (p. 179), extrêmement apprécié des enfants de tous âges.

HORS DES SENTIERS BATTUS

Si la mécanique vous intéresse, sachez que dans le Queens, juste au-delà de Richmond Hill (où vit la plus importante communauté sikh en dehors de l'Inde) s'étend Willets Point, une zone qui regroupe des casses automobiles abandonnées pleines d'épaves de voitures où les amateurs viennent se servir en bougies de rechange.

À Red Hook, un quartier en instance de rénovation, vous pourrez voir les vieux docks de Brooklyn et plusieurs musées maritimes retraçant les activités de marine marchande qui ranimèrent l'économie locale. Facilement accessible en bateau-taxi, Red Hook accueille plusieurs manifestations artistiques de grande qualité tout au long de l'année. Allez faire un tour à la Brooklyn Artist Waterfront Coalition et au Red Hook Waterfront Arts Festival pour connaître le programme.

Si vous préférez la terre ferme à la mer, Wave Hill, dans le nord du Bronx, est universellement reconnu comme le jardin public le plus agréable et le mieux entretenu du borough. Située dans un parc de 4 ha, cette ancienne résidence privée où séjourna notamment Teddy Roosevelt abrite deux galeries d'art, propose des spectacles de danse en plein air l'été et organise des concerts de jazz et de musique classique. Canarsie, les Rockaways et Broad Channel ont leurs propres particularités : le surf, par exemple, s'est développé dans les eaux venteuses de l'Atlantique au large des Rockaways. Bay Ridge, rendu célèbre par John Travolta dans *La Fièvre du samedi soir*, n'a guère changé, pas plus que Sheepshead Bay. Toujours farouchement ouvriers, ces quartiers ont résisté à l'embourgeoisement – il faudrait davantage qu'un promoteur immobilier comme Donald Trump pour chasser six générations d'Italo-Américains. Plus raffiné, City Island, dans le Bronx, est un petit hameau qui compte aussi bien d'élégants B&B servant de la haute cuisine que des cabanes sur la plage.

Pour rejoindre l'extrémité sud de New York, il faut traverser la totalité de Staten Island jusqu'à Tottenville, une ville jadis aisée qui abritait des chantiers navals. Cette industrie a depuis longtemps disparu mais on peut encore voir de vénérables et majestueuses demeures, dont l'une a suscité une vive controverse en 2005. Les promoteurs avaient commencé à racheter ces maisons pour construire des résidences mitoyennes sans aucun caractère, baptisées "McMansions". Lorsqu'un manoir particulièrement splendide fut menacé de disparition, les habitants s'insurgèrent et demandèrent qu'il soit classé bâtiment historique. Le promoteur le fit alors couvrir de graffitis en promettant d'y loger des habitants des cités HLM vivant de l'aide sociale. Atterrés, les riverains se servirent de leur influence auprès du parti républicain pour faire appel au maire, Michael Bloomberg, qui se déplaça personnellement en avril de cette année-là pour déclarer la demeure site historique.

PARCS, NATURE ET ESPACES VERTS

Le seul parc national américain accessible en métro se situe à cheval entre le Queens et Brooklyn. Le Jamaica Bay National Wildlife Refuge, importante étape migratoire pour les oiseaux et les papillons, est le moins connu des espaces verts de la ville. Cette zone de marée qui s'étend jusqu'au bord de l'eau est le lieu idéal si vous voulez passer la journée à vous promener dans la nature.

Les amateurs de longues balades et de solitude romantique opteront pour le Van Cortlandt Park et le Riverdale Park, dans le Bronx. Tous deux sont vastes et très arborés, avec nombre de petits recoins intimes, et le Van Cortlandt permet de pratiquer l'équitation, la voile, le golf et le tennis.

Ses collines onduleuses et boisées en font également le paradis des VTTistes. Pour les puristes, rien ne vaut le Staten Island's Greenway Park, où une multitude de pistes de VTT très accidentées partent du sentier d'Ocean Tce.

Pour ceux qui préfèrent les parcs à l'atmosphère plus citadine, le meilleur choix est le Flushing Meadows Corona Park (p. 188), un immense espace vert qui couvre 1½ fois la superficie de Central Park et compte plusieurs musées, un zoo, le Shea Stadium (p. 307), le Arthur Ashe Stadium (p. 188), des locations de vélos, un golf miniature et deux lacs.

Pour plus de détails sur les parcs de New York, consultez le www.nycgovparks.org ou le www.nps.gov/gate.

L'AVENIR

Si étrange que cela paraisse, la Nascar, l'association nationale du sport automobile américain, a investi 100 millions de dollars dans l'aménagement d'un circuit sur Staten Island, un borough pourtant plus susceptible de souffrir des embouteillages que de se prêter à la vitesse. Et ce n'est là que l'un des nombreux projets controversés prévus pour les boroughs périphériques, car les promoteurs s'éloignent de plus en plus du centre-ville en quête de terrains à prix abordables.

Coney Island, à Brooklyn, devrait bientôt faire l'objet d'une rénovation majeure. Les Yankees et les Mets projettent tous deux la construction de nouveaux stades, respectivement dans le Bronx et le Queens. L'entreprise suédoise IKEA envisage de s'installer à Red Hook et le projet du Brooklyn Bridge Park devrait totalement changer le visage de la porte d'entrée orientale du borough. Beaucoup pensent que cette transformation s'avèrera bénéfique – les promoteurs et la municipalité promettent de remplacer une grande partie du front de mer décrépit par des espaces verts semblables à ceux prévus dans le Lower East Side de Manhattan. Pourtant, certains habitants, se souvenant peut-être de la "grande erreur de 1898", craignent que le bénéfice soit plus grand pour Manhattan que pour leur borough.

Le projet le plus polémique est la construction d'un stade de basket-ball pour les New Jersey Nets dans le centre de Brooklyn et l'édification de 15 nouvelles tours (dont l'une compterait 60 étages) dans les environs du vieux dépôt de trains de la Metropolitan Transportation Authority, près d'Atlantic Ave. Conçu par le promoteur Bruce Ratner, ce projet doit comporter la construction de résidences à prix abordable et la création d'au moins 15 000 emplois. Ses détracteurs soulignent cependant que le prix de ces logements HLM se basera sur les salaires régionaux, en moyenne bien plus élevés que ceux de la plupart des gens du quartier. Beaucoup de maisons et appartements se vendront aux prix du marché et seules des personnes gagnant au moins 60 000 $ par an pourront acquérir ces logements soit-disant "peu coûteux", ce qui a poussé les habitants du quartier à qualifier sarcastiquement le projet de "plan d'embourgeoisement instantané".

Bruce Ratner et son équipe parviendront sans doute à obtenir l'approbation des autorités, mais les centaines de milliers de résidents menacés de déplacement ont juré de ne pas bouger. La ville se verrait donc contrainte d'invoquer les lois dites du "domaine imminent", qui permettent de déloger de force ceux qui font obstacle aux projets de rénovation publique. Les habitants ont formé un recours devant les tribunaux. La situation risque de s'envenimer et, pour l'instant, les promoteurs et les autorités s'efforcent de trouver une solution qui conviendra à tous.

Arts

Arts

Si les raisons de se plaindre du maire milliardaire Michael Bloomberg peuvent être nombreuses, les arts n'en font pas partie. Dès son premier mandat, il apparut en effet clairement qu'il entendait soutenir l'activité artistique. Il ressuscita notamment des prix artistiques tombés dans l'oubli depuis les années 1980, réduisit considérablement les coupes budgétaires infligées au département des Affaires culturelles, emprunta des tableaux et des sculptures aux musées municipaux pour les exposer à la Gracie Mansion du City Hall et, surtout, il fit des "dons anonymes", sur sa fortune personnelle, à des groupes artistiques victimes des réductions budgétaires. Les arts publics ont aussi fait l'objet d'une attention particulière, comme on a pu s'en rendre compte en 2005, avec une installation à grande échelle de Christo dans Central Park intitulée *The Gates* – fruit d'une intervention directe du maire qui décida de relancer un plan controversé et longtemps laissé en sommeil.

Comment se traduisent concrètement ces efforts pour l'amateur ordinaire ? D'abord, il y a énormément de choses à voir. Et si ce n'est pas nouveau dans une ville où l'on a toujours pu admirer le matin un chef-d'œuvre impressionniste et une installation à base de serviettes périodiques usagées l'après-midi, avant de frissonner le soir devant un orchestre ou un spectacle de danse moderne, la tendance est à l'élargissement constant du choix. Le fait récent le plus marquant a été la réouverture du Museum of Modern Art (MoMA ; p. 154), après des travaux de 850 millions de dollars ayant permis de doubler son espace, de refondre entièrement son architecture intérieure et de créer un restaurant haut de gamme. L'événement a généré un engouement pour l'art moderne et un afflux permanent de visiteurs qui ne peuvent se rassasier du nouveau design intérieur (malgré un prix d'entrée fixé à 20 $). Mais c'est loin d'être la seule nouveauté. Beaucoup d'institutions se sont agrandies ou rénovées, ou projettent de le faire. C'est le cas du Metropolitan Museum of Art (bien que l'augmentation de la fréquentation qui en résulterait ait inquiété les résidents fortunés du voisinage), du Guggenheim, du Carnegie Hall, du Brooklyn Museum et de la Brooklyn Academy of Music (BAM). Même le Lincoln Center s'est lancé dans un projet de transformation de 500 millions de dollars (bien qu'il en soit encore dans la phase de recherche des financements). Et la Seventh Regiment Armory de Park Ave, où se tient une célèbre exposition annuelle, rêve de devenir une institution d'arts visuels et de la scène d'une superficie de plus de 5 000 m².

Les tout derniers développements concernent la construction de nouveaux musées : le New Museum of Contemporary Art (p. 143) et la Dia Art Foundation (anciennement à Chelsea et aujourd'hui à Beacon, dans l'État de New York). Le New Museum, autrefois sur Broadway, à Soho, et temporairement logé dans le Chelsea Art Museum, dans W 22nd St, doit emménager, fin 2007, dans un étonnant bâtiment du Lower East Side de 5 600 m². Conçue par les architectes de Tokyo Sejima et Nashizawa/SANAA, cette structure blanche qui ressemble à un empilement de cubes est sortie de terre en 2005 ; elle est le premier musée d'art construit à Downtown Manhattan depuis un siècle. De son côté, la fondation Dia projette de s'installer dans le Meatpacking District, conjointement à l'implantation du parc de la High Line (p. 140), qui devrait relier tout un ensemble d'institutions artistiques. Ses collections permanentes seront accueillies dans un musée ultramoderne situé à l'entrée de la High Line. Enfin, le Museum of Arts & Design (p. 154) devrait normalement emménager, en 2008, dans un bâtiment de Columbus Circle, depuis la défaite des défenseurs du patrimoine qui s'opposaient à ce transfert.

Cependant, les signaux qu'envoie le gouvernement sont parfois ambigus en ce qui concerne la place de l'art dans la société. Les New-Yorkais viennent d'en faire l'expérience assez désagréable à l'occasion du réaménagement interminable de Ground Zero. Le gouverneur George Pataki est parvenu à faire échouer un plan très ambitieux d'implantation de centres culturels en avertissant les institutions artistiques qu'elles ne pourraient pas exposer des œuvres qui offenseraient le sentiment patriotique. À la suite de quoi, de vénérables institutions, tel le Drawing Center (p. 128), durent se retirer du projet.

En outre, si Manhattan est devenu trop cher pour la plupart des artistes (excepté ceux qui remportent un grand succès commercial), la ville garde son pouvoir d'attraction pour de jeunes talents de tous bords, grâce à son énergie inépuisable (et la présence de ses incontournables mécènes). Les stars de demain ont émigré à la périphérie en quête de nouveaux entrepôts, et des communautés artistiques dynamiques sont ainsi apparues dans les boroughs extérieurs, notamment Long Island City, dans le Queens, ainsi que Williamsburg, Dumbo et Bedford-Stuyvesant à Brooklyn.

Mais on trouve encore, dans toute la ville, des musiciens jouant à guichets fermés, des night-clubs bondés et des nouveautés théâtrales drainant un public qui dépasse largement celui de la seule ville de New York. Car, pour de nombreux New-Yorkais, l'art s'avère bel et bien une nécessité vitale. Ne vivent-ils pas, après tout, dans l'une des capitales mondiales de la culture ?

Pour des informations sur la scène musicale de la ville, reportez-vous p. 78, et sur l'architecture, p. 66.

PEINTURE ET ARTS PLASTIQUES

La population des artistes – et de ceux qui les aiment – est toujours nombreuse, bien que le coût de la vie et des loyers ait chassé les plus pauvres d'entre eux. En témoigne le nombre de grands musées (25), de galeries privées (environ 600), d'installations d'art public et d'expositions moins formelles d'œuvres allant de l'accrochage ponctuel dans les bars et les restaurants aux graffitis couvrant les façades d'immeubles et les couloirs du métro. Chelsea est le centre du monde des galeries, avec près de 200 espaces dans ce seul quartier, parmi lesquels Matthew Marks et Barbara Gladstone. Certaines parties du Lower East Side et de Williamsburg, à Brooklyn, gagnent également en notoriété, mais il n'en a pas toujours été ainsi et la situation pourrait évoluer rapidement.

La galerie Matthew Marks, Chelsea (p. 142)

DIX GRANDS ESPACES ARTISTIQUES NEW-YORKAIS

Le Met et le MoMA sont des institutions mondialement connues, et l'architecture du Guggenheim mérite à elle seule le détour, mais il y a d'autres lieux tout aussi exceptionnels, qui présentent en outre l'avantage d'être moins fréquentés :

- **Brooklyn Museum** (p. 179) Joyeux après-midi en perspective dans ce lieu relooké pour plaire aux familles (on a notamment enlevé le mot "Art" de son nom !) – ou même une soirée lors des populaires First Saturdays
- **Cloisters** (les "Cloîtres", p. 170) Un charmant cousin du Met, en plein air, au nord de Manhattan, offrant une paisible retraite historique
- **Deitch Projects** (p. 54) Grâce à ses installations et ses soirées spéciales, Soho est toujours dans la course des galeries
- **El Museo del Barrio** (p. 169) Le meilleur endroit pour découvrir les artistes latinos locaux et les maîtres latino-américains
- **Frick Collection** (p. 161) Un écrin de tranquillité, dans Uptown, à l'écart de la foule mais pas des grands maîtres de la peinture
- **International Center of Photography** (p. 152) L'assurance pour les fans de photo de voir des expositions toujours surprenantes
- **Isamu Noguchi Garden Museum** (p. 185) Précieux château-sculpture zen qui fera oublier le temps que l'on met pour y aller
- **Neue Galerie** (p. 163) Les amoureux de Klimt et de Schiele ne manqueront pas cet espace intimiste, dans un ancien hôtel particulier des Rockefeller
- **Studio Museum in Harlem** (p. 168) Les talents prometteurs de Harlem
- **White Columns** (p. 54) Une petite galerie juste au sud du Meatpacking District, pour se laisser désarçonner par les hardiesses contemporaines

La scène artistique a toujours été mouvante. Les premières galeries s'installèrent sur 57th St et aux abords du très populaire Museum of Modern Art. Ouvert en 1929 pour contrecarrer les politiques conservatrices des musées traditionnels (comme le Met), le MoMA vit éclore dans son sillage une pléiade de petits espaces, telles les galeries de Julien Levy et Peggy Guggenheim, qui exposèrent les travaux d'artistes avant-gardistes comme Mark Rothko et Jackson Pollock. Durant le mouvement pop art des années 1950, la scène se déplaça vers Uptown, avant de redescendre dans l'East Village (East 10th St) pour accompagner la seconde génération des expressionnistes abstraits. C'était l'époque, au début des années 1960, où Andy Warhol devint célèbre avec sa boîte de soupe Campbell et sa Marilyn Monroe, avant d'ouvrir la sulfureuse Factory.

Cependant, en 1969, une femme dynamique du nom de Paula Cooper déplaça le mouvement à Soho en ouvrant une galerie dans Wooster St, point de départ d'une transformation radicale du quartier. Les artistes occupèrent des lofts où ils travaillaient et habitaient en même temps, et une multitude de galeries s'y installèrent. À partir de 1980, la scène revint pour un temps dans l'East Village, où une cinquantaine de galeries ouvrirent dans le sillage de la Fun Gallery, proposant un art à dominante ironique et entraînant le rapide embourgeoisement du quartier. Le mouvement s'interrompit aussi brutalement qu'il avait commencé, avec une brève renaissance de Soho qui s'acheva en 1993, lorsque l'augmentation des loyers poussa la clientèle artistique vers West Chelsea, une zone délaissée qui ne demandait qu'à être investie.

MUSÉES ET GALERIES

Chelsea est actuellement le centre névralgique des galeries. Les jeudis et vendredis soir, une foule branchée y erre de vernissage en vernissage. C'est là que les artistes les plus en vogue se vendent et s'achètent, et que les collectionneurs se bousculent à la recherche des œuvres les plus en vue et les plus innovantes. Et le mouvement ne fait que s'amplifier comme en témoigne la récente ouverture, inaugurée en fanfare, d'un groupe de galeries sur 27th St, entre 11th Ave et 12th Ave. Début 2006, six galeries prestigieuses – Derek Eller Gallery, Foxy Production, Wallspace, Oliver Kamm Gallery, Clementine Gallery et John Connelly Presents – ont quitté leur précédente adresse à Chelsea pour s'installer dans les travées d'un vieil entrepôt précédemment occupées par la discothèque Tunnel. Le pâté de maisons, avec toutes ses galeries ayant pignon sur rue, est devenu la nouvelle frontière du quartier (voir le chapitre *Promenades*, p. 217.).

Mais tous les anciens quartiers à la mode sont encore pleins de ressources. Soho abrite le **Deitch Projects** (☎ 212-343-7300 ; 18 Wooster St entre Canal St et Grand St) et le Drawing Center (p. 128), où sont exposées des installations dernier cri. On trouvera également des galeries intéressantes dans le haut des cinquantièmes rues et, à moindre degré, l'East Village. Des endroits comme **Rivington Arms** (☎ 646-654-3213 ; 102 Rivington St entre Essex St et Ludlow St) et Maccarone Inc (p. 134) jouent encore dans la cour des grands, de même que **Pierogi** (☎ 718-599-2144 ; 177 N 9th St entre Bedford Ave et Driggs Ave), et d'autres lieux plus excentrés, comme à Williamsburg. **White Columns** (☎ 212-924-4212 ; 320 W 13th St), dans le West Village, est une galerie très admirée, unique en son genre, montrant, depuis son ouverture en 1969, un art plus audacieux et dérangeant – les soirs de vernissage, le vendredi, sont le rendez-vous des jeunes branchés.

Hors de Manhattan, les autres endroits à visiter sont l'ouest du Queens, surtout Astoria et Long Island City, et Dumbo à Brooklyn. Depuis des années, le Queens clignote sur l'écran radar artistique grâce au PS1 Contemporary Art Center (p. 185), un espace d'art contemporain gigantesque affilié au MoMA depuis 2000 ; au Socrates Sculpture Park (p. 185), ancienne zone d'enfouissement de déchets transformée en parc au bord de l'eau et parsemé d'œuvres de grandes tailles de Mark di Suvero, entre autres, ainsi qu'à l'Isamu Noguchi Garden Museum (p. 185) dont les sculptures sont présentées dans un paisible jardin.

Dumbo, quant à lui, est un quartier que les artistes ont investi dans les années 1970 et 1980, attirés par son atmosphère de zone industrielle à l'abandon. À la fin des années 1990, tout ce qui se prétendait artiste avait découvert l'endroit, et était tombé amoureux de ses deux ou trois gargotes, de son petit parc au bord de l'eau et de ses rues pavées. Depuis lors, le quartier s'est évidemment embourgeoisé, entraînant l'apparition de grands restaurants, de boutiques et de résidences de haut standing, mais les artistes sont restés. Le **Dumbo Arts**

Center (30 Washington St entre Plymouth St et Water St) expose les artistes locaux et finance le festival annuel Dumbo Art Under the Bridge (p. 27), qui a lieu en octobre.

Il va sans dire que les musées classiques de la ville méritent, plus que jamais, une visite. Le Metropolitan Museum of Art (p. 161), qui abrite de riches collections d'art américain, européen, asiatique, africain, égyptien et gréco-romain, ainsi que des salles consacrées à la mode, au mobilier, aux armures médiévales, au vitrail, aux bijoux et aux manuscrits, entre autres, est en cours d'agrandissement. D'autres institutions, comme le Brooklyn Museum (p. 179), la Frick Collection (p. 161), le Solomon R. Guggenheim Museum (p. 163), l'American Folk Art Museum (p. 154) et le Whitney Museum of Art (p. 164), sont en eux-mêmes des monuments d'architecture, remplis d'œuvres de qualité aussi bien classiques que modernes. Tous les deux ans, le musée Whitney fait la une de l'actualité avec sa Biennale, où sont rassemblées toutes les étoiles montantes de l'art. Cette manifestation est parfois tournée en dérision, avec plus ou moins de raison, mais il lui arrive de faire l'unanimité. D'autres musées moins en vue, comme la passionnante Neue Galerie (p. 163) germano-autrichienne, proche du Met, exposent des collections plus petites et plus spécialisées.

Enfin, les collectionneurs se feront une obligation de visiter les foires d'art qui ont lieu au printemps et qui tendent à devenir des événements très courus. La plus en vogue est l'**Armory Show** (www.thearmoryshow.com), une foire internationale d'art moderne qui se tient en mars dans des espaces portuaires surplombant l'Hudson. Elle regroupe plus de 200 galeristes venus du monde entier.

Le meilleur moyen de ne pas passer à côté de ce qui vous intéresse est de consulter le *Gallery Guide*, un petit fascicule distribué dans toutes les galeries de la ville.

ART PUBLIC

L'art public – les œuvres ornant les espaces publics – a une longue histoire à New York, qui s'est encore enrichie avec le soutien de l'administration Bloomberg. Elle atteignit son apogée en février 2005 avec *The Gates*, une installation très attendue de Christo et sa femme Jeanne-Claude qui suspendirent 7 500 toiles épaisses orange vif à de grands portiques alignés sur 37 km de sentiers, dans Central Park. L'événement, qui dura quinze jours, fut diversement apprécié : beau et déroutant pour les uns, laid et dérangeant pour les autres. Le plus important, c'est que la population se mit à parler d'art, et voulut voir cette installation de ses propres yeux, ne serait-ce que par curiosité, la transformant en un événement majeur.

En plein développement à New York, l'art public est majoritairement financé et promu par deux grands programmes : le Public Art Fund et le Percent for Art du service des Affaires culturelles (Department of Cultural Affairs) de la ville. Lancé par l'ancien maire Edward Koch en 1982, Percent for Art impose ainsi que chaque projet immobilier municipal consacre 1% de son budget à l'art. Depuis son lancement, environ 200 programmes en ont bénéficié, touchant des écoles publiques, des bibliothèques, des parcs et des commissariats de police – et même une **station de transfert maritime de déchets** (à hauteur de 59th St et de l'Hudson), qui fut enrubannée de néons rose, vert et bleu (s'allumant au coucher du soleil) par l'artiste Stephen Antanakos en 1990. On pourra également vérifier la pertinence du Percent for Art au quartier général de la police de Manhattan (mosaïque de granit et de brique de Valerie Jaudon) et dans l'**East Harlem Artpark** (à hauteur de Sylvan Place et E 120th St), où se dresse une fleur orange en acier de Jorge Luis Rodriguez. Citons aussi l'œuvre de Donna Dennis, *Dreaming of Faraway Places: The Ships Come to Washington Square Market* (Rêve de contrées lointaines : les bateaux arrivent au marché de Washington Sq), une grille métallique entourant la **Public School 234** (Greenwich St), qui fut choisie par le maire pour célébrer le 20e anniversaire du Percent for Art, en 2003.

Le Public Art Fund, quant à lui, est une organisation à but non lucratif qui travaille avec des artistes célèbres ou peu connus, en vue de présenter des œuvres de grande dimension au public. Le fonds passe des commandes, travaille avec les musées pour leur permettre de s'étendre au-delà de leur enceinte (telle la collaboration avec le musée Whitney afin d'installer des sculptures dans Central Park durant sa Biennale), distingue chaque année des œuvres novatrices, et organise régulièrement des conférences sur l'art public. Pour connaître l'emplacement des œuvres commandées par le fonds, consultez le www.publicartfund.org.

LES GRAFFITIS ET LE STREET ART

L'art du graffiti est apparu dans les années 1960, essentiellement sous le marqueur des "taggers" qui utilisaient l'espace public à des fins politiques, et de membres de gangs pour marquer leur territoire. Les premiers auteurs de cette nouvelle forme d'expression se firent connaître en taguant des rames de métro. Rapidement, le tag évolua vers le graffiti, les "graffeurs" cherchant à se distinguer par le style et la taille de leurs œuvres. Le graffiti fit l'objet d'études et d'articles, notamment dans le *New York Times*, et fut reconnu – grâce à ces médias officiels – comme une forme d'art à part entière. La crise budgétaire de la ville, au milieu des années 1970, marqua l'apogée de cet art, notamment en raison du défaut d'entretien du système de transport. Les images de cette époque ont tellement marqué les esprits que nombre de visiteurs s'attendent encore à trouver ces rames taguées de haut en bas.

Leur attente sera déçue, car la Transit Authority a fait de l'élimination des graffitis – du vandalisme, pour leurs détracteurs – une priorité. Les durs du mouvement continuèrent d'œuvrer durant toute la période anti-graffiti des années 1980 et 1990 et, tandis que certains considéraient qu'il n'y avait pas d'autre espace possible que les transports publics, d'autres investissaient des murs d'immeubles, des ponts, des toits et divers emplacements difficiles d'accès. Le mouvement donna même naissance à quelques artistes pop "légitimés", tels Keith Haring et Jean-Michel Basquiat.

Aujourd'hui, on note une séparation entre les artistes de rue "sauvages" et les graffeurs reconnus par le monde de l'art. Il y en eut récemment un exemple ridicule lors d'une fête de rue à Chelsea, à laquelle le fabriquant de vêtements hip-hop Ecko projetait d'inviter des graffeurs légendaires à faire une démonstration de leur savoir-faire sur une série de fausses voitures de métro. Bloomberg voulut s'y opposer – au motif qu'il y voyait une incitation au vandalisme – mais sa décision, jugée contraire à la Constitution, fut annulée. Cette manifestation bizarrement commerciale se déroula sans anicroche.

Les meilleurs endroits pour voir des graffitis sauvages sont les boroughs extérieurs, au premier rang desquels le Bronx sud et le Queens, vus depuis le métro aérien 7, avant et après la station Hunters Point Ave. Il existe aussi plusieurs possibilités de visites plus "organisées". **Exhibit 1A Gallery** (147th St à hauteur de Eighth Ave, dans un immeuble résidentiel) est la plus grande galerie entièrement consacrée au graffiti. Chaque année, en novembre, elle met sur pied l'exposition "Graffiti Uptown : You Can't Shut Us Down" (programme consultable sur www.graffiti.org). L'un des premiers défenseurs du graffiti, Hugo Martinez, dirige la **Martinez Gallery** (www.martinezgallery.com), une "galerie nomade" qui expose des graffeurs dans des espaces variés, notamment des écoles secondaires. Enfin, on signalera le **Graffiti Hall of Fame** (www.graffitihalloffame.org), créé par Ray Rodriguez, un ensemble de fresques sur les murs de la **Junior High School 13** (angle de 106th St et Park Ave, Spanish Harlem). Des expositions spéciales ont lieu chaque été. Pour plus de renseignements sur le graff' et son histoire, consultez les sites **Streets Are Saying Things** (www. streetsaresayingthings.com) et **@149st** (http://at149st.com).

Programme sans lendemain, le projet *Creative Stations* de la Metropolitan Transit Authority (MTA) a néanmoins laissé quelques belles traces dans quantité de stations de métro. On pourra ainsi admirer un mur vitré et une installation murale dans la station 28th St de la ligne 6, des mosaïques de céramique colorées dans celle de Bowling Green, lignes 4 et 5 ; et une pièce sonore de musique synthétisée, suspendue au-dessus du quai N, R de la station 34th St. Heureusement, de nouvelles œuvres font sans cesse leur apparition sur les quais du métro, les ponts, les tunnels, et les gares des trains de banlieue Long Island et Metro-North, grâce au programme Arts for Transit, toujours actif, de la MTA. De temps en temps, les banlieusards sont réveillés de leur somnolence par une nouvelle mosaïque de céramique ou une nouvelle sculpture suscitant sourires et curiosité. Au nombre des récentes œuvres, figurent la miroitante mosaïque murale de verre et de céramique de Nancy Spero, *Artemis, Acrobats, Divas and Dancers* (Artemis, acrobates, divas et danseurs) ornant un quai de la station 66th St-Lincoln Center 1, ainsi que les sympathiques figurines en bronze de Tom Otterness qui ont fait rire plus d'un usager de la station 14th St de la ligne A, C, E, L.

Pour découvrir quelques exemples permanents du meilleur art public, ne manquez pas, dans Battery Park, la Sphère de Fritz Koenig, déplacée ici après l'effondrement du World Trade Center, en tant que monument à la mémoire du 11 Septembre (voir l'encadré p. 124). Dans d'autres parties de la ville, vous pourrez aussi admirer, sur Astor Place, le légendaire *Alamo*, un cube de Tony Rosenthal, que l'on peut faire pivoter à la force des bras ; au Lincoln Center, la *Figure couchée* et le miroir d'eau de Henry Moore ; et au Delacorte Theater de Central Park, la *Tempête* et le *Roméo et Juliette* de Milton Hebald. De même, surveillez, tout en marchant, les plaques d'égout : 19 d'entre elles, au sud d'Union Sq, sont l'œuvre de Lawrence Weiner et portent l'inscription *"In direct line with another & the next"*. Tâchez de voir également la merveilleuse *Subway Map Floating on a New York Sidewalk* (Plan du métro flottant sur un trottoir new-yorkais) de Francoise Schein, une œuvre de 26 m de long faite de barres de béton incrustées dans le trottoir, en face du 110 Greene St, à Soho. Enfin, le Socrates Sculpture Park à Long Island City, dans le Queens, avec ses imposantes sculptures permanentes de Mark di Suvero et une rotation constante d'œuvres d'artistes invités, ravira lui aussi les amateurs d'art public. On peut facilement y passer une après-midi entière à pique-niquer à l'ombre des sculptures, à grimper dessus et à admirer la vue sur l'East River et le flanc est de Manhattan.

THÉÂTRE

Les pièces à gros budget et les comédies musicales tape-à-l'œil sont intimement associées à New York et à ce lieu mythique : Broadway. Mais les spectacles de Broadway, s'ils constituent une part importante de la scène théâtrale locale, désignent *stricto sensu* les productions des 38 théâtres officiels de Broadway, de splendides bâtiments du début du XXᵉ siècle entourant Times Square. L'opinion du public sur l'état de la "Great White Way" change complètement tous les deux ou trois ans environ, certains se plaignant constamment qu'avec la multiplication des reprises il ne soit plus possible de voir du bon théâtre original. Cependant, la toute dernière vague d'œuvres musicales novatrices – *Avenue Q* et *Wicked* – en a convaincu plus d'un, et des reprises de succès cinématographiques comme *Monty Python's Spamalot* et *Grey Gardens* ont même conquis la ville entière.

Les succès foudroyants sont, du reste, une caractéristique du théâtre new-yorkais. Le Theater District, tel que nous le connaissons aujourd'hui, a vu le jour en 1893 lorsque Charles Frohman ouvrit l'Empire Theater dans la 40th St, entamant le déplacement du quartier des trentièmes rues vers ce qui allait devenir Times Square. La même année, les machinistes formaient le premier syndicat de toute l'histoire industrielle américaine : le National Alliance of Theatrical Stage Employees. En 1901, devant le flot de lumière déversé par les façades des théâtres, le designer O. J. Gude surnommait Broadway "la grande voie blanche" (the Great White Way). Peu après, commençait la longue et glorieuse histoire des succès montés par la Theater Guild, écrits par Eugene O'Neill, George Bernard Shaw et bien d'autres. Les comédies musicales, quant à elles, augmentaient considérablement en qualité et en popularité. Le premier Tony Awards fut organisé en 1947, le Theater Development Fund fut créé 20 ans plus tard, et à la fin des années 1980, quasiment tous les théâtres de Broadway furent classés monuments historiques.

Mais le théâtre ne se réduit pas à Broadway. Le off-Broadway – des pièces plus risquées et moins coûteuses montées dans des théâtres de 200 à 500 places – et le off-off-Broadway – des spectacles encore plus marginaux et plus abordables pour des publics de moins de 100 spectateurs – font aussi de grosses recettes. Ces salles sont souvent l'occasion pour des acteurs plus établis de se défouler un peu, et elles offrent des tremplins à des spectacles qui passent ensuite à Broadway (*Rent*, par exemple, a commencé au Downtown New York Theater Workshop, *Angels in America* au Public Theater et *Les Monologues du vagin* au minuscule HERE Arts Center, à Soho ; 145 6th Ave). Pour voir beaucoup de pièces expérimentales en peu de temps, on profitera du Fringe Festival (p. 26 ; www.fringenyc.org), qui a lieu chaque mois d'août dans plusieurs salles de Downtown. En été également, le festival Shakespeare in the Park, produit par le Public Theater, se déroule en général à partir du mois juin au Delacorte Theater, à Central Park. Les billets sont gratuits, mais il faut les retirer à jours et heures fixes.

Pour acheter des billets pour tout autre spectacle, vous pouvez soit vous rendre au guichet du théâtre, soit avoir recours aux services d'une agence spécialisée (voir la liste p. 280).

Les amateurs de bonnes affaires peuvent essayer d'obtenir des places debout, le jour du spectacle, s'il n'y a plus de places assises, pour environ 15 $. La visibilité est très bonne, et vous trouverez peut-être des places assises à l'entracte. À Times Square, le kiosque TKTS (p. 287), tenu par le Theater Development Fund, vend des billets pour le soir même, de pièces et de comédies musicales de Broadway et off-Broadway. Le kiosque affiche la liste des spectacles pour lesquels il reste des places. Le mercredi et le samedi, les billets pour les matinées sont en vente à partir de 10h. Le dimanche, les guichets ouvrent à 11h pour les spectacles de l'après-midi. Pour les soirées, la vente des billets commence à 15h tous les jours, et une file d'attente se forme parfois une heure avant l'ouverture du kiosque. Sachez que TKTS n'accepte que les espèces ou les chèques de voyage.

COMÉDIE, CABARET ET PERFORMANCE

Si vous visitez New York, et surtout si vous y séjournez, il est préférable de savoir rire, de soi et des autres. Comment vivre, sinon, dans une cité aussi éprouvante et agitée ? Heureusement, la ville ne manque pas de gais lurons dont c'est la spécialité. Le maire actuel, Bloomberg, a même apporté son soutien au club de comédie Carolines on Broadway (p. 290), ainsi qu'au Comedy Central et d'autres lieux du rire pour la création du festival annuel New York Comedy, dont la troisième édition s'est déroulée en novembre 2006 (détails sur www.nycomedyfestival.com).

De célèbres artistes de la comédie ont souvent été découverts à New York. C'est le cas de Jerry Seinfeld, Eddie Murphy et Chris Rock, qui débutèrent au Carolines on Broadway. Quant à Jim Belushi, Dennis Miller, Joe Piscopo, Kevin Nealon, Dana Carvey et Tina Fey (parmi tant d'autres), ils ont été lancés par la fameuse émission télévisée new-yorkaise *Saturday Night Live* (p. 304).

À l'instar d'autres formes de divertissement, la scène de la comédie est nettement divisée entre les clubs où l'on paye cher pour voir des célébrités et les lieux plus expérimentaux et plus obscurs, offrant souvent, néanmoins, les meilleurs spectacles, et qui ajoutent parfois au traditionnel "one man show" des sketches musicaux, burlesques ou comiques. Pour voir ce genre de spectacles polymorphes, rendez-vous à l'Upright Citizens Brigade Theater (p. 291), spécialisé dans les improvisations. **Rififi Cinema Classics** (☎ 212-677-6309 ; 332 E 11th St), dans l'arrière-salle de son cinéma, avec ses programmes Welcome to Our Week et Invite Them Up, ainsi que la série des Thursdays at Ten de l'**Ars Nova Theater** (☎ 212-489-9800 ; 511 W 54th St) réservent également de très bonnes surprises. Si, toutefois, vous voulez rire de vous-même, entendre des sarcasmes sur l'état du pays ou de la ville, ou sur la boisson à 12 \$ que vous êtes en train de siroter, il faut s'en tenir aux spectacles de "stand-up" standards. Outre le Carolines, qui est sans doute le club le plus connu de la ville, on pourra aussi se distraire au Stand-Up NY (p. 290) et au Gotham Comedy Club (p. 290), ainsi que dans d'autres lieux. Reportez-vous p. 289 pour les adresses.

De leur côté, les spectacles de cabaret se classent également dans le registre humoristique, mais sur un mode beaucoup plus subtil. L'artiste, au piano ou au micro, divertit son auditoire dans un cadre intime, mais les saillies intelligentes ou les anecdotes ont simplement pour but de mettre en valeur le sujet principal : la musique. Jazz et variété composent l'essentiel du menu, mais dans le Theater District – au Danny's Skylight Room (p. 289), ou au Don't Tell Mama (p. 289) – vous entendrez aussi beaucoup d'airs de comédies musicales de Broadway. Les styles varient également selon le prix et selon que l'endroit est considéré comme "classique" – tels Feinstein (p. 290) ou le Carlyle (p. 289) – et reçoit des stars du cabaret, comme Woody Allen, Betty Buckley et Ann Hampton Callaway. Si l'humour gay infiltre tout spectacle de cabaret par sa tendance kitsch naturelle, il est plus marqué au **Duplex** (Christopher St), où les artistes seront souvent des travestis. Les bars gays se transforment au besoin en scènes de cabaret ; c'est le cas notamment du Therapy (p. 269) et du bar xl (p. 269), entre autres.

Certains spectacles de clubs gays se confinent à la performance, mais divers autres lieux leur font concurrence. On en verra des exemples en diverses salles non spécialisées comme Slide/Marquee (p. 268) et le nouveau Mo Pitkin's House of Satisfaction (p.290) dans l'East Village. Le Galapagos Art and Performance Space (p. 278) à Williamsburg, La MaMa E.T.C. (p. 288) et le cabaret féminin **WOW Café Theater** (☎ 212-696-8904 ; 59 E 4th St entre The Bowery et 2nd Ave), tous deux dans l'East Village, sont aussi de bonnes adresses pour trouver du burlesque, des revues musicales étranges, des soap-operas live et de l'esprit tous azimuts.

MUSIQUE CLASSIQUE ET OPÉRA

Si Downtown attire la création contemporaine – groupes de rock indie, spectacles de travestis intelligents, installations dernier cri et danse expérimentale – Uptown est le refuge des activités plus classiques. On s'en aperçoit rapidement en se promenant dans l'Upper West Side, quartier d'artistes de la vieille école où il n'est pas rare, à la sortie de la station de 96th St, de croiser des instrumentistes portant leur violon, contrebasse et hautbois dans de grandes mallettes aux formes bizarres. À un moment ou un autre de leur carrière, tous ont joué soit au Lincoln Center (p. 282), soit au Carnegie Hall (p. 281), comme tous, ou presque, ont dû étudier ou assister à une classe dans l'une des plus prestigieuses écoles de musique classique et d'opéra du pays : la Juilliard School ou la Manhattan School of Music, où ont également lieu des concerts de premier plan.

Construit dans les années 1960, le Lincoln Center faisait partie d'un plan de rénovation urbaine piloté par Robert Moses, et qui entraîna la disparition de tout un quartier déshérité (où l'on avait d'ailleurs tourné *West Side Story*). Controversé au départ, ce projet a su conquérir les New-Yorkais grâce à la richesse incomparable de son offre culturelle. Cet immense complexe agrémenté de fontaines, de miroirs d'eau et de vastes esplanades abrite non seulement les grandes salles de concert Alice Tully et Avery Fisher, le Metropolitan Opera House (la plus luxueuse de toutes) et le New York State Theater, mais encore la Juilliard School, la Fiorello La Guardia High School for the Performing Arts, et les théâtres Vivian Beaumont et Mitzi Newhouse. Les formations résidentes comprennent, entre autres, le Metropolitan Opera et le New York City Opera, le New York Philharmonic, le New York City Ballet et la Chamber Music Society of Lincoln Center. La programmation est très diversifiée, avec quelques événements gratuits comme les populaires Concerts in the Parks, une série de concerts estivaux donnés par le Philharmonic – premier orchestre d'Amérique, fondé en 1842, et actuellement dirigé par Lorin Maazel. Le Metropolitan Opera – qui a trouvé un nouveau souffle en son nouveau directeur, le populaire Peter Gelb – est la compagnie la plus prestigieuse, et la plus classique, tandis que le New York City Opera, plus réaliste, est aussi plus original et plus imaginatif.

Le Carnegie Hall, plus petit, n'en est pas moins apprécié à l'égal des précédents – surtout depuis l'ouverture, sous la grande salle Isaac Stern, du Zankel Hall, réservé à des concerts éclectiques de world music et de jazz. C'est ici que l'on pourra entendre les orchestres étrangers en tournée et les solistes internationaux, tels le violoniste Midori et le pianiste Nelson Freire, mais aussi des grands concerts comme les New York Pops. Les amateurs attendent avec impatience de voir quelle direction va prendre son nouveau directeur Clive Gillinson.

New York compte bien d'autres institutions classiques. L'une des plus intéressantes est la Brooklyn Academy of Music (BAM ; p. 281), la plus ancienne académie du pays pour les arts du spectacle. Le Brooklyn Philharmonic y donne une saison d'opéras et de concerts, et cet orchestre joue gratuitement en été dans le Prospect Park voisin. (Pour d'autres salles, voir p. 291). Pour écouter de la musique classique sans débourser un dollar, branchez-vous sur les radios locales, notamment WQXR sur 96.3 FM, vieille de 75 ans et entièrement classique, ou WNYC sur 93.9 FM, branche locale de la NPR (National Public Radio), qui diffuse de la musique classique à 14h et 19h en semaine, et à 20h le week-end.

DANSE

Les deux années qui viennent de s'écouler ont été un temps fort pour la danse à New York, avec l'ouverture de cinq nouveaux espaces de danse et la mise en projet de plusieurs autres. Une situation peu ordinaire qui a réjoui les amateurs tout en leur faisant se demander comment elle a bien pu se produire. 2004 et 2005 ont ainsi vu naître le **Baryshnikov Arts Center** (450 W 37th St), un espace de répétition interdisciplinaire de trois étages situé à Hell's Kitchen. Non loin, à Chelsea, le Cedar Lake Ensemble (p. 292) a aussi inauguré une salle et un studio, tandis que le Field a ouvert le FAR Space, également sur 26th St, pour des artistes en résidence. L'Alvin Ailey American Dance Theater (p. 292), quant à lui, a pris ses nouveaux quartiers (pour un prix de 54 millions de dollars) à Hell's Kitchen, en 2004. Devraient ouvrir prochainement, le siège du **Dance New Amsterdam** (280 Broadway) à Lower Manhattan, ainsi qu'un tout nouvel espace pour l'avant-gardiste Dixon Place (p. 287), qui propose de la danse, du théâtre, des lectures et des performances. Ces nouveaux espaces centraux représentent un réel changement de ton par rapport aux années précédentes, où des troupes comme le Mark Morris Dance Group, logé dans un endroit relativement récent à Fort Greene, Brooklyn, étaient contraintes de chercher des espaces dans les boroughs périphériques.

Mais ces bonnes nouvelles, au fond, ne sauraient étonner à New York, où convergent traditionnellement tous les chemins de la danse – et ce, même si ce monde est scindé en deux moitiés qui s'ignorent : le classique et le moderne. Cette double personnalité en fait l'une des capitales les plus célèbres en ce domaine. La coexistence de ces deux esprits sautera aux yeux en feuilletant les programmes, qu'on soit un amateur éclairé ou non, et à plus forte raison si l'on cherche à prendre à un cours de danse. La plupart des écoles de la ville, de Steps dans l'Upper West Side à Dance Space à Soho, offrent un large éventail de cours soit de danse moderne, jazz ou un mélange des deux, soit de danse classique. En général, les amateurs choisissent leur camp et ne le quittent plus, à l'instar des professionnels et de leur public. Toutes les références des compagnies de danse, des studios et des centres artistiques se trouvent au chapitre *Où sortir* (p. 291).

Tout a commencé dans les années 1930, avec la création d'un ballet classique américain, point de départ des futurs American Ballet Theatre (ABT) et New York City Ballet, de renommée mondiale. Le désir de Lincoln Kirstein était de constituer un corps de ballet local formé par les plus grands maîtres mondiaux et ayant son propre répertoire. En 1933, Kirstein rencontra le danseur et chorégraphe russe George Balanchine à Londres et, la même année, ils décidèrent d'ouvrir leur école aujourd'hui légendaire, le New York City Ballet. Plus tard, Jerome Robbins les rejoindra en tant que directeur artistique adjoint. En 1964, les deux fondateurs ouvrirent le New York State Theater, dont le New York City Ballet est depuis lors le corps de ballet attitré. Les plus grands noms de la danse, notamment Balanchine, Robbins et Peter Martins, ont écrit des chorégraphies pour cette formation qui a compté des stars comme Maria Tallchief, Suzanne Farrell et Jacques d'Amboise.

Pendant ce temps, l'American Ballet Theatre (ABT) suivait son propre chemin. Il avait été fondé en 1937 par Lucia Chase et Rich Pleasant et rendu célèbre grâce aux chorégraphies de Balanchine, Antony Tudor, Jérôme Robbins (*Fancy Free*), Alvin Ailey, et Twyla Tharp (*When Push Comes to Shove*). Transfuge de l'Union soviétique, Mikhaïl Barychnikov retrouva la gloire avec l'ABT, dont il fut le danseur étoile de 1974 à 1978 et son directeur artistique de 1980 à 1989, avant de fonder son propre groupe, le White Oak Dance Project.

À la même époque, Martha Graham, Charles Wiedman et Doris Humphrey posaient les bases du mouvement moderne new-yorkais, consolidées après la Seconde Guerre mondiale par Merce Cunningham, Paul Taylor, Alvin Ailey et Twyla Tharp. De nos jours, danse classique et danse moderne jouissent d'un rayonnement mondial avec, en outre, une scène expérimentale d'avant-garde en constante évolution où l'on peut voir à peu près n'importe quoi – des femmes tout en muscles incluant des numéros de trapèze dans leur spectacle, jusqu'à des troupes entièrement nues se roulant par terre sur une scène vide.

Aujourd'hui, les danseurs d'avenir continuent d'innover, montrant le fruit de leurs recherches sur les petites scènes de Downtown comme le Kitchen, le Joyce Theater et le Danspace Project (voir p. 292 pour les informations sur les salles). Les danseurs eux-mêmes, souvent obligés de travailler à l'extérieur pour subvenir à leurs besoins dans une ville aussi chère, ont acquis un sens de l'entraide remarquable. Ils peuvent demander des bourses, des espaces dans des studios et d'autres moyens d'aide à la création par le biais d'organismes tels que le Field, le Movement Research, le Pentacle, la New York Foundation for the Arts et le Dance Theater Workshop, où se tient chaque année la prestigieuse cérémonie des Bessies, (du nom de Bessie Schönberg, professeur très estimé, décédée en 1997) couronnant les meilleurs danseurs.

Pour connaître les derniers développements du monde de la danse, il faut lire de préférence les critiques du *Village Voice* et du *New York Times*. La liste complète des salles et des organismes ainsi que les derniers événements sont répertoriés sur le site www.dancenyc.org.

LITTÉRATURE

La scène littéraire new-yorkaise offre bien plus qu'un grand choix de librairies de qualité – notamment en raison du nombre d'écrivains renommés qui résident ici. On ne compte plus les célébrités des lettres contemporaines qui vivent à New York : Michael Cunningham, Jonathan Ames, Grace Paley, Tom Wolfe, Frank McCourt, Joan Didion, Jay McInerney et bien d'autres. Ajoutez-y une foule de talents en attente de reconnaissance – tout le monde, ici, est en train d'écrire un livre et se croise dans le circuit très actif des lectures publiques – et le fait que New York soit la capitale de l'édition, et vous obtenez une ville des plus livresques. Rien d'étonnant à cela, considérant la variété des sources d'inspiration qu'on y trouve réunies, ainsi que la richesse et la diversité de son passé littéraire.

NEW YORK EN LITTÉRATURE

- *Portnoy et son complexe* de Philip Roth (Gallimard, coll. "Du monde entier", 1970) L'auteur de *La tache* (2002) nous livre le récit hilarant de son adolescence complexée, passée entre un père constipé et une mère juive un peu trop envahissante.
- *Esclaves de New York* de Tama Janowitz (Gallimard, 1986) Série d'histoires narquoises imprégnées de l'obsession immobilière du Downtown des années 1980 qui restitue, avec nostalgie, une époque où des artistes complètement fauchés pouvaient encore se débrouiller pour faire leur nid dans un loft illégal ou un atelier délabré.
- *Trilogie new-yorkaise* de Paul Auster (Le Livre de Poche, 19887) Ce thriller métaphysique en trois volumes (*La Cité de verre*, *Revenants* et *La Chambre dérobée*) nous entraîne dans un New York envoûtant, insaisissable, où les limites se brouillent et laissent le lecteur au bord du vertige.
- *Le Bûcher des vanités* de Tom Wolfe (Le Livre de Poche, 1987) Après une carrière de critique littéraire, l'auteur, qui se fit le chroniqueur des Acid Tests des années 1960 et de l'histoire d'amour entre la haute société et le Black Power, a revisité les années fric (1980) avec ce passionnant roman sur les démêlés d'un banquier d'affaires avec le monde noir du South Bronx.
- *Jazz* de Toni Morrison (10-18, coll. "Domaine étranger", 1992) Lauréate du Prix Pulitzer, Morrison explore le Harlem de l'époque du jazz à travers l'histoire de 3 vies tragiques et entremêlées.
- *Push* de Sapphire (Seuil, coll. "Points Seuil", 1996) Le calvaire d'une jeune fille de Harlem de 16 ans, Precious Jones, est difficile à supporter, mais la prose honnête et somptueuse fait tout passer, y compris les abus sexuels, le sida et la grossesse consécutive à un viol par le père.
- *Bright Lights, Big City : journal d'un oiseau de nuit* de Jay McInerney (Éd. de l'Olivier, 1997) Confronté à la mort de sa mère et à son attirance pour la drogue, un parfait yuppie de Manhattan ayant tout pour réussir est emporté dans une spirale infernale.
- *Les Orphelins de Brooklyn* de Jonathan Lethem (Éd. de l'Olivier, 1999) Histoire étrange et captivante devenue le roman culte de Brooklyn nord : à la faveur d'une enquête sur la mort de son patron, Lionel Essrog, orphelin et détective affligé du syndrome de Tourette, explore les histoires et les zones d'ombre des quartiers de Brooklyn, que ses occupants récents sont loin de soupçonner.
- *Le Livre des jours* de Michael Cunningham (Belfond, 2006) Premier roman depuis *Les heures*, cette histoire en trois parties explore New York au passé (les années 1920), au présent et au futur (XXIIe siècle), mêlant trois récits catastrophiques indescriptibles à la poésie de Walt Whitman.
- *Le Diable s'habille en Prada* de Lauren Weisberger (Fleuve Noir, 2006) Andrea, jeune journaliste fraîchement débarquée à New York, découvre l'univers hostile des magazines de mode.

L'histoire littéraire la plus glorieuse de New York est sans conteste celle de Greenwich Village. À la fin du XIXe siècle, de grandes figures des lettres telles que Henry James, Herman Melville et Mark Twain habitaient aux abords de Washington Sq et, vers 1912, un clan très soudé de dramaturges et de poètes comprenant, entre autres, John Reed, Mabel Dodge Luhan, Hutchins Hapgood et Max Eastman, écrivit la chronique de la vie de bohème. Littérature et alcool faisaient alors bon ménage dans les cafés du Village. Mais lorsque la Prohibition fit affluer dans leurs bistrots de Downtown une foule d'assoiffés venus des autres quartiers, la bande se dispersa et la vie

L'élégante librairie d'art Rizzoli (p. 347)

retrouva son calme pendant quelque temps... jusqu'à l'arrivée d'Eugene O'Neill et de ses comparses, suivis peu après par les romanciers Willa Cather, Malcolm Cowley, Ralph Ellison et les poètes Edward Estlin Cummings, Edna St Vincent Millay, Frank O'Hara et Dylan Thomas – qui serait mort au Village après avoir avalé un verre de trop à la White Horse Tavern en 1953.

Le quartier est encore étroitement associé à la vie littéraire de la fin des années 1950 et des années 1960, lorsque William Burroughs, Allen Ginsberg, Jack Kerouac donnaient le ton à la sauvage et magnifique Beat generation. Ces poètes et romanciers rejetaient les formes d'écriture traditionnelles pour adopter les rythmes du langage américain de base et du jazz. Ginsberg s'est rendu célèbre avec *Howl*, une attaque contre les valeurs américaines parue en 1956. La prose de Kerouac, celle du moins de *Sur la route, Les Souterrains* et *Les Clochards célestes*, analogue à celle de Burroughs (*Le Festin nu*), traduit un mépris du conformisme et une soif d'aventure.

En 1966, Ginsberg participa à la création du Poetry Project à la St Mark's Church-in-the-Bowery (131 E 10th St) dans l'East Village, un forum et centre de documentation littéraire – et une sorte de centre social polyvalent – à destination des écrivains new-yorkais. Géré par des poètes, il est toujours en activité. Ginsberg y fit une célèbre lecture en compagnie de Robert Lowell. Des écrivains renommés y ont lu leurs textes, parmi lesquels Adrienne Rich, Patti Smith et Frank O'Hara.

Que ce centre ait pu prendre racine dans l'East Village est bien la preuve que l'activité intellectuelle et l'inspiration littéraire n'ont jamais été confinées dans la seule enceinte du légendaire Greenwich Village. Harlem, par exemple, s'honore d'une longue histoire littéraire – James Baldwin, fils de pasteur, noir et homosexuel, était originaire de ce quartier du nord de la ville. Ses romans, publiés dans les années 1950 (*Les Élus du Seigneur* et *La Chambre de Giovanni*), traitent des conflits raciaux, de la pauvreté et des problèmes d'identité. Audre Lorde, une lesbienne caribo-américaine, activiste et écrivaine, a grandi à Harlem et fréquenté l'université de Columbia. Sa poésie, écrite surtout dans les années 1970, et ses mémoires, *Zami : une nouvelle façon d'écrire mon nom* (1982), abordent les questions de classe, de couleur de peau et d'homosexualité féminine et masculine. Bien avant, dans les années 1920, Dorothy Parker réunissait une cour d'adorateurs dans ses fameux rendez-vous littéraires de l'Algonquin Round Table – un groupe d'amis écrivains qui passaient leur temps à boire et à discuter de culture, de politique et de littérature. Ces conversations auxquelles participaient, parmi tant d'autres, Harold Ross, le fondateur du *New Yorker*, l'écrivain journaliste Robert Benchley, les dramaturges George S. Kaufman, Edna Ferber, Noel Coward et Marc Connelly, ainsi que divers critiques, tournèrent rapidement au divertissement national. Des histoires circulaient et les touristes venaient s'extasier devant ces beaux esprits.

Dans les années 1980, des romanciers comme Bret Easton Ellis (*American Psycho, Glamorama*) commencèrent à mettre en scène l'avidité d'une génération qui marchait à la cocaïne. À la même époque, parmi les écrivains célèbres de l'East Village (où habitait Allen Ginsberg), figurent Eileen Myles, dont la poésie et le roman non conformiste *Chelsea Girls* (1994) entraînaient le lecteur dans le monde artistique rebelle de Downtown, ainsi que les poètes Gregory Masters et Michael Scholnick.

Bien avant tous ceux-ci, Walt Whitman, natif de Long Island, avait écrit ses *Feuilles d'herbe* dans sa maison de Brooklyn en 1855, ouvrant la voie aux futurs écrivains de ce borough, tels Betty Smith (*Le Lys de Brooklyn*, 1943) et la coqueluche actuelle des médias, Jonathan Lethem, dont *Les Orphelins de Brooklyn* (1999) suscita un regain d'intérêt pour le quartier de Cobble Hill et Brooklyn Heights. D'autres Brooklyniens ont fait parler d'eux en ce siècle et à la fin des années 1990, comme Rick Moody (*Purple America, Tempête de glace*), qui mêle la ville et la banlieue dans ses aventures, Paul Auster (*Trilogie new-yorkaise, Mr Vertigo, Moon Palace*), qui met en scène le New York d'aujourd'hui ; tout comme la jeune Lauren Weisberger (*Le Diable s'habille en Prada, People or not People*), auteur à succès de la "*chick lit*" (littérature de midinettes), qui s'est intéressée à l'univers écervelé mais fascinant de la presse magazine et des discothèques VIP.

Pour savoir où assister à des lectures d'auteurs connus et moins connus, reportez-vous à la p. 293.

CINÉMA ET TÉLÉVISION

Aussi bien en tant que sujet que lieu de l'action, New York peut se prévaloir d'une longue et honorifique histoire dans la télévision et le cinéma. Au moins une douzaine de films y sont tournés en permanence, une vingtaine d'émissions de prime time y sont produites (*Law & Order, The Apprentice, Hope & faith, American Justice*), une quarantaine d'autres

NEW YORK AU CINÉMA

- *Midnight Cowboy* de John Schlesinger (1969), avec Dustin Hoffman et Jon Voight. Oscar du meilleur film en dépit de son interdiction aux mineurs pour son contenu jugé provocateur à l'époque, montrant la misère humaine dans la grande ville. Un témoignage unique sur une époque révolue de Times Sq.
- *Taxi Driver* de Martin Scorsese (1976), avec Robert De Niro, Cybill Shepherd et Jodie Foster. De Niro en vétéran déséquilibré de la guerre du Vietnam, en proie à de violentes pulsions avivées par le contexte urbain. Un classique brillant, à la fois amusant et déprimant, où New York apparaît beaucoup plus abrasive qu'elle n'est à l'heure actuelle.
- *La Fièvre du samedi soir* de John Badham (1977), avec John Travolta et Karen Lynn Gorney. Travolta, en gosse élevé dans les rues de Brooklyn, devient le roi des pistes de danse. Il est irrésistible dans ses pantalons à pattes d'éph. Bel aperçu du quartier de Bay Ridge dans les années 1970.
- *Manhattan* de Woody Allen (1979), avec Woody Allen, Diane Keaton et Mariel Hemingway. Un New-Yorkais divorcé donne rendez-vous à une étudiante (l'adorable Hemingway à la petite voix enfantine) et tombe amoureux de la maîtresse de son meilleur ami. Une véritable déclaration d'amour à la ville de New York. Avec des vues romantiques sur le pont de Queensboro et l'Upper East Side.
- *Liaison fatale* d'Adrian Lyne (1987), avec Michael Douglas, Glenn Close et Anne Archer. Thriller psychologique. Une aventure d'un soir va transformer la vie d'un homme heureux en mariage, en enfer. Aperçus intéressants sur le Meatpacking District avant sa rénovation (célèbre scène de l'ascenseur).
- *Big* de Penny Marshall (1988), avec Tom Hanks et Elizabeth Perkins. L'histoire touchante d'un petit garçon qui voit s'exaucer son rêve de devenir grand. L'enfant, dans la peau d'un adulte (Tom Hanks), occupe un poste important dans une société de jouets et provoque des scènes désopilantes dans les lofts, chez FAO Schwarz, dans les restaurants chic et autres endroits célèbres du New York des années 1980.
- *Crossing Delancey* de Joan Micklin Silver (1988), avec Amy Irving et Peter Riegert. Isabelle est installée avec Sam, le vendeur de cornichons, par sa grand-mère. Une comédie sentimentale qui met en scène le Lower East Side avant qu'il ne devienne à la mode.
- *Kids* de Larry Clark (1995), avec Leo Fitzpatrick, Chloë Sevigny et Rosario Dawson. Tourné sous forme de documentaire avec de jeunes acteurs inconnus à l'époque. De jeunes privilégiés de Manhattan livrés à eux-mêmes – Downtown dans les années 1990 – et pris dans le tourbillon du sexe, de la drogue et du sida.
- *Chasing Amy* de Kevin Smith (1997), avec Ben Affleck et Joey Lauren Adams. Le film qui a révélé Affleck – bien qu'on soit loin du chef-d'œuvre – a aussi fait sortir de l'ombre Meow Mix et d'autres aspects du Manhattan lesbien.
- *Summer of Sam* de Spike Lee (1999), avec John Leguizamo, Mira Sorvino et Jennifer Esposito. Sordide histoire – une des meilleures de Spike Lee – racontant l'été 1977 d'un couple de Brooklyn amateur de discothèques avec, en toile de fond, les meurtres du tueur en série Son of Sam, la panne d'électricité et les tensions raciales. Avec notamment des scènes au CBGB et au Studio 54.
- *Angels in America* de Mike Nichols (2003), avec Al Pacino, Meryl Streep, Jeffrey Wright. Cette magnifique version filmée pour le câble d'une pièce de Tony Kushner montée à Broadway nous replonge dans le Manhattan de 1985 : les relations sont tendues, le sida fait des ravages et un Roy Cohn qui cache son homosexualité – et tombe malade lui-même – reste totalement inactif, comme une partie de l'administration Reagan. On suit les personnages depuis Brooklyn jusqu'à Lower Manhattan et Central Park.
- *Party Monster* de Fenton Bailey (2003), avec Seth Green et Macauley Culkin. Culkin interprète Michael Alig, un jeune clubbeur célèbre, fou et meurtrier, que l'on suit dans l'enfer des boîtes et de la drogue du Downtown de la fin des années 1980. Le Limelight, devenu Avalon, y tient une place prépondérante.

pour les programmes de journée et de nuit (*All My Children, The Today Show, Saturday Night Live*), ainsi qu'une trentaine d'émissions de chaînes câblées (*The Sopranos, Chapelle's Show, Inside the Actors Studio, Queer Eye for the Straight Guy, project Runway, Court TV*). Et si certaines séries censées se dérouler à New York alors qu'elles sont tournées à Los Angeles (comme *Seinfeld, Friends*), elles ont incontestablement contribué au charme de la ville – tout comme *Sex and the City*, aujourd'hui en rediffusion. Nombre de séries sont tournées non seulement dans les rues mais aussi dans les **Silvercup Studios** (42-22 22nd St) de Long Island City, Queens, qui sont les plus grands studios de tournage de New York, en fonction depuis 1983. D'innombrables studios de télévision sont aussi installés à New York (NBC, ABC, CNN, la chaîne d'informations locales NY1, ainsi que Food Network et Oxygen), mais aussi quelques majors de la production cinématographique : New Line

Cinema (une filiale de Time Warner), New Yorker Films, Miramax et Tribeca Productions (propriété de Robert De Niro), toutes deux logées dans le Tribeca Film Center, créé il y a 14 ans. C'est dire que tout le cinéma ne se fait pas à Hollywood ! Les émissions câblées locales (il existe deux câblo-opérateurs, Time Warner et Cablevision) offrent des programmes de divertissement populaires, tandis que la chaîne publique Manhattan Neighborhood Network (MNN) diffuse en permanence des programmes culturels et accorde des temps d'antenne à toute personne, ou presque, qui le désire (programmes sur www.mnn.org), ce qui donne des résultats parfois extravagants. La chaîne New York Metro (Cablevision 60, Time Warner 70), qui dépend du magazine *New York*, diffuse des émissions chic et chauvines (mode, divertissement, téléréalité et talk-shows), comme le fait également la nouvelle chaîne officielle de New York, Channel 25.

Le service municipal du cinéma, du théâtre et de la télévision (Mayor's Office of Film, Theater & Broadcasting, MOFTB) travaille sans relâche au succès de l'industrie locale (qui pèse maintenant plus de 5 milliards de dollars et emploie 75 000 personnes) grâce à l'octroi d'autorisations gratuites, de lieux gratuits, d'assistance policière gratuite et à l'exemption de taxes sur la vente des produits de consommation. D'après une récente étude du Département américain du commerce, New York est désormais le deuxième centre de production du pays. Le visiteur s'en aperçoit très vite, car il est impossible de ne pas tomber, au coin d'une rue, sur un tournage qui vous oblige à faire un détour. Voir l'encadré page précédente pour une liste des films tournés à New York.

Dans le domaine de la distribution, là aussi, New York est à la pointe. De nombreuses salles de cinéma ont vu le jour ces dernières années, la plupart de très grande capacité, dotées de grands écrans et d'aménagements luxueux, comme des snack-bars gastronomiques. En outre, le nombre de festivals cinématographiques se déroulant à New York est en constante augmentation : on en compte actuellement une trentaine. Citons, entre autres, le Dance on Camera (janvier), le Jewish Film Festival (janvier), le New York Film Festival (janvier), l'African-American Women in Film Festival (mars), le Williamsburg Film Festival (mars), le très en vogue Tribeca Film Festival (mai), le Lesbian & Gay Film Festival (juin) et le Human Rights Watch Film Festival (juin).

New York abrite – on ne s'en étonnera pas – quelques-unes des meilleures écoles de cinéma du pays : la Tisch Film School de l'université de New York, la New York Film Academy, la School of Visual Arts, l'université de Columbia et la New School. Les étudiants sont fortement aidés par le MOFTB, qui offre des autorisations de tournage gratuites à tout étudiant qui utilise un bâtiment public. Mais il n'est pas nécessaire d'être un étudiant pour apprendre : les musées, parmi lesquels l'American Museum of the Moving Image (p. 186) à Astoria, dans le Queens, et le Museum of Television & Radio (p. 154), organisent des projections et des séminaires sur des productions anciennes et actuelles.

Enfin, si vous avez envie de voir les lieux de tournage de vos séries et films préférés, comme l'**immeuble Dakota** (angle de Central Park West et de 72nd St), qui a servi de cadre à *Rosemary's Baby,* ou **Tom's Diner** (angle de Broadway et de 112th St), dont la façade apparaît régulièrement dans la série *Seinfeld*, vous pouvez suivre une visite guidée spécialisée, comme celle de On Location Tours (p. 112), qui passe en revue les lieux de tournage d'émissions à succès (entre autres, *Sex and the City, The Sopranos* et *Friends*).

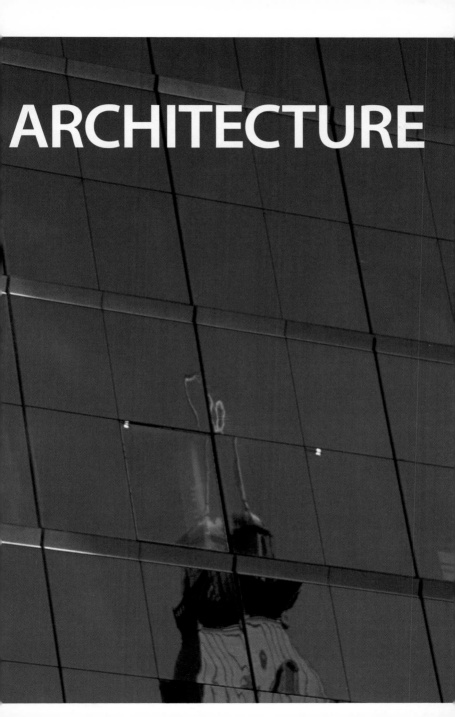

ARCHITECTURE

Vertigineuses verticales new-yorkaises

NEW YORK VIT AUJOURD'HUI UNE VÉRITABLE EFFERVESCENCE ARCHITECTURALE. LA CONSTRUCTION EST EN plein essor, très souvent confiée à des architectes de renom international comme l'Espagnol Santiago Calatrava et les Japonais Sejima et Neshizawa/SANAA. Les ennuyeuses tours commerciales cubiques en verre appartiennent au passé ; elles ont été supplantées par des tours aux formes géométriques originales et aux façades fragmentées. Les immeubles résidentiels élégants des Américains Philip Johnson et Michael Graves surgissent un peu partout. Des musées comme le New Museum of Contemporary Art et le Museum of Arts & Design vont être refaits à neuf. Même les symboles que sont le Yankee Stadium et le Shea Stadium (où jouent les Mets) vont connaître une rénovation majeure. Une grande partie de cette fièvre immobilière découle du projet de réhabilitation du **site du World Trade Center** (p. 124) qui prévoit la construction de tours de bureaux et de boutiques, projet d'ailleurs bloqué par les dissensions et les polémiques.

Les quartiers de New York rajeunissent tandis que les zones plus anciennes, menacées de délabrement, telles que Harlem, Carroll Gardens à Brooklyn et Mott Haven dans le Bronx, suscitent l'intérêt et le désir de restaurer leurs logements anciens. Depuis la loi sur les monuments historiques (Landmarks Law) de 1965, les associations de défense du patrimoine se battent non sans succès contre les promoteurs sans scrupules tandis que les urbanistes essayent de maintenir l'équilibre entre conservation et progrès sous l'œil désormais vigilant des New-Yorkais.

Les meilleures sources d'information sur l'architecture sont l'**AIA Center for Architecture** (plan p. 448 ; ☎ 212-683-0023 ; 536 LaGuardia Pl, entre Bleecker St et W 3rd St), à l'approche traditionnelle et académique, et l'**Architectural League** (p. 294), dont la vision esthétisante de l'architecture se manifeste à travers d'excellentes expositions, publications et conférences.

TOP 10
LES NOUVEAUX VENUS

La liste des immeubles d'appartements de luxe s'allonge avec l'**Astor Place** (plan p. 449 ; Astor Pl à hauteur de Lafayette St), de Gwathmey Siegel, une tour de 21 étages dont la façade verte en verre incurvé tranche sur les bâtiments bas aux tons gris de l'East Village.

Très appréciées du gotha, les deux **Perry Street Towers** (plan p. 448 ; Charles St et Perry St à hauteur de West Side Hwy), de Richard Meier, tours minimalistes et transparentes, dressées à la lisière du West Village, sont désormais au nombre de trois.

Achevé en 2005, le nouveau **terminal du ferry de Staten Island** (p. 116), de Frederic Schwartz Architects, est une structure aérienne de verre et d'acier d'où la vue embrasse le port et le pont de Brooklyn.

Le **Time Warner Center** (p. 153), de David Childs/ Skidmore, Owings et Merrill, deux tours jumelles de verre posées sur un socle incurvé de 6 étages, inclut le plus grand mur vitré sur résille de câbles du monde.

Arquitectonica, cabinet d'architectes de Miami, ajoute une touche de couleur avec la tour de verre pourpre et bleu du **Westin Hotel** (plan p. 284 ; 270 W 43rd St).

L'élégance cristalline du Time Warner Center (p. 153)

La Morris-Jumel Mansion (p. 171), la plus vieille maison (hantée) de Manhattan

LA DERNIÈRE FERME CONSERVÉE À MANHATTAN DATE DU XVIIIe SIÈCLE

LA SIMPLICITÉ HOLLANDAISE

Aucune des maisons à pignon à redents de La Nouvelle-Amsterdam n'a survécu, mais quelques fermes coloniales hollandaises sont encore debout et accessibles aux visiteurs. La Pieter Claesen **Wyckoff House** (plan p. 464 ; ☎ 718-629-5400 ; 5816 Clarendon Rd ; entrée libre ; ☉ mar-dim 10h-16h) à Brooklyn, est la plus ancienne maison de la ville. Son premier corps de bâtiment, construit en 1652, est facilement reconnaissable à son extérieur couvert de bardeaux et à son toit pointu aux avant-toits évasés. Plus récente, mais d'un style analogue, la **Dyckman House** (p. 171) de 1785 est la dernière ferme conservée de Manhattan.

LA DISTINCTION GEORGIENNE

La tutelle britannique entraîna l'importation des styles en vigueur sous les quatre rois George de la dynastie des Hanovre (1714-1830, du Ier au IV). Les constructions étaient rectangulaires et symétriques avec des toits pourvus d'arêtiers, de cheminées à haute extrémité et parfois, coiffées de coupoles. Les modèles anglais étaient construits en pierre de qualité, les imitations coloniales en brique ou en bois. Une maquette de l'hôtel de ville anglais, érigé en 1703 et plus tard démoli, est exposée au **Federal Hall** (p. 120). La **Fraunces Tavern** (1907 ; p. 120), est une copie du pub original où George Washington fit ses adieux à ses officiers.

La **Morris-Jumel Mansion** (1765 ; p. 171), la plus ancienne maison de Manhattan, est aussi l'un des plus beaux vestiges de l'Amérique coloniale. Elle est couverte de planches à clin et de bardeaux peints en blanc, et s'orne d'une colonnade à deux étages et d'une très belle entrée. La **St Paul's Chapel** (1766–94 ; p. 119) est une copie de l'église St Martin-in-the-Fields à Londres, mais en pierre brute et grès brun de Manhattan. À l'intérieur, le Français Pierre L'Enfant dessina le maître-autel couronné d'un soleil doré.

Le grès brun est aussi utilisé pour les églises, St Paul's Chapel (p. 119) Le City Hall (hôtel de ville ; p. 124)

LE RAFFINEMENT FÉDÉRAL

Après la guerre d'Indépendance, les formes lourdes et compactes de la période georgienne cédèrent la place au style fédéral délicat de la nouvelle République, s'appuyant sur les créations architecturales et décoratives des frères Adam, des architectes écossais inspirés par l'Antiquité romaine.

Le peu imposant **City Hall** (1812 ; p. 124), doit sa forme française à l'architecte émigré Joseph François Mangin et ses détails de style fédéral à l'Américain John McComb Jr. La façade était revêtue à l'origine de marbre blanc, et l'arrière de grès brun par souci d'économie. L'intérieur renferme une rotonde spacieuse et un escalier incurvé à consoles. La **Gracie Mansion** (1799 ; p. 160), résidence officielle du maire depuis 1942, fut conçue comme une maison de campagne. Cette maison en bois de couleur crème s'orne de balus-

trades de style Chippendale chinois, d'une porte à imposte semi-circulaire, de fenêtres latérales à verre cathédral et d'une véranda qui longe toute la façade donnant sur la rivière. La James Watson House, devenue le **sanctuaire d'Elizabeth Seton la Bienheureuse** (1792 et 1806 ; p. 118), est le dernier vestige d'une rangée d'élégantes maisons en brique rouge. La partie la plus récente est garnie d'une fine colonnade ionique haute de deux étages et de détails dans le style d'Adam.

Les maisons alignées de style fédéral sont reconnaissables à leur petite taille, à leur appareil flamand typique (alternance de briques longues et courtes), à leurs toits pointus percés de lucarnes et à leurs portes ouvragées. Les **Harrison Houses** (1796–1820 ; p. 126), une rangée de neuf habitations modestes, ont été restaurées et regroupées. La **Merchant's House** (1832 ; p. 138), associe un extérieur fédéral tardif à des ferronneries et un décor intérieur de style néogrec. C'est la seule demeure de la ville qui soit restée intacte depuis le XIXᵉ siècle et dont le mobilier soit d'origine.

LA PRÉSIDENCE POPULISTE D'ANDREW JACKSON FUT COMPARÉE À LA DÉMOCRATIE GRECQUE.

LES PRÉCIEUX VESTIGES NÉOGRECS

L'engouement pour la Grèce se répandit à travers les États-Unis dans les années 1820, dans le sillage de la présidence populiste d'Andrew Jackson que l'on rapprocha de la démocratie grecque. Des architectes et des maçons qui n'avaient jamais mis un pied en Grèce s'inspirèrent de recueils de motifs. Églises et édifices publics se déguisèrent en temples grecs avec des colonnes supportant un entablement horizontal et un fronton classique. Deux des meilleurs exemples sont encore debout. La **St Peter's Church** (246 W 20th St), église de 1838, en granit gris, remplaça la première église catholique romaine de la ville, érigée en 1785 et détruite dans un incendie. Ancien hôtel des douanes, le bâtiment en marbre blanc de **Federal Hall** (1842 ; p. 120) est devenu aujourd'hui un musée. D'étroites maisons alignées en brique rouge furent agrémentées d'éléments architecturaux et décoratifs grecs. Le **Row** (plan p. 448), une rangée de 13 maisons néogrecques bordant le côté nord de Washington Square, dans Greenwich Village, fut construit en 1833 pour la haute société de l'époque. C'est le plus bel alignement de façades du XIXᵉ siècle de la ville.

Federal Hall (p. 120), Wall Street, bâtiment de style classique qui a été le théâtre de batailles pour la liberté d'expression

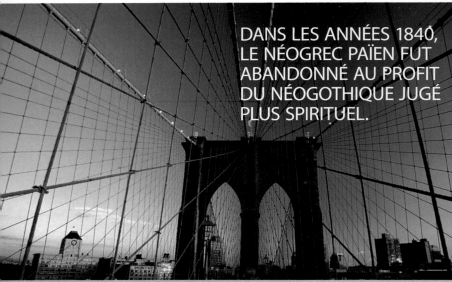

DANS LES ANNÉES 1840, LE NÉOGREC PAÏEN FUT ABANDONNÉ AU PROFIT DU NÉOGOTHIQUE JUGÉ PLUS SPIRITUEL.

Le pont de Brooklyn (p. 123), où les piétons se frayent un chemin parmi les cyclistes.

LES SPLENDEURS NÉOGOTHIQUES

Dans les années 1840, le néogrec païen fut abandonné au profit du gothique jugé plus spirituel, faisant écho à l'architecture religieuse anglaise et française de la fin du Moyen Âge. Le raffinement des techniques de construction (voûte sur croisée d'ogives et arcs-boutants) avait permis d'ouvrir les murs et de faire pénétrer la lumière par des fenêtres en arc brisé à vitraux. Les églises étaient aussi hérissées de gargouilles et couronnées de tours et de flèches ornementées.

Le néogothique fut lancé à New York par Richard Upjohn, créateur de la **Church of the Ascension** (1841 ; plan p. 448, Fifth Ave à hauteur de 10th St), une église de campagne anglaise de grès brun, à tours carrées. L'architecte Stanford White réunit un groupe d'artistes en 1888 pour redécorer l'intérieur de peintures, de sculptures et de vitraux. Le projet suivant d'Upjohn, la **Trinity Church** (1842 ; p. 122), également en grès brun, faisait appel aux formes et au décor gothiques, mais avec des techniques de construction modernes masquées par de faux arcs-boutants et un plafond en plâtre. James Renwick Jr conçut deux des plus belles églises de la ville. La **Grace Church** (1846 ; p. 138) se caractérise par une flèche gothique française, une splendide rosace, et un travail de la pierre d'une grande délicatesse. La façade de la **cathédrale Saint-Patrick** (1878 ; p. 132), inspirée de celle de Cologne, s'ordonne autour d'un gâble central très décoré flanqué de deux flèches identiques. Enfin, le **pont de Brooklyn** (1883 ; p. 123), avec ses tours gothiques en pierre et sa résille de câbles d'acier, est l'œuvre d'un ingénieur prussien, John Roebling.

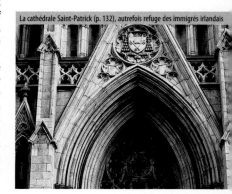

La cathédrale Saint-Patrick (p. 132), autrefois refuge des immigrés irlandais

L'IMPÉRIALISME ITALIANISANT

Au milieu du XIX⁰ siècle, un nouveau style évocateur de richesse et de puissance s'inspirant des palais imposants de la Renaissance italienne envahit New York. McKim Mead et White dessinèrent des demeures privées dignes des Médicis, tels le **Metropolitan Club** (1894 ; plan p. 454, 1 E 60th St), et l'**University Club** (1899 ; plan p. 452).

Le **magasin AT Stewart** (1846 ; plan p. 444 ; 280 Broadway), désormais reconverti en bâtiment municipal, fut le premier grand magasin construit aux États-Unis. Couvert de marbre blanc, avec des colonnes en fonte, il fut aussi le premier édifice commercial de style italianisant de la ville. Le palais de justice du comté de New York, surnommé **Tweed Courthouse** (1881 ; p. 444 ; City Hall Park), s'inspire du Capitole de Washington. Un escalier majestueux mène à un intérieur éblouissant occupé par le ministère de l'Éducation (fermé au public). Les **Villard Houses** (plan p. 452 ; Madison Ave, à hauteur de 50th St) conçues en 1884 par McKim Mead et White sur le modèle de la Cancelleria de Rome, sont six hôtels particuliers splendides en grès brun, regroupés en un seul palais autour d'une cour centrale. Elles font maintenant partie du Palace Hotel ; certaines pièces, aménagées par Stanford White et ses amis artistes, se trouvent dans le restaurant Le Cirque 2000. Les familles plus modestes s'installèrent dans des rangées de *brownstones* en grès brun, également d'inspiration italienne, dans des quartiers tels que Chelsea et Murray Hill.

L'ÉLÉGANCE "BEAUX-ARTS"

Au début du XX⁰ siècle, la mode délaissa le grès brun au profit du blanc éclatant, à la suite de l'Exposition universelle de Chicago de 1893, qui s'était tenue dans une ville imaginaire créée par les meilleurs architectes américains formés à l'École des beaux-arts de Paris. Dans tous les États-Unis, les bâtiments publics furent transformés en palais, surchargés de matériaux et d'ornements somptueux.

La gare de **Grand Central Terminal** (1913 ; ingénieurs : Reed et Stem, façade et intérieur : Warren et Wetmore ; p. 149), est ornée d'une horloge géante et de sculptures de Jules Coutan. Le hall gigantesque est couronné d'un plafond voûté recouvert d'une fresque de Paul Helleu représentant les constellations célestes. Des figures allégoriques rehaussent la façade de la **New York Public Library** (1911 ; p. 150) de Carrere et Hastings. Deux lions de marbre ajoutés en 1920 par Edward Clark Potter, surnommés la Patience et la Force, encadrent l'escalier. L'hôtel des Douanes (1907), de Cass Gilbert, devenu depuis le **National Museum of the American Indian** (p. 121), est un hommage au commerce. Les figures du grenier représentent les nations commerçantes, et celles du rez-de-chaussée, de Daniel Chester French, les quatre continents. Le **musée Metropolitain** (p. 161), quant à lui, fut construit en plusieurs étapes : la façade de Fifth Ave en 1902, par Richard Morris Hunt, et les ailes latérales en 1926, par McKim Mead et White.

Les peintures zodiacales du plafond de Grand Central Terminal (p. 149)   Les somptueuses salles de lecture de la New York Public Library (p. 150)

LES GRATTE-CIEL

Le Flatiron (p. 144) pointe son nez entre Broadway et Fifth Ave

d'acier. On choisit de les habiller à la mode ancienne. Le **Flatiron** (p. 144), immeuble de 21 étages construit en 1902 par Daniel Burnham, doit sa forme de fer à repasser à son emplacement triangulaire. La section médiane, légèrement ondulée, est recouverte de terre cuite blanche décorée de motifs Renaissance. Cass Gilbert, l'architecte du **Woolworth Building** (1913 ; plan p. 444 ; 233 Broadway), a pris modèle sur le Parlement de Londres en accentuant le mouvement ascendant de sa tour de bureaux au moyen de longues rangées verticales de fenêtres. Le bâtiment est revêtu de terre cuite crème et d'ornements gothiques. Son hall très décoré n'est pas accessible aux visiteurs.

L'ARCHITECTURE EN FONTE

Avant que les gratte-ciel à charpente en acier ne voient le jour, on construisit en fonte. Les techniques étaient certes d'avant-garde, mais les façades étaient choisies dans les livres. Au début, on se contenta d'ajouter une façade en fonte à des murs porteurs conventionnels en brique. Ensuite, les immeubles devinrent des cages primitives à armature et colonnes de fonte. L'**immeuble Haughwout** (1856 ; p. 129), de style vénitien, possède le premier ascenseur à passagers installé aux États-Unis. Soho, qui avant de devenir un quartier de lofts pour millionnaires était une zone industrielle, abrite la plus grande concentration d'immeubles en fonte du monde.

LES IMMEUBLES DE BUREAUX

Après le perfectionnement de l'ascenseur par Elisha Otis en 1853 et l'invention de la charpente en acier par William Le Baron Jenney, à Chicago, en 1885, les gratte-ciel purent sortir de terre. Le principal problème l'architecte était alors de trouver une façon élégante de couvrir ces squelettes

L'Empire State Building (p. 149) : King Kong savait choisir les bons points de

DES BOUCHONS DE
RADIATEUR FONT OFFICE
DE GARGOUILLES ET DES
VOITURES FONT LA COURSE
DANS LA FRISE DE BRIQUE.

L'excentricité architecturale caractérise les bâtiments new-yorkais du XX⁰ siècle

L'ART DÉCO

Dans les années 1930, les architectes, las de puiser leur inspiration dans les modèles du passé, créèrent une architecture originale, dotée de décrochements et décorée de motifs novateurs. En 1929, le **Chanin Building** (plan p. 452 ; 122 E 42nd St), de Sloan et Robertson, ouvre la marche avec sa silhouette chantournée, sa décoration extérieure aux formes de végétaux exotiques et d'animaux marins, et son remarquable hall d'entrée. Le **Chrysler Building** (1930 ; p. 148), de William Van Alen, s'élève en décrochements successifs jusqu'à sa couronne d'acier offerte aux rayons du soleil. Des bouchons de radiateur font office de gargouilles et des voitures font la course dans la frise de brique. Avec son marbre coloré et ses marqueteries, le hall étincelle sous un plafond peint à la gloire du progrès technologique. L'**Empire State Building** (1931 ; p. 149), de Shreve, Lamb et Harmon, fut conçu pour être l'immeuble le plus haut du monde et offrir le maximum de surface locative. Ses lignes pures exigent un minimum d'ornement. Couronnant une série de décrochements, la pointe de la tour perce le ciel de son mât argenté.

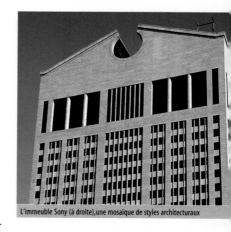

L'immeuble Sony (à droite), une mosaïque de styles architecturaux

LE STYLE **INTERNATIONAL**

Les architectes Mies Van der Rohe, Walter Gropius et Marcel Breuer qui débarquèrent en Amérique au début des années 1930 étaient porteurs de la vision et du savoir-faire de l'avant-garde allemande du Bauhaus. Ils rejetaient le passé et imaginaient des cités futuristes de tours de verre fonctionnelles. Le siège des **Nations unies** (UN ; 1947–1952 ; p. 150), est le résultat des efforts conjoints de nombreux architectes : le Français Le Corbusier, le Brésilien Oscar Niemeyer, le Suédois Sven Markelius et des représentants de 10 autres pays, coordonnés par l'Américain Wallace K. Harrison. Le parallélépipède du Secrétariat, premier immeuble new-yorkais entièrement vitré, domine de toute sa hauteur la courbe concave de l'Assemblée générale. La **Lever House** (1953 ; plan p. 452 ; 390 Park Ave), de Gordon Bunshaft/Skidmore, Owings et Merrill, se compose d'une tour en verre, de couleur verte, juchée sur un socle horizontal posé sur des colonnes, au-dessus d'une esplanade. Elle donne l'impression de flotter au-dessus de Park Avenue. L'**immeuble Seagram** (1958 ; plan p. 452 ; 375 Park Ave), conçu par Mies Van der Rohe, est un étonnant bloc ambré de bronze et de verre posé sur une plaza. Van der Rohe, dont le budget était illimité, a produit un chef-d'œuvre du style international. Les tours en verre construites par la suite à moindres frais n'ont pas réussi à l'égaler.

Les drapeaux des Nations unies (p. 150) flottent au vent

LES ARCHITECTES REJETÈRENT LE PASSÉ ET IMAGINÈRENT DES CITÉS FUTURISTES DE TOURS DE VERRE FONCTIONNELLES.

LE POSTMODERNISME

Lassés des boîtes en verre, les architectes des années 1980 se sont brièvement replongés dans les styles d'époques antérieures. Philip Johnson, qui dessina le siège en granit rose de AT&T, aujourd'hui propriété de **Sony** (1984 ; plan p. 452), combine trois époques dans un même édifice : une immense base néoromane, une section médiane inspirée du style des gratte-ciel de Chicago et couronnée par un fronton néogeorgien. Ce style a été largement décrié depuis, et l'architecture a repris sa marche en avant.

À L'HORIZON

Le magnat de l'immobilier Joel Sitt a imaginé la construction d'un méga-complexe de plusieurs milliards de dollars comprenant boutiques, établissements de loisirs et hôtels sur la **promenade de Coney Island** (Coney Island Boardwalk ; p. 181) – le tout surmonté d'un dirigeable qui emmènerait les touristes en balade toutes les 10 minutes !

L'élégante tour **80 South Street** de Santiago Calatrava, un empilement d'une douzaine de cubes de verre en quinconce qui abriteront chacun une ou deux familles, devrait s'élever dans Lower Manhattan en 2007.

Dans la partie ouest de Manhattan, un tronçon de métro aérien abandonné s'étirant à 10 m du sol va être remplacé par le **High Line Park** (voir l'encadré p. 140), une longue étendue où l'on trouvera des œuvres d'art public (p. 55) et le nouveau Dia Center for the Arts.

Après une longue et âpre bataille contre les associations de préservation du patrimoine, le **Museum of Arts & Design** (p. 154) reconstruira un bâtiment de Columbus Circle datant de 1964 sous une nouvelle structure futuriste en forme de cube blanc.

En 2005 a commencé la construction du **New Museum of Contemporary Art** (p. 143), de 650 m² sur 7 étages, dessiné par le cabinet des Tokyoïtes Sejima et Neshizawa/SANAA.

LA SCÈNE ARCHITECTURALE ACTUELLE

New York ne peut plus être taxé de résistance à l'innovation architecturale. Les constructions récentes sont à la pointe de la nouveauté, notamment grâce à la conception assistée par ordinateur. Les architectes choisis sont parmi les leaders mondiaux, comme Yoshio Taniguchi pour l'agrandissement du **Museum of Modern Art** (p. 154) et Fumihiko Maki pour l'extension en cours du siège des **Nations unies** (p. 150). On attend pour bientôt la tour spectaculaire de Renzo Piano pour le *New York Times*, et la nouvelle tour incurvée de Diller + Scofidio (rejoints depuis par Renfro) pour le musée Eyebeam de Chelsea. Les propositions du service municipal de l'urbanisme chargé de la réhabilitation des quartiers industriels excentrés et sur le déclin devraient introduire une mixité d'usages associant logements et activités commerciales. Naturellement, certains ne voient pas d'un bon œil la disparition de leur ancien mode de vie. La lutte entre l'attachement au passé et la construction de l'avenir continue.

Le MoMa (Museum of Modern Art ; p. 161), nouveau symbole du XXIᵉ siècle

Musique

Musique

Dans le métro, un homme bat la mesure, son lecteur MP3 sur les oreilles. Qu'écoute-t-il ? Difficile à dire, car quantité de courants musicaux sont nés à New York. Nombreux sont les nostalgiques de l'âge d'or – lorsque Charlie Parker, le célèbre saxophoniste alto, introduisait le bop dans le jazz, avec son comparse, le trompettiste Dizzie Gillespie, que les comédies musicales débarquaient à Broadway, et que les blousons noirs et les pédales de distorsion dynamitaient le punk rock dans l'East Village. Les fameux clubs de jazz de 52nd St ("la rue qui ne s'endort jamais"), où se produisirent tant de musiciens de l'après-guerre, ont depuis longtemps été remplacés par des bureaux, tandis que le mythique CBGB, berceau du punk et art rock américains des années 1970, ferme définitivement ses portes. Mais la musique n'a pas dit son dernier mot. New York reste *la* destination des musiciens de tous horizons cherchant à laisser une trace de leur passage, et la diversité musicale y est encore bien présente : concerts gratuits à Central Park en été, festivals de Red Hook (Brooklyn), groupes de rock indie à Williamsburg, concerts de jazz dans les clubs de Greenwich Village ; sans omettre l'incontournable quartier de Broadway qui résiste toujours, dans un Midtown en reconversion. L'histoire de la musique new-yorkaise, c'est un peu l'histoire de la musique du monde entier.

LE TEMPS DU VAUDEVILLE

Avec la vague d'urbanisation et d'industrialisation consécutive à la guerre de Sécession, le vaudeville, spectacle léger mêlant chansons et danses, remporta un vif succès auprès d'Américains en proie à l'ennui. Inspiré des "artistes ménestrels" (acteurs ou chanteurs comiques blancs grimés incarnant des Afro-Américains), ce genre s'adressait alors essentiellement à des hommes s'adonnant à la boisson, au jeu et au sexe, comme dans la tristement célèbre Bowery Street de New York, où chambres et lupanars bon marché, bars bondés et débauche étaient à l'honneur. Aujourd'hui, la plupart de ces bars vendent des appareils ménagers.

Au milieu du XIXᵉ siècle, transformant ce qui était à l'époque des spectacles égrillards en comédies plus recommandables, Tony Pastor, le "père du vaudeville", lui donna alors ses lettres de noblesse. Il ouvrit son premier théâtre de vaudeville en 1865, et en 1881, inaugura le **Tony Pastor's New 14th Street Theatre** (145-47 14th St), aujourd'hui rez-de-chaussée de l'immeuble Con Edison. Là, Pastor supprima la bière et les cigares et visa un public plus large, plus féminin et plus familial avec, à l'affiche, des chanteurs, ainsi que le magicien Harry Houdini. Le théâtre de Pastor fermera ses portes en 1908, mais le vaudeville ne cessera pas de se développer, créant un débouché commercial pour les diverses minorités ethniques de la ville. Des chanteurs comme Eddie Cantor et des acteurs comme Groucho Marx et Mae West (alors âgée de 5 ans) y firent ainsi leurs débuts.

Après 1913, le **Palace Theatre** (angle 47th St et 7th Ave) fit migrer le chant et la danse vers le Broadway d'aujourd'hui. Mais, hélas, le cinéma (le Palace sera transformé en salle de projection en 1932), puis la télévision, sonneront plus ou moins le glas du vaudeville.

NEW YORK, NEW YORK !

La chanson emblématique de la ville est certainement *New York, New York* de Frank Sinatra. La version que l'on connaît vit le jour grâce à Robert De Niro, qui, peu satisfait de la première bande originale de *New York, New York*, le film de Martin Scorsese sorti en 1977, demanda à ce qu'elle soit retravaillée. Piqués au vif, les compositeurs John Kander et Freb Ebb se remirent à leur partition pour créer la fameuse chanson. Liza Minnelli, qui apparaît dans le film, l'intègrera à son répertoire, mais c'est Frank Sinatra qui en fera un tube en l'interprétant, en 1980.

TIN PAN ALLEY

Entre 1880 et les débuts d'Elvis, la "Tin Pan Alley" de New York révolutionna le monde de la musique. C'est en effet dans ce petit secteur de la ville que se situaient la plupart des maisons d'édition musicale, qui publiaient "à la chaîne" des partitions de musique populaire, jouées ensuite en tournée par les stars du vaudeville, chantées sur scène et devant les caméras par les artistes de théâtre et de cinéma, et diffusées à la radio par les crooners de l'époque. Baptisé Tin Pan Alley ("allée des casseroles") en 1900 par un journaliste dénonçant les sons discordants des pianos mal accordés qui sortaient de chez les éditeurs de musique de 28th St (entre Sixth Ave et Broadway), ce secteur fut ainsi le berceau de compositeurs en tous genres, qui écrivaient toutes sortes de musiques populaires : opérettes à l'européenne, blues ragtime, comédies musicales, jazz, folk.

Cette incroyable "machine" à produire des chansons permit aux éditeurs de constituer des catalogues de chanteurs aussi populaires qu'Al Jolson, Louis Armstrong ou Bing Crosby, pour n'en citer que quelques-uns. Le tube de Charles K. Harris, *After the Ball*, fut un des premiers cartons de l'époque, vendu à près de 5 millions d'exemplaires dans les années 1890. Autre artiste à succès, Scott Joplin, pianiste afro-américain arrivé de Saint Louis au tout début du XXe siècle, lança la mode des ragtimes syncopés et rapides inspirés de la polka. Après l'échec de son ambitieux "opéra noir", *Treemonisha*, en 1911, il tomba dans l'oubli.

Dans les années 1920, les ventes de partitions se mirent à chuter, et le gros de l'activité musicale se tourna vers la radio puis, dans les années 1930, les bandes originales de films. Les années passant, Tin Pan Alley se déplaça progressivement vers le nord et, en 1931, l'immeuble Brill (plan p. 452 ; 1619 Broadway) en devint le centre avec, notamment, le siège du magasin de musique Colony (p. 347). Les premières chansons rock'n'roll y virent plus tard le jour, notamment grâce à Jerry Lieber, Carole King et Neil Diamond.

Au milieu des années 1950, Elvis prouva, quant à lui, que rien ne valait mieux qu'un bon concert, et le rock'n'roll – peu adapté aux partitions – s'empara des hit-parades.

BROADWAY ET LE THÉÂTRE MUSICAL

Célèbre quartier des théâtres et des music-halls, où quelque 12 millions d'entrées sont vendues chaque année, Broadway a toujours eu un impact indéniable sur la musique new-yorkaise. De nombreux compositeurs ont travaillé sans relâche pour créer des chefs-d'œuvre aussi immortels que *No Business Like Show Business*, *Hello, Dolly !* et surtout, *California Here I Come*.

Puisant ses racines dans le vaudeville et l'époque où les théâtres étaient regroupés autour de 14th St, le théâtre musical fut au départ constitué de spectacles comiques et légers, invitant le public à huer les méchants en chapeaux noirs. Puis les productions se firent plus intéressantes à mesure qu'elles se déplacèrent vers Times Sq.

Au début, la popularité de Broadway reposait sur ses auteurs-compositeurs. La statue surplombant le guichet TKTS de Times Sq (p. 287) représente George M. Cohan, auteur de vaudevilles qui ouvrit un théâtre près de Times Sq, en 1911, et créa, en pleine Première Guerre mondiale, *Over There*, dont la mélodie, basée sur une sonnerie de clairon, captiva la nation.

En 1914, Irving Berlin, un juif russe immigré ayant grandi dans le Lower East Side avant de se faire un nom en ville, introduisit le ragtime sur scène, avec *Watch Your Step*. Il composera ensuite des classiques comme *White Christmas* et *God Bless America*.

Originaire de Brooklyn, George Gershwin écrivit *Swanee* pour le célèbre crooner Al Jolson – chanteur blanc "grimé" en Noir –, dans le cadre de la comédie musicale *Sinbad*, créée à Broadway en 1919, puis l'instrumentale *Rhapsody in Blue*, en 1924. Pour l'anecdote : Jolson interrompit un jour un spectacle pour demander : "Voulez-vous entendre la fin de l'histoire ou bien est-ce moi que vous voulez ?" (le public choisit Al). En 1927, Broadway battit tous les records, avec 264 spectacles se jouant dans 76 théâtres.

Les problèmes sociaux commencèrent à être abordés à la fin des années 1920 et dans les années 1930 (notamment dans les chansons satiriques d'Ira et George Gershwin, *Of Thee I Sing*), alors que la Grande Dépression faisait rage. Pendant la Seconde Guerre mondiale, *Oklahoma !* de Richard Rodgers et Oscar Hammerstein II marqua un nouveau tournant, avec une mort sur scène et des chansons accrocheuses venant réveiller le genre.

Broadway n'a jamais cessé de vivre avec son temps. *West Side Story* (1957), de Leonard Bernstein et Stephen Sondheim (avec Chita Rivera), plaça ainsi Roméo et Juliette au cœur de la guerre des gangs new-yorkaise. *Hair*, en 1968, mit ensuite les hippies, la nudité, le blasphème et le rock rebelle à l'affiche.

Dans les années 1980, la comédie musicale new-yorkaise est en crise – tout comme la ville. Les spectacles à succès sont tous importés du Royaume-Uni (*Cats* et *The Phantom of the Opera* d'Andrew Lloyd Webber) et de France *(Les Misérables* et *Miss Saïgon)*. À la surprise générale, c'est de l'East Village, et plus précisément de Jonathan Larson, que viendra la solution, avec son très rock'n'roll *Rent,* qui coïncide avec la renaissance de New York.

Pour une histoire détaillée, cliquez sur "Broadway 101" sur le site www.talkinbroadway.com.

ALL THAT JAZZ

Tous les grands noms du jazz new-yorkais – Louis Armstrong, Duke Ellington, Charlie Parker, Miles Davis, Dizzy Gillespie, Billie Holiday, Ella Fitzgerald, Ornette Coleman, John Coltrane – sont venus d'ailleurs (ce fut facile pour Ella, native de Yonkers, une ville du sud de l'État de New York). Et si les origines du jazz remontent à la Nouvelle-Orléans et à Chicago, vers la fin des années 1920, tout se passait à New York – plus particulièrement à Harlem. Louis Armstrong vint s'y installer, et les lois prohibitionnistes de Chicago, en 1927,

> ### TOP 5 DES ALBUMS DE JAZZ NEW-YORKAIS
>
> - *The Complete Savoy & Dial Master Takes* (1944-48), Charlie Parker
> - *Free Jazz* (1960), Ornette Coleman
> - *The Black Saint and Sinner Lady* (1963), Charles Mingus
> - *Love Supreme* (1964), John Coltrane
> - *Bitches Brew* (1969), Miles Davis

amenèrent nombre de musiciens de jazz à le suivre. Les différents courants du jazz - du swing au be-bop, du cool au free jazz, du tonal au fusion -, ont tous vu le jour dans les bars clandestins de Harlem, les caves de Downtown et les clubs de 52nd St.

La fin des années 1920 marqua l'âge d'or de Harlem. Originaire de Washington, Duke Ellington dirigeait alors son big band au **Cotton Club** (angle Lenox Ave et 142nd St), un club huppé de Harlem, où des Afro-Américains se produisaient devant un public exclusivement blanc. Duke restera au Cotton (étrangement décoré de peintures murales esclavagistes) de 1927 à 1931 ; le club lui-même déménagera dans Midtown à la suite d'une émeute, en 1935.

Autre haut lieu du quartier à l'époque : le **Savoy Ballroom** (596 Lenox Ave entre 140th St et 141th St), un club pratiquant l'intégration raciale et qui lancera de nouvelles danses (tel le Lindy Hop, en hommage à Charles Lindbergh). L'immense salle peut accueillir deux orchestres qui, tels les DJ des années 1970, s'y affrontent en rivalisant de talent. Chick Webb, l'orchestre résidant, y battra Count Basie et Benny Goodman, et donnera en outre un coup de pouce à une débutante, Ella Fitzgerald, qui venait de remporter un concours amateur à l'Apollo Theater voisin (p. 167).

Dans les années 1930, le jazz élargit son public grâce au swing, incarné avec maestria par le clarinettiste Benny Goodman. Il forme un big band en 1934, empruntant des arrangements à Fletcher Henderson, dont l'orchestre joue au **Roseland Ballroom** (1658 Broadway) depuis le milieu des années 1920. Tentant de faire acquérir ses lettres de noblesse au jazz en organisant des concerts au Carnegie Hall, Goodman, qui est blanc, contribuera à former le premier groupe interracial de musique populaire.

À l'époque, les orchestres changent régulièrement de chanteurs et de chanteuses ; parmi elles, Billie Holiday, une ancienne prostituée qui enregistrera quantité de chansons avec Goodman et Lester Young. En 1939, elle enregistre *Strange Fruit,* dont le texte dénonce les lynchages dans le sud. Holiday se produit sur 52nd Street (entre 5th Ave et 7th Ave), quartier jalonné de clubs éclairés au néon où se produisent le big band de Count Basie et les futures stars nationales.

De son côté, le jazz typiquement new-yorkais voit le jour en 1940 et 1941, avec une version plus travaillée, plus nerveuse et plus destructurée du swing : le be-bop ou bop. Né au cours de jam-sessions de musiciens comme Thelonious Monk, Dizzy Gillespie, Miles Davis et Charlie Parker (alias Bird), le bop se développera dans de petits clubs de Harlem comme

LES GRANDS ÉVÉNEMENTS MUSICAUX DE NEW YORK

1920 Début de la prohibition ; les musiciens de jazz quittent Chicago pour Harlem.

1940 Duke Ellington explique comment aller à Harlem (Take the A Train, "Prenez la ligne A").

1961 Bob Dylan débarque du Minnesota et joue au Cafe Wha? ; John Coltrane livre sa propre interprétation du jazz non loin de là, au Village Vanguard.

1962 James Brown enregistre son set à l'Apollo Theater de Harlem.

1967 Le Velvet Underground sort son premier album ; Andy Warhol dessine la peau de banane sur la pochette.

1969 Les Who jouent l'opéra rock *Tommy* au Fillmore East ; une série d'albums conceptuels obscurs suivront.

1975 Bruce Springsteen joue *Born to Run* au Bottom Line et devient une star.

1978 Sid Vicious des Sex Pistols avoue le meurtre de Nancy Spungen au Chelsea Hotel, à la suite d'un excès de drogues ; il meurt d'une overdose avant la fin du procès.

1979 Sugar Hill Gang met le Bronx en studio et enregistre *Rapper's Delight*.

1980 John Lennon est assassiné devant son appartement d'Upper West Side.

1983 Billy Joel fait jouer le mannequin Christie Brinkley dans le clip de *Uptown Girl*.

1997 Garth Brooks, star de la musique country, attire un million de fans lors d'un concert gratuit à Central Park.

2001 Les Strokes font revivre le rock indie new-yorkais et lancent une nouvelle coupe de cheveux dans East Village.

Vous vivrez une authentique expérience jazz au Village Vanguard (p. 298)

le **Minton's Playhouse** (210 W 118th St) – le club a fermé en 1956, mais l'enseigne est toujours là. Pour beaucoup, l'âge d'or du jazz new-yorkais se situe dans les années 1950 et 1960, période où, chaque soir, de grands musiciens font d'incroyables bœufs dans la ribambelle de clubs longeant 52nd St.

Le temps passe… Bird mourra en 1955, à 34 ans, des suites d'une overdose d'héroïne, et la vie immodérée de Billie finira également par la rattraper – elle s'éteindra en 1959 à l'âge de 44 ans. Plusieurs grands musiciens, notamment Armstrong, s'installent dans de confortables maisons, dans le Queens (p. 187). Miles Davis s'oriente vers le "hard bop" pour enregistrer, avec John Coltrane, le chef-d'œuvre de jazz modal *Kind of Blue*, en 1959 (les "notes bleues" sont des notes jouées en rupture avec l'harmonie). La même année, le saxophoniste Ornette Coleman livre un set de free jazz, apparemment destructuré, qui fera date, au **Five Spot Cafe** (4 Cooper Sq).

Dès 1961, John Coltrane se fait un nom dans le jazz en allongeant les solos et en ajoutant des instruments comme la clarinette basse – qualifiée "d'anti-jazz" par les journalistes – au cours d'une session de travail de deux semaines enregistrée au Village Vanguard (p. 298), l'un des rares bars de l'époque à être encore en activité.

Miles reste à Manhattan. En 1968, il change de direction et joue avec des musiciens comme Herbie Hancock et Chick Corea, incorporant du rock et du funk dans le jazz, ainsi que des pédales wah-wah pour sa trompette.

Aujourd'hui, la plupart de ces clubs historiques sont fermés depuis longtemps. Le jazz s'est lentement déplacé vers Downtown, avec une majorité de clubs (souvent dans des caves) dans Greenwich Village. Voir p. 297 pour les coordonnées de certains.

NEW YORK BLUES

Des années 1930 aux années 1970, la musique folk servit de porte-voix aux artistes new-yorkais engagés politiquement. Et ce qui fut longtemps considéré comme des chansons inoffensives ayant pour thème la famille et les amours perdus se radicalisa. Dans les années 1930, alors que la Grande Dépression faisait rage, des syndicalistes des Industrial Workers of the World interprétèrent des chansons folk engagées, tout comme le Front populaire, improprement apparenté au communisme, diffusa ses idéaux politiques à travers la musique folk.

Pete Seeger, communiste souriant et sans complexe, joueur de banjo passé brièvement par Harvard, créa les Almanac Singers (avec notamment Woody Guthrie) en 1940, et écrivit des chansons ouvrières comme *The Talking Union Blues*. Seeger forma les Weavers en 1949 et leur reprise de *Goodnight Irene*, du chanteur de blues de Louisiane Leadbelly, devint un tube national… jusqu'à ce que les autorités finissent par interdire les concerts du groupe. Leadbelly avait déménagé à New York en 1936, après avoir été emprisonné pour meurtre au Texas. Il fit plusieurs enregistrements avec Alan Lomax, le chroniqueur de Library of Congress. Quant à Okie Woody Guthrie, il s'installa à New York dans les années 1940, où il passa plusieurs années à écrire des chansons et à se produire en concert. Devenu farouchement antifasciste lors de son passage dans la marine marchande pendant la Seconde Guerre mondiale, Woody modéra ensuite ses opinions en enregistrant une série de chansons pour enfants (*Songs to Grown On*, en 1946), écrites pour ses propres enfants, dans sa maison de Coney Island. Après sa mort, en 1967, ses cendres furent dispersées au large de la plage de Coney Island.

De son côté, Bob Dylan débarque à New York en 1961, espérant rencontrer Woody. La scène folk de Greenwich Village ressemblait alors à la scène disco ou punk de la fin des années 1970. Si sa chanson *Talkin' New York* raconte son premier concert dans la ville, au Cafe Wha? (p. 217), il fera véritablement ses débuts au **Gerde's Folk City** (11 W 4th St), en assurant la première partie de John Lee Hooker, en 1961. Dylan porte un costume offert, prétend-on, par Woody, et interprète sa *Song to Woody* (chanson à Woody). Celui que l'on appelera la "voix d'une génération" composera des classiques de la chanson engagée, comme *The Times They Are A-Changin*, mais il insistera toujours sur le fait qu'il n'est ni contestataire, ni même chanteur de folk. Il rejoindra la scène rock vers 1965 – sa chanson *Positively 4th Street* est souvent considérée comme une attaque cinglante contre la scène folk qui lui en voulait de l'avoir quittée.

LET'S PLAY ROCK'N'ROLL !

C'est à l'animateur de radio Alan Freed que l'on doit l'origine du mot "rock'n'roll", et l'introduction de ce genre musical à New York, en 1954. Il y diffuse des disques sur la station locale WINS et y organise des concerts – de Chuck Berry et Jerry Lee Lewis, entre autres – au **Paramount Theatre** (angle Dekalb Ave et Flatbush Ave) de Brooklyn, avant de passer sur la radio nationale CBS. Nous sommes à l'aube des années 1960. Des groupes de doo-wop se gominent encore les cheveux et s'inspirent des quartets de jazz ; parmi eux, les Ravens, les Drifters, les Coasters et de nombreux groupes italiens, tels Frankie Valli et les Four Seasons.

Les artistes rêvent tous de New York, et d'une apparition, même fugitive, dans le célèbre *Ed Sullivan Show*, fameuse émission télévisée musicale qui connaîtra un succès non démenti pendant près de vingt ans. Elvis y participe pour la première fois en 1956, déclarant que c'est un "très grand honneur" d'être là – même si on le filme au-dessus de la taille pour ne pas montrer son déhanché. Quant aux premiers singles des Beatles, ils n'auront que peu de succès aux États-Unis jusqu'à ce que le groupe participe, en 1964, à cette émission, regardée par 70 millions de téléspectateurs. La popularité d'Ed Sullivan s'accroîtra encore dans les années 1960, lorsqu'il recevra dans son show les Rolling Stones, Janis Joplin et les Doors. Aujourd'hui, David Letterman enregistre son émission au **Ed Sullivan Theatre** (plan p. 284 ; 1697 Broadway).

TOP 5 DES ALBUMS ROCK NEW-YORKAIS

- *Velvet Underground & Nico* (1967), Velvet Underground. New York vu par Lou Reed ou comment trouver de l'héroïne et se travestir.
- *New York Dolls* (1973), groupe éponyme. Outrancier, grimé – et un peu perdu –, David Johansen livre le glam rock *Lonely Planet Boy*.
- *Ramones* (1976) Joey et ses comparses font exploser le punk rock dans l'East Village.
- *Some Girls* (1978), Rolling Stones. Irrespectueux et arrogants, les Stones en très grande forme.
- *The Rising* (2002), Bruce Springsteen. Le Boss panse les plaies du 11 Septembre.

Au milieu des années 1960, la politique de Tin Pan Alley consistant à fournir aux stars des tubes formatés s'essouffle de plus en plus, les artistes écrivant eux-mêmes leurs chansons. Le rock'n'roll se fait alors l'écho de la conscience sociale à l'encontre du Vietnam et en faveur des mouvements pour les droits civils, ainsi que de l'assouplissement des mœurs.

En 1966, Lou Reed et le Velvet Underground chantent en live l'héroïne et les drag-queens lors du spectacle totalement wagnérien d'Andy Warhol, *Exploding Plastic Inevitable*, sur St Marks Place (p. 214).

Quant à celui que l'on considère sans doute comme le plus grand guitariste de tous les temps, et qui fut également auteur de chansons rock et un superbe interprète des standards du blues, Jimi Hendrix, il traînera également à New York, échouant (et enregistrant) aux **Electric Lady Sound Studios** (Plan p. 448 ; 52 W 8th St), avant sa mort par overdose en 1970, à 27 ans. Manny's Music (p. 347), le magasin de guitares préféré d'Hendrix et des Stones, a toujours pignon sur rue.

Max's Kansas City (213 Park Ave), transformé en *deli* depuis sa fermeture en 1980, était alors le rendez-vous des groupes de punk (Deborah Harry, de Blondie, y a été serveuse). En 1970, les deux semaines de répétition du Velvet Underground – juste avant que Lou Reed quitte le groupe – y furent enregistrées, donnant le désormais classique *Live at Max's Kansas City*.

Quand le Velvet se sépare, le glam rock et ses ambiguïtés sexuelles débarquent du Royaume-Uni. Les New York Dolls, outranciers et grimés, y font sensation mais ne restent pas à Manhattan. Originaire du Michigan, Iggy Pop est, lui aussi, un habitué du Max's, où il retrouve son comparse de longue date, David Bowie. Le groupe d'Iggy, les Stooges – descendants grivois du Velvet qui sortent indubitablement du lot grâce à l'incroyable présence scénique d'Iggy, mêlant masochisme et sauvagerie – influencera durablement le punk.

À côté de Lou Reed, dandy écorché, "prince de la nuit et des angoisses", New York a un autre fils préféré : Bruce Springsteen, qui vient de l'autre côté de l'Hudson. Il jouera pour la première fois *Born to Run* en 1975, après un enregistrement-marathon au populaire **Bottom Line** (plan p. 448 ; 15 W 4th St), salle de concert de 450 places qui a malheureusement fermé ses portes en 2004, après être devenue la propriété de l'université de New York.

Né en 1974 avec un explosif "1-2-3-4 !" lancé par les Ramones du Queens, au CBGB (p. 214), le punk rock enflammera lui aussi

Le public vient écouter de la musique expérimentale à la Knitting Factory (p. 296)

toute une génération de gamins en colère contre leurs parents, qui se défouleront sur des pédales de distorsion. Avant que les Ramones ne sortent leur premier album (en 1976), le CBGB est le QG de la scène rock de Downtown. Television, Blondie et les Talking Heads s'y produisent en 1975, suivis par des groupes de rock "no wave" comme DNA et Teenage Jesus and the Jerks, associant performance rock, sons atonaux et nihilisme, à la fin des années 1970. Leurs descendants, menés par les New-Yorkais de Sonic Youth, inspirèrent les groupes de musique bruitiste ("noise music") et le grunge. Dans les années 1990, le CBGB vivra seulement sur ses souvenirs et n'accueillera plus que des groupes de metal sans envergure. Il ferme définitivement en octobre 2006, après 30 ans d'existence.

Pendant l'âge d'or du CBGB, de grands noms de la scène étrangère viennent à New York : John Lennon, Mick Jagger, Keith Richards et, plus tard, David Bowie. Mais, dans les années 1980, le coût de la vie ainsi que la politique des grandes maisons de disques pèsent sur les groupes et, curieusement, l'influence de New York commence à décliner – pour les courants musicaux dominants tout au moins. Il y a cependant quelques exceptions, en particulier parmi les artistes expérimentaux, tels Glenn Branca et John Zorn. La Knitting Factory (p. 296) et, aujourd'hui, Tonic (p. 298), sont les terrains de jeu favoris des musiciens expérimentaux. Sonic Youth sort Kool Thing en 1990, titre d'inspiration à la fois rock et rap, avec la participation de Chuck D. de Public Enemy. Lou Reed fait un come-back en 1988, avec une ode (assez amère) à sa ville, New York.

Pendant tout ce temps, le Chelsea Hotel (p. 142) est resté l'adresse préférée des rockeurs punk et branchés. Là, Dylan a écrit des paroles dans la chambre A17, Hendrix a été pris pour un portier, Madonna a été filmée pour son livre controversé, Sex, et Bon Jovi a tourné un clip.

BOOGIE NIGHTS

La culture *dance* apparaît à New York à la fin des années 1960, et plus précisément dans les soirées organisées au Loft de Soho par DJ David Mancusco, à partir de 1971. Une foule hétéroclite se retrouve alors sur la piste – très prisée des gays, des Afro-Américains et des Latino-Américains. Vers 1975, les DJ cherchent des sons plus syncopés pour le funk et le R&B, que ne peuvent pas fournir les 45 tours. Des versions longues commencent alors à être imprimées sur maxi-vinyle, support de meilleure qualité.

1977 marque l'explosion du disco, à New York et dans le monde. Cette année-là, DJ Larry Levon officie au Paradise Garage (84 King St), à SoHo. Stephen Rubell et Ian Schrager ouvrent le Studio 54 (254 W 54th St), *la* boîte de Manhattan, avec ses miroirs au plafond et son décor propice à tous les excès. La Fièvre du samedi soir, avec John Travolta se pavanant sous la ligne du métro aérien à Bensonhurst (Brooklyn), sort sur les écrans en 1977. La fameuse boîte 2001 Odyssey (rebaptisée Spectrum) ne fermera ses portes qu'en février 2005.

Les grands noms du rock se lancent également dans le disco. Récemment installé à New York, Mick Jagger surfe sur cette mode avec les Rolling Stones et sort Miss You en 1978, tube n°1 du groupe. Mais la contribution "majeure" de New York à la musique disco se produit lorsque deux paroliers français, le producteur Jacques Morali et son associé Henri Belolo, créent un groupe de 5 personnes censées refléter les stéréotypes (Indiens d'Amérique, policiers, ouvriers, etc.) en vigueur dans les clubs homosexuels de West Village. Les Village People enchaînent alors quelques tubes comme YMCA et Macho Man. Avec In the Navy, une campagne de recrutement pour la marine américaine est même envisagée. Le projet de tournage du clip aux frais des contribuables, à la base navale de San Diego, soulève néanmoins une vive controverse.

Le disco a ainsi perduré encore un temps, tel un clin d'œil au passé. Au début des années 1990, le groupe Deee-Lite (avec un DJ russe, un DJ japonais, un chanteur de l'Ohio et la légende du funk, Bootsy Collins, à la basse) fait un tabac dans les discothèques avec Groove is in the Heart.

AU BONHEUR DES RAPPEURS

Si le disco et le punk règnent à l'époque en maîtres à Manhattan, le Bronx, lui, voit naître le hip-hop et le "scratch" de vinyles sur les platines Technics. Dans les années 1970, New York traverse une période difficile : les policiers dealent de l'héroïne, la guerre des gangs fait rage dans

TOP 5 DES ALBUMS RAP ET HIP-HOP

- *Raising Hell* (1986), Run DMC. Meilleur album du groupe, mélangeant rap et rock, avec une reprise de *Walk this Way* d'Aerosmith.
- *It Takes a Nation of Millions to Hold Us Back* (1988), Public Enemy. Chuck D prêche tandis que Flavor Flav persifle – un album à messages incontournable.
- *Paul's Boutique* (1989), Beastie Boys. Les Beastie travaillent avec les Dust Brothers ; samples sous forme de clins d'œil à Dylan, aux Commodores, aux "ladies" et aux cloches à vaches.
- *Life after Death* (1997), Notorious BIG. Le CD posthume du rappeur East Coast ne ménage ni la violence ni l'amour.
- *The Sugar Hill Records Story* (1997) Ce coffret inclut les tubes *Rapper's Delight, That's the Joint* de Funky 4 +1 et *The Message* de Grandmaster Flash.

les boroughs, le président Ford s'attelle à la dette croissante de la ville, et les salaires dans le Bronx sont deux fois moins élevés qu'ailleurs. Les DJ y offrent donc une distraction bienvenue avec des jam-sessions improvisées dans les parcs, les foyers municipaux ou les gymnases des écoles.

Le "parrain du hip-hop" et autoproclamé "Muhammed Ali du rap", Kool DJ Herc quittera la Jamaïque pour New York alors qu'il est enfant, et introduira le système des deux platines vers 1974, mixant deux disques ensemble et "toastant" certains morceaux – malgré de sérieuses réverbérations. Inspirés, Afrika Bambaataa et Zulu Nation joueront au Bronx River Center, dans un contexte où les armes sont de mise. Bambaataa diversifiera quant à lui le rôle du DJ en introduisant des samples. Et Grandmaster Flash, qui, enfant, subit la foudre parentale pour avoir démonté la chaîne stéréo familiale, augmentera la mise en développant un système de "préécoute" avec des écouteurs, de façon à pouvoir allonger les "breaks" dans les chansons. Son frère et partenaire Grand Wizard Theodore, trop pressé pour changer de disque, inventera son propre concept en 1975 : le "scratch" est né.

Les DJ et leur équipe de MC (maîtres de cérémonie) commencent alors à attirer l'attention et se font un nom grâce à leur poésie rap syncopée ou encore de simples slogans, tels Cowboy (qui est à l'origine du cri : "everybody say ho !"), Melle Mel, Rahiem, Grandmaster Caz, Busy Bee, et le premier MC de sexe féminin, Sha-Rock. Lors de "battles" musicales, les clans assemblent des sonos impressionnantes pour "combattre" les équipes rivales, comme autrefois les orchestres de jazz au Harlem Savoy.

Les choses s'accélèrent en 1979 : la productrice Sylvia Robinson assiste à un concert de DJ Love Bug Starski au Harlem World et part à la recherche de rappeurs pour faire un disque. Son fils, Joey, repère le videur Big Bank Hank dans une pizzeria, alors qu'il rappe sur une cassette de Grandmaster Caz, et lui demande de l'aider à former le Sugar Hill Gang. Le groupe enregistrera le titre *Rapper's Delight* et vendra 2 millions de disques. Si la vie dans le Bronx n'a rien de facile, le rap est en plein essor.

Le label Sugar Hills de Sylvia Robinson signe également Grandmaster Flash & the Furious 5, dont la chanson de 1982, *The Message*, interprétée par Melle Mel et décrivant la vie urbaine "comme une jungle, parfois" marque une évolution du rap dans les paroles. Puis, Sugar Hill signe Funky 4 + 1, avec Sha-Rock, figure féminine emblématique. Ils seront le premier groupe de rap à apparaître à la télévision nationale (dans *Saturday Night Live*, en 1981, grâce à l'aide de Blondie).

La plupart des groupes enregistrent peu, mais des films comme *Wild Style* et *Beat Street* montrent la scène de l'époque. En 1982, Cold Crush Brothers combat en rap les Fantastic 5, au Harlem World – un événement qui marquera les esprits et inspirera Run DMC.

En 1983, Run DMC, un groupe de jeunes du Queens, pousse le rap encore plus loin avec le morceau *Sucker MCs* au rythme extra syncopé et avec force scratch – un son déniché par les rappeurs post-punk des Beastie Boys lors de leur premier enregistrement avec Def Jam Records, fondé par Rick Rubin et Russell Simmons. Run DMC ouvrira également la voie au rap politisé et au style *gangsta* repris par Boogie Down Productions (à New York) et NWA (à Los Angeles), qui jouent tous deux dans le film de Def Jam, *Krush Groove*.

James Todd Smith (alias Ladies Love Cool James, alias L.L. Cool J.), lui aussi originaire du Queens, fait quant à lui l'une des carrières les plus longues du hip-hop, commencée à l'adolescence avec *I Need a Beat*, en 1984.

La meilleure réussite de Run DMC est sans doute d'avoir lancé les rappeurs de Public Enemy, au son urbain dense et militarisé. Les paroles hautement politisées de Chuck D (telles les attaques lancées à John Wayne dans *Fight the Power*) sont contrebalancées par son acolyte plus léger, Flavor Flav, et discréditées par les commentaires antisémites du très controversé Professor Griff.

Plus tard, les stars de rap new-yorkais décriront la violence dans les rues de la ville. Originaire de Bedford-Stuyvesant et poulain de Puff Daddy, Notorious BIG (alias Biggie), avec son premier album *Ready to Die* (1994), est à l'origine de l'opposition qui naîtra entre le rap *East Coast* et le rap *West Coast*. Une guerre des gangs naît entre les deux côtes, opposant le producteur Puff Daddy et Notorious BIG (Côte Est) à Suge Knight et son rappeur énervé Tupac (Côte Ouest), qui se finira en double meurtre : en 1997, quelques mois après le meurtre de Tupac, Biggie est abattu à Los Angeles, retirant coup sur coup à l'Amérique ses deux meilleurs rappeurs. Aujourd'hui, Puff Daddy (de Harlem), 50 Cent (du Queens) et Jay Z (de Brooklyn) occupent le devant de la scène.

ROCK DES ANNÉES 2000

L'âge d'or du rock de Seattle, Austin et Detroit prend fin au début du XXIe siècle, quand New York – en particulier le Lower East Side et Williamsburg – reprend ses droits dans le monde du rock indie. Tout commence dans les clubs de Downtown, notamment l'Arlene Grocery (p. 295) et le Mercury Lounge (p. 296), avec les Strokes, dont le premier album, *Is This It* (2001), crée vite l'événement (le père de Julian Casablancas, le leader du groupe, se trouve être le directeur de l'agence de mannequins Elite). Leur son, inspiré à la fois des stars new-wave, comme Television, et des dieux actuels de la musique "lo-fi" (*low-fidelity* ; enregistrements   de basse qualité aux sonorités expérimentales), Guided by Voices, fait chavirer la jeunesse branchée américaine et britannique (parfois plus pour Julian que pour la musique).

Depuis, les productions plus expérimentales des groupes de Brooklyn commencent à redonner à la scène de Williamsburg ses lettres de noblesse, notamment grâce à une flopée de nouveaux groupes au rock déjanté : les Yeah Yeah Yeahs emboîtent le pas aux White Stripes et à leur musique sans basse pleine de nostalgie ; Clap Your Hands Say Yeah adopte un look sans artifices et un son inspiré des Talking Heads ; TV on the Radio fait vibrer le pont de Williamsburg à ses débuts ; Fiery Furnaces, les frère et sœur de l'Illinois, enregistrent une opérette au piano avec leur grand-mère ; et Animal Collective brouille les pistes.

À Red Hook, le No Fun Fest (p. 180) est un festival annuel rassemblant des groupes de la scène "noisy", notamment le No Neck Blues Band, dont les membres conservent l'anonymat.

Ce nouveau siècle a vu brièvement renaître les "événements" à la Warhol avec "l'electroclash", savoureux mélange de musique lo-fi, rétro, électro, dance aux accents punk. À Williamsburg, le Café Luxx, désormais appelé Trash, a accueilli les nuits "Berliniamsburg" entre 2001 et 2003. L'electroclash est mort, vive l'electroclash !

La cuisine new-yorkaise

La cuisine new-yorkaise

À New York, un dîner au restaurant est un événement qui rivalise d'intensité avec une sortie à l'opéra, au théâtre ou à un concert. Il s'agit d'un loisir à part entière qui suffit à remplir une soirée. Et si l'on peut admettre qu'il n'en a pas toujours été ainsi, la tradition remonte tout de même à plus de 180 ans.

HISTOIRE

Le premier restaurant des États-Unis, le luxueux Delmonico's, fut inauguré à Lower Manhattan en 1827 en tant que confiserie et devint rapidement le lieu de rendez-vous de la haute société. Sa carte de 100 pages, en anglais et en français, comportait alors des plats tels le Lobster Newburg ou le Baked Alaska de son invention. Sa cave était riche de quelque 16 000 bouteilles. Avant sa fermeture en 1923, l'établissement servit de modèle à nombre de tables huppées qui offraient aux classes aisées saumon au court-bouillon, soufflés, côtelettes de mouton, charlotte russe et autres mets européens.

Le bagel, le secret de la forme des New-Yorkais

Pendant ce temps, les New-Yorkais anonymes s'attablaient dans de petits restaurants bon marché ou commandaient auprès de marchands ambulants (25 000 en 1900) des plats du monde entier – rien d'étonnant dans une ville portuaire où débarquait alors un flot ininterrompu d'immigrants et de denrées en provenance de l'étranger. Les bars à huîtres, les cafétérias, les deli (sortes de self-services-épiceries fines) casher, les premiers vendeurs de hot dogs et les pizzerias (le premier **Lombardi's** vit le jour en 1905 ; voir l'encadré p. 238) s'installaient en nombre, ainsi que les restaurants chinois et allemands, ce qui finalement donnait un juste reflet des multiples composantes ethniques de la population.

Destinées tout d'abord aux communautés d'immigrants, les cuisines exotiques sont devenues un must et les amateurs se sont pris d'un engouement devenu aujourd'hui quasi obsessionnel pour les cuisines du monde. Ainsi, les New-Yorkais ne sauraient attendre avant de goûter telles nouvelles *quesadillas de huitlacoche* mexicaines (tortillas fourrées au fromage et aux champignons de maïs) ou telles *arepas* colombiennes (épaisses galettes de maïs nappées de fromage fondu). La scène gastronomique se concentrait alors autour des tables haut de gamme, mais une autre tendance se manifestait déjà avec la prolifération d'adresses plus abordables. Aujourd'hui, ce sont les petits restos économiques de Chinatown et d'East Village qui drainent les gastronomes à petits budgets. Avant, ce fut l'époque des Automats, où des machines délivraient des sandwichs (le dernier, dans 42nd St, a fermé en 1991), des cafétérias, des établissements allemands qui offraient des déjeuners à 45 ¢, des pubs irlandais de Manhattan et des "penny restaurants" de Brooklyn (en particulier à Coney Island).

L'Exposition universelle de 1939 contribua largement à la mondialisation de la cuisine new-yorkaise. S'il ne s'agissait pas *a priori* d'une foire gastronomique, les pays invités ne manquèrent pas cette occasion de présenter leurs spécialités nationales. Certains cuisiniers venus pour l'occasion s'installèrent définitivement et ouvrirent des restaurants, dont Le Pavillon qui lança la vogue de la cuisine française, toujours d'actualité. Après cette période et jusque dans les années 1960, les tables grecques et moyen-orientales poussèrent comme des champignons dans Greenwich Village, proposant de nouvelles saveurs à des prix abordables, tandis que la cuisine française tenait le haut du pavé.

Au même moment, James Beard, basé à New York, entreprenait de révolutionner l'idée même de cuisine américaine. Il fonda la James Beard Cooking School pour y enseigner les préceptes de la bonne cuisine à base de produits locaux frais et sains. Après sa mort en 1985, l'immeuble de Greenwich Village fut transformé, sur une idée de Julia Child, en James Beard Foundation, seul centre d'histoire culinaire d'Amérique du Nord. Celui-ci propose des cursus d'enseignement et des repas préparés par de grands chefs, et remet chaque année des prix aux principales figures de la restauration. En dépit d'un gros scandale en 2005 (1 million de dollars destinés à des associations caritatives auraient été détournés), la fondation continue de fonctionner et ses prix sont toujours aussi convoités par les chefs et les auteurs de livres de cuisine.

CULTURE

Contrairement à la Californie ou au Sud, voire au Sud-Ouest des États-Unis, New York n'est pas associé à une cuisine caractéristique. Demandez par exemple un "plat new-yorkais" et vous trouverez dans votre assiette aussi bien un hot dog qu'une pizza, une spécialité de l'Inde du sud ou le nouveau mets en vogue, le hamburger aloyau-truffes à 29 $ de DB Bistro Moderne, à Times Sq. Ici, la cuisine est mondiale par nature et en perpétuelle évolution. Elle satisfait tous les goûts et tous les budgets, tous les régimes et toutes les envies. Toutefois, si le paysage bio, diététique et végétarien a pris de l'ampleur et connu une véritable mutation ces dernières années (voir p. 94), l'univers de la restauration (tout du moins à son sommet), quant à lui, tend frénétiquement vers toujours plus d'exotisme. On voit en effet émerger une kyrielle de chefs célèbres qui n'hésitent pas à accommoder les viandes de toutes les manières possibles et imaginables.

Les toques étoilées, de renommée locale ou nationale, ne manquent pas. Mario Batali (de l'empire Lupa-Babbo, p. 239), David Bouley (French Danube et Bouley, p. 230), Daniel Boulud (DB Bistro Moderne, Café Boulud et Daniel), Wylie Dufresne (71 Clinton Fresh Food et WD 50, p. 236, tous deux dans le LES), Tom Valenti (Ouest, p. 250 et Cesca, p. 250) et Thomas Keller (Per Se, dans le Time Warner Center, p. 247), comptent parmi les plus en vue et font le régal des gourmets new-yorkais. En 2005, le jury des James Beard Awards a d'ailleurs reconnu leur talent. Quatre des cinq candidats désignés pour la catégorie "meilleur chef" étaient de New York (Mario Batali l'a finalement emporté) et le prix du "meilleur restaurant" a été attribué à Per Se.

Dans un tel contexte, on ne dîne plus en ville dans le seul dessein de bien manger mais aussi pour vivre une expérience complète. Décors design, lumières étudiées et cartes savamment tentatrices contribuent à créer une ambiance qui transporte les convives. Impossible de passer outre, dans une ville où la clientèle s'enthousiasme pour l'adresse à la mode du moment (Spice Market, p. 241, et The Modern, p. 247, en sont de parfaits exemples) avant de s'en lasser en l'espace de quelques mois pour s'enticher de la dernière nouveauté. Voilà qui produit en permanence des inaugurations en grande pompe et modifie la physionomie des quartiers. Ainsi, la récente émergence de l'Upper West Side, devenu un quartier en vogue pour les sorties au restaurant, grâce à des restaurateurs comme Tom Valenti, dont les établissements Cesca (p. 250) et Ouest (p. 250) ont servi de locomotives. Revers de la médaille, des fermetures retentissantes qui s'accompagnent d'un cortège de regrets. Parmi les dernières victimes en date : le légendaire Second Avenue Deli dans l'East Village, le V Steakhouse de Jean-Georges Vongerichten dans le Time Warner Center et le Sugar Hill Bistro, établi dans le nord de Harlem et réputé pour ses brunchs jazz et sa cuisine du Sud de qualité. De même que Lutèce, en 2004, une table française réputée, établie dans l'East Side de Manhattan depuis 43 ans. La presse locale a longuement commenté ces fermetures et les habitués ont certes protesté, mais finalement personne ne s'est précipité pour sauver les intéressés. L'eau, depuis, continue de couler sous les ponts.

SAVOIR-VIVRE AU RESTAURANT

De grâce, éteignez votre portable avant de passer à table. Montrez-vous également respectueux du personnel : s'exprimer poliment, accompagner d'un "s'il vous plaît" une demande inhabituelle ou de dernière minute, et se signaler en levant simplement la main (sans siffler ni interpeller le serveur) peut faire des miracles. N'oubliez pas non plus de laisser un pourboire décent – 15% de la note pour un service moyen, un peu moins si la prestation laisse à désirer et 20% minimum si vous êtes satisfait. En cas de manque d'égards ou d'erreur majeure de la part du serveur ou du chef, un bon restaurant vous fera souvent cadeau d'une petite partie du repas – un verre de vin, un dessert ou un hors-d'œuvre, par exemple. Vous plaindre avec courtoisie augmente bien sûr vos chances.

USAGES À TABLE

La manière de tenir son couteau et sa fourchette à New York ne devrait guère changer vos habitudes. En revanche vous observerez un engouement certain pour les baguettes, qui sont bien sûr la règle dans les établissements chinois, japonais ou thaïs mais que l'on va expressément demander pour déguster un plat asiatique dans un restaurant américain. Qu'il s'agisse d'une pose ou d'une marque de respect culturel, c'est de toute façon la norme locale.

Quand ils n'ont pas le temps de s'asseoir, les New-Yorkais n'hésitent pas manger sur le pouce. On peut souvent les voir debout devant les comptoirs des pizzerias, en train d'engloutir une part de pizza en quatre bouchées avant de reprendre leurs occupations. Les employés de bureau, en particulier, s'achètent un sandwich ou une salade chez le traiteur, se posent sur le banc ou la terrasse la plus proche et mangent à toute allure en profitant au maximum de ces quelques minutes passées à l'extérieur. Relaxant ? Pas vraiment. Normal ? Oui.

SPÉCIALITÉS LOCALES

Les cuisines établies de longue date à New York déclinent tout un éventail de saveurs. Les spécialités italiennes (l'incontournable pizza) et juives d'Europe de l'Est (le non moins omniprésent bagel), qui correspondent aux vagues d'immigration les plus anciennes, font ainsi partie intégrante du paysage culinaire.

Le *pastrami* (fines tranches de bœuf) sur du pain de seigle ou la tranche de pizza ne sont que des exemples parmi d'autres classiques incontestés. Le Reuben, sandwich grillé à base de pain de seigle, de corned-beef, de choucroute, de fromage suisse et de moutarde fut inventé à New York en 1914 par Arnold Reuben dans sa sandwicherie Reuben's, aujourd'hui disparue ; on le trouve à présent dans la plupart des *deli*. Les *steakhouses* (restaurants grills), une tradition qui débuta avant l'introduction d'influences étrangères par l'Exposition universelle, offrent un aperçu de l'atmosphère d'antan. Peter Luger Steakhouse (p. 259), dans Williamsburg, compte parmi les meilleures institutions du genre. Cependant, le terme de "steak new-yorkais" n'a plus guère de sens dans une ville où ces établissements servent tout aussi bien un bon vieux châteaubriant qu'un filet de bœuf frotté à l'ail. Et puis il y a les restaurants chinois. Depuis la fin du XIXᵉ siècle,

époque à laquelle le chop suey aurait été inventé par les cuisiniers de l'ambassadeur de Chine en visite à New York pour répondre au goût américain, les habitants ont adopté la cuisine de l'Empire du milieu (en particulier les juifs pour qui elle avait l'avantage d'être disponible le dimanche, jour de repos des chrétiens). De nos jours, le chop suey figure rarement au menu, mais on peut en revanche déguster des recettes chinoises plus raffinées – généralement du Hunan ou du Sichuan – presque à chaque coin de rue de Manhattan. D'ailleurs, "chinois" est pratiquement devenu synonyme de "plat à emporter".

Chez Nathan's Famous, les hot dogs ont du chien (p. 258)

HOT DOG

La longue histoire du hot dog connaît de multiples versions. Ce dérivé de la saucisse, une des formes les plus anciennes de produit alimentaire industriel, arriva à New York par l'intermédiaire de bouchers européens au XIXe siècle. L'un d'eux, l'Allemand Charles Feltman, fut apparemment le premier à vendre des hot dogs (le nom lui-même a des origines contestées) dans des charrettes le long du rivage de Coney Island. Ce fut toutefois Nathan Handwerker, un autre immigrant allemand, qui les rendit célèbres. D'abord employé par Feltman, cet entrepreneur avisé économisa assez d'argent pour monter sa propre boutique. Il s'installa en face de son concurrent et vendit sa marchandise deux fois moins cher, vantant le prix de ses "chiens chauds" sur de larges panneaux. Son affaire prospéra et, à l'ouverture de la station de métro Stilwell Ave dans les années 1920, sa popularité explosa, obligeant Feltman à mettre la clé sous la porte dans les années 1950. Bien que son empire commercial ait pris une ampleur nationale, le Nathan's d'origine (p. 258) se tient aujourd'hui encore dans Coney Island, à l'angle de Stilwell Ave et de Surf Ave où il accueille le 4 juillet un concours de mangeurs de hot dogs. Nathan's a également fait des émules, et on trouve aujourd'hui des vendeurs de hot dogs à presque tous les coins de rue. Certains habitants n'y toucheraient cependant pour rien au monde, leur préférant les nouvelles enseignes spécialisées prétentieuses qui se sont ouvertes dans toute la ville, en particulier dans l'East Village. Savourez le vôtre, d'où qu'il provienne, pourvu que s'y trouvent tous les ingrédients requis : une bonne dose de moutarde brune relevée, des pickles, de la choucroute et des oignons.

PIZZA

La pizza n'est certes pas née ici, mais sa version new-yorkaise s'avère très spécifique. Par ailleurs, c'est à New York que Lombardi's (p. 238), la première pizzeria des États-Unis, a accroché son enseigne en 1905. Contrairement aux pizzas de Chicago et de Californie qui se caractérisent respectivement par une pâte épaisse et une pâte légère peu cuite, celle de New York possède la pâte la plus fine, nappée d'une couche de sauce encore plus mince. Elle se présente sous forme de *slices* (tranches) triangulaires (ou carrées, lorsque découpées à la sicilienne). La pizza s'est imposée à New York au début du XIXe siècle avec l'arrivée des immigrants italiens et son adaptation locale a rapidement connu le succès (dans cette ville toujours pressée, la minceur de la pâte permettait une cuisson plus rapide). Actuellement, il existe des échoppes spécialisées environ tous les dix pâtés de maisons, notamment à Manhattan et dans la majeure partie de Brooklyn où une portion revient autour de 2 $. Le style varie peu – pizzas fines et craquantes, ou plus épaisses et difficiles à mastiquer – mais la gamme des nouvelles garnitures va des crevettes aux cerises. Parmi les enseignes les plus réputées, citons La Famiglia, Grimaldi's (p. 255) et Ray's (les diverses variantes du nom, le plus souvent sans rapport avec l'original, constituent une source de confusion permanente – vous verrez ainsi des Ray's Famous, Famous Ray's, Original Ray's et Famous Original Ray's partout en ville ; pas de panique, ils sont tous bons !). Quel que soit l'endroit où vous achetez votre part de pizza, vous devrez apprendre à la manger proprement tout en marchant : pliez-la en deux dans le sens de la longueur, tenez-la d'une seule main et dévorez-la à belles dents.

BAGEL ET BIALY

Inventé en Europe, le bagel a été amélioré à New York au tournant du XIXe siècle. Lorsque vous l'aurez goûté ici, vous aurez du mal à l'apprécier ailleurs. En substance, il s'agit d'un anneau de pâte levée, bouilli puis cuit au four et éventuellement saupoudré de graines de sésame, de pétales d'oignons séchés ou d'autres ingrédients. Le plus souvent, les bagels fabriqués dans d'autres coins des États-Unis sont uniquement cuits au four et ressemblent par conséquent à de vulgaires petits pains ronds percés d'un trou. Et même quand ils sont bouillis, leur goût diffère car, au dire des spécialistes, l'eau de New York confère à la préparation une saveur sucrée unique. Le matin, on peut acheter dans la rue des bagels pour 65 ¢ à condition de ne pas être regardant sur la qualité. Quel boulanger fabrique les meilleurs bagels ? La réponse est sujette à maintes controverses. Cependant, la plupart des gens classent **H&H Bagels** (enseigne principale dans 46th St à hauteur de West Side Hwy, plan p. 452, avec des boutiques dans tout Manhattan ; www.handhbagel.com)

DINERS ET CAFÉS NEW-YORKAIS

Difficile de marcher un peu dans n'importe quelle direction sans tomber sur un *diner* (restaurant à l'ancienne) ou un *coffee shop* (version moins engageante et plus décatie du diner). Traditionnellement tenus par des Grecs, ces établissements omniprésents, au décor sans prétention (tables compartimentées, comptoir, plateaux tournants pour les desserts), proposent un extraordinaire assortiment de plats. Les cartes – gros livres reliés aux rubriques séparées par des intercalaires ou longues feuilles plastifiées écrites recto verso en petits caractères – sont rassurantes et prévisibles : petits déjeuners à toute heure, hamburgers, sandwichs à la dinde, poissons grillés, steaks, spaghettis et boulettes de viande, rôtis, milk-shakes, salades de thon, fromages grillés, aubergines au parmesan, scampi, côtes de porc, tartes et gâteaux, tasses de café (pas toujours très bon) à volonté et, bien sûr, salades grecques et moussaka. Et il ne s'agit là que d'un échantillon. De plus, ces établissements restent souvent ouverts très tard, voire 24h/24, et permettent de côtoyer toutes sortes de personnages hauts en couleur. Certains servent une cuisine de qualité (ce n'est pas toujours le cas), notamment : **Brooklyn Diner** (plan p. 284 ; 212 W 57th St entre 7th Ave et Broadway), **City Diner** (plan p. 454 ; 2441 Broadway à hauteur de 90th St), **Viand Restaurant** (plan p. 454 ; 300 E 86th St à hauteur de 2nd Ave) et **Village Den Restaurant** (plan p. 448 ; 225 W 12th St à hauteur de Greenwich Ave). Doté d'un bar, **Tiffany Restaurant** (plan p. 448 ; 222 W 4th St à hauteur de Seventh Ave) est vraiment un endroit où passer une bonne soirée.

dans le haut du panier. Les New-Yorkais commandent traditionnellement un "bagel and a schmear", c'est-à-dire recouvert d'une épaisse cuillerée de fromage à tartiner. On peut toutefois y ajouter du saumon fumé dont les marchands ambulants juifs vendaient de fines tranches dans le Lower East Side au début du XXᵉ siècle. Cousins des bagels en moins populaires, les *bialys*, autre spécialité locale, sont des sortes de petits pains avec une croûte. Kossar's (p. 133), dans le Lower East Side, vend sans conteste les plus savoureux.

EGG CREAM

Contre toute attente, ce breuvage mousseux d'antan ne contient pas d'œufs, mais du lait, de l'eau de seltz et du sirop de chocolat (de préférence le classique Fox's U-Bet, fabriqué à Brooklyn) en abondance. Quand Louis Auster de Brooklyn, qui possédait des buvettes dans le Lower East Side, l'inventa en 1890, il utilisait du sirop aux œufs et ajoutait de la crème pour épaissir la préparation. Malgré la modification des ingrédients, le nom resta et le produit fut bientôt disponible dans toutes les buvettes de New York. À l'époque, Auster le vendait 3 cents pièce. De nos jours, il coûte de 1,50 à 3 $ suivant que vous l'achetez dans une boutique à l'ancienne, telle Lexington Candy Shop (p. 253) dans l'Upper East Side, ou à Mo Pitkin's House of Satisfaction, récemment ouvert dans l'East Village (p. 270), où l'on vous le servira avec de la vodka.

CHEESECAKE NEW-YORKAIS

Certes, il existe en Europe, sous une forme ou une autre, depuis le XVᵉ siècle, mais les New-Yorkais se sont approprié sa recette et l'ont modifiée à leur façon comme de nombreuses autres spécialités étrangères. Immortalisé par le restaurant **Lindy's** (plan p. 452 ; Broadway, à hauteur de 50th St), que Leo Lindemann inaugura à Midtown en 1921, ce gâteau à base de fromage frais, de crème épaisse, d'un soupçon de vanille et de cookies écrasés a commencé à connaître un grand succès dans les années 1940. Junior's (p. 255), ouvert dans Flatbush Ave à Brooklyn en 1929, sert sa propre version réputée dont le dessus se compose de biscuit à la farine complète. Aujourd'hui, le cheese cake figure fréquemment sur les cartes des desserts, que vous vous trouviez dans un restaurant grec ou dans un bastion de la haute cuisine.

BOISSONS

VIN

Si l'histoire de la viticulture dans l'État de New York remonte au XIXᵉ siècle, ce n'est qu'en 1976 que l'industrie du vin connut son véritable essor. À cette époque, une loi autorisa en effet l'établissement de chais dans les petites exploitations, permettant aux agriculteurs de planter des vignobles partout où le sol et le climat étaient propices. Parmi les principaux producteurs, la région des Finger Lakes, dans l'intérieur de l'État, abrite plus de 60 caves. Plus proches de la ville, celles de Long Island se concentrent surtout à North Fork, mais il en existe aussi à South Fork (dans les Hamptons ; voir p. 382). Vintage New York, avec une grande boutique à Soho et une autre dans l'Upper West Side, vend exclusivement des crus locaux. L'enseigne offre des dégustations gratuites et des conseils avisés. Surtout, elle a pour atout majeur d'ouvrir le dimanche quand les autres magasins de vins et spiritueux baissent leur rideau (affiliée à une cave du nord de l'État, elle bénéficie d'un statut à part). L'engouement des New-Yorkais pour le vin en général ne cesse de croître. Il y a quelques années encore, New York ne comptait qu'une douzaine de bars à vins contre une cinquantaine à présent. Nous vous conseillons en particulier Morrell Wine Bar & Cafe (p. 274) et Another Room (p. 265).

BIÈRE

En matière de bières locales, New York se classe largement derrière la plupart des autres grandes villes américaines. La Brooklyn Brewery (p. 183), à Williamsburg, est la première brasserie enregistrant une réussite commerciale depuis la fermeture, en 1976, de Schaefer et de Rheingold (Rheingold a cependant rouvert une brasserie à Brooklyn en 2004). Fondée en 1987, elle a inauguré en 1996 des locaux de 70 000 m² et produit depuis plus d'une douzaine de bières primées très prisées. La Brooklyn Lager, son produit phare, est largement diffusée dans les bars et les magasins de la ville. Vous pouvez visiter l'usine et profiter le week-end de son occasionnel happy hour. Signalons aussi deux autres brasseries plus modestes : Heartland Brewery (p. 264) et Chelsea Brewing Company (p. 271). Pour goûter les différentes productions, vous aurez l'embarras du choix car nombre de bars offrent désormais une sélection étendue de pressions et de bières en bouteille. D.B.A. (p. 269), tout comme l'immense et récent Ginger Man (p. 273) proposent notamment une kyrielle de marques.

COCKTAILS

Les New-Yorkais adorent les martinis classiques mais on trouve également des versions plus créatives de cette boisson (curieusement, ce cocktail ne se fait pas forcément à base de Martini) : *cosmopolitans* (voir la recette p. 277), *appletinis*, *lycheetinis*, *chocolatinis* et même *saketinis* (où la vodka est remplacée par du saké) et *tablatinis* (au Tabla, p. 245), additionnés d'ananas frais et de *lemon-grass*. Les alcools de marque sont toujours appréciés, notamment la vodka et la tequila, vendue dans les boutiques mexicaines chic sous des formes bien trop précieuses pour les gâcher en les transformant en margaritas. Nouvelle découverte en vogue, la *cachaça* est une liqueur brésilienne à base de sucre de canne fermenté que quelques importateurs haut de gamme introduisent peu à peu sur le marché new-yorkais. La *caipirinha*, mélange de *cachaça*, de sucre et de jus de citron vert, connaît une popularité croissante, au point de faire de l'ombre au *mojito* cubain (rhum, feuilles de menthe, sucre et citron vert). D'une façon générale, plus les ingrédients sont exotiques – fruits tropicaux frais, épices asiatiques, mélange d'aromates – plus la boisson a du succès, ce qui explique que de nombreux restaurants font appel à des "chefs" de cocktail en plus des sommeliers.

CAFÉ ET THÉ

Il n'y a pas si longtemps, il fallait se rendre sur la côte Ouest pour siroter un bon café. Mais depuis cinq ans (et l'invasion de la ville par la chaîne Starbucks), les adresses abondent à New York. Parmi elles, **Gorilla Coffee** (plan p. 464 ; 97 5th Ave) à Park Slope, Brooklyn, **Joe** (plan p. 448 ; 141 Waverly Pl) et **Porto Rico Importing Co** (trois enseignes à Downtown) qui préparent un excellent *latte*. Les conservateurs s'en tiennent toutefois au café à 1 $ servi dans une tasse à emporter décorée d'une colonne romaine bleu et or. Commander un "regular", équivaut en langage new-yorkais à demander un café avec du lait et un sucre. Les maisons de thé se développent également, avec des endroits comme Teany (p. 236) et **Wild Lily Tea Room** (plan p. 448 ; 511 W 22nd St entre 10th et 11th St), où la carte est de l'épaisseur d'un livre.

AVEC DES ENFANTS

Difficile de savoir où manger avec des bambins. Si certains établissements sont à fuir (on évitera les très chic Babbo, Daniel ou Per Se), beaucoup accueillent les enfants à bras ouverts. Animés et bruyants, les *diners* (voir encadré p. 92) conviennent parfaitement ; essayez **EJ's Luncheonette** (plan p. 454 ; 1271 3rd Ave à hauteur de 73rd St), également présent dans le Village (plan p. 448 ; 432 6th Ave) et l'**Upper West Side** (447 Amsterdam Ave). D'autres endroits proposent des menus et des activités pour les enfants, comme **Bubby's Pie Company** (p. 231), à Tribeca et à Dumbo, dans Brooklyn (l'établissement de Dumbo possède une salle de jeux), **Two Boots Restaurant & Pizzeria** (p. 238 ; www.twoboots.com), avec plusieurs enseignes dans Manhattan, ESPN Zone (p. 156), près d'une grande galerie marchande, et **Peanut Butter & Co** (plan p. 448 ; 240 Sullivan St), spécialisé dans les sandwichs au beurre de cacahouète. **Willy Bee's Family Lounge**, à Williamsburg (plan p. 463 ; 32 Metropolitan Ave entre Driggs Ave et Roebling Ave), offre un café, une salle de jeux et toutes sortes d'activités. **Dylan's Candy Bar** (plan p. 452 ; 1011 3rd Ave) est une confiserie de deux étages digne de la chocolaterie de Willy Wonka. La chaîne **Chuck E. Cheese** – une immense pizzeria à l'atmosphère de carnaval, avec casinos et spectacles (et une cuisine tout juste passable) – vient de s'installer à Long Island City, dans le Queens (plan p. 457 ; 34-19 48th St).

REPAS DE FÊTE

Comme tout le monde, les habitants de New York aiment se réunir autour d'une table de temps à autre. Hélas, la nature pressée des citadins, ajoutée à l'exiguïté des logements, rend rares, voire inexistantes, les occasions de manger ensemble. Dîner dehors est donc devenu la solution pour célébrer les grandes occasions, y compris les fêtes familiales comme Thanksgiving et Noël, qui se déroulent traditionnellement à la maison dans le reste du pays. Les restaurants profitent bien sûr de l'aubaine et proposent des menus spéciaux pour toutes les fêtes imaginables, que ce soit Thanksgiving, le réveillon de Noël, Pâques ou la Pâque juive. La Saint-Sylvestre et la Saint-Valentin font particulièrement recette et sont l'occasion pour la plupart des établissements d'offrir des menus de quatre plats en gonflant les prix. Même le 4 Juillet, les New-Yorkais vont au restaurant pour déguster des côtelettes et du poulet, sauf ceux qui vivent dans les boroughs périphériques et peuvent allumer leur barbecue devant la maison.

CUISINE VÉGÉTARIENNE

Longtemps restée en deçà de la Californie et des autres régions de la Côte Ouest, la scène végétarienne new-yorkaise continue de susciter la moquerie des gastronomes purs et durs. Toutefois, on note ces dernières années un mouvement majeur dans ce sens qui se traduit par un boom des restaurants de cuisine diététique et végétarienne. Conscients que "végétarien" ne doit pas rimer avec "ennuyeux", ces nouveaux établissements ne lésinent pas sur l'ambiance (et une excellente carte des vins) pour attirer les clients. Downtown en regroupe le plus grand nombre, avec des adresses branchées comme Pure Food & Wine (p. 245), Counter (p. 238), Blossom (p. 242), Gobo (p. 240) et le récent **Heirloom** (plan p. 449 ; 191 Orchard St). On en trouve cependant un peu partout à New York – le Candle Café (p. 251) et Mana (p. 250) sortent du lot – et même les restaurants 4 étoiles les plus carnivores surfent sur la vague : sur la carte du **Café Boulud** (20 E 76th St), la rubrique "le potager" recèle de trésors méconnus.

SUR LE POUCE

Pour manger en vitesse, New York ne manque pas de possibilités. Des marchands ambulants de hot dogs, tacos, soupes maison et autres falafels aux traiteurs coréens présentant d'immenses buffets de salades et des comptoirs de sandwichs, vous ne risquez pas de mourir de faim. En outre, toute la ville, en particulier les quartiers de Downtown Manhattan comme l'East et le West Village, regorge de minuscules échoppes spécialisées proposant crêpes, plats thaïlandais, curries, sandwichs grecs, pizzas, sushis ou pommes frites – vraiment de tout – en moins de 5 minutes et pour moins de 5 $.

Histoire ■

Histoire

LE PASSÉ RÉCENT
NEW YORK ET LE 11 SEPTEMBRE

L'attaque terroriste du 11 Septembre 2001 précipita une période de chômage et de restrictions économiques que le dégonflement de la bulle financière de l'électronique avait déjà anticipée. Il fallut des mois au centre de Manhattan pour émerger des ruines fumantes du World Trade Center, les photos des personnes disparues dans la tragédie se délitant lentement sur les murs de brique. Pendant que les équipes de déblaiement se frayaient un chemin à travers les décombres, la ville affronta courageusement les alertes terroristes et la menace de l'anthrax pour pleurer ses morts. Le traumatisme et le deuil rassemblèrent, dans une même volonté de ne pas succomber au désespoir, des citoyens habituellement divisés. Avant la fin de l'année, des groupes se formaient déjà dans les ateliers "Imagine New York", afin d'élaborer des projets de reconstruction incluant un mémorial à l'emplacement de Ground Zero.

XXIᵉ SIÈCLE : UNE PLUS GROSSE POMME

En 2002, le maire Michael Bloomberg s'est attelé à la tache difficile de rassembler les morceaux d'une ville éclatée qui s'était (enfin) ralliée derrière son prédécesseur Rudy Giuliani, personnage longtemps controversé mais dont la réaction aux attentats du 11 Septembre avait fait grimper la cote de popularité. Pendant quatre ans, Bloomberg a essuyé maintes critiques. Ses projets fétiches (bâtir un stade dans le West Side au-dessus de West Side Hwy, faire revenir les Jets de Jersey et porter la ville candidate à l'organisation des Jeux olympiques de 2012) ont capoté quand Albany a refusé d'avaliser un budget de 2,2 milliards de dollars, à la grande joie de nombreux New-Yorkais inquiets pour les problèmes de circulation et les coûts. Malgré tout, Bloomberg a remporté les élections de 2005 en battant de 20 points le candidat démocrate du Bronx, Fernando Ferrer.

Le boom économique n'a certainement pas été étranger à sa victoire. En 2005, les revenus du tourisme ont dépassé les niveaux d'avant le 11 Septembre, tandis que les tarifs et les taux d'occupation des hôtels battaient des records et que des sites comme le Museum of Modern Art (MoMA) en profitaient pour s'agrandir et s'embellir.

L'après-11 Septembre a ouvert la porte à des évolutions bien peu conformes à l'esprit new-yorkais. Ainsi, d'immenses centres commerciaux et grands magasins ont-il poussé ça et là : ouverture d'une boutique chic The Shops, à Columbus Circle, en 2003 pour attirer les promeneurs de Central Park, installation des magasins bon marché Best Buy et Home Depot dans Sixth Ave, aménagement en 2005 d'un café Starbucks dans Delancey St, dans le Lower East Side, ouverture d'un magasin Target à quelques pas de Flatbush Ave en 2004 dans le centre de Brooklyn.

L'apogée de cette évolution a été le choix de la ville pour accueillir la Convention nationale du parti républicain en 2004. Dans Madison Sq Garden, 400 000 manifestants se sont rassemblés pour dénoncer le président et la guerre, ce qui n'a pas empêché les républicains de gagner les élections présidentielles.

New York ne s'est jamais vraiment soucié de préserver son patrimoine. Même le mythique club CBGB de Downtown, berceau de la mouvance punk où se produisirent les Ramones et Patti Smith ferme ses portes en octobre 2006, ne pouvant lutter contre un loyer mensuel ayant atteint les 40 000 $. La ville a cependant accepté l'octroi d'un budget de 100 millions de dollars au projet de la High Line (p. 140) qui verra, d'ici 2008, l'aménagement d'espaces verts et de galeries à la place d'un tronçon désaffecté du réseau ferroviaire, s'étirant sur 22 pâtés de maisons à travers le West Village, le Meatpacking District, Chelsea et Midtown West. Cinq mille appartements

2002	2005
Michael Bloomberg est élu maire de New York ; il est réélu, en 2005, pour un second mandat	La ville n'est pas retenue pour les JO de 2012, au grand soulagement des New-Yorkais

seront construits, dont un quart de logements pour les faibles revenus, le reste devant être vendu au prix du marché (environ 3 millions de dollars pour un appartement de 3 chambres).

L'embourgeoisement n'a rien de nouveau mais il avance à un rythme effréné. En 15 ans, l'East Village a empiété sur les avenues d'Alphabet City (et les taudis du Lower East Side, au sud), remplaçant les gangs et les dealers par de jeunes cadres prêts à débourser un demi-million de dollars pour un appartement, quitte à devoir marcher sur de longues distances pour atteindre le métro le plus proche. Ave D, avec ses cités où vivent toujours près de 10 000 personnes, est le dernier bastion de résistance à l'embourgeoisement total de la ville. Les bras de Brooklyn se sont ouverts pour accueillir toujours plus de branchés et de jeunes familles (voir p. 42).

Alors que New York célébrait le centenaire du ferry de Staten Island (2005) et du métro (2004), le syndicat de la MTA, inquiet pour les salaires, les retraites et l'assurance-maladie, a fait en décembre 2005 une grève de trois jours qui a paralysé une grande partie des boroughs. Le maire est allé à pied à son bureau depuis le quartier chic de Brooklyn Heights pour prouver que rien n'empêcherait les New-Yorkais de travailler. Les habitants des quartiers plus excentrés ont eu plus de mal. Prendre un taxi pour franchir les ponts menant à Manhattan requérait d'y monter à au moins quatre passagers. Certains sans-abri trouvèrent-là l'occasion de gagner quelques dollars en faisant le quatrième. Que serait New York sans l'esprit d'entreprise ?

DEPUIS LES ORIGINES

LES AMÉRINDIENS

Le rivage caractéristique de New York a été sculpté par les glaciers, il y a entre 75 000 et 17 000 ans. La fin de l'ère glaciaire y a laissé des collines de débris glaciaires, les actuelles Hamilton Heights et Bay Ridge, et de nombreuses anses et vallées inondées, telles que le détroit de Long Island, l'East River et l'Arthur Kill. En érodant la roche tendre, les glaciers ont fait apparaître sur le site de Manhattan une base composée de gneiss et de schiste. Environ 11 000 ans avant que les premiers Européens ne traversent les Narrows à la voile, les Indiens Lenapes occupaient le territoire. La découverte de pointes de lances et de flèches, ainsi que des amoncellements d'ossements et de coquilles, a permis d'attester leur présence. Quelques-uns de leurs sentiers ont subsisté jusqu'à nos jours ; c'est le cas de Broadway qui, à l'origine, était un chemin qui permettait de relier Manhattan à Albany, lieu de commerce des peaux de castors. Le nom de "Manhattan" dériverait du vocabulaire munsee, la langue des Lenapes, et pourrait signifier "île vallonnée" ou encore "lieu d'enivrement général".

Les Lenapes ne se considéraient pas comme une nation, mais coexistaient sous la forme de petits groupes dont les noms désignent aujourd'hui des rivières, des villes et des baies. Les Hackensacks résidaient sur la rive de l'Hudson où se trouve Jersey. Les Raritans occupaient les mêmes abords ainsi que Staten Island. Les Massepequas, Rockaways et Matinecocks vivaient en bordure du détroit de Long Island. L'île de Manhattan était investie par les Wiechquaesgecks, les Rechgawanches et les Siwanoys.

LES EXPLORATEURS

En 1524, le Florentin Giovanni da Verrazzano explora la baie de New York qu'il qualifia de "très beau lac". Aujourd'hui, les visiteurs qui arrivent par voie maritime abordent ces mêmes lieux en passant sous le magnifique Verrazzano Bridge (on peut l'admirer chaque automne, vu d'hélicoptère, lors du départ du marathon de New York). Un an plus tard, le Portugais Esteban Gomez, un ancien timonier de Magellan, remonta le cours de l'Hudson. Pendant son bref séjour dans le Nouveau Monde, il captura 57 Amérindiens qu'il vendit comme esclaves à Lisbonne. Lorsque Henry Hudson, employé par la Compagnie hollandaise des Indes occidentales, débarqua en 1609, les rencontres avec les tribus autochtones commençaient déjà à susciter deux types de témoignages contrastés, certains évoquant des "bons sauvages" là où d'autres ne voulaient voir que des "brutes primitives".

vers 1500	1625-1626
Environ 15 000 Indiens vivent sur 80 sites de l'île de Manhattan	La Cᵉ hollandaise des Indes occidentales fait débarquer onze esclaves à la Nouvelle-Amsterdam

L'ARRIVÉE DES EUROPÉENS

À l'image des autres avant-postes coloniaux européens, le minuscule port de la Nouvelle-Amsterdam grouillait du meilleur et du pire des réprouvés de la société du XVIIe siècle. Avec ses tavernes prisées des marins, cette ville marchande où résonnaient tant de langues diverses, était le fief de la Compagnie hollandaise des Indes occidentales. Différentes monnaies s'y côtoyaient, dont les *wampums* indiens, les pièces de huit espagnoles, les doublons d'or, l'argent, et d'autres valeurs d'échange comme les fourrures et le tabac. Peter Minuit, le gouverneur de la compagnie, avait probablement réalisé l'opération immobilière du millénaire en "achetant" l'île de Manhattan aux tribus locales pour 60 florins (l'équivalent de 18 €). Du côté des Indiens, peu accoutumés au transfert de propriété définitif, on croyait alors que le marché concernait seulement la location des terres et le droit de chasse, de pêche et de commerce.

D'emblée, les gouverneurs de la Nouvelle-Amsterdam montrèrent davantage de dispositions pour l'enrichissement personnel que pour l'administration du territoire. Les colons se plaignaient de l'approvisionnement insuffisant et des mauvaises conditions de logement tandis que les murs du "fort" croulaient sous les assauts du bétail errant. Dans le même temps, le gouverneur Willem Kieft s'aliéna les Indiens au point que leurs tribus se coalisèrent contre les Européens agresseurs. Lorsqu'en 1647 Peter Stuyvesant débarqua pour remettre de l'ordre, la population atteignait environ 700 âmes et Kieft s'était retiré pour profiter de ses gains bien mal acquis.

LA PROSPÉRITÉ

Peter Stuyvesant s'employa à remettre sur pied une colonie déprimée. Il établit des marchés et une ronde de nuit, fit réparer le fort, creuser un canal (sous l'actuelle Canal St) et aménager un quai de marchandises municipal. De son expérience d'ancien gouverneur de Curaçao, il avait la vision d'un port de commerce prospère et ordonné. D'ailleurs, l'économie florissante du sucre dans les Caraïbes inspira l'investissement dans le commerce des esclaves si bien que cette main-d'œuvre forma bientôt 20% de la population de la Nouvelle-Amsterdam. Au bout de longues années de service, certains furent partiellement affranchis et se virent attribuer des "Negroe Lots" près des actuels Greenwich Village, Lower East Side et City Hall. (Des vestiges de leur cimetière africain ont récemment été mis au jour dans Reade St ; voir l'encadré p. 120). La Compagnie hollandaise des Indes occidentales encouragea sur les îles une économie de plantations fructueuse, fit la promotion du territoire et accorda des avantages aux marchands pour les attirer dans le port en expansion. Si la liberté de culte pour les juifs et les quakers ne figurait pas au programme, les colons affluèrent néanmoins. Dans les années 1650, des entrepôts, des ateliers et des maisons à pignon s'étendaient déjà au-delà du centre dense situé dans Pearl St le long de l'East River.

QUELQUES OUVRAGES HISTORIQUES

- *New York : Chronique d'une ville sauvage*, Jerome Charyn (Gallimard Découvertes, 1994) Parcourez l'histoire et les rues de Manhattan aux côtés d'un écrivain new-yorkais de grand talent.
- *Histoire de New York*, François Weil (Fayard, 1999) Une brillante synthèse des composantes économique, politique, sociale et culturelle qui ont façonné cette mégapole américaine au fil de quatre siècles d'histoire mouvementée.
- *11 Septembre. Rapport de la commission d'enquête* (Éd.des Équateurs, 2004) Le rapport final de la commission américaine sur l'attaque terroriste advenue au cours de cette terrifiante journée, passe au crible "les faits et les circonstances liés aux attaques terroristes". Un formidable outil d'analyse géopolitique qui se lit comme un récit d'espionnage.
- *Histoire de New York : depuis le commencement du monde jusqu'à la fin de la domination hollandaise*, Diedrick Knickerbocker, Washington Irving, Valentin Fonteray (Éd. Amsterdam, 2006) Publiée pour la première fois en 1809, version revisitée de l'histoire de la fondation de New York racontée avec humour et mordant par l'auteur de *La Légende de Sleepy Hollow*.

1664	1690-1700
La Nouvelle-Amsterdam devient New York lors d'une transition sans effusion de sang (et bienvenue pour beaucoup)	Le gouverneur Benjamin Fletcher distribue d'immenses domaines à ses amis ; il accueille les pirates dans le port de New York

Le commerce actif des fourrures, du tabac et du bois permettait aux colons et aux Amérindiens de se fournir en alcools, armes à feu, bouilloires et tissus. La mémoire de ce commerce subsiste aujourd'hui encore dans le sceau de la ville, des bâtiments et des documents municipaux. Sise à la pointe de l'île, la Nouvelle-Amsterdam bénéficiait d'une position stratégique pour superviser le trafic des peaux descendant l'Hudson et arrivant par le fleuve Connecticut, mais cela même la rendait vulnérable. Le "mur" érigé le long de Wall Street avait ainsi pour fonction de protéger la ville des Indiens et des Anglais.

Sur le long terme, la prospérité prit le pas sur l'appartenance nationale et lorsque les navires de guerre anglais se montrèrent en 1664, Stuyvesant se rendit sans même livrer bataille. La colonie fut rebaptisée New York en l'honneur du duc d'York, frère du roi Charles II, et la couronne octroya de vastes terres à ses favoris. Les lois et coutumes hollandaises coexistèrent néanmoins avec leurs équivalents anglais.

LA LUTTE POUR LE CONTRÔLE DE NEW YORK

Les forces en présence étaient promptes à se quereller. Ainsi, la révolte de Leisler s'acheva en 1691 avec l'exécution de ses meneurs à l'emplacement de l'actuel City Hall Park. Dans les années 1730, l'opposition à la férule coloniale anglaise pouvait s'exprimer à travers le *Weekly Journal* de Peter Zenger. Traduit en justice après avoir critiqué le roi et le gouverneur, il fut acquitté à l'issue d'un procès qui reconnut le droit à la liberté d'expression et à la représentation démocratique des colons. Parallèlement, quelque 2 000 esclaves tentaient de résister à leur condition. Lors du grand complot de 1741, des esclaves noirs et leurs complices blancs furent accusés de préparer un incendie criminel et une insurrection dans une taverne non loin du site choisi plus tard pour édifier le World Trade Center. Les édiles firent exécuter 64 personnes, dont 17 sur le bûcher. Deux dépouilles découvertes dans le cimetière africain pourraient être celles de condamnés.

L'intensification du commerce avec les Caraïbes se traduisit par la construction de quais le long de l'East River, destinés à accueillir les nombreux navires marchands. Au XVIIIe siècle régnait une économie florissante que les habitants s'employaient de leur mieux à détourner de Londres. La contrebande destinée à esquiver les taxes portuaires était habituelle et la côte déchiquetée se prêtait parfaitement aux activités illégales (comme l'ont également découvert les trafiquants de drogue du XXe siècle). Foyer de têtes brûlées et de fraudeurs, New York fut le théâtre d'une confrontation fatale entre les colons et le roi George III.

LA GUERRE D'INDÉPENDANCE

De la fraude portuaire à leur déclaration formelle d'indépendance, en passant par le droit de port d'armes, les colons avaient déjà fait, dans les années 1760, un grand pas sur le chemin de la révolution. L'épisode de la "Tea-party" de Boston (1773), contestation contre les lois fiscales sur les importations de thé, se répercuta dans le port de New York.

Les patriotes américains (soutenant l'Indépendance) et les loyalistes (ou *tories,* fidèles au souverain britannique) s'affrontèrent dans l'arène publique, les premiers dressant des poteaux de la liberté que les seconds arrachaient. À New York, le général George Washington mena quelques modestes batailles suivies d'une fuite nocturne de l'autre côté de l'East River. Après avoir remporté la bataille de Long Island et repoussé les troupes populaires de Washington à Washington Heights en 1776, les Britanniques occupèrent la ville pendant le reste de la révolution américaine. Les patriotes s'enfuirent et le pouvoir monarchique bénéficia de l'aide des esclaves qu'il avait pris soin d'affranchir. En 1783, les Britanniques vaincus signèrent le traité de Paris, reconnaissant l'indépendance des Etats-Unis. En quittant le port de New York en 1783, la flotte anglaise emmena avec elle près de 3 000 anciens esclaves pour peupler le Canada et d'autres colonies. Le 4 décembre 1783, à la Fraunces Tavern (transformée depuis en musée, voir p. 120), Washington fit un adieu en grande pompe à ses officiers et se retira de ses fonctions de commandant en chef. Mais en 1789, à sa grande surprise, le général à la retraite fut proclamé président de la nouvelle république au Federal Hall (qui existe toujours à Wall Street, voir

1788-1790	1795
New York devient la capitale des États-Unis	Épidémie de fièvre jaune : les riches se réfugient à la campagne

p. 120). Se distinguant par sa simplicité et son patriotisme, il portait pour l'occasion un costume en drap fin de fabrication américaine et alla prier après la cérémonie sur un banc que l'on peut encore voir de nos jours dans la St Paul's Chapel voisine (p. 119). La proximité du Capitole avec le centre financier des marchands de Wall St suscitait toutefois la méfiance du peuple, si bien que le siège de la présidence fut rapidement transféré à Philadelphie.

LES DÉBUTS D'UNE GRANDE MÉTROPOLE

Après quelques déboires au début du XIXᵉ siècle, la ville en plein essor économique trouva les ressources nécessaires pour mener à bien de grands chantiers publics. Les immigrants irlandais participèrent au percement du canal Érié, long de 584 km, entre l'Hudson et Buffalo. Principal instigateur du projet, le gouverneur Clinton l'inaugura en versant cérémonieusement un tonneau d'eau du lac Érié dans la mer (le fût en question est exposé à la New York Historical Society, p. 159). Le Croton Water System, un impressionnant réseau d'aqueducs, acheminait l'eau à New York, soulageant la soif des habitants et apportant une meilleure hygiène.

Un autre projet, l'aménagement d'un immense parc de 341 ha, contribua également à l'amélioration sanitaire des New-Yorkais qui s'entassaient dans de minuscules *tenements* (immeubles d'habitation précaires). Commencé en 1855, dans une zone si excentrée que des immigrants y élevaient des porcs, des moutons et des chèvres, Central Park (p. 190) constitua à la fois une première écologique et une aubaine pour la spéculation immobilière. Tout en offrant un lieu de loisirs aux masses populaires, il permit aussi de créer des emplois quand la crise de 1857 ruina le système financier du pays. Après plusieurs hivers de gel soulignant les déficiences de la ligne de ferries entre Brooklyn et Downtown Manhattan, John Roebling, un ingénieur d'origine allemande, conçut au-dessus de l'East River un pont monumental harmonieux fait de câbles d'acier et d'arches gothiques, le pont de Brooklyn (p. 123). Ce dernier accéléra la fusion de New York avec les villes voisines et Brooklyn, qui approchait déjà le million d'habitants, dut se résigner à abandonner sa chère indépendance. En 1898, les cinq *boroughs* (arrondissements) furent finalement réunis en une seule entité administrative.

POUVOIR ET CORRUPTION

Le boom de la construction suscita la convoitise d'hommes politiques malhonnêtes. William Tweed dit le "Boss", politicien véreux issu de l'importante communauté irlandaise et immortalisé par les caricatures acerbes de Thomas Nast dans les années 1870, monta un cercle puissant de fonctionnaires et d'entrepreneurs corrompus pour bâtir un palais de justice dont les travaux coûtèrent près de douze millions de dollars et durèrent vingt ans. (Restauré dans le City Hall Park, p. 125, il abrite à présent le Department of Education du maire Michael Bloomberg.) Dirigeant la politique en sous-main, le fameux Tammany Hall, association caritative et patriotique démocrate, distribuait des prébendes et des cadeaux en nature dans des quartiers tels que Five Points et Little Germany. Les méthodes de Tweed, illustrées dans le film de Martin Scorsese *Gangs of New York* (2002), incluaient l'escroquerie, la corruption, la

Federal Hall, le Parthénon new-yorkais (p. 120)

LE NEW YORK DE LA MAFIA

Romancé par Hollywood et par la culture populaire, le milieu du crime organisé new-yorkais s'illustra surtout au XXe siècle. Fuyant le marasme économique du sud de l'Italie et de la Sicile, les immigrants italiens se trouvaient confrontés à la discrimination et à la désagrégation sociale dans leur pays d'accueil. Cette marginalisation stimula une nouvelle économie souterraine qui commença à se manifester avant la Première Guerre mondiale. À l'époque, la Society of The Black Hand (société de la main noire), une bande d'escrocs à la petite semaine, jetait des cocktails Molotov sur les devantures des magasins dont les propriétaires refusaient de payer pour leur protection.

La Prohibition, qui interdisait la vente d'alcool, offrit à la Mafia l'occasion d'un trafic lucratif et c'est ainsi qu'elle prit son véritable essor. Acheminant du rhum canadien par le lac Champlain, détournant des chargements de camions, organisant les tripots clandestins, l'usure et la prostitution, les grands noms de la pègre – Lucchese, Genovese, Anastasia, Costello, Bonanno, Gambino et Castellano – essayèrent de s'imposer dans les divers secteurs du divertissement qui faisaient de New York la capitale des noceurs. Une concurrence farouche, libre de toute règle, fit en sorte que les différents clans familiaux s'infligèrent les uns aux autres plus de dommages que n'y était parvenue l'application de la loi. Lucky Luciano reçut son surnom après avoir survécu, en 1929, à un égorgement commandité par ses "amis" Meyer Lansky et Bugsy Siegel à qui il disputait le rôle de chef. En 1952, Crazy Joe Gallo tua Albert Anastasia chez le barbier avant d'être criblé de balles vingt ans plus tard chez Umberto's Clam House (toujours dans Mulberry St, à quelques numéros de son emplacement d'origine). Joe Colombo fut abattu sous les yeux de milliers de témoins lors d'un rassemblement en 1971, démentant ainsi ses déclarations publiques sur l'inexistence de la Mafia. Pour défier le pouvoir de la famille Gambino, John Gotti ordonna l'assassinat de Paul Castellano devant la Sparks Steakhouse en 1985. Avant d'être condamné à la prison, Vincent Gigante était connu dans les années 1970 et 1980 pour déambuler en peignoir dans le Village afin de simuler la folie ; c'est ainsi qu'il échappa aux poursuites judiciaires jusqu'en 2002.

En se développant, la Mafia a diversifié ses activités. Elle est ainsi passée de la petite extorsion de fonds au trafic de drogue à grande échelle dans les années 1960. À l'époque de la *Pizza Connection*, une opération qui utilisait les pizzerias comme couverture pour distribuer de la cocaïne et de l'héroïne dans les années 1970, les activités mafieuses avaient atteint un niveau de sophistication élevé. Puis, en 1986, le procureur général des États-Unis R. Giuliani poursuivit avec succès Gaetano Badalamenti, qui fut condamné à 45 ans d'emprisonnement. La *Pizza Connection* ne fut dès lors plus que le nom d'un jeu vidéo populaire.

fraude électorale, le copinage et quantité de projets municipaux subventionnés à des fins clientélistes. De temps à autre, ces travaux pharaoniques attirèrent des génies de la finance déterminés à profiter de la manne par des manœuvres plus ou moins légales.

Autres dispensatrices de pots-de-vin, les compagnies de métro privées en concurrence pour obtenir des franchises. Au tournant du XXe siècle, les *elevated trains* (les premiers métros aériens de New York) transportaient chaque jour un million de passagers entre le centre et la périphérie. Le métro rendit accessibles des zones du Bronx et de l'Upper Manhattan, entraînant de mini-booms de la construction aux abords de ses lignes. À ce stade, la métropole absorba un énorme flot d'immigrés en provenance d'Italie et d'Europe de l'Est, qui fit passer la population à quelque trois millions d'habitants. Débarquant à Castle Garden et à Ellis Island, les nouveaux arrivants se retrouvaient directement dans le Lower East Side, un quartier dont les inscriptions des devantures en yiddish, italien, allemand et chinois reflétaient la mosaïque ethnique. Dans ces enclaves, les immigrants pouvaient se sentir chez eux, pratiquer leur langue, acheter auprès des marchands ambulants des produits de leur pays et pratiquer leur culte. Le Tenement Museum (p. 134), dans le Lower East Side, donne un aperçu des logements exigus dans lesquels ils vivaient.

LES CONFLITS SOCIAUX

Au XIXe siècle, les mouvements politiques radicaux et le militantisme ouvrier new-yorkais dénonçant le système social inégalitaire défrayèrent la chronique. À maintes reprises, les travailleurs se mirent en grève pour réclamer la journée de huit heures et un salaire leur permettant de vivre décemment. Dans le cadre d'une économie en dents de scie, les périodes de récession et les fermetures d'usines créaient une pauvreté indicible. Certains hivers, la ville

1863	1883
Émeutes anti-conscription lors de la guerre de Sécession	Inauguration du pont de Brooklyn le 24 mai ; 150 000 personnes le traversent

CINQ ÉVÉNEMENTS CLÉS DE L'HISTOIRE NEW-YORKAISE

- **L'incendie de New York** (21 septembre 1776) Qui mit le feu à New York au cours de la révolution américaine ? Les Britanniques triomphants, qui venaient de prendre le port la veille, accusèrent les rebelles. Les patriotes américains démentirent, affirmant que les vainqueurs avaient incendié la ville par vengeance. Observant les ruines fumantes de 500 habitations depuis son QG de Harlem Heights, le général George Washington fit la remarque suivante : " La providence ou quelque brave gars honnête a fait davantage pour nous que nous n'étions disposés à le faire nous-mêmes." Ce fut un revers pour les patriotes, mais l'événement les obligea à fuir sur un territoire où leurs tactiques de guérilla allaient finalement mettre en déroute le pouvoir colonial.
- **Le Commissioners Plan de 1811** (22 mars 1811) Net mais sans caractère, nivelant le relief vallonné de Manhattan, ce projet imposa un plan d'urbanisme en damier à une ville qui ne s'était pas encore développée au-dessus de Houston St. S'il facilita l'orientation, il empêcha la diversité, sous prétexte de créer des parcelles immobilières plus ordonnées et commercialisables avec des blocks, strictement rectangulaires et de tailles identiques.
- **L'incendie de la Triangle Shirtwaist Company** (25 mars 1911) Un mégot mal éteint provoqua probablement le feu infernal qui embrasa le dernier étage d'un atelier de confection clandestin rempli de jeunes immigrantes. Les patrons avaient verrouillé la porte pour dissuader le chapardage. En quelques minutes, des dizaines d'ouvrières se précipitèrent du 9e étage. Le nombre des victimes, 146, bouleversa l'opinion et de nouvelles mesures de sécurité furent mises en place pour éviter qu'une telle tragédie se renouvelle.
- **Le départ des Dodgers de Brooklyn** (1957) La célèbre équipe de base-ball doit son nom aux fans qui esquivaient les tramways près de ses terrains de jeu. Lorsque le propriétaire du club, Walter O'Malley, installa ses affaires à Los Angeles, les habitants de Brooklyn firent entendre leur tristesse et leur colère. Cela annonçait-il la fin des vaillantes équipes sportives des grandes métropoles ? Deux ans auparavant, les Dodgers avaient pourtant fini par remporter les World Series contre les Yankees, leurs adversaires de toujours. Depuis le transfert des Dodgers (et des Manhattan's Giants) en Californie, beaucoup de clubs ont été déplacés dans des stades de la périphérie dotés de vastes parkings et beaucoup menacent de partir ailleurs pour obliger les autorités municipales à construire de nouvelles infrastructures. Actuellement, le projet d'un stade de football dans le Far West Side est en discussion pour la candidature de New York aux Jeux olympiques de 2012.
- **La démolition de Pennsylvania Station** (1963) En dépit du tollé, cette gare grandiose, bâtie en 1910 par McKim, Mead et White sur le modèle des thermes de Caracalla à Rome, fut démolie et remplacée par le dédale du métro. L'historien de l'architecture Vincent Scully a résumé les critiques en une phrase : "On entrait dans la ville comme un dieu... on y pénètre désormais comme un rat". Cette défaite de la protection du patrimoine conduisit à la promulgation à New York de la Landmarks Law en 1965. Jacqueline K. Onassis était membre de la Landmarks Preservation Commission (bureau de protection des monuments historiques) quand celle-ci empêcha la démolition de Grand Central Terminal (p. 149).

enregistra 100 000 licenciements et autant d'hommes faisant la queue en grelottant devant la soupe populaire ou pelletant la neige en échange de quelques sous. Afin d'améliorer le revenu familial, les enfants collectaient des chiffons et des bouteilles, les garçons devenaient crieurs de journaux et les filles vendaient des fleurs. Dans des appartements déjà étriqués, une table de cuisine ou deux chaises côte à côte pouvaient servir de lit à un hôte payant. Pendant la journée, des familles entières assemblaient des fleurs en papier ou cousaient des manches de chemises pour quelques précieux pennies. Les budgets étaient si maigres, qu'il était courant de mettre les draps en gage pour acheter de quoi se nourrir en attendant le jour de la paye.

Ces conditions de vie misérables ajoutées à la concurrence sur un marché de l'emploi déprimé produisirent des flambées de violence à intervalles réguliers. L'esclavage fut finalement aboli à New York en 1827, mais beaucoup de travaux ouvriers excluaient les Afro-Américains. Des gangs de jeunes s'en prenaient régulièrement aux églises noires et harcelaient leurs fidèles. Parallèlement, la ville comptait de nombreux écrivains et polémistes dévoués à la cause de l'émancipation des esclaves dont certains écrivaient dans les colonnes du *Freedom's Journal*, premier périodique noir des États-Unis. La colère de la population se retournait parfois contre les quartiers noirs et des spectacles ridiculisaient les Afro-Américains. Les choses empirèrent avec l'instauration de la conscription par le président Lincoln. Durant l'été 1863, des immigrants irlandais déclenchèrent des "émeutes de la conscription" en raison d'une clause

1907	1918
Premier rassemblement à Times Square pour saluer la nouvelle année	Le joueur de base-ball Babe Ruth intègre l'équipe des Yankees, au grand dam des fans du Red Sox

qui permettait aux plus riches d'échapper aux combats de la guerre de Sécession (1861-1865) moyennant la somme de 300 \$. Le jour arriva où les émeutiers s'attaquèrent aux Noirs, les accusant d'être la cause de la guerre et leurs principaux concurrents sur le marché du travail. Onze hommes furent lynchés, les maisons des abolitionnistes détruites et l'on mit le feu aux bureaux de conscription et à un orphelinat noir de 42nd St. Des troupes furent rappelées du front pour réprimer des exactions similaires dans les grandes villes de l'Union.

L'ÂGE D'OR

À l'issue de la guerre de Sécession, en 1865, l'aristocratie implantée de longue date se retira dans le centre, loin des immigrants européens, tandis que les nouveaux riches se faisaient construire de somptueux hôtels particuliers dans Fifth Ave. Inspirées des châteaux du vieux continent, ces demeures atteignaient des sommets d'opulence, à l'instar de la maison Vanderbilt (angle de 52nd St et 5th Ave), et servaient de cadre à des réceptions éblouissantes. Mrs Astor et ses amies du vieux New York tentèrent en vain de repousser les épouses des requins de l'industrie, impatientes de s'introduire dans le beau monde. Cependant, leur snobisme ne pouvait rien contre les fortunes considérables amassées par Rockefeller dans le pétrole, Gould dans les chemins de fer ou Carnegie dans l'acier. Parmi les nouveaux venus figuraient aussi un groupe important de juifs allemands comme Jacob Schiff, Otto Kahn, Solomon Guggenheim, et Felix et Paul Warburg, qui formaient leur propre société élitiste désignée sous le nom de "our crowd".

LES FEMMES DANS LA RUE

Au début du XXe siècle, les récits piquants sur les manies des riches rivalisaient dans la brillante presse new-yorkaise avec des incitations à la révolte adressées aux masses. Joseph Pulitzer et William Randolph Hearst se disputaient l'intérêt du public à grand renfort d'histoires osées, d'une avalanche d'illustrations et de bandes dessinées alors du dernier cri. C'est à cette époque que les femmes commencèrent à s'immiscer au sein du Quatrième Pouvoir. Nellie Bly, une jeune journaliste audacieuse, se fit interner dans un asile d'aliénés pour écrire un article sur le sujet puis voyagea "autour du monde en 80 jours", commentant son périple au moyen du télégraphe.

L'émancipation féminine se manifesta aussi dans Manhattan quand 20 000 ouvrières de la confection marchèrent sur l'hôtel de ville. Les suffragettes organisaient des rassemblements à l'angle des rues pour obtenir le droit de vote des femmes et Margaret Sanger ouvrit à Brooklyn la première clinique de contrôle des naissances où elle fut rapidement arrêtée par la police des mœurs. Il faut dire que les New-Yorkaises avaient toutes les raisons de se plaindre compte tenu de leurs salaires et de leurs conditions de travail misérables dans les ateliers clandestins et les usines.

LA GRANDE ÉPOQUE DU JAZZ

L'emploi industriel entraîna malgré tout une augmentation des revenus qui permit aux gens de profiter de nouveaux loisirs comme le cinéma et les parcs d'attractions de Coney Island (p. 181). Dans les années 1920, la "Grande Migration" venue du Sud fit de Harlem le centre de la culture et de la société afro-américaines, produisant un élan artistique et littéraire, ainsi qu'une attitude novatrice dont l'influence et l'inspiration se manifestent encore de nos jours. L'Apollo Theater (p. 167), dans 125th St, inaugura sa fameuse *Amateur Night* en 1934 ; il devait par la suite lancer la carrière d'artistes comme Ella Fitzgerald et, plus tard, James Brown et les Jackson Five. Attirant les jeunes filles délurées et les buveurs de gin, la vie nocturne débridée du Harlem des années 1920-1930 témoigna de l'échec cuisant de la Prohibition. Plus encore, la grande époque du jazz semble avoir joué un rôle dans l'émancipation des femmes et préfiguré les folles nuits new-yorkaises d'aujourd'hui. Que la conjoncture soit bonne ou mauvaise, Broadway prospéra toujours, fournissant des choristes aux longues jambes pour les comédies musicales de Busby Berkeley et des mots d'argot à foison qui imprègnent encore la langue américaine.

Histoire

DEPUIS LES ORIGINES

1931	1939
Construction de l'Empire State Building (381m) en 410 jours	RCA exhibe la première télévision à l'Exposition universelle organisée à Flushing (Queens)

LA GRANDE DÉPRESSION ET LA SECONDE GUERRE MONDIALE

New York traversa la crise de 1929 avec un mélange de courage, d'endurance, de ruptures, de militantisme et, surtout, grâce à la mise en place d'importants projets de travaux publics. Les cabanes des nécessiteux, ironiquement baptisées Hoovervilles (du nom du président Hoover), occupaient alors Central Park. Le maire Fiorello LaGuardia trouva cependant un allié en la personne du président Franklin Roosevelt et fit jouer ses relations à Washington pour obtenir des subsides. Riverside Park (p. 159) et le pont de Triborough (plan p. 448) ne sont que deux exemples de constructions issues de la politique du New Deal réalisée à New York par ce Texan d'origine italienne parlant yiddish. La Seconde Guerre mondiale provoqua un afflux de soldats prêts à dépenser jusqu'à leur dernier dollar à Times Sq avant d'embarquer pour l'Europe. Reconverties dans l'industrie de guerre, les usines locales continuèrent de tourner en embauchant des femmes et des Afro-Américains qui, jusqu'alors, n'avaient pas eu accès à ces emplois syndiqués. L'explosion de l'activité de guerre déboucha sur une énorme crise du logement qui conduisit New York à instaurer une loi pour la régulation des loyers, souvent imitée depuis (telle la loi de 1948 en France). Dans la période d'après-guerre, les gratte-ciel poussèrent comme des champignons tandis qu'aucun contrôle ne s'exerçait sur les milieux d'affaires. Le centre financier se déplaça vers le nord, alors même que le banquier David Rockefeller et son frère, le gouverneur Nelson Rockefeller, imaginaient les Twin Towers pour revitaliser Downtown.

L'APRÈS-GUERRE ET LA BEAT GÉNÉRATION

Dix ans à peine après que Jackie Robinson eut rejoint les Brooklyn Dodgers, brisant ainsi la barrière raciale, le patron du club, Walter O'Malley, transféra l'équipe de base-ball à Los Angeles et fendit du même coup le cœur de Brooklyn. Mais aux abords du pont de Brooklyn, un mouvement artistique était en gestation qui allait détrôner la suprématie des Français. L'expressionnisme abstrait, un courant local de grande ampleur lancé par des peintres américains, déroutait le public par ses formes incompréhensibles, mais charmait par ses couleurs et l'énergie qu'il dégageait. Des artistes comme Willem de Kooning, Mark Rothko et Helen Frankenthaler se firent remarquer autant par leur style de vie que par leurs œuvres. Le grand maître du *dripping*, Jackson Pollock, et ses amis fréquentaient assidûment la Cedar Tavern, toujours en activité sur University Place, mais désormais célèbre pour ses piliers de bar. Ce courant culturel ne tarda pas à déboucher sur le vaste mouvement de société des années 1960 qui transforma le défi artistique en modes de vie urbains anticonformistes. Les poètes de la Beat Generation comme Allen Ginsberg firent du Village une capitale mondiale pendant que les gays émergeaient en tant que force politique en se battant contre un raid policier au Stonewall Bar (p. 268). La communauté homosexuelle fleurit dans l'atmosphère de tolérance d'un quartier où les magasins n'ouvraient pas avant 10h ou 11h.

LA CRISE DES SEVENTIES ET LA CULTURE UNDERGROUND

La crise fiscale du milieu des années 1970 rétrograda le maire Abraham Beame au rang de figurant, livrant le véritable pouvoir financier de New York au gouverneur Carey et à ses délégués. Le message du président à la ville résumé par un titre de tabloïd – Ford to City, Drop Dead! (Ford à New York : Crève !) – sonna le glas des relations entre la Grosse Pomme et le reste d'un pays qui ne la portait pas dans son cœur. La vague de licenciements massifs qui toucha la classe ouvrière et la négligence où tombèrent les infrastructures urbaines annoncèrent des temps difficiles. La dette de la municipalité avait en effet atteint un niveau alarmant.

Mais l'économie désastreuse des seventies entraîna pour une fois la baisse des loyers et contribua à alimenter une culture alternative bouillonnante. Des performances artistiques se donnèrent tous azimuts dans des lieux désaffectés. L'argent tiré du tournage du film *Fame* au PS 122, à l'angle de 10th St et de Second Ave, aida par exemple à financer la rénovation de ce lieu de spectacle toujours populaire. Des punks aux cheveux bleus convertirent des entrepôts en hauts

1961	1977
Le jeune chanteur folk Bob Dylan débarque à New York et se produit le premier soir au Cafe Wha?	Le Studio 54 ouvre à l'apogée de la fièvre disco ; John Travolta se pavane dans *La Fièvre du samedi soir*

lieux de la vie nocturne, métamorphosant ainsi les anciennes zones industrielles de Soho et de Tribeca. Immortalisée par le travail photographique de Nan Goldin, *La ballade de la dépendance sexuelle*, cette renaissance des milieux interlopes effectua un brouillage des genres sexuels et transforma East Village en capitale américaine du tatouage et du cinéma indépendant.

LA CULTURE HIP-HOP

Dans le South Bronx, une vague d'incendies criminels réduisit en cendres des immeubles entiers. Mais sur ces décombres naquit dans le Bronx et à Brooklyn une culture hip-hop influente, alimentée par les rythmes de la salsa portoricaine. Le groupe Rock Steady Crew, mené par Richie "Crazy Legs" Colon, fut le pionnier du breakdance. Revisitant sa formation musicale jamaïcaine, Kool DJ Herc animait aux platines des soirées qui se prolongeaient jusqu'au bout de la nuit. Afrika Bambaataa, autre DJ fondateur du hip-hop, forma Zulu Nation pour mobiliser DJ, breakdancer et graffeurs non-violents. Les réalisations graphiques audacieuses de cet ensemble étonnèrent le public. L'une des plus célèbres, *Merry Christmas, New York* peint sur une rame de train par Lee 163 et l'équipe du Fab 5, fit mentir la réputation de vandales des tagueurs. Certains de ces virtuoses de l'aérosol parvinrent même à s'imposer dans le monde de l'art. Dans les années 1980, Jean-Michel Basquiat, d'abord remarqué pour son tag *Samo*, se lia d'amitié avec Andy Warhol et vendit ses œuvres dans les galeries du monde entier. Le fulgurant parcours du jeune artiste connut un terme brutal en 1988 : emporté par une overdose, il n'avait que 27 ans.

Une partie de l'argent facile récolté sur les marchés financiers florissants des années 1980 s'épancha dans l'art, mais plus encore, il servit à bourrer de cocaïne les narines des golden boys. Pendant que les quartiers de Manhattan devaient lutter contre la consommation massive de crack, l'ensemble de la ville subissait les conséquences de la drogue, de la criminalité et de l'épidémie de sida qui décimaient les communautés. Le maire Ed Koch avait toutes les peines du monde à maintenir le contrôle. La conversion des hôtels bon marché en appartements de luxe par leurs propriétaires avait jeté dans la rue quantité de sans-abri. En 1988 éclatèrent les émeutes de Tompkins Sq, dans l'East Village, provoquées par l'affrontement de squatters avec les forces de police venues les déloger. Difficile d'imaginer que quelques années plus tard, Manhattan allait redevenir le symbole flamboyant de la prospérité.

LES FOLLES ANNÉES 1990

En 1990, le magazine *Time* titrait : "New York : The Rotting Apple"("New York : la pomme pourrie"). Toujours convalescente après le krach immobilier de la fin des années 1980, la ville devait faire face à la décrépitude de ses infrastructures, à la fuite des emplois et à l'installation en banlieue de nombreuses grandes sociétés. Survint alors le marché de l'Internet qui transforma des hurluberlus en millionnaires et la bourse de New York en haut lieu de la spéculation. Maintenue à flot par les revenus des introductions en bourse, la ville se lança alors dans une frénésie de construction, d'activités commerciales et de fiestas, qu'elle n'avait pas connu un tel degré depuis les années 1920.

Favorable aux milieux d'affaires et au maintien de l'ordre, le maire Rudy Giuliani entreprit de faire migrer vers des quartiers éloignés les populations les plus démunies de Manhattan qui laissèrent la place aux yuppies pressés de dépenser leurs revenus astronomiques. Caustique et agressif, l'implacable édile fit les gros titres des journaux avec sa politique brutale de "tolérance zéro" (voir l'encadré page suivante), parvenant ainsi à faire de New York la métropole la plus sûre des États-Unis. Dans les années 1990, la chute impressionnante de la criminalité provoqua dans la ville qui ne dort jamais un immense appétit de vie nocturne. New York ayant refait peau neuve, les restaurants poussèrent comme des champignons, la Semaine de la mode connut un succès international et la série engagée *Sex and the City* diffusa dans le monde entier l'image de ces célibattantes new-yorkaises à la fois sophistiquées et en panne de repères.

Pendant ce temps, pour le plus grand bonheur des métiers du bâtiment, les prix de l'immobilier augmentèrent, entraînant la construction de nouveaux gratte-ciel, la reconversion

1980	1988
Un déséquilibré, Mark David Chapman, tue John Lennon ; Frank Sinatra enregistre *New York, New York*	Émeutes de Tompkins Sq ; affrontements entre la police et les squatters d'East Village

LE BON, LA BRUTE ET LE MORDANT GIULIANI

Dans une ville ravagée par le crack, tourmentée par son déficit budgétaire et minée par l'incurie, Rudolf Giuliani, le maire de New York élu en 1994, accéda à un poste difficile dans un contexte troublé. Responsable de l'emprisonnement des financiers Ivan Boesky et Michael Milkin dans les années 1980, on lui devait aussi la mise sous les verrous de plusieurs clans mafieux, ainsi que l'inculpation de vieux briscards corrompus de la politique comme Stanley Friedman, le président du borough du Bronx, ou le député Mario Biaggi. La politique municipale nécessitait d'autres capacités que celles de ce bras vengeur, que pouvait donc bien faire ce politicien novice dans une ville aussi ingouvernable ?

Neveu de quatre policiers et élu au terme d'une campagne prônant la loi et l'ordre, le maire déclara immédiatement la guerre à la criminalité. Il réussit son pari en focalisant ses efforts sur les zones les plus sensibles, en se servant des statistiques pour concentrer la présence policière sur les lieux ciblés et en réprimant les petits délits dits de "qualité de vie" afin de créer une atmosphère de sécurité. Un effet statistique vint lui prêter main forte : les actes violents étant principalement le fait de jeunes hommes entre 16 et 18 ans, il se trouva que cette tranche d'âge – hasard des taux fluctuants de natalité – fut tout à coup moins représentée, ce qui se traduisit aussitôt par une chute de la délinquance, à New York comme ailleurs aux États-Unis.

Le maintien de l'ordre par des moyens agressifs fit toutefois craindre des brutalités policières et la disparition des droits civils. Les patrouilles du NYPD effectuaient des contrôles si fréquents sur les voitures conduites par des membres des minorités que le maire adjoint afro-américain (Rudy Washington) dut se voir attribuer un laissez-passer spécial pour éviter d'être sans cesse importuné. Les citoyens observèrent avec stupéfaction le maire affecter des agents à l'arrestation des laveurs de pare-brise qui proposaient leurs services aux feux rouges pour vingt-cinq cents.

New York allait-il tomber sous la coupe de brutes en uniforme inspirant la terreur à des citoyens tremblants ? Les incidents qui se produisirent sous le mandat de Giuliani confirmèrent cette appréhension. Ainsi, le cas d'Amadou Diallo, un émigré africain, abattu par des policiers parce qu'il n'avait pas compris instantanément leurs ordres, ou celui d'Abner Louima, un Haïtien interpellé dans une discothèque et amené au poste pour y subir un interrogatoire des plus musclés. Ces événements ternirent la popularité du maire et exaspérèrent la communauté afro-américaine déjà mécontente de son exclusion du gouvernement municipal. L'interdiction de faire partir les manifestations des marches de l'hôtel de ville, lieu traditionnel des contestataires exerçant leur droit à la liberté d'expression, ne contribua guère à redorer son blason. Toutefois, ces aspects négatifs furent balayés le 11 Septembre 2001 quand Giuliani, bravant la fumée et le chaos sur les ruines du World Trade Center, répondit à un journaliste qui l'interrogeait sur le nombre de victimes : "les pertes iront au-delà de ce que nous pouvons supporter". Il lui fut alors beaucoup pardonné.

d'entrepôts et la rénovation de logements. Libérés de l'incertitude qui avait régné sous le mandat du prudent David Dinkins, leur premier maire afro-américain, les New-Yorkais affichèrent leur récente richesse. Des secteurs du Lower East Side qui abritaient des galeries d'artistes dans les années 1970 et 1980 se métamorphosèrent du jour au lendemain en quartiers bourgeois, bardés de systèmes d'alarmes, et dont les seules charges équivalaient au salaire de bien des gens. Dans les bars, on se mit à boire des bières exclusives à 9 $ et des mixtures branchées, à base de vodka, dérivées du fameux *cosmopolitan*.

Le maire n'a pas semblé se préoccuper outre mesure des laissés-pour-compte de la prospérité. Les gens ordinaires eurent, dès lors, non seulement du mal à trouver de nouveaux logements mais assistèrent en outre au rétrécissement du marché de la location, de nombreux appartements étant transformés en copropriétés. En parallèle, la population de la ville ne cessa d'augmenter avec l'afflux de jeune diplômés ambitieux dans le centre dédié à la finance. À l'aéroport JFK, le nouvel Ellis Island, continuent de débarquer en nombre des candidats à l'immigration, originaires d'Asie du Sud-Est ou d'Amérique du Sud, prêts à s'entasser dans des logements exigus de la périphérie. Washington Heights compte un si grand nombre de Dominicains que les politiciens de la République dominicaine ont mené campagne à New York pour les élections dans leur pays. Pour les résidents de Manhattan, Brooklyn et le Queens représentent désormais des enclaves ethniques fascinantes, où l'on se rend pour assouvir sa soif d'exotisme.

Or la situation économique n'est guère faste pour tous ces nouveaux arrivants. New York avait déjà des difficultés au tournant du millénaire, et les attentats du 11 Septembre ont bouleversé la donne pour la ville comme pour le monde entier.

1994	1997-1999
Rudolph Giuliani est élu maire de New York	Les affaires Abner Louima et Amadou Diallo mettent en lumières les méthodes violentes du NYPD

New York
par quartier

New York par quartier

Si New York est formé de cinq *boroughs* (arrondissements), pour la plupart des visiteurs et des New-Yorkais, le quartier de Manhattan incarne "la ville" à lui seul et vous attirerez sur vous des regards surpris si vous exprimez le désir d'aller, par exemple, dans le Queens. Les boroughs périphériques – le Bronx, Brooklyn, le Queens et Staten Island – présentent chacun leurs particularités, qu'il

CENTRAL PARK

Véritable oasis de tranquillité au cœur de la ville, Central Park s'étire loin de l'agitation urbaine. La section complète et en couleurs se trouve p. 190.

s'agisse de bars ou de parcs, de plages ou de stades, de restaurants réputés ou de musées célèbres. N'hésitez pas à vous "décentraliser", vous découvrirez de petites merveilles dont nombre de New-Yorkais n'ont jamais entendu parler !

Manhattan, le borough principal, comprend notamment Times Square, Central Park et l'Empire State Building et est lui-même divisé en plusieurs quartiers connus pour leur animation. Il y a d'abord l'East Village, où une poignée d'anciens côtoie des gays amateurs de sorties en boîte, des aficionados du shopping et une population de moins en moins nombreuse de jeunes désœuvrés. Chelsea est un quartier gay, où les petits restaurants et les bars lounge poussent comme des champignons. Au petit matin dans l'Upper West Side, on croise des nounous promenant leurs poussettes et des musiciens fatigués rentrant chez eux en métro après leurs concerts. Malgré – ou du fait de – son riche et sulfureux passé, le légendaire Harlem s'embourgeoise à une vitesse galopante. Et il y a Soho et Noho, avec leurs lofts peuplés de yuppies et leurs boutiques tendance.

Mais si vous traversez un pont ou un tunnel, de part et d'autre de l'étroite mais surpeuplée île de Manhattan, vous vous apercevrez que les frontières de la ville sont bien plus lointaines qu'on ne le soupçonne. Dans l'immense Queens, vous découvrirez des quartiers où l'anglais est la deuxième voire la troisième langue, après le coréen, le cantonais, l'espagnol colombien, le gujarati ou l'anglo-guyanais. Le Bronx compte à la fois de magnifiques espaces verts et de sinistres ghettos, tout comme des quartiers italiens et irlandais, ainsi que des zones résidentielles semblables à de petites villes de banlieue. Staten Island, dont l'ambiance s'apparente davantage à celle du New Jersey voisin, est souvent prétexte à railleries, même si ses jolies plages et espaces verts, ainsi que ses quelques excellents restaurants exotiques méritent plus de considération. Mais le borough le plus prisé reste Brooklyn, dont la réputation égale désormais celle de Manhattan. Gagné par la fièvre branchée, avec ses nouveaux restaurants, ses boutiques indépendantes et ses quartiers résidentiels, il attire une population croissante qui quitte sans regret Downtown et Uptown. Laissez-vous tenter par n'importe quel point de la carte ; passée la surprise, vous risquez fort d'être conquis.

ITINÉRAIRES
Deux jours

Vous pourrez profiter d'un petit déjeuner typiquement new-yorkais, par exemple chez **Bubby's** (p. 241), à Tribeca, pour préparer votre itinéraire. Les cafés et les boutiques sont d'ailleurs des endroits parfaits où s'imprégner de l'atmosphère de la ville. Prenez ensuite le métro direction Uptown (à moins que vous n'y soyez déjà), et s'il pleut, allez visiter l'impressionnant **Museum of Modern Art** (p. 154) récemment rénové. Vous pouvez aussi opter pour un bol de verdure à **Central Park** (p. 190). Puis un taxi vous fera descendre Broadway, et vous déposera à **Times Square** (p. 156), qui mérite bien le détour. À l'issue d'un dîner dans un lieu à la mode à l'exemple du **Shoreham** (p. 372), vous pourrez faire le plein d'images du haut

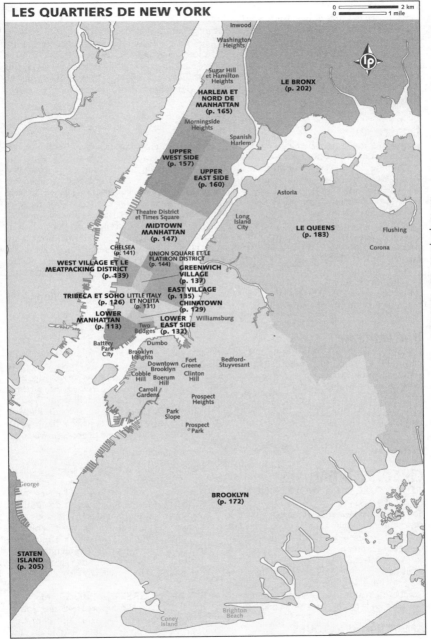

LES QUARTIERS DE NEW YORK

0 ⌁⌁⌁⌁ 2 km
0 ▬▬▬ 1 mile

Inwood

Washington
Heights

Sugar Hill
et Hamilton
Heights

**HARLEM ET
NORD DE
MANHATTAN
(p. 165)**

**LE BRONX
(p. 202)**

Morningside
Heights

Spanish
Harlem

**UPPER
WEST SIDE
(p. 157)**

**UPPER
EAST SIDE
(p. 160)**

Astoria

Theatre District
et Times Square

Long
Island
City

**LE QUEENS
(p. 183)**

Flushing

**MIDTOWN
MANHATTAN
(p. 147)**

Corona

**CHELSEA
(p. 141)**

**UNION SQUARE ET LE
FLATIRON DISTRICT
(p. 144)**

**WEST VILLAGE ET LE
MEATPACKING DISTRICT
(p. 139)**

**GREENWICH
VILLAGE
(p. 137)**

**EAST VILLAGE
(p. 135)**

**TRIBECA ET SOHO
(p. 126)**

**LITTLE ITALY
ET NOLITA
(p. 131)**

**CHINATOWN
(p. 129)**

**LOWER
MANHATTAN
(p. 113)**

**LOWER
EAST SIDE
(p. 132)**

Williamsburg

Two
Bridges

Dumbo

Battery
Park
City

Brooklyn
Heights

Fort
Greene

Bedford-
Stuyvesant

Downtown
Brooklyn

Cobble
Hill

Clinton
Hill

Boerum
Hill

Carroll
Gardens

Prospect
Heights

Park
Slope

Prospect
Park

George

**BROOKLYN
(p. 172)**

**STATEN
ISLAND
(p. 205)**

Brighton
Beach

Coney
Island

New York par quartier   **ITINÉRAIRES**

du **Top of the Rock** (p. 156), dont le dernier ascenseur s'élance à 23h. Le deuxième jour, offrez-vous un repas à prix doux à **Dim Sum Go Go** (5 E Broadway, entre Catherine St et Chatham Sq, Lower East Side), à **Chinatown** (p. 232), et continuez par un bon circuit organisé (ci-dessous) afin d'avoir une vue d'ensemble ou de vous concentrer sur ce qui vous intéresse le plus. La fin d'après-midi vous trouvera flânant dans une ou deux des galeries de **Chelsea** (p. 141). Après avoir profité de l'happy-hour pour siroter quelques cocktails, il vous restera à choisir un restaurant dans le quartier ou ailleurs (voir *Où se restaurer*, p. 228). Offrez-vous un dernier verre dans Downtown, où vous pourrez écouter d'excellents groupes locaux à **Arlene's Grocery** (p. 295).

Quatre jours

Le premier matin, rien de tel qu'une petite dose d'attractions touristiques au fil d'un circuit organisé sur le **ferry Circle Line** (ci-contre) ou dans un bus à impériale. Puis suivez l'itinéraire prévu pour 2 jours. Le troisième jour, un tour au formidable marché biologique **Greenmarket Farmers Market** (p. 146), à Union Sq, vous permettra de goûter des fromages artisanaux et du pain maison. Finissez l'après-midi par une bonne séance de shopping à **Soho** et **Noho** (voir la promenade *Shopping à Soho, Noho et Nolita*, p. 210) et enfoncez-vous dans les confortables banquettes d'un restaurant à la mode, comme la **EN Japanese Brasserie** (p. 239). Une fois vos achats déposés à l'hôtel, vous serez libre d'aller prendre un verre dans le quartier. Vous trouverez un surcroît de dépaysement à consacrer le dernier jour à un borough périphérique. Visitez **Coney Island** (p. 181) et longez la promenade pour rejoindre **Brighton Beach** (p. 182), juste à côté, où vous pourrez savourer une bière avec des *pierogi* (raviolis polonais), tout en admirant la vue sur l'océan. Ou bien prenez le **ferry de Staten Island** (p. 116) sur l'Hudson et perdez-vous dans le quartier de **St George** (p. 205), ou encore, la ligne 7 du métro pour **Jackson Heights** (p. 187), dans le Queens, où vous attend un formidable mélange de culture et de cuisine indiennes et sud-américaines.

Une semaine

Prolongez le programme de 4 jours en prenant votre temps et en ajoutant une note culturelle. Un film indépendant au **Film Forum** (p. 302) fera l'affaire. Mais une pièce de théâtre serait davantage dans l'esprit, vous optiez pour une valeur sûre de **Broadway** (p. 283) ou une scène moins courue, à l'image du **PS 122** (p. 288). Vous pourrez ensuite prévoir une excursion : en été, prenez le ferry et allez passer une journée à **Sandy Hook** (p. 393), ou bien 2 jours dans la région des **Catskills** (p. 392), en toute saison. S'il vous reste du temps à votre retour, choisissez un quartier qui vous a vraiment intrigué et approfondissez votre exploration, soit au fil d'une visite guidée à pied (p. 208), soit par vos propres moyens, en faisant la tournée des cafés et des boutiques.

CIRCUITS ORGANISÉS

ADVENTURE ON A SHOESTRING

☎ 212-265-2663 ; 5 $

Son fondateur, Howard Goldberg, estime que ses clients doivent en avoir pour plus que leur argent. Il organise des circuits dans les quartiers et des promenades thématiques, comme son Salut à Jacqueline Kennedy Onassis. "On a fait des circuits les jours de pluie, de panne d'électricité et de grève des métros", a déclaré Goldberg. Un moyen idéal d'en apprendre un peu plus sur la force d'âme new-yorkaise.

AFOOT WALKING TOURS

☎ 212-939-0994 ; www.erickwashington.com ; 15 $

Ici, l'accent est mis sur la géographie de Manhattanville, un sujet sur lequel le guide, Eric K. Washington, a écrit 2 livres. Ce quartier correspond à une enclave de l'ancien West Harlem, autour de Broadway et de 125th St. Les joyeuses promenades d'Eric vous permettent de la découvrir à travers l'histoire afro-américaine. Vous pouvez aussi opter pour un circuit autour des richesses architecturales de Sugar Hill, dans le nord de Harlem, ou sur la magnifique frange nord du Riverside Park.

BIG APPLE GREETER PROGRAM

☎ 212-669-8159 ; www.bigapplegreeter.org ; gratuit

Si vous trouvez New York un peu trop oppressant, appelez pour organiser une promenade intime dans le quartier de votre choix, conduite par un bénévole désireux de vous faire mieux connaître sa ville. On vous fournira un guide répondant à vos besoins. Il parlera l'espagnol ou le langage des signes américain, et saura où trouver les meilleurs endroits accessibles aux handicapés.

BIG ONION WALKING TOURS
☎ 212-439-1090 ; www.bigonion.com ; 15 $
"Chaque circuit jouit d'un scénario très complet", déclare Seth Kamil, le fondateur de Big Onion, dont le soin du détail a fait la renommée. Il est vrai que ses balades "explorent de nombreuses strates de l'histoire". Faites votre choix parmi la trentaine de circuits proposés, avec notamment le pont de Brooklyn et Brooklyn Heights, le circuit Gangs "officiels" de New York, le circuit historique gay et lesbien, sans oublier Stonewall et Park Slope.

BIKE THE BIG APPLE
☎ 877-865-0078 ; www.bikethebigapple.com ; 55-69 $ vélo et casque inclus
Ces parcours à vélo offrent une vision plus large que les circuits pédestres et vous permettent en outre de faire un peu d'exercice. Bike the Big Apple propose 4 types de circuits. Les plus populaires étant celui de Back to the Old Country (durée 6 heures) et l'Ethnic Apple Tour, 20 kilomètres de balade couvrant Williamsburg, Roosevelt Island et l'est de Manhattan. D'autres circuits vous emmèneront dans la Little Italy du Bronx ou à Manhattan de nuit.

CIRCLE LINE BOAT TOURS Plan p. 452
☎ 212-563-3200 ; www.circleline42.com ; 42nd St à hauteur de 12th Ave ; 18-28 $
La désormais classique ligne de ferry Circle Line permet de contempler les principaux sites touristiques depuis le pont d'un bateau naviguant au large des 5 boroughs. Les croisières ont la réputation d'être festives (en particulier celle du soir, qui dure 2 heures). Propose également une excursion de 3 heures en journée et une rapide traversée de 75 minutes.

EXPERIENCE CHINATOWN Plan p. 444
☎ 212-619-4785 ; www.moca-nyc.org ; Museum of Chinese in the Americas, 70 Mulberry St à hauteur de Bayard St ; 12 $
Découvrir les multiples facettes de Chinatown requiert un guide. Sur place, l'organisme basé au Museum of Chinese in the Americas (p. 130) se révèle un excellent choix. Les circuits, organisés chaque semaine entre mai et décembre, sont orchestrés par des conférenciers du musée originaires de la communauté, et offrent un bon aperçu du Chinatown passé et présent.

FOODS OF NEW YORK
☎ 212-239-1124 ; www.foodsofny.com ; 38 $
Le circuit gastronomique officiel de l'agence NYC & Company propose divers parcours de 3 heures vous permettant de découvrir les meilleurs restaurants de Chelsea ou du West Village. Préparez-vous à un festin de pain français, de pâtes fraîches italiennes, de fromages du monde entier, de pizzas authentiquement new-yorkaises, de poissons locaux et de pâtisseries tout juste sorties du four.

GRAY LINE
☎ 212-397-2620 ; www.newyorksightseeing.com ; 38-75 $
Le plus important organisateur de circuits touristiques, dont les bus rouges à impériale pullulent dans les rues de New York, au grand dam des riverains. Ses circuits n'en sont pas moins bien conçus et offrent un bon aperçu des principaux sites. La compagnie propose une trentaine d'options, la meilleure étant la populaire boucle autour de Manhattan, qui permet de monter et descendre à votre convenance. Les circuits existent en plusieurs langues, notamment en japonais, en français, en allemand et en italien.

GREENWICH VILLAGE LITERARY PUB CRAWL
☎ 212-613-5796 ; www.bakerloo.org/pubcrawl ; 567 Hudson Ave à hauteur de 11th St ; 15 $
Les esprits éclairés auront entendu parler de Dylan Thomas, et de son trépas alcoolisé à la White Horse Tavern. Pour vous plonger dans l'ambiance, rejoignez ce groupe de comédiens, qui vous emmènera boire des verres dans les pubs du quartier. Les acteurs incarnent divers écrivains et livrent des anecdotes sur leur vie et leur époque. Le groupe se retrouve le samedi à 14h à la White Horse Tavern (plan p. 448).

A HIP-HOP LOOK AT NEW YORK
Plan p. 452
☎ 212-714-3527 ; www.hushtours.com ; 252 5th Ave, entre 30th St et 31st St ; 80 $
Découvrez les véritables racines du hip-hop local en bus ou à pied, en compagnie de "pionniers" du genre (Kool DJ Herc, LA Sunshine et Raheim notamment) qui vous emmèneront à Manhattan et dans le Bronx, avant de manger un morceau, d'assister à un spectacle de danse et à une bataille free style. Kurtis Blow organise également un Harlem spiritual Hip-Hop Church Tour, consacré à l'expression religieuse de ce courant musical.

VOTRE NEW YORK

Chez Lonely Planet, nous nous engageons à vous offrir une description détaillée de chaque pays que nous visitons. Mais notre souhait premier est de créer une culture du voyage pour tous, en sachant que la plus belle des aventures consiste à voler de ses propres ailes. C'est pourquoi, aussi contradictoire que cela puisse paraître, nous vous demandons de laisser votre guide de côté une journée, voire une semaine, et d'explorer seul la grande ville, à votre guise. Nous serons ravis de vous donner quelques idées. Déambuler sans but dans Central Park ou Prospect Park. Sauter dans le premier bus qui passe et découvrir un quartier choisi au hasard. Se perdre dans le dédale de rues diagonales au fin fond du West Village. Lire le tableau d'affichage d'un café de quartier et dénicher un petit concert ignoré des sorties annoncées. Héler un taxi et demander au chauffeur de vous emmener dans sa cantine préférée, où vous vous délecterez sans doute d'une authentique cuisine familiale, dans un sombre boui-boui exotique, à un prix défiant toute concurrence.

Si vous vivez une fabuleuse expérience loin des sentiers battus, partagez-la avec nous. Racontez-nous vos voyages sur www.lonelyplanet.fr, rubrique "Contact".

KRAMER'S REALITY TOUR Plan p. 284
☎ 212-268-5525, 800-572-6377 ; Producers Club Theater, 358 W 44th St ; 39 $
Si *Seinfeld* ne passe désormais plus à la TV, ce circuit inspiré par Kramer, l'un de ses personnages, n'en est pas moins complet plusieurs semaines à l'avance. La visite se concentre évidemment sur les sites rendus célèbres par la série culte. Pour inconditionnels uniquement.

LIBERTY HELICOPTER TOURS Plan p. 452
☎ 212-967-6464 ; www.libertyhelicopters.com ; 12th Ave à hauteur de W 30th St et Pier 6 East River ; 2-30 min 30-184 $/pers, 15 min Romance Over Manhattan (jusqu'à 4 pers) 849 $
Si vos moyens vous le permettent, offrez-vous New York vu du ciel.

MUNICIPAL ART SOCIETY
☎ 212-935-3960 ; www.mas.org ; 12-15 $
Cette association à but non lucratif propose des circuits centrés sur l'architecture. Elle emmène des groupes, à pied ou en bus, découvrir des joyaux architecturaux, tels que Madison Ave, Bedford-Stuyvesant ou Jackson Heights. Le parcours consacré aux merveilles de la gare de Grand Central Terminal est le plus populaire. Voir leur site pour les horaires.

NEWROTIC NEW YORK CITY TOURS
☎ 718-575-8451 ; www.newroticnewyorkcitytours.com ; adulte/enfant 199/99 $
Habitant du Queens de longue date, Marc Preven vous guide à travers son borough méconnu, soulignant la richesse culturelle des quartiers d'Elmhurst et de Jackson Heights. N'oubliez pas de visiter la maison de Louis Armstrong, à Corona, et les immenses supermarchés exotiques. Un détour par le train n°7 "international express" vous emmènera au Museum of Moving Image (p. 186).

NEW YORK GALLERY TOURS Plan p. 452
☎ 212-946-1548 ; www.nygallerytours.com ; 526 W 26th St à hauteur de 10th Ave ; 15 $
Vous savez que les formidables galeries d'art moderne de Chelsea méritent le détour. Mais par où commencer ? Cet excellent circuit guidé vous emmène dans toute une série de galeries et vous fournit d'intéressantes informations en chemin. À noter : le parcours spécialement dévolu à l'esthétique gay et lesbienne.

NY TOUR GODDESS NEW YORK TOURS
☎ 212-535-7798 ; www.nytourgoddess.com ; 150 $/h, tarif négociable pour les groupes
L'étonnante guide, Jane Marx, qui a été actrice, écrivain et professeur, met son talent au service d'un large éventail de parcours et offre un regard intime sur sa ville. "Je suis bizarre, admet-elle, mais je m'y connais." Les différents circuits proposés (qui ne sont pas donnés) vont de Wall Street et Little Italy à Union Sq et Harlem.

ON LOCATION TOURS
☎ 212-209-3370 ; www.screentours.com ; 15-40 $
Avouez que vous rêveriez de vous asseoir dans la véranda de l'appartement de Carrie Bradshaw (héroïne de la série *Sex and the City*) et de visiter le studio de *Will & Grace*. Cet organisme propose 4 circuits autour des lieux de tournage de séries TV (comme *Sex and the City et Les Sopranos)* et de films (notamment à Central Park) à la mesure du plus exigeant des fans.

PHOTOTREK TOURS
☎ 212-410-2514 ; www.phototrektours.com ; 100-175 $
Si les photos de votre voyage comptent autant à vos yeux (sinon davantage) que votre séjour en lui-même, laissez le guide et photo-

graphe Marc Samuels (ou un membre de son excellente équipe) vous emmener dans les endroits les plus pittoresques de la ville et vous y tirer le portrait. Vous devrez choisir entre Central Park, Midtown et Downtown ; les circuits sont réservés uniquement aux petits groupes ou aux couples.

ROCK JUNKET NEW YORK CITY
☎ 212-209-3370 ; www.rockjunket.com ; 25 $
Rejoignez le guide Bobby Pinn chaque samedi à 11h pour un circuit de 2 heures qui vous replongera dans l'ambiance de l'East Village, à l'époque du punk et du glam rock. Apprenez des anecdotes sur le club CBGB, les Ramones, les New York Dolls, le Velvet Underground, Fillmore East, Iggy Pop et d'autres, à travers des visites sur place et des commentaires avisés.

A SLICE OF BROOKLYN PIZZA TOUR
☎ 212-209-3370 ; www.bknypizza.com ; 45 $ (pizza incluse)
L'enthousiaste président de Brooklyn, Marty Markowitz, adore ce circuit thématique. Or, qui refuserait de passer plus de 4 heures à déguster des pizzas délicieuses, de la napolitaine au feu de bois de Grimaldi's, à la pizza authentiquement sicilienne de L&B Spumoni Gardens ? Ce circuit gastronomique vous emmènera dans les quartiers de Bay Ridge, Red Hook, Bensonhurst et bien d'autres encore.

TOURS OF THE CITY WITH JUSTIN FERATE
☎ 212-223-2777 ; www.justinsnewyork.com ; gratuit-325 $
Ancien éducateur et accompagnateur, Justin Ferate, qui s'y connaît aussi en architecture, dispense désormais ses connaissances dans le cadre de circuits très complets. Il propose une visite gratuite de la gare de Grand Central Terminal et de Midtown le vendredi, ainsi que des parcours pédestres intensifs se concentrant chaque semaine sur un quartier différent.

WATSON ADVENTURES SCAVENGER HUNTS
☎ 212-726-1529 ; www.watsonadventures.com ; 20-30 $
Avec Watson, chaque circuit est un jeu. Vous êtes constamment sollicité, qu'il s'agisse de répondre à des questions intéressantes ou à des sujets décalés. Les circuits varient. La plupart sont parfaits pour les enfants, notamment les chasses au trésor dans le Metropolitan Museum of Art et le Museum of Natural History, qui vous font fouiller les jardins, à la recherche de momies, de chevaliers et d'autres vestiges.

WILDMAN STEVE BRILL
☎ 914-835-2153 ; www.wildmanstevebrill.com ; adulte/enfant 12/6 $
Le naturaliste le plus connu de New York organise des visites dans les parcs de la ville depuis plus de 20 ans. Il vous fera découvrir Central Park, Prospect Park, Inwood Park et bien d'autres, et vous apprendra à identifier certaines de leurs richesses naturelles. En peu de temps, les sassafras, le mouron, les noix de ginkgo, l'ail et les champignons sauvages n'auront plus de secrets pour vous !

LOWER MANHATTAN

Où se restaurer p. 229, Où prendre un verre p. 264, Shopping p. 323, Où se loger p. 356

Manhattan forme un triangle étroit à son extrémité sud, un quartier connu sous le nom de Lower Manhattan. Le secteur fourmille de lieux importants et d'images emblématiques tels Wall Street, City Hall, la statue de la Liberté au large, et bien sûr, le souvenir des tours jumelles (Twin Towers) et les cicatrices du 11 Septembre. La vie a bel et bien repris ses droits depuis la tragédie, même si les promoteurs, le gouvernement et les habitants se chamaillent toujours au sujet de la reconversion du site du World Trade Center (WTC ; voir l'encadré p. 124 pour plus de détails). Paradoxalement, le quartier a connu une évolution assez positive depuis le drame. Des habitants, attirés par la baisse des loyers de l'après 11 Septembre, sont arrivés en nombre, conférant à l'endroit un côté jeune et branché (quoique calme, le soir). C'est désormais la zone résidentielle bénéficiant de la plus forte croissance démographique à New York. De nouveaux musées (de l'International Sports Museum au Museum of American Finance) y ont généré une sorte de boom culturel. L'autre bonne nouvelle concerne le début du chantier de 2,21 milliards de dollars qui donnera naissance au WTC Transportation Hub, une station aux lignes épurées qui reliera le New Jersey à toutes les lignes de métro et au World Financial Center Ferry Terminal, à travers un dédale de passages souterrains. L'achèvement de cet ambitieux projet est prévu pour 2009.

Pendant ce temps, la vie suit son cours, avec, les jours de semaine, son cortège de traders, banquiers, fonctionnaires, avocats et politiciens qui pressent le pas, de réunions en déjeuners. Au milieu de toute cette activité se faufile un nombre croissant de visiteurs "redécouvrant l'incroyable vitalité du quartier", selon Kevin Rampe, le président de la Lower Manhattan Development Corporation (LMDC, créée à la suite du 11 Septembre). Les visiteurs pourront faire leur choix parmi plus de 25 musées et attractions culturelles. Vous pourrez vous renseigner sur les dernières offres et mises à jour sur le site du quartier créé par le tout nouveau groupe, Museums of Lower Manhattan (www.lowermanhattan. info/nystartshere), dont l'objectif est de promouvoir l'offre culturelle. Et jusqu'ici, c'est un succès. Sur place, cherchez les membres en veste rouge de l'**Alliance for Downtown New York** (plan p. 444 ; ☎ 212-566-6700 ; www.downtownny.com ; Suite 3340, 120 Broadway), qui distribuent des plans et fournissent des renseignements.

Orientation

Lower Manhattan s'étend de Canal St (qui comprend également une petite partie de Chinatown) à Battery Park et couvre le Financial District et Tribeca, le "TRIangle BElow CAnal St" ("triangle au-dessous de Canal St" – ce quartier est traité dans la prochaine section, avec Soho). Il comprend aussi South Street Seaport et New York Harbor (la baie de New York), qui abrite la statue de la Liberté et Ellis Island.

NEW YORK HARBOR

Qu'ils arrivent simplement du New Jersey ou de la lointaine Australie, les visiteurs se fendent souvent d'un pèlerinage sur les traces des premiers immigrants. La baie de New York mérite le détour, non seulement pour la statue de la Liberté et Ellis Island, mais aussi pour les magnifiques pelouses et pistes cyclables de Battery Park, les concerts en plein air de Castle Clinton et le vertige que l'on éprouve devant ce panorama époustouflant.

STATUE DE LA LIBERTÉ Plan p. 442
☎ 212-363-3200 ; www.nps.gov/stli (ou www.circlelinedowntown.com au sujet des ferries) ; entrée libre, ferry (avec Ellis Island) adulte/senior/enfant 11,50/9,50/4,50 $; ⏱ ferries toutes les 30 min 9h30-15h30 ; Ⓜ 4, 5 jusqu'à Bowling Green
La statue de la Liberté est l'un des monuments les plus célèbres au monde, avec la tour Eiffel et le Taj Mahal. Son image bien-aimée a été récupérée par tout le monde, de l'agence de location de voitures locale à l'équipe de basket féminine de la ville. Étonnamment,

un grand nombre de New-Yorkais ne l'ont jamais visitée, même si vous aurez du mal à en trouver un qui ne l'admire pas à titre de symbole absolu de liberté, présent dans la baie de New York depuis 1886.

Après le 11 Septembre, la statue a rejoint la liste des nombreux monuments de la ville alors mis sous haute surveillance et interdits au public. Son intérieur, la couronne et le musée, sont restés fermés pendant près de 2 ans avant de rouvrir en grande pompe en juillet 2004, à l'issue de travaux de rénovation de plusieurs millions de dollars. L'intérieur de la statue en elle-même demeure fermé (dommage pour ceux qui n'ont jamais eu le plaisir de gravir les 300 marches menant jusqu'à la couronne et d'admirer la vue incroyable), mais on peut visiter le musée et apercevoir la structure intérieure par un plafond de verre, sous le regard vigilant du gardien. Il est également possible de profiter du panorama depuis la passerelle d'observation, elle aussi rouverte.

Même si la traversée en ferry (assurée par la Circle Line) ne dure que 15 minutes, la visite de la statue de la Liberté et d'Ellis Island prendra une journée entière. L'été, il n'est pas rare de devoir attendre 1 heure avant de pouvoir embarquer dans un ferry d'une capacité de 800 personnes. Les réservations, qui vous fourniront un ticket avec une heure de passage, sont fortement recommandées (même si un nombre très limité de tickets sont disponibles chaque jour). Si la foule vous effraie, essayez plutôt Liberty State Park (accessible en voiture, taxi ou train ; appelez le ☎ 201-435-9499 ou consultez le www.libertystatepark.org pour plus de détails), dans le New Jersey.

Inspirée du colosse de Rhodes, la statue de la Liberté fut imaginée par l'activiste politique Édouard René Lefebvre de Laboulaye et le sculpteur Frédéric-Auguste Bartholdi. En 1865, les deux hommes décidèrent de construire un monument pour promouvoir le républicanisme français et célébrer l'amitié franco-américaine. Bartholdi consacra ensuite 20 ans de sa vie à transformer ce rêve – créer un monument et l'ériger dans la baie de New York – en réalité. L'American Committee for the Statue (Comité américain pour la statue) fit appel à la générosité du public, et Bartholdi s'affaira ensuite à réaliser la statue, dotée d'une ossature métallique exécutée par l'ingénieur des chemins de fer Gustave Eiffel.

En 1883, la poétesse Emma Lazarus publia un poème intitulé The New Colossus lors d'une campagne d'appel aux fonds pour la construction du piédestal. Ses vers sont désormais indissociables du monument : "Donne-moi tes pauvres, tes exténués, qui en rangs pressés aspirent à vivre libres, le rebut de tes rivages surpeuplés, envoie-les moi, les déshérités, que la tempête me les rapporte, de ma lumière, j'éclaire la porte d'or". Ironie du sort, ces mots ne furent gravés sur le socle de la statue qu'en 1901, soit 17 ans après la mort de leur auteur. Le 28 octobre 1886, la Liberté éclairant le monde était enfin dévoilée dans le port de New York.

En 1956, le Congrès américain autorisa la ville à travailler avec le National Park Service afin d'agrandir son socle, d'ajouter un musée et de la classer monument de parc national. Plus de 100 millions de dollars furent consacrés à la restauration de la statue à l'occasion de son centenaire dans les années 1980. On remit en état son enveloppe de cuivre (alors verte d'oxydation) et l'on installa une nouvelle torche plaquée or, la troisième de son histoire, réalisée par des maîtres artisans français.

ELLIS ISLAND Plan p. 442

☎ 212-363-3200 ; www.nps.gov/elis (ou www.circlelinedowntown.com au sujet des ferries) ; entrée libre, ferry (avec la statue de la Liberté) adulte/senior/enfant 11,50/9,50/4,50 $; 🕐 ferries toutes les 30 min 9h30-15h30 ; Ⓜ 4, 5 jusqu'à Bowling Green

Les ferries qui desservent la statue de la Liberté marquent une halte à Ellis Island, un lieu véritablement mythique pour les descendants de plus de 12 millions d'immigrants qui transitèrent ici. La procédure consistait en un examen médical suivi de l'octroi d'un nouveau nom, pour peu que l'original ait été trop difficile à écrire ou à prononcer. On recevait ensuite le feu vert pour démarrer, de ce côté-ci de l'Atlantique, une nouvelle vie pleine d'espoir et souvent terriblement difficile. Aujourd'hui, vous pouvez découvrir une version expurgée et moderne de l'expérience en visitant le **musée de l'Immigration** installé dans l'immense bâtiment en briques rouges.

Ellis Island, principal poste d'immigration de New York entre 1892 et 1954, voyait défiler 12 000 immigrants par jour, originaires de pays comme l'Irlande, l'Angleterre, l'Allemagne ou l'Autriche. Les dernières années, après la Seconde Guerre mondiale et au cours de la vague de paranoïa liée au "péril rouge", le poste d'immigration s'est davantage apparenté à un centre de détention pour les nouveaux arrivants considérés de facto comme des ennemis des États-Unis. Après avoir enregistré son dernier immigrant (un marin de la marine marchande norvégien)

Lady Liberty vous accueille (à gauche)

en 1954, le poste ferma ses portes, suite à la modification des lois sur l'immigration et à l'augmentation des coûts d'exploitation.

Dans les années 1990, quelque 160 millions de dollars de travaux permirent de transformer l'immense bâtiment en un musée de l'Immigration. L'histoire de l'île y est retracée au long d'une série de galeries interactives. Contredisant le mythe, le musée insiste sur le fait que toutes les formalités d'immigration se déroulaient en 8 heures, dans des conditions généralement saines et sûres (surtout pour les passagers des 1re et 2e classes, qui remplissaient les formalités sur le bateau ; les immigrants de 3e classe effectuaient toutes les procédures d'enregistrement sur l'île). La salle d'enregistrement, longue de 103 m et dotée d'un magnifique plafond voûté recouvert de mosaïques, regroupait tous les immigrants refoulés par les autorités, polygames, pauvres, criminels ou anarchistes. Aujourd'hui, cette lumineuse salle d'enregistrement n'a sans doute plus rien à voir avec celle qu'ont connue, inquiets et exténués, les arrivants d'alors. Vous y serez rejoint par une foule nombreuse et bigarrée, Ellis Island recevant chaque année environ 2 millions de visiteurs.

Il est possible d'effectuer la visite muni d'un audioguide de 50 min, pour 6 $, et d'écouter en

115

divers points du musée des témoignages d'immigrants enregistrés dans les années 1980.

Si le sujet vous intéresse, vous pouvez assister à **Embracing Freedom** (☎ 212-883-1986, poste 742 ; adulte/senior et enfant de plus de 14 ans 4/3 \$), une pièce de 30 min jouée 5 fois par jour. Enfin, nous vous conseillons aussi le film gratuit d'une demi-heure relatant l'expérience des immigrants, *Island of Hope, Island of Tears*, ainsi que l'exposition montrant l'importance de l'immigration jusqu'à la Première Guerre mondiale. Des visites guidées en langage des signes américain sont proposées.

Pour être sûr d'embarquer sur un ferry, nous vous recommandons d'obtenir une heure de passage en effectuant votre réservation. Néanmoins, vous pouvez tenter votre chance en misant sur les quelques tickets mis en vente chaque jour. Pendant l'affluence estivale, notez que vous rejoindrez plus facilement Ellis Island par le ferry du Liberty State Park, dans le New Jersey (voir la rubrique *Statue de la Liberté*, p. 114, pour plus d'informations).

GOVERNOR'S ISLAND Plan p. 442

☎ 212-514-8285 ; www.nps.gov/gois ; entrée libre ; 2 visites/j mar-sam uniquement en été ; Ⓜ 4, 5 jusqu'à Bowling Green

Strictement réservée à l'armée pendant 2 siècles (de 776 à 1996), Governor's Island a été rouverte au public en 2003. Le Governor's Island National Monument a mis fin au mystère qui entourait depuis si longtemps cet îlot verdoyant de plus de 69 ha, situé à 5 min de bateau de Manhattan. Désormais, un service de ferries dessert l'île, qui peut se parcourir en une visite guidée d'une heure et demie. On découvre ainsi deux citadelles du XIXe siècle, Fort Jay et Castle Williams, un bâtiment de 3 étages construit en granit, de belles pelouses ombragées et un magnifique panorama sur la ville.

L'île a joué un rôle prépondérant dans l'histoire : occupée dès la Révolution américaine, elle servit de base de recrutement à l'armée pendant la guerre de Sécession, puis de piste de décollage pour le tout premier vol de Wilbur Wright en 1909. Enfin, en 1988, elle accueillit le sommet Reagan-Gorbatchev qui amorça la fin de la guerre froide. Elle pourrait connaître encore d'autres transformations. Les défenseurs de la nature espèrent toutefois que le vaste plan d'aménagement entamé début 2006, prévoira des espaces verts et des activités pour les visiteurs. Le projet devrait mettre au moins 2 ans à aboutir. Dans l'intervalle, l'endroit demeure pauvre en activités.

Les visites, par exemple, ne sont possibles qu'en été. Mais les New-Yorkais espèrent qu'à l'avenir, l'île répondra à leurs attentes en termes de culture et de loisirs.

FERRY DE STATEN ISLAND Plan p. 444

☎ 311 ; gratuit ; toutes les 30 min ; Ⓜ 1 jusqu'à South Ferry ou 4, 5 jusqu'à Bowling Green

Les habitants de Staten Island considèrent cette flotte de ferries orange et imposants comme un moyen de transport. Les habitants de Manhattan, quant à eux, aiment à voir en ces ferries l'instrument de leurs petites escapades romantiques printanières. Mais le secret a fait long feu, les touristes ayant découvert les charmes du ferry de Staten Island qui offre gratuitement l'une des plus extraordinaires équipées new-yorkaises. Cette ligne est en service depuis 1905, et la ville a célébré en grande pompe son centenaire, profitant de l'occasion pour encourager le public à visiter une Staten Island demeurée inconnue de la plupart des New-Yorkais. Aujourd'hui, la flotte transporte plus de 19 millions de passagers sur son trajet de 8 km sur l'Hudson, entre Lower Manhattan et St George, à Staten Island. Vous pourrez traverser dans les 2 sens, sans accoster, en profitant du somptueux panorama sur la ligne des gratte-ciel, le pont de Verrazano Narrows (reliant Staten Island à Brooklyn) et la statue de la Liberté. Mais quiconque choisit de descendre se promener sur le rivage de St George avant de reprendre un autre ferry est assuré de vivre un moment inoubliable. Pour une expérience plus personnelle, prenez votre vélo à bord et mettez le cap sur les majestueux espaces verts ou les plages de sable de Staten Island.

BATTERY PARK CITY

Ce havre de verdure tient d'un heureux mélange, ses tours d'habitation modernes faisant une jolie toile de fond à l'épaisse pelouse North Lawn du parc, au bord de l'eau. À l'arrière-plan, douloureux rappel du 11 Septembre, s'étend le trou béant qui accueillait autrefois le symbole du quartier : les tours jumelles.

Mais, allongé dans le parc, vous oublierez facilement tout cela. Vous n'aurez peut-être même plus l'impression d'être à New York. Vous pouvez aussi tourner le dos à la mer, et le reflet du soleil sur les façades des gratte-ciel vous ramènera immédiatement à la réalité. Cet espace vert de 12 hectares s'étend le long de l'Hudson, de Chambers St au Pier 1, à l'extrémité sud de l'île, et regroupe

Rockefeller Park, l'esplanade de Battery Park City, Robert F Wagner Park et Battery Park. C'est l'endroit idéal pour vous évader, et jouir de somptueux couchers de soleil et d'un beau panorama sur la statue de la Liberté. Il comprend des aires de jeux et des terrains de foot, ainsi que de nombreuses allées ouvertes aux joggueurs, rolleurs, cyclistes ou simples promeneurs. L'été, on y donne des concerts et des films en plein air.

En outre, la Park House (pavillon du parc), voisine du Rockefeller Park prête gratuitement (sur simple présentation d'une pièce d'identité) des échasses, des ballons de basket, des cordes à sauter, des jeux de société ainsi que des billes et des queues de billard (les tables sont en plein air, face à la statue de la Liberté). Les enfants peuvent se défouler sur les aires de jeux et escalader les drôles de sculptures en bronze de Tom Otterness. Le **Battery Park City Parks Conservancy** (☎ 212-267-9700 ; www.bpcparks.org) propose par ailleurs des circuits pédestres gratuits ou à prix modique, des cours de natation, des activités et des cours pour les enfants ; pour tout renseignement, contacter le Conservancy.

CASTLE CLINTON Plan p. 444

☎ 212-344-7220 ; www.nps.gov/cacl ; Battery Park ; ◷ 8h-17h ; ◉ J, M, Z jusqu'à Broad St, 1, 9 jusqu'à South Ferry

Ce fort, construit pour défendre New York pendant la guerre de 1812, prit son nom actuel en 1817, en hommage au maire de l'époque, DeWitt Clinton. Plus tard, et avant qu'Ellis Island ne soit ouverte aux immigrants, Castle Garden (son nom, à l'époque) fit office de bureau de l'immigration, accueillant plus de 8 millions de personnes entre 1855 et 1890. Transformé en monument national (après avoir été successivement un opéra, une structure de loisirs et un aquarium), il renferme aujourd'hui un centre d'informations et des expositions historiques, ainsi qu'un immense espace pour des spectacles estivaux en plein air.

IRISH HUNGER MEMORIAL Plan p. 444

290 Vesey St à hauteur de North End Ave, Battery Park ; entrée libre ; ◉ 1, 9, N, R jusqu'à Cortlandt St

Créé par l'artiste Brian Tolle, ce petit carré de verdure entouré de murets de pierre commémore la Grande Famine qui a frappé

QUE D'EAU !

Il semble relever du scandale de rappeler aux New-Yorkais que, vivant sur une île, ils sont entourés d'eau, et que, par conséquent, les bateaux et ferries représentent un moyen de transport non seulement envisageable, mais d'une grande fiabilité. Les attentats du 11 Septembre ont montré toute l'importance de la vie fluviale de New York. De nombreuses victimes ont été conduites en lieu sûr, dans le New Jersey ou à Brooklyn, ressuscitant ainsi la flotte de bateaux pompiers qui attendait sagement dans son dock. Afin de pallier l'absence de métro, les bateaux-taxis se sont multipliés, comme à l'occasion de la grève des transports du glacial hiver 2005. La zone fluviale se compose de l'Hudson à l'ouest, l'East River à l'est, et au sud, le port de New York, la baie et l'océan Atlantique. Les eaux ne sont peut-être pas aussi fréquentées qu'au temps où New York était un port en pleine activité, mais on y croise encore quelques péniches, cargos et autres tankers en route vers les rives de Brooklyn, des bateaux-taxis faisant la navette entre Manhattan et le New Jersey, des embarcations de tourisme, des kayaks, la célèbre Circle Line, ainsi que de gigantesques paquebots de croisière (y compris le Queen Elizabeth 2), qui glissent, semblables à des gratte-ciel, le long des rives ouest de Midtown.

Pour plus de détails sur l'histoire de la vie portuaire de New York, visitez le **South Street Seaport Museum** (p. 123) et sa flotte de goélettes d'époque. Puis jetez-vous à l'eau ! Voici quelques idées pour humer les embruns new-yorkais :

- Si vous ne disposez que de 30 min chrono, optez pour le **Beast** (☎ 212-630-8855 ; www.circleline42.com ; 17 $). Vous ferez le tour de la statue de la Liberté en moins de temps qu'il ne faut pour le dire, à 72 km/h.
- Montez à bord du **ferry de Staten Island** (voir ci-contre). C'est facile et gratuit. Vous pourrez apprécier quelques jolies vues de Manhattan, mêlé à la foule des usagers.
- Admirez le coucher du soleil sur l'une des goélettes d'époque de South Street Seaport, telle que le **Pioneer** (☎ 212-738-8786 ; 17 $).
- Choisissez parmi les nombreuses excursions touristiques de **New York Waterway** (☎ 800-533-3779 ; www. nywaterway.com) ou préférez la **Circle Line** (voir p. 111).
- L'été, prenez un **SeaStreak** (www.seastreak.com), qui vous conduira en seulement 30 min à la superbe plage de Sandy Hook, dans le New Jersey (voir p. 393).
- Découvrez l'Hudson en kayak, en choisissant la **Manhattan Kayak Company** (p. 312) qui organise des excursions à plusieurs avec moniteur, ou partez seul sur l'eau grâce à la **Downtown Boathouse** (p. 312), où l'utilisation de kayaks est entièrement gratuite !

l'Irlande de 1845 à 1852, contraignant des millions d'Irlandais à quitter leur pays et venir tenter leur chance à New York. Lauréate d'un concours de design organisé par la Battery Park City Authority en 2000, la sculpture de Tolle a tout d'une métaphore encore plus frappante qu'elle n'était censée l'être : l'œuvre s'est révélée fragile et a déjà nécessité d'importantes réparations, une succession d'hivers rigoureux ayant érodé sa structure.

MUSEUM OF JEWISH HERITAGE
Plan p.444

☎ 646-437-4200 ; www.mjhnyc.org ; 36 Battery Pl ; adulte/senior/étudiant 10/7/5 $, entrée libre mer 16h-20h ; ⊙ dim-mar et jeu 10h-17h45, mer 10h-20h, ven 10h-17h ; ⊕ 4, 5 jusqu'à Bowling Green

Posé au bord de l'eau, ce vaste musée hexagonal, allusion à l'étoile de David, est dédié aux six millions de juifs morts dans les camps de concentration. Il présente sur trois étages tous les aspects de la culture juive du New York contemporain, avec des objets personnels, des photographies et des documentaires. Le musée renferme un jardin commémoratif, le *Garden of Stones* (jardin de pierres), crée par l'artiste Andy Goldsworthy, dans lequel 18 rochers forment une étroite allée. Dédié aux victimes de l'Holocauste, il invite à méditer sur la fragilité de la vie. Les lieux abritent également un café kasher, **Abigael's at the Museum**, qui sert des en-cas pendant les heures d'ouverture du musée. Le Safra Hall, avec ses 375 places, organise des projections de films, des représentations théâtrales, des cycles de conférences et des spectacles pendant les vacances.

NEW YORK CITY POLICE MUSEUM
Plan p. 444

☎ 212-480-3100 ; www.nycpolicemuseum. org ; 100 Old Slip ; adulte/senior/enfant donation recommandée 5/3/1 $; ⊙ mar-sam 10h-17h, dim 11h-17h ; ⊕ 1 jusqu'à South Ferry, 2, 3 jusqu'à Wall St

Ce petit musée dédié à la police de New York regorge d'informations et de pièces intéressantes. Vous pourrez y admirer d'anciennes voitures de police (certaines sont exposées, d'autres, notamment un superbe modèle de 1939, figurent simplement en photo), des clichés et des armes des criminels les plus illustres de New York (de Willie Sutton à Al Capone), une collection de blasons et d'uniformes de la police à travers les décennies, ainsi qu'une émouvante exposition commémorant le 11 Septembre intitulée *Hall of Heroes*.

NEW YORK UNEARTHED Plan p. 444

☎ 212-748-8628 ; www.southstseaport.org/ archaeology/nyunearthed.html ; 17 State St, entre Pearl St et Whitehall St ; entrée libre ; ⊙ lun-ven 12h-17h ; ⊕ N, R jusqu'à Whitehall St, 4, 5 jusqu'à Bowling Green, 1 jusqu'à South Ferry

Dans South Street Seaport, juste en face de Battery Park, ce site archéologique rassemble tous les objets découverts lors de fouilles dans divers quartiers de la ville, et notamment des vestiges du XIXᵉ siècle (850 000 pièces) provenant du quartier de Five Points (que l'on voit dans le film *Gangs of New York*). On y trouve aussi la coupe transversale en 3 dimensions d'un site archéologique. Le personnel est sympathique et les expositions sont idéales pour les enfants.

SANCTUAIRE DÉDIÉ À ST ELIZABETH ANN SETON Plan p. 444

☎ 212-269-6865 ; Our Lady of the Rosary, 7 State St ; entrée libre ; ⊙ lun-ven 6h30-17h, sam avant et après la messe de 12h15, et les messes de 9h et 12h le dim ; ⊕ N, R, W jusqu'à Whitehall St

Cette minuscule église consacrée à Elizabeth Ann Seton occupe une demeure de briques rouges, de style fédéral, où vécut en 1801 la première sainte américaine. Née à New York, elle fonda l'ordre des Sisters of Charity (sœurs de la Charité). Très silencieux, ce sanctuaire est propice au recueillement.

SKYSCRAPER MUSEUM Plan p. 444

☎ 212-968-1961 ; www.skyscraper.org ; 39 Battery Pl ; adulte/senior et étudiant 5/2,50 $; ⊙ mer-dim 12h-18h ; ⊕ 4, 5 jusqu'à Bowling Green

Occupant le rez-de-chaussée de l'hôtel Ritz-Carlton, ce merveilleux musée rendant hommage aux gratte-ciel du monde entier comporte 2 galeries. L'une est dédiée aux expositions temporaires et s'est notamment intéressée au World Trade Center, à la nouvelle génération de gratte-ciel fonctionnant grâce aux énergies renouvelables, et à un comparatif esthétique des tours de New York (l'immeuble Chrysler l'emporte haut la main). L'autre galerie abrite une collection permanente consacrée à l'histoire des gratte-ciel, répertoriant notamment les plus hauts immeubles du monde (achevée en 2004, la tour Taipei 101 de Taiwan, avec ses 500 m de hauteur, bat actuellement tous les records), ainsi qu'une exposition sur la construction de l'Empire State Building et un panorama de l'architecture à Downtown. Le musée utilise la technologie de pointe appelée VIVA (Visual Index to the Virtual Archive), une interface générant par

LA SPHÈRE

Endommagée lors des attentats, cette **sphère de bronze** (plan p. 444 ; entrée Bowling Green, Battery Park ; 🚇 4, 5 jusqu'à Bowling Green) ornait la fontaine de granit qui se trouvait sur la place, entre les deux tours du World Trade Center. Ce globe de 20 385 kg et de 4,5 m de diamètre se dresse, imposant, comme un indestructible souvenir du passé. À la lisière de ce parc en perpétuelle effervescence, la Sphère génère comme une aura d'insondable force, et apaise instantanément le plus agité des touristes. Créée en 1971 par le sculpteur Fritz Koenig, pour symboliser l'harmonie dans les échanges commerciaux, elle a été déplacée ici peu après le 11 Septembre en hommage aux victimes. Outre les traces d'impact qui rappellent les événements, une flamme brûle désormais en permanence à son pied et on peut lire sur une plaque commémorative : "En hommage à tous ceux qui ont trouvé la mort. La Sphère symbolise l'espoir et l'esprit indestructible de ce pays."

ordinateur une maquette de Manhattan en 3 dimensions et qui permet, d'un simple clic, de voir la ville, hier et aujourd'hui, et d'accéder aux collections du musée grâce à une base de données en ligne (vous pouvez aussi y accéder *via* son site Internet).

ST PAUL'S CHAPEL Plan p. 444

☎ 212-602-0800 ; www.saintpaulschapel.org ; Broadway à hauteur de Fulton St ; 🚇 2, 3 jusqu'à Fulton St
Jusqu'au 11 Septembre, cette église (qui dépend de Trinity Church, plus bas sur Broadway) était surtout connue pour avoir accueilli George Washington après son intronisation en 1789. À l'heure des attentats, elle se transforma en véritable pôle de soutien psychologique où des bénévoles se succédèrent 24h/24 pour fournir repas et lits, et apporter soutien et conseils aux secouristes. Aujourd'hui, une émouvante exposition interactive, *Unwavering Spirit : Hope & Healing at Ground Zero*, se tient sous ses élégants lustres en cristal, attirant une foule de visiteurs en mal de réconfort et d'explication. L'église, qui fonctionne davantage comme une communauté spirituelle, accueille également des ateliers et divers spectacles, notamment les populaires Trinity Concerts, une série de concerts de musique classique gratuits, le lundi à 13h.

WORLD FINANCIAL CENTER Plan p. 444

☎ 212-945-2600 ; www.worldfinancialcenter.com ; 200 Liberty St ; 🚇 A, C, 4, 5 jusqu'à Fulton St-Broadway-Nassau
Ce grand centre commercial se trouve derrière le site du World Trade Center, dans Battery Park City. Quatre tours de bureaux enserrent le Winter Garden (jardin d'hiver), un lumineux atrium de verre planté de palmiers, qui accueille toute l'année concerts et spectacles de danse. En cas de mauvais temps, on peut venir faire les boutiques (on retrouve les habituelles chaînes de magasins) ou manger un morceau dans l'immense ère de restauration. C'est également l'endroit idéal pour avoir une vue d'ensemble sur **Ground Zero** ; rendez-vous au 1er étage du Winter Garden, où la Lower Manhattan Development Corporation a installé un mémorial comprenant notamment des maquettes en 3 dimensions et des vidéos informant le public des projets (sujets à de constants changements) de réaménagement.

WALL STREET ET LE FINANCIAL DISTRICT

Symbolisé par Wall St, célèbre artère de 1,5 km qui doit son nom à la barricade érigée en 1653 par les colons hollandais pour marquer la limite nord de la Nouvelle-Amsterdam, ce quartier historique a accueilli la première réunion du Congrès américain et intronisé le premier président des États-Unis, George Washington. Il dissimule un lacis de rues bordées de bâtiments administratifs, de temples néoclassiques, d'églises gothiques, de palais Renaissance et de gratte-ciel du tout début du XXe siècle. Bien que la New York Stock Exchange (la Bourse) soit fermée au public "par mesure de sécurité" depuis le 11 Septembre, vous apercevrez sûrement, en vous postant quelques minutes à l'extérieur, des traders au visage soucieux, en train de fumer une cigarette ou d'avaler un hot dog entre deux opérations. Non loin de là, la Federal Reserve Bank, gardée avec solennité, suffit à rappeler au passant qu'il se trouve au cœur du capitalisme américain.

AMERICAN NUMISMATIC SOCIETY
Plan p. 444

☎ 212-234-3130 ; www.numismatics.org ; 96 Fulton St à hauteur de William St ; entrée libre ; 🕑 mar-ven 9h30-14h30, 12h-13h fermé ; 🚇 A, C, J, M, Z, 2, 3, 4, 5 jusqu'à Fulton St-Broadway Nassau

La société numismatique américaine faisait autrefois partie de la collection de musées de l'Audubon Terrace Cultural Complex à Inwood. En 2004, elle a déménagé son importante collection permanente de pièces, médailles et billets à Downtown, au sein du Stately Donald Groves Building, dans le Financial District.

BOWLING GREEN Plan p. 444
Angle Broadway et State St ; Ⓜ 4, 5 jusqu'à Bowling Green

C'est à l'emplacement de ce minuscule parc, le plus ancien de New York, que le colon hollandais Peter Minuit aurait versé quelques florins aux Amérindiens pour acheter l'île de Manhattan. À partir de 1733, la couronne britannique loua pour une somme symbolique ce triangle de verdure aux New-Yorkais. En 1776, la population, stimulée par la Déclaration d'Indépendance prononcée non loin de là par George Washington, se précipita dans le parc pour renverser la statue du roi George III qui s'y dressait alors (on l'a remplacée par une fontaine). Apparu mystérieusement (malgré ses 3,5 tonnes) devant la New York Stock Exchange en 1989, 2 ans après le krach boursier, le gros **taureau en bronze** d'Arturo Di Modica domine désormais l'extrémité nord du parc.

FEDERAL HALL Plan p. 444
☎ 212-825-6888 ; www.nps.gov/feha ; 26 Wall St ; ◷ lun-ven 9h-17h ; entrée libre ; Ⓜ 2, 3, 4, 5 jusqu'à Wall St, J, M, Z jusqu'à Broad St

Le Federal Hall, qui abrite un musée consacré au New York post colonial, a rouvert en septembre 2006 après d'importants travaux de rénovation.

Se distinguant par une gigantesque statue de George Washington, le bâtiment est érigé sur le site où se réunit le premier Congrès de l'histoire américaine et où Washington prêta serment lors de son investiture en

tant que premier président des États-Unis, le 30 avril 1789. L'édifice initial fut remplacé en 1842 par celui de style néoclassique que l'on voit aujourd'hui, considéré comme l'un des premiers exemples de cette architecture dans le pays. Il hébergea le service des douanes jusqu'en 1862. L'endroit a aussi joué un rôle important dans la libération de la presse : c'est ici que John Peter Zenger fut emprisonné, jugé puis relaxé après avoir révélé dans son journal la corruption du gouvernement. Téléphoner pour connaître les horaires d'ouverture.

FEDERAL RESERVE BANK Plan p. 444
☎ 212-720-6130 ; 33 Liberty St à hauteur de Nassau St ; entrée libre ; ◷ lun-ven visite guidée toutes les heures 9h30-14h30 (sauf 12h30) ; Ⓜ J, Z jusqu'à Fulton St-Broadway Nassau

Le principal intérêt de la Réserve fédérale réside dans sa chambre forte, enfouie 25 m sous terre et contenant plus de 10 000 tonnes d'or. Les visites guidées (sur réservation, au moins 5 jours à l'avance) présentent le fonctionnement de la Banque centrale. On peut également voir une exposition de pièces et de faux billets.

FRAUNCES TAVERN MUSEUM Plan p. 444
☎ 212-425-1778 ; www.frauncestavernmuseum.org ; 54 Pearl St ; adulte/senior, étudiant et enfant 3/2 $; ◷ mar, mer, ven 12h-17h, jeu 10h-19h, sam 10h-17h ; Ⓜ 4, 5 jusqu'à Bowling Green, 2, 3 jusqu'à Wall St

Ce musée-restaurant se trouve dans un ensemble de bâtiments historiques, qui, comme Stone St, toute proche, et South Street Seaport, fait partie des vestiges architecturaux les mieux conservés du New York du XVIIIe siècle.

Cette demeure, propriété du négociant Stephan Delancey, fut rachetée par Samuel Fraunces en 1762, qui la nomma Queen's

---

POUSSIÈRE TU REDEVIENDRAS : L'AFRICAN BURIAL GROUND

Au beau milieu d'organismes financiers et de magnifiques bâtiments administratifs, se trouve un important symbole historique national : l'**African Burial Ground** (le cimetière africain ; plan p. 444 ; ☎ 212-337-2001 ; www.africanburialground.com ; 290 Broadway entre Duane St et Elk St ; ◷ lun-ven 9h-16h ; Ⓜ 4, 5 jusqu'à Wall St). Lors des travaux de fondation d'un immeuble à Downtown en 1991, on découvrit plus de 400 cercueils en bois, à quelques mètres à peine sous le niveau du sol. Ils contenaient les ossements d'esclaves noirs (le cimetière de Trinity Church, non loin de là, était jadis interdit aux Africains). On entreprit alors de vastes fouilles et, à la suite d'une très forte mobilisation de la population et du maire de l'époque, ce lieu fut finalement déclaré site historique national. Un projet de commémoration des esclaves enterrés ici est actuellement à l'étude, grâce aux efforts du National Park Service et du Centre Schomburg de recherches sur la culture noire, basé à Harlem. L'US General Services Administration, qui supervise le projet, a organisé en 2005 une grande manifestation de soutien pour obtenir le statut de mémorial officiel.

Head Tavern après la victoire américaine lors de la guerre d'Indépendance. C'est dans la salle à manger de l'étage, le 4 décembre 1783, que George Washington refusa de s'emparer du pouvoir, et fit ses adieux aux officiers de la Continental Army après que les Britanniques eurent cédé le contrôle de New York. Au XIXe siècle, la taverne ferma ses portes. Le bâtiment fut laissé à l'abandon, puis endommagé par plusieurs incendies qui ravagèrent le quartier, détruisant une grande partie des bâtisses coloniales et presque tous les édifices construits par les Hollandais. En 1904, la société historique des Fils de la Révolution acheta le bâtiment et entreprit de le faire restaurer pour lui rendre son aspect d'origine. Il s'agissait de la première tentative de conservation historique aux États-Unis. En 1975, l'explosion d'une bombe placée par un groupe radical de Porto Rico (Fuerzas Armadas de Liberación Nacional), y fit 5 morts.

Le musée organise des cycles de conférences à l'heure du déjeuner et le soir, des circuits pédestres historiques et différentes expositions temporaires, comme la récente *Fighting for Freedom : Black Patriots and Black Loyalists* (Combat pour la liberté : Patriotes et Loyalistes noirs).

En face de la taverne, vous verrez les vestiges exhumés de l'ancienne **Stadt Huys** hollandaise qui, de 1641 à la prise de la ville par les Britanniques en 1664, servit de centre administratif, de tribunal et de prison à la Nouvelle-Amsterdam. Le bâtiment, détruit en 1699, se situait à l'origine au bord de l'eau, jusqu'à l'édification de nouvelles constructions. Les fouilles archéologiques qui se déroulèrent ici de 1979 à 1980, les premières de cette envergure à New York, mirent au jour de nombreux objets anciens (dont certains sont exposés dans des vitrines).

MUSEUM OF AMERICAN FINANCE

Plan p. 444
☎ 212-908-4110 ; www.financialhistory.org ; 48 Wall St ; ⊕ 2, 3, 4, 5 jusqu'à Wall St
Autrefois mal aimé, ce musée de la finance est un bel exemple de la renaissance culturelle de Lower Manhattan. Il porte aujourd'hui un nom plus accrocheur (il s'appelait jadis Museum of American Financial History), et ouvrira ses portes fin 2006, après avoir élu domicile dans les anciens bureaux de la Bank of New York (2 700 m² au total). Cet immense espace, avec ses 9 m de hauteur sous plafond, possède de grandes verrières voûtées, un majestueux escalier menant à l'entresol, des

Traders sur les marches de Federal Hall (à gauche)

lustres en cristal, et des murs peints de faits marquants de l'histoire de la banque et du commerce. Les expositions mettront l'accent sur l'histoire de la finance américaine. Les collections permanentes comptent notamment de rares documents du XVIIIe siècle, des certificats d'obligation datant de l'âge d'or, la plus ancienne photo à ce jour de Wall Street, ainsi qu'un extrait des cours de 1867.

NATIONAL MUSEUM OF THE AMERICAN INDIAN Plan p. 444
☎ 212-514-3700 ; www.nmai.si.edu ; 1 Bowling Green ; entrée libre ; ⊗ ven-mer 10h-17h, jeu 10h-20h ; ⊕ 4, 5 jusqu'à Bowling Green
Affilié à la Smithsonian Institution, ce musée consacré à l'art des Amérindiens et fondé par le magnat du pétrole George Gustav Heye en 1916, occupe depuis 1994 le spectaculaire bâtiment de l'ancien bureau des douanes, dans Bowling Green. Le centre d'information se trouve dans l'ancien bureau de recouvrement des taxes.

Les galeries se situent à l'étage, derrière une vaste rotonde ornée de statues de navigateurs célèbres et de fresques commémorant l'histoire maritime.

Le musée s'intéresse davantage à la culture amérindienne et au savoir-faire des artisans qu'à l'histoire proprement dite des Amérindiens. Les bornes interactives offrent des images de la vie quotidienne et des croyances de ces différents peuples et les artistes, qui travaillent sur place, expliquent volontiers leurs techniques. Il propose également des programmes culturels, notamment des spectacles de danse et de musique, des lectures pour les enfants, des démonstrations d'artisanat, des projections de films et des ateliers.

NATIONAL SPORTS MUSEUM Plan p. 444

☎ 212-837-7950 ; www.thesportsmuseum.com ;
26 Broadway à hauteur de Bowling Green ; ⊚ 4, 5
jusqu'à Bowling Green

Le dernier-né du quartier, dont l'ouverture
est prévue pour la fin 2006, est une première
dans le pays et sera le paradis des sportifs
avec ses 9 000 m² de superficie. Logé dans
l'ancien immeuble du Standard Oil et financé
(60 millions de dollars !) par des fonds publics
de l'après 11 Septembre et des investisseurs
privés, le musée national des Sports s'est
associé avec toutes sortes d'associations sportives (basket, hockey, golf, football, la Nascar,
le musée des Championnats noirs et le musée
Yogi Berra). Au programme, salles d'exposition
sur tous les sports imaginables, du basket au
tennis, en passant par la natation, le hockey,
l'équitation et le sport automobile. Appeler
pour connaître les horaires d'ouverture.

NEW YORK STOCK EXCHANGE
Plan p. 444

☎ 212-656-5168 ; www.nyse.com ; 8 Broad St ;
⊚ 1, 2, 4, 5 jusqu'à Wall St, J, M, Z jusqu'à Broad St

Bien que Wall St soit le symbole du capitalisme
américain, la Bourse, elle, se trouve en fait dans
Broad St. Avant d'être fermé au public par
mesure de sécurité, ce bâtiment aux allures
de temple romain où s'échangent chaque
jour près de 44 milliards de dollars attirait
plus de 700 000 visiteurs par an. Le spectacle
qui s'y déroule chaque jour autour de son
enceinte (des traders pressés et virevoltant ou
en pause express) est tout aussi intéressant
qu'à l'intérieur.

Près de Vesey St, le **New York Mercantile
Exchange** (☎ 212-299-2499 ; www.nymex.
com ; 1 North End Ave ; ⊚ C, 4, 5 jusqu'à
Fulton St-Broadway Nassau) est la bourse
des matières premières, de l'or, du gaz et
du pétrole. Tout comme la New York Stock
Exchange, elle est fermée au public, mais
nous vous conseillons de vérifier si ces
mesures de sécurité n'ont pas été levées.

TRINITY CHURCH Plan p. 444

☎ 212-602-0800 ; www.trinitywallstreet.org ; angle
Broadway et Wall St ; ⊙ lun-ven 8h-18h, sam 8h-16h,
dim 7h-16h ; ⊚ 2, 3 4, 5 jusqu'à Wall St, N, R jusqu'à
Rector St

Fondée par le roi William III en 1697, cette
ancienne paroisse anglicane comprenait
plusieurs lieux de culte, dont la St Paul's
Chapel, à l'angle de Fulton St et de Broadway.
L'étendue des propriétés de la paroisse dans
Lower Manhattan en fit l'une des églises les

plus riches et les plus influentes au XVIIIe siècle.
L'actuelle Trinity Church, troisième église
du nom bâtie sur le site, fut construite en
1846 par l'architecte anglais Richard Upjohn,
qui lança ainsi le mouvement néogothique
aux États-Unis. Son clocher, haut de 85 m,
dominait alors toute la ville.

La longue et sombre nef de l'église aboutit
à un magnifique vitrail surmontant l'autel. À
l'arrière, un petit cimetière paisible renferme
quelques tombes polies par les siècles. Trinity
Church, comme d'autres églises anglicanes
aux États-Unis, adhéra à la foi épiscopale après
l'indépendance du pays. Visitez-la de préférence à midi, pendant les offices en semaine
ou pendant les "Concerts at One" donnés à
l'heure du déjeuner (ils se déroulent aussi dans
la St Paul's Chapel, voir p. 119) moyennant une
donation recommandée de 2 $. Pour connaître
le programme des concerts, appelez le ☎ 212-
602-0747. Trinity est également réputée pour
les magnifiques concerts de sa chorale, en
particulier son interprétation, chaque année
en décembre, du *Messie* de Haendel.

SOUTH STREET SEAPORT

Vous l'ignorez peut-être, mais New York jouit
d'un riche passé maritime, et le meilleur
moyen de s'en rendre compte consiste à
visiter cette zone portuaire. Aujourd'hui, il
s'agit surtout d'une promenade bordée de
restaurants, mais il existe de nombreux souvenirs de cette époque, des goélettes en bois
au merveilleux South Street Seaport Museum.
La forte odeur de poisson perdure également, mais ce n'est qu'un leurre, le marché
aux poissons de Fulton, très prisé depuis
180 ans, ayant fermé ses portes fin 2005 pour
s'installer très prochainement dans le quartier
de Hunts Point, dans le Bronx. Les projets de
réaménagement du front de mer ne sont pas
encore arrêtés. Le témoignage du journaliste
et écrivain Joseph Mitchell, qui a écrit sur
le quartier et les personnalités locales dans
son récit de 1952, *Up in the Old Hotel*, publié
dans un recueil du même nom, donne un bon
aperçu de l'histoire de cet endroit.

ATTRACTIONS DE SOUTH STREET
SEAPORT Plan p. 444

☎ 212-732-7678; www.southstseaport.org ; ⊚ 2, 3,
4, 5, J, Z jusqu'à Fulton St-Broadway-Nassau

Cet ensemble de 11 pâtés de maisons, de
jetées et de plate-formes panoramiques
associe le meilleur et le pire en matière
de conservation historique. Mal aimé des

LE PONT DE BROOKLYN

Véritable emblème de New York, le **Brooklyn Bridge** (plan p. 444 ; ⊕ 4, 5, 6 jusqu'à City Hall) fut le théâtre de multiples démonstrations de joies et de maintes tragédies. C'est là qu'en 1997 la population manifesta sa révolte contre les méthodes policières après les sévices infligés à un immigrant haïtien. Au printemps 2004, gays et lesbiennes défilèrent pour réclamer la légalisation des mariages homosexuels. En décembre 2005, le pont a permis à des milliers de New-Yorkais, y compris à monsieur le maire, Bloomberg en personne, de se rendre sur leur lieu de travail pendant les 3 jours de la grève menée par le Syndicat des transports. Le pont accueille plusieurs marathons et des courses cyclistes ainsi que les feux d'artifice du 4 juillet. Le pont, qui a aussi vu passer des centaines de personnes éperdues, couvertes de poussière, fuyant les lieux des attentats du 11 Septembre, pourrait raconter encore bien d'autres histoires.

Premier pont suspendu réalisé en câbles d'acier, sa travée de 485 m entre les deux piles de soutien était la plus longue du monde lors de son inauguration en 1883. Bien que sa construction ait été ponctuée d'événements tragiques, il devint un formidable exemple d'architecture urbaine et inspira poètes, écrivains et peintres. Aujourd'hui encore, il reste pour certains le plus beau pont du monde.

Ses plans furent dessinés par l'ingénieur d'origine allemande John Roebling, qui, en juin 1869, alors qu'il se trouvait sur une jetée de l'embarcadère de Fulton, fut heurté par un ferry. Il mourut du tétanos avant même le début des travaux. Son fils Washington prit la relève. La réalisation de l'ensemble, qui demanda 14 années, souffrit de dépassements de budget et de la mort de 20 ouvriers. Roebling lui-même demeura longtemps alité à la suite d'un accident survenu sur la pile ouest. Une dernière tragédie marqua l'édification de l'ouvrage. En juin 1883, lors de l'ouverture du pont aux piétons, quelqu'un dans la foule s'écria soudain, peut-être pour plaisanter, que le pont s'écroulait. Une bousculade s'ensuivit, provoquant la mort de 12 personnes.

Le pont a entamé son deuxième siècle d'existence, plus majestueux que jamais après une rénovation complète dans les années 1980. La passerelle, qui démarre juste à l'est du City Hall, offre une vue magnifique sur Lower Manhattan. Arrêtez-vous aux points de vue aménagés au niveau des deux piles de soutien pour examiner les panoramas, gravés sur des plaques de laiton, de la ville de New York à différents moments de son histoire. Prenez garde à ne pas empiéter sur la piste cyclable, massivement empruntée par les New-Yorkais qui vont travailler ou simplement se balader. Vous arriverez à Brooklyn en une vingtaine de minutes. Prenez à gauche pour rejoindre l'Empire-Fulton Ferry State Park ou la Cadman Plaza West, qui longe Middagh St au cœur de Brooklyn Heights. Vous déboucherez alors au centre de Brooklyn, qui compte un Brooklyn Borough Hall richement décoré et la promenade de Brooklyn Heights (voir p. 223).

New York par quartier

LOWER MANHATTAN

New-Yorkais, l'endroit draine néanmoins beaucoup de touristes, attirés par l'air de la mer, l'ambiance marine, les artistes de rue et les restaurants bondés (essentiellement des chaînes). Le pavillon portuaire du Pier 17 au-delà de la voie surélevée FDR Drive, abrite quantité de boutiques, un restaurant de renom (**Cabana** ; p. 229), ainsi que des bains publics. Disséminés sur les différentes jetées, plusieurs bâtiments des XVIIIe et XIXe siècles rappellent la belle époque du port des ferries d'East River, abandonné après la construction du pont de Brooklyn et l'arrivée des navettes rapides sur l'Hudson. C'est un plaisir d'arpenter les rues piétonnes, de se promener au bord de l'eau et d'admirer les vieux navires. Schermerhorn Row, une série d'anciens entrepôts entre Fulton St, Front St et South St, foisonne désormais de boutiques chic et branchées. On y trouve aussi le **New York Yankees Clubhouse**, au 8 Fulton St, où l'on peut se procurer des billets gratuits pour les Bronx Bombers et acheter des souvenirs. En face, la **halle du marché de Fulton**, un bâtiment construit en 1983 dans le même style que les édifices voisins plus anciens, avec

ses ères de restauration rapide et ses arcades marchandes, est une ode à la consommation. L'été, des musiciens locaux de blues, de jazz ou de rock viennent se produire dans la cour.

SOUTH STREET SEAPORT MUSEUM
Plan p. 444

☎ 212-748-8600 ; 207 Front St ; adulte/senior et étudiant/enfant 8/6/4 $; ⊙ avr-oct mar-dim 10h-18h, nov-mars ven-lun 10h-17h ; ⊕ 2, 3, 4, 5, J, Z jusqu'à Fulton St, A, C jusqu'à Broadway-Nassau
Créé en 1967, ce musée retrace l'histoire du port et de quelques grands paquebots internationaux. Il comprend aussi plusieurs sites intéressants, dont trois galeries, une ancienne imprimerie, un centre d'animation pour les enfants, un centre d'artisanat maritime et quelques navires anciens.

Au sud du Pier 17 sont ancrés plusieurs voiliers historiques, parmi lesquels le *Peking*, le *Wavertree*, le *Pioneer*, l'*Ambrose* et l'*Helen McAllister*. L'entrée du musée inclut la visite de ces bateaux. Des croisières de 2 heures (adulte/ senior/enfant 25/20/15 $) à bord du magnifique *Pioneer*, bâti en 1885 pour transporter du

SITE DU WORLD TRADE CENTER

Si la poussière des attentats du 11 Septembre est retombée, tel n'est pas le cas de l'épineux débat qu'engendre la réhabilitation du site de Ground Zero. Les années de discussion visant à définir quel type de construction serait suffisamment symbolique, fort, beau et utile, ont été teintées d'accents dramatiques et politiques opposant souvent les survivants en colère aux artistes et architectes qui tentaient de donner une signification plus globale à la tragédie.

Immédiatement après le 11 Septembre, les alentours de Ground Zero ressemblaient à un champ de bataille enfoui sous la cendre, où planait une odeur de mort, et où se pressaient secouristes, officiers de police, journalistes, et habitants du quartier en quête de leurs affaires personnelles. Les mémoriaux se sont multipliés. Certains officiels, comme la plate-forme de visite du site transformée en mur du souvenir, témoignage de l'histoire des bâtiments de leur naissance à leur chute (voir aussi *World Financial Center* p. 119), d'autres officieux, comme les stands pour touristes surgis en masse de nulle part, et exhibant de lugubres objets souvenir allant des photos au tee-shirt. Le quartier est resté moribond pendant au moins un an, jusqu'à ce que l'instauration du Liberty Bond, un programme exonéré d'impôts mis en place par le Congrès, attire en masse les habitants et hommes d'affaires soucieux de s'installer à moindre frais. Aujourd'hui, le quartier est en pleine expansion, mais une question, de taille, subsiste : que construire à la place des tours jumelles ?

Au commencement, tout semblait au point. La Lower Manhattan Development Corporation avait été mise en place pour superviser le projet et un architecte de renom, Daniel Libeskind, avait été désigné comme l'homme de la situation, après avoir remporté un concours encore contesté aujourd'hui. Libeskind était alors devenu "premier architecte" et ses plans avaient été approuvés. Il avait notamment dessiné le gratte-ciel de 533 m de haut que le gouverneur George Pataki s'était empressé de baptiser "Freedom Tower" (tour de la liberté). Depuis, malencontreusement, l'entrepreneur Larry Silverstein a pris conscience que l'immeuble érigé, quel qu'il soit, devra accueillir des sociétés susceptibles de faire du profit. De son côté, la police de New York a exigé qu'un détail structurel fondamental soit modifié afin de mieux se protéger des attaques terroristes. Depuis, plusieurs architectes ont embarqué dans l'aventure et scellé ce que d'aucuns appelleraient un "mariage forcé" avec Libeskind, dont les plans ont changé drastiquement et à plusieurs reprises. Les entrepreneurs ne se sont toujours pas mis d'accord sur le cahier des charges final du nouveau projet, fait déconcertant récemment souligné par l'arrivée d'un grand architecte, Norman Foster, qui a été choisi pour dessiner la deuxième plus haute tour du site (65 étages).

Mais là n'est pas l'offense suprême. Pour les New-Yorkais, elle réside dans la place accordée à l'art et à la culture dans la création du nouveau site. En septembre 2005, Pataki présente ses plans de l'International Freedom Center, un gigantesque centre artistique et culturel censé apporter une vue d'ensemble sur la notion de droits de l'homme. Les proches des victimes du 11 Septembre sont furieux que l'aspect culturel ne se limite pas exclusivement à la tragédie terroriste et Pataki, inquiet que tout autre choix ne soit considéré comme antipatriotique, enterre les plans dudit centre culturel. Des arguments identiques ont tué dans l'œuf le projet de migration du Drawing Center (p. 128), et les discussions concernant la construction d'un centre artistique ont commencé à piétiner. Pour compenser la perte du "Freedom Center", Pataki et les entrepreneurs ont commandé un complexe à mi-chemin entre le centre commercial et le centre d'affaires, aubaine pour Silverstein mais véritable gifle pour les artistes qui ont travaillé sur le projet initial, et pour tous les individus doués d'un minimum de sensibilité.

sable, sont proposées à partir du Memorial Day (jour du souvenir ; dernier lundi de mai) jusqu'à la mi-septembre, du mardi au vendredi soir et le samedi et dimanche à partir de 13h. Il est conseillé d'apporter en-cas et boissons pour savourer au mieux cette belle traversée. Pour réserver, appelez le ☎ 212-748-8786.

CITY HALL ET LE CIVIC CENTER

C'est le quartier des administrations, soumis aux assauts perpétuels de la modernité et des transformations permanentes. C'est ici que les membres du conseil municipal déjeunent dans les restaurants voisins, les journalistes se rassemblent dans le City Hall Park pour les conférences de presse, et les camions de télévision stationnent devant les tribunaux, notamment le tribunal du comté de New York et la cour suprême, où siègent tous les après-midi des jurys populaires. Dominant tout le quartier, l'imposant **Municipal Building** (immeuble municipal ; 100 Centre St) renferme aussi bien le bureau des mariages municipal que la station de radio locale WNYC. La populaire entrée piétonne du pont de Brooklyn, nous rappelant que Manhattan n'est pas une île, se trouve juste en face de l'hôtel de ville (City Hall). Au sud de l'hôtel de ville commence Park Row, surnommé Newspaper Row de 1840 aux années 1920, lorsque la rue regroupait toute la presse new-yorkaise. La rue est devenue une artère commerçante où se trouve notamment l'excellent magasin d'informatique et d'électronique **J&R Music & Computer World** (p. 323).

CITY HALL Plan p. 444

☎ 212-788-6865 ; Park Row ; entrée libre, visites sur rendez-vous ; 🚇 4, 5, 6 jusqu'à Brooklyn Bridge-City Hall, J, M, Z jusqu'à Chambers St

L'hôtel de ville, face à l'entrée du pont de Brooklyn, abrite le gouvernement municipal depuis 1812. Fidèles à la tradition d'une planification urbaine approximative typique des projets architecturaux new-yorkais, les responsables décidèrent de laisser la façade nord inachevée, n'imaginant pas que la ville s'étendrait de ce côté. On remédia à ce manque de clairvoyance en 1954 et l'édifice fut enfin complètement terminé. La critique d'art Ada Louise Huxtable le qualifia de "symbole de goût, d'excellence et de qualité, pas toujours égalé par la politique qui se décide en son sein".

Des visites guidées proposées par la Commission artistique de la ville de New York, permettent d'explorer les grandioses intérieurs du City Hall. Elles sont gratuites, et se déroulent les jours de semaine seulement (appelez pour prendre rendez-vous, le ☎ 311 ou le ☎ 212-NEW-YORK depuis l'extérieur de la ville).

Après avoir gravi l'escalier, théâtre de nombreuses conférences de presse et manifestations (seulement civiles, et à condition d'en avoir l'autorisation), vous vous retrouverez sous la très haute rotonde, soutenue par 10 colonnes corinthiennes, au 1er étage. À l'intérieur, on peut voir l'endroit où fut exposé pendant quelque temps le cercueil d'Abraham Lincoln en 1865 (à l'étage, en haut de l'escalier). La Governor's Room, la salle de réception, renferme 12 portraits des pères fondateurs de la nation peints par John Trumbull, la table de travail de George Washington ainsi que d'autres éléments de mobilier historique, et les vestiges d'un drapeau déployé par le premier président des États-Unis lors de son investiture en 1789. Si vous assistez quelques minutes aux délibérations du conseil, peut-être suivrez-vous un débat sur une loi controversée, des projets d'urbanisme ou, très probablement, sur le changement de nom d'une rue en l'honneur de quelqu'un, une activité qui représente près de 40% des motions votées par les 51 membres du conseil municipal.

CITY HALL PARK Plan p. 444

Park Row ; 🚇 4, 5, 6 jusqu'à Brooklyn Bridge-City Hall, J, M, Z jusqu'à Chambers St

Le parc de l'hôtel de ville a bénéficié d'une rénovation de plusieurs millions de dollars. Désormais pourvu de réverbères, de fontaines, de jolis aménagements paysagers, de tables d'échec et de bancs, il offre un moment de détente agréable, surtout les week-ends d'été, lorsqu'il accueille des concerts de R&B et de jazz. Il est souvent pris d'assaut par des manifestants – qui en ont toutefois préalablement informé le maire et ont obtenu un permis spécial. Le maire Bloomberg a en effet posé cette condition pour quiconque désirait manifester à l'intérieur du parc, sur les marches de l'hôtel de ville…

WOOLWORTH BUILDING Plan p. 444

233 Broadway ; 🚇 4, 5, 6 jusqu'à Brooklyn Bridge-City Hall, J, M, Z jusqu'à Chambers St

Ce magnifique bâtiment de 60 étages a été dessiné par Cass Gilbert et fut achevé en 1913. Avec ses 241 m de hauteur, c'était alors le plus grand immeuble de la ville, et du monde, avant qu'il ne soit surpassé par le Chrysler Building en 1929. Il a été conçu dans un style gothique voué à en accentuer la grandeur, et sa charpente en acier est recouverte de maçonnerie et de terre cuite. Il fut qualifié de "cathédrale du commerce", ce qui était supposé être une insulte, mais F. W. Woolworth, le directeur d'une chaîne de bazars dont ce bâtiment était le siège, prit ce qualificatif pour un compliment et commença même à le reprendre à son compte. Aujourd'hui, l'édifice héberge essentiellement des bureaux mais, dans le cadre d'un programme mis en œuvre par le service culturel de Lower Manhattan, les salles inoccupées du 33e étage ont récemment accueilli une douzaine d'artistes qui ont eu la possibilité de travailler dans ce magnifique espace (avec une vue à 360° sur la ville).

Le vertigineux Woolworth Building (ci-dessus)

Le bâtiment est fermé au public (même si vous devriez arriver à jeter un coup d'œil au hall magnifiquement conservé), mais vous pouvez admirer sa façade majestueuse depuis le City Hall Park, juste en face.

TRIBECA ET SOHO

Ces deux quartiers, qui se trouvent côte à côte, au sud de Houston St, sont aussi proches par l'ambiance et par l'histoire. Connus aujourd'hui pour leurs bars à la mode, leurs fabuleux restaurants et leurs petites rues adjacentes tranquilles alliant austérité industrielle et charme des pavés, ils ont attiré une population aisée qui vit dans d'immenses lofts et aime à s'attribuer le monopole du bon goût branché. Tous deux recèlent pléthore de boutiques (surtout Soho), ainsi que les vestiges d'une scène artistique autrefois très animée.

TRIBECA

Où se restaurer p. 230, Où prendre un verre p. 265, Shopping p. 330, Où se loger p. 357
Ce petit quartier se partage entre des bâtiments du XIXe siècle et d'anciens entrepôts, immenses et régulièrement reconvertis en immeubles d'habitation. Les aficionados du 7e art le connaissent comme un haut lieu du cinéma indépendant. La présence de nombreux producteurs est sans doute liée à celle de Tribeca Films, la maison de production de Robert De Niro. Son fameux **Tribeca Film Festival** (p. 25), créé à l'origine pour relancer l'économie du quartier après le 11 Septembre, attire désormais une foule chaque année plus nombreuse. Les gourmets le connaissent pour ses adresses très prisées des célébrités, tels le restaurant de sushis **Nobu** (105 Hudson St) ou le restaurant français **Bouley** (p. 230). Parmi les hôtels de luxe, on retiendra notamment le **Tribeca Grand** (p. 359). Le quartier a été baptisé ainsi par les agents immobiliers, du fait qu'il se situe dans le "TRIangle BElow CAnal St" (triangle au-dessous de Canal St, délimité par Broadway à l'est, et Chambers St au sud). Il servit tout d'abord de terre arable aux colons néerlandais, et devint plus tard un centre de l'industrie textile et des négociants en laiterie. Il accueillit ensuite les artistes dans ses lofts bon marché. Au milieu des années 1970, un programme de rénovation urbaine y fit détruire la plupart des anciens bâtiments et construire des tours, des parcs et des équipements scolaires,

notamment le **Borough of Manhattan Community College**. Même si Tribeca n'est plus le meilleur endroit en matière d'art (la majorité des galeries sont parties à Chelsea), il reste encore beaucoup à y voir. En témoigne, chaque année fin avril, le **TOAST : Tribeca Open Artist Studio Tour** (www.toastartwalk.com). Les artistes ouvrent alors les portes de leurs ateliers à quiconque s'intéresse à leurs créations. Il s'agit d'une excellente façon, amusante et gratuite, de découvrir le quartier.

Orientation

Tribeca est délimité par Canal St au nord, West St à l'ouest, Chambers St au sud et Broadway à l'est. Pour vous familiariser avec ce quartier, nous vous conseillons de prendre contact avec la **Tribeca Organization** (www.tribeca.org). Attention toutefois : les informations données sur le site ne sont pas forcément à jour.

HARRISON STREET Plan p. 444
Harrison St ; ⊙ 1, 2 jusqu'à Franklin St
Construites entre 1804 et 1828, les huit maisons du pâté de maisons de Harrison St, juste à l'ouest de Greenwich St, constituent la plus grande collection d'édifices de style fédéral de la ville. Elles ne furent cependant pas toutes bâties les unes à côté des autres : six d'entre elles se trouvaient autrefois à deux rues de là, dans un tronçon de Washington St qui n'existe plus. Au début des années 1970, l'endroit accueillait le Washington Market, une halle pour les fruits et légumes. L'urbanisation des quais (avec la construction de Manhattan Community College et d'un ensemble d'appartements) entraîna le déplacement du marché et des maisons. Seules les bâtisses des n° 31 et 33 de Harrison St sont d'origine.

TRIBECA FILM CENTER Plan p. 444
☎ 212-941-2000 ; www.tribecafilm.com ;
375 Greenwich St, entre North Moore St et Franklin St ;
⊙ 1, 9 jusqu'à Franklin St
Bien que cette société de production, fondée par Robert De Niro, regroupe essentiellement un immeuble de bureaux et de salles de projection réservées aux professionnels, le public est le bienvenu lors de séances spéciales. De Niro et Jane Rosenthal ont en outre créé en 2002 le **Tribeca Film Festival** (voir l'encadré ci-après) qui promeut des films et des programmes éducatifs. Consultez le site Internet pour connaître les dates d'événements à venir.

LE TRIBECA FILM FESTIVAL

En 4 ans d'existence, le Tribeca Film Festival – initié par Robert De Niro et Jane Rosenthal afin de contribuer à la relance de l'économie new-yorkaise et de doter la ville d'un festival de cinéma digne de ce nom – est devenu un événement apprécié, avec plus d'un million de visiteurs. Ce festival, qui propose à la fois des spectacles et des compétitions, a lieu en avril pendant une semaine. Près de 200 films y sont présentés au sein de 3 compétitions (documentaires, longs métrages et courts métrages), dont de nombreuses avant-premières (24 lors de l'édition 2005). Le festival a offert une place au soleil à des films comme *Rikers High*, un documentaire de Victor Buhler, diffusé sur ShowTime, et *Transamerica*, de Duncan Tucker, dont l'actrice Felicity Huffman a obtenu le prix d'interprétation féminine au festival, offrant au film une sortie nationale. En 2006, le Tribeca Film Festival a fusionné avec Tropfest, le plus grand festival de courts métrages au monde qui se tient à Sydney (Australie). Le mélange s'annonce détonnant. Vous trouverez billets et programmes sur www.tribecafilmfestival.org.

WASHINGTON MARKET COMMUNITY PARK Plan p. 444

☎ 212-964-1133 ; www.washingtonmarketpark.org ; Greenwich St & Chambers St ; ☻ 6h-coucher du soleil ; ⊕ 1, 2, 3 jusqu'à Chambers St

Ce parc de 1 hectare, qui abritait le plus grand marché alimentaire au monde, en 1858, est aujourd'hui très fréquenté par les familles avec leurs enfants, qui raffolent de son aire de jeux. C'est un endroit très agréable où passer un moment paisible dans un petit cadre de verdure. Sur place, on trouve un belvédère ainsi que des terrains de basket et de tennis.

SOHO

Où se restaurer p. 230, Où prendre un verre p. 265, Shopping p. 326 , Où se loger p. 357

Rien de commun entre ce quartier branché et son homonyme londonien : le Soho new-yorkais doit sont nom à son emplacement géographique, South of Houston St. Comme Tribeca, Soho s'est embourgeoisé. Le quartier est formé d'immeubles industriels utilisant des pièces préfabriquées en fonte (cast-iron), d'où son surnom de Cast-Iron District), vissées et apparentes en façade. Ils ont été bâtis juste après la guerre de Sécession,

lorsque ce secteur avait rang de principal quartier commercial de la ville. Ils hébergeaient des usines textiles, ainsi que des salles d'exposition en rez-de-chaussée. Le quartier tomba en désuétude quand les détaillants se déplacèrent au nord de la ville et les fabricants dans d'autres régions. À partir des années 1950, les immenses lofts loués à des prix dérisoires commencèrent à attirer artistes et marginaux de toutes sortes. Leur mobilisation permit de sauver le quartier de la destruction et, en 1973, de déclarer zone historique un ensemble de 26 pâtés de maisons. Malheureusement, comme il advient souvent, ces pionniers durent abandonner le quartier devenu chic et branché, les loyers devenant inaccessibles. Même si quelques galeries d'art demeurent, la plupart se sont installées à Chelsea et ont été remplacées par des boutiques de chaussures, tel l'excentrique **John Fleuvog** (p. 328), ainsi qu'un nombre croissant de chaînes de magasins, au premier rang desquelles **Adidas** (p. 326) et **Bloomingdale's** (p. 327). Par beau temps, se promener dans Prince St est un moyen idéal de faire du shopping et de s'imprégner des diverses facettes de Soho. L'été en particulier, les larges trottoirs sont investis par des artistes locaux vendant des bijoux, du tricot, des peintures, des vêtements et de l'artisanat en tout genre.

L'ambiance branchée de Soho gagne le nord de Houston St. Cette petite zone réputée pour ses magasins et ses restaurants est appelée **Noho** (voir *Promenades*, p. 210). Allez y faire un tour, en plus de Soho et Tribeca, en vous concoctant un petit programme de lèche-vitrine et de pauses café, et vous serez assuré de passer un agréable après-midi.

Orientation

Houston St marque la limite nord de Soho. Elle rejoint Little Italy par Lafayette St à l'est et Chinatown et Tribeca à l'ouest de Canal St.

CHILDREN'S MUSEUM OF THE ARTS
Plan p. 450

☎ 212-941-9198 ; www.cmany.org ; 182 Lafayette St ; 8 $; ☻ mer et ven-sam 12h-17h, jeu 12h-18h ; ⊕ B, D, V, F jusqu'à Broadway-Lafayette St

Un lieu où les enfants peuvent laisser libre cours à leur fibre artistique. Ce petit musée mérite le détour. Il abrite une collection permanente de peintures, dessins et photos d'enfants du quartier. Pour connaître ses activités, renseignez-vous sur le large éventail de programmes proposés. Vous y trouverez, au choix : des ateliers d'art, de la sculpture à la peinture sur tee-shirt, ainsi que des soirées cinéma et bien d'autres petits plaisirs.

DRAWING CENTER Plan p. 450
☎ 212-219-2166 ; www.drawingcenter.org ;
35 Wooster St ; Ⓜ A, C, E, 1 jusqu'à Canal St

Depuis sa création, en 1977, c'est le seul institut à but non lucratif dans le pays à se consacrer uniquement au dessin. Des œuvres de maîtres et d'inconnus y servent à mettre en évidence les différents styles. Des expositions historiques ont ainsi montré le travail de maîtres comme Michel-Ange, James Ensor et Marcel Duchamp, tandis que les expositions contemporaines se sont intéressées à Richard Serra, Ellsworth Kelly et Richard Tuttle. Le centre a été un temps au cœur de la controverse autour de Ground Zero, après avoir été sélectionné pour faire partie de la poignée de centres culturels candidats au transfert dans ce nouvel espace. Les querelles internes relatives à la nature des arts devant être représentés (voir l'encadré p. 124) ont finalement coupé court au projet, ses détracteurs considérant les expositions du centre comme "antiaméricaines". Pour l'instant, il reste donc à Soho.

MUSEUM OF COMIC & CARTOON ARTS Plan p. 450
☎ 212-254-3511 ; www.moccany.org ;
594 Broadway ; ⏳ ven-lun 12h-17h, mar-jeu sur rendez-vous ; adulte/enfant 3 $/gratuit ;
Ⓜ R, W jusqu'à Prince St

Ayant récemment quitté son adresse historique à Boca Raton, en Floride, ce nouveau musée a réussi à se tailler la part du lion dans Downtown. Sa mission de sensibiliser le public à la BD et au dessin animé, et de l'aider à les apprécier sous toutes leurs formes (comic, dessin humoristique, animation, illustrations politiques, caricature, etc.). Dernièrement, le musée a organisé les expositions *Modern Fairy Tales*, qui présentait le travail de Michael Kaluta et Charles Vess, ainsi que *Cartoons Against the Axis*, consacrée aux dessins humoristiques réalisés pendant la Seconde Guerre mondiale issus de la Terry D'Alessio Collection. Consultez le site pour connaître les expositions et les prochains cycles de conférences.

Le New York City Fire Museum vous mettra le feu

NEW YORK CITY FIRE MUSEUM
Plan p. 450
☎ 212-219-1222 ; www.nycfiremuseum.org ;
278 Spring St, entre Varick St et Hudson St ; donation recommandée adulte/senior et étudiant/moins de 12 ans 5/2/1 $; ⏳ mar-sam 10h-17h, dim 10h-16h ;
Ⓜ C, E jusqu'à Spring St

Installé dans une magnifique caserne datant de 1904, ce musée recèle une collection bien entretenue de rutilantes voitures à cheval et de camions modernes. Il retrace l'histoire de la lutte contre l'incendie à New York, qui débuta avec les "brigades à seaux". L'équipement lourd et coloré ainsi que le personnel sympathique en font un lieu idéal à visiter avec des enfants. Depuis le 11 Septembre, le musée comprend aussi une section en hommage aux pompiers morts à la suite des attentats. Une boutique vend des uniformes de pompiers et des livres sur le sujet.

NEW YORK EARTH ROOM Plan p. 450
www.earthroom.org ; 141 Wooster St ; entrée libre ;
⏳ mer-dim 12-18h (fermeture 15h-15h30) ;
Ⓜ R jusqu'à Prince St

Depuis 1977, cet étrange lieu pique la curiosité des visiteurs avec quelque chose que l'on ne trouve pas facilement en ville : de la terre nue. 170 m³ pour être précis. Déambuler dans ce petit espace se révèle une expérience entêtante. L'odeur vous donnera l'impression d'être entré dans une forêt humide, et le spectacle est assez poignant. Cette sculpture peu commune, de Walter De Maria, est maintenue en l'état par la fondation DIA.

TOP 10 DE DOWNTOWN

- Prendre la mer à bord d'un ferry, d'un bateau de tourisme, d'une goélette ou d'un kayak, (p. 117), et contempler Manhattan depuis le large
- Déambuler dans l'East Village (p. 135), le West Village (p. 139) ou Tribeca (p. 126), aux petites rues résidentielles excentriques et fourmillantes
- Traverser le pont de Brooklyn (p. 123) pour sa vue imprenable et s'imprégner de son histoire
- Descendre à Chinatown (p. 232) et ponctuer la promenade de dim sum, de nouilles sautées et de "Bubble-Tea"
- Dévaliser les boutiques de Soho et Noho (p. 326) – Lower Broadway et ses petites rues adjacentes sont truffées de boutiques et de repaires à bonnes affaires
- Assister au Tribeca Film Festival (p. 127), l'événement le plus en vue du printemps
- Visiter le nouveau musée d'Art contemporain (p. 143) du Lower East Side
- Festoyer jusqu'au bout de la nuit à Chelsea (p. 300), dans les clubs les plus branchés de la ville
- Dîner dans un des impressionnants restaurants du Meatpacking District (p. 240)
- Admirer l'arche de Washington Sq (p. 139), qui domine le Washington Sq Park

LE PATRIMOINE ARCHITECTURAL DE SOHO Plan p. 450

En vous promenant dans Soho, n'oubliez pas de lever la tête pour découvrir les décorations élaborées en fonte qu'arborent encore nombre d'immeubles dans les étages supérieurs. Parmi les mieux conservés, citons l'immeuble Singer (561-563 Broadway, entre Prince St et Spring St), un bel édifice de fer et de brique, ancien entrepôt de la célèbre société de machines à coudre.

Au-dessus d'un magasin de tissus et d'une épicerie fine, vous pouvez admirer les vestiges de la façade en marbre du St Nicholas Hotel (521-523 Broadway, entre Spring St et Broome St), un établissement de 1 000 chambres qui, dès son ouverture en 1854, fut l'hôtel le plus prestigieux de la ville. Il ferma en 1880, après avoir servi de quartier général au War Department (ministère de la Guerre) d'Abraham Lincoln pendant la guerre de Sécession.

Enfin, construit en 1857, l' immeuble Haughwout (488 Broadway à hauteur de Broome St) fut le premier bâtiment à se doter de l'ascenseur à vapeur conçu par Elisha Otis. Surnommé le "Parthénon du fer moulé", le Haughwout (prononcez "hao-out") se distingue notamment par sa double façade. Ne manquez pas en particulier l'horloge en fer qui donne sur Broadway.

CHINATOWN

Où se restaurer p. 232, Où prendre un verre p. 266, Shopping p. 331

Traverser Canal St vers le sud et entrer dans le fourmillant quartier de Chinatown est une fête pour tous les sens. Il s'agit du seul secteur de la ville où vous pourrez, sous un même toit, voir tour à tour des cochons grillés suspendus dans les vitrines des boucheries, sentir l'odeur du poisson frais et des kakis mûrs, entendre de la musique cantonaise et vietnamienne par-dessus les cris de vendeurs de sacs Prada bradés le long de Canal St, et avoir la possibilité d'acheter un gong en cuivre, des baguettes laquées, des lampions en papier de riz, des pantoufles chinoises en soie et une boîte de travers de porc Lee Kum Kee (au fabuleux Pearl River Mart, voir p. 329). C'est également ici que vous ferez l'une des meilleures affaires qui soit, en montant à bord du bus Fung Wah (p. 423), qui vous emmène de Chinatown jusqu'à Boston pour seulement 15 $.

Plus de 150 000 New-Yorkais d'origine chinoise vivent dans les minuscules appartements de Chinatown, constituant la plus grande communauté chinoise hors d'Asie. Dans les années 1990, Chinatown a attiré de nombreux immigrés vietnamiens, qui ont à leur tour investi des rues entières avec leurs boutiques et leurs restaurants bon marché. Les tout derniers immigrants sont originaires de Fuzhou, dans la province chinoise de Fujian (sud du pays) ainsi que du Guangdong et du Toisan.

L'officiel kiosque d'information d'Explore Chinatown (plan p. 444 ; ☎ 212-484-1216 ; www.explorechinatown.com ; Canal St, entre Baxter St et Walker St ; lun-ven et dim 10h-18h, sam 10h-19h) et son personnel serviable et polyglotte peuvent vous indiquer des restaurants, des boutiques, des monuments et des festivals. Mais nous ne saurions trop vous conseiller de visiter également par vous-même ce quartier fascinant et multiculturel. Choisissant un marché au hasard, vous pourrez flâner entre les étals de fruits et légumes aux formes bizarres, et acheter six gâteaux de tofu frais ou trois succulents gâteaux de navet à un marchand ambulant, moyennant 1 $ seulement. En quête de feux d'artifice, vous croiserez certainement de ces échoppes désuètes et mystérieuses d'herboristes chinois. Vous pourrez vous restaurer d'un petit pain aux haricots rouges ou d'un gâteau de lune dans l'une des nombreuses boulangeries, à moins de vous joindre à la foule d'ados branchés se pressant dans les bars à "Bubble-Tea" (thé glacé aux perles de tapioca) ou dans les salles de jeux. Un canard à la pékinoise sera de mise pour le Nouvel An chinois, que vous irez peut-être fêter dans l'un de ces karaokés où les clients entonnent de vieux tubes des années 1980. Mais rien n'égale le plaisir tout simple d'une promenade dans le dédale des petites rues à l'image Pell St, surnommée "haircut street" (rue de la coupe) par allusion aux très nombreux salons de coiffure qui y guettent le velu chaland.

Orientation

Ce quartier ethnique, l'un des plus vivants de Manhattan, se situe au nord des quartiers du Civic Center et du Financial District. Il s'étend largement au sud de Canal St et à l'est de Centre St, jusqu'au pont de Manhattan. Depuis quelques années, il tend toutefois à se déplacer vers l'est, dans le Lower East Side et au nord, empiétant sur Little Italy.

TEMPLES BOUDDHISTES Plan p. 444

Chinatown compte de nombreux temples bouddhistes, grands et petits, publics et obscurs. Vous les trouverez sans mal en explorant le quartier. Au moins deux d'entre eux sont considérés comme des monuments. L'**Eastern States Buddhist Temple** (64 Mott St, entre Bayard St et Canal St) est rempli de centaines de bouddhas, tandis que le **Mahayana Buddhist Temple** (133 Canal St et Manhattan Bridge Plaza) présente un bouddha en or de 5 m de haut, assis sur un lotus et entouré d'offrandes d'oranges fraîches, de pommes et de fleurs. Mahayana est le plus vaste temple bouddhiste de Chinatown, et sa façade comporte deux lions en or géants en guise de protection ; la simplicité de l'intérieur (parquet au sol, chaises rouges et lanternes en papier rouge) est rehaussée d'un magnifique bouddha, considéré comme le plus grand de la ville.

CANAL STREET Plan p. 444

J, M, Z, N, Q, R, W, 6 jusqu'à Canal St

Si les minuscules ruelles du quartier cachent de véritables trésors, il ne faut cependant pas manquer cette grande artère, où semble bouillonner la vie même de Chinatown. Toujours encombrée d'une foule nombreuse, elle foisonne de marchés où sont alignés à ciel ouvert des étals de poissons étranges, des petites herboristeries vendant toutes sortes de racines et potions, des comptoirs proposant de délicieuses bouchées au porc à 50 ¢. Ailleurs, des tréteaux ploient sous les lychees ou les poires chinoises, à moins d'être garnis de montagnes de sacs et de montres dont la contrefaçon ne fait aucun doute… sans oublier les lots de culottes à 1 $. Le spectacle mérite vraiment le détour.

COLUMBUS PARK Plan p. 444
Mulberry St et Bayard St

Les joueurs de mah-jong et de dominos s'installent sur les tables en plein air, flanqués de leurs oiseaux en cage, tandis que les amateurs de tai-chi effectuent tranquillement leurs enchaînements sous les arbres. Créé dans les années 1890, ce parc communal est le domaine des habitants du quartier. Les visiteurs sont les bienvenus, même s'ils ne suscitent que l'indifférence des habitués. Notez que le quartier de Five Points, connu pour avoir compté les premiers logements et avoir inspiré à Martin Scorsese le film *Gangs of New York*, était situé au pied de Columbus Park. Les "five points" (cinq points) résultaient autrefois de la convergence de 5 rues. Aujourd'hui, l'intersection est formée par Mosco St, Worth St et Baxter St.

MUSEUM OF CHINESE IN THE AMERICAS Plan p. 444

☎ 212-619-4785 ; www.moca-nyc.org ; 70 Mulberry St à hauteur de Bayard St ; donation recommandée 3 $; mar-dim 12h-17h ; J, M, Z, N, Q, R, W, 6 jusqu'à Canal St

Ce petit musée sur deux niveaux, fondé en hommage aux Chinois d'Amérique, va bientôt investir un lieu à sa mesure. Grâce à une subvention de la ville et à des dons privés, il doit déménager dans un nouvel espace de 1 140 m², conçu par l'architecte Maya Lin (à qui l'on doit le fameux Vietnam Memorial, à Washington DC). Le nouveau musée, qui se trouvera sur Lafayette St, entre Grand St et Howard St, comprendra des galeries d'exposition, une librairie et un bar. Son ouverture est prévue pour 2007. En attendant, le lieu actuel, fondé sur une initiative communautaire en 1980, continuera de retracer l'histoire de Chinatown et de ses habitants, au travers d'objets, de témoignages écrits et de photos. Dernièrement, le musée a organisé les expositions *Archivist of the Yellow Peril : Yoshio Kishi Collecting for a New America* (Archiviste du péril jaune : Yoshio Kishi œuvrant pour une nouvelle Amérique), qui présentait une collection de documents américains diabolisant et humanisant tout à la fois la communauté chinoise d'Amérique, ainsi que *Mapping Our Heritage Project* (Sur les traces de notre histoire), qui montrait une carte interactive de l'ancien district de Chinatown de New York.

WING FAT SHOPPING Plan p. 444
8-9 The Bowery, entre Pell St et Doyers St ; Ⓢ J, M, Z, N, Q, R, W, 6 jusqu'à Canal St

Cet étonnant centre commercial souterrain rassemble tout à la fois des spécialistes en réflexologie, des philatélistes ou des maîtres de feng shui. Il occupe un tunnel qui fut le théâtre d'une aventure digne d'un film : au début du XXᵉ siècle, les membres de deux gangs rivaux qui se livraient bataille en pleine rue s'y faufilèrent afin de disparaître avant l'arrivée de la police.

LITTLE ITALY ET NOLITA

Où se restaurer p. 233, Où prendre un verre p. 266, Shopping p. 332, Où se loger p. 357

Contrairement à Chinatown, Little Italy a vu se perdre une bonne part de ses particularités culturelles au fil des 50 dernières années. Quartier des immigrés italiens (le cinéaste Martin Scorsese a grandi dans Elizabeth St), Little Italy a vu dès le milieu du XXᵉ siècle nombre de ses habitants le quitter pour s'installer dans le quartier de Cobble Hill, à Brooklyn, ou dans des banlieues plus éloignées. Il n'y subsiste désormais que bien peu de sites culturels et de manifestations traditionnelles.

Parmi les nombreux nouveaux quartiers désignés par d'étranges acronymes – notamment Bococa (Boerum Hill/Cobble Hill/Carroll Gardens, à Brooklyn) et Soha (South of Harlem) – Nolita (North of Little Italy) est de taille modeste mais fait beaucoup parler de lui. Ses boutiques et ses restaurants sont très courus, mais il n'a rien perdu de son ambiance de petit quartier désuet.

LITTLE ITALY

Il reste bien peu de choses de ce quartier autrefois authentiquement italien, qui s'apparente aujourd'hui davantage à un parc d'attractions. Il ne cesse de rétrécir, englouti peu à peu par Chinatown. Néanmoins, de fidèles Italo-Américains qui, pour la plupart, habitent en banlieue, continuent d'affluer ici pour se réunir autour d'une table à la nappe à carreaux rouges et blancs, dans l'un des quelques restaurants implantés de longue date. C'est particulièrement vrai durant le très animé **festival de San Gennaro** (p. 26). Donnée en l'honneur du saint patron de Naples, cette fête se déroule pendant 10 jours à partir de la deuxième semaine de septembre. Fermée à la circulation de Canal St à Houston St pour l'occasion, Mulberry St regorge alors de stands de jeux en tout genre, de défilés, de courses diverses et d'étals de boissons et d'alimentation.

Les habitants font la queue à la caisse des épiceries fines pour acheter de la mozzarella fraîche, des tranches de prosciutto fines comme du papier journal et des boîtes de savoureux cannellonis. Les circuits pédestres y font halte régulièrement, avec des guides avisés pointant du doigt les hauts lieux de Mulberry St rendus tristement célèbre par la Mafia. La promenade est agréable, mais sachez que des expériences plus authentiquement italiennes vous attendent à **Bensonhurst** (p. 180), à Brooklyn, ou dans le quartier de **Belmont** (p. 202), dans le Bronx (même si eux aussi ont tendance à devenir plus touristiques que typiques).

Orientation

Little Italy occupe une grande partie de l'espace compris entre Canal St et Houston St, au nord et au sud, et entre Cleveland Pl et Bowery, à l'ouest et à l'est. Son cœur s'étend le long de Mulberry St, entre Houston St et Canal St.

MULBERRY STREET Plan p. 450
Ⓢ C, E jusqu'à Spring St

Bien qu'elle ressemble désormais davantage à un parc d'attractions qu'à une authentique rue italienne, Mulberry St symbolise toujours le cœur de Little Italy. On y trouve encore de hauts lieux tels que **Umberto's Clam House** (☎ 212-431-7545 ; 386 Broome St à hauteur de Mulberry St), où le mafieux Joey Gallo a été tué par balle dans les années 1970, de bons

131

restaurants comme **Da Nico** (☎ 212-343-1212 ; 164 Mulberry St, entre Broome St et Grand St) et **Casa Bella** (☎ 212-431-4080 ; 127 Mulberry St à hauteur de Hester St), ainsi que le bar rétro **Mare Chiaro** (p. 266), très apprécié en son temps par Frank Sinatra. Le drapeau italien flotte dans toutes les boutiques de souvenirs et les odeurs de pizza chaudes et de pâtisseries embaument toute la rue. Ne manquez pas le **Ravenite Social Club** (247 Mulberry St, transformé en boutique de cadeaux), vestige de l'époque où les gangsters régnaient sur le quartier. Appelé initialement l'Alto Knights Social Club, il fut le lieu de rendez-vous de quelques gros poissons, comme Lucky Luciano, avant de devenir le quartier général de John Gotti (et du FBI) jusqu'à son arrestation en 1992.

ANCIENNE CATHÉDRALE SAINT-PATRICK Plan p. 450
260-264 Prince St à hauteur de Mott St ; ⊙ R, W jusqu'à Prince St

Même si la cathédrale Saint-Patrick est désormais installée dans Midtown, sur Fifth Ave, sa première congrégation était logée ici, dans cette église néogothique de 1809-1815, conçue par Joseph-Francois Mangin. Ses très hautes voûtes s'élèvent à 25 m, et l'intérieur richement orné comporte un autel en marbre ainsi que des détails en feuille d'or. À son époque de gloire, l'église était le siège de la vie religieuse pour l'archidiocèse de New York, et abritait un important centre d'accueil pour les immigrés, irlandais pour la plupart. Aujourd'hui, la cathédrale assure régulièrement des services en anglais, en espagnol et en chinois. Son ancien cimetière à l'arrière est un havre de paix rêvé au milieu de l'agitation urbaine. S'il n'est pas ouvert au moment de votre passage, au moins pourrez-vous un coup d'œil à travers sa lourde grille cadenassée.

NOLITA

Ce petit coin tranquille, désormais en vogue, a vu s'installer des célébrités comme Lauren Hutton ou David Bowie et Iman, ainsi que des gourmets et des victimes de la mode, attirés par les boutiques chic et les restaurants branchés dont les files d'attente débordent sur la rue. **Rice** (p. 234) est spécialisé dans la cuisine asiatique, et le **Chibi's Bar** (p. 266), du nom de sa mascotte canine, propose des cocktails au saké. Les amateurs de shopping font des pèlerinages quotidiens à **Bond 07** (p. 330) pour ses vêtements de créateurs et ses sacs vintage,

et chez **Rebecca Taylor** (p. 333) pour ses robes féminines et couture (voir la promenade p. 210 pour plus de détails).

En passant devant l'**Old Police Headquarters Building** (ancien QG de la police de New York ; plan p. 450 ; 240 Centre St), immeuble datant de 1908, vous pourrez contempler les dômes en cuivre, les coupoles et les lucarnes, mais n'aurez pas la possibilité d'entrer dans le luxueux immeuble d'habitation qui a remplacé l'ancien QG dans les années 1980, une dizaine d'années après son déménagement.

Nolita (qui se trouve *à l'intérieur* des frontières de Little Italy) se situe sur Elizabeth St, Mott St et Mulberry St, entre Houston St et Broome St.

LOWER EAST SIDE

Où se restaurer p. 234, Où prendre un verre p. 267, Shopping p. 333 , Où se loger p. 359

Au début du XXe siècle, le Lower East Side (LES) accueillit près d'un demi-million de Juifs d'Europe de l'Est. Aujourd'hui, il continue d'attirer une foule nombreuse, mais d'une toute autre nature. Désormais, les maîtres mots sont la branchitude et l'argent, avec son cortège de bars aux ambiances ultra-lounge et de restaurants à l'image de **Suba** (p. 267). On peut ainsi emménager dans un bâtiment rénové dépourvu d'ascenseur pour un loyer moyen de 2 100 $, ou bien acheter un appartement dans un des immeubles luxueux qui fleurissent peu à peu dans ce quartier autrefois délabré. Au tout nouveau Avalon Chrystie Palace, qui compte notamment un supermarché biologique, les biens peuvent se vendre à plusieurs millions de dollars. De là, on surplombe un quartier jadis connu pour ses logements ouvriers et ses squats de toxicomanes. Les visiteurs trouveront également un bon choix de boutiques de vêtements, de galeries d'art, de cafés, de bars et de salles de concert comme le **Tonic** (p. 298), qui attire un public nombreux avec ses artistes éclectiques, et se démène pour préserver l'âme marginale et avant-gardiste du quartier.

Tout comme Little Italy, le Lower East Side a perdu une grande partie de son cachet d'origine. Seule une petite communauté juive y réside encore et l'on n'y trouve plus qu'une poignée de commerces traditionnels (quelques adresses figurent dans l'encadré ci-contre).

Il ne reste rien de l'homogénéité qui caractérisait autrefois. Aujourd'hui, le LES abrite une population de jeunes et de moins jeunes ayant réussi et un bon nombre d'artistes, de musiciens et autres designers s'accrochant à tout prix à leurs appartements à loyer contrôlé. La communauté latino-américaine, pour une bonne part d'origine dominicaine et portoricaine, investit peu à peu le bas de l'East Village (la partie appelée Alphabet City par les premiers résidents, par allusion aux Avenues A, B, C et D). Chinatown qui s'étend de plus en plus dans les quartiers voisins, participe de l'atmosphère pluriculturelle qui caractérise désormais ce quartier.

Ses innombrables bars et restaurants font par ailleurs du Lower East Side l'un des points les plus animés de New York. Ici, pour être tendance, il faut s'adapter en permanence, une règle que savent appliquer les cafés, les bars et les boutiques du quartier, en perpétuel changement. Ne soyez donc pas surpris de ne pas retrouver ce que vous avez vu lors de votre précédente visite.

Les nouvelles adresses du quartier qui créent l'événement incluent notamment l'**Hotel on Rivington** (p. 359), havre luxueux jouissant d'une belle vue, l'Avalon Chrystie Palace (évoqué précédemment), et le **New Museum of Contemporary Art**, encore en chantier. Anciennement situé sur Broadway, à Soho, ce temple de l'art moderne est temporairement hébergé à Chelsea (p. 143), mais les travaux ont commencé à sa nouvelle adresse, dans Downtown, fin 2005, en plein Bowery, entre Stanton St et Rivington St. Déjà largement médiatisé pour son architecture ultra-contemporaine conçue par l'entreprise Sejima and Neshizawa/SANAA (basée à Tokyo), l'édifice entièrement blanc de 550 m^2 et 7 étages, est le premier musée à être construit dans Downtown depuis plus d'un siècle.

Une visite au **Lower East Side Visitors Center** (centre d'information du LES ; plan p. 446 ; 261 Broome St, entre Allen St et Orchard St) est un bon moyen de vous orienter une fois arrivé dans le quartier. Autrement, il n'est pas interdit de flâner et de se perdre un peu dans les rues du quartier.

Orientation

Le Lower East Side s'étend de Bowery à l'East River, délimité au nord par Houston St et au sud par East Broadway.

EAST RIVER PARK Plan p. 449

Coincé entre un vaste projet immobilier, la FDR Drive constamment embouteillée et les eaux polluées de l'East River, ce parc ne paraît *a priori* pas très engageant ! Il mérite toutefois une visite, surtout au printemps. Il est agrémenté d'un amphithéâtre de 500 places, ses allées sont bien entretenues et les belles pelouses ont été entièrement réaménagées. Il jouit en outre d'une vue magnifique sur les ponts de Williamsburg, de Manhattan et de Brooklyn. Ses travaux de rénovation sont enfin achevés, ajoutant à l'ensemble 4 nouveaux terrains de sport, un superbe éclairage nocturne et des toilettes étonnamment propres.

SYNAGOGUE D'ELDRIDGE STREET

Plan p. 444
☎ 212-219-0888 ; www.eldridgestreet.org;
12 Eldridge St, entre Canal St et Division St ;
Ⓕ F jusqu'à East Broadway

Édifiée en 1887, la synagogue d'Eldridge St attirait régulièrement quelque 1 000 fidèles au début du XXe siècle. La fréquentation diminua dans les années 1920, avec l'application de lois sur l'immigration plus strictes qui limitaient le nombre d'immigrants. La synagogue ferma dans les années 1950. À la fin des années 1980,

PICKLES, BAGELS ET BIALYS

Si vous cherchez la communauté juive telle qu'elle est décrite dans le film de Joan Micklin Silver *Izzy et Sam* (*Crossing Delancey* ; dans lequel un entremetteur ringard force l'amour d'une jeune fille juive pour un vendeur de pickles), vous ne la trouverez plus qu'à Brooklyn. Mais le Lower East Side vous en offre tout de même un petit aperçu. Goûtez aux saveurs de l'ancien monde chez **Gus's Pickles** (plan p. 446 ; 85-87 Orchard St) ou chez **Pickle Guys** (plan p. 446 ; 49 Essex St), où vous pourrez acheter des pickles chauds, acides ou semi-acides, à base de tomates, poivrons et olives, à de sympathiques messieurs en tablier. Bien que l'on trouve d'excellents bagels et bialys (un cousin du bagel) dans toute la ville, achetez-les frais et tout chauds dans le Lower East Side, pour son ambiance authentique. Le meilleur endroit (et l'un des derniers du quartier) est **Kossar's Bialys** (plan p. 446 ; 367 Grand St). Vous trouverez une variété de produits, tels du poisson fumé, du hareng à la crème et de l'éminée de foie, chez **Russ & Daughters Appetizing** (plan p. 449 ; 179 E Houston St, entre Orchard St et Allen St).

un grand projet de restauration nécessita des travaux de rénovation. Le chantier n'est pas encore terminé mais approche de son terme, grâce à la subvention de 2,9 millions de dollars accordée par la ville. La dernière phase des travaux a doté le bâtiment d'un système moderne de ventilation, de chauffage et d'électricité (l'état de délabrement était réellement avancé), ainsi que de divers réaménagements en matière d'accueil des personnes handicapées. De futurs travaux permettront de restaurer les vitraux, de recouvrir la façade de carreaux en terre cuite, de remplacer le lustre central et de créer un centre d'accueil multimédia. Il est déjà possible d'assister à un grand nombre d'événements culturels, notamment des concerts, des expositions et des conférences. Des **visites** (adulte/senior et étudiant 5/3 $; ☽ dim et mar-jeu 11h-16h ou sur rendez-vous) sont également organisées.

MARCHÉ D'ESSEX STREET Plan p. 449

☎ 212-312-3603 ; www.essexstreetmarket.com ; 120 Essex St, entre Delancey St et Rivington St ; ☽ lun-sam 8h-18h ; ⊕ F, V jusqu'à Delancey St, J, M, Z jusqu'à Delancey-Essex St

Véritable institution locale, ce marché implanté depuis 60 ans vend produits d'épiceries, poissons, viande à la coupe, fromages et spécialités latino-américaines. Un barbier y tient même encore boutique. Repérez en particulier l'enseigne de Schapiro Wines. Premier établissement de vins kasher de New York, l'entreprise de la famille Schapiro a été créée en 1899, dans le Lower East Side. Elle proposait autrefois des visites de ses caves, mais s'est installée dans un quartier plus chic dans le courant des années 1990. On peut toujours goûter et acheter du vin sur le marché, ou se procurer dans l'un des nouveaux magasins, comme Lower Yeast Side Breads, de délicieuses baguettes fraîches, de la ciabatta et des pains aux olives.

LES GALERIES D'ART
DU LOWER EAST SIDE Plan p. 449

Même si Chelsea tient le haut du pavé en ce qui concerne les galeries d'art, le Lower East Side n'est pas en reste et compte quelques adresses intéressantes. **Maccarone Inc** (plan p. 446 ; ☎ 212-431-4977 ; 45 Canal St, entre Ludlow St et Orchard St) et **Participant Inc** (☎ 212-254-4334 ; 95 Rivington St, entre Ludlow St et Orchard St) ont été saluées comme les initiatrices de cette nouvelle tendance, il y a quelques années. Elles exposent toutes deux de nouveaux talents,

Participant Inc accueillant de surcroît des spectacles variés. **Gallery Onetwentyeight** (☎ 212-674-0244 ; 128 Rivington St) est également un espace contemporain populaire. Pour avoir un bon aperçu de l'offre du quartier, l'idéal est de participer aux **ELS-LES (Every last Sunday on the Lower East Side) Open Studios** (www.lowereastsideny. com/artwalkpartici pant.htm), chaque dernier dimanche du mois, qui permet de découvrir une vingtaine de galeries et ateliers.

LOWER EAST SIDE TENEMENT
MUSEUM Plan p. 449

☎ 212-431-0233 ; www.tenement.org ; 90 Orchard St à hauteur de Broome St ; adulte/senior et étudiant 15/11 $; ☽ centre d'information (visitors center) 11h-17h30 ; ⊕ F, V jusqu'à Delancey St, J, M, Z jusqu'à Delancey St-Essex St

Ce musée rappelle l'atmosphère désolée du quartier en mettant en scène plusieurs *tenements* (logements ouvriers) d'époque. Le centre d'information projette un film traitant des conditions de vie des habitants de ces appartements, alors souvent dépourvus d'eau courante et d'électricité. Les visites du musée (prix inclus dans l'entrée) s'effectuent uniquement avec un guide qui officie normalement tous les jours. Renseignez-vous toutefois au préalable car les horaires changent fréquemment.

Le musée a reconstitué trois *tenements* du début du XXe siècle, dont l'échoppe de vêtements de la famille Levine, arrivée de Pologne à la fin du XIXe siècle, et deux logements occupés par des immigrants pendant les Grandes Crises de 1873 et 1929. Le weekend, des visites interactives pour enfants leur permettent de revêtir les vêtements d'époque et de jouer dans l'appartement restauré (datant d'environ 1916) d'une famille juive séfarade. Le musée organise en outre des visites à pied du quartier d'avril à décembre. Elles permettent généralement de visiter la **Streit's Matzo Company** (plan p. 449 ; 148-154 Rivington St), qui a ouvert dans les années 1890, et le **First Shearith Israel Graveyard** (Plan p. 444 ; 55-57 St James Pl, entre James St et Oliver St), le cimetière de la première communauté juive du pays. Certaines pierres tombales remontent à la fin des années 1600 et abritent ceux qui fuirent l'Inquisition espagnole.

ORCHARD STREET BARGAIN
DISTRICT Plan p. 449

Orchard St, Ludlow St et Essex St, entre Houston St et Delancey St ; ☽ dim-ven ; F station Delancey St ; ⊕ J, M, Z jusqu'à Essex St

Du temps des premiers immigrants juifs, les marchands d'Europe de l'Est installaient ici leurs charrettes à bras pour écouler leurs marchandises. Les choses ont évolué, mais les quelque 300 boutiques de ce Sentier new-yorkais vendent aujourd'hui encore des articles de sport, des ceintures en cuir, des chapeaux et une vaste gamme de vêtements de créateurs (pas toujours terribles, pour être honnête). Ne perdez pas votre temps à tenter de dénicher l'article de marque bradé pour trois fois rien – vous en trouverez plus facilement dans les chaînes de magasins discount comme **Century 21** (p. 323) ou **Filene's** (p. 342) –, mais sachez que vous pourrez acheter des basiques (sous-vêtements, chaussures, sacs de l'armée ou vestes en cuir par exemple) à bon prix. Bien que les commerces n'appartiennent pas tous à des juifs orthodoxes, tous les rideaux sont baissés du vendredi après-midi au dimanche pour respecter le sabbat. Il est parfois possible de marchander un peu, mais ne rêvez pas trop non plus !

SARAH D ROOSEVELT PARK Plan p. 446
Houston St à hauteur de Chrystie St

Prêt juste à temps pour l'arrivée de son nouveau et luxueux voisin, l'Avalon Chrystie Palace, ce petit parc réaménagé est un endroit que les New-Yorkais considéraient davantage comme un haut lieu de la drogue que comme un espace vert. Mais c'est désormais de l'histoire ancienne (de même que pour Bryant Park et Tompkins Sq Park), et ce parc est désormais un simple refuge de verdure au milieu de l'agitation urbaine. Pourvu d'un repas à emporter acheté dans l'un des petits restaurants ethniques voisins, vous passerez un excellent moment à pique-niquer dans un coin ombragé. Les enfants, eux, ont à disposition une jolie petite aire de jeux.

EAST VILLAGE

Où se restaurer p. 237, Où prendre un verre p. 267, Shopping p. 335, Où se loger p. 359

L'East Village, qui a bâti sa notoriété sur des lieux comme le mythique **CBGB** (p. 296), l'antenne locale des **Hell's Angels** (regardez les Harley garées sur 3rd St, entre First Ave et Second Ave), et le club gay **Pyramid** (p. 301), avec ses drag-queens et ses stars locales des années 1980, conserve une image de quartier marginal, radical et affranchi. Il a inspiré l'adaptation cinématographique de la comédie musicale *Rent*, qui raconte

l'histoire d'artistes tentant de s'en sortir pendant les années sida, ainsi que la pochette de l'album de Led Zeppelin, *Physical Graffiti* (le bâtiment sur la photo existe toujours, au 98 St Marks Pl). Le **Nuyorican Poets Café** (p. 294), qui a joué un rôle prépondérant dans l'explosion de la poésie slam dans les années 1990, se trouve ici. **The Bowery**, une rue qui a abrité des squats et des marginaux tout au long des XIXᵉ et XXᵉ siècles, a ainsi gagné sa réputation de patrie des SDF. Les hauts lieux de la drogue étaient concentrés ici durant une bonne partie des années 1970, et les années 1980 ont vu naître une scène artistique majeure, attirant des personnalités comme la photographe Nan Goldin, le peintre Keith Haring et la poétesse Eileen Myles. Le **Tompkins Square Park** était un camping pour sans-abri, jusqu'aux fameuses émeutes de 1988, lorsque la police mit des jours à en chasser les importuns. Des conflits similaires ont encore lieu sporadiquement aujourd'hui, généralement entre les squatters, les organisateurs de jardins communautaires et l'ennemi juré du quartier : les promoteurs de luxe.

De nos jours, il apparaît clairement que les promoteurs ont l'avantage. Deux résidences de 16 étages très controversées sont presque achevées. Les appartements de ces immeubles ("195 The Bowery" et la "Sculpture à vivre" en verre et acier de Gwathmey Siegel) se vendent entre 3 et 12 millions de dollars. Le parc a été entièrement nettoyé. Il est devenu le paradis des promeneurs de chiens et des poussettes. Un peu plus à l'est, la zone qui abritait autrefois une solide communauté portoricaine et était appelée *Loisaida* et **Alphabet City**, était devenue un inquiétant repaire de drogués dans les années 1980 ; elle accueille à présent un ensemble de bars et de restaurants chic. Selon les différents points de vue, cet embourgeoisement progressif du quartier est considéré comme une bonne ou une mauvaise chose.

Pour les visiteurs en quête de mets délicats, de rencontres intéressantes, de vie nocturne variée et de boutiques indépendantes, c'est en tout cas une bonne chose. Découvrir l'East Village revient à emprunter la First et la Second Ave, ainsi que l'Ave A et l'Ave B, entre 14th St et Houston St. En plus d'y flâner dans les boutiques d'habits vintage, les marchands de disques d'occasion et les bars gays, vous pourrez aussi y goûter à pratiquement toutes les cuisines du monde, notamment

Les jardins communautaires de l'East Village

végétarienne, italienne, polonaise, libanaise, japonaise et thaïlandaise. Mais ce sont les spécialités indiennes qui sortent vraiment du lot. Il existe en fait une douzaine de restaurants indiens bon marché le long de E 6th St, entre First Ave et Second Ave. Les New-Yorkais plaisantent sur le fait que toutes les adresses de ce **Little India** se partagent le même cuisinier. Vrai ou pas, les amateurs de repas exotiques à prix doux seront comblés.

Orientation

L'East Village désigne généralement la partie située à l'est de Third Ave jusqu'au fleuve et au nord de Houston St jusqu'à 14th St. Tompkins Sq Park en représente le point névralgique. Le métro ne dessert pas tous les sites du quartier, mais ils sont rapidement accessibles à pied (ou en bus ou en taxi) depuis les stations Astor Pl, ligne 6, Lower East Side-Second Ave, ligne F ou V et First Ave ou Third Ave, ligne L.

JARDINS COMMUNAUTAIRES

Les jardins communautaires d'Alphabet City offrent un contraste saisissant avec les artères de la ville, où l'on ne voit quasiment jamais l'ombre d'un arbre. Ces jardins ont été aménagés dans des lopins abandonnés des quartiers les plus défavorisés afin de créer un tissu social. Ces carrés de verdure coincés entre les immeubles ou occupant tout un bloc se couvrirent bientôt d'arbres et de fleurs et s'agrémentèrent de bacs à sable et de sculptures, avant d'accueillir les habitants des environs pour des parties de jeux de

société. Le samedi et le dimanche, la plupart sont ouverts au public, qui vient admirer les plantations ou bavarder avec les jardiniers. Très actifs au sein de ces communautés, ces derniers sont souvent très au fait des politiques locales. Bien organisé, le **6 & B Garden** (plan p. 449 ; www.6bgarden.org ; E 6th St à hauteur de Ave B) propose concerts gratuits, ateliers et cours de yoga. Consultez son site Internet pour davantage de détails (www.6bgarden. org). Vision inhabituelle en pleine ville, trois magnifiques saules pleureurs s'élèvent sur les parcelles du **9th St Garden** et de **La Plaza Cultural** (plan p. 449 ; E 9th St à hauteur de Ave C). Jetez également un œil au **All People's Garden** (plan p. 449 ; E 3rd St, entre Ave B et Ave C), et à **Brisas del Caribe** (plan p. 449 ; 237 E 3rd St), aisément repérable grâce à sa clôture de piquets blancs.

BAINS RUSSES ET TURCS Plan p. 449

☎ 212-473-8806 ; www.russianturkishbaths.com ; 268 E 10th St, entre 1st Ave et Ave A ; entrée/forfait 10 séances 25/175 $; ☷ lun, mar, jeu, ven 11h-22h, mer 9h-22h, sam, dim 7h30-22h ; ☉ L jusqu'à 1st Ave, 6 jusqu'à Astor Pl

La disparition progressive des traditions de l'Europe de l'Est dans le Lower East Side a entraîné la fermeture de plusieurs anciens bains publics de Manhattan. Les bains gays ont pour leur part souvent été durement touchés par le sida. Les historiques bains de vapeur russes et turcs continuent toutefois de fonctionner. Ils offrent depuis 1892 hammam, bassin d'eau glacée, sauna et solarium. L'entrée comprend l'utilisation des vestiaires fermés à clé et la fourniture de peignoirs, serviettes et mules. On peut prendre des soins complémentaires, comme un gommage aux sels de la mer Morte (30 $) ou un enveloppement d'argile (38 $). Achevez ce programme détente au café russe, autour d'un jus de fruit frais, d'une salade de pommes de terre, d'un bortsch ou de blinis.

Le port du maillot de bain est obligatoire, les bains étant mixtes, sauf de 9h à 14h le mercredi (femmes) et de 7h30 à 14h le samedi (hommes). Venez si possible pendant ces tranches horaires, plus conviviales et plus calmes.

ST MARK'S-IN-THE-BOWERY Plan p. 449

☎ 212-674-6377 ; www.stmarkschurch-in-the-bowery. com; 131 E 10th St à hauteur de 2nd Ave ; ☷ lun-ven 10h-18h ; ☉ 6 jusqu'à Astor Pl, L jusqu'à 3rd Ave

Devenue un centre culturel – avec des lectures de poésie proposées par le **Poetry**

HOWL!, LE FESTIVAL DES ARTS DE L'EAST VILLAGE

Ce festival tout jeune mais déjà célèbre, surnommé "8 jours de contre-culture euphorique", a lieu chaque année à la fin du mois d'août. Il tient son nom du célèbre poème d'Allen Ginsberg, et rend hommage à l'esprit de l'écrivain et à celui de nombreux artistes en tout genre qui ont sévi dans l'East Village ces dernières décennies.

Des manifestations (généralement gratuites) sont organisées jour et nuit, dans des lieux divers et variés, tels que le Tompkins Square Park. Vous aurez l'embarras du choix entre des expositions, des lectures de poésie, des concerts punk, des performances d'art homosexuel, des comédies musicales inédites, des films... Tout ce qui ressemble de près ou de loin à de l'expression artistique.

Project (☎ 212-674-0910) ou des spectacles de danse avant-gardistes montés par **Danspace** (☎ 212-674-8194) –, cette église épiscopale s'élève sur le site d'une ferme, ou *bouwerie*, ayant appartenu au gouverneur hollandais Peter Stuyvesant. Édifiée en 1799, elle a été restaurée après un incendie en 1978 et abrite de beaux vitraux abstraits.

TOMPKINS SQUARE PARK Plan p. 449
Entre 7th St et 10th et Ave A et B ; F, V jusqu'à Lower East Side-2nd Ave, L jusqu'à 1st Ave

L'âge d'or de ce parc est depuis longtemps derrière lui, à en croire les riverains de longue date. Il a pourtant fait peau neuve, et n'a plus rien du repaire de sans-abri jonché de seringues qu'il avait fini par devenir. Sa transformation a commencé avec la destruction du kiosque et l'expulsion largement médiatisée des squatters qui campaient dans le parc en 1988, ce qui donna lieu aux émeutes de Tompkins Sq. Ces opérations symbolisèrent toutefois l'arrivée d'une nouvelle ère et peu à peu, yuppies et fashionistas s'approprièrent l'endroit.

Aujourd'hui, ses 6 ha attirent volontiers les paisibles joueurs de croquet ou d'échecs et des groupes venus pique-niquer au son d'une guitare. L'été, il accueille souvent le Howl! Festival (voir l'encadré ci-dessus) et le marathon annuel de jazz, ou le légendaire festival travesti Wigstock, revenu ici, sur sa terre natale, après avoir eu lieu pendant quelques années sur les jetées, à l'ouest de la ville. C'est le lieu idéal pour s'imprégner de l'atmosphère du quartier.

UKRAINIAN MUSEUM Plan p. 449
 ☎ 212-228-0110 ; www.ukrainianmuseum.org ; 222 E 6th St, entre 2nd Ave et 3rd Ave ; mer-dim 11h30-17h ; F, V jusqu'à Lower East Side-2nd Ave, L jusqu'à 1st Ave

Les Ukrainiens ont une longue histoire à New York, et une présence encore bien marquée ici, comme en témoignent plusieurs petits restaurants de *pierogi* (raviolis polonais), notamment les fameux **Odessa** (p. 270) et **Veselka** (p. 243). S'y ajoute un musée digne d'intérêt, qui occupe depuis peu de nouveaux locaux épurés et luxueux. Sa collection d'art populaire compte de beaux textiles tissés, des céramiques, des ferronneries et les traditionnels œufs de Pâques ukrainiens. Les visiteurs en quête de leurs racines ukrainiennes y trouveront de bons outils de recherche. Divers cours d'artisanat, de la broderie à la création de colliers, sont également proposés, ainsi que des expositions temporaires d'art populaire et des conférences.

GREENWICH VILLAGE

Où se restaurer p. 239, Où prendre un verre p. 270, Shopping p. 337, Où se loger p. 360

Jadis emblématique de la vie d'artiste, ce quartier est toujours appelé "Greenwich Village" par les visiteurs. Les habitants, eux, parlent simplement du "Village" pour désigner tout ce qui se trouve à l'ouest de l'East Village. La réputation artistique et créative de l'endroit remonte au début du XXe siècle, lorsque artistes et écrivains commencèrent à s'y installer. À partir des années 1940, il devint un lieu prisé des homosexuels. Les années 1950, pleine époque de la culture beat et du be-bop, marquèrent l'apogée de la fameuse vie de bohème. Les cafés, les bars et les clubs de jazz du Village devinrent le point de ralliement des artistes de passage sur la Côte Est. Ce fut également ici que Norman Mailer participa à la création de l'influent journal *Village Voice*.

Mais, à l'image de ce journal – qui a été récemment racheté par un nouveau groupe de presse et dont le précédent rédacteur en chef a été mis en cause par un ancien collaborateur dans une affaire de harcèlement homophobe –, le Village semble aujourd'hui quelque peu assoupi. Les nouveaux habitants des maisons au loyer exorbitant ont encouragé la ville à chasser les clubs et autres lieux bruyants, et une grande partie du parc immobilier est peu à peu rachetée par l'**université de New York** (New York

University ou NYU), qui occupe le cœur du quartier. Néanmoins, l'endroit saura vous charmer, avec sa collection éclectique de cafés, boutiques et restaurants bordant ses rues étroites, ainsi que le **Washington Square Park**, toujours animé, où les dealers ont laissé la place aux étudiants, aux enfants et aux propriétaires de chiens.

Le Village a également vu naître le mouvement pour les droits des homosexuels, qui a commencé avec une légendaire révolte menée par des drag-queens contre l'acharnement de la police au **Stonewall** (p. 268), un bar qui existe encore aujourd'hui. Christopher St demeure pour beaucoup l'épicentre de la culture gay à New York. Vous y trouverez notamment le **LGBT Community Center** (Foyer municipal LGBT ; p. 294). En fait, la présence homosexuelle a diminué et s'est déplacée à Chelsea et dans l'East Village. Mais les homosexuels hommes et femmes reviennent toujours massivement dans le quartier le dernier week-end de juin pour suivre la traditionnelle **Lesbian, Gay, Bisexual & Transgender Pride March** (p. 25).

Orientation

Délimité en gros par 14th St au nord et Houston St au sud, le "Village" occupe l'espace situé entre Broadway et Sixth Ave, même s'il déborde parfois à l'est sur Third Ave. À l'ouest de Sixth Ave commence le West Village (p. 139).

ASTOR PLACE Plan p. 446

8th St, entre 3rd et 4th Ave ; ⊕ R, W jusqu'à 8th St-NYU, 6 jusqu'à Astor Pl

Cette place doit son nom à la famille Astor, qui fit fortune dans l'immobilier et le commerce de la fourrure, et vécut dans **Colonnade Row** (429-434 Lafayette St), au sud de la place (jetez un œil à la pancarte située sur le mur du quai de la station de métro d'Astor Pl). Des neuf résidences à façade en marbre de style classique de ce complexe, quatre existent toujours, quoique fort délabrées. Astor Place est dominée par le grand édifice de briques de la Cooper Union, une université publique fondée par le millionnaire Peter Cooper en 1859. Abraham Lincoln prononça son fameux discours condamnant l'esclavage depuis son grand hall à peine achevé. Le pupitre qu'il utilisa existe toujours, mais l'auditorium n'ouvre que pour les événements publics importants.

Astor Place a subi une curieuse transformation avec l'arrivée du rutilant "Astor Place :

Sculpture à vivre", un immeuble en acier et en verre conçu par Gwathmey Siegel. Selon les points de vue, il s'agit là d'une horreur ou d'un hommage à la modernité (même si la plupart se rallient à la première opinion). Au centre de la place, la sculpture cubique intitulée *Alamo* est très prisée des skateurs et des étudiants avinés. Vous pouvez d'ailleurs tenter de la pousser : elle est mobile. L'entrée du métro est la copie conforme de l'une des premières bouches du métro du début du XXe siècle.

FORBES COLLECTION Plan p. 448

☎ 212-206-5548 ; www.forbescollection.com ; 62 5th Ave à hauteur de 12th St ; entrée libre ; ⏱ mar, mer, ven, sam 10h-16h ; ⊕ L, N, Q, R, W, 4, 5, 6 jusqu'à 14 St-Union Sq

Cette galerie rassemble des pièces de la collection personnelle du magnat de la presse Malcolm Forbes, telles que des œufs de Fabergé, des maquettes de bateaux, de vénérables éditions du Monopoly et des soldats de plomb.

GRACE CHURCH Plan p. 449

800-804 Broadway à hauteur de 10th St ; ⊕ R,W jusqu'à 8th St-NYU, 6 jusqu'à Astor Pl

Dessinée par James Renwick Jr, cette église épiscopale de style gothique fut bâtie avec du marbre taillé par les détenus de Sing Sing (prison située au nord de New York, sur l'Hudson). Après des années d'abandon, elle a récemment fait l'objet d'importants travaux de rénovation et la nuit, sa façade blanche inondée de lumière offre un élégant spectacle. On la voit de manière totalement différente selon qu'on la regarde depuis Broadway ou depuis 4th Ave et les deux points de vue valent le détour.

MERCHANT'S HOUSE MUSEUM

Plan p. 449

☎ 212-777-1089 ; www.merchantshouse.com ; 29 E 4th St ; adulte/senior et étudiant/enfant 6/4 $/entrée libre ; ⏱ jeu-lun 12h-17h ; ⊕ 6 jusqu'à Bleecker St

Installé dans un endroit difficile à localiser, à la croisée du Village, d'East Village et de Noho, ce musée donne un bon aperçu de la manière dont vivaient jadis les gens issus du milieu des affaires. Construite en 1831, cette demeure appartenait à l'importateur Seabury Tredwell. Occupée par sa plus jeune fille jusqu'à sa mort en 1933, elle conservait encore ses meubles d'origine lorsque le musée ouvrit ses portes trois ans plus tard. La collection de vêtements d'époque et la cuisine très bien préservée ajoutent encore au pittoresque de la visite.

UNIVERSITÉ DE NEW YORK (NYU)

Plan p. 448

☎ 212-998-4636 ; www.nyu.edu ; centre d'information (Information Center) au 50 W 4th St

Albert Gallatin, secrétaire du Trésor du président Thomas Jefferson, décida de fonder en 1831 un petit centre d'enseignement supérieur ouvert à tous les étudiants, sans considération de leur couleur de peau ou de leur origine sociale. Il aurait du mal à le reconnaître aujourd'hui : l'université compte quelque 50 000 étudiants inscrits et plus de 16 000 employés, répartis sur six sites différents de Manhattan. L'institution ne cesse de s'étendre et d'anciens bâtiments (comme le légendaire night-club Palladium dans 14th St) sont peu à peu rachetés et transformés en résidences universitaires ou bureaux administratifs. Ses cours jouissent d'une excellente réputation, en particulier dans les disciplines comme le cinéma, l'écriture, la médecine ou le droit. Le temps d'une expérience originale, il est possible de nouer rapidement des contacts : les stages d'une journée ou d'un week-end (sur des sujets aussi divers que l'histoire des États-Unis ou la photographie), organisés par la School of Professional Studies and Continuing Education, sont ouverts à tous.

WASHINGTON SQUARE PARK Plan p. 446

Ⓜ A, C, E, B, D, F, V jusqu'à W 4th St, R, W jusqu'à 8th St-NYU, 6 jusqu'à Astor Pl

Ce parc, comme beaucoup d'espaces publics de la ville, fut tout d'abord un cimetière pour les pauvres. Il servit également de site aux exécutions publiques. Plus récemment, il était surtout connu à la fois comme campus non officiel de l'université de New York, comme scène en plein air pour les artistes de rue et comme véritable supermarché de la marijuana. Exaspéré par le trafic de drogue, le vandalisme et l'infestation de rats, un groupe de riverains a passé des années à tenter de réunir une somme suffisante pour protéger et réaménager à grands frais le parc. Ils sont déjà parvenus à lever 2,7 millions de dollars, qui ont été affectés à l'urgente restauration de la Stanford White Arch, surnommée Washington Square Arch. Avec ses 22 m de hauteur et ses sculptures en marbre blanc, l'arche domine majestueusement le parc, et ce d'autant plus, depuis l'achèvement de sa réfection en 2004. Conçue à l'origine en bois pour célébrer le centenaire de l'investiture de George Washington, en 1889, elle connut un tel succès qu'elle fut reconstruite en pierre six ans plus tard et ornée de statues représentant

le général en temps de guerre et de paix (ces dernières sont l'œuvre de A. Stirling Calder, père de l'artiste Alexander Calder). En 1916, Marcel Duchamp grimpa au sommet de l'arche et proclama la "République libre et indépendante de Washington Square". De nos jours, l'anarchie règne en bas, où comédiens et musiciens font de la fontaine presque toujours à sec un lieu de représentation.

En dehors de l'arche, le parc est dans un état de délabrement avancé, du moins aux dires de ceux qui ont réussi à convaincre la ville d'entamer de gros travaux de rénovation dont les plans ont suscité bien des controverses. Les plus gros changements prévus par ce projet de 16 millions de dollars impliquent de déplacer la fontaine du parc, de sorte à l'aligner avec l'arche, de déplacer l'enclos pour chiens, de remplacer la place par une pelouse, et, au grand dam de certains, d'ajouter une clôture en fer et en granit qui sera fermée la nuit. Les défenseurs de l'espace public sont en ordre de bataille, les habitués du parc n'acceptent pas que l'on puisse porter atteinte au charme désuet de l'aménagement actuel, et la situation de semble pas près de s'arranger.

TERRAINS DE BASKET DE WEST 4TH STREET Plan p. 446

6th Ave à hauteur de W 4th St

Surnommé "The Cage" (la cage), ce petit terrain de basket enclos de barrières métalliques accueille des matchs endiablés. Plus touristique que son équivalent à Harlem, le Rucker Park, il attire en plein cœur du Village des foules de spectateurs enthousiastes qui se pressent contre les barrières pour acclamer et huer des joueurs souvent talentueux. La saison bat son plein l'été, avec les matchs de la W 4th St Summer Pro-Classic League, dans la course depuis 26 ans. Le terrain connut son heure de gloire en 2001, lorsque Nike profita de sa popularité pour y tourner une publicité. Les amoureux du basket continuent aujourd'hui encore de s'y retrouver le week-end.

WEST VILLAGE ET LE MEATPACKING DISTRICT

Où se restaurer p. 240, Où prendre un verre p. 270, Shopping p. 339, Où se loger p. 360

La partie s'étendant à l'extrémité ouest du Village, là où les rues sinueuses font place aux berges aménagées de l'Hudson

LA RENAISSANCE DE LA HIGH LINE

Dans un New York où les promoteurs sont rois, l'histoire de la High Line ressemble à un vrai conte de fées. Cette voie ferrée suspendue à 9 m de hauteur, enfouie sous les mauvaises herbes et à l'abandon depuis les années 1960, s'étend de Gansevoort St, dans le Meatpacking District, jusqu'à 34th St. Il y a quelques années, un groupe de militants a décidé de batailler auprès de la ville pour transformer cet espace vierge inespéré en un parc tout en longueur et, miracle, ils ont gagné. L'aventure commence en 1999, quand un groupe de militants, Les Amis de la High Line, décide de sauver la voie ferrée de la démolition et, par la même occasion, de faire un pied de nez aux entrepreneurs trop gourmands. Giuliani s'oppose à l'opération de sauvetage, mais le maire Bloomberg décide de la soutenir (la promesse de 50 millions de dollars de subvention y est sûrement pour quelque chose). Le chantier a débuté en 2006, et la première portion de l'espace vert municipal devrait ouvrir en 2008. Ce long couloir de verdure permettra de relier deux quartiers excentrés du Lower West Side. Avec la Promenade Plantée de Paris, construite sur une ancienne voie ferrée, située sur les hauteurs d'un viaduc, la High Line sera le deuxième parc suspendu au monde.

River Park, puis au fleuve lui-même, est un charmant quartier connu sous le nom de West Village. Au nord de ce dernier, mais toujours au-dessous de 14th St, se trouve le Meatpacking District, autrefois célèbre pour ses abattoirs, ses clubs sado-maso et ses travestis. Il connaît aujourd'hui un inexorable embourgeoisement. Le week-end, les gens y affluent des quatre coins de la ville, et surtout de banlieue, pour se mettre dans le bain des dernières tendances.

WEST VILLAGE

Le West Village, avec ses quartiers résidentiels arborés, bordés de maisons, de cafés et de boutiques chic, jouit d'une ambiance plus tranquille que le Meatpacking District – à l'exception de **Christopher St**, qui mène au fleuve, où vous trouverez une série de bars gays tape-à-l'œil et de boutiques vendant des souvenirs kitsch tels des tee-shirts de plus ou moins bon goût, des bandanas aux couleurs du drapeau arc-en-ciel, ou des vêtements en cuir. Vous pourrez y échapper en vous réfugiant dans le petit **Christopher Park** (plan p. 448 ; Christopher St à hauteur de 7th Ave South), où les statues *Gay Liberation* de George Segal constituent autant d'hommages à la liberté sexuelle. Le reste du quartier se révèle idéal pour flâner et se perdre avec enchantement (c'est en effet le seul endroit de Manhattan qui ne soit pas organisé en quadrillage, puisqu'il était autrefois composé de sentiers réservés aux chevaux). Vous aurez de fortes chances d'y croiser des célébrités, ce quartier huppé (qui a servi de toile de fond au tournage de la série *Sex and the City*) abritant un certain nombre de personnalités du gotha, notamment Sarah Jessica Parker et Matthew Broderick, Willem Dafoe, Lili Taylor et Nicole Kidman. **Perry St**

constitue un bon poste d'observation, ses luxueux immeubles dessinés par Richard Meier fourmillant de stars.

Orientation

Comme le Village, ses frontières sont floues, mais il occupe en gros la zone située à l'ouest de Sixth Ave, délimitée au nord par 14th St (à l'exclusion de la petite extrémité occidentale qui correspond au Meatpacking District) et au sud par Houston St.

ABINGDON SQUARE Plan p. 448
Hudson St et W 12th St

Ce petit triangle d'asphalte (à peine 1 000 m²) a récemment été transformé en un joli espace vert grâce aux 760 000 $ de subvention versés par des députés locaux. Il déploie désormais des collines herbeuses, des lits de plantes vivaces et des sentiers sinueux. Le samedi s'y installe un marché biologique très prisé. C'est un endroit idéal pour pique-niquer à l'heure du déjeuner ou pour vous reposer après avoir arpenté les rues tortueuses du West Village. Vers l'extrémité sud du parc, vous découvrirez le *Abingdon Doughboy* (les fantassins étaient à l'époque surnommés "doughboy"), une statue en bronze en hommage aux natifs du quartier morts au front durant la Seconde Guerre mondiale.

CHRISTOPHER STREET PIER Plan p. 448
Christopher St à hauteur de l'Hudson ; ⊚ 1 jusqu'à Christopher St-Sheridan Sq

Autrefois domaine réservé des gays et drag-queens (tels que les représente, en 1990, le documentaire de Jennie Livingston *Paris is Burning*), cette jetée rénovée depuis peu attire désormais une population beaucoup plus hétérogène. L'Hudson River Park Project a pris soin de l'agrémenter d'une pelouse, de parterres fleuris, d'un ponton en bois, de parasols, de bancs et d'une jolie fontaine. Balayée l'été par une légère brise, elle offre un beau panorama sur l'Hudson.

MEATPACKING DISTRICT

Comparé à son voisin le West Village, ce quartier se révèle plus branché. Il a un côté moins désuet et davantage "industriel-chic". Il est très agréable de s'y promener un après-midi, en semaine, quand les rues sont calmes. C'est le moment d'explorer à l'envi les nombreux nouveaux attraits de ce quartier, telles les boutiques à la mode comme **Jeffrey** (p. 339). Il vous faudra braver la foule pour découvrir les hauts lieux de la nuit comme **Cielo** (p. 300), **Lotus** (p. 301) et le très prisé **Hotel Gansevoort** (p. 361), ou des restaurants comme **Spice Market** (p. 241).

Vous réprimerez peut-être un frisson en songeant que ce quartier comptait 250 abattoirs en 1900. Il n'en reste plus que 35 à l'heure actuelle, les autres ayant, pour la plupart, été délogés du fait des loyers très élevés. Face aux projets de réhabilitation majeurs de leur quartier, les habitants n'eurent – comme pour tout quartier en voie d'embourgeoisement rapide – qu'une réaction d'indifférence et de mépris, cachant un brin d'excitation. Pourtant, lorsque des promoteurs offrirent, voici quelques années, de construire un ensemble d'appartements de luxe, les habitants exaspérés, des politiciens et d'autres activistes se mobilisèrent pour s'y opposer. Bien que ce projet ne soit pas définitivement enterré, ce mouvement, mené par l'association de protection du patrimoine, Greenwich Village Society for Historical Preservation, qui s'est baptisée "Save Gansevoort Market" en hommage à l'ancien nom du quartier, a remporté une victoire décisive en 2004. Il a en effet convaincu la ville de nommer zone historique 12 pâtés de maisons du Meatpacking District, ce qui permettra d'en protéger tous les éléments architecturaux et historiques typiques.

Les questions débattues actuellement tiennent à la conversion de la High Line en espace vert (voir l'encadré p. 140) et les plans visant à développer une scène artistique en délocalisant le **DIA : Chelsea Museum** (535 W 22nd St) dans le quartier. Le nouveau musée, qui se situera au-dessous de la High Line et longera Gansevoort St, de Washington St à West St, est en train d'être conçu sous l'égide de Diller Scofidio + Renfro, un cabinet renommé à qui l'on doit la galerie Eyebeam et le réaménagement du Lincoln Center. L'autre projet en cours concerne la future implantation d'un nouvel établissement de la chaîne **Standard** de l'hôtelier Andre Balazs, qui devrait débarquer dans Midtown en 2006.

Le Meatpacking District est une petite zone juste au sud de 14th St, délimitée à l'ouest par Ninth Ave et au nord par W 12th St.

CHELSEA

Promenades p. 217, Où se restaurer p. 242, Où prendre un verre p. 271, Shopping p. 340, Où se loger p. 362

Centre du négoce des produits secs et du commerce de détail pendant l'âge d'or, à la fin du XIXe siècle, Chelsea et ses grands magasins étaient fréquentés par une clientèle aisée. On peut encore voir de vieux entrepôts près de l'Hudson ainsi que de nombreux hôtels particuliers, notamment ceux, superbement restaurés, du **Chelsea Historic District**, parmi la vingtaine de pâtés de maisons située entre Eighth Ave et Tenth Ave. Au cœur du quartier, propice à la flânerie et à l'exploration personnelle, se trouve le **General Theological Seminary** (plan p. 446 ; ☎ 212-243-5150 ; 175 9th Ave, entre 20th St et 21st St ; ☺ lun-ven 12h-15h, sam 11h-15h), un campus doublé d'un paisible jardin ouvert au public.

Aujourd'hui, ce quartier est connu pour des attraits d'une autre nature : la ribambelle d'Appolons gays qui parcourent Eighth Ave, affluent dans les salles de gym et dans les cafés branchés durant les happy hours. Votre regard sera également attiré par la nuée de cafés, de boutiques et de restaurants qui se sont ouverts ces deux dernières années. Plus à l'ouest, les galeries d'art du périmètre de Ninth Ave et de Tenth Ave, en continuel développement, ont depuis longtemps volé la vedette à celles de Soho. Les jeudis et vendredis, les vernissages simultanés drainent une cohorte de critiques et d'acheteurs blasés. Mais les nouveaux arrivants, tel le musée technologique **Eyebeam** (540 W 21st St), dont l'ouverture est prévue en 2007 dans un bâtiment moderne dessiné par Diller + Scofidio, suscitent déjà des critiques. Les chineurs intéressés noteront que le bien-aimé **Annex Antiques Fair & Flea Market** (marché aux puces de Chelsea) a déménagé à Hell's Kitchen (p. 151), mais un marché couvert de taille plus modeste, l'**Antiques Garage** (plan p. 452 ; 112 W 25th St, entre 6th Ave et 7th Ave ; ☺ sam-dim 6h30-17h) mérite un petit détour. Nous vous conseillons également de vous promener dans le petit mais fascinant **Flower District** (autour de 6th Ave, entre 26th St et 29th St), un matin, en semaine, quand les camions déchargent fleurs et plantes odorantes. Vous pourrez y trouver d'excellentes affaires en matière d'articles de décoration, avec par exemple des caisses de bougies votives ou des objets en bambou.

Orientation

Situé au nord de Greenwich Village et du Meatpacking District, Chelsea s'étend vers le nord de 14th St jusqu'à 28th St et vers l'ouest de Broadway jusqu'à l'Hudson.

CHELSEA ART MUSEUM Plan p. 446

☎ 212-255-0719 ; www.chelseaartmuseum.org ; 556 W 22nd St ; adulte 6 $ (jeu 3 $ après 18h), étudiant et senior 3 $; ✆ mar, mer, ven, sam 12-18h, jeu 12h-20h ; ⊕ C, E jusqu'à 23rd St

Ce musée, qui compte parmi les nombreuses nouvelles adjonctions à la scène artistique du quartier, occupe un bâtiment de 3 étages en briques rouges datant de 1850, sur un terrain qui appartenait autrefois à l'écrivain Clement Clarke Moore (1779-1863). Il se consacre à l'expressionnisme abstrait de l'après-guerre, exposant aussi bien des artistes américains qu'internationaux. Sa collection permanente inclut des œuvres d'Antonio Corpora, de Laszlo Lakner et du sculpteur Bernar Venet. Il héberge également la Miotte Foundation, chargée de réunir les travaux de Jean Miotte, un artiste établi à Soho qui joua un rôle prépondérant dans le genre Informel.

LES GALERIES DE CHELSEA

Chelsea abrite la plus importante concentration de galeries d'art de la ville, et leur nombre ne cesse d'augmenter. La plupart se trouvent autour de 20th St, entre Tenth Ave et Eleventh Ave, où des vernissages ont régulièrement lieu le jeudi soir. Pour un guide complet et une carte, prenez une copie du mensuel *Gallery Guide* (www.galleryguide. com), distribué gratuitement dans la plupart des lieux qui exposent. Reportez-vous également p. 217 pour une promenade à pied dans les galeries de Chelsea. Parmi les galeries qui font le plus parler d'elles, signalons : la **galerie Andrea Rosen** (plan p. 452 ; 525 W 24th St), qui possède de merveilleuses pièces de Julia Scher, Rita Ackerman et Felix Gonzalez-Torres ; la **galerie Mary Boone** (plan p. 452 ; 541 W 24th St), dont la propriétaire s'est rendue célèbre dans

les années 1980 en repérant Jean-Michel Basquiat et Julian Schnabel à Soho ; et la **galerie Matthew Marks** (plan p. 446 ; 522 W 22nd St), une des premières à s'être installée à Chelsea, connue pour exposer de grands noms, de Nan Goldin à Ellsworth Kelly.

CHELSEA HOTEL Plan p. 446

☎ 212-243-3700 ; 222 W 23rd St, entre 7th Ave et 8th Ave ; ⊕ 1, 2, C, E jusqu'à 23rd St

Le lieu le plus intéressant de la bruyante 23rd St est un hôtel en briques rouges, doté de balcons en fer forgé. Pas moins de sept plaques signalant l'intérêt littéraire de l'immeuble ornent le rez-de-chaussée. Avant que Sid Vicious y assassine sa petite amie, l'établissement était déjà réputé pour avoir reçu des écrivains tels que Mark Twain, Thomas Wolfe, Dylan Thomas et Arthur Miller. Jack Kerouac y aurait écrit *Sur la route* d'un seul trait. L'hôtel a depuis longtemps les faveurs des musiciens, et compte de nombreux excentriques parmi ses hôtes permanents. Son bar en sous-sol, **Serena** (p. 272), est idéal pour prendre un martini dans une atmosphère tamisée et sensuelle. Pour l'anecdote : c'est ici que fut tourné *Léon* de Luc Besson, avec Jean Reno.

MARCHÉ DE CHELSEA Plan p. 446

www.chelseamarket.com ; 75 9th Ave, entre 15th St et 16th St ; ⊕ A, C, E jusqu'à 14 St, L jusqu'à 8th Ave

Les amateurs de cuisine auront l'impression de pénétrer dans la caverne d'Ali Baba en accédant à ce marché couvert de 244 m de long regorgeant de produits frais. Ce marché n'occupe en fait qu'une petite partie du pâté de maisons qui abritait dans les années 1930 l'usine de cookies Nabisco et accueille actuellement les chaînes Food Network, Oxygen Network et la chaîne d'information locale NY1. Parmi les 25 boutiques, on compte Amy's Bread (boulangerie), Fat Witch Brownies, The Lobster Place, Hale & Hearty Soups (soupes), Ronnybrook Farm Dairy (crèmerie) et la boucherie Frank's. Vous pouvez aussi vous asseoir et vous détendre au café bio de Green Market, ou bien acheter des fleurs à Chelsea Wholesale Flowers, et du vin chez le caviste réputé, Chelsea Wine Vault.

CHELSEA PIERS Plan p. 446

☎ 212-336-6000 ; www.chelseapiers.com ; au bord de l'Hudson à l'extrémité de 23rd St ; ⊕ C, E jusqu'à 23rd St

Dans cet énorme complexe sportif, on peut effectuer un parcours de golf sur quatre étages puis s'élancer sur la patinoire couverte ou louer des rollers pour se promener jusqu'à Battery Park, le long de la nouvelle piste cyclable d'Hudson Park. Il comprend également un élégant bowling, un espace dédié au basket, une école de voile pour les enfants, des terrains de base-ball, d'immenses installations de gym avec piscine couverte (50 $ la journée pour les non-membres) et un mur d'escalade intérieur. Des kayaks sont disponibles gratuitement à la Downtown Boathouse, juste au nord du Pier 64. Enfin, vous pourrez vous restaurer ou boire un verre à la brasserie Chelsea Brewing Company (p. 271) qui sert de la bonne cuisine de pub et de délicieuses bières maison au bord de l'eau. Bien que les Piers soient coupés par la West Side Hwy et son intense trafic, le choix des activités proposées attire les foules ; le bus M23 dessert l'entrée principale, ce qui évite un long trajet à pied depuis le métro. Pour plus d'informations, voir l'encadré p. 314.

HUDSON RIVER PARK Plans p. 446 et p. 444
www.hudsonriverpark.org ; côté ouest de Manhattan, depuis Battery Park jusqu'à 59th St

Englobant bien plus que Chelsea – même s'il s'étend principalement ici –, ce parc au bord de l'eau de 8 km de long et d'une superficie de 220 ha, est géré par l'Hudson River Park Trust, et présente différents stades de construction. Si, des années durant, le West Side était synonyme d'embouteillages sur la West Side Hwy, de distractions douteuses et de nuages de pollution noyant l'horizon du New Jersey, la ville a désormais emboîté le pas de la plupart de ses consœurs du bord de l'eau – Chicago, Miami, Paris – et fait des berges de l'Hudson un cadre spectaculaire. Une piste destinée aux bicyclettes, aux coureurs et aux rolleurs le

traverse sur toute sa longueur. Rien n'est laissé au hasard : jardins communautaires, terrains de basket, aires de jeux, espaces permettant aux chiens de s'ébattre et jetées rénovées pour servir d'esplanades, satisfont les plus exigeants. À noter aussi les parcours de golf miniature et, l'été venu, un cinéma et un lieu de concerts en plein air. Pour visualiser le plan détaillé du parc, consultez son site Web.

MUSEUM AT FIT Plan p. 452
☎ 212-217-5800 ; www.fitnyc.edu ; 7th Ave à hauteur de 27th St ; entrée libre ; 🕑 mar-ven 12h-20h, sam 10h-17h ; 🚇 1 jusqu'à 28th St

Le Fashion Institute of Technology (FIT) est une école de mode, design et beaux-arts installée aux abords du Fashion District (p. 322) de Manhattan. Le meilleur moyen d'en apprécier les richesses exceptionnelles consiste à visiter son musée, qui héberge des expositions sur la mode et le style, et comprend des travaux d'étudiants. Sa nouvelle collection permanente, ouverte fin 2005, est la 1re galerie du pays sur l'histoire de la mode et du textile ; elle présente des objets tirés de sa collection de plus de 50 000 vêtements et accessoires datant du XVIIIe siècle à nos jours.

NEW MUSEUM OF CONTEMPORARY ART Plan p. 446
☎ 212-219-1222 ; www.newmuseum.org ; 556 W 22nd St ; adulte/artiste, senior et étudiant/enfant de moins de 18 ans 6/3 $/gratuit ; 🕑 mar, mer, ven, sam 12h-18h, jeu 12h-20h ; 🚇 C, E jusqu'à 23rd St

Ce musée a récemment quitté Soho pour rejoindre ces locaux temporaires, en attendant

Rouler, voguer, pagayer, grimper… Venez vous défouler aux Chelsea Piers (ci-contre)

l'achèvement des travaux du fabuleux bâtiment du Lower East Side (voir p. 132). Il a pour mission d'exposer des œuvres datant de moins de 10 ans. Il a notamment présenté le travail de Brian Jungen (Vancouver), qui transforme des biens de consommation comme des baskets ou des battes de base-ball, en impressionnantes sculptures, et *Andrea Zittel: Critical Space*, dans lequel l'artiste utilise ses connaissances en architecture et en design pour décrypter la vie dans la société occidentale. Ne manquez pas la Media Z Lounge, une salle équipée de matériel numérique, vidéo et audio. L'endroit compte également une bonne librairie, très bien pourvue en livres d'art et monographies.

RUBIN MUSEUM OF ART Plan p. 446

☎ 212-620-5000 ; www.rmanyc.org ; 150 W 17th St à hauteur de 7th Ave ; adulte/senior et étudiant/enfant 7/5 $/gratuit ; ⏰ lun et sam11h-19h, mer 11h-17h, jeu-ven 11h-21h, dim 11h-18h ; ⬤ 1 jusqu'à 18th St

Ce tout nouveau musée, qui a ouvert ses portes en 2004, est le premier dans le monde occidental à s'intéresser à l'art de l'Himalaya et des régions environnantes. Ses impressionnantes collections incluent notamment des broderies chinoises, des sculptures en métal du Tibet, des sculptures sur pierre du Pakistan, des peintures bhoutanaises très élaborées, ainsi que des objets rituels et des masques de danse de différentes régions tibétaines, couvrant une période allant du IIe siècle au XIXe siècle. Les dernières expositions temporaires ont notamment traité du rôle des femmes dans l'art himalayen.

UNION SQUARE ET LE FLATIRON DISTRICT

Où se restaurer p. 243, Où prendre un verre p. 272, Shopping p. 342 , Où se loger p. 364

Bien que ces deux secteurs aient des caractères distincts – jeune, animé, plutôt tourné vers le shopping pour Union Sq, branché, fourmillant de restaurants, avec un zeste de culture pour Flatiron – ils ont tendance à se confondre d'un point de vue géographique, et partagent des caractéristiques similaires : une absence de prétention, une belle architecture et juste ce qu'il faut de commerces dans un environnement résidentiel.

Union Sq fut à l'origine l'un des premiers quartiers d'affaires de New York.

Sa situation le rendait en outre propice aux rassemblements ouvriers et aux manifestations politiques qui s'y déroulèrent pendant tout le milieu du XIXe siècle. L'origine de son nom s'avère toutefois des plus prosaïques : sa création résulta en fait de l'"union" entre les anciennes artères du Bowery et de Bloomingdale (Broadway, aujourd'hui). Dans les années 1960, le quartier se transforma en rendez-vous des drogués et des gigolos. Les années 1990 ont en revanche marqué sa renaissance, en particulier grâce à l'arrivée du **Greenmarket Farmers' Market** (p. 146). Après des travaux de rénovation menés en 2002, **Union Square Park** est devenu une ruche bourdonnante. Entouré d'une kyrielle de bars et de restaurants, de l'énorme **Regal Union Square Stadium 14** (850 Broadway) et de grands magasins comme **Virgin Megastore** (p. 343), **Filene's** (p. 342), **Barnes and Noble** et le nouveau **Whole Foods** (p. 343), c'est à présent un lieu populaire de jour comme de nuit.

Sur un rayon de dix pâtés de maisons, Flatiron District, avec ses nombreux lofts et magasins, parvient à imiter Soho, la prétention, les prix élevés et l'affluence en moins. De bons restaurants sont au rendez-vous ainsi que quelques discothèques et une pléthore de magasins. Son nom provient de l'**immeuble du Flatiron** (ci-dessous), splendide réalisation architecturale évoquant un fer à repasser, qui se dresse au sud du Madison Sq Park.

Orientation

Union Sq, quelques pâtés de maisons de chaque côté d'Union Sq Park, à l'angle de 14th St et de Broadway, touche le Flatiron District, la zone nouvellement animée de part et d'autre de Madison Park, à l'angle de 23rd St et de Broadway.

FLATIRON BUILDING Plan p. 446

Broadway, entre 5th Ave et 23rd St ; ⬤ R, W, 6 jusqu'à 23rd St

Conçu en 1902 par Daniel Burnham, ce bâtiment de 20 étages possède une façade de style beaux-arts et une étroite silhouette triangulaire tout à fait unique, semblable à une étrave. Sa façade en pierre, construite sur une structure en acier, devient de plus en plus belle et complexe à mesure que le regard s'y attarde. Le bâtiment, que l'on distingue mieux depuis 23rd St, entre Broadway et Fifth Ave, dominait la place pendant la vague de construction des gratte-ciel, au début des années 1900. Les images du Flatiron qui furent publiées avant son ouverture officielle (grâce, entre autres, au dévelopement de la production en masse de cartes postales) excitèrent la curiosité du monde entier. La société de presse Frank A Munsey fut l'un des premiers locataires du bâtiment, au 18e étage, et installa ici le *Munsey's Magazine*, qui publia les écrits de O. Henry. Ses rêveries, ainsi que les peintures de John Sloan et les photographies de Stieglitz, ont su immortaliser le Flatiron de l'époque, tout comme l'actrice Katherine Hepburn, qui déclara au cours d'une interview télévisée qu'elle aimerait être autant admirée que ce majestueux immeuble. Aujourd'hui, il reste l'un des monuments le plus photographié à New York.

MADISON SQUARE PARK Plan p. 452
Entre 23rd St et 26th St et 5th Ave et Madison Ave
Ce parc marquait la limite nord de Manhattan avant l'explosion démographique qui suivit la guerre de Sécession. Grâce au projet de réhabilitation lancé en 2001, les riverains sont autorisés à faire courir leurs chiens dans un périmètre prévu à cet effet. Pendant ce temps, les employés, qui peuvent désormais se ravitailler sur place au très branché **Shake Shack** (p. 245), déjeunent sur de nouveaux bancs à l'ombre. Ces derniers se révèlent une halte parfaite d'où contempler les monuments alentour, en particulier le Flatiron (ci-dessus), la Metropolitan Life Tower Art déco, et l'immeuble de la New York Life Insurance Company surmonté d'une flèche dorée. Le parc héberge plusieurs statues de personnalités du XIXe siècle, dont le sénateur Rosco Conkling (mort gelé lors d'une brusque tempête de blizzard en 1888) et l'amiral David Farragut, héros de la guerre de Sécession. Entre 1876 et 1882, le bras de la statue de la Liberté portant la torche y fut exposé. Le premier Madison Sq Garden, édifié en 1879, se tenait sur ce site (à l'angle de Madison Ave et 26th St).

MUSEUM OF SEX Plan p. 452
☎ 212-689-6337 ; www.museumofsex.org ; 233 5th Ave à hauteur de 27th St ; adulte/senior et étudiant 14,50/13,50 $; ◷ dim-ven 11h-18h30, sam 11h-20h ; Ⓞ N, R, W jusqu'à 23 St
Moins osée qu'on l'imagine, cette institution culturelle inaugurée en 2002 retrace sous un angle intellectuel l'histoire des relations entre New York et le sexe, des bars topless à la pornographie, en passant par l'effervescence de la rue. Vous ne verrez ni séances "live" ni go-go dancers en tenue d'Adam mais une collection composée de films, de magazines et de poupées gonflables rétro. Des expositions fréquemment renouvelées traitent de sujets comme le rôle de New York dans la sexualité mondiale ou sur l'érotisme chinois. Des lectures érotiques, des one-man-shows et des séminaires d'éducation sexuelle s'y déroulent également.

TIBET HOUSE Plan p. 446
☎ 212-807-0563 ; www.tibethouse.org ; 22 W 15th St, entre 5th Ave et 6th Ave ; entrée libre ; ◷ mar-ven 12h-17h ; Ⓞ F jusqu'à 14th St, L jusqu'à 6th Ave
Avec le Dalaï Lama à la tête de son conseil d'administration, cet espace culturel à but non lucratif présente les traditions ancestrales du Tibet, au moyen d'expositions artistiques, d'une bibliothèque de recherche, de publications, et de programmes. Ces derniers comprennent notamment des ateliers éducatifs, des séances de méditation, des week-ends de retraite ainsi que des voyages organisés par des conférenciers à travers le monde. Les expositions attirent une foule éclectique et passionnée et ont déjà présenté des photographies du Tibet de Brian Kistler et Sonam Zoksan, et retracé l'histoire architecturale du Tibet dans le travail de Michel Peissel.

UNION SQUARE Plan p. 4446
17th St, entre Broadway et Park Ave S ; Ⓞ L, N, Q, R, W, 4, 5, 6 jusqu'à 14th St-Union Sq, W lun-ven seulement
Ouvert en 1831, ce parc voit rapidement fleurir autour de lui un ensemble d'hôtels particuliers, de prestigieuses salles de concert, et pour finir, une kyrielle de magasins de luxe. C'est à ces derniers que l'endroit doit son surnom de "Ladies' Mile" (le "kilomètre" des dames). Puis, du début de la guerre de Sécession jusqu'au XXe siècle (et pendant une bonne partie de celui-ci), il devient le théâtre de manifestations en tout genre, des syndicalistes aux activistes politiques. À l'époque de la Seconde Guerre mondiale, la zone est délaissée, mais finit par accueillir toutes sortes d'organismes, notamment l'American Civil Liberties Union, le siège des partis communiste et socialiste, et le Ladies' Garment Workers Union.

Dans les années 1960, le parc devient le quartier général des hippies, attirés par la fameuse **Factory** d'Andy Warhol, située au 33 Union Square West (dans un bâtiment qui abrite désormais, curieux signe des temps, une librairie Barnes and Noble).

LES MARCHÉS BIOLOGIQUES DE NEW YORK

À la grande surprise des touristes, les marchés biologiques (www.cenyc.org) font partie intégrante de la culture new-yorkaise et sont chéris par les habitants de la ville. Sur les 40 marchés répartis dans les cinq boroughs, celui d'Union Square, véritable corne d'abondance, demeure l'un des plus prisés (le lundi, mercredi, vendredi et samedi), mais vous apprécierez sans doute davantage les marchés plus petits et moins fréquentés découverts au tréfonds de quartiers excentrés. Là, sur les trottoirs et parkings, se pressent les producteurs régionaux, qui viennent vendre produits laitiers de la ferme, fruits et légumes bio, herbes aromatiques, sirop d'érable, miel et pains artisanaux. Nos préférés : celui de W 97th St (le vendredi), d'Isham St (le samedi) à Inwood, de Poe Park dans le Bronx (le mardi) et de Grand Army Plaza (le samedi) à Brooklyn. Ils attirent une clientèle variée, des mères de famille désireuses de nourrir leurs bambins avec des légumes récoltés la veille, aux chefs réputés qui s'y procurent des denrées rares extra fraîches, comme les crosses de fougères, les feuilles de curry ou les brocolis violets. Même si vous n'avez rien à acheter, flâner sur ces marchés est une authentique expérience new-yorkaise et un véritable festin pour les yeux, et potentiellement pour l'estomac, si vous avez la chance de tomber sur une dégustation gratuite de fromage ou de pain.

Son ultime transformation s'est faite sous le signe de l'éclectisme, le parc accueillant tout à la fois des oisifs, des employés du quartier, de nombreux skateurs ainsi que des manifestants anti-guerre ou anti-Bush. Le marché de Noël annuel, avec ses stands d'artisanat de toutes sortes, est la promesse d'une formidable expérience, tout comme le marché biologique hebdomadaire (voir l'encadré ci-dessus), qui est le plus populaire de sa catégorie à New York. Les amateurs de produits frais ont un temps craint qu'il ne souffre de la concurrence de l'immense supermarché bio **Whole Foods** (p. 343), installé dans la partie sud du parc, mais pour le moment, son succès ne s'en est pas trouvé ébranlé.

GRAMERCY PARK ET MURRAY HILL

Où se restaurer p. 243, Où prendre un verre p. 272, Où se loger p. 364

Gramercy Park, qui comprend grossièrement une vingtaine de rues à l'est de Madison Ave, porte le nom d'un des plus jolis parcs new-yorkais, conçu dans le style des jardins publics parisiens. Mais si le sentiment botanique a bien traversé l'Atlantique, on ne peut pas en dire autant de l'intérêt général. En effet, quand, en 1830, les promoteurs transformèrent les marais environnants en quartiers urbains, l'accès au **Gramercy Park** fut limité aux riverains. C'est toujours le cas aujourd'hui et il faut posséder une clef pour y entrer (vous pourrez vous en procurer une si vous séjournez au **Gramercy Park Hotel**, p. 364). Parmi les autres attractions du quartier, signalons les majestueux *brownstones* (bâtiments de briques), notamment à Irving Pl, une petite rue qui doit son nom à Washington Irving, et compte de formidables petits cafés, des restaurants et la salle de concert **Irving Plaza** (p. 296). Vous trouverez également un quartier indien **Little India** (semblable à ceux de l'East Village et de Jackson Heights, dans le Queens), avec sa ribambelle de merveilleux restaurants et magasins indiens, la plupart d'Inde du Sud, sur Lexington Ave, entre 27th St et 30th St.

Murray Hill n'est pas seulement un haut lieu de la vie nocturne gay de Downtown. C'est aussi un petit quartier, juste au nord de Gramercy Park, qui comprend des hôtels sans prétention, quelques maisons de ville, et de formidables enclaves telle **Sniffen Court** (plan p. 452 ; 150-158 E 36th St), une rangée préservée de remises pour attelages datant de 1860 (l'une d'entre elles a servi de toile de fond à la pochette de l'album des Doors, S*trange Days*, sorti en 1967).

Orientation

La zone connue sous le nom de Gramercy Park comprend environ une vingtaine de pâtés de maisons, à l'est de Madison Ave ; Murray Hill part de Gramercy Park et s'étend entre 30th St et 49th St.

NATIONAL ARTS CLUB Plan p. 446
☎ 212-475-3424 ; 15 Gramercy Park South ;
Ⓖ 6 jusqu'à 23rd St
Situé dans un immeuble conçu par Calvert Vaux, l'un des architectes à l'origine de Central Park, le club organise parfois des expositions ouvertes au public (13h-17h). En levant la tête, vous verrez les vitraux d'un magnifique plafond voûté au-dessus du bar en bois.

BIBLIOTHÈQUE PIERPONT MORGAN
Plan p. 452

☎ 212-685-0610 ; www.morganlibrary.org ; 29 E
36th St à hauteur de Madison Ave ; Ⓢ 6 jusqu'à 33rd St
Rouverte après d'impressionnants travaux
de rénovation, la Pierpont Morgan Library
fait partie d'une demeure de 45 pièces qui
appartenait au magnat de l'acier et collec-
tionneur J. P. Morgan. Le bureau, la rotonde
en marbre et la grande bibliothèque sur
trois niveaux comptent un ensemble phénoménal de manuscrits, tapisseries, livres
(dont trois Bibles de Gutenberg) et des
œuvres d'art de la Renaissance italienne.
Ses expositions temporaires, de premier
ordre, tournent dans de nombreux musées
de la ville.

MAISON NATALE DE THEODORE
ROOSEVELT Plan p. 446

☎ 212-260-1616 ; www.nps.gov/thrb ; 28 E 20th St,
entre Park Ave et Broadway ; adulte/enfant 3 $/gratuit ;
🕒 9h-17h mar-sam ; Ⓢ R, W, 6 jusqu'à 23rd St
La Theodore Roosevelt's Birthplace n'a
d'historique que le nom, la véritable maison
natale du 26e président américain ayant été
démolie de son vivant. Le bâtiment actuel
est en fait une reconstitution ajoutée par des
parents à une demeure familiale voisine. Si
vous vous intéressez au destin exceptionnel
du personnage, quelque peu éclipsé par son
jeune cousin Franklin Roosevelt, visitez-la, en
particulier si vous n'avez pas le temps de voir
sa résidence d'été d'Oyster Bay, à Long Island.
Une visite guidée, comprise dans le prix d'entrée, a lieu toutes les heures de 10h à 16h.

MIDTOWN

*Où se restaurer p. 246, Où prendre un verre
p. 273, Shopping p. 343 , Où se loger p. 366*
Le terme de Midtown évoque tellement
d'images différentes qu'il est parfois difficile
de le voir comme un seul et même espace.
On pense d'abord au territoire de Donald
Trump, avec ses gratte-ciel modernes et
ses armées d'individus en costume hâtant
le pas vers leur bureau. Dans un registre
plus féerique, on s'émerveille des vitrines
illuminées de la Cinquième Avenue
(Fifth Ave), qui mènent à l'arbre de Noël
géant du Rockefeller Center et à sa patinoire
en contrebas. Citons aussi pêle-mêle
les éblouissantes lumières de Times Sq,
les théâtres historiques de Broadway,
les grands édifices tels l'Empire State
Building et le Chrysler Building, ou

encore les rangées de restaurants en
vogue dans le quartier autrefois sinistre
de Hell's Kitchen. Midtown est tout cela à
la fois, et bien plus encore. Vous passerez
probablement du temps dans ce quartier
bourdonnant qui regroupe bon nombre
d'attractions touristiques. En semaine,
la foule omniprésente peut insuffler
l'énergie excitante venant du cœur d'un
New York de carte postale (de grands
films hollywoodiens ont été tournés ici,
tels *Diamants sur canapé*, *Big* et *Little
Manhattan*), mais aussi vous oppresser
quelque peu, selon qu'il s'agit de votre
première ou de votre dixième visite.

Vous pouvez également vous aventurer
en dehors des sentiers battus, notamment
dans les quartiers ethniques comme **Little
Korea** (autour de E 30th St), qui abrite des
bars karaoké et des restaurants typiquement
coréens, ou **Little Brazil** (W 46th St, entre
Fifth Ave et Broadway), où vous dégusterez
des grillades brésiliennes, entendrez des
conversations en portugais et où la samba
baigne magasins et restaurants. **Hell's Kitchen**
(entre W 40th St et W 59th St) mérite aussi
le détour, en particulier certaines portions de
Ninth Ave et Tenth Ave, comme le luxueux
quartier résidentiel de Midtown East, **Sutton
Place**, avec ses maisons parallèles à First Ave,
de 54th St à 59th St. C'est un peu collet
monté, mais la vue sur le pont Queensboro
et l'East River, rendue célèbre par Woody
Allen dans *Manhattan*, est fabuleuse.

Orientation
Midtown est tellement immense qu'il
existe de nombreux petits "sous-
quartiers" portant eux-mêmes un nom.
Pour les besoins de cette rubrique, nous
avons divisé la zone ainsi : tout d'abord,
Midtown West, qui correspond au secteur
qui s'étend à l'ouest de Sixth Ave et au
nord de 34th St jusqu'à 59th St (vous
y trouverez le bas de Central Park
ainsi que Columbus Circle et son tout
nouveau Time Warner Center), puis
Midtown East, qui se trouve à l'intérieur des
mêmes frontières nord-sud, mais entre
6th Ave et l'East River. À l'intérieur de
Midtown West se trouve **Hell's Kitchen** (aussi
appelé Clinton), entre Eighth Ave à l'est
et l'Hudson à l'ouest. Rockefeller Center
et Fifth Ave désignent généralement
les secteurs au nord de 50th St jusqu'à
59th St, et le **Theater District** et **Times Square**,
un petit périmètre de Midtown West.

MIDTOWN EAST

Un peu moins animé que le reste de Midtown, ce secteur n'en mérite pas moins le détour. Il compte de célèbres monuments, tels Grand Central Terminal et l'immeuble Chrysler, ainsi que des hôtels huppés et des bars lounges où cognac et cigares sont de rigueur. C'est un endroit intéressant et tranquille pour une balade, sauf aux heures de pointe (à moins que vous n'aimiez être bousculé).

BRIDGEMARKET Plan p. 452

☎ 212-980-2455 ; 409 E 59th St à hauteur de 1st Ave ; ⊙ E, F, 6 jusqu'à 59th St-Lexington Ave

Sous les arches du pont de 59th St, cet espace voûté et décoré de carreaux accueillait, au début du XXᵉ siècle, un marché alimentaire. Après des décennies de travaux, il a été réhabilité en 1999 par le célèbre créateur anglais sir Terence Conran. Désormais, un ensemble de magasins et de restaurants s'organise autour du Conran Shop, qui vend du mobilier et des objets design pour la maison et Guastavino's, un ancien restaurant (désormais réservé aux événements privés), qui mérite un petit détour pour son cadre spectaculaire.

BRYANT PARK Plan p. 452

☎ 212-768-4242 ; www.bryantpark.org ; W 42nd St, entre 5th Ave et 6th Ave ; ⊙ B, D, F, V jusqu'à 42nd St-Bryant Park

Derrière la majestueuse Public Library, se niche un joli carré de verdure (anciennement qualifié de "parc à aiguilles" dans les années 1980) où les employés de Midtown pique-niquent à l'heure du déjeuner lorsqu'il fait beau. Offrant une vue impressionnante sur les gratte-ciel, il comprend des cafés européens dans des kiosques et un carrousel fabriqué à Brooklyn (1,50 $ le tour de manège). Des événements se déroulent fréquemment sur son site : la fameuse Fashion Week a lieu chaque hiver sous un chapiteau et le festival du film en plein air, le lundi soir pendant une partie de l'été, remplit les pelouses de flâneurs après le travail (voir l'encadré p. 302, ou consulter le site Internet du parc). Au printemps, de nombreux mariages sont célébrés au Bryant Park Grill, un agréable bar-restaurant situé à l'extrémité est du parc. Quand l'établissement n'est pas fermé pour des événements privés, son patio est un endroit idéal où siroter un cocktail à la tombée de la nuit.

CHRYSLER BUILDING Plan p. 452

Lexington Ave et 42nd St ; ⊙ S, 4, 5, 6, 7 jusqu'à Grand Central-42nd St

L'immeuble Chrysler (320 m de haut), juste en face de la gare de Grand Central Terminal, a soufflé sa 75ᵉ bougie au printemps 2005. Il fait partie depuis toujours des monuments préférés des visiteurs, qu'ils soient néophytes ou amateurs d'architecture. Ce chef-d'œuvre Art déco, dessiné par William Van Alen en 1930, fut un temps très bref le gratte-ciel le plus haut du monde (320 m) avant que l'Empire State Building ne le supplante. Construit pour être le siège de l'empire Chrysler, son architecture rend hommage à la culture automobile en reprenant des formes utilisées pour les calandres et les bouchons de radiateurs de la firme. On distingue bien ces détails si l'on utilise des jumelles. Sa flèche en acier de 60 m (baptisée le "vertex", le sommet) fut érigée en secret pour créer une surprenante touche finale, au grand dam de l'architecte du nouveau bâtiment de Wall St qui pensait réaliser le plus haut gratte-ciel de l'époque. L'illumination nocturne offre un spectacle magnifique.

Le Cloud Club, au sommet, était jadis réservé aux hommes d'affaires. Depuis longtemps, les promoteurs projettent de convertir en hôtel une partie de la tour, mais rien ne s'est pour l'instant concrétisé.

La flèche d'acier du Chrysler Building (ci-dessus)

Bien que le bâtiment ne possède ni restaurant ni point de vue (il ne renferme que des sociétés sans éclat, dont des cabinets d'avocats et de comptables), cela vaut la peine de se promener à l'intérieur pour admirer ses ascenseurs en bois (frêne du Japon, noyer oriental et prunier de Cuba) sophistiqués, sa profusion de marbre et, au 1er étage, sa peinture murale (29,56 m x 30,48 m ; peut-être la plus grande du monde) représentant l'avenir prometteur de l'industrie.

EMPIRE STATE BUILDING Plan p. 452

☎ 212-736-3100 ; www.esbnyc.com ; 350 5th Ave à hauteur de 34th St ; adulte/senior et étudiant/enfant 16/15/11 $; ⏰ 9h30-minuit ; ⊕ B, D, F, N, Q, R, V, W jusqu'à 34th St-Herald Sq

Propulsé au rang de star de Hollywood, comme lieu de rendez-vous romantique pour Meg Ryan et Tom Hanks dans *Nuits blanches à Seattle* ou comme funeste perchoir d'où King Kong fait une chute fatale, l'Empire State Building est l'un des membres les plus renommés de la fameuse skyline (ligne des gratte-ciel) de New York. Ce colosse en pierre calcaire fut édifié sur le site d'origine du Waldorf-Astoria Hotel en 410 jours, soient sept millions d'heures de main-d'œuvre, au plus profond de la crise, pour un coût de 41 millions de dollars. Haut de 449 m (antenne comprise) et doté de 102 étages, il fut inauguré en 1931 après la pose de 10 millions de briques, de 6 400 fenêtres et de 100 000 m² de marbre. Sa fameuse antenne avait été initialement conçue pour amarrer des dirigeables, mais la catastrophe du *Hindenburg* mit un terme au projet. En juillet 1945, par temps de brouillard, un B25 s'écrasa d'ailleurs accidentellement contre le 79e étage, tuant 14 personnes.

Depuis 1976, les 30 étages supérieurs sont illuminés en fonction du calendrier des fêtes (en vert pour la Saint-Patrick en mars, en noir pour la journée mondiale contre le sida, en rouge et vert pour Noël, en mauve pour le week-end de la Gay Pride en juin ; consultez le site Internet pour connaître la signification des différentes couleurs). De nombreux autres gratte-ciel, en particulier la Metropolitan Life Tower, à Madison Sq Park, et la Con Edison Tower, près d'Union Square, reprennent cette tradition à leur compte, ce qui donne un aspect féerique au ciel nocturne.

L'Empire State Building offre une perspective fabuleuse ; prévoyez cependant de longues files d'attente pour accéder aux points de vue des 86e et 102e étages. En outre, la vilaine salle en sous-sol où les visiteurs

ACHETER SON BILLET POUR L'EMPIRE STATE BUILDING

Bien sûr, vous pouvez tenter votre chance sur place le jour même. Mais à quoi bon faire la queue avec une flopée de touristes quand vous pouvez acheter vos billets en ligne (www.esbnyc.com) et arriver au sommet avant même que les autres n'aient mis le pied dans l'ascenseur ? Il vous restera néanmoins à résoudre quelques fâcheux dilemmes : acheter des billets uniquement pour l'observatoire, ou vous offrir quelques extras, tels l'audioguide officiel (5 $), disponible en 6 langues, ou le forfait New York Skyride (deux fois plus cher que les billets pour l'observatoire), qui comprend une simulation de vol au-dessus de New York sur grand écran. Faites votre choix et imprimez vos billets, valables sans limite de temps. Acheter en ligne vous coûtera 2 $ de plus par billet, mais une fois face à ce spectacle de toute beauté, vous ne le regretterez pas.

achètent leur billet et font la queue pour l'ascenseur est mal aérée, surtout l'été, quand les gros ventilateurs se contentent d'y brasser de l'air chaud. Une visite de bonne heure ou tard le soir vous évitera de perdre du temps (voir l'encadré ci-dessus).

Dans le rougeoiement du crépuscule, New York revêt un aspect magique. Arrivé au sommet, vous pouvez rester aussi longtemps que vous le souhaitez. Des télescopes à pièces permettent d'observer la ville de plus près et des plans indiquent les sites principaux.

GRAND CENTRAL TERMINAL Plan p. 452

www.grandcentralterminal.com ; 42nd St à hauteur de Park Ave ; ⊕ S, 4, 5, 6, 7 jusqu'à Grand Central-42nd St

Spectaculaire, cette gare (également appelée Grand Central Station) évoque le romantisme des voyages ferroviaires au tournant du XXe siècle tout en supportant la cohue actuelle. Grâce à une rénovation soignée effectuée en 1998, l'intérieur a conservé son allure grandiose.

Achevée en 1913, la gare fait partie des étonnantes constructions "beaux-arts" que compte la ville. Elle comporte des passerelles en verre suspendues à 23 m de hauteur et un plafond figurant la voûte céleste, avec les constellations du zodiaque représentées à l'envers (une erreur du concepteur !). Les balcons surplombant le hall principal offrent une vue panoramique ; postez-vous à cet endroit vers 18h en semaine pour contempler l'agitation qui règne aux heures de pointe.

Aujourd'hui, les rails électriques souterrains ne servent plus qu'à la circulation des trains à destination de la banlieue nord et du Connecticut. Or, que vous partiez ou non en voyage, cette gare mérite le détour, ne serait-ce que pour son architecture, sans parler des bons restaurants, des bars agréables, des magasins à la mode (notamment la boutique de souvenirs du Transit Museum, p. 174, basé à Brooklyn), des foires artisanales à l'époque des vacances et des concerts occasionnels. Le **StoryCorp Booth** (www.storycorp.net/participate/storybooths) y tient rang à part : prenez place dans l'une de ces cabines insonorisées, seul ou à deux, et racontez une anecdote personnelle qui sera enregistrée. Il s'agit d'un projet très touchant, qui a vu le jour en 2001, et s'est révélé une importante catharsis dans les jours et les semaines qui ont suivi le 11 Septembre.

La **Municipal Art Society** (p. 112) organise une visite d'une heure une fois par semaine (mer 12h30 ; 12 $). Ce sera pour vous l'occasion de traverser la passerelle en verre surplombant le hall (normalement inaccessible) et d'apprendre mille détails. Le rendez-vous a lieu au guichet d'information des voyageurs, au milieu de la gare.

JAPAN SOCIETY Plan p. 452
☎ 212-832-1155 ; www.japansociety.org ; 333 E 47th St ; entrée libre ; mar-jeu 11h-18h, ven 11h-21h, sam-dim 11h-17h ; 4, 5, 6, 7 jusqu'à Grand Central-42nd St

Fondée en 1907 par un groupe d'hommes d'affaires new-yorkais admirant profondément le Japon, cette association à but non lucratif a joué un grand rôle dans le renforcement des relations entre ce pays et les États-Unis. Elle est devenue un centre artistique et culturel à part entière, grâce à John D. Rockefeller, qui avait des intérêts au Japon. Aujourd'hui, son principal attrait tient à ses galeries qui mettent l'accent sur l'art japonais à travers des expositions, et à son théâtre qui programme des ballets et des pièces. Ceux qui veulent approfondir la question peuvent consulter les 14 000 volumes de la bibliothèque de recherche ou assister à l'une des nombreuses conférences organisées.

LITTLE KOREA Plan p. 452
Entre 31st St et 36th St, et Broadway et 5th Ave ; B, D, F, N, Q, R, V, W jusqu'à 34th St-Herald Sq

La bonne chère fait cruellement défaut dans Herald Sq, mais vous pourrez heureusement vous rabattre sur Little Korea, une petite enclave où restaurants et magasins coréens se multiplient depuis quelques années. D'authentiques grils coréens, certains doublés d'un karaoké, fonctionnent 24h/24 dans 32nd St.

NEW YORK PUBLIC LIBRARY Plan p. 452
☎ 212-930-0830 ; www.nypl.org ; 42nd St à hauteur de 5th Ave ; mar et ven 11h-19h30 , jeu-sam 10h-18h ; S, 4, 5, 6 jusqu'à Grand Central-42nd St, 7 jusqu'à 5th Ave

La section principale du système de bibliothèques publiques de New York, véritable monument élevé au savoir, occupe un somptueux édifice de style "beaux-arts" à l'image de la fortune industrielle qui finança sa construction. À son inauguration en 1911, la bibliothèque phare de la ville était le plus grand bâtiment en marbre jamais érigé aux États-Unis. Son immense salle de lecture, au 3e étage, peut accueillir 500 personnes. Une profusion d'or, de lustres, de portiques sculptés et de plafonds peints frappe le visiteur dès qu'il franchit l'entrée flanquée de lions en marbre.

Rebaptisée à présent Humanities & Social Sciences Library, cette bibliothèque de recherche fonctionnant sous l'égide de la bibliothèque principale avec plusieurs autres bibliothèques spécialisées établies ailleurs, constitue l'un des sites gratuits les plus intéressants de la ville. Par temps de pluie, vous pourrez vous réfugier pour feuilleter un livre dans la salle de lecture spacieuse, dotée d'admirables lampes Carre and Hastings, ou bien déambuler dans l'Exhibition Hall. Ce dernier renferme des manuscrits précieux de tous les grands auteurs anglo-saxons, ainsi qu'une honnête copie de la Déclaration d'Indépendance et une Bible de Gutenberg. Fin 2005, l'exceptionnel Map Division (département des cartes) a rouvert, avec une collection renfermant quelque 431 000 cartes et 16 000 atlas, ainsi que des livres sur la cartographie datant du XVIe siècle à nos jours. La visite gratuite vous livrera une quantité de détails ; elle part du bureau d'information à 11h et à 14h du mardi au samedi.

NATIONS UNIES Plan p. 452
☎ 212-963-7539 ; www.un.org/tours ; entre 1st Ave et 46th St ; adulte/senior/étudiant/enfant 11,50/8,50/7,50/6,50 $; jan-fév seulement 9h30-16h45, sam-dim 10h-16h30 ; S, 4, 5, 6, 7 jusqu'à Grand Central-42nd St

Le palais de l'Organisation des Nations unies (United Nations, ou UN) se dresse sur un territoire international surplombant l'East River. Des visites guidées permettent de découvrir

Façade du palais des Nations unies

l'Assemblée générale, où se réunissent annuellement en automne les membres de l'ONU, le Conseil de sécurité, qui traite les situations de crise toute l'année, et le Conseil économique et social. Au sud du complexe, un parc abrite la *Reclining Figure* d'Henry Moore ainsi que plusieurs autres sculptures sur le thème de la paix.

Les visites guidées en anglais d'une durée de 45 min partent toutes les 30 min. Plus rares sont celles conduites dans d'autres langues. Parfois appelé Turtle Bay (bien que les tortues aient disparu depuis belle lurette), ce secteur inclut d'intéressants modèles d'architecture, en particulier parmi les missions permanentes comme celles de l'**Egypte** (304 E 44th St, entre 1st Ave et 2nd Ave) et de l'**Inde** (245 E 43rd St, entre 2nd Ave et 3rd Ave).

MIDTOWN WEST

Midtown West désigne un ensemble de quartiers incluant la frange ouest de Hell's Kitchen, ainsi que le secteur des affaires, fourmillant de vendeurs de hot-dogs et d'individus en costume, le long de Sixth Ave et Columbus Circle, foyer du Time Warner Center. Même si l'endroit peut a priori donner le tournis, prendre le temps de découvrir les richesses cachées de Midtown West se révèle une expérience fascinante et un moyen idéal de sortir des sentiers battus. Une promenade dans Hell's Kitchen vous donnera l'occasion de tomber sur de petits jardins communautaires ou d'excellents restaurants. On trouve aussi d'autres districts, qui font la spécificité de New York : le bourdonnant **Diamond District** (quartier des diamantaires ; www.47th-street. com ; 47th St, entre 5th Ave et 6th Ave) est sillonné de jeunes couples en quête d'alliances et de jeunes gens dans le vent, à l'affût de bonnes affaires. Il compte plus de 2 600 commerces indépendants qui proposent toutes sortes de diamants, bijoux

TOP 10 DE MIDTOWN

- Monter au sommet de l'Empire State Building (p. 149)
- Contempler la ville d'un autre point de vue en montant sur le toit du Top of the Rock (p. 156)
- Admirer le magnifique hall de Grand Central Terminal (p. 149)
- Arpenter 9th Ave et 10th Ave dans Hell's Kitchen, en quête d'une expérience culinaire unique (p. 247)
- Flâner sur la Cinquième Avenue et pousser la porte d'un des célèbres magasins chic (p. 343)
- Écouter un grand nom du jazz au Lincoln Center (p. 158)
- Profiter de la vie nocturne et des lumières de Times Square (p. 156)
- S'offrir un spectacle à Broadway (p. 283)
- Manger des grillades à toute heure sur fond de karaoké dans Little Korea (p. 150)
- Visiter le MoMA fraîchement rénové (p. 154)

en or, perles, pierres précieuses et montres, et offrent un service de gravure et de réparation dans leurs boutiques retirées et exiguës. Le célèbre **Garment District** (littéralement "quartier du vêtement" ; 7th Ave, entre 34th St et Times Sq), accueille pour sa part les bureaux des créateurs de mode, ainsi que des grossistes et des détaillants dans l'avenue et ses rues adjacentes. Vous y trouverez un choix impressionnant de tissus, boutons, paillettes, dentelles et bien d'autres choses encore. Rendez-vous au **kiosque d'information du Fashion Center** (plan p. 452 ; www.fashioncenter. com ; 249 W 39th St) pour des plans et des informations. À l'extrémité nord-est de ce quartier se trouve **Columbus Circle**, une place ronde fourmillant de voitures qui permet d'accéder à la fois à l'Upper West Side et Central Park, et qui abrite le **Time Warner Center** (p. 153).

HELL'S KITCHEN Plan p. 452
De 34th St jusqu'à 57th St, à l'ouest de 9th Ave
Longtemps, l'extrémité ouest de Midtown fut un quartier ouvrier baptisé Hell's Kitchen, constitué de logements rébarbatifs et d'entrepôts de produits alimentaires. Il abritait une majorité d'immigrants italiens et irlandais qui intégraient des gangs à leur arrivée dans le pays. Les films hollywoodiens ont souvent exalté de façon romanesque son caractère hors-la-loi et interlope (*West Side Story* a été tourné ici). Dans les années 1960, il s'agissait

en vérité d'un lieu sans merci, peuplé de drogués et de prostituées, où peu de gens osaient s'aventurer, y compris les cinéastes.

En 1989, la construction du **Worldwide Plaza** (plan p. 284 ; angle W 50th St et 8th Ave) sur le site du Madison Square Garden des années 1930, transformé en parking dans l'intervalle, entendait faire revivre le secteur. Pourtant, jusqu'au milieu des années 1990, Hell's Kitchen demeura pratiquement inchangé. Eighth Ave et Ninth Ave, entre 35th St et 50th St, étaient toujours le domaine du commerce de gros et peu d'immeubles y dépassaient les huit étages.

Mais le boom économique de la fin des années 1990 a radicalement modifié le quartier et les promoteurs ont de nouveau employé le nom plus aseptisé de Clinton remontant aux fifties (les habitants utilisent l'une ou l'autre appellation). Lien parfait entre l'Upper West Side et Chelsea, la zone (en particulier sur Ninth Ave) a vu s'établir de nombreux restaurants et autres adresses où sortir le soir, ce qui s'expliquait alors par la modicité des loyers (qui n'est plus d'actualité) et par les facilités d'approvisionnement en produits frais auprès des grossistes locaux.

Sur le plan culturel, vous pouvez assister à d'étonnants spectacles dans des salles comme **Ars Nova** (511 W 54th St) et l'**Alvin Ailey American Dance Theater** (p. 292), ou bien profiter de la vie nocturne gay, qui dépasse désormais les frontières nord de Chelsea, dans des lieux comme **Therapy** (p. 269).

JAZZ AU LINCOLN CENTER

Reprises en 2004, les activités jazz du **Lincoln Center** (www.jazzatlincolncenter.com) ont quitté leurs anciens locaux pour la grandiose Frederick P. Rose Hall du Time Warner Center (à droite), un bâtiment de 30 000 m² spécifiquement conçu pour ce genre musical, qui a coûté 128 millions de dollars. Cet espace multiplexe, dont la haute architecture de verre est l'œuvre du cabinet d'architectes Rafael Viñoly, accueillera aussi de l'opéra, de la danse, du théâtre et des concerts symphoniques. Son objet principal sera néanmoins le jazz, sous forme d'enseignement, d'archives historiques et, bien sûr, de concerts programmés par son directeur artistique, le musicien Wynton Marsalis. L'endroit domine Central Park, dont l'horizon hérissé de gratte-ciel étincelants servira de toile de fond à des spectacles de jazz organisés dans des salles vitrées comme l'intime **Allen Room** et le night-club **Dizzy's Club Coca-Cola**.

HERALD SQUARE Plan p. 452
🚇 B, D, F, N, Q, R, V, W jusqu'à 34 St-Herald Sq

Sis à l'angle de Broadway, de Sixth Ave et de 34th St, le quartier tire son nom d'un titre de presse aujourd'hui disparu, le *New York Herald*. Aujourd'hui, il est surtout connu pour abriter le grand magasin Macy's qui a conservé ses beaux ascenseurs en bois d'origine. Les deux galeries marchandes aux magasins de chaîne insipides, situées au sud de Macy's, dans Sixth Ave, ne sont que de peu d'intérêt (à l'exception peut-être du magasin Daffy's, qui offre de grosses réductions sur de grandes marques).

INTERNATIONAL CENTER OF PHOTOGRAPHY Plan p. 284
☎ 212-857-0000 ; www.icp.org ; 1133 6th Ave à hauteur de 43rd St ; adulte/senior et étudiant 10/7 $, contribution libre ven 17h-20h ; 🕐 mar-jeu et sam-dim 10h-18h, ven 10h-20h ; 🚇 B, D, F, V jusqu'à 42nd St-Bryant Park

Occupant désormais un seul bâtiment agrandi pour l'occasion, ce centre, le plus important du genre à New York, est consacré aux travaux des grands photographes et photojournalistes. Ses expositions passées ont présenté les œuvres d'Henri Cartier-Bresson, Man Ray, Matthew Brady, Weegee et Robert Capa et traité de sujets comme le 11 Septembre et l'impact du sida. Il comprend également une école proposant des cours payants ainsi que des cycles de conférences publiques. Sa boutique-cadeaux vend des ouvrages de qualité et autres objets sur le thème de la photo.

INTREPID SEA-AIR-SPACE MUSEUM
Plan p. 452
☎ 212-245-0072 ; www.intrepidmuseum.org ; Pier 86 20th Ave à hauteur de W 46th St ; adulte/senior et étudiant/enfant 16,50/12,50/11,50 $; 🕐 avr-sept lun-ven 10h-17h, sam-dim 10h-18h, oct-mars mar-dim 10h-17h ; 🚇 A, C, E jusqu'à 42nd St

Passionnés de l'armée de Terre, de l'Air, et de l'Espace, ce musée est fait pour vous. À la lisière ouest de Midtown, au Pier 86, mouille un porte-avions qui servit pendant la Seconde Guerre mondiale et la guerre du Vietnam. Le ponton expose plusieurs appareils de chasse ; sur la jetée, vous pourrez voir le sous-marin lance-missiles *Growler*, une capsule spatiale *Apollo*, des tanks du Vietnam et le contre-torpilleur *Edson*, long de 274 m. Depuis 2003, un Concorde (62 m, 88 tonnes) est présenté sur une péniche. Chaque année au mois de mai, l'*Intrepid* est l'épicentre de la Fleet Week (p. 25), une semaine de festivités durant laquelle des navires déposent à Manhattan des milliers de marins de toutes provenances. Audioguides gratuits en français, anglais, allemand, japonais, russe et espagnol.

JACOB JAVITS CONVENTION CENTER
Plan p. 452

☎ 212-216-2000 ; www.javitscenter.com ; 11th Ave, entre 34th St et 38th St ; ⊖ A, C, E jusqu'à 34th St-Penn Station, puis bus M11

L'unique palais des congrès de la ville couvre quatre pâtés de maisons à l'extrémité ouest de Manhattan. Conçu par l'architecte leoh Ming Pei (Paris lui doit la pyramide du Louvre), ce colosse de verre et d'acier – adoré sans réserve ou vilipendé par les New-Yorkais – accueille chaque année des centaines d'événements, du salon de l'automobile ou du tourisme au congrès des dentistes, en passant par la Gay Life Expo annuelle (novembre).

TIME WARNER CENTER Plan p. 452

☎ 212-869-1890 ; www.shopsatcolumbuscircle.com ; 1 Columbus Circle à hauteur de 59th St ; ⊙ 9h-21h ; ⊖ A, C, B, D, 1 jusqu'à 59th St-Columbus Circle

Ces deux tours aux lignes épurées ont été achevées début 2004 après moins rebondissements, et ont coûté 1,8 milliard de dollars. Elles ont créé l'événement avec leur entrée grandiose, mais l'enthousiasme est quelque peu retombé depuis. Dans ce lieu qui a abrité pendant des années le vieux Colisée de New York, il ne reste plus qu'un immense centre commercial (The Shops). Derrière la façade vitrée de cet atrium de 7 étages, on peut admirer le beau panorama sur Central Park et à l'intérieur, la magnifique collection de sculptures de Fernando Botero. Mais l'endroit est rarement bondé. Sans doute parce que ses boutiques – notamment Williams-Sonoma, J Crew, Borders Books et Hugo Boss – sont trouvables partout à New York et ailleurs. Il en va de même pour la grande surface bio Whole Foods, qui occupe les 5 500 m² du sous-sol. Mais il reste fréquenté des habitants du quartier, notamment ceux qui ont la chance de vivre dans l'un des luxueux appartements du Time Warner Center, qui compte également un Mandarin Oriental Hotel, un Equinox Sports Club, la section jazz du Lincoln Center (voir l'encadré ci-contre) et bien sûr, le siège de la Time Warner. Les 7 grands restaurants, établis au-dessus du hall commercial, continuent pour leur part de créer l'événement, parmi eux : Café Gray, Per Se et Masa (p. 247).

LA CINQUIÈME AVENUE

Immortalisée par des films et des chansons, la Cinquième Avenue (Fifth Ave) acquit une réputation de quartier chic au début du XXe siècle, alors qu'elle était très prisée pour son ambiance "champêtre" et ses vastes espaces. Aujourd'hui, elle abrite la bonne société new-yorkaise à l'esprit de caste très développé. "Fifth Ave est l'adresse à laquelle toutes les autres se mesurent", a écrit Steven Gaines dans son livre, *The Sky's the Limit: Passion and Property in Manhattan* (2005). La partie bordée d'hôtels particuliers, et surnommée Millionaire's Row (allée des millionnaires), s'étend jusqu'à 130th St, tandis que la portion située dans Midtown est le quartier général des bureaux des compagnies aériennes, des boutiques et des hôtels de luxe, en particulier entre 49th St et 57th St.

La plupart des hôtels particuliers au nord de 59th St ont été vendus par leurs héritiers pour être démolis ou bien transformés en institutions culturelles qui forment désormais le Museum Mile. Les Villard Houses, dans Madison Ave derrière la cathédrale Saint-Patrick, constituent une remarquable exception. Construites en 1881 par le financier Henry Villiard, de grosses demeures de quatre étages exhibent des éléments artistiques créés par Tiffany, John LaFarge et Auguste St-Gaudens. Elles furent plus tard la propriété de l'Église catholique qui les céda ensuite à des magnats de l'hôtellerie.

Aujourd'hui, la portion située dans Midtown compte toujours des boutiques et des hôtels haut de gamme, notamment la fameuse Trump Tower, où Big D (Donald Trump) s'est rendu célèbre en renvoyant chaque semaine des candidats dans *The Apprentice*, son émission de télé-réalité, ainsi que le sympathique Plaza Hotel, qui subit actuellement de vastes travaux de rénovation afin de transformer la plupart de ses chambres en appartements de luxe. C'est une décision qui a suscité une vive polémique. Un groupe de New-Yorkais a même mené une campagne de soutien et créé un lobby pour conserver le plus possible de chambres et d'éléments d'époque. Ils n'ont remporté qu'un demi-succès, les chambres les plus prisées ayant quand même été détruites.

Si certaines des boutiques les plus sélectes ont déménagé dans Madison Ave, plusieurs enseignes chic et célèbres émaillent encore

Fifth Ave au nord de 50th St. Citons notamment **Cartier** (p. 344), **Henri Bendel** (p. 344) et le fameux **Tiffany & Co** (p. 345).

AMERICAN FOLK ART MUSEUM Plan p. 284

☎ 212-265-1040 ; www.folkartmuseum.org ; 45 W 53rd St, entre 5th Ave et 6th Ave ; adulte/senior et étudiant/enfant 9/7 $ /gratuit; ☽ mar, jeu, sam et dim 10h30-17h30, ven 10h30-19h30 ; Ⓔ E, V jusqu'à 5th Ave-53rd St

Logé dans un magnifique bâtiment de 8 étages, conçu par les célèbres Billie Tsien et Tod Williams, ce musée met l'accent sur les arts traditionnels en relation avec des épisodes historiques ou des événements marquants de la vie. La vaste collection du musée présente des drapeaux, des représentations de la liberté, des textiles, des girouettes et des objets d'art décoratif. Les dernières expositions ont présenté des meubles peints ainsi que les travaux de 5 nouveaux artistes complètement autodidactes.

MUSEUM OF ARTS & DESIGN Plan p. 452

☎ 212-956-3535 ; www.madmuseum.org ; 40 W 53rd St, entre 5th Ave et 6th Ave ; adulte/ senior/moins de 13 ans 9/6 $/gratuit ; ☽ mar, mer et ven-dim 10h-18h, jeu 10h-20h ; Ⓔ E, V jusqu'à 5th Ave-53rd St

Ce musée dédié au design et à l'artisanat prévoit de déménager à Columbus Circle en 2008, au grand dam des opposants à ce projet. Il sera logé dans un bâtiment historique entièrement reconçu. Pour l'instant, vous pouvez découvrir sa fascinante collection juste en face du Museum of Modern Art. L'ancien American Craft Museum a été rebaptisé Museum of Arts & Design afin de signifier son importance dans le monde de l'art à ceux que le terme "craft" (artisanat) pouvait rebuter. Cet espace clair et extrêmement bien conçu met en scène des objets artisanaux traditionnels et modernes. Les dernières expositions ont présenté des œuvres d'artistes amérindiens allant à l'encontre des idées préconçues.

MUSEUM OF MODERN ART (MOMA)

Plan p. 452

☎ 212-708-9400 ; www.moma.org ; 11 W 53rd St, entre 5th Ave et 6th Ave ; adulte/senior/étudiant/ enfant 20/16/12 $/gratuit, ven 16h-20h gratuit ; ☽ sam, dim, mer, jeu 10h30-17h30, ven 10h30-20h ; Ⓔ E, V jusqu'à 5th Ave-53rd St

Après sa réouverture en grande pompe en 2004, à la suite du projet de rénovation le plus important de ses 75 ans d'existence,

le Museum of Modern Art (MoMA) a été unanimement salué, tant pour son architecture que pour la qualité de ses expositions. Revisité par l'architecte Yoshio Taniguchi, le musée a doublé sa capacité pour atteindre 192 000 m^2 sur six étages. Il offre un véritable univers artistique composé de plus de 100 000 œuvres, dont vous ne pourriez faire le tour, même en deux jours. La plupart des œuvres de maîtres – Matisse, Picasso, Cézanne, Rothko, Pollock et bien d'autres – se trouvent dans l'atrium central de cinq étages. Dans ces galeries paisibles et spacieuse, s'offrent au regard des pièces issues des différents départements (peinture et sculpture, architecture et design, dessins, gravures et livres illustrés, cinéma et médias). Le jardin de sculptures, qui a retrouvé sa forme initiale conçue par Philip Johnson au début des années 1950, est un plaisir pour les yeux. Vous pourrez également admirer les lieux depuis votre table au Modern (p. 247), un restaurant gastronomique où le célèbre chef, Danny Meyer, sert une cuisine franco-américaine (vous trouverez d'autres restaurants plus abordables sur place).

Le cinéma du musée projette des films issus d'un fonds de plus de 19 000 titres, notamment les œuvres de John Maysles ainsi que tous les films d'animation produits par Pixar Enfin, ne manquez pas les expositions temporaires dans les galeries hautes de plafond, comme celles qui ont eu lieu par le passé : *On Site : New Architecture in Spain* et *Dada: Zurich, Berlin, Hannover, Cologne, New York, Paris*, qui fut la première exposition d'un grand musée américain à explorer le mouvement dada. Voir p. 219 pour une suggestion de promenade dans l'enceinte du musée.

MUSEUM OF TELEVISION & RADIO

Plan p. 284

☎ 212-621-6800 ; www.mtr.org ; 25 W 52nd St, entre 5th Ave et 6th Ave ; adulte/senior et étudiant/enfant 10/8/5 $; ☽ mar, mer et ven-dim 12h-18h, jeu 12h-20h ; Ⓔ E, V jusqu'à 5th Ave-53rd St

Ce paradis des pantouflards américains, installé entre Fifth Ave et Sixth Ave, rassemble une collection de plus de 50 000 programmes télé et radio, disponibles d'un simple clic de souris dans le catalogue informatique du musée. Rivés sur 90 consoles, les visiteurs redécouvrent les productions télévisuelles qui ont bercé leur enfance. Il existe aussi une salle pour écouter la radio. Le droit d'entrée inclut deux heures de plaisir audiovisuel ininterrompu. D'excellentes projections spéciales ont également lieu régulièrement.

NBC STUDIOS Plan p. 452

☎ 212-664-3700 ; www.nbc.com ; 49th St à hauteur de Rockefeller Plaza ; visite guidée adulte/senior et enfant 6-16 ans 18,50/15,50 $ (enfants de moins de 6 ans non admis) ; 🕙 visites guidée lun-sam 8h30-17h30, dim 9h30h-16h30 (horaires prolongés nov-déc) ; 🚇 B, D, F, V jusqu'à 47th St-50th St-Rockefeller Center

Le siège du réseau de télévision NBC se trouve dans l'immeuble GE (bâtiment de la compagnie General Electrics, équivalent local d'EDF) qui, avec ses 70 étages, domine la patinoire du Rockefeller Center (transformée en café les mois d'été). C'est dans un studio sous verrière au rez-de-chaussée, près de la fontaine, qu'est réalisé le programme *Today*, diffusé en direct de 7h à 10h tous les jours.

Les visites des autres studios de la NBC partent du hall de la tour toutes les 15 minutes environ, et durent à peu près une heure (prenez vos précaution car il n'y a pas de pause toilettes !).

Les billets pour assister aux enregistrements (*Saturday Night Live, Late Night with Conan O'Brien*…) ne sont plus disponibles par courrier mais sur place de 9h à 17h du lundi au vendredi. Vu la concurrence farouche, présentez-vous à 7h pour tenter votre chance. Des informations concernant d'autres émissions figurent sur le site www.tvticket.com.

RADIO CITY MUSIC HALL Plan p. 284

☎ 212-247-4777 ; www.radiocity.com ; 51st St à hauteur de 6th Ave ; visites adulte/senior/enfant 17/14/10 $; 🚇 B, D, F, V jusqu'à 47th St-50th St-Rockefeller Center

Après une rénovation massive en 1999, ce superbe cinéma Art déco construit en 1932, d'une capacité de 6 000 spectateurs a été classé monument historique. Les sièges en velours et le mobilier ont désormais recouvré leur aspect d'origine (même les toilettes brillent par leur élégance). Les places de concert se vendent rapidement, et le billet pour le plaisant spectacle de Noël, auquel participe la troupe de danseuses les Rockettes, coûte jusqu'à 70 $.

On peut admirer l'intérieur du bâtiment en suivant une visite guidée qui part toutes les 30 minutes, entre 11h et 15h du lundi au samedi. La vente des billets s'effectue selon le principe du "premier arrivé, premier servi".

ROCKEFELLER CENTER Plan p. 284

☎ 212-632-3975 ; www.rockefellercenter.com ; entre 5th Ave et 6th Ave, 48th St et 51st St ; 🚇 B, D, F, V jusqu'à 47th St-50th St-Rockefeller Center

Édifié en pleine crise économique des années 1930, ce complexe de 9 ha a fourni du travail

L'APPEL DU ROCK

Le **Top of the Rock** (plan p. 452) ; ☎ 212-698-2000 ; www.topoftherocknyc.com ; 30 Rockefeller Plaza ; adulte/senior/enfant 17,50/16/11,25 $; 🕙 8h30-minuit) enchanta les New-Yorkais pour la première fois en 1933, lorsque John D. Rockefeller autorisa l'accès à la terrasse sur le toit. Dessinée sur le modèle des paquebots alors populaires, la terrasse était un endroit fabuleux d'où contempler la ville, 70 étages au-dessus de Midtown. Mais depuis 1986, l'observatoire était fermé au public, notamment en raison de la rénovation de la Rainbow Room, cinq étages plus bas, qui bloquait l'accès au toit. La terrasse a été rouverte en grande pompe, avec la file d'attente idoine, en novembre 2005. L'Empire State Building n'a plus qu'à bien se tenir face à ce cousin moins fréquenté, qui offre une vue panoramique plus large, grâce à trois observatoires : un à l'intérieur, un à l'extérieur, protégé par des murs en Plexiglas, et un sous les étoiles. Bien que le Chrysler Building soit partiellement masqué, on a une vue imprenable sur l'Empire State Building lui-même. Et l'ascension jusqu'au toit est un vrai plaisir.

à 70 000 ouvriers pendant neuf ans et fut le premier projet à associer commerces de détail, espaces de loisirs et bureaux, créant ainsi une sorte de "ville dans la ville". L'événement le plus marquant de ces dernières années a été la réouverture, fin 2005, de la plate-forme d'observation **Top of the Rock** (voir l'encadré ci-dessus), après une longue interruption. Elle offre un panorama sur la ville à couper le souffle.

Trente artistes renommés du moment furent, à l'époque de la construction, pressentis pour réaliser des œuvres sur le thème de "l'homme regardant l'avenir avec incertitude mais espoir". Une fresque murale de l'artiste mexicain Diego Rivera dans l'entrée de l'immeuble RCA (aujourd'hui GE, General Electric) de 70 étages fut rejetée par la famille Rockefeller, car elle comportait le visage de Lénine. Elle fut détruite ultérieurement et remplacée par une œuvre de José Maria Sert représentant Abraham Lincoln et Ralph Waldo Emerson, personnages moins controversés.

Pas besoin d'être connaisseur pour apprécier le *Prométhée* de Paul Manship qui surplombe la patinoire, l'*Atlas* de Lee Lawrie devant l'**International Building** (630 5thAve) – ce dernier possède une curieuse sculpture enchâssée dans le mur du hall – et le *News* d'Isamu Noguchi au-dessus de l'entrée de l'**Associated Press Building**

(45 Rockefeller Plaza). Tous ceux qui s'intéressent aux œuvres présentes à l'intérieur du centre doivent se procurer, dans l'entrée de l'immeuble GE, le *Rockefeller Center Visitors Guide* qui les décrit en détail.

Malgré l'arrivée de Top of the Rock, l'attraction la plus fameuse du Rockefeller Center reste son sapin de Noël géant, qui trône au-dessus de la patinoire pendant les fêtes de fin d'année. (Cette tradition remonte aux années 1930, quand les ouvriers du bâtiment dressaient un petit sapin sur le chantier.) Chaque année, son illumination durant la semaine suivant Thanksgiving attire des milliers de visiteurs qui se pressent autour de l'épicéa abattu, sélectionné en grande pompe dans une forêt du nord de l'État. L'endroit grouille littéralement de monde, mais s'élancer sur la glace de la **patinoire du Rockefeller Center** (☎ 212-332-7654 ; www.therinkatrockcenter.com ; 5th Ave, entre 49th St et 50th St ; adulte/enfant lun-ven 9/7 \$, sam-dim 13/8 \$, location de patins 6 \$), sous le regard de Prométhée, constitue une expérience unique. Téléphonez pour connaître les horaires, qui changent chaque semaine.

CATHÉDRALE SAINT-PATRICK Plan p. 452
☎ 212-753-2261 ; 50th St à hauteur de 5th Ave ; ⊙ 6h-21h ; ◉ B, D, F, V jusqu'à 47th St-50th St-Rockefeller Center

La cathédrale Saint-Patrick, qui trône en face du Rockefeller Center, a beau ne contenir que 2 400 places, elle est le principal lieu de culte des 2,2 millions de catholiques de New-York. Arborant une façade de style néogothique français, elle fut construite pendant la guerre de Sécession pour un coût avoisinant les 2,2 millions de dollars. Les deux flèches frontales furent ajoutées en 1888. Bien que l'édifice semble toujours envahi, n'hésitez pas à vous glisser à l'intérieur pour en admirer les détails.

Suivant une succession de huit petites chapelles latérales, après l'autel de Nuestra Señora de Guadalupe et le maître-autel, la sereine Lady Chapel est consacrée à la Vierge Marie. De là, vous apercevrez le beau vitrail en forme de rosace qui flamboie au-dessus de l'orgue constitué de 7 000 tuyaux. Une crypte sous l'autel abrite les dépouilles des cardinaux de New York et les restes de Pierre Toussaint, héros des pauvres et premier Afro-Américain (originaire d'Haïti) susceptible d'être canonisé.

Hélas, la cathédrale ne se prête guère à la méditation à cause du bruit incessant provoqué par des visiteurs indélicats. Régulièrement, les homosexuels, qui se sentent rejetés par la hiérarchie épiscopale, s'y retrouvent pour faire entendre leur protestation. L'exclusion des gays d'ascendance irlandaise du défilé de la Saint-Patrick est l'occasion d'une manifestation qui se tient annuellement en mars près de la cathédrale. Cette discrimination a aussi inspiré les participants à la Gay Pride de juin, qui crient désormais "Shame ! Shame !'" ("La honte !") en passant devant l'édifice.

Des messes fréquentes sont célébrées le week-end et l'archevêque de New York officie le dimanche à 10h15. Les simples visiteurs ne sont pas admis durant les offices.

TIMES SQUARE ET LE THEATER DISTRICT

Désormais remis en ordre – au grand regret des détracteurs de la "disneysation" et des nostalgiques d'un passé soi-disant pittoresque marqué par la prostitution et la drogue – Times Sq (◉ N, Q, R, S, W, 1, 2, 3, 7 jusqu'à Times Sq-42nd St) peut à nouveau claironner sa réputation de "carrefour de New York". Centré à l'intersection de Broadway et de Seventh Ave, le secteur offrait avant l'avènement de la télévision le plus grand espace publicitaire lumineux visant un public de masse au cœur de Midtown. Avec plus de 60 panneaux géants et 64 km de néons, il donne aujourd'hui encore l'impression qu'il fait jour en permanence, et que l'endroit a été transformé en un véritable centre commercial à ciel ouvert. De grandes chaînes de magasins comme Sephora, Skechers et Cold Stone drainent une clientèle qui peut trouver ces articles partout ailleurs ; les théâtres multiplexes rassemblent les foules avec leurs écrans géants et leurs salles immenses ; et les gigantesques salles de jeux et ensembles sportifs comme l'**ESPN Zone** (plan p. 284 ; ☎ 212-921-3776 ; www.espnzone.com/newyork ; 1472 Broadway à hauteur de 42nd St ; ⊙ lun-mar 11h30-00h30, ven 11h30-1h, sam 11h-1h) et le **Lazer Park** (plan p. 284 ; ☎ 212-398-3060 ; www.lazerpark.com ; 1560 Broadway à hauteur de 46th St ; ⊙ lun-jeu 12h-23h, ven 12h-2h, sam 11h-2h, dim 11h-minuit) attirent autant les enfants que les adultes avec un choix étourdissant de divertissements, d'Area 51 et NBA Showtime Gold à Battlemech et autres jeux de laser.

Appelé autrefois Long Acre Square, Times Sq doit son nom actuel au fameux journal, le *New York Times*, dont les bureaux sont toujours basés ici. Ses lumières scintillantes connurent néanmoins un certain déclin dans les années 1960, alors que les salles qui affichaient autrefois des films de qualité se transformaient en cinéma porno. Ces dernières années, renversant la tendance, la ville a octroyé des avantages fiscaux aux sociétés désireuses de s'installer ici (Disney en particulier) et réglementé les cinémas : sous le mandat de Giuliani, une salle devait produire au moins 60% de films "sérieux" pour pouvoir vendre ou montrer du cinéma porno. Aujourd'hui, la place attire 27 millions de visiteurs annuels qui dépensent plus de 12 milliards de dollars dans Midtown.

Toujours quartier officiel des théâtres, Times Sq comprend des dizaines de théâtres on et off-Broadway (voir p. 283), dans une zone qui s'étend de 41st St à 54th St, entre Sixth Ave et Ninth Ave. À moins que vous ne recherchiez un spectacle bien précis, le moyen le plus facile (et le moins onéreux) de vous procurer des places consiste à vous rendre au **kiosque TKTS** (☎ 212-768-1818 ; www.tdf.org/tkts ; Broadway à hauteur de 47th St ; ☽ lun-sam 15h-20h, dim 11h-20h), où vous pourrez rejoindre la file d'attente et trouver des billets de spectacles de Broadway et off-Broadway. **Carnegie Hall** (p. 281) et **Town Hall** (p. 283) sont des adresses incontournables pour les grands concerts de musique classique.

Plus d'un million de personnes se rassemblent à Times Sq chaque année, à la Saint-Sylvestre, afin d'admirer le Waterford Crystal Ball (une grande boule en cristal illuminée) descendre du toit du One Times Sq, à minuit. Même si cet événement est retransmis dans le monde entier, il ne dure que 90 secondes et n'est pas franchement impressionnant.

CENTRE D'INFORMATION DE TIMES SQUARE Plan p. 284

☎ 212-869-5667 ; www.timessquarenyc.org ; 1560 Broadway, entre 46th St et 47th St ; ☽ 8h-20h ; ◉ N, Q, R, S, W, 1, 2, 3, 7 jusqu'à Times Sq-42nd St

Le Times Square Information Center, installé en plein milieu du célèbre carrefour, est logé dans le bâtiment magnifiquement restauré de l'Embassy Theater. Il reçoit chaque année plus d'un million de visiteurs qui viennent obtenir des informations sur le quartier, grâce aux écrans interactifs et au personnel compétent.

UPPER WEST SIDE

Où se restaurer p. 249, Où prendre un verre p. 274, Shopping p. 348 , Où se loger p. 274

L'Upper West Side (UWS) est un paradis pour les amateurs d'architecture. Le quartier recèle aussi bien de riches hôtels particuliers transformés en appartements, comme **Dorilton** (171 W 71st/Broadway), **Dakota** (voir p. 264, entre 72nd St et Central Park West) et **Ansonia** (2109 Broadway, entre 73rd St et 74th St), que de bâtiments publics fonctionnels, émaillés de délicieux détails comme la **McBurney School** (63rd St), près de Central Park West, ou le **Frederick Henry Cossitt Dormitory** (64th St), près de Central Park West.

Orientation

L'Upper West Side débute là où Broadway rejoint Columbus Circle, et se termine à la limite sud de Harlem, aux abords de 125th St. De nombreux hôtels entourent Central Park et beaucoup de célébrités vivent dans les immeubles imposants qui bordent Central Park West jusqu'à 96th St.

AMERICAN MUSEUM OF NATURAL HISTORY Plan p. 454

☎ 212-769-5000 ; www.amnh.org ; Central Park West à hauteur de 79th St ; donation recommandée adulte/senior et étudiant/enfant 14/10,50/8 $, dernière heure gratuite ; ☽ 10h-17h45 (Rose Center jusqu'à 20h45 ven) ; ◉ B, C jusqu'à 81st St-Museum of Natural History, 1 jusqu'à 79th St

Fondé en 1869, ce musée est très fréquenté par les enfants (des cars scolaires vont et viennent tous les jours pour déposer une ribambelle d'écoliers surexcités). Pour la majorité des petits New-Yorkais, il s'agit d'une visite initiatique classique. L'endroit n'a pourtant rien de classique : les salles sont autant de pays des merveilles présentant plus de 30 millions d'objets, et les expositions interactives, tant au sein du musée qu'au formidable **Rose Center for Earth & Space** (exposition sur la Terre et l'Espace, créé en 2000 pour un coût de 210 millions de dollars, sont extraordinaires. Prévoyez d'y passer une bonne partie de la journée afin que votre enfant en voie le plus possible.

Le musée doit sa célébrité à ses trois grandes salles consacrées aux dinosaures qui ont été récemment rénovées, ainsi qu'à son énorme (et fausse) baleine bleue suspendue au plafond du Hall of Ocean Life (salle de la vie océane). Les enfants de tous les âges auront de quoi être émerveillés, qu'il s'agisse de l'ours brun d'Alaska empaillé, du saphir d'Inde gris-bleu dans le Hall of Minerals & Gems (salle de minéralogie), du film IMAX sur la vie dans la jungle, ou du crâne d'un pachycephalosaurus, un dinosaure herbivore qui vécut il y a 65 millions d'années. Où que vous vous trouviez, des guides enthousiastes seront là pour répondre à vos questions.

Les expositions temporaires sont également populaires, en particulier le récurrent Butterfly Conservancy (de novembre à mai), qui vous permet de déambuler dans une maison en verre en compagnie de plus de 600 papillons du monde entier. C'est l'occasion rêvée de servir de perchoir à l'une de ces créatures.

Mais c'est le Rose Center for Earth & Space qui demeure l'attraction phare depuis sa très attendue ouverture. Sa façade – un immense cube en verre renfermant une boule en or, qui propose des spectacles ayant pour thème l'espace et un planétarium – est une vision fascinante, surtout la nuit, quand elle est illuminée. À l'intérieur, vous pourrez remonter aux origines des planètes, en particulier la Terre, ou vous asseoir dans un confortable fauteuil d'où vous pourrez voir *The Search For Life: Are We Alone ?* (La recherche de la vie : sommes nous vraiment les seuls ?), raconté par Harrison Ford, ou *Passport to the Universe* (Passeport pour l'univers), narré par Tom Hanks (un passionné de longue date de la conquête spatiale). Un autre théâtre, plus petit, s'intéresse à la théorie du Big Bang, avec la voix de la poétesse Maya Angelou en guise de guide.

Nous vous recommandons chaleureusement les concerts de jazz du programme Starry Nights (littéralement "nuits étoilées"), qui se déroulent au Rose Center le vendredi de 18h à 20h. À l'occasion de cet événement hebdomadaire, la musique, les tapas et la boisson sont inclus dans le prix d'entrée du musée.

CHILDREN'S MUSEUM OF MANHATTAN Plan p. 454

☎ 212-721-1234 ; www.cmom.org ; 212 W 83rd St, entre Amsterdam Ave et Broadway ; adulte et enfant/ senior 8/5 $; ☺ mer-dim 10h-17h ; ☺ 1, 9 jusqu'à 86th St, B, C jusqu'à 81st St-Museum of Natural History
Lieu de prédilection des mères de famille, ce musée présente des attractions de découverte destinées aux tout-petits, ainsi qu'un centre de médias postmoderne où les enfants férus de technologie peuvent travailler dans un studio de télévision, et l'Inventor Center où les dernières inventions

techniques, comme l'imagerie numérique et le scanner, sont à disposition. Attendez-vous à ce que vos enfants passent leurs affaires au crible. Durant l'été, les petits peuvent barboter autour des roues à eau de l'espace en plein air et prendre des leçons sur la flottabilité et les courants. De récentes expositions ont abordé l'œuvre d'Andy Warhol et mis au point des projets artistiques interactifs autour du travail de William Wegman, Elizabeth Murray et Fred Wilson. Le musée organise aussi des ateliers d'artisanat le week-end et parraine des expositions (le **Brooklyn Children's Museum**, p. 179, est d'ailleurs affilié à celui de Manhattan).

LINCOLN CENTER Plan p. 454

☎ 212-546-2656 ; www.lincolncenter.org ; Columbus Ave à hauteur de Broadway ; ☺ 1, 9 jusqu'à 66th St-Lincoln Center
Cet ensemble de sept salles de spectacle sur 6,5 ha fut construit dans les années 1960, au grand dam de certains, à l'emplacement des tristes bâtiments qui inspirèrent la comédie musicale *West Side Story*. De jour, le centre ne présente pas un énorme intérêt, mais, la nuit, l'intérieur illuminé par des lustres en cristal offre un spectacle magique dont profite un public fortuné.

Un projet de transformation d'un montant de 325 millions de dollars et piloté par le cabinet renommé Scofidio + Renfro, comprendra un restaurant vitré avec du gazon sur le toit, des panneaux d'affichage défilants, et

Les rêves deviennent réalité au Children's Museum of Manhattan (ci-contre)

une "rue des arts", sur la portion de 65th St comprise entre Broadway et Amsterdam Ave. Les travaux ont débuté durant l'été 2006.

Si vous êtes un inconditionnel de la culture, le Lincoln Center est un must. Il contient le **Metropolitan Opera House** (p. 292), dont le hall renferme deux tapisseries multicolores de Marc Chagall (visibles depuis la rue), et le **New York State Theater** (p. 292), siège du New York City Ballet et du New York City Opera, plus audacieux et moins onéreux que le "Met". Le New York Philharmonic se produit à l'**Avery Fisher Hall** (p. 282). Vous pourrez aussi assister à des spectacles de grande qualité aux théâtres Mitzi E Newhouse et Vivian Beaumont. À droite des théâtres, la **New York Public Library for the Performing Arts** (☎ 212-870-1630) possède la plus grande collection d'enregistrements et de livres sur le cinéma et le théâtre de la ville. Enfin, il y a le **Walter Reade Theater** (p. 303), une cinémathèque confortable, qui accueille le **New York Film Festival** (p. 303), chaque année en septembre.

La présence de jeunes talents apporte un vent de fraîcheur et d'excitation à l'endroit, qui héberge la **Fiorello H LaGuardia High School of Music and Performing Arts** (mondialement connue pour être l'école de *Fame*) et la **Juilliard School**. Rendez-vous sur le site de l'école (www.laguardiahs.org) pour connaître sa programmation.

Chaque soir, il se donne au moins dix spectacles au Lincoln Center, et encore davantage l'été quand le festival Out of Doors (danse et musique) et le Midsummer Night Swing (bal sous les étoiles) invitent la culture dans les parcs. (Voir l'encadré p. 152 pour le jazz.)

Tous les jours, des **visites** (☎ 212-875-5350 ; adulte/senior et étudiant/enfant 12,50/9/6 $) explorent au moins trois théâtres, selon les productions en cours. Mieux vaut réserver sa place par téléphone. Les visites partent du bureau situé au niveau du hall à 10h30, 12h30, 14h30 et 16h30.

NEW YORK HISTORICAL SOCIETY
Plan p. 454

☎ 212-873-3400 ; www.nyhistory.org ; 2 W 77th St à hauteur de Central Park West ; donation recommandée adulte/senior et étudiant 10/5 $; 🕙 mar-dim 10h-18h ; 🚇 B, C jusqu'à 81st St-Museum of Natural History, 1 jusqu'à 79th St

Le plus ancien musée de la ville fut créé en 1804 pour la conservation des objets historiques et culturels. Il s'agissait aussi du seul musée d'art public de New York jusqu'à la fondation du Métropolitain à la fin du XIXe siècle. La plupart

---

L'UPPER WEST SIDE CONTRE L'UPPER EAST SIDE

Ces deux quartiers chic peuvent paraître assez semblables pour un œil inexpérimenté. Pour les New-Yorkais en revanche, des différences fondamentales les opposent. Les habitants de l'Upper West Side ne déménageraient pour rien au monde de l'autre côté de Central Park, qui forme comme un océan infranchissable, et la même chose vaut pour leurs voisins de l'East Side. Mais quelles sont donc leurs raisons respectives ? Il n'y en a pas vraiment, bien que les résidents de l'UWS aient la réputation de faire plus d'enfants, d'être libéraux, juifs et artistes tandis que ceux de l'UES seraient plus conservateurs, plus âgés et plus riches. Un soupçon de vérité se cache néanmoins derrières ces idées reçues : le revenu moyen s'élève à 65 000 $ dans la partie ouest, à 75 000 $ dans la partie est ; on dénombre également davantage d'Afro-Américains dans le West Side, et légèrement plus de membres du parti républicain dans l'East Side. Quoi qu'il en soit, engager *in situ* la conversation sur les mérites respectifs de ces secteurs antagonistes relève de l'entreprise à haut risque. Vous voilà averti…

---

des visiteurs qui se rendent à l'American Museum of Natural History voisin ne le remarquent même pas sur leur chemin. Il vaut cependant le détour, sa collection excentrique pouvant tenir lieu de grenier aux souvenirs de New York. Elle comprend notamment des clarines de vaches et des hochets de bébé du XVIIe siècle, ainsi que la jambe de bois du gouverneur Morris. Le Henry Luce III Center for the Study of American Culture, qui a ouvert ses portes en 2000, est un espace de 1 950 m² présentant plus de 40 000 objets issus de la collection permanente du musée, notamment de superbes portraits, des lampes Tiffany et des maquettes de bateaux. Il organise également d'excellentes expositions temporaires ou permanentes, telles que *Slavery in New York*.

RIVERSIDE PARK Plan p. 454

Entre 68th St et 155th St le long de l'Hudson (à l'est de la West Side Hwy) ; 🚇 1, 2, 3 jusqu'à 72th St ou au-delà
Idéal pour se promener, faire du vélo ou simplement contempler le coucher du soleil au-dessus de l'Hudson. Il est bordé de cerisiers qui se couvrent de fleurs roses au printemps, et comprend des jardins communautaires amoureusement entretenus par des bénévoles, 14 aires de jeux dont les enfants de moins de 8 ans raffolent, ainsi

TOP 10 D'UPTOWN

- Visiter l'American Museum of Natural History (p. 157) – surtout si vous êtes accompagné d'enfants
- Éveiller ses papilles dans l'un des nouveaux restaurants de l'Upper West Side (p. 249)
- S'offrir un spectacle de renommée mondiale au Lincoln Center (p. 158)
- Visiter un petit musée de quartier : le Frick, la Neue Gallerie ou le Whitney, et admirer des chefs-d'œuvre d'art ancien ou contemporain (ci-contre)
- Se prélasser à Central Park (p. 189) – et Riverside Park (p. 159)
- Découvrir des trésors de l'architecture new-yorkaise comme le Dakota Roadhouse (p. 264)
- Prendre un brunch, et écouter du jazz à Harlem (p. 253)
- Regarder passer les gens, des marches de la bibliothèque de l'université de Columbia (p. 166)
- Visiter au moins une ou deux galeries du sublimissime Metropolitan Museum (p. 161)
- Explorer l'annexe du Met, le magnifique Cloisters (p. 170)

que des terrains de basket et de base-ball. Vous trouverez des bancs bien placés, une promenade pour chiens (*dog run*) très prisée, le Boat Basin Café (ouvert en saison) et plusieurs œuvres d'art, notamment une intéressante statue d'Eleanor Roosevelt à l'entrée de 72nd St. C'est un endroit idéal pour la balade, en particulier au coucher du soleil, quand l'Hudson se pare de doux reflets, et que la ville s'apaise enfin.

UPPER EAST SIDE

Où se restaurer p. 251, Où prendre un verre p. 275, Shopping p. 349 , Où se loger p. 376

L'Upper East Side (UES) rassemble la plus forte concentration d'institutions culturelles de New York, y compris le célébrissime **Metropolitan Museum of Art** (p. 161). Ceci vaut le surnom de Museum Mile (le "kilomètre" des musées) à la portion de Fifth Ave située au nord de 57th St. En dehors des musées, vous trouverez d'autres plaisirs intellectuels, notamment **92nd Street Y** (p. 295), un théâtre qui rassemble les amateurs de littérature avec une impressionnante programmation de lectures d'auteurs, parmi lesquels Joan Didion et Margaret Atwood ; il accueille également diverses pièces de théâtre et ballets. Le quartier, dont les habitants mènent une compétition sans fin avec leurs homologues

de l'Upper West Side (UWS), de l'autre côté du parc (voir l'encadré p. 159), connaît une forte densité d'hôtels et de résidences de luxe. Le groupe de rues latérales délimité par Third Ave et Fifth Ave dans le sens est-ouest, par 86th St et 57th St dans les sens nord-sud, recèle quelques superbes *brownstones* (immeubles en briques) et hôtels particuliers. Une promenade nocturne dans ce secteur vous donnera l'occasion d'observer le mode de vie des nantis ; il suffit de lever les yeux pour apercevoir les superbes bibliothèques et les salons somptueux.

Orientation

L'UES est circonscrit entre 59th St au sud, 103rd St au nord, Fifth Ave à l'ouest et l'East River à l'est. Seule la ligne 6 du métro dessert le quartier, ce qui explique l'affluence aux heures de pointe ; les usagers doivent souvent laisser passer deux rames bondées avant de pouvoir s'engouffrer dans un wagon.

ASIA SOCIETY & MUSEUM Plan p. 454

☎ 212-288-6400 ; www.asiasociety.org ; 725 Park Ave à hauteur de 70th St ; ⑥ 6 jusqu'à 68th St

Fondé par John D. Rockefeller en 1956 (qui aimait beaucoup l'Asie ; voir aussi sa Japan Society, p. 150), ce centre culturel est censé aider à la compréhension de l'Asie et renforcer les relations entre ce continent et les États-Unis. D'autres antennes existent dans des villes comme Los Angeles, San Francisco, Hong-Kong et Shanghai, mais c'est à New York que se trouve son siège. L'endroit mérite le détour, avec son éventail de conférences éducatives et de manifestations diverses, mais son **musée** (www.asiasocietymuseum.org) constitue la principale attraction. Il présente de rares curiosités en provenance des quatre coins d'Asie, telles des sculptures jaïnes (issues du jaïnisme, religion traditionnelle antique) d'Inde, des peintures bouddhistes du Népal, ainsi que des jades et des laques de Chine.

CARL SCHURZ PARK Plan p. 454

☎ 212-459-4455 ; www.carlschurzparknyc.org ; East End Ave à hauteur de 88th St ; ⑥ 4, 5, 6 jusqu'à 86th St

Ce parc tranquille est le plus ancien jardin communautaire de la ville. Il est depuis longtemps très prisé pour sa promenade au bord de l'eau. C'est aussi un endroit idéal pour contempler les jardins en fleurs de la **Gracie Mansion**. Bâtie en 1799, il s'agit de la résidence secondaire dans laquelle ont séjourné tous les maires de New York, à l'exception du richissime Michael Bloomberg, qui possédait déjà de luxueux pied-à-terre en ville lorsqu'il a accédé à ses fonctions en 2002. Pour participer à l'une des visites guidées, qui ont lieu entre mars et décembre à 10h, 11h, 13h et 14h le mercredi (adulte/senior/étudiant et enfant 7/4 $/gratuit), il est nécessaire de réserver.

COOPER-HEWITT NATIONAL DESIGN MUSEUM Plan p. 454

☎ 212-849-8400 ; www.si.edu/ndm ; 2 E 91st St à hauteur de 5th Ave ; adulte/senior et étudiant/enfant 12/7$/gratuit ; 🕒 mar-jeu 10h-17h, ven 10h-18h sam, dim 12h-18h ; 🚇 4, 5, 6 jusqu'à 86th St

Ce musée occupe un hôtel particulier de 64 pièces construit par le milliardaire Andrew Carnegie en 1901 sur un site alors très à l'écart de l'agitation urbaine. Les vingt années qui suivirent marquèrent la fin du calme et de l'isolement que recherchait Carnegie, car d'autres hommes riches l'imitèrent et vinrent édifier leurs palais non loin du sien. Personnage intéressant, à la fois généreux philanthrope et lecteur avide, Carnegie inaugura de nombreuses bibliothèques dans le pays et fit don de quelque 350 millions de dollars de son vivant. Programmée chaque jour à 12h et à 14h, la visite guidée de 45 min incluse dans le prix d'entrée vous en apprendra davantage.

Le musée, affilié à la Smithsonian Institution de Washington, est incontournable pour quiconque s'intéresse au design industriel, à l'architecture, à la joaillerie et au textile. Il a présenté des expositions temporaires sur des thèmes aussi éclectiques que les campagnes publicitaires ou le verre soufflé viennois. Même si vous n'éprouvez qu'un intérêt relatif pour tout cela, le jardin et la terrasse valent le détour, sans oublier le bâtiment.

FRICK COLLECTION Plan p. 454

☎ 212-288-0700; www.frick.org ; 1 E 70th St à hauteur de 5th Ave ; adulte/senior/étudiant 12/8/5 $, enfants de moins de 10 ans non admis ; 🕒 mar-jeu et sam 10h-18h, ven 10h-21h, dim 13h-18h ; 🚇 6 jusqu'au 68th St-Hunter College

Cette étonnante collection est réunie dans un hôtel particulier construit en 1914 par le magnat de l'acier de Pittsburg Henry Clay Frick. L'édifice faisait partie des nombreuses résidences du Millionaire's Row (l'allée des millionnaires). D'entretien trop coûteux pour les générations suivantes, la plupart de ces grandes demeures furent détruites. Quant à l'habile H. C. Frick, il établit un legs testamentaire afin de transformer sa collection privée en musée.

Bien que l'étage de la résidence ne se visite pas, les douze salles du rez-de-chaussée sont, à elles seules, un spectacle somptueux. Également ouvert au public, le jardin dispose d'un bar payant le vendredi à partir de 18h30. L'Oval Room renferme l'exceptionnelle *Diane chasseresse* de Jean-Antoine Houdon. Vous pourrez aussi admirer des œuvres du Titien et de Vermeer, ainsi que des portraits peints par Gilbert Stuart, le Greco, Goya et John Constable. Le prix d'entrée comprend un audioguide et le système ArtPhone permet d'obtenir des détails sur les œuvres présentées. Enfin, contrairement à d'autres, ce musée a l'avantage de n'être jamais bondé, même le week-end.

JEWISH MUSEUM Plan p. 454

☎ 212-423-3200 ; www.jewishmuseum.org ; 1109 5th Ave à hauteur de 92nd St ; adulte/senior et étudiant/enfant 10/7,50 $/gratuit ; 🕒 dim-mer 11h-17h45, jeu 11h-20h, ven 11h-15h ; 🚇 6 jusqu'à 96th St

Retraçant 4 000 ans d'histoire, de liturgie et d'art juif, le musée propose également tout un éventail d'activités destinées aux enfants (contes, ateliers d'art et d'artisanat…). Le bâtiment, un hôtel particulier construit en 1908 pour un banquier, abrite plus de 30 000 pièces relatives à la culture juive. Ne manquez pas les expositions temporaires à grand succès, comme celles consacrées dernièrement à Modigliani et Max Liebermann, et qui ont attiré une foule nombreuse. Des conférences et des projections de films s'y déroulent fréquemment, surtout en janvier quand l'institution présente le New York Jewish Film Festival en collaboration avec le Lincoln Center.

Le jeudi, de 17h à 20h, le montant de l'entrée est à l'appréciation des visiteurs.

METROPOLITAN MUSEUM OF ART
Plan p. 454

☎ 212-535-7710 ; www.metmuseum.org ; 5th Ave à hauteur de 82nd St ; donation recommandée adulte/senior et étudiant/enfant 20/10 $/gratuit ; 🕒 mar-jeu et dim 9h30-17h30, ven et sam 9h30-21h ; 🚇 4, 5, 6 jusqu'à 86th St

Avec plus de cinq millions de visiteurs par an, le musée Métropolitain est l'attraction touristique la plus fréquentée de New York et l'un des musées d'art les mieux dotés financièrement dans le monde. Il fonctionne en quelque sorte comme un état culturel autonome, avec ses deux millions d'objets et un budget annuel dépassant les 120 millions de dollars. Par ailleurs, le Met a entamé début 2004 un projet de rénovation, dont le coût s'élève à 155 millions de dollars, afin de rentabiliser le moindre cm² d'espace. Ceci permettra de sortir des réserves quantité de pièces (dont un char étrusque), de restaurer les galeries consacrées au XIXᵉ siècle et à l'art moderne, et d'ajouter une nouvelle Roman Court (ouverture prévue en 2007) qui exposera 7 500 objets grecs et romains au lieu des 2 500 actuels.

Dans le Great Hall, procurez-vous le plan des collections et dirigez-vous vers les guichets qui affichent la liste des salles fermées temporairement et celle des conférences du jour. Le musée présente chaque année plus de 30 expositions et installations spéciales. C'est comme pour le Louvre : mieux vaut donc cibler ce que vous désirez voir absolument, car au-delà de 2 heures de visite la fatigue vous rattrapera certainement. Ensuite, abandonnez votre plan et laissez-vous guider par votre instinct. Au cours de cette visite improvisée, vous croiserez inévitablement des œuvres passionnantes.

À droite du hall se tient le bureau d'information qui propose des visites guidées en plusieurs langues (suivant les volontaires disponibles) et des audioguides des expositions temporaires (6 $). Des visites guidées gratuites, en anglais, sont organisées dans différentes parties du musée. Pour plus de détails, consultez le calendrier distribué au bureau d'information du Great Hall. Les familles peuvent se procurer, pour les enfants, le livre explicatif *Inside the Museum: A Children's Guide to the Metropolitan Museum of Art* et le calendrier des événements destinés aux enfants (disponibles gratuitement au bureau d'information).

Si vous n'avez pas le temps d'aller jusqu'à Cooperstown pour voir le Hall of Fame du base-ball américain, vous pourrez néanmoins jeter un œil à la collection de **cartes de base-ball** du Met (au 1ᵉʳ étage) qui comprend les cartes les plus rares et les plus chères au monde (celle de Honus Wagner, qui date de 1909, vaut quelque 200 000 $). Si vous n'êtes pas encore perdu, continuez sur votre gauche et vous arriverez dans l'**Aile américaine** consacrée au mobilier et à l'architecture, qui jouit d'un paisible jardin clos, à l'écart de la foule. Plusieurs vitraux signés Louis Comfort Tiffany ornent le jardin, sans oublier la façade sur deux étages de la Branch Bank des États-Unis, seule rescapée de la destruction du bâtiment au début du XXᵉ siècle.

Après la populaire Aile américaine, vous trouverez l'extension en forme de pyramide qui abrite la **Collection Robert Lehman** d'art impressionniste et moderne, et comprend plusieurs œuvres de Renoir (notamment la *Jeune Fille au bain*), Georges Seurat et Pablo

Picasso (dont le *Portrait de Gertrude Stein*). C'est en outre dans cette galerie que vous pourrez admirer la façade arrière en terre cuite du bâtiment original du Met, qui date de 1880 et à laquelle sont venues s'ajouter les extensions ultérieures. Elle s'offre ici à la vue, comme son propre artéfact architectural.

La **Collection Rockefeller,** qui présente des œuvres venant d'Afrique, d'Océanie et des Amériques, mène à la section consacrée à l'art grec romain. Le musée a récemment restauré la plupart de ces œuvres, notamment la Galerie chypriote, au deuxième étage, qui abrite quelques unes des plus belles pièces des environs de Chypre.

Ailleurs au deuxième étage, vous découvrirez la collection de **peintures européennes,** située dans l'une des plus anciennes galeries du musée, de l'autre côté du hall d'entrée à colonnades. L'exposition présente des œuvres de tous les artistes de renom, notamment des autoportraits de Rembrandt et Van Gogh, ainsi que *Portrait de Juan de Pareja* de Vélasquez. Un ensemble de salles s'intéresse à l'art impressionniste et post-impressionniste. La nouvelle collection des grands artistes modernes se trouve à cet étage, tout comme les photographies récemment acquises par le Met, et sa formidable collection d'instruments de musique. Au même endroit, les trésors du Japon, de la Chine et de l'Asie du Sud-Est méritent également le détour.

Si vous ne supportez pas la cohue, évitez les dimanches après-midi pluvieux, en été. En revanche, certains jours d'hiver lorsque le temps est exécrable, vous aurez les 7 ha du Met pratiquement pour vous tout seul – une expérience unique. Enfin, ne manquez pas le jardin sur le toit, surtout les week-ends d'été quand le bar à vins fonctionne en soirée.

MUSEUM OF THE CITY OF NEW YORK
Plan p. 454

☎ 212-534-1672 ; www.mcny.org ; 1220 5th Ave, entre 103rd St et 104th St ; donation recommandée famille/adulte/senior et étudiant 12/7/5 $; ☽ mar-dim 10h-17h ; ◉ 6 jusqu'à 103rd St

Pour en savoir plus sur la fascinante ville de New York, rendez-vous dans ce musée dont les expositions s'intéressent au passé, au présent et au futur de la Grosse Pomme. Installé dans une demeure coloniale géorgienne datant de 1932, le Musée de la ville de New York présente ses collections en faisant appel à la technologie autant qu'aux méthodes traditionnelles. On peut ainsi consulter des données historiques sur Internet et découvrir une maquette à grande échelle de la Nouvelle-Amsterdam peu de temps après l'arrivée des Hollandais. À l'étage, une intéressante galerie renferme les pièces reconstituées de riches hôtels particuliers aujourd'hui disparus, une section consacrée aux comédies musicales de Broadway, et une collection de maisons de poupée, ours en peluche et jouets anciens divers. Des expositions temporaires jettent un regard intelligent sur la ville, traitant de sujet comme Harlem, les Années folles, l'architecture du XXIe siècle ou New York vu par les photographes de l'agence Magnum.

NATIONAL ACADEMY OF DESIGN
Plan p. 454

☎ 212-369-4880 ; www.nationalacademy.org ; 1083 5th Ave à hauteur 89th St ; adulte/senior et étudiant/moins de 16 ans 10/5 $/gratuit ; ☾ mer-jeu 12h-17h, ven-dim 11h-18h ; ⊕ 4, 5, 6 jusqu'à 86th St

Cofondée par le peintre et inventeur Samuel Morse, l'école d'art présente une collection permanente de peintures et de sculptures dans une superbe demeure pourvue d'un vestibule en marbre et d'un escalier en colimaçon. Ce joyau d'architecture fut conçu par Ogden Codman à qui l'on doit également l'hôtel particulier Breakers de Newport, sur Rhode Island.

NEUE GALERIE Plan p. 454

☎ 212-628-6200 ; www.neuegalerie.org; 1048 5th Ave à hauteur de 86th St ; adulte/senior 15/10 $, enfants de moins de 12 ans non admis ; ☾ sam-lun 11h-18h, ven 11h-21h ; ⊕ 4, 5, 6 jusqu'à 86th St

Nouvelle venue dans le quartier des musées – elle a ouvert en 2000 –, cette vitrine de l'art allemand et autrichien n'a pas tardé à connaître le succès. Installée dans un ancien hôtel particulier de Rockefeller, elle expose des œuvres magistrales de Gustav Klimt, Paul Klee et Egon Schiele présentées avec soin dans un cadre intime. Au niveau de la rue, le Café Sabarsky sert des boissons, des pâtisseries et des plats viennois. Les enfants ne sont pas admis.

NEW YORK ACADEMY OF MEDICINE
Plan p. 454

☎ 212-822-7200 ; www.nyam.org ; 1216 5th Ave à hauteur de 103rd St ; entrée libre ; ☾ lun-ven 9h-17h ; ⊕ 6 jusqu'à 103rd St

Avec plus de 700 000 ouvrages à son catalogue, l'académie de médecine de New York est l'une des plus importantes bibliothèques médicales au monde (elle possède en outre une impressionnante collection de livres de cuisine). Son intérêt réside aussi dans un ensemble de curiosités dont l'inventaire paraîtra surréaliste aux uns et fascinant aux autres : crécelle de lépreux, gouttelette de la première culture de pénicilline, ventouses pour les phlébotomies, dentier de George Washington…

ROOSEVELT ISLAND Plan p. 454

⊕ F jusqu'à Roosevelt Island

Le secteur le mieux aménagé de New York se niche dans une île minuscule, pas plus large qu'un terrain de football, sur l'East River, entre Manhattan et le Queens. Jadis baptisée Blackwell's Island, du nom de la famille de fermiers qui s'y installa, l'île fut achetée par la ville en 1828 et devint le site de plusieurs hôpitaux et asiles. Dans les années 1970, l'État de New York construisit des appartements pour 10 000 personnes le long de l'unique rue. La partie concentrée autour de la voie pavée ressemble à un village olympique ou, aux dires de ses détracteurs, à un pensionnat.

La plupart des touristes empruntent le tramway aérien qui relie l'île en 4 min, contemplent la vue époustouflante sur l'East Side de Manhattan flanqué du pont de 59th St et repartent aussitôt. Il est pourtant agréable de profiter du calme de l'île pour se détendre, pique-niquer ou faire du vélo.

Les départs depuis la station de tramway Roosevelt Island (☎ 212-832-4543 ; 60th St à hauteur de 2nd Ave) ont lieu tous les quarts d'heure, de 6h à 14h, du dimanche au jeudi, et jusqu'à 15h30 les vendredis et samedis ; l'aller simple coûte 1,50 $. Roosevelt Island reste accessible depuis Manhattan par la ligne F du métro.

SOLOMON R GUGGENHEIM MUSEUM
Plan p. 454

☎ 212-423-3500 ; www.guggenheim.org ; 1071 5th Ave à hauteur de 89th St ; adulte/senior et étudiant/enfant 15/10 $/gratuit ; ☾ sam-mer 10h-17h45, ven 10h-20h ; ⊕ 4, 5, 6 jusqu'à 86th St

L'édifice en spirale conçu par Frank Lloyd Wright éclipse presque la collection d'art du XXe siècle qu'il abrite. Après avoir suscité la controverse dans les années 1950 du fait de son architecture surprenante, le bâtiment est désormais reconnu comme une œuvre majeure que les spécialistes critiquent désormais à leurs risques et périls. Pourtant, à la suite d'une rénovation malheureuse menée en 1992, l'édification d'une tour attenante de dix étages, d'après les dessins originaux de Wright, fait ressembler l'ensemble à une cuvette de WC.

À l'intérieur, vous pourrez découvrir quelques-unes des 5 000 pièces du musée (plus des expositions temporaires) le long d'un parcours hélicoïdal. Utilisez l'ascenseur pour monter jusqu'au dernier étage, puis descendez la rampe en colimaçon. Vous verrez, entre autres, des tableaux de Picasso, Chagall, Pollock et Kandinsky. En 1976, la donation Justin Thannhauser a enrichi la collection d'œuvres impressionnistes et modernes, avec notamment des peintures de Monet, Van Gogh et Degas. Depuis le legs de 200 clichés par la fondation Robert Mapplethorpe en 1992, le 3e étage est consacré à la photographie. Il est possible d'acheter des billets à l'avance, via le site Internet du musée, ce qui permet d'éviter les files d'attente parfois impressionnantes.

TEMPLE EMANU-EL Plan p. 454

☎ 212-744-1400 ; www.emanuelnyc.org ; 1 E 65th St à hauteur de 5th Ave ; ☾ 10h-17h ; ◉ N, R, W jusqu'à 5th Ave-59th St

Fondée en 1845, la première synagogue réformatrice de New York a été achevée en 1929. Le plus grand lieu de culte israélite du monde compte 3 000 familles parmi ses fidèles. Arrêtez-vous pour jetez un œil à sa remarquable architecture byzantine et moyen-orientale. La façade comprend une arche portant les symboles des 12 tribus d'Israël, qui sont également représentées sur les portes en bronze imposantes. L'intérieur est majestueux, avec ses piliers et sa voûte de Guastavino (une ingénieuse technique de construction à base de carreaux de céramique), ses sols en marbre et ses vitraux éclatants.

WHITNEY MUSEUM OF AMERICAN ART Plan p. 454

☎ 212-570-3600, 800-944-8639 ; www.whitney.org ; 945 Madison Ave à hauteur de 75th St ; adulte/senior/enfant 12/9,50 $/gratuit ; ☾ mar 11h-16h30, mer, sam et dim 11h-18h, ven 11h-21h ; ◉ 6 jusqu'à 77th St

Installé dans la version moderne d'une forteresse médiévale, le Whitney affiche d'emblée sa mission provocatrice. L'édifice dessiné par l'architecte du Bauhaus Marcel Breur constitue un écrin approprié pour une collection consacrée à l'art américain du XXe siècle. Le musée organise tous les deux ans sa fameuse biennale (la dernière a eu lieu en mars 2006), une vue d'ensemble ambitieuse de l'art contemporain qui suscite presque toujours la controverse, le plus souvent en raison de la médiocrité des œuvres exposées.

L'architecture Bauhaus du Whitney (ci-dessous)

Réunie dans les années 1930 par Gertrude Vanderbilt Whitney, qui lança à Greenwich Village un salon pour artistes en vue, la collection permanente compte des tableaux d'Edward Hopper, Jasper Johns, Georgia O'Keeffe, Jackson Pollock et Mark Rothko. Parmi les dernières expositions marquantes, on notera, entre autres : *Picasso and American Art*, un regard révolutionnaire sur l'artiste et ses innombrables influences (oct 2006-jan 2007), et *Kiki Smith: A Gathering*, 1980-2005, une rétrospective des diverses œuvres contemporaines de l'artiste (nov 2006-fév 2007).

YORKVILLE Plan p. 454

◉ 6 jusqu'à 77th St

Actuellement réputée pour être l'une des dernières enclaves (relativement) abordables de l'Upper East Side en matière de locations d'appartements, cette zone à l'est de Lexington Ave, entre 70th St et 96th St, était autrefois le lieu où se fixaient les immigrants hongrois et allemands fraîchement débarqués. La seule trace de cet héritage réside dans des enseignes comme Schaller & Weber, une épicerie allemande à l'ancienne, Heidelberg, un restaurant chaleureux qui sert de la choucroute et autres spécialités germaniques (tous deux dans Second Ave, entre 85th St et 86th St), et le **Yorkville Meat Emporium** (2nd Ave à hauteur de 81st St), qui vend de la viande et des plats préparés hongrois.

HARLEM ET LE NORD DE MANHATTAN

Promenades p. 221, Où se restaurer p. 253, Où prendre un verre p. 275 , Shopping p. 351, Où se loger p. 377

Tandis que les habitants de Downtown se targuaient autrefois d'être pris de "saignement de nez" s'ils s'aventuraient au-dessus de 14th St – vers le "haut" de Manhattan –, la tendance à déménager vers le nord et non plus vers le sud a obligé nombre d'entre eux à traverser cette limite. Désormais, ils vont même au-delà de 110th St pour rentrer chez eux ou aller voir des amis à Morningside Heights, Washington Heights, Inwood ou Harlem. Même si ce n'est plus aussi flagrant qu'il y a encore quelques années, les prix de l'immobilier dans ces quartiers demeurent plus bas que dans le reste de Manhattan. Ils ont fait l'objet d'arrivées en nombre, car, (encore) épargnés par la branchitude, ils ont tendance à être plus authentiques et conviviaux.

Morningside Heights, situé juste au-dessus d'Upper West Side, est dominé par l'**université de Columbia** (p. 166), qui s'apparente à un campus ultra-branché. Une partie de ce quartier est connue sous le nom du tout récent Soha (South of Harlem), et compte un nombre croissant de cafés et de restaurants à la mode. Un petit peu plus au nord se trouve Washington Heights, connu pour sa vaste communauté dominicaine et sa jolie annexe du Metropolitan Museum, **Cloisters** (p. 170). Inwood désigne l'extrémité nord de Manhattan, et fourmille de petites rues tranquilles, bordées de nombreux et charmants espaces verts en bord de fleuve. Et pour finir, il y a évidemment Harlem, qui éclipse tous les autres quartiers nord par la richesse de son histoire et sa renaissance actuelle.

Le cœur de la culture noire a toujours battu dans cette enclave des années 1920 que fut Harlem. C'est dans ce quartier situé au nord de Central Park qu'ont vécu de grandes figures afro-américaines de l'art, de la musique, de la danse et des lettres, parmi lesquels Frederick Douglass, Paul Robeson, Thurgood Marshall, James Baldwin, Alvin Ailey, Billie Holiday et Jessie Jackson.

Harlem n'est plus cette zone infréquentable qu'elle a été. Hormis quelques rues secondaires désertes et encore à l'abandon, il n'est pas nécessaire de prendre plus de précautions ici que partout ailleurs à New York. C'est une formidable destination à ajouter au programme de votre séjour, pour des raisons culturelles (musées, théâtres, jazz, architecture, et églises gospel), gastronomiques (excellente cuisine afro-américaine) et commerciales (boutiques à profusion). Afin de découvrir le quartier par vous-même, prenez le bus en direction du nord, à Broadway ou Madison Ave, et observez la modification progressive du paysage ; descendez à 125th St et voyez où vos pas vous mènent.

Ceux qui visitent le quartier pour la première fois seront sans doute surpris de constater qu'ils se trouvent à une station de métro de Columbus Circle-59th St. Par les lignes express A et D, il ne faut que 5 min, et les 2 lignes s'arrêtent à un pâté de maisons de l'**Apollo Theater** (p. 167) et à deux rues du Malcolm X Blvd (Lenox Ave).

MORNINGSIDE HEIGHTS

Ce quartier situé entre l'Upper West Side et Washington Heights beaucoup plus au nord, est dominé par l'univesité de Columbia. Des nuées d'étudiants et de professeurs remplissent les cafés et les librairies, ou déambulent entre les cours sur le beau campus. La population multi-ethnique constitue l'un des charmes du quartier, tout comme ses loyers, encore abordables. Mais il a aussi d'autres attraits, notamment de superbes espaces verts et de délicieux nouveaux restaurants.

Orientation

Morningside Heights s'étend, du sud au nord, de 110th à 125th St, et d'est en ouest, de St Nicholas Ave à l'Hudson.

CATHEDRAL CHURCH OF ST JOHN THE DIVINE Plan p. 458

☎ 212-316-7540 ; www.stjohndivine.org ; Amsterdam Ave à hauteur de 112th St ; ☷ 7h30-18h ; ⓑ B, C, 1 jusqu'à 110 St-Cathedral Pkwy

Lorsqu'elle sera achevée, cette cathédrale épiscopalienne de 180 m de long, commencée en 1892, sera non seulement le plus vaste lieu de culte des États-Unis, mais le troisième du monde, après la basilique Saint-Pierre du Vatican et Notre-Dame de Yamoussoukro en Côte-d'Ivoire. Ne ratez pas la grande rosace (Great Rose Window), le plus grand vitrail du pays, et le grand orgue (Great Organ), un orgue datant de 1911, et qui attend d'être restauré depuis qu'un terrible incendie l'a réduit au silence en 2001.

En plus de ses travaux de construction, la cathédrale s'est engagée dans différents projets en partenariat afin de générer de l'argent avec les parcelles inutilisées de son terrain. Un immeuble résidentiel et un bâtiment de l'université de Columbia verront ainsi le jour.

En attendant, la cathédrale est un lieu sacré très animé, au centre d'une vie communautaire active. On y donne des concerts les jours fériés, des conférences et des services à la mémoire de New-Yorkais célèbres. Deux services annuels très attendus ne manqueront pas de surprendre les Européens : la bénédiction des animaux, le premier dimanche d'octobre, qui attire les propriétaires d'animaux de compagnie, et la bénédiction des bicyclettes, le 1er mai, dont bénéficient les vieilles bicyclettes aussi bien que les VTT flambant neufs. La cathédrale possède même son Poet's Corner, à gauche de l'entrée, bien que personne n'y soit enterré. On ira voir également l'autel de Keith Haring, un célèbre artiste pop des années 1980.

Le site offre d'autres curiosités : le jardin de sculptures des enfants, côté sud, et le jardin biblique, à l'arrière du bâtiment. Un parcours écologique peu banal serpente à travers la cathédrale et ses dépendances, retraçant les cycles de la Création (naissance, vie, mort et renaissance) sous un angle multiculturel.

Des visites guidées de la cathédrale (3 $ par pers) sont proposées à 11h, du mardi au samedi, et à 13h le dimanche.

UNIVERSITÉ DE COLUMBIA Plan p. 458

☎ 212-854-1754 ; www.columbia.edu ; Broadway à hauteur de 116th St ; ◉ 1 jusqu'à 116th St-Columbia University

Lorsque les fondateurs de la Columbia University et du Barnard College qui lui est associé décidèrent, en 1897, de s'installer sur ce site, entre 114th St et 121st St, ils pensaient s'être éloignés durablement de l'agitation du centre-ville. Aujourd'hui, l'université est enserrée par la ville, mais sa cour centrale où trône une statue Alma Mater en haut de l'escalier de la Low Library (bibliothèque) est encore un havre de paix. Dans l'angle sud-est de la place principale, le Hamilton Hall fut occupé par les étudiants en 1968. Manifestations et fêtes s'y succèdent depuis lors. L'université propose également une multitude d'événements culturels de grande qualité ; consultez son site Internet ou les tableaux d'affichage parsemant le campus pour vous renseigner sur les lectures, les projections de films, les ballets et les pièces de théâtre, les expositions artistiques et les rencontres sportives.

GENERAL US GRANT NATIONAL MEMORIAL Plan p. 458

☎ 212-666-1640 ; www.nps.gov/gegr ; Riverside Dr à hauteur de W 122nd St ; entrée libre ; ◷ 9h-17h ; ◉ 1, 9 jusqu'à 125 St

Communément appelé le tombeau de Grant, ce monument renferme la dépouille du héros de la guerre de Sécession, le président Ulysses S. Grant et celle de sa femme Julia. Achevée en 1897, 12 ans après sa mort, la structure en granit coûta 600 000 $. C'est le plus grand mausolée du pays. Bien que ses architectes aient pris modèle sur le tombeau de Mausole à Halicarnasse, cette version est loin d'être une merveille du monde. Le tombeau fut longtemps couvert de graffitis, jusqu'à ce que les descendants de Grant menacent de déplacer les corps si le service des parcs nationaux ne se décidait pas à le nettoyer.

MORNINGSIDE PARK Plan p. 458

www.morningsidepark.org ; 110th St jusqu'à 123rd St, entre Manhattan Ave, Morningside Ave et Morningside Dr
Le parc auquel le quartier doit son nom est un charmant espace vert s'étendant sur 13 pâtés de maisons. Dans la partie située derrière la Cathedral Church of St John the Divine, vous trouverez un étang avec une cascade. Un peu plus au nord se dressent plusieurs sculptures commémoratives, notamment la fontaine Seligman (Bear and Faun) (1914) d'Edgar White et le Carl Schurz Memorial (1913) de Carl Bitter et Henry Bacon. Le parc compte également plusieurs aires de jeux et des sentiers ombragés, ainsi que le luxuriant arboretum du Dr Thomas Kiel, près de 116th St.

RIVERSIDE CHURCH Plan p. 458

☎ 212-870-6700 ; www.theriversidechurchny.org ; 490 Riverside Dr au niveau de W 120th St ; ◷ 7h-22h ; ◉ 1, 9 jusqu'à 116th St-Columbia University
Véritable bijou gothique, l'église de Riverside, construite par les Rockefeller en 1930, domine l'Hudson. Par beau temps, on peut rejoindre la terrasse panoramique (2 $), à 106 m de hauteur. Les 74 cloches du carillon, avec un extraordinaire bourdon de 20 tonnes, entrent en action le dimanche à 12h et 15h. Des services interconfessionnels sont célébrés le dimanche à 10h45, et des événements culturels de grande qualité, tels des concerts et des lectures, y sont régulièrement organisés par des militants multiethniques, gays et anti-guerre.

HARLEM

Deux événements ont favorisé la renaissance de Harlem : le classement du quartier dans sa totalité en zone de développement économique en 1996, et l'afflux de touristes, curieux de se frotter aux vibrations musicales et spirituelles des lieux. Si le redressement économique s'est traduit par un afflux de dollars, il a aussi drainé un tourisme en bus à impérial et des foules prêtes à se bousculer pour avoir une bonne place à la messe du dimanche. Les espaces fantastiques offerts en location à des prix imbattables ont fait naître un florissant ghetto gay (blanc), et les tensions entre anciens et nouveaux résidents sont fréquentes, l'équilibre qui pourrait permettre de satisfaire tout le monde n'ayant pas encore été atteint. Néanmoins, ces deux dernières années, les boutiques et les cafés branchés tenus par des Noirs se sont multipliés. Flâner au hasard des rues et des divers commerces est la promesse d'un après-midi très excitant.

Les édiles ont agressivement vanté les mérites de Harlem auprès des promoteurs, en mettant en avant un complexe d'un gigantisme inquiétant (et extrêmement populaire), **Harlem USA** (plan p. 458 ; 300 W 125th St). Celui-ci comprend un club de danse, 12 salles de cinéma, une patinoire sur le toit et une boutique HMV. Le **kiosque d'information de Harlem** (plan p. 458 ; 163 W 125th St à hauteur de 7th Ave ; ☺ lun-ven 9h-18h, sam-dim 10h-18h) saura vous renseigner et vous fournir des informations d'ordre géographique et historique.

Orientation

Dans ce quartier – délimité au sud par 125th St et au nord par 140th St –, vous remarquerez que les principales avenues ont été rebaptisées des noms d'éminentes personnalités noires. Cependant, beaucoup d'habitants du quartier appellent encore les rues par leurs anciens noms, d'où parfois une certaine difficulté pour trouver son chemin. Eighth Ave (Central Park West) est devenue le Frederick Douglass Blvd, et Seventh Ave, Adam Clayton Powell Jr Blvd, du nom d'un pasteur controversé qui siégea au Congrès dans les années 1960. Lenox Ave porte maintenant le nom du leader de la Nation of Islam, Malcolm X. 125th St, la grande artère commerçante, a quant à elle, été honorée du nom de Martin Luther King Jr Blvd.

Visiter Harlem n'est pas de tout repos, car les sites sont assez dispersés et les stations de métro guère nombreuses. Il peut s'avérer préférable de se déplacer en bus.

ÉGLISE BAPTISTE ABYSSINIENNE
Plan p. 458

☎ 212-862-7474 ; www.abyssinian.org ; 132 Odell Pl (W 138th St), entre Adam Clayton Powell Jr Blvd et Malcolm X Blvd ; ☺ dim messes à 9h, 11h ; ⊚ 2, 3 jusqu'à 135th St

Fondée par un homme d'affaires éthiopien, l'Abyssinian Baptist Church, installée à l'origine à Downtown, déménagea à Harlem en 1923, pour répondre au mouvement migratoire de la population noire de la ville. Son pasteur charismatique, Calvin O. Butts III, fait figure d'important membre de la communauté, et est à ce titre courtisé par les politiciens de tout bord. L'église jouit d'un chœur superbe et l'édifice est un vrai bijou. Si vous envisagez de la visiter avec plus de 10 personnes, la congrégation demande à ce que vous appeliez à l'avance pour savoir s'il y a de la place.

APOLLO THEATER Plan p. 458

☎ 212-531-5337 ; 5253 W 125th St à hauteur de Frederick Douglass Blvd ; visite guidée (lun, mar, ven 11h, 13h, 15h, sam-dim 11h, 13h) lun-ven 12 $; sam-dim 14 $; ⊚ A, B, C, D jusqu'à 125th St

L'Apollo est la première salle de spectacles de Harlem. Concerts et meetings politiques s'y déroulent depuis 1914. Presque tous les grands artistes noirs des années 1930 et 1940, comme Duke Ellington et Charlie Parker, ont joué ici. Reconvertie en cinéma, la salle tomba dans l'anonymat avant d'être rachetée en 1983 et, finalement, de retrouver sa fonction première. Après 2 ans de travaux de rénovation, l'Apollo est plus beau que jamais, avec sa façade restaurée, son fronton, sa devanture de verre et d'acier et son guichet flambant neuf. On y donne toujours, le mercredi, les fameuses nuits hebdomadaires, "où naissent les vedettes et se fabriquent les légendes", et dont le public surexcité et impitoyable est tout aussi amusant à observer que les artistes eux-mêmes. Les autres soirs, l'Apollo accueille des artistes établis comme Stevie Wonder ou les O'Jays.

MARCHÉ MALCOLM SHABAZZ DE HARLEM Plan p. 458

☎ 212-987-8131 ; 116th St ; ☺ 10h-17h ; ⊚ 2, 3 jusqu'à 116th St

Les vendeurs de ce marché semi-couvert, situé entre Malcolm X Blvd et Fifth Ave,

LES MESSES AVEC GOSPEL

Les services religieux du dimanche à Harlem, baptistes pour la plupart, et réputés pour leur ardeur spirituelle et le rythme entraînant de leurs chœurs, attirent les foules. Les touristes débarquent par bus entiers (certaines églises ont passé des accords avec des tour-opérateurs) entraînant un regrettable choc de cultures, avec d'un côté des fidèles venus pratiquer et de l'autre des curieux soucieux de prendre la meilleure photo possible. Selon un adage local, Harlem compte un bar à tous les coins de rue et une église pour chaque pâté de maisons, aussi trouverez-vous de nombreuses autres églises dans les abords immédiats de celles dont nous indiquons les adresses ci-dessous. Comme leur fronton le précise :" All are welcome" (Tout le monde est bienvenu). Les messes commencent généralement à 11h. Pour une expérience unique, rendez-vous à l'une des messes hip-hop du jeudi soir, proposées par plusieurs église de Harlem.

L'**Abyssinian Baptist Church** (p. 167) accueille avec plaisir les touristes, de même que la **Mother African Methodist Episcopal Zion Church** (plan p. 458 ; ☎ 212-234-1545 ; 146 W 137th St ; ◉ 2, 3 jusqu'à 135th St), à l'angle de la rue, qui recueille en général le trop-plein de l'église abyssinienne. **Canaan Baptist Church** (plan p. 458 ; ☎ 212-866-5711 ; 132 W 116th St ; ◔ services oct-juin dim 10h45, juil-sept 10h ; ◉ 2, 3 jusqu'à 116th St), près de St Nicholas Ave, est peut-être l'église la plus chaleureuse de Harlem.

Comme les églises précédentes sont très fréquentées, peut-être vaut-il mieux essayer l'une des adresses suivantes :

- Baptist Temple (plan p. 458 ; ☎ 212-996-0334 ; 20 W 116th St)
- Metropolitan Baptist Church (plan p. 458 ; ☎ 212-663-8990 ; 151 W 128th St)
- St Paul Baptist Church (plan p. 458 ; ☎ 212-283-8174 ; 249 W 132nd St)
- Salem United Methodist Church (plan p.458 ; ☎ 212-722-3969 ; 211 W 129th St)
- Second Providence Baptist Church (plan p. 458 ; ☎ 212-831-6751 ; 11 W 116th St)

font de bonnes affaires avec un assortiment habituel d'objets africains : masques, huiles, tambours, vêtements traditionnels, etc. On y trouve des vêtements bon marché, du cuir, des cassettes audio et des vidéos pirates. Le marché dépend de la mosquée Malcolm Shabazz où prêchait Malcolm X.

SCHOMBURG CENTER FOR RESEARCH IN BLACK CULTURE
Plan p. 458

☎ 212-491-2200 ; www.nypl.org/research/sc/sc.html ; 515 Malcolm X Blvd ; entrée libre ; ◔ mar-mer 12h-20h, jeu-ven 12h-18h, sam 10h-18h ; ◉ 2, 3 jusqu'à 135th St

Des documents, des livres rares, des enregistrements et des photographies ont été rassemblés dans cette immense collection relative à l'histoire et à la culture noire américaine installée dans ce centre de recherche, proche de W 135th St. Arthur Schomburg, originaire de Porto Rico, a commencé sa collecte au début du XXe siècle tout en militant pour les droits civiques et l'indépendance de l'île. Cette collection fut acquise par la fondation Carnegie qui l'étoffa et l'entreposa dans cette annexe de la New York Public Library. Des conférences et des concerts ont lieu régulièrement dans la salle de spectacles.

STUDIO MUSEUM IN HARLEM Plan p. 458
☎ 212-864-4500 ; www.studiomuseum.org ; 144 W 125th St à hauteur d'Adam Clayton Powell Jr Blvd ; donation recommandée adulte/senior et étudiant 7/3 $; ◔ mer-ven et dim 12h-18h, sam 10h-18h ; ◉ 2, 3 jusqu'à 125th St

Depuis presque 30 ans, ce musée d'art contemporain s'efforce d'aider et de promouvoir les artistes noirs américains en leur offrant des espaces de travail. Sa collection de photographies comprend des œuvres de James VanDerZee, qui prit Harlem en photo à la grande époque des années 1920 et 1930. Des expositions temporaires présentent des artistes émergents dans différents domaines (peinture, sculpture, art vidéo, tatouages).

EAST HARLEM OU LE HARLEM HISPANIQUE

East Harlem, appelé aussi *Spanish Harlem* ou *El Barrio*, héberge la plus grande communauté latine (principalement portoricaine, dominicaine et cubaine, mais avec un nombre croissant de Mexicains) de la ville. On y arbore fièrement sa latinité : des drapeaux portoricains flottent aux portières de voitures qui diffusent une salsa tonitruante, des joueurs de dominos sont assis devant des *casitas* délabrées dans les jardins communautaires, et des commères assises sur des tabourets s'apostrophent l'une l'autre en "spanglish".

Les endroits intéressants du quartier sont **El Museo del Barrio** (à droite), et le **Duke Ellington Circle** (plan p. 458), avec la statue du musicien et de son piano, au croisement de Fifth Ave et de Central Park North (dite aussi Tito Puente Way). Si **La Marqueta** (plan p. 458 ; E 115th St, entre Park Ave et 3rd Ave), un marché bourdonnant de 200 stands vendant, entre autres choses, des fruits exotiques, des plantes et des articles religieux, fit la fierté des Portoricains pendant des années, après la Seconde Guerre mondiale, il ne se résume plus, aujourd'hui, qu'à huit malheureux vendeurs. Tout cela devrait radicalement changer si le séduisant projet de développement proposé par Bloomberg se déroule comme prévu. Mené par l'East Harlem Business Capital Corporation, ce plan d'envergure, bénéficiant de 16 millions de dollars de budget, doit signer la renaissance de La Marqueta, avec une nouvelle construction qui permettra l'installation d'un marché international de 7 800 m² composé de boutiques, de cafés et de restaurants latino-américains et américains. En attendant, les nombreux herboristes et cafés alentour vous réservent de belles surprises.

Orientation

East Harlem s'étend entre Fifth Ave et l'East River, au-dessus de 96th St.

GRAFFITI HALL OF FAME Plan p. 454
www.graffitihalloffame.org ; 106th St, entre Madison Ave et Park Ave ; 🎫 6 jusqu'à 103rd St

Cette galerie d'art de la rue, logée dans une cour d'école et célébrant l'art du grafitti, a été fondée en 1980 par le graffeur Ray Rodriguez (alias Sting Ray) et les chefs de file de la communauté, qui mesuraient toute la valeur d'un art que certains politiciens et commerçants ne voyaient que comme du vandalisme. Vous pourrez admirez ses peintures murales chatoyantes à tout moment, mais le véritable événement, le Graffiti Hall of Fame, une compétition au cours de laquelle des graffeurs viennent du monde entier pour s'affronter – picturalement parlant – sur les murs, a lieu fin juin. Consultez le site Internet pour plus de détails. Streets are Saying Things (www.streetsaresayingthings.com), qui organise également un palmarès, vous permettra aussi de vous familiariser avec ce mode d'expression urbain.

EL MUSEO DEL BARRIO Plan p. 454
☎ 212-831-7272 ; www.elmuseo.org ; 1230 5th Ave, entre 104th St et 105th St ; donation recommandée adulte/senior-étudiant/enfant 6/4 $/gratuit ; 🕐 mer-dim 11h-17h ; 🎫 6 jusqu'à 103rd St

Ce musée, le meilleur point de départ d'une visite du Spanish Harlem, a vu le jour en 1969 afin de mettre en valeur l'art et la culture portoricaines. Depuis lors, il est devenu la première institution culturelle latino-américaine de la ville, avec une collection étourdissante, comprenant 2 000 objets rituels précolombiens, 900 objets traditionnels de pays comme le Brésil et Haïti, plus de 3 000 gravures et affiches portoricaines, ainsi que des peintures et des sculptures contemporaines d'artistes tels Raul Farco, Marcos Dimas et Pepon Osorio. La vidéothèque compte de rares images d'archives de la vie dans El Barrio, des années 1970 à nos jours, ainsi que du matériel éducatif de Porto Rico. Les photographies témoignent de la vie sur l'île pendant la et des premières années d'immigration latino-américaine vers les États-Unis.

Les expositions temporaires sont très intéressantes. Les dernières en date se sont intéressées à de grands artistes comme Diego Rivera et Frida Kahlo. L'exposition thématique *MoMA at El Museo*, a mis en valeur la fabuleuse collection latino-américaine et caribéenne du MoMA. Début 2006, *El Museo's Bienal: The (S) Files/The Selected Files*, a présenté le travail d'un nombre impressionnant d'artistes latino-américains locaux. Signalétique et brochures du musée en anglais et en espagnol.

HAMILTON HEIGHTS ET SUGAR HILL

Ce quartier, qui s'étend au nord de Harlem de la 138th St à la 155th St environ, à l'ouest de Edgecombe Ave, regorge de sites intéressants et peu visités, à l'exemple du fabuleux **Sugar Hill Bistro** (458 W 145th St) et du **pont de Macombs Dam**, qui remonte 155th St vers l'est, et constitue l'un des meilleurs chemins pour rejoindre, à pied comme en voiture, le Yankee Stadium. En été, les passionnés de basket iront voir les célèbres rencontres du **Rucker Park** (plan p. 458 ; 155th St à hauteur de Harlem River ; 🎫 B, D jusqu'à 155th St), dont les matchs en plein air comptent parmi les plus prisés en ville (avec les terrains de W 4th St, dans le Village, p. 139), et où des joueurs aussi renommés que Kobe Bryant (avant le scandale qui l'a éclaboussé) ont fait halte.

HAMILTON GRANGE Plan p. 458

☎ 212-283-5154 ; www.nps.gov/hagr ; 287 Convent Ave à hauteur 141st St ; entrée libre ; 🕑 mer-ven 9h-17h ; 🚇 A, B, C, D jusqu'à 145th St

Cette maison de style fédéral fut, en un autre lieu et d'autre temps, le refuge campagnard d'Alexander Hamilton, un des signataires de la Constitution américaine – Hamilton Heights fut d'ailleurs baptisé ainsi, car le politicien possédait ici une ferme et une propriété en 1802. Lorsqu'on transporta le bâtiment sur son emplacement actuel, trop étroit en façade, il fallut se résoudre à orienter la maison de côté. La façade en est à présent tournée vers l'intérieur, ce qui la rend encore plus étrange à contempler. Dans les abords immédiats, le Hamilton Heights Historic District s'étend le long de Convent Ave depuis le campus du City College of New York (qui renferme lui-même des merveilles d'architecture), de 140th St, jusqu'à 145th St. C'est l'un des derniers îlots intacts de maisons en calcaire et grès brun de New York, et c'est tout simplement magnifique.

STRIVER'S ROW Plan p. 458

W 138th St et 139th St, entre Frederick Douglass Blvd et Adam Clayton Powell Jr Blvd ; 🚇 B, C jusqu'à 135th St

Également dénommé St Nicholas Historic District, Striver's Row présente un alignement de 130 élégantes maisons dont beaucoup furent conçues par l'agence de Stanford White dans les années 1890. Lorsque les Blancs quittèrent le quartier, l'élite noire occupa les lieux. C'est l'un des endroits les plus visités de Harlem. La discrétion est recommandée pour ne pas agacer outre mesure la population locale. Des plaques donnent des détails sur l'histoire du quartier. On remarquera, dans les passages, les écriteaux incitant les visiteurs à "descendre de cheval".

WASHINGTON HEIGHTS ET INWOOD

Près de la pointe nord de Manhattan (au-delà de 155th St), Washington Heights a pris le nom du premier président des États-Unis, qui, pendant la guerre d'Indépendance, y fit construire un fort militaire. Zone rurale isolée jusqu'à la fin du XIXᵉ siècle, Washington Heights attire depuis des années les New-Yorkais en quête de loyers abordables. Le quartier n'en garde pas moins son parfum latino, principalement dominicain. Aujourd'hui, vous y trouverez un intéressant mélange d'immeubles abritant à la fois des "expatriés" branchés de Downtown et des résidents de longue date, qui forment une communauté soudée et chaleureuse.

La plupart des visiteurs viennent à Washington Heights pour voir ses quelques musées, et notamment le Cloisters dans Fort Tryon Park, un endroit des plus agréables par beau temps.

De 11h à 17h, des navettes gratuites relient les différents musées du quartier. (Les musées ci-dessous communiquent les horaires par téléphone).

Inwood se trouve à l'extrémité nord de Manhattan, à partir de 145th St, et a attiré les habitants de Downtown avec ses logements bon marché, dont la plupart jouissent d'une vue magnifique sur l'Hudson. Sa plus belle attraction est l'immense Inwood Park (ci-contre, au bord de l'eau, qui offre un formidable havre de verdure entre ce quartier et le Bronx (p. 202). Une renaissance culturelle est en train de se produire dans cette partie de New York. Non loin de la Morris-Jumel Mansion (ci-contre), à l'angle de 160th St, se trouve le 555 Edgecombe Ave, qui fut successivement l'adresse de Jackie Robinson, Thurgood Marshall et Paul Robeson, et est désormais le fief de Marjorie Eliot (plan p. 458 ; ☎ 212-781-6595 ; apt 3F). Cette charmante dame accueille chez elle des jam-sessions de freejazz des plus conviviales, chaque dimanche à 16h ; elles sont ouvertes au public et chaudement recommandées. Signalons deux autres nouvelles attractions à domicile : le Museum of Art & Origins (plan p. 458 ; ☎ 212-740-2001 ; www.museumofartandorigins. org ; 432 W 162nd St ; 5 $; 🕑 sur rendez-vous), où George Preston a transformé 3 niveaux de sa maison en un musée de masques et de figurines africaines ; à deux rues de là vit Kurt Thometz, un vendeur de livres rares et épuisés qui a converti une pièce de sa maison en Jumel Terrace Books (plan p. 458 ; ☎ 646-472-5938 ; www.jumelterracebooks. com ; 426 W 160th St ; 🕑 sur rendez-vous), une boutique spécialisée dans la culture africaine, l'histoire de Harlem et la littérature afro-américaine.

CLOISTERS Plan p. 468

☎ 212-923-3700 ; 195th St ; www.metmuseum.org ; donation recommandée adulte/senior et étudiant/ enfant 15/7 $/gratuit ; 🕑 mar-dim nov-fév 9h30-16h45, mar-oct 9h30-17h15 ; 🚇 A jusqu'à Dyckman St

Quels que soient le temps et la saison, le musée Métropolitain (p. 161) est un endroit magnifique à visiter, mais s'il fait vraiment trop beau pour rester enfermé, n'hésitez pas à aller voir le musée des Cloîtres, son annexe en plein air. Installé dans Fort Tryon Park avec vue sur l'Hudson, ce musée date des années 1930 et fut constitué à partir de fragments de monastères français et espagnols. Il abrite en outre la collection des fresques, tapisseries et peintures médiévales du Metropolitan Museum of Art. En été, des concerts ont lieu sur place, et l'on peut admirer plus de 250 variétés d'herbes et de fleurs médiévales.

Les œuvres sont présentées dans des galeries – reliées par de majestueuses voûtes et dotées de plafonds mauresques en terre cuite – qui sont disposées autour d'une spacieuse cour. Parmi les nombreuses curiosités, ne ratez pas la plaque en or de saint Jean l'Évangéliste datant du IX\ :sup:`e` siècle, la sculpture anglaise en ivoire de la Vierge et l'Enfant de 1290, les anciens vitraux représentant des scènes religieuses, et l'extraordinaire cloître Saint-Guilhem du XII\ :sup:`e` siècle, en pierre calcaire française, qui s'élève à 9 m de haut.

DYCKMAN FARMHOUSE MUSEUM

Plan p. 468
☎ 212-304-9422 ; www.dyckmanfarmhouse.org ; 4881 Broadway à hauteur de 204th St ; entrée 1 $; 🕐 mer-sam 11h-16h, mar-dim 12h-16h ; 🚇 A jusqu'à 207th St

Construite en 1784 sur un terrain de 11 ha, la Dyckman Farmhouse reste la dernière ferme hollandaise de Manhattan. Après deux ans de rénovation, ce petit musée se porte mieux que jamais. Des fouilles ont livré de précieux témoignages de la vie coloniale et le musée comprend des pièces meublées et du mobilier de l'époque, des objets d'art décoratif, un jardin et une présentation de l'histoire du quartier. Si vous venez en métro, descendez à la station 207th St, puis revenez vers le sud en direction de Dyckman House. Attention, de nombreux visiteurs commettent l'erreur de descendre à la station Dyckman St.

HISPANIC SOCIETY OF AMERICA

Plan p. 458
☎ 212-926-2234 ; www.hispanicsociety.org ; Broadway à hauteur de 155th St ; entrée libre ; 🕐 mar-sam 10h-16h30, dim 13h-16h ; 🚇 1 jusqu'à 157th St

Logée dans un bâtiment de 2 étages de style palatial, et ornée de tapisseries en or et en soie, la Société hispanique vit sur la paisible Audubon Tce, l'ancienne adresse du naturaliste John James Audubon. Ouverte en 1908,

c'est ici que vous trouverez la plus importante collection hors-Espagne d'art et de manuscrits espagnols. Vous pourrez notamment admirer de nombreuses œuvres de Goya, le Greco, Diego Vélasquez et du prodigieux Joaquín Sorolla y Bastida. La bibliothèque abrite plus de 25 000 ouvrages. Montez à l'étage pour admirer le panorama. Signalétique et brochures en anglais et en espagnol.

INWOOD HILL PARK Plan p. 468

Dyckman St à hauteur de l'Hudson, 🚇 A jusqu'à Inwood-207th St

Ce magnifique parc de 80 ha renferme la dernière forêt naturelle et le dernier marais salant de Manhattan. C'est un havre de fraîcheur l'été, et un lieu de promenade idéal toute l'année. Vous pourrez emprunter des sentiers vallonnés, vous allonger dans l'herbe soyeuse ou observer paisiblement les lieux depuis un banc. L'endroit est tellement calme et "non urbain" que la cime des arbres sert régulièrement de nid aux aigles d'Amérique. Les gardiens sont diligents et le parc propose un éventail de programmes éducatifs, la plupart à destination des enfants, à l'**Inwood Park Nature Center** (☎ 212-304-2365 ; 218th St à hauteur d'Indian Rd ; 🕐 mer-dim 11h-16h). Vous pourrez faire un peu d'exercice sur les terrains de basket et de foot, ou bien vous offrir une promenade à cheval. En été, le week-end, vous pourrez également vous joindre aux habitants du quartier qui se retrouvent autour d'un barbecue. La vue sur le New Jersey et le Bronx depuis le faîte de la forêt est superbe.

MORRIS-JUMEL MANSION Plan p. 458

☎ 212-923-8008 ; www.morrisjumel.org ; 65 Jumel Tce à hauteur de 160th St ; adulte/senior, étudiant et enfant 4/3 $; 🕐 mer-dim 10h-16h, sinon sur rendez-vous ; 🚇 C jusqu'à 163rd St-Amsterdam Ave

Construite en 1765, la Morris-Jumel Mansion à colonnade est la maison la plus ancienne de Manhattan. Elle a d'abord été le quartier général militaire de George Washington. Après la guerre, elle redevint une résidence de campagne, propriété de Stephen et Eliza Jumel. Après une vie tumultueuse, celle-ci devint la seconde femme du vice-président Aaron Burr. Il est de notoriété publique que le fantôme d'Eliza hante encore les lieux. Monument classé, cette résidence a gardé une grande partie de son mobilier d'origine, notamment un lit, installé à l'étage, qui aurait appartenu à Napoléon. Des visites guidées de la maison sont proposées le samedi à 12h, moyennant 5 $.

Non loin de là, dans Jumel Tce, vous trouverez quelques maisons anciennes, notamment celle en calcaire, au n°16, où vécut Paul Robeson, célèbre acteur, activiste, athlète et chanteur.

BROOKLYN

Où se restaurer p. 255, Où prendre un verre p. 276, Shopping p. 352, Où se loger p. 377

Le florissant borough de Brooklyn est le nouveau New York. Un nombre impressionnant de stars y ont élu domicile, tout comme certains habitants de Manhattan, exaspérés par les loyers exhorbitants et l'agitation. Tout le monde s'intéresse à Brooklyn aujourd'hui : les nouveaux parents en quête de leur première maison à Park Slope, Boerum Hill ou Fort Greene ; les rockers underground fuyant les loyers élevés de Downtown au profit d'appartements à Williamsburg ou Greenpoint ; les gastronomes, qui apprécient les bonnes adresses bordant certaines rues, comme Smith St à Boerum Hill, Fifth Ave à Park Slope, et Dekalb Ave à Fort Greene ; ou les nababs de l'immobilier jetant leur dévolu sur les quartiers à entrepôts, tels Red Hook et Gowanus Canal, qui peuvent être transformés en lots valant plusieurs millions de dollars.

Même si vous ne passez que quelques jours à New York, cela vaut la peine, au moins, de traverser à pied le pont de Brooklyn jusqu'à Dumbo et Brooklyn Heights (p. 223), de manger un hot dog à Coney Island (p. 181), ou de flâner dans le deuxième Central Park de New York (p. 178).

Tous ces changements ne sont pas sans susciter des controverses. En 2004, Bruce Ratner a acheté l'équipe de basket des New Jersey Nets, avec l'espoir de les transplanter à Brooklyn. Ce serait la première équipe professionnelle de Brooklyn depuis que l'équipe de base-ball des Dodgers a déménagé à Los Angeles en 1957. Les résidents se réjouissent à l'idée d'avoir à nouveau une équipe (et de futures rentrées d'argent pour le borough), mais s'inquiètent du prix à payer : le complexe commercial des Atlantic Yards devrait abriter des résidences de type loft, ainsi qu'un stade pour les Nets, ce qui nécessiterait de reloger certains habitants du quartier. Les batailles de cet ordre ne sont pas nouvelles. Les vieux lofts industriels de Dumbo et Williamsburg ont déjà fait l'objet de spéculations immobilières ; Gowanus Canal et Red Hook sont en train de connaître le même destin.

Cela vaut la peine d'écouter les gens s'exprimer. Infiltrant tous les boroughs, l'accent populaire new-yorkais est parfois simplement appelé "brooklynien" ; c'est un amalgame d'influences italienne, yiddish, caribéenne, espagnole et même hollandaise sur l'anglais : "da" pour "the", "hoid" pour "heard", "dowahg" pour "dog", "tree" pour "three", "fugehdabboudit" pour "forget about it, kind sir".

L'office du tourisme se trouve dans le centre (p. 174). Une autre bonne source d'information sur Brooklyn est le site www.celebratebrooklyn.org.

TOP 10 DES BOROUGHS PÉRIPHÉRIQUES

- Admirer Lower Manhattan depuis la promenade de Brooklyn Heights (ci-contre)
- Retomber en enfance sur les montagnes russes de Coney Island (p. 181), tout près de Little Odessa
- Faire un shopping hip-hop à Jamaica dans le Queens (fief de LL Cool J et de 50 Cent), prisé pour ses vêtements bon marché (p. 188)
- Ouvrir des yeux ronds au Museum of the Moving Image (p. 186), l'hommage ludique du Queens au cinéma
- Traquer l'authentique pizza de New York. Étapes obligatoires : Totonno's (p. 258) à Coney Island, et Grimaldi's (p. 255) sous le pont de Brooklyn
- Regarder les habitants se prélasser à Prospect Park (p. 178), Brooklyn, le petit frère de Central Park
- Visiter le PS1 dans le Queens (p. 185), l'antenne d'art moderne très tendance du MoMA, dans une ancienne école désaffectée
- Prendre la ligne 7 (p. 186) – le métro aérien violet du Queens est un parcours historique
- Sortir à Williamsburg (p. 225) – les bars y sont plus grands, moins chers, l'ambiance plus détendue qu'à Manhattan
- Jouer le jeu au Yankee Stadium (p. 204) – un match des Bronx Bomber (alias les New York Yankees) est une expérience inoubliable

TRANSPORTS

Seize lignes de métro relient Manhattan à Brooklyn, et la ligne G Brooklyn au Queens. Voici quelques stations importantes, classées par quartier :

Bay Ridge Ⓜ R jusqu'à 77th St, 86th St ou Bay Ridge-95th St

Bedford-Stuyvesant Ⓜ C jusqu'à Kingston-Throop Ave

Bensonhurst Ⓜ D, M jusqu'à 18th Ave

Boerum Hill Ⓜ F, G jusqu'à Bergen St, Ⓜ A, C, G jusqu'à Hoyt Schermerhorn

Brighton Beach Ⓜ B, Q jusqu'à Brighton Beach

Brooklyn Heights Ⓜ 2, 3 jusqu'à Clark St

Carroll Gardens Ⓜ F, G jusqu'à Bergen St

Cobble Hill Ⓜ F, G jusqu'à Carroll St

Coney Island Ⓜ D, F, Q jusqu'à Coney Island-Stillwell Ave

Downtown Ⓜ 2, 3, 4, 5 jusqu'à Borough Hall, Ⓜ A, C, F jusqu'à Jay St-Borough Hall, Ⓜ M, R jusqu'à Court St

Dumbo Ⓜ F jusqu'à York St, Ⓜ A, C jusqu'à High St

Fort Greene Ⓜ B, M, Q, R jusqu'à DeKalb Ave, Ⓜ C jusqu'à Lafayette Ave

Park Slope Ⓜ F jusqu'à 7th Ave, Ⓜ B, Q, 2, 3, 4, 5 jusqu'à Atlantic Ave

Prospect Heights Ⓜ B, Q jusqu'à Prospect Park

Prospect Park Ⓜ 2, 3 jusqu'à Grand Army Plaza, Ⓜ B, Q jusqu'à Prospect Park

Red Hook Ⓜ F jusqu'à Carroll St, puis bus B61

Williamsburg Ⓜ L jusqu'à Bedford Ave

Orientation

En face de Lower Manhattan, de l'autre côté de l'East River, Brooklyn occupe la pointe sud-est de Long Island. Il est relié à Manhattan par les trois ponts de Brooklyn, Manhattan et Williamsburg ("BMW"). Le prestigieux quartier de *brownstones* (immeubles en grès brun) de Brooklyn Heights est niché entre l'East River (et la Brooklyn-Queens Expwy) à l'ouest, Cadman Plaza West à l'est et Atlantic Ave au sud. À l'est, se dressent les immeubles modernes de Downtown Brooklyn (centre) bordés à l'est par Flatbush Ave.

Notre section commence à l'extrémité nord-ouest de Brooklyn, qui est aussi son point d'entrée le plus courant : Brooklyn Heights.

De là, elle s'étend d'ouest en est, englobant Downtown Brooklyn ; les lofts au bord de l'eau de Dumbo ; les rues résidentielles de Cobble Hill, Boerum Hill et Carroll Gardens (alias BoCoCa), puis Park Slope et Prospect Heights ; l'industriel Red Hook ; les lointains Bay Ridge et Bensonhurst ; leurs voisins en bordure de plage de Coney Island et Brighton Beach ; le district historique afro-américain de Bedford-Stuyvesant ; et, secteurs chéris des jeunes, les florissants Williamsburg et Greenpoint.

BROOKLYN HEIGHTS

Le plus vieux quartier intact de New York et le premier à avoir été classé monument historique est aussi la partie la plus charmante de la mégapole. Certains New-Yorkais prétendent qu'il a le "visage du New York d'antan". Le Brooklyn Heights Historic District, un ensemble de bâtiments de grès brun datant du XIXᵉ siècle et reflétant divers styles architecturaux (gothique victorien, roman, néoclassique, italianisant etc.), se trouve dans des rues arborées et tranquilles, certaines portant les noms de fruits ou d'arbres, ce qui visait à ne pas stigmatiser par un nom les différentes vagues d'immigration.

De nos jours, les loyers atteignent ici des prix exorbitants ; l'époque où les jeunes écrivains venaient s'y loger pour pas cher est bien loin. Thomas Wolfe a rédigé *Le Temps et la rivière* à son domicile du **5 Montague Terrace**. Truman Capote a écrit *Petit Déjeuner chez Tiffany* au **70 Willow Street**.

Au milieu du XIXᵉ siècle, Henry Ward Beecher prononçait des sermons abolitionnistes dans sa chaire de la **Plymouth Church** (plan p. 462 ; Orange St, entre Henry St et Hicks St), église datant de 1849. La statue de Beecher trônant devant est l'œuvre de Gutzon Borglum, à qui l'on doit les fameuses sculptures du mont Rushmore.

Montague Street est l'axe principal du quartier. C'est ici que Downtown Brooklyn et Brooklyn Heights convergent. À l'heure du déjeuner, ses restaurants mexicains, indiens, turcs, polonais, japonais et américains fourmillent d'employés venus de downtown.

Toutes les rues est-ouest mènent à l'attraction numéro un du quartier : la **promenade de Brooklyn Heights** (plan p. 462), qui passe par-dessus la voie rapide Brooklyn-Queens Expwy et offre un beau panorama sur Lower Manhattan et le port de New York.

BIENTÔT : LE NOUVEAU BROOKLYN WATERFRONT PARK

En face de la promenade de Brooklyn Heights, sur l'autre rive de l'East River, Manhattan se dresse dans toute sa splendeur. Mais, là, juste sous nos yeux, au pied de la Brooklyn-Queens Expwy, s'agglutinent des docks disgracieux. Début 2006, la ville et l'État ont accepté de débloquer 150 millions de dollars pour créer sur 2 km un joli patchwork de verdure, de terrains de basket et de jetées, qui s'étendra du pont de Manhattan (et de l'Empire-Fulton Ferry State Park) à Atlantic Ave. La condition *sine qua non* est l'autofinancement du parc, grâce à la construction d'un hôtel et de plus de 1 000 appartements de grand standing. Mais les habitants de Dumbo ne veulent pas d'un hôtel et ceux de Brooklyn Heights s'inquiètent de l'afflux de passants sur leur rive.

Malgré les réticences des habitants, les travaux commenceront début 2007.

Il y a bien longtemps, les piétons devaient prendre garde aux tramways qui circulaient dans la rue, et c'est ce qui a valu son nom à l'équipe de base-ball locale : les Brooklyn Dodgers (les esquiveurs de Brooklyn).

BROOKLYN HISTORICAL SOCIETY
Plan p. 462

☎ 718-222-4111 ; www.brooklynhistory.org ;
128 Pierrepont St ; adulte/étudiant/enfant 6/4 \$/gratuit ;
🕙 mer-dim 10h-17h ; ⓜ M, R jusqu'à Court St
Construit en 1881 et rénové en 2002, ce monument de 3 étages de style Queen Anne (une imitation du style anglais fin XVIIᵉ avec des emprunts éclectiques à divers styles) est un bijou en soi. Il abrite une bibliothèque (comptant quelque 33 000 photographies anciennes numérisées), un auditorium et un musée dédiés au quartier. Les dernières expositions (qui durent au moins un an) ont notamment mis l'accent sur Coney Island et sur la saison de championnat de 1955 des Brooklyn Dodgers. Des circuits à pied (dont certains sont gratuits) sont également organisés, ainsi qu'une balade en car au Navy Yard, en bord de fleuve.

DOWNTOWN BROOKLYN

Jouxtant Brooklyn Heights et s'étendant à l'est de Cadman Plaza West et de Court St, puis continuant vers Flatbush Ave, Downtown (le centre-ville) est un ensemble fonctionnel et moderne de rues animées où l'on voit les employés arpenter les trottoirs et les habitants venir contester leurs contraventions au tribunal. Le pont de Brooklyn débouche sur la très embouteillée Adams St ; un peu plus à l'est, vous trouverez des solderies de vêtements le long de Fulton St Mall et des grands magasins vieillots. Les nombreuses correspondances de métro en font un bon point de départ vers des quartiers plus intéressants : Boerum Hill, Brooklyn Heights, Cobble Hill, Dumbo et Fort Greene.

Si vous vous rendez à Fort Greene, utilisez le DAB situé à l'intérieur de la **Dime Savings Bank** (plan p. 460 ; 9 Dekalb Ave, entre Fulton St et Flatbush Ave), désormais devenue la banque Washington Mutual, afin de jeter un œil à ce bâtiment en marbre néoclassique datant de 1906.

OFFICE DU TOURISME DE BROOKLYN
Plan p. 462

☎ 718-802-3846 ; www.brooklyntourism.org ;
209 Borough Hall, Joralemon St ; 🕙 lun-ven 10h-18h ;
ⓜ 2, 3, 4, 5 jusqu'à Borough Hall
Le Brooklyn Tourism and Visitors Center est installé au rez-de-chaussée du Borough Hall, un bâtiment de style néogrec datant de 1845. Il propose quantité de brochures, cartes de circuits pédestres et guides d'achat sur Brooklyn.

NEW YORK TRANSIT MUSEUM
Plan p. 462

☎ 718-694-1600 ; www.mta.info/mta/museum ;
Boerum Pl à hauteur de Schermerhorn St ; adulte/
enfant 5/3 \$; 🕙 mar-ven 10h-16h, sam et dim
12h-17h ; ⓜ 2, 3, 4, 5 jusqu'à Borough Hall, M, R
jusqu'à Court St
Ce musée récemment rénové est logé dans une station de métro abandonnée (depuis 1946) datant de 1936. On y présente de manière distrayante un siècle de locomotion urbaine. La plupart des pièces exposées dans l'ancien hall d'attente de la station – maquettes de wagons de métro, sièges de chauffeurs de bus, exposition chronologique de tourniquets remontant à la poinçonneuse de tickets du XIXᵉ siècle – intéresseront les enfants. La partie située à l'étage du dessous, sur la plate-forme, est la plus intéressante : vous pourrez prendre place sur les sièges en osier de 13 wagons de métro kaki et rouge, datant de 1904. La boutique du musée vend toutes sortes d'objets au thème évident.

DUMBO

Bordant l'East River au nord de Downtown Brooklyn, Dumbo (Down Under the Manhattan Bridge Overpass – encore un acronyme !) est un petit quartier artistique rempli de lofts bénéficiant de vues somptueuses sur Manhattan, entre les ponts de Brooklyn et de Manhattan. Un moyen très agréable d'y arriver consiste à emprunter, à pied, le pont de Brooklyn ; voir p. 223 pour le détail de la promenade.

Dumbo était une enclave à l'abandon et assez sinistre, jusqu'à ce que des artistes commencent à l'investir dans les années 1970. Cet héritage est encore très présent, particulièrement dans les rues situées à l'est du pont bleu de Manhattan, où subsistent des bâtiments couverts de graffitis, et où travaillent des peintres et des sculpteurs. Un peu plus à l'est se trouve **Vinegar Hill**, où vous pourrez admirer quelques édifices historiques le long de Water St, entre Gold St et Hudson Ave.

De nombreux visiteurs restent à l'ouest, entre les deux ponts – dans le "nouveau Dumbo" –, où se trouvent des lofts de luxe et où s'installent des entreprises séduites par la vue somptueuse. L'enclave la plus développée est Washington St, qui compte l'une des meilleures galeries de Dumbo : le **Dumbo Arts Center** (plan p. 462 ; ☎ 718-694-0831 ; www.dumboartscenter.org ; 30 Washington St ; jeu-lun 12h-18h ; A, C jusqu'à High St, F jusqu'à York St). La plus grande fierté du quartier est le Dumbo Art Under the Bridge Festival, qui a lieu chaque année en octobre et a réuni pas moins de 200 000 personnes en 2005.

Sur l'eau, confortablement installé entre les ponts et protégé par les entrepôts de la guerre de Sécession à l'arrière, l'**Empire-Fulton Ferry State Park** (plan p. 462 ; ☎ 718-858-4708 ; www.nysparks.state.ny.us ; 26 New Dock St ; jeu-lun 8h-19h, mar-mer 7h-17h ; A, C jusqu'à High St, F jusqu'à York St) offre de superbes vues sur la ligne de gratte-ciel de Lower Manhattan, chères aux photographes et cinéastes. Le parc apparaît d'ailleurs dans de nombreux films tournés à New York.

De l'autre côté du pont de Brooklyn se trouve **Fulton Landing**, un débarcadère où se pressent les jeunes mariés pour être pris en photo devant le pont.

Vous pourrez vous offrir un délicieux chocolat chez **Jacques Torres Chocolate** (plan p. 462 ; ☎ 718-875-9772 ; 66 Water St ; lun-sam 9h-19h, dim 10h-18h).

COBBLE HILL, BOERUM HILL ET CARROLL GARDENS

Juste au sud de Brooklyn Heights, de l'autre côté d'Atlantic Ave, ces trois quartiers résidentiels sont assez semblables, avec leurs rues arborées, leurs maisons centenaires et leur ambiance animée ; sans parler du nombre croissant de restaurants bordant Smith St. Ce trio est souvent regroupé sous le nom de "BoCoCa".

Cobble Hill s'étend à l'ouest de Court St (une rue comprenant des librairies, des cafés, des restaurants et un cinéma). Clinton St – où se situe le paisible **Cobble Hill Park** (plan p. 465 ; angle Congress St et Clinton St) – est particulièrement luxueuse. Sur **Atlantic Ave**, à l'ouest de Court St, officient plusieurs traiteurs et restaurants du Moyen-Orient, notamment le réputé **Sahadi's** (plan p. 462 ; ☎ 718-624-4550 ; 187 Atlantic Ave ; lun-ven 9h-19h, sam 8h30-19h), qui propose un large éventail d'olives. À l'est de Smith St (autour de Hoyt St), Atlantic Ave, avec ses magasins de meubles et d'antiquités ainsi que quelques autres boutiques, mérite un petit détour.

L'ambiance est un peu plus tranquille dans **Smith Street**, une rue en plein embourgeoisement, à **Boerum Hill**, qui s'étend à l'est de Third St. Vous y trouverez de meilleurs restaurants et bars, ainsi qu'une foule légèrement plus jeune. Les acteurs Heath Ledger et Michelle Williams ont déménagé ici en 2005. Au nord, le long d'Atlantic Ave, se trouvent quelques magasins de meubles et boutiques. Le dernier dimanche de septembre, l'**Atlantic Antic festival** s'empare de l'avenue. Ce festival multiculturel est l'un des meilleurs de New York, avec ses multiples dégustations de nourriture et concerts (en vous y promenant 5 min, vous croiserez, entre autres, des chanteurs de R&B, un groupe de bluegrass, un ensemble de musique folklorique grecque, et un groupe de rock alternatif de Chicago).

Au sud de ces deux quartiers, autour de Carroll St, se trouve **Carroll Gardens**, une enclave italienne de longue date qui se prolonge là où le tunnel de Brooklyn-Battery et la Brooklyn-Queens Expwy coupent Red Hook (p. 179). C'est depuis la forteresse de **Fort Box** (plan p. 465 ; angle Smith St et 2nd Pl), aujourd'hui devenu un parking, que George Washington assista aux débuts peu prometteurs de la guerre d'Indépendance, lors de la bataille de Long Island.

FORT GREENE ET CLINTON HILL

S'étendant à l'est et au sud du pont de Manhattan, ces quartiers résidentiels aux bâtiments de grès brun de la fin du XIXᵉ siècle et aux églises de gospel voient s'établir des cadres de toutes ethnies. Spike Lee y a grandi, et Erykah Badu et Rosie Perez y vivent. La zone se divise en trois axes principaux : au centre, **Dekalb Ave**, qui (entre Vanderbilt Ave et Flatbush Ave) offre des restaurants nouveaux et raffinés ; au sud, **Fulton Ave**, avec ses nombreux restaurants et ses commerces afro-américains ; et au nord, **Myrtle Ave**, bordée de stations-service et de solderies.

C'est un endroit agréable pour la balade, en partant de la Brooklyn Academy of Music, derrière le clocher Art déco, alias la **Williamsburgh Savings Bank** (plan p. 460 ;

LUXE À GOWANUS ?

Dans le quartier de Carroll Gardens, à deux ou trois pâtés de maisons à l'est de Smith St, s'écoule le **canal Gowanus** (plan p. 465). Bordé de bâtiments industriels, il n'est pas vraiment d'une beauté à couper le souffle. Pourtant, sa renaissance est une victoire dont le quartier peut se montrer fier. Ce canal est en effet la dernière figure de proue des opposants à l'embourgeoisement de Brooklyn.

Comme à Red Hook, les entrepôts désaffectés de Gowanus font saliver d'envie les entrepreneurs milliardaires, qui échafaudent des plans lucratifs de résidences de grand standing. Mais malgré le combat des 14 000 habitants du quartier (dont de nombreux artistes), le vent est sur le point de tourner.

Tout au long du siècle dernier, la petite rivière d'origine (du nom des Indiens Gouwane, qui vendirent le terrain aux Hollandais en 1636) fut une voie de communication extrêmement active, empruntée par des barges venant du port de New York. Des milliers de tonnes de déchets humains s'y déversaient chaque année. La Mafia, dit-on, l'aurait abondamment utilisé pour faire disparaître des cadavres. Rien ne flotte dans la boue noire : tout s'enlise à jamais.

Quelques ponts enjambent un affluent étroit désormais propre, fréquenté ces dernières années par des canoéistes et des poissons peu farouches. Le pont à bascule de Carroll St offre un joli point de vue.

angle Flatbush Ave et Hanson Pl), datant de 1927, qui est le plus haut bâtiment de Brooklyn. Samedi est le jour idéal, avec son marché de producteurs le long de Washington Park Ave, dans la partie est du vallonné **Fort Greene Park**. Une fois passé l'axe nord-sud de Clinton Ave, vous arrivez à Clinton Hill, avec ses demeures centenaires le long de Clinton Ave et Washington Ave. Le **Pratt Institute** (plan p. 460 ; ☎718-636-3600 ; www.pratt.edu ; 200 Willoughby St) est une école des arts et de l'industrie, où des sculptures géantes, réalisées par quelques-uns de ses 4 000 étudiants, décorent la cour intérieure.

Un peu plus à l'est et au nord, vers la Brooklyn-Queens Expwy et l'East River, l'environnement est plus misérable. Aujourd'hui devenu un parc industriel privé, le **Brooklyn Naval Yard**, le long de Flushing Ave, produisait autrefois des navires militaires, tel le paquebot *Missouri*, avant sa fermeture définitive en 1966. Il est inaccessible au public, mais la **Brooklyn Historical Society** (p. 174) y organise parfois des visites guidées.

BROOKLYN ACADEMY OF MUSIC

Plan p. 460

☎ 718-636-4100 ; www.bam.org ; 30 Lafayette Ave ;
Ⓢ 2,3,4,5, B, Q jusqu'à Atlantic Ave

La plus ancienne salle de concerts des États-Unis, la Brooklyn Academy of Music (BAM) a notamment accueilli Enrico Caruso pour son dernier récital. De nos jours, sa programmation toujours de premier ordre, s'ouvre aux compagnies d'opéra étrangères en tournée comme à la troupe de danse résidente Mark Morris. L'ensemble comprend le BAM Cafe (☎ 718-636-4139), qui propose une cuisine raffinée et des concerts de jazz les soirs de week-end, un opéra de 2 109 places, un théâtre de 874 places, et les quatre salles des Rose Cinemas, première salle des boroughs périphériques dédiée au cinéma étranger et indépendant.

PARK SLOPE

Les jeunes cadres en quête d'une belle maison de briques en grès brun (*brownstones*) voient leurs rêves réalisés dans les magnifiques rues ombragées de Park Slope, entre le luxueux Prospect Park West et l'artère animée de Fourth Ave. Quelques rues commerçantes traversent le très chic North Slope et le plus populaire South Slope (dont la frontière se situe à hauteur de First St). Le long de Seventh Ave, vous rencontrerez d'anciens habitants de Manhattan promenant leur poussette devant des pizzerias familiales, des chaînes de magasins et des bouquinistes. À deux rues à l'ouest, Fifth Ave (à ne pas confondre avec celle de Manhattan) est le "centre-ville" de la zone, où les jeunes se retrouvent dans les bars, les restaurants et écument les boutiques de vêtements ; l'activité s'est développée ces dernières années à mesure que les loyers augmentaient sur Seventh Ave.

Le quartier descend en pente douce vers le canal Gowanus (encadré p. 176), à l'ouest.

La bibliothèque **Brooklyn Public Library** (plan p. 464 ; ☎ 718-230-2100 ; www. brooklynpubliclibrary.org ; Grand Army Plaza) se trouve en face de la majestueuse entrée de Prospect Park. Sa construction commença en 1912, mais le chantier fut rapidement interrompu. Le site devint un terrain vague sur lequel les enfants venaient jouer. Le magnifique bâtiment Art déco ouvrit enfin ses portes en grande pompe en 1941. Un onéreux auditorium souterrain est actuellement en chantier et devrait être achevé en 2007.

Les habitants sont fiers de leur quartier. Le cinéaste et écrivain Noah Baumbach, dont le film *Les Berkman se séparent* (2005) a été tourné ici, a grandi à Park Slope. Dans le *Park Slope Reader* (un intéressant trimestriel gratuit disponible dans les cafés ; www.psreader.com), il a plaisanté sur le fait que le parc et Fourth Ave "protégeaient" Park Slope du reste de Brooklyn. Il est vrai que de nombreux habitants de Brooklyn pensent que Park Slope ne fait pas vraiment partie du borough, et qu'il s'apparente davantage à une enclave lissée de Manhattan, posée dans un cadre exceptionnel.

Si vous faites le tour de Prospect Park à pied, explorez les deux districts voisins de **Prospect Park South** et **Ditmas Park**, qui rappellent davantage l'Amérique profonde que New York. Vous découvrirez des maisons isolées d'un étage, de styles néocolonial, néo-Tudor et Queen Anne. Les plus belles rues se situent à l'est de la morne Coney Island Ave ; empruntez l'axe est-ouest d'Albemarle Rd (quelques rues au sud du parc), puis descendez en direction du sud vers les rues Westminster St ou Argyle Rd.

DERNIER REPOS À GREEN-WOOD

New York compte évidemment nombre de cimetières. L'un des plus beaux et des plus étendus est le vieux **Green-Wood Cemetery** (plan p. 464 ; ☎ 718-788-7850 ; www.green-wood.com ; 500 25th St ; entrée libre ; ⊙ avr 7h45-18h, mai 7h45-19h, juin-août 7h-19h, sept 7h45-19h, oct-mars 7h45-18h ; Ⓢ M, R jusqu'à 25th St) où 560 000 défunts reposent pour l'éternité.

Créé en 1838 sur un terrain de 190 ha, Green-Wood a attiré de nombreuses célébrités. On pourra se promener parmi les pelouses, les arbres et les étangs, à la recherche des tombes de Leonard Bernstein, d'Horace Greeley, de FAO Schwarz, du gangster Joey Gallo, de Samuel F. B. Morse et de bien d'autres. Le cimetière se situe à une bonne distance à pied de Park Slope ; mieux vaut donc s'y rendre en métro. En sortant de la station, remontez la côte à pied jusqu'à l'entrée par Fifth Ave. Des plans gratuits sont disponibles à l'entrée.

Big Onion (☎ 212-439-1090 ; www.bigonion.com ; adulte/senior et étudiant 12/10 $) propose des visites guidées passionnantes. Vous trouverez sur place des livrets de 60 pages détaillant les différents itinéraires (7 $).

PROSPECT PARK

Les créateurs de ce **parc** (plan p. 464 ;
☎ 718-965-8951 ; www.prospectpark.org ;
Ⓜ B, Q, S jusqu'à Prospect Park, 2, 3
jusqu'à Grand Army Plaza, F jusqu'à 15
St-Prospect Park) de 210 ha, Frederick Law
Olmsted et Calvert Vaux, le considéraient
comme plus abouti que leur projet précédent,
à savoir Central Park. Aménagé en 1866,
Prospect Park offre à peu près le même
éventail d'activités sur ses grandes prairies.
On y vient pour s'asseoir, courir, canoter,
pédaler, patiner ou pique-niquer. On peut
se renseigner sur les activités à l'**Audobon Center
Boathouse** (☎ 718-287-3400 ; juste à l'ouest de
la station des métros B, Q).

Au nord de l'abri à bateaux, le Children's
Corner (coin des enfants) possède un
merveilleux **manège de chevaux de bois** (☎ 718-
282-7789 ; 1 $ le tour ; ☺ avr-oct jeu-dim
12h-17h/18h), de 1912, rescapé de Coney
Island, et un petit **zoo** (☎ 718-399-7339 ;
adulte/senior/enfant 6/1,25/1 $; ☺ avr-oct
10h-17h, nov-mars 10h-16h30), peuplé
d'otaries et de 600 autres animaux. Les
enfants apprécient également le **Lefferts
Homestead Children's Historic House Museum** (☎ 718-
789-2822 ; ☺ avr-nov jeu-dim 12h-17h ;
déc-mars sur rendez-vous), une vieille ferme
hollandaise du XVIIIe siècle remplie de
jouets et de bibelots d'époque avec lesquels
ils peuvent jouer.

Au sud de l'abri à bateaux, sur la rive
ouest de Prospect Lake, la **patinoire Kate
Wollman** (☎ 718-287-6431 ; adulte/senior
et enfant 5/3 $, location des patins 5 $;
☺ fin-nov-mars, horaires par téléphone)
peut accueillir des centaines de patineurs
sur glace. Sur le lac voisin, on pourra faire
du **pédalo** (pedal boats ; ☎ 718-282-7789 ;
15 $/h ; ☺ été 12h-18h, de mai à mi-oct
jeu-dim 12h-17h/18h).

À l'entrée nord-ouest du parc, au centre de
la Grand Army Plaza (angle d'Eastern Pkwy
et Flatbush Ave ; près de la station Grand
Army Plaza) se dresse un arc de 24 m de
haut, le Soldiers' & Sailors' Monument,
érigé en 1892 pour commémorer la victoire
de l'armée de l'Union dans la guerre de
Sécession. Parfois, ses portes sont ouvertes
et vous pourrez découvrir une galerie de
mannequins de défilés motorisés avant
d'accéder à une plate-forme panoramique.
L'immense bibliothèque Brooklyn Public
Library (p. 177) de style Art déco fait face
à l'arc côté sud.

Le week-end, de 12h à 18h, un tramway
gratuit relie les principaux centres d'intérêt
du parc (y compris le Brooklyn Museum).

PROSPECT HEIGHTS

De l'autre côté de Flatbush Ave par rapport
à Park Slope, Prospect Heights désigne
les quelques rues situées au nord de
Prospect Park, autour de Vanderbilt Ave
et Washington Ave. À la fin du XIXe siècle,
Prospect Heights hébergeait des Italiens,
des Irlandais et des Juifs ; depuis la Seconde
Guerre mondiale, c'est devenu un quartier
populaire accueillant des Afro-Américains
et des immigrés caribéens.

En dehors de quelques attractions, il n'y
a pas grand-chose à découvrir à pied. Mais
tout le monde – les habitants comme les
touristes – se presse à l'heure du petit déjeuner
à l'exceptionnel **Tom's Restaurant** (p. 257).

Les supporters des Brooklyn Dodgers
traverseront les deux pâtés de maisons situés
à l'est du **jardin botanique de Brooklyn** (ci-dessous)
pour découvrir le site du légendaire stade
Ebbetts Field (plan p. 464 ; 55 Sullivan Pl). Il
ferma ses portes en 1957, quand les Dodgers
partirent sur la Côte Ouest. Le site abrite
désormais les imposants Jackie Robinson
Apartments.

JARDIN BOTANIQUE DE BROOKLYN
Plan p. 464

☎ 718-623-7200 ; www.bbg.org ; 1000 Washington Ave ;
adulte/senior et étudiant/enfant 5 $/3 $/gratuit,
accès libre mar et 10h-12h sam ; ☺ avr-sept mar-ven
8h-18h, sam-dim et jours fériés 10h-18h ; oct-mars
mar-ven 8h-16h30, sam-dim et jours fériés 10h-16h30 ;
Ⓜ 2, 3 jusqu'à Eastern Pkwy-Brooklyn Museum

Ce « musée aux 15 jardins » – plus facilement
accessible par l'entrée située à côté du
Brooklyn Museum, sur Eastern Parkway
– abrite 12 000 plantes, une galerie pour
des expositions d'art, un jardin japonais et
le Celebrity Path (chemin des célébrités),
qui rend hommage aux stars ayant habité
le quartier, tels Woody Allen, Woody
Guthrie, Barbra Streisand et Harry Houdini).
C'est l'un des espaces verts les plus prisés
de Brooklyn (par beau temps, les jours où
l'entrée est gratuite, l'endroit est souvent
bondé). Le moment idéal pour le visiter est
fin avril, pendant le **Sakuri Matsuri** (festival
des cerisiers en fleur), qui propose diverses
animations japonisantes (notamment des
percussions ou de poignantes histoires de
samouraïs). Il est interdit de pique-niquer,

mais vous trouverez un café sur place. Des visites guidées sont proposées à 13h le week-end.

BROOKLYN CHILDREN'S MUSEUM

Plan p. 464

☎ 718-735-4400 ; www.brooklynkids.org ; 145 Brooklyn Ave ; 4 $; ☺ juil-août mar-ven 13h-18h, sam-dim 11h-18h, sept-juin mer-ven 13h-18h, sam-dim 11h-18h ; ◉ 3 jusqu'à Kingston, C jusqu'à Kingston-Troop Ave

À son ouverture en 1899, ce fut le premier musée au monde conçu spécialement pour les enfants. Il est resté très apprécié de la jeune génération. L'art, la musique et les cultures du monde sont mis en valeur. Il comprend une aire de jeux figurant le monde et célébrant les différentes cultures. Une serre pédagogique sensibilise les enfants au respect de l'environnement. La "Free Friday Family Jam" a lieu les vendredis de juillet et août, avec des spectacles multiculturels de danse et de musique sur le toit ou dans le Brower Park voisin. En 2007, le musée prévoit de doubler sa taille, en ajoutant un café pour les enfants et de nouvelles galeries.

BROOKLYN MUSEUM Plan p. 464

☎ 718-638-5000 ; www.brooklynmuseum.org ; 200 Eastern Pkwy ; adulte/senior et étudiant/enfant 8/4 $/gratuit ; ☺ mer-ven 10h-17h, sam-dim 11h-18h, jusqu'à 23h le 1er sam du mois ; ◉ 2, 3 jusqu'à Eastern Pkwy-Brooklyn Museum

Détenteur d'environ 1,5 million de pièces, dont la plus grande collection d'antiquités égyptiennes existant aux États-Unis, cet immense musée reçoit beaucoup moins de visiteurs que le Met. Ce bâtiment de 5 étages, conçu en 1897 par McKim, Mead et White dans l'idée de devenir le plus grand musée au monde, ne représente toutefois que le cinquième du projet initial. Les expositions temporaires sont très fréquentées le week-end (à l'image de celle sur Basquiat en 2005), mais plutôt calmes le reste du temps. Le moment idéal pour le visiter est le premier samedi du mois, quand les New-Yorkais y viennent en masse pour assister à des projections et des concerts (gratuits !) – vin et bière sur place.

Après sa rénovation en 2004, le musée s'est enrichi d'une magnifique esplanade vitrée. En 2005, il a accueilli une réplique de la statue de la Liberté datant de 1900 (derrière le bâtiment). Ses points forts sont nombreux, notamment les arts africains au rez-de-chaussée (près du café couleur menthe), avec des vidéos sur l'utilisation des masques et des costumes

traditionnels ; ne ratez pas "Masquerade", la vidéo sur le "singe urinant", une marionnette du Bénin. La collection égyptienne occupe l'essentiel du 1er étage, avec des reliefs en grès du IXe siècle av. J.-C. de génies à tête d'aigle recouverts de hiéroglyphes et des sarcophages du XIIIe siècle av. J.-C décorés de reliefs assyriens. Le 3e étage consacré aux arts décoratifs, avec notamment des reproductions d'appartements Art déco, était fermé pour rénovation au moment de nos recherches. Cela vous laissera le temps d'explorer le 4e étage, qui compte 58 sculptures de Rodin dans son pavillon central, une collection variée de peintures américaines et des films de Thomas Edison, notamment des séquences de la *Sioux Ghost Dance* en 1894, tournées seulement 4 ans après le massacre de Wounded Knee.

RED HOOK

Depuis plus de 100 ans, la statue de la Liberté a le regard tourné vers ce quartier parsemé d'entrepôts et de chantiers à l'abandon ; il aura fallu attendre le tournant du XXIe siècle pour que tout le monde en fasse autant. La zone est séparée de Brooklyn par le Brooklyn-Battery Tunnel et est très mal desservie, en dehors du bus B61 ou B77 partant de la station de métro Carroll St, à Carroll Gardens. Red Hook a notamment servi d'inspiration à Marlon Brando pour le film *Sur les quais* (tourné à Hoboken).

Les promoteurs commencent à leur tour à s'y intéresser – la croisière du *Queen Mary 2* est partie du Brooklyn Cruise Terminal (à hauteur des Piers 11 et 12) en avril 2006 –, et IKEA prévoit d'ouvrir ici l'une de ses magasins bleu et jaune en 2007. La plupart des habitants se réjouissent des futures perspectives d'embauche, mais d'autres s'inquiètent du possible embourgeoisement de leur quartier.

Red Hook n'a pas encore explosé, mais vous trouverez quelques galeries, boulangeries, magasins de meubles et restaurants (p. 256) dans **Van Brunt Street**, à deux rues au nord du terminus. Promenez-vous près des **Beard Street Warehouses** (plan p. 465 ; 499 Van Brunt St), deux entrepôts en briques rouges datant de 1869, où l'on stockait jadis des céréales, du sucre non raffiné, du coton et du tabac. Ils accueillent désormais la **Brooklyn Waterfront Artists Coalition** (☎ 718-596-2507 ; www.bwac. org), qui organise quelques expositions. Juste au sud, vous pourrez voir une usine de traitement en ruine.

Tous les ans au mois de mars, le **No Fun Festival** (www.nofunfest.com), créé en 1997, est consacré à la musique "noise" (du genre de Sonic Youth). Il se déroule au **Hook** (plan p. 462 ; ☎ 718-797-3007 ; www.thehookmusic.com ; 18 Commerce St, entre Richards St et Columbia St).

Le **Waterfront Museum & Showboat Barge** (plan p. 465 ; ☎ 718-624-4719 ; www.waterfrontmuseum.org ; Pier 44, 209 Conover St ; adulte/enfant acheté à l'avance 12/6 $; Ⓨ voir site Internet) propose des spectacles de cirque pour les enfants sur une péniche récupérée par un ancien jongleur, alors qu'elle était à l'abandon sous le pont George Washington.

BENSONHURST ET BAY RIDGE

À l'extrémité sud-ouest de Brooklyn se trouve un New York presque insulaire, qui a connu son heure de gloire lorsque John Travolta s'est pavané sous la ligne du métro aérien de Bensonhurst, un quartier un peu moins accueillant que sa voisine occidentale, Bay Ridge. S'y rendre constitue une belle aventure dans un New York "authentique" et peu fréquentée.

Quand le métro aérien arriva jusqu'à **Bensonhurst** (plan p. 460 ; Ⓓ D, M jusqu'à 18th Ave) en 1915, de nombreux Italiens et Juifs quittèrent le Lower East Side pour trouver ici des logements plus spacieux. La scène d'ouverture de *La Fièvre du samedi soir* a été tournée à la sortie de la station de métro de 18th Ave. Une multitude de boutiques et de pizzerias bordent 86th St.

Connu sous le nom de Yellow Hook (pour la couleur jaune de son argile) jusqu'à l'épidémie de fièvre jaune du milieu du XIXe siècle, le plus attrayant quartier de **Bay Ridge** (plan p. 460 ; Ⓡ R jusqu'à 77th St ou 86th St, ou Bay Ridge-95th St) s'étend

vers le sud, au bord de l'eau, jusqu'au pont de Verrazano Narrows. Le quartier est le foyer historique de nombreux Scandinaves et Italiens, et plus récemment, de Chinois. Les attractions les plus intéressantes se trouvent le long de **Third Ave**, entre 76th St et 95th St (parsemée de pizzerias, de trattorias avec service de voiturier et de pubs irlandais), sans oublier la **promenade Shore Parkway** (qui longe malheureusement la route embouteillée menant à l'aéroport JFK). Celle-ci mène, au sud, au **pont de Verrazano Narrows**, qui relia pour la première fois Staten Island à Brooklyn en 1964.

Les scènes en discothèque de *La Fièvre du samedi soir* ont été tournées au 2001 Odyssey de Bay Ridge, qui a fermé ses portes– comme le Spectrum – en 2005.

CONEY ISLAND ET BRIGHTON BEACH

À une cinquantaine de minutes de métro de Midtown, ces deux quartiers en bord de plage sont bercés par les calmes marées de l'Atlantique et reliés l'un à l'autre par une promenade en planches. On passera une journée agréable et bien remplie à les visiter, en profitant des parcs d'attractions, des spectacles insolites, des bars à vodka et des plages agréables.

L'avenir de Coney Island est à l'image d'un Brooklyn en constante mutation. Fin 2005, Bloomberg a débloqué 83 millions de dollars pour faire du parc d'attractions de Coney Island un lieu ouvert toute l'année, avec une promenade en planches rénovée à l'horizon 2007, ainsi que de nouvelles infrastructures consacrées aux loisirs, et davantage de restaurants et de boutiques.

Le nom de Coney Island vient du néerlandais *konijn* ("lapin sauvage") le

---

LES SIRÈNES DE NEW YORK SUR MER

Le début officiel de la saison estivale de Coney Island est marqué, le dernier samedi de juin, par une manifestation des plus farfelues, la **Mermaid Parade** (le défilé des sirènes). Un essaim de jeunes femmes (et quelques exhibitionnistes de l'autre sexe) couvertes de breloques et de paillettes, accoutrées de bikinis minuscules et de tenues aquatiques aussi extravagantes que colorées, défilent dans une joyeuse pagaille dans Surf Ave sous les applaudissements d'une foule interloquée. Créée en 1983 par Coney Island USA (l'organisation artistique à l'origine également du Coney Island Sideshow), la Mermaid Parade est un clin d'œil au Mardi gras d'antan, fêté de 1903 à 1954. Le défilé est présidé chaque année par un couple de célébrités qui prennent l'identité du roi Neptune et de la reine des sirènes. En 2004, ces rôles échurent aux compositeurs de musique Moby et Theo (des Lunachicks). Un spectacle unique et cent pour cent new-yorkais.

premier habitant découvert par les Européens qui débarquent sur ces rives herbeuses au XVIIe siècle. À la fin du XIXe siècle, Coney Island devient un repaire de joueurs, de buveurs, de boxeurs et de parieurs en tout genre, au point que certains la surnommaient "Sodome sur mer".

Une nouvelle ère commence au XXe siècle, avec l'arrivée des concerts nocturnes, de Buster Keaton qui y plante le décor de ses films, et, mieux encore, des parcs d'attraction. Le plus célèbre d'entre eux, Luna Park, ouvre en 1903. C'est un pays de cocagne, ponctué de lagons, de manèges, et peuplé de chameaux et d'éléphants vivants. Le tout est éclairé d'un bon million d'ampoules électriques. Un incendie met fin à cette époque en 1946. N'en subsistent guère que quelques attractions mineures, tels la grande roue Wonder Wheel (1920) et le Cyclone (1927).

Dans les années 1960, Coney Island a perdu son lustre, et l'endroit, devenu mal famé, n'est plus qu'un triste rappel de la gloire passée. Avec les années 1980, s'amorce un lent et durable redressement, grâce à de nouvelles attractions et quelques shows à sensation (femme à barbe, avaleurs de sabre, homme à peau de serpent, etc.).

Beaucoup de visiteurs commencent leur tour à Coney et repartent de Brighton Beach. Surf Ave longe la plage de Coney Island avant de bifurquer vers l'intérieur sous le nom d'Ocean Pkwy. L'artère principale de Brighton Beach, Brighton Beach Ave, prolonge Coney Island Ave vers l'est.

Les attractions de Coney Island ne sont ouvertes que le week-end à partir de la mi-avril, puis tous les jours de mi-juin jusqu'au 1er lundi de septembre (Labor Day), date à laquelle les attractions ferment généralement jusqu'en avril.

Amusement garanti à Coney Island (ci-dessus)!

LES PANNEAUX DE CONEY

En 2003, Steve Powers et son collectif d'artistes Creative Time (www.creativetime.org) ont remis au goût du jour la tradition des panneaux peints à la main représentant des monstres, destinés à décorer les diverses attractions du parc. La boutique des artistes, **Clubhouse** (plan p. 466 ; 🕑 mi-juin-1er lundi de sept mar-dim 12h-19h ; 🚇 D, F, Q jusqu'à Stillwell Ave), vend des œuvres de différentes tailles (à partir de 50 $).

CONEY ISLAND Plan p. 466

🚇 D, F jusqu'à Coney Island-Stillwell Ave

En sortant de la station Coney Island-Stillwell Ave, de l'autre côté de Surf Ave, **Nathan's Famous** (p. 258), est la légendaire fabriquant de hot dogs de Coney. L'établissement sert de cadre à un concours du plus gros mangeur de hot dogs, le 4 juillet. Plus loin, sur Surf Ave et Stillwell Ave, on trouvera de nombreux **jeux sportifs** : des cages pour s'entraîner au maniement de la batte et un minigolf, entre autres. Face à la mer, à droite, le **KeySpan Park** est le stade où l'équipe de base-ball des Brooklyn Cyclones joue en *minor league*.

Pour l'essentiel, les choses se passent sur la gauche, en direction de Brighton Beach. Sur 12th St en direction de Surf Ave se trouve **Sideshows by the Seashore** (☎ 718-372-5159 ; www.coneyisland.com ; 1208 Surf Ave ; adulte/enfant 5/3 $; 🕑 juin-août ven 14h-20h, sam-dim 13h-23h), qui présente diverses "curiosités de la nature", comme des hommes marchant sur du verre cassé, des mangeurs d'insectes au visage tatoué ou un mormon cracheur de feu. Cette organisation à but non lucratif gère également le **Coney Island Museum** (1 $; 🕑 sam-dim 12h-17h) à l'étage.

En continuant vers l'est, on arrive au **Deno's Wonder Wheel Amusement Park** (☎ 718-372-2592 ; 🕑 mi-juin-août 11h-0h, avr, mai, sept, oct quand le temps le permet 12h-21h), avec sa grande roue rose et vert (1920 ; 5 $) et ses manèges pour enfants (10 tours pour 18 $).

Vient ensuite son rival, **Astroland** (☎ 718-265-2100 ; www.astroland.com ; 🕑 mi-juin-août 12h-minuit, avr-mi-juin et sept-mi-oct sam-dim 12h-crépuscule) sous lequel Woody Allen a grandi dans *Annie Hall*. Un tour sur les montagnes russes du **Cyclone** (1927), coûte 5 $ (4 $ le 2e tour). Une voiture bringuebalante glisse comme une flèche sur une piste en bois, plonge à la verticale et négocie des virages à 100 km/h.

Saine distraction pour les enfants, l'**aquarium de New York** (☎ 718-265-3400 ; Surf Ave, entre W 8th St et 5th St ; adulte/enfant 12/8 $; 🕙 10h – téléphoner ou consulter le site Internet pour les événements et horaires de fermeture ; 🚇 F jusqu'à W 8th St-NY Aquarium) dispose d'un bassin où les petits peuvent toucher des étoiles de mer. On appréciera également les vues sous-marines de baleines mysticètes et les spectaculaires distributions de repas aux otaries et morses.

Le long de la promenade (qui mène à Brighton Beach) s'étire, on s'en douterait, la plage. Très fréquentée, elle n'est malgré tout pas encore trop sale. La baignade est interdite hors saison, quand les sauveteurs ne sont pas en service. De nombreuses boutiques y vendent tout le nécessaire pour les sports nautiques.

BRIGHTON BEACH Plan p. 466
🚇 B, Q jusqu'à Brighton Beach

Baptisée d'après la station balnéaire anglaise du même nom en 1868, Brighton Beach n'a plus grand-chose à voir avec sa cousine britannique, compte tenu du nombre de pancartes en alphabet cyrillique qui y pullulent aujourd'hui. Désormais connue sous le nom de "Little Odessa", Brighton Beach accueille essentiellement des Juifs ukrainiens qui ont émigré ici dans les années 1970 et 1980.

Une balade le long de sa promenade en planches, et une autre sous la ligne de métro aérien, sur l'animée Brighton Beach Ave, est une bonne façon d'achever votre journée à Coney Island (environ 10 min à pied vers l'est, et les lignes de métro B ou Q vous ramènent à Manhattan). La plupart des pancartes nécessitent de connaître l'alphabet cyrillique, et si vous tenez la porte à une babouchka, elle vous remerciera probablement d'un *spasiba* (merci). Les nombreuses boutiques de Coney Island Ave vendent du caviar importé, des bonbons à l'effigie du tsar, des tee-shirts à thèmes soviétiques, des poupées gigognes et des CD russes (souvent médiocres).

Voir p. 257 pour les restaurants.

BEDFORD-STUYVESANT

Le plus vaste quartier afro-américain de New York – où le rappeur Notorious BIG a grandi – n'a pas toujours bonne presse. L'émission de télé de Chris Rock, *Everybody Hates Chris*, est tournée ici, et le montre, sur le mode comique, sous un mauvais jour. Même Billy Joel l'égratigne dans sa chanson de 1980, *You May Be Right*. Certains endroits du quartier – qui part de Flatbush Ave et Atlantic Ave, et s'étend entre Williamsburg et Clinton Hill – méritent cette réputation, avec leurs alignements de maisons et leurs immeubles désolés. Mais il ne faudrait pas généraliser.

Près de la frontière sud de Bedford-Styvesant, les quelques rues arborées bordées de maisons en grès brun du XIXe siècle formant **Stuyvesant Heights** (plan p. 460 ; entre Fulton St et MacDonough St, et entre Tompkins Ave et Stuyvesant Ave), sont en plein essor. Des cafés et des librairies ouvrent leurs portes dans certaines rues, comme **Lewis Ave,** et les prix des maisons atteignent le million de dollars. Il existe même un formidable B&B (p. 377). Le meilleur point de départ est l'arrêt de métro de Kingston-Throop Ave, sur la ligne C. L'axe est-ouest de MacDonough St se situe à deux rues au nord, la partie la plus intéressante du quartier se trouvant à l'est.

WILLIAMSBURG

Williamsburg (surnommé "Billyburg"), le quartier *in* de New York depuis 5 ans, s'est développé le long de la ligne L et jusque dans Brooklyn, subissant l'invasion en règle de jeunes gens ébouriffés et mal rasés, l'air mal réveillé, avec leur iPod sur les oreilles. Devenu le "nouveau East Village", ce quartier, pendant la journée, n'a rien d'extraordinaire (entrepôts reconvertis en lofts, rues sans arbres, modestes maisons modernes). Mais il s'éveille la nuit, alors que les lumières de Manhattan dansent vainement de l'autre côté de l'East River.

Son artère principale est **Bedford Ave** (plan p. 463 ; 🚇 L jusqu'à Bedford Ave), entre N 10th St et Metropolitan Ave, avec ses rangées de cafés, disquaires indépendants, boutiques de mode, et bars et restaurants bon marché. L'ambiance est plus tranquille dans les rues adjacentes – en particulier dans le "deuxième Bedford", **North 6th St**, vers le fleuve, et les voies parallèles, Berry Ave et Wythe Ave – et dans les quelques nouveaux restaurants et bars qui se suivent autour des deux arrêts suivants de la ligne L du métro, comme Stepping Stones, dans **l'East Williamsburg**, qui accueille de nombreux Latino-Américains ; le quartier englobe plusieurs pâtés de maisons situés à l'est de la Brooklyn-Queens Expwy. (Voir p. 225 pour une promenade à pied.)

Au sud du pont de Williamsburg, dans des rues adjacentes entre Broadway et Bedford Ave, vous trouverez un quartier juif hassidique animé. Bedford Ave continue vers le nord ; sur Manhattan Ave se situe le quartier traditionnellement polonais de **Greenpoint**.

Organisez votre visite à Billyburg de façon à pouvoir visiter la **Brooklyn Brewery** (plan p. 463 ; ☎ 718-486-7440 ; www.brooklyn brewery.com ; 79 N 11th St ; 🕑 ven 18h-23h, sam 12h-17h ; 🚇 L jusqu'à Bedford Ave), brasserie où est fabriquée la Brooklyn Lager. Huit bières pression à 3 $ sont proposées, ainsi que des visites guidées gratuites d'une demi-heure (avec des dégustations), à 13h, 14h, 15h et 16h le samedi. Si vous n'arrivez pas à trouver de taxi pour rentrer, des services de voiture sont disponibles sur Bedford Ave, jusque tard dans la nuit.

Free Williamsburg (www.freewilliamsburg. com) est le site Internet du quartier qui permet aux habitants de se tenir au courant (critiques d'albums, chroniques sur des groupes), et il propose un guide actualisé des bars, restaurants et galeries. Pour assister aux manifestations les plus courues du moment, consultez le site Internet de l'artiste de one-man-show **Todd P** (www.toddpnyc.com), qui tourne dans Billyburg depuis 2001.

LE QUEENS

Où se restaurer p. 260, Shopping p. 353

Si Brooklyn n'hésite pas à vanter ses propres mérites, le Queens a tendance à rester discret lorsqu'il s'agit de mettre en avant ses qualités. C'est le quartier le plus mélangé au monde : environ 150 nations y sont représentées parmi ses 2,2 millions d'habitants, et près de la moitié de ses résidents sont nés à l'étranger. Le Queens est le plus vaste borough de New York et jouit d'un riche passé historique : des dizaines de jazzmen de renom y ont vécu ; il a accueilli deux Expositions universelles ainsi que le tournoi de tennis annuel de l'US Open ; Run DMC et les Ramones y ont grandi ; Maria du film *Maria, pleine de grâce* s'est installée dans la communauté colombienne locale. Autre point marquant : il possède les deux plus grands aéroports de New York.

Au début du XXIᵉ siècle, les quartiers grec et chinois étaient encore bien marqués, mais la tendance est désormais au mélange. Une balade le long de 37th Ave, à Jackson Heights, par exemple, vous fera passer devant des restaurants italiens de longue date, des

TRANSPORTS

Quelques arrêts de métro utiles, classés par quartier.

Astoria 🚇 N, W jusqu'à 30th Ave, Astoria Blvd ou Astoria-Ditmars Blvd

Flushing 🚇 7 jusqu'à Flushing-Main St, LIRR jusqu'à Flushing

Jackson Heights 7 jusqu'à 74th St-Broadway, E, F, G, R, V jusqu'à Jackson Heights-Roosevelt Ave

Jamaica 🚇 E, J, Z jusqu'à Suphin Blvd-Archer Ave, LIRR jusqu'à Jamaica

Long Island City 🚇 E, G, V, 7 jusqu'à 45th Rd-Court House Sq ou Vernon Blvd-Jackson Ave, E, V jusqu'à 23rd St-Ely Ave, G jusqu'à Long Island City-Court Sq

Rockaway Beach 🚇 A jusqu'à Beach 90th St (d'autres arrêts possibles)

Shea Stadium et Flushing Meadows Corona Park 🚇 7 jusqu'à Willets Point-Shea Stadium, LIRR jusqu'à Shea Stadium

épiceries polonaises, des vendeurs de kebabs afghans, des traiteurs thaïlandais et des restaurants dans des bâtiments de style vieille Angleterre. Les attractions, tels le **PS1 Contemporary Art Center** (p. 185) ou le **Museum of the Moving Image** (p. 186), sont plus nombreuses (et meilleures) qu'à Brooklyn.

Le Queens a pris ce nom au XVIIᵉ siècle, de la reine (Queen) Catherine de Bragance, épouse du roi Charles II d'Angleterre. Forcément, Braganzatown sonnait moins bien que Queens.

Il n'y a pas d'office du tourisme public, mais le **Queens Tourism Council** (☎ 718-263-0546 ; www.discover queens.info) dispense des informations sur les diverses attractions et circuits par téléphone ou sur son site Internet. Le **Queens Council on the Arts** (☎ 718-647-3377 ; www.queenscouncilarts.org) promeut l'art dans le quartier ; son site Internet propose un plan "artMAP" (circuit des arts) à télécharger, ainsi que des informations sur de nombreuses attractions.

Orientation

Les habitants de Manhattan sont nombreux à regarder le soleil se lever au-dessus du Queens. Entre le Bronx et Brooklyn, le borough s'étend vers l'est, approximativement entre 34th St et 120th St. Il est cerné par l'East River au nord et à l'ouest (avec les quartiers d'Astoria et de Long Island City faisant

LE FUTUR BROOKLYN ?

Le Bronx et le Queens se gardent bien de le crier haut et fort, mais la course à qui sera le nouveau Brooklyn est lancée. Ces dernières décennies, la flambée des loyers de Manhattan (en 2005, le loyer moyen était passé à 3 000 $ par mois) a chassé les artistes et les faibles revenus de l'autre côté de l'East River, où ils ont investi les entrepôts de Dumbo et de Williamsburg, à Brooklyn (et désormais de Red Hook et du canal Gowanus). Malheureusement, le marché suit la tendance. Les prix de l'immobilier à Fort Greene, Brooklyn, ont augmenté de 35% en 2 ans; et une maison de type *brownstone* se vend à plus de 1 million de dollars.

Pour l'instant, le Queens a plusieurs années d'avance sur le Bronx. Depuis l'an 2000, les New-Yorkais ont prix le borough d'assaut, notamment les quartiers proches de la rivière de Long Island City et d'Astoria, depuis longtemps prisés, et le long de la ligne 7 du métro. Seth Bornstein, le directeur du développement économique du Queens, décrit le borough comme le nouveau Lower East Side. Selon lui, le boom de Brooklyn profite au Queens et aux autres boroughs périphériques, qui offrent d'excellentes alternatives à Manhattan.

Pourtant, beaucoup pensent que le Bronx, avec sa culture des rues, a une assise plus légitime que le Queens. Les anciens ateliers de "SoBro" (South Bronx, notamment sur Buckner Blvd à Mott Haven) ont attiré les artistes et les personnes en manque d'espace dans ce quartier industriel et réputé dangereux. En 2004, un appartement de 4 pièces se vendait la modique somme de 250 000 $, une bagatelle, même à Brooklyn.

face à Manhattan). Le Queens s'enroule autour de son voisin du sud, Brooklyn, pour rejoindre Jamaica Bay où se trouve l'aéroport international JFK.

Northern Blvd s'en va vers l'est en traversant les quartiers de Woodside, Jackson Heights, Corona et Flushing. Une autre artère est-ouest importante est Roosevelt Ave, juste à l'est de Long Island City. Venant de Flushing, elle passe sous la ligne 7 du métro et bifurque en Skillman Ave et Greenpoint Ave.

LONG ISLAND CITY

Long Island City (plan p. 457) est l'endroit le plus cool du Queens ces temps-ci (à défaut d'être le plus beau), et il est en plein boom. Ce secteur compte de nombreux Latino-Américains ainsi que des jeunes cadres. Il doit son essor à son intérêt pour l'art (PS1 en est un excellent exemple et c'est l'un des meilleurs musées de New York) et à sa situation, à une station de métro de l'autre coté de l'East River. En y regardant de plus près, c'est un curieux mélange de vie urbaine: le métro aérien passe au-dessus d'entrepôts couverts de graffitis et reconvertis en galeries, de maisons du XIXᵉ siècle et d'immeubles modernes (qui attirent une clientèle un peu plus fortunée lorgnant sur Midtown, de l'autre côté du fleuve). Surplombant l'ensemble – et visible depuis de nombreux autres boroughs – le building moderne de 48 étages de la **Citicorp** (plan p. 457; Jackson Ave), bâti en 1989, met beaucoup d'animation dans le quartier en semaine.

Les raisons de vous attarder après la visite de **PS1** (ci-contre) ne manquent pas. En face du bâtiment de la Citicorp se trouve le **Court House Square** (plan p. 457; 🚇 7 jusqu'à 45th Rd-Court House Sq, E, V jusqu'à 23rd St-Ely Ave, G jusqu'à Long Island City-Court House Sq), qui abrite un palais de justice de style beaux-arts datant de 1904. Non loin de là, vous pourrez admirer **5 Pointz** (plan p. 457; www.5ptz.com), l'un des meilleurs ensembles de graffitis encore visibles à New York. Passez sous les voies de la ligne 7 et suivez Davis St (non indiquée), juste au sud de Jackson Ave, pour aller voir un véritable festival d'art mural tapissant tout un pâté d'immeubles industriels.

Un peu plus à l'ouest, le **Hunters Point Historic District** (plan p. 457; 45th Ave, entre 21st St et 23rd St) est un ensemble de maisons datant des années 1880. Les amateurs d'art pourront rejoindre à pied la **gallerie Dorsky** (plan p. 457; ☎ 718-937-6317; 11-03 45th Ave; 🕐 jeu-lun 11h-18h) et le **Sculpture Center** (plan p. 457; ☎ 718-361-1750; www.sculpture-center.org; 44-19 Purves St; 🕐 jeu-lun 11h-18h), un immense entrepôt en briques avec un espace intérieur et extérieur accueillant des expositions temporaires.

Certains restaurants autour de la Citicorp ne sont ouverts qu'en semaine. Mieux vaut vous diriger vers le quartier en plein essor de **Vernon Boulevard**, entre 47th Ave et 51st Ave (voir p. 260). À quelques minutes, un peu plus à l'ouest, près des nouveaux immeubles, se trouve le **Gantry Plaza State Park** (☎ 718-786-6385), au bord du fleuve, avec d'énormes portiques à signaux, en service jusqu'en 1967, et d'une jolie vue sur Midtown, de l'autre côté de l'East River. Le parc aura bientôt un accès direct aux quais, entre 46th Ave et 55th Ave ; le mieux est de passer par 50th Ave pour y entrer.

ISAMU NOGUCHI GARDEN MUSEUM

Plan p. 457

☎ 718-204-7088 ; www.noguchi.org ; 9-01 33rd Rd à hauteur de Vernon Blvd ; 🕒 mer-ven 10h-17h, sam-dim 11h-18h ; adulte/senior et étudiant/enfant 10/5 $/gratuit ; 🚇 N, W jusqu'à Broadway

Le sculpteur et artiste était très en avance sur son temps lorsqu'il repéra ces petites rues bordées d'entrepôts, il y a plus d'une quarantaine d'années. Cette ancienne usine récemment rénovée est un lieu original, idéal pour les œuvres de Noguchi. Les jardins et les galeries intérieures et extérieures en béton brut abritent une centaine de sculptures de cet artiste, capable de faire ressembler du marbre à des cubes d'argile. Il y a aussi quelques pièces plus récentes, comme le puits en cobalt avec un léger film d'eau apparemment collé aux parois. Certains articles pour la maison, de sa conception, sont disponibles au café/boutique de souvenirs. C'est assez loin du métro, mais le Socrates Sculpture Park (à droite) se trouve également à côté. Des conférences gratuites ont lieu tous les jours à 14h. Le droit d'entrée est à l'appréciation de chacun, tous les 1ers vendredis du mois.

MUSEUM FOR AFRICAN ART Plan p. 457

☎ 718-784-7700 ; www.africanart.org ; 36-01 43rd Ave à hauteur de 36th St ; adulte/senior et étudiant/enfant moins de 6 ans 6/3 $ /gratuit ; 🕒 lun, jeu et ven 10h-17h, sam-dim 11h-17h ; 🚇 7 jusqu'à 33rd St

Il est rare de contempler une telle quantité (et qualité) d'art tribal africain (objets, masques, instruments de musique et représentations de la spiritualité) hors du continent noir. Or il n'existe que deux musées de ce type, dédiés à l'art africain, aux États-Unis. Celui-ci prévoit de déménager à Harlem, à hauteur de Fifth Ave et 110th St.

PS1 CONTEMPORARY ART CENTER

Plan p. 457

☎ 718-784-2084 ; www.ps1.org ; 22-25 Jackson Ave à hauteur de 46th Ave ; donation recommandée adulte/ étudiant 5/2 $; 🕒 jeu-lun 12h-18h ; 🚇 E, V jusqu'à 23 St-Ely Ave, 7 jusqu'à 45 Rd-Court House Sq, G jusqu'à Long Island City-Court House Sq

Beaucoup de visiteurs négligent le PS1, mais l'étonnante disposition des lieux (une ancienne école privée du XIXe siècle) et les excellentes expositions d'art moderne (tendance et provoquantes) présentées dans 5 immenses galeries, tirent profit du spectaculaire jardin aux murs de ciment qui s'étend sur le devant. Les pièces rappellent l'ambiance de cette ancienne école, avec ses escaliers raides, ses plafonds hauts et son parquet blanc qui craque. Le café propose du vin, à siroter en contemplant les croquis de nus parsemant les murs. PS1 est désormais géré par le MoMA, mais l'ambiance y est plus décontractée. En été, les rencontres "Warm Up" consistent en des soirées branchées le samedi.

L'histoire de l'école est intéressante. Construite non sans mal à l'issue d'un scandale politique, elle devint un objet de fierté de Long Island City, avec sa tour d'horloge en pierre et sa cloche (détruites l'une et l'autre en 1964).

SOCRATES SCULPTURE PARK Plan p. 457

☎ 718-956-1819 ; Broadway à hauteur de Vernon Blvd ; entrée libre ; 🕒 10h-coucher du soleil ; 🚇 N, W jusqu'à Broadway

Aménagé en 1986 sur une décharge illégale, cet espace public (proche du musée Noguchi) est dévolu à des artistes locaux qui y exposent leurs sculptures et installations. L'emplacement, au bord de l'East River, est exceptionnel, avec des vues embrassant la pointe de Roosevelt Island et le nord de Manhattan. Dans le passé, on a pu y voir un box/salle d'attente en plein air (avec sièges et pots de fleurs), des boules vertes pointant au-dessus de la surface de l'eau, et le sommet d'un immeuble en brique qui semblait enterré dans le sol. À 19h le mercredi, en juillet et en août, le jardin organise des projections de films gratuites – par exemple, *Zorba le Grec* –, précédées d'un pique-nique et d'un concert. De décembre à février, le parc expose des installations lumineuses qui s'allument peu après le coucher du soleil.

ASTORIA

Baptisé du nom d'un marchand de fourrures millionnaire, John Jacob Astor, cette frange nord-ouest du Queens abrite la plus importante communauté grecque hors de Grèce. Nombre de rues sont bordées de pâtisseries, de restaurants et d'épiceries grecques, particulièrement Broadway (métro N, W jusqu'à Broadway) ainsi que la 31st St et Ditmars Blvd, légèrement plus élégants. Avant que les Grecs ne viennent s'y installer dans les années 1950, c'était un quartier d'usines (et de ponts – les arches de Hell Gate et le haut Triboro dominent encore le paysage à l'ouest). Aujourd'hui, les Grecs

L'HISTOIRE ETHNIQUE DE NEW YORK EN MÉTRO

La ligne 7 du métro traverse le Queens de part en part, reliant le lointain quartier de Flushing à Midtown Manhattan. Outre que son parcours aérien offre des vues sur le borough (à l'aller) et sur Manhattan (au retour), il propose un voyage dans l'histoire du peuple américain. En effet, il s'arrête successivement dans des quartiers d'immigration ancienne : irlandaise à Woodside, indienne et philippine à Jackson Heights, italienne, péruvienne, colombienne, équatorienne et mexicaine à Corona Heights, chinoise et coréenne à Flushing. On occupera facilement une journée à sauter d'une station à l'autre de la ligne violette pour jouir de la diversité ethnique de New York. Prévoyez de prendre deux repas sur place. Placez-vous dans la voiture de tête ou de queue pour avoir une meilleure vue.

Une manière parmi d'autres d'organiser sa visite consiste à prendre la ligne 7 à Times Sq ou Grand Central Terminal jusqu'au terminus (Flushing-Main St, 35 min). Avant d'arriver, vous longerez l'immense Flushing Meadows Corona Park sur votre droite, et le Shea Stadium sur votre gauche.

À Flushing, prenez un repas chinois, coréen ou taïwanais, et reprenez le métro en sens inverse jusqu'à la station suivante, Willets Point-Shea Stadium, pour visiter les divers sites du parc. Marchez ensuite jusqu'à Roosevelt Ave, au nord, qui suit la ligne aérienne du métro. La **maison de Louis Armstrong** (p. 188) n'est qu'à quelques rues de distance, vers le nord.

Flânez sur Roosevelt Ave et dans ses environs sur une trentaine de pâtés de maisons vers l'ouest. Vous passerez devant des boutiques et des restaurants attrayants, tous en espagnol, jusqu'à 74th St, où d'un seul coup, on atterrit en Inde. Achetez-vous un sari et/ou faites une pause chez **Jackson Diner** (p. 261) dont les curries méritent leur réputation.

Reprenez le métro jusqu'à Woodside-61st St pour vous promener dans un vieux quartier irlandais, puis reprenez le métro à la station 52rd St-Lincoln Ave, ou à 46th St-Bliss St, en voiture de tête de préférence afin de profiter du panorama sur Midtown. Descendez à la station 45th Rd-Court House Sq de Long Island City pour aller faire un tour au **PS1 Contemporary Art Center** (p. 185) et vous immerger dans un univers de **graffitis** (p. 184).

ne sont plus seuls : de nombreux émigrés sont arrivés d'Europe de l'Est (Croatie, Roumanie) et du Moyen-Orient, sans oublier la jeunesse branchée, Astoria étant désormais le Williamsburg du Queens.

Pas très loin de la station Astoria-Ditmars Blvd se trouve l'**Astoria Park** (plan p. 457), 6 ha de verdure sur l'eau, avec des sentiers tournés vers les gratte-ciel de Manhattan, sous le pont de Triborough. À côté du parc se trouve la superbe **Astoria Pool** (p. 318), une piscine datant de 1936 et de style Art déco – les fontaines furent utilisées comme flambeaux au cours des épreuves de sélection aux Jeux olympiques qui se déroulèrent ici en 1936 et en 1964.

En 2003, Astoria a accueilli le nouveau **Queens International Film Festival** (www.queensfilmfestival.com), qui a lieu au mois de novembre.

MUSEUM OF THE MOVING IMAGE
Plan p. 457

☎ 718-784-4520 ; www.movingimage.us ; 35th Ave et 36th St ; adulte/senior et étudiant/enfant 10/7,50/5 $, gratuit pour tous le ven de 16h à 20h ; ☾ mer-jeu 12h-17h, ven 12h-20h, sam-dim 11h-18h30 ; ☻ G, R, V jusqu'à Steinway St

Les adultes retombent en enfance dans cet amusant musée, implanté sur le vaste site de ce qui fut autrefois le siège de la Paramount pour la Côte Est. (Les Kaufman Astoria Studios – où l'émission 1 rue Sésame est tournée – sont juste à côté, mais demeurent fermés au public.) Si vous aimez le cinéma, vous aurez du mal à trouver mieux. Le musée recèle plus de 150 000 objets et accessoires issus de films ou de la télé – la perruque à l'iroquois de Robert De Niro dans Taxi Driver, l'espèce de dentier qui donnait à Marlon Brando sa large mâchoire dans Le Parrain, la tête de Chewbacca, la marionnette de Yoda, les masques de singes de 2001, le pull porté par Bill Cosby dans The Cosby Show, les costumes de Chicago, les "top 10" de David Letterman. Les animations interactives sont les plus intéressantes : vous pouvez ainsi vous amuser à refaire le doublage de scènes de films comme Le Magicien d'Oz, ou mettre une autre bande sonore sur des scènes de Sueurs froides d'Alfred Hitchcock, ou bien faire l'imbécile devant une caméra de style XIXe siècle afin de réaliser un folioscope que vous pourrez acheter pour 3 $. Sur différents écrans, vous pourrez écouter les acteurs de films comme Les Aventuriers de l'Arche perdue expliquer comment certaines scènes ont été tournées. L'une des récentes expositions temporaires a recréé une salle de jeux vidéo d'époque, avec de merveilleux jeux d'arcade que l'on pouvait essayer gratuitement. Au rez-de-chaussée, un espace projette des films – gratuit avec l'entrée du musée – le vendredi, le samedi et le dimanche. Le musée prévoit de doubler sa capacité à l'horizon 2009, dans le cadre d'un projet de 40 millions de dollars.

JACKSON HEIGHTS

Juste au-dessous de la bruyante ligne 7 du métro se trouve **Roosevelt Ave**, l'une des artères les plus intéressantes de la ville. Cette zone – qui abrite des Indiens, des natifs du Bangladesh, des Vietnamiens, des Coréens, des Mexicains, des Colombiens, des Équatoriens et d'autres groupes ethniques – est un tourbillon cosmopolite. Cette zone est connue pour son quartier indien ("Little India/Bangladesh") débordant de saris, de DVD de Bollywood et de petits restaurants aux formules buffet à volonté – comme **Jackson Diner** (p. 261) –, le long de **74th St**, entre Roosevelt Ave et 37th Ave.

S'étendant sur une cinquantaine de pâtés de maisons au nord de la ligne de métro, c'est l'un des quartiers les plus agréables de New York, dont pourtant la plupart des citadins new-yorkais ignorent l'existence. Après l'ouverture du pont de Queensboro en 1909, le **district historique de Jackson Heights** (entre Roosevelt et 34th Ave, de 70th St à 90th St) a été construit en 1917, à la façon d'une "cité-jardin" (très populaire en Angleterre à l'époque), avec de luxueux immeubles en briques de 6 étages partageant de longs jardins privés joliment aménagés. Ils sont toujours privés, mais il existe de bons postes d'observation, entre 80th St ou 81st St et 34th Ave. Non loin de là, **37th Ave** est bordée de restaurants (argentins, équatoriens, colombiens, américains, japonais) un peu plus raffinés que les gargotes de Roosevelt Ave.

À l'est de 87th St, à l'**Horoscopo** (☎ 718-779-9391 ; 86-26 Roosevelt Ave), on vous lira l'avenir à l'aide d'huiles colorées, de cartes de tarot et de pattes de poulet. Repartez avec une bouteille de "Mr Money" si vous voulez devenir riche.

FLUSHING ET CORONA

Ces deux quartiers ne sont guère connus que pour les événements sportifs qui se déroulent au **Shea Stadium** (les Mets ; p. 307) et à l'**USTA National Tennis Center** (l'US Open ; p. 311). Les nombreux commerces chinois, coréens, espagnols et italiens qui animent les rues servent une clientèle exclusivement locale. Entre les deux, s'étend le **Flushing Meadows Corona Park** (plan p. 467), un curieux endroit parsemé d'intéressantes constructions réalisées spécialement pour les Expositions universelles de 1939 et 1964, à la dernière mode architecturale de leur époque.

Ce coin de New York est entré dans l'histoire dès le XVIIe siècle lorsque les quakers se réunirent à Flushing pour trouver un moyen d'échapper à la persécution religieuse du gouverneur hollandais Peter Stuyvesant (ils y parvinrent). Deux siècles plus tard, beaucoup d'esclaves en fuite recouvrèrent ici la liberté (grâce à un réseau d'aide aux fugitifs du Sud).

Au XXe siècle, Flushing était dans un piteux état. Dans son roman *Gatsby le magnifique* (1925), F. Scott Fitzgerald n'y voyait qu'un tas de cendres, encore était-il indulgent. Les Expositions universelles redonnèrent un peu de lustre à cette zone marécageuse, au point que de nombreux jazzmen vinrent s'y installer.

Flushing – au bout de la ligne 7 du métro – abrite un florissant Chinatown, plus grand que celui de Manhattan. Boutiques et restaurants se concentrent dans Roosevelt Ave et Main St.

NEW YORK, VU DU CIEL

L'hélicoptère est trop cher pour vous ? Il vous reste le **Panorama of New York City**, une maquette détaillée de la métropole s'étalant sur un espace de 870 m², grand comme 3 terrains de tennis, dans le **Queens Museum of Art** (plan p. 467; ☎ 718-592-9700 ; www.queensmuseum.org ; Flushing Meadows Corona Park ; adulte/senior et étudiant/enfant 5/2,50 $/gratuit ; ⏰ sept-juin mer-ven 10h-17h, sam-dim 12h-17h, juil-août mer, jeu, sam et dim 12h-18h, ven 12h-20h ; Ⓜ 7 jusqu'à 111 St), qui est en lui-même une destination digne d'intérêt. Un chemin en pente descendante fait le tour des 895 000 structures miniatures, telles qu'on pourrait les observer depuis un avion. Tous les quarts d'heure, on peut voir la simulation d'une journée, de l'aube au crépuscule, avec l'éclairage adéquat. C'est New York tel qu'il était vers 1992, date de la dernière mise à jour (hormis les modifications qui s'imposaient après le 11 Septembre). Le reste du musée, installé dans l'ancien New York City Building construit pour l'Exposition universelle de 1939, est en partie consacré à ce grand événement et en partie à des expositions artistiques temporaires.

À deux ou trois stations de métro plus à l'ouest, la partie sud de Corona est un quartier pittoresque qui ressemble à une place de village d'un autre âge. En été, les joueurs de boules s'adonnent à leur sport favori au **William F Moore Park** (dit aussi Spaghetti Park ; 108th St), devant les badauds se délectant de glaces au citron.

FLUSHING COUNCIL ON CULTURE AND THE ARTS Plan p. 467

☎ 718-463-7700 ; www.flushingtownhall.org ; 137-135 Northern Blvd ; galerie 5 $; ☺ lun-ven 9h-17h ; galerie 12h-17h ⊕ 7 jusqu'à Flushing-Main St

Construit en 1864, ce bâtiment néo-roman accueille toute l'année des expositions artistiques et des concerts de jazz et de musiques diverses. Il est réputé pour son Queens Jazz Trail, un parcours en tramway de 3 heures, qui a lieu chaque 1er samedi du mois. Le circuit croise plusieurs vénérables clubs, et les anciennes résidences des grands noms du jazz ayant vécu dans le quartier : Louis Armstrong, Lena Horne, John Coltrane, Billie Holiday, Count Basie, Charles Mingus et Ella Fitzgerald parmi tant d'autres. Le tour en tram coûte 30 $, 40 $ avec le dîner, qui inclut un concert de jazz. Le Council distribue aussi le plan du parcours et d'autres brochures sur le Queens.

FLUSHING MEADOWS CORONA PARK
Plan p. 467

⊕ 7 jusqu'à Willets Point-Shea Stadium

Ce parc de 490 ha construit pour l'Exposition universelle de 1939 est la principale attraction du quartier. Il est dominé par le monument le plus connu du Queens, l'Unisphere (un globe en acier inoxydable de 380 tonnes, haut de 36 m). Il fait face à l'ancien New York City Building, qui abrite aujourd'hui le **Queens Museum of Art** (voir l'encadré p. 187). Dans l'aile nord, qui doit s'agrandir, occupant la partie sud du bâtiment, se trouve la patinoire de l'Exposition, la **World's Fair Ice Rink** (☎ 718-271-1996 ; ☺ oct-mars lun, mer, ven-dim, téléphoner pour connaître les horaires).

Juste au sud se dressent les New York State Pavilion Towers, trois tours abîmées où plane encore l'esprit de la guerre froide ; elles faisaient partie du pavillon de l'État de New York pour l'Exposition universelle de 1964. Récemment, elles ont fait une apparition en tant que vaisseaux de l'espace dans *Men in Black*.

En direction de la ligne 7, on arrive au grand **Arthur Ashe Stadium**, et au reste du **USTA National Tennis Center** (p. 311). Vient ensuite le **Shea Stadium** (p. 307), le stade où l'équipe des Mets réitère

ses exploits (et où les Beatles ont inauguré l'ère des concerts de rock dans des stades).

Vers l'ouest, au-delà de la Grand Central Parkway, se trouvent encore quelques attractions comme le **New York Hall of Science** (☎ 718-699-0055 ; www.nyhallsci.org ; 47-01 111th St ; adulte/étudiant et enfant 11/8 $, gratuit ven 14h-17h ; ☺ tlj, appeler pour les horaires), ainsi qu'un petit centre consacré à la vie sauvage.

Le parc possède aussi des espaces verts sur ses franges est et sud. Les terrains de foot en gazon synthétique d'excellente qualité sont très connus pour les matchs improvisés qui s'y déroulent. À l'abri à bateaux de Meadow Lake, on pourra louer des canots et des bicyclettes.

Le parc est facilement accessible par le chemin piétonnier partant de la station de la ligne 7 Willets Point-Shea Stadium. Renseignements au ☎ 718-760-6565.

MAISON DE LOUIS ARMSTRONG
Plan p. 467

☎ 718-478-8274 ; www.louisarmstronghouse.org ; 34-56 107th St ; adulte/senior et étudiant 8/6 $; ☺ mar-ven 10h-17h, sam-dim 12h-17h ; ⊕ 7 jusqu'à 103rd St-Corona Plaza

Au sommet de sa carrière, Louis choisit de s'installer dans le Queens, dans cette paisible villa de Corona Heights, aujourd'hui transformée en musée. Il y vécut 28 ans, jusqu'à sa mort en 1971. Les visites accompagnées durent 40 min (départ à chaque heure ; dernière visite à 16h). On remarquera les disques d'or accrochés au mur. Pour consulter les archives sur Louis Armstrong, se renseigner par téléphone.

JARDINS BOTANIQUES DU QUEENS
Plan p. 467

☎ 718-886-3800 ; www.queensbotanical.org ; 43-50 Main St ; entrée libre ; ☺ avr-oct mar-ven 8h-18h, sam-dim 8h-19h, nov-mars mar-dim 8h-16h30 ; ⊕ 7 jusqu'à Flushing-Main St

Ce jardin de 15 ha réalisé pour l'Exposition universelle de 1939 est assez riche en variétés florales exotiques. Ses vastes pelouses sont plus agréables pour pique-niquer que celles du Flushing Meadows Corona Park, et les sentiers invitent à enfourcher une bicyclette.

JAMAICA

C'est ici que les rappeurs 50 Cent et LL Cool J ont écrit leurs premières chansons. Jamaica,

(Suite page 201)

CENTRAL PARK

UNE MERVEILLE À NE PAS MANQUER. UNE OASIS AU SEIN DE L'AGITATION URBAINE.

La Great Lawn (p. 192) de Central Park est plus fatigante pour ceux qui la tondent

SI VOUS AVEZ LA CHANCE DE SURVOLER MANHATTAN À VOTRE ARRIVÉE À NEW YORK, VOUS RESTEREZ SANS VOIX devant les 340 hectares de verdure, vides de tout immeuble, qui composent ce parc étonnant. Le parc, situé en plein cœur de Manhattan, est une merveille à ne pas manquer. Il forme une oasis au sein de l'agitation urbaine. Ses pelouses soyeuses, ses jardins fleuris, ses plans d'eau innombrables et ses allées boisées procurent aux New-Yorkais le bol d'air frais dont ils ont besoin. Les week-ends ensoleillés, le parc est le point de ralliement des rollers, des coureurs de fond, des musiciens et des touristes, mais il reste peu fréquenté les après-midi en semaine. Pour profiter du calme, il faut se rendre au nord de 72nd St, et rejoindre les sites du bassin de **Harlem Meer** (plan p. 454 ; à hauteur de 110th St) et de la **North Meadow Recreation Area** (plan p. 454 ; au-dessus de 97th St, côté ouest). Par temps de neige, ski de fond, luge ou simplement promenade sont à l'honneur dans ce paysage féerique. Le soir du Nouvel An, le parc est envahi par les joggueurs le temps d'une course de minuit. En février 2005, une touche de couleur est venue habiller le parc, avec l'installation *The Gates*, de Christo. Cette œuvre, constituée de 7 503 gigantesques carrés de tissu orange, a été placée le long des allées, sur 37 km, dans un parc gelé et dénudé à cette époque. L'œuvre a fait l'objet d'une grande controverse, mais les New-Yorkais sont venus en masse l'admirer.

À l'instar du métro, Central Park mélange toutes les classes sociales. Créé entre les années 1860 et 1870, par les urbanistes Frederick Law Olmsted et Calvert Vaux, dans la partie nord marécageuse de New York, ce parc immense fut conçu comme un espace de loisirs destiné aux habitants, sans considération de couleur, de milieu ou de religion. Déterminé à séparer la circulation piétonnière du trafic automobile, Olmsted (également auteur du Prospect Park de Brooklyn) conçut le tracé des routes transversales de manière qu'elles soient en contrebas et enjambées par les voies piétonnes. Qu'une telle superficie ait échappé

ORIENTATION

Le parc est délimité au sud par 59th St, au nord par 110th St, à l'ouest par Central Park West (l'artère juste à l'est de Columbus Ave), et à l'est par Fifth Ave. Pour y accéder par l'ouest, prenez la ligne B ou C du métro qui s'arrête à 72th St, 81st St, 86th St, 96th St, 103rd St et 110th St. Si vous venez de l'est, prenez la ligne R ou W jusqu'à Fifth Ave-59th St, ou, pour accéder au nord du parc, la ligne 6 qui marque des arrêts le long de Lexington Ave (trois avenues à l'est, depuis la lisière est du parc) à 68th St, 77th St, 86th St, 96th St, 103rd St et 110th St. Un centre d'information est installé dans la **Dairy** (la laiterie ; plan p. 199), près de l'entrée située sur E 68th St. Il offre des renseignements, des plans et propose des visites guidées.

Une démonstration de ski des villes, sur un terrain idéal, le Sheep Meadow (p. 196)

aux convoitises immobilières depuis si longtemps prouve que Central Park occupe une place prépondérante dans l'identité de New York. Aujourd'hui, ce lieu populaire fait toujours partie des sites

À L'INSTAR DU MÉTRO, CENTRAL PARK MÉLANGE TOUTES LES CLASSES SOCIALES.

les plus fréquentés. Ses concerts en plein air sur la **Great Lawn** (grande pelouse ; plan p. 199), le **Central Park Wildlife Center** (réserve naturelle de Central Park ; plan p. 199) et son festival de théâtre annuel, Shakespeare in the Park, qui se tient en été au Delacorte Theater (80th St), attirent les foules. Parmi les étapes incontournables du parc, ne manquez pas la somptueuse **fontaine Bethesda** (au centre du parc, à hauteur de 72nd St),

qui domine le **Lac** (The Lake ; plan p. 199) et sa **Loeb Boathouse** (plan p. 199), où l'on peut louer des barques (10 $/h) ou déjeuner en terrasse ; le **Shakespeare Garden** (plan p. 454 ; entre 79th et 80th St, côté ouest), avec sa végétation luxuriante et sa vue imprenable ; et le **Ramble** (plan p. 199 ; au centre du parc, entre 73rd et 79th St), un taillis sous futaie bien connu des ornithologues amateurs. Le Central Park Conservancy propose des visites guidées du parc, certaines dédiées aux œuvres d'art, d'autres aux animaux ou aux attractions pour enfants. Sur le site www.centralparknyc.org, vous trouverez les listes et horaires des visites, ainsi qu'un excellent plan interactif du parc.

La réputation douteuse du parc à la nuit tombée n'est plus vraiment de mise, l'endroit comptant désormais parmi les plus sûrs de la ville. En cas d'inquiétude, cantonnez-vous au centre du parc, autour de 86th St, où se trouve le poste principal de la police de Central Park.

CE GIGANTESQUE TAPIS DE VERDURE COULEUR ÉMERAUDE A ÉTÉ AMÉNAGÉ EN 1931 EN COMBLANT UN ANCIEN RÉSERVOIR

Des promeneurs se prélassent sur la verdoyante Great Lawn (ci-dessous)

LA GREAT LAWN

Située entre 72nd St et 86th St (plan p. 199), cette gigantesque pelouse couleur émeraude a été aménagée en 1931 en comblant un ancien réservoir. Elle accueille des concerts en plein air (c'est là que Paul Simon fit un come-back remarqué et que le New York Philarmonic Orchestra se produit chaque été). Les sportifs fréquentent les huit terrains de softball et les terrains de basket tandis que les promeneurs aiment à déambuler sous la voûte des platanes. Non loin de la pelouse se trouvent d'autres sites : le **Delacorte Theater**, où se déroule le festival annuel Shakespeare in the Park, et son luxuriant jardin ; le **château du Belvédère** ; le **Ramble**, lieu de prédilection des oiseaux ; et la **Loeb Boathouse**, où l'on peut louer des barques pour une balade romantique au milieu de ce paradis urbain.

CENTRAL PARK WILDLIFE CENTER

☎ 212-861-6030 ; www.centralparknyc.org ; 64th St à hauteur de 5th Ave ; 🕙 10h-17h

Les pingouins constituent la grande attraction de ce **zoo** (plan p. 199) moderne, mais on y trouve également plus d'une vingtaine d'autres espèces animales, dont des ours polaires, ainsi que des races menacées comme le singe tamarin et le panda roux. Les repas des animaux sont des moments particulièrement amusants et mouvementés : les otaries ingurgitent leurs poissons à 11h30, 14h et 16h, les pingouins à 10h30 et 14h30. Le **Tisch Children's Zoo**, entre 65th St et 66th St, s'adresse aux enfants de moins de 6 ans.

Au zoo du parc, des singes des neiges se pelotonnent contre le froid

PROMENADES EN CALÈCHE

Si bon nombre de New-Yorkais refusent de se livrer à une activité aussi touristique, Angelina Jolie, Chuck Norris et Hilary Duff comptent parmi les célébrités qui se sont risquées dans de tels équipages. Le romantisme de ces **promenades en calèche** (Central Park South ; ⊙ 1, A, B, C, D jusqu'à 59th St-Columbus Circle) provient en partie de leur apparition dans de nombreux films. Les tarifs prohibitifs sont de l'ordre de 40 $ les 20 min (10 $ par quart d'heure supplémentaire), plus le pourboire que le cocher s'attend à recevoir.

Une promenade en barque sur le lac : idéal pour brûler les calories superflues d'un déjeuner à la Loeb Boathouse (p. 191)

L'ARSENAL

Bâti entre 1847 et 1851 comme dépôt de munitions de la garde nationale de l'État de New York, ce **bâtiment en brique** (plan p. 454, à hauteur de E 64th St) revêt l'apparence d'un château médiéval. Antérieur à Central Park, il abrite le City of New York Parks & Recreation et le Central Park Wildlife Center. La raison de le visiter ne tient pas à l'édifice lui-même, mais au plan original du lac réalisé par Olmsted et exposé dans une salle de conférences au 2ᵉ étage.

RÉSERVOIR JACQUELINE KENNEDY ONASSIS

Ne manquez pas d'emprunter le chemin de 2,5 km (plan p. 454) qui borde ce plan d'eau et qui draine quantité de joggueurs dès que le temps s'y prête. Le réservoir de 43 ha ne sert désormais plus à alimenter la ville en eau potable et se contente de refléter joliment les gratte-ciel et les arbres alentour. Vous rencontrerez peut-être, au détour du chemin, un sympathique vieil homme aux cheveux blancs appuyé sur une canne ; il s'agit d'Albert Arroyo, le "maire de Central Park", comme il s'est lui-même autoproclamé. Le cadre offre le meilleur de lui-même au coucher du soleil, quand le ciel passe du rose orange au bleu cobalt tandis que les lumières de la ville s'allument peu à peu.

En hiver, l'Ange des eaux au sommet de la fontaine Bethesda (ci-dessous) ressemble à un ange des neiges

LES STATUES **DU PARC**

Parmi les nombreuses sculptures naturelles, communément appelées "arbres", sont disséminées de somptueuses œuvres d'art. Ne manquez pas le **Monument Maine** (au niveau de la porte Merchant's Gate, à Columbus Circle), un hommage aux marins tués lors de la mystérieuse explosion du *Maine* dans le port de La Havane en 1898, qui déclencha la guerre hispano-américaine. Plus à l'est, vers l'entrée de 7th Ave, se dressent les statues des plus grands libérateurs de l'Amérique latine, y compris **José Martí**, "l'apôtre de l'indépendance cubaine" (les férus d'histoire souriront de la contiguïté de la statue de Martí et du Monument Maine). Plus à l'est encore, au niveau de la porte Scholar's Gate (Fifth Ave à hauteur de 60th St), se trouve une petite place dédiée à **Doris Chanin Freedman**, fondatrice du Public Art Fund, où une nouvelle sculpture est exposée tous les six mois.

Alors qu'on ne présente plus le célèbre **Ange des eaux** qui surplombe la fontaine Bethesda, les plus grands connaisseurs de Central Park n'ont peut-être jamais remarqué la **statue du Fauconnier**, isolée sur un monticule dominant 72nd St Transverse. Ce bronze de 1875 représente avec superbe l'instant unique de l'envol et montre le lien étroit unissant le maître et l'oiseau. La Literary Walk ("promenade littéraire"), entre la fontaine Bethesda et 65th St Transverse, est bordée de statues, parmi lesquelles l'incontournable **Christophe Colomb** et de grands écrivains tels **Robert Burns** et **Shakespeare**.

Au nord-est se trouve le Conservatory Water (bassin du conservatoire). Quelques bateaux miniatures voguent oisivement sur ses eaux, pendant que les enfants s'escriment à escalader le champignon géant de la statue d'**Alice au pays des merveilles**. Alice, les cheveux et la robe au vent, le sémillant Chapelier fou et l'espiègle Chat du Cheshire cohabitent sur ce trésor de Central Park, qui fait la joie des petits et des grands. Non loin de là, au pied de la

Des pétales de roses parsèment Strawberry Fields, le mémorial de John Lennon

Faire de la luge sous les gratte-ciel est une expérience que l'on ne peut vivre qu'à New York

statue de **Hans Christian Andersen**, des histoires sont contées pendant une heure chaque samedi (11h de juin à septembre).

Le **Cleopatra's Needle** s'élève à hauteur de 82nd St et East Dr. Cet obélisque a été offert par l'Égypte aux États-Unis en 1877 pour les remercier d'avoir contribué à la construction du canal de Suez. Descendez ensuite vers East Dr pour admirer la sculpture du chat à l'affût, prêt à bondir sur le premier joggueur importun.

À l'extrémité nord-est du parc, se dresse la statue de **Duke Ellington** au piano. Sa situation excentrée, à hauteur de 110th St, lui vaut d'être boudée par les visiteurs. Ce bronze de 7,50 m de haut est un étonnant hommage au grand maître du jazz. La statue, dessinée par feu Bobby Short, a été inaugurée en 1997.

STRAWBERRY FIELDS

Juste en face de l'**immeuble Dakota** (plan p. 199), où le film Rosemary's Baby a été tourné en 1967 et dans le hall duquel John Lennon fut assassiné en 1980, cet émouvant jardin en forme de larme rend hommage au chanteur. Entretenu grâce au don d'un million de dollars effectué par Yoko Ono, l'endroit le plus visité de Central Park contient un bosquet d'ormes majestueux et une mosaïque souvent couverte de pétales de roses, sur laquelle on peut lire cette unique inscription : "Imagine".

WOLLMAN SKATING RINK

☎ 212-439-6900 ; entre 62nd St et 63rd St ; ☾ nov-mars

Du côté est du parc, vous pourrez louer des patins et vous élancer sur la glace de cette **patinoire** (plan p. 454). L'environnement est particulièrement romantique, surtout le soir sous les étoiles, à condition de faire la sourde oreille à la musique pop braillarde qui a tendance à troubler la paix ambiante.

Les feuilles changent de couleur au fil des saisons, en plein cœur de New York

DÉCOUVRIR CENTRAL PARK

CENTRAL PARK EST AVANT TOUT UN LIEU POPULAIRE. EXPLOREZ SES MOINDRES RECOINS ET APPROPRIEZ-VOUS L'ESPACE ! La promenade que nous vous proposons (plan p. 199) part de l'entrée de Columbus Circle, dans l'angle sud-ouest. Dans l'hypothèse d'un éventuel pique-nique, vous pourrez vous approvisionner, avant d'entrer dans le parc, chez **Whole Foods** (p. 343) à Columbus Circle (mais si vous n'avez pas envie de vous encombrer, vous trouverez de quoi vous régaler sur votre chemin). Traversez la Merchants' Gate et tournez à gauche dans West Dr. Sur votre droite, vous apercevrez un rocher, l'**Umpire Rock** 1, qui domine les Heckscher Ballfields, au nord, où se déroulent en été de distrayants matchs de softball. Continuez jusqu'au **Sheep Meadow** 2, un grand pré où paissaient encore des moutons à la fin du XIXᵉ siècle. Aujourd'hui, il est idéal pour prendre un bain de soleil et jouer au Frisbee, mais également pour pique-niquer en contemplant l'horizon hérissé de gratte-ciel. Un chemin longe le pré au sud. Sur la droite, dans Center Dr, de l'autre côté du pont, un **manège** 3 (☾ avr-oct lun-ven 10h-18h et sam-dim 10h-19h, nov-déc 10h-tombée de la nuit, jan-mi-mars sam-dim 10h-tombée de la nuit ; 1,25 $ le tour), équipé de chevaux de bois sculptés, compte parmi les plus grands du pays.

Après le manège, prenez vers l'est et traversez le tunnel jusqu'à la **Dairy** 4, bâtiment créé vers 1870 sur le modèle d'une laiterie anglaise. Son objectif était de pouvoir offrir un verre de lait frais aux enfants après une longue promenade en famille dans le parc. Aujourd'hui, les bâtiments de style gothique abritent le **centre d'information des visiteurs** (☎ 212-794-6564 ; www.centralparknyc.org ; ☾ mar-dim 10h-17h, en hiver 10h-16h), où vous pourrez vous procurer des plans, vous renseigner sur les activités proposées, et faire un tour à la boutique de souvenirs.

Depuis la laiterie, suivez East Dr en direction du sud sur 200 m et tournez à gauche vers le **Central Park Wildlife Center** 5 (p. 192), un petit zoo des années 1930, encore tout pimpant depuis

Mission impossible au cœur de Central Park (ci-contre)

TOP 10
DE CENTRAL PARK

- Le Central Park Conservancy autorise la pêche sur le lac **Harlem Meer** (plan p. 454 ; ☎ 212-310-6600) à condition de relâcher ensuite les poissons. On vous fournit même des cannes et des hameçons pour taquiner la perche et le bluefish.

- Admirez le spectacle des chevaux qui trottent majestueusement le long de l'ancien chemin nuptial ou mettez le pied à l'étrier à la **Claremont Riding Academy** (☎ 212-724-5100) moyennant 55 $ les 30 min.

- Vous trouverez deux **pelouses de bowling** (plan p. 199 ; nord de Sheep Meadow, à hauteur de 69th St) de 4 500 m², une pour le croquet et l'autre pour le bowling sur gazon. Des membres du Club de bowling sur gazon de New York, âgés de 80 ans, y disputent encore des tournois de mai à octobre.

- Le premier vendredi du mois, une organisation écologique pour la promotion du vélo, **Time's Up! Moonlight Ride** (☎ 212-802-8222 ; www.times-up.org), propose aux cyclistes une promenade nocturne à travers le parc, avec la lune pour seul guide. Rendez-vous à 22h à Colombus Circle.

- Les adeptes de l'escalade s'exercent sur le **Worthless Boulder** (plan p. 454), un rocher de 3 m de haut, à l'extrémité nord du parc, à côté du lac Harlem Meer.

- Les débutants préféreront s'essayer au **mur d'escalade** (plan p. 454 ; North Meadow Recreation Area, au nord de 97th St) sous la surveillance de moniteurs.

- Incroyable mais vrai : les Urban Park Rangers, dépendant du NYC Parks Department, organisent des **excursions avec camping** (☎ 866 NYC-HAWK ; www.nycgovparks.org/sub_about/parks_divisions/urban_park_rangers/pd_ur.html, puis consultez le programme des manifestations) qui ont lieu tout l'été dans plusieurs parcs de la ville.

- Les enfants adoreront le **Safari Playground** (plan p. 454 ; W 91st St), une aire de jeu sur le thème de la jungle qui comprend 13 sculptures d'hippopotames, une maison dans les arbres et un parcours pour joggueurs en herbe.

- Haut lieu de rendez-vous canin, **Pug Hill** (colline aux toutou ; plan p. 454 ; sud de la statue d'Alice au pays des merveilles à hauteur de E 74th St) est réservée aux chiens-chiens et à leurs maîtres.

- Désigné par une simple plaque, le quartier historique de **Seneca Village** (plan p. 454 ; entre 81st St et 89th St, à l'ouest) a abrité la première communauté de propriétaires fonciers afro-américains (vers 1840).

sa réfection dans les années 1980, qui avait pour but de rendre la vie des animaux un peu plus confortable. Vous verrez, entre autres pensionnaires, un ours polaire léthargique et plusieurs otaries dont le repas est toujours un enchantement pour les enfants. À l'entrée, ne ratez pas l'**horloge Delacorte** 6 décorée de statues animées d'ours, de singes et d'autres animaux qui tournicotent et marquent le temps toutes les demi-heures. Le ticket d'entrée du zoo donne également accès au **Tisch Children's Zoo** 7, un secteur où les tout-petits (moins de 6 ans) peuvent s'approcher des animaux. Il se trouve en face du zoo, de l'autre côté de 65th St.

Après le zoo des enfants, suivez le sentier parallèle à East Dr vers le nord, en direction d'un groupe de statues (comprenant Christophe Colomb et William Shakespeare, p. 194) qui marque l'entrée du **Mall** 8, une élégante promenade bordée de bancs et plantée de 150 ormes américains, parmi les derniers des États-Unis.

En hiver, certaines zones de Central Park sont d'un calme surprenant pour une ville de 8 millions d'habitants

À l'extrémité nord du Mall, vous arriverez au **Naumburg Bandshell 9**, un kiosque à musique en forme de conque. Après des années d'abandon, il est de nouveau utilisé pour des concerts occasionnels et accueille les accros du Roller Disco. Juste derrière démarrent le chemin de la Pergola, agrémenté de glycines, et le Rumsey Playfield, où se déroulent des concerts très populaires lors du Central Park Summer-Stage (p. 295).

En poursuivant vers le nord au-delà du kiosque, après 72nd St Transverse, on arrive à la **fontaine Bethesda 10**, où a été tournée la scène finale du film *Angels in America* en 2003. Restaurée et nettoyée, avec son Ange des eaux au centre, la fontaine est l'une des plus belles constructions du parc. L'été, vous pourrez faire une petite pause au bord de la fontaine, en vous délectant de crêpes.

Suivez le chemin qui part à l'ouest de la fontaine jusqu'au **Bow Bridge 11**, un élégant pont suspendu en fonte qui relie les deux rives du lac. Traversez le pont et pénétrez dans le **Ramble 12**, un espace boisé, fréquenté entre autres par les amateurs d'oiseaux. Si vous réussissez à émerger du Ramble sans avoir perdu le nord, continuez jusqu'à 79th St Transverse. Juste après cette transversale, vous arriverez devant le **château du Belvédère 13**, d'où vous aurez une très belle vue sur le **Delacorte Theater 14** (p. 287 ; lieu où sont données, en été, des représentations gratuites de pièces de Shakespeare par le Joseph Papp Public Theater).

Repartez à l'est en longeant le Turtle Pond (bassin de la tortue), puis rejoignez au nord le **Cleopatra's Needle 15**, un obélisque égyptien de 1600 av. J.-C. Juste derrière, à l'est, se dresse la masse imposante du Metropolitan Museum of Art. En direction du couchant, s'étend la vaste et bien nommée **Great Lawn 16** (grande pelouse ; p. 192) où se déroulent certains concerts gratuits (le New York Philharmonic et le Metropolitan Opera s'y produisent en juin et juillet, voir p. 26).

LA PROMENADE EN CHIFFRES

Départ métro 59th St/Columbus Circle
(Ⓜ A, B, C, D, 1, 2)
Arrivée métro 72nd St (Ⓜ B, C)
Distance 6 km
Durée 2 à 4 heures
Où se restaurer Whole Foods (p. 343)
pour les provisions de pique-nique, crêpes
et empanadas en vente dans le parc.
Ou sur la terrasse du Loeb Boathouse Cafe
(☎ 212-517-2233 pour réserver une table
au bord du lac)

Reflets scintillants de Manhattan sur le réservoir Jacqueline Kennedy Onassis (p. 193)

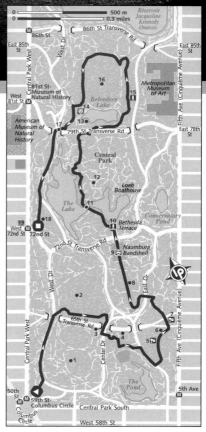

Traversez la pelouse, ou contournez-la si elle est fermée (en hiver), et piquez vers le sud. Après la pelouse et juste avant d'arriver à 79th St Transverse, le chemin passe devant le **Swedish Cottage** 17, un délicieux petit chalet suédois du XIXᵉ siècle qui abrite un **théâtre de marionnettes** (☎ 212-988-9093 ; adulte/ enfant 6/5 $; ☺ séances juil-août lun-ven 10h30 et 12h, sept-juin mar-ven 10h30 et 12h, sam 13h). Il est impératif de réserver pour ces spectacles très courus.

En allant jusqu'à l'entrée de W 72nd St, vous longerez les légendaires **Strawberry Fields** 18 (p. 195), un jardin de 1,2 ha dédié à la mémoire de John Lennon. Les offrandes les plus hétéroclites ont été déposées par ses fans au milieu des plantes qui proviennent d'une centaine de pays. L'ancien Beatles aimait se promener à cet endroit. Il habitait de l'autre côté de la rue, dans l'**immeuble Dakota**, où il fut assassiné en 1980.

Le Metropolitan Museum of Art (p. 161) jouit de la plus belle annexe dont un musée puisse rêver : Central Park

(Suite de la page 188)

au bout des lignes de métro E, F, J et Z, est négligé par la plupart des habitants de Manhattan, mais attire des voyageurs venus de loin pour faire du shopping dans les boutiques hip-hop. Abritant de nombreux immigrés antillais, Jamaica porte le nom du lieu de naissance de certains de ses résidents par pure coïncidence. Les Algonquins nommèrent la zone *jameco* (castor), un nom qui changea quand les premiers colons anglais s'y installèrent – avec la permission des Hollandais – à l'époque où la ville s'appelait Nouvelle-Amsterdam, au milieu du XVIIᵉ siècle. Quand le train relia Jamaica à la ville, la population grandit. La zone abrite également beaucoup de Latino-Américains.

Bien que fermée au public, la **Jamaica Center Business Improvement Association** (☎ 718-526-2422 ; 90-50 Parson Blvd) organise parfois des visites guidées à pied et peut vous faire parvenir quelques brochures.

Le meilleur point de départ dans le quartier est la station de métro Jamaica Center Parson-Archer, sur les lignes E, J, et Z ; Jamaica Ave, l'artère principale, se trouve juste au sud.

Près de la station, au milieu des 4 ha du King Park, se trouve le **King Manor** (☎ 718-206-0545 ; www.kingmanor.org ; Jamaica Ave à hauteur de 150th St ; adulte/étudiant 5/3 $; ☺ jeu-ven 12h-14h, sam-dim 13h-17h), un pavillon de style gréco-romain, qui abrita le signataire de la Constitution américaine, Rufus King, au début des années 1800. King, un abolitionniste en avance sur son temps, échoua aux élections présidentielles de 1817 (le dernier candidat fédéraliste à se présenter). Le manoir ne présente pas beaucoup d'intérêt, la plupart des pièces ayant été refaites, mais les visites personnalisées sont amusantes. King est enterré à une rue à l'est de la villa, dans le cimetière situé devant la **Grace Episcopal Church** (155-03 Jamaica Ave).

Un peu plus à l'est, devant la **Jamaica Center for Arts & Learning** (JCAL ; ☎ 718-658-7400 ; www.jcal.org ; 161-04 Jamaica Ave ; entrée libre ; ☺ lun-sam 8h30-18h), se trouve l'un des deux seuls vestiges d'horloge de rue en fonte (celle-ci date de 1900). Le centre comprend une petite galerie exposant les travaux d'artistes locaux.

Néanmoins, la principale attraction de Jamaica est le **shopping hip-hop** le long de 165th St, une rue piétonnière, juste au nord de Jamaica Ave, où des rangées entières de

boutiques vendent des vêtements Phat Farm, des sweat-shirts à l'effigie de Tupac, des maillots de sport, des chapeaux Bailey Straw, des articles Red Monkey, Pepe Jeans et North Face, des costumes néo-jazz couleur pastel et des robes africaines. La galerie marchande **Jamaica Coliseum Mall** (☎ 718-657-4400 ; 165th St à hauteur de 85th Ave ; ☺ lun-ven 11h-19h, sam 10h-19h, dim 12h-18h) offre un bonne synthèse de tous ces articles.

ROCKAWAY BEACH

La plus grande plage urbaine et la meilleure de New York est accessible par la ligne A du métro. Immortalisée par les Ramones en 1977 dans leur chanson *Rockaway Beach*, cette merveilleuse plage de 11 km de long est moins fréquentée que Coney Island. Située sous le couloir aérien de l'aéroport JFK voisin, elle abrite néanmoins de superbes paysages naturels, et de vieux bungalows d'antan. Depuis 2005, les surfeurs se mesurent (légalement) aux vagues, non loin de la station de métro Beach-90th St (voir p. 317).

Ce quartier est habité par une communauté italo-irlandaise très soudée, et plus vous vous aventurerez vers le sud, sur Beach Channel Dr et Rockaway Point Blvd, plus cela vous semblera évident.

Une grande partie de la zone appartient aux 10 500 ha du **Gateway National Recreation Area** (pour plus d'informations, consulter www.nps.gov/gate), qui comprend plusieurs parcs. L'un d'eux, vers l'extrémité sud des Rockaways, est le **Jacob Riis Park/Ft Tilden** (☎ 718-318-4300 ; Ⓐ A, S jusqu'à Rockaway Park Beach-116th St), qui porte le nom d'un défenseur et photographe des immigrés de la fin du XIXᵉ siècle. La promenade, la plage et les aires de pique-nique sont très fréquentées en été.

Près de l'aéroport JFK, au bout du pont Cross Bay Veterans Memorial Bridge, les 3 700 ha du **Jamaica Bay Wildlife Refuge** (plan p. 442 ; ☎ 718-318-4340 ; www.nps.gov/gate ; Cross Bay Blvd ; entrée libre ; ☺ 8h30-17h ; Ⓐ A jusqu'à Broad Channel) abritent une centaine d'espèces d'oiseaux. Passez par le centre d'accueil des visiteurs pour des cartes (ou consultez le site Internet) des 2 chemins de randonnée : le chemin ouest vous emmène sur 2 km autour du West Pond, au milieu des marais, juste à côté de la baie (remplie d'oiseaux d'eau). Voir p. 311 pour des détails sur les circuits d'observation des oiseaux dans le refuge.

LE BRONX

Où se restaurer p. 261, Shopping p. 354

Au nord de Manhattan, le Bronx est le New York "X-trême". Ici, les klaxons sont un peu plus forts, les graffitis un peu plus osés, la démarche un peu plus arrogante, parce qu'il faut bien justifier d'une façon quelconque cet article qui précède le nom et qui fait que "the Bronx" ne serait pas un lieu de résidence comme un autre. De fait, il a vu naître certaines des plus belles réussites de New York : les Yankees, le hip-hop et le tiercé gagnant J-lo, C-Po et B-Jo (Jennifer Lopez, Colin Powell et Billy Joel).

À l'instar du Queens, le Bronx est très diversement peuplé. Près du quart de sa population est d'origine portoricaine, et les Jamaïcains, Indiens, Vietnamiens, Cambodgiens et Européens de l'Est y sont de plus en plus nombreux. Un quart de sa superficie est couverte de parcs, dont le Pelham Bay Park.

Ces temps-ci, le Bronx fait parler de lui et envisage de proposer d'immenses lofts à des loyers (relativement) raisonnables. **"SoBro"**, ou South Bronx, n'en est encore qu'à ses débuts dans le domaine de l'embourgeoisement, mais il commence à attirer un certain nombre d'artistes et de jeunes gens en mal d'espace. Son artère principale est Bruckner Blvd, bordé de magasins industriels, de lofts en briques rouges et d'une douzaine d'antiquaires, entre le pont de Third Ave et le pont de Willis Ave. Lincoln Ave mène à la Harlem River, que vous pouvez aussi découvrir au cours d'une **excursion en kayak** (p. 311). Près de la station de métro Third Ave-138th St (sur la ligne 6) se trouvent quelques restaurants caribéens et espagnols, le long de 138th St. Vous trouverez un passage pour piétons sur le pont de Third Ave, qui mène à Harlem.

L'office du tourisme du Bronx, le **Bronx Tourism Council** (☎ 718-590-2766 ; www. ilovethebronx.com) distribue un guide

du visiteur et publie un programme de manifestations régulièrement mis à jour sur son site Internet. Il organise également un "Bronx Tour Trolley" (tour du Bronx en tramway) gratuit, entre le zoo et Arthur Ave, le week-end. La **Bronx County Historical Society** (☎ 718-881-8900 ; www. bronxhistoricalsociety.org) propose de nombreuses promenades à pied ou en bus, au printemps, en été et en automne.

Orientation

Seul à se trouver sur le continent, le Bronx se situe dans le prolongement de Manhattan, coincé entre l'Hudson, la Harlem River, l'East River et le Long Island Sound. La principale artère de ce borough de 110 km² est l'axe nord-sud de Grand Concourse. Son croisement avec Fordham Rd, à l'ouest du zoo du Bronx, près du célèbre quartier italien de Belmont, est la principale zone commerçante qui attire une foule de piétons le week-end.

ARTHUR AVENUE/BELMONT AVENUE
Plan p. 468
www.arthuravenuebronx.com ; Ⓜ B, D jusqu'à Fordham Rd

Pour certains, c'est ici que se trouve la vraie "Little Italy" de New York, au sud de l'université de Fordham, entre le Bronx Park à l'est et la Third Ave à l'ouest, clairement signalée par des banderoles "Little Italy in the Bronx". Les pizzerias, trattorias, boulangeries (Arthur Ave Baking Co fournit de nombreux restaurants), poissonniers vendant des clams ouverts, et bouchers exposant leurs lapins en vitrine, servent une clientèle locale sans faire l'effort de parler anglais. De l'avis de nombreux New-Yorkais, **Roberto's** (p. 262) est le meilleur restaurant italien de la ville.

La fameuse scène du *Parrain* où Al Pacino tire son arme de derrière les toilettes avec une chaîne avant de se lancer avec fracas dans sa nouvelle carrière, est censée se dérouler chez **Mario's** (2342 Arthur Ave).

Depuis la station Fordham Rd, descendez Fordham Rd vers l'est sur 11 pâtés de maisons et tournez à droite dans Arthur Ave.

BRONX MUSEUM OF THE ARTS
Plan p. 468
☎ 718-681-6000 ; www.bxma.org ;
1040 Grand Concourse à hauteur de 165th St ; adulte/senior et étudiant 5/3 $; ☽ mer 12h-21h, jeu-dim 12h-18h ; Ⓜ B, D, jusqu'à 167 St-Grand Concourse

Un art contemporain intéressant et très urbain est à l'honneur dans ce musée

---

TRANSPORTS

Métro Les lignes B, D, 2, 4, 5, 6 relient Manhattan au Bronx. Elles s'arrêtent opportunément au Yankee Stadium (B, D, 4 jusqu'à 161 St-Yankee Stadium), à proximité du zoo du Bronx (2, 5 jusqu'à Pelham Pkwy) et à l'angle de Grand Concourse et de Fordham Rd (B, D jusqu'à Fordham Rd).

(graffitis, installations vidéo, peintures), avec des expositions allant de la musique brésilienne des années 1970 aux "Subway Series" des Yankees et des Mets. Les artistes sont essentiellement américains et d'origine africaine, latino-américaine ou asiatique.

ZOO DU BRONX Plan p. 468

☎ 718-367-1010 ; www.bronxzoo.com ; adulte/enfant avr-oct 11/8 $, nov-mars 8/6 $, mer donation recommandée ; ⊗ avr-oct lun-ven 10h-17h, sam-dim 10h-17h30, nov-mars 10h-16h30 ; ◉ 2, 5 jusqu'à Pelham Pkwy

Connu aussi sous le nom de Bronx Wildlife Conservation Society, ce zoo de 106 ha ouvert en 1899 est l'un des plus célèbres du pays. Il reçoit plus de 2 millions de visiteurs par an. Il fut l'un des premiers à recréer des environnements naturalistes (plaines et forêts africaines, montagnes himalayennes, forêts humides asiatiques) pour le bien-être de ses 5 000 animaux (gorilles, ours polaires, manchots, zèbres, girafes, etc.). Les bisons, arrivés au début du XXe siècle, ont récemment permis le retour de ces animaux dans les Grandes Plaines.

Le vol des chauves-souris du World of Darkness (monde de la nuit), et le repas des manchots (15h30) ont beaucoup de succès auprès des enfants. On remarquera les structures d'origine (1899) comme la House of Reptiles (maison des reptiles). En hiver, certains animaux gardés dans des abris ne sont pas visibles – mais l'ours polaire Blizzard s'ébat dans sa piscine gelée toute l'année.

Quelques attractions sont accessibles moyennant un supplément, comme la Congo Gorilla Forest (forêt du gorille du Congo, 3 $) et le nouveau Bug Carousel (carrousel des insectes, 2 $), un joyeux tour de manège avec des insectes géants.

Liberty Lines Express (☎ 718-652-8400) assure la desserte du zoo par le bus Bx11 (5 $) partant de Madison Ave (avec arrêt aux rues suivantes : 26th, 47th, 54th, 84th et 99th). Départs toutes les 20 minutes environ. Il vous sera demandé de faire l'appoint.

Le zoo possède 5 entrées. Depuis la station de métro Pelham Pkwy, il faut remonter White Plains Rd vers le sud, tourner à droite dans Lydig Ave. Arrivé à Bronx Park East, on tourne à droite, puis à gauche jusqu'à la Bronx River Parkway Gate (où le Bx11 dépose ses passagers). Parking sur place (8 $).

CITY ISLAND Plan p. 468

☎ 718-885-9100 ; www.cityislandchamber.org ; ◉ 6 jusqu'à Pelham Bay Park, puis ▣ Bx29

Bien qu'à 25 km de Midtown, City Island vous entraîne à des années-lumière de l'effervescence du centre-ville. C'est l'un des endroits les plus surprenants de New York. Fondé en 1685 par les Anglais, ce village de pêcheurs de 2,5 km de long, à cheval sur le détroit de Long Island et Eastchester Bay, est parsemé de cales sèches et possède 6 clubs nautiques ; les maisons victoriennes à bardeaux sont plus proches de la Nouvelle-Angleterre que du Bronx. Le week-end (même en février), la vingtaine de restaurants de fruits de mer de City Island Ave, notamment Tony's Pier (p. 262), est prise d'assaut par les familles locales. C'est le rendez-vous de tous les amoureux de la plongée, de la voile et de la pêche. D'ailleurs, Island Current (☎ 917-417-7557 ; www.islandcurrent.com) organise des parties de pêche toute l'année (adulte/enfant 42/25 $) et des croisières au coucher du soleil. Captain Mike's Dive Shop (☎ 718-885-1588 ; www.captainmikesdiving.com ; 530 City Island Ave) propose, des plongées à 2 bouteilles pour 55 $ (88 $ le week end), et notamment des plongées pour pêcher le homard.

JARDIN BOTANIQUE DE NEW YORK
Plan p. 468

☎ 718-817-8700 ; www.nybg.org ; adulte/senior et étudiant/enfant 13/15/5 $, gratuit mer et sam 10h-12h ; ⊗ avr-oct mar-dim 10h-18h, nov-mars mar-dim 10h-17h ; ◉ B, D jusqu'à Bedford Park Blvd

S'étalant sur 20 ha de forêt (au nord du zoo), le New York Botanical Garden, ouvert en 1891, comprend plusieurs beaux jardins et la serre victorienne Enid A. Haupt, grandiose édifice de fer et de verre et monument célèbre de New York. On pourra se promener dans la roseraie voisine de la serre et dans le jardin de rocaille agrémenté d'une cascade à plusieurs étages.

Les trains Metro-North (☎ 212-532-4900 ; www.mta.info/mnr) partent toutes les heures de la gare de Grand Central Terminal et s'arrêtent devant le jardin. L'aller simple coûte 4,75/6,25/3 $ en heures creuses/heures de pointe/week-end. Depuis la station de Bedford Park Blvd, descendez la colline vers l'est sur 7 pâtés de maisons avant d'arriver à l'entrée. La place de parking coûte 7 $.

UN STADE POUR BABE RUTH

La plus glorieuse équipe de base-ball professionnelle joue dans un stade qui fait frissonner de joie ses supporters et trembler de haine les fidèles des équipes adverses (les Boston Red Sox pour n'en citer qu'une). Cependant, il aurait sans doute pu avoir un emplacement, une forme et une taille différentes si un jeune lanceur du nom de George Herman "Babe" Ruth, n'avait quitté les Red Sox pour entrer dans l'équipe en 1920.

À une époque où les lanceurs pouvaient réellement frapper, Babe frappait mieux que quiconque. Ses home-runs foudroyants attiraient des foules immenses, et les Yanks firent rapidement de l'ombre aux New York Giants (aujourd'hui à San Francisco), qui étaient propriétaires du terrain des Yanks. C'est pourquoi ceux-ci furent poussés vers la sortie.

Ouvert en 1923, le Yankee Stadium aurait, dit-on, avantagé le style frappeur de Ruth (et la meute des supporters qui ne voulaient pas perdre un geste de leur idole). Il conduisit les Yanks durant la saison inaugurale du stade et leur donna leur première victoire en World Series sur les New York Giants.

L'intérieur a subi des rénovations. Dans les années 1970, les sièges en bois ont été remplacés par des sièges en plastique souple, mais la façade extérieure est restée la même qu'à l'époque de Babe Ruth.

En 1927, Ruth marqua 60 home-runs dans la saison, un record qui ne fut battu qu'en 1961 lorsque le Yankee Roger Maris, originaire du Dakota du Nord, en marqua 61. Les 714 home-runs de la carrière de Ruth ne furent dépassés que par Hank Aaron, en 1974.

WAVE HILL Plan p. 468

☎ 718-549-3200 ; www.wavehill.org ; W 249th St à hauteur d'Independence Ave, Riverdale ; adulte/senior et étudiant 4/2 \$, gratuit le mar ; 🕑 fermé lun, voir site Internet ; 🚇 train Metro-North jusqu'à Riverdale

Construit par un avocat en 1843 à titre de maison de campagne, le château en pierre de Wave Hill, pourvu d'un terrain de 11 ha au bord de l'eau, abrita de riches familles bourgeoises jusqu'à ce qu'il soit converti en jardin public en 1960. La famille de Theodore Roosevelt séjourna ici durant les étés 1870 et 1871 ; Mark Twain le loua entre 1901 et 1903. Le parc jouit d'une belle vue sur l'Hudson et d'un café. Pour y accéder, prenez le train Metro-North, puis marchez en amont pendant 15 min.

WOODLAWN CEMETERY Plan p. 468

☎ 718-920-0500 ; www.thewoodlawncemetery.org ; Webster Ave à hauteur de E 233rd St ; 🕑 8h30-17h ; 🚇 4 jusqu'à Woodlawn

Aussi élégant que Green-Wood, à Brooklyn, ce cimetière de 160 ha est la dernière demeure la plus luxueuse du Bronx. Le Woodlawn Cemetery date de la guerre de Sécession et abrite davantage de grands noms que Green-Wood (et il s'agit bien d'un concours) parmi ses 300 000 pierres tombales. Vous trouverez certaines stars du jazz comme Miles Davis, Coleman Hawkins, Duke Ellington et Lionel Hampton, ainsi que l'écrivain Herman Melville et le journaliste Joseph Pulitzer. Demandez un plan à l'entrée et une autorisation pour prendre des photos.

YANKEE STADIUM Plan p. 468

☎ 718-293-6000 ; informations visites 718-519-4531 ; www.yankees.com ; E 161st St à hauteur River de Ave ; visites 14-25 \$; 🕑 appeler pour les horaires ; 🚇 B, D, 4 jusqu'à 161st St-Yankee Stadium

Pour les Yankees, ce terrain construit en 1923 est bien évidemment "le stade le plus célèbre depuis le Colisée de Rome", et avec 26 victoires en championnat à leur actif, qui leur contesterait cette prétention ? Mais ses jours sont comptés, avec la construction d'un nouveau stade de 51 000 places, au Macombs Dam Park, qui devrait accueillir son 1er match à l'horizon 2009. Les Yankees jouent chez eux d'avril à octobre (voir p. 307 pour l'achat des billets). On tâchera d'arriver tôt pour aller faire un tour dans le Monument Park, derrière le terrain de gauche, où des plaques commémorent les grands joueurs du passé comme Babe Ruth, Lou Gehrig, Mickey Mantle et Joe DiMaggio. Le parc ferme 45 min avant le début du match.

Venez soutenir les Yankees au stade (ci-dessus) !

La visite guidée d'une heure (qui part de la tribune de presse) vous permet de voir le banc de touche, la salle de presse, le terrain et les vestiaires. Les individuels peuvent se présenter sans réservation à 12h (adulte/senior et enfant 14/7 $). Des visites prolongées comprennent un film de 20 min (20/14 $) ou un crochet par les appartements de luxe et autres zones (25/17 $). Achetez vos billets sur le site Internet, à la billetterie d'un clubhouse en ville (voir les adresses sur le site) ou auprès de Ticketmaster (☎ 212-307-1212).

STATEN ISLAND

Réputée pour son ferry, pour être le point de départ du marathon de New York et... pour sa décharge (aujourd'hui fermée) la plus haute de toute la Côte Est, Staten Island est le borough "oublié" de New York. Sur la carte, on dirait qu'il fait partie du New Jersey (qui se trouve juste de l'autre côté de l'étroit Kill Van Kull), et de fait, la première liaison routière avec New York ne date que de 1964, avec l'ouverture d'un pont, le Verrazano Narrows Bridge.

Sa population de moins d'un demi-million d'habitants, de type "classe moyenne républicaine", est souvent en désaccord avec le reste d'une métropole majoritairement acquise aux démocrates. Lors d'un référendum en 1993, près des deux tiers de l'île votèrent en faveur de sa sécession, mais New York n'en tint pas compte, et ces doux rêves s'évaporèrent.

Beaucoup de visiteurs ne descendent pas du ferry (p. 116), à tort, car plusieurs sites méritent amplement le déplacement. En incluant les traversées aller et retour depuis Manhattan, et 2 heures pour faire le Snug Harbor Cultural Center en prenant le bus, il faut compter 4 heures.

La **Staten Island Chamber of Commerce** (office du tourisme ; ☎ 718-727-1900 ; www.sichamber. com ; 130 Bay St ; ☉ lun-ven 9h-17h), qui se trouve 3 pâtés de maisons à l'est du terminal (à gauche, vu de la mer), distribue une brochure sur les attraits de l'île.

Orientation

Staten Island se situe de l'autre côté du New York Harbor, au sud de Manhattan. Le ferry dépose les passagers dans le centre de St George, à la pointe nord de l'île, qui fait 150 km². Richmond Terrace longe la mer vers l'ouest.

Vingt-trois lignes de bus convergent sur 4 rampes, au St George Ferry Terminal (les MTA Metrocard sont valables sur toutes les lignes). Les horaires des bus coïncident avec l'arrivée des bateaux, et on en compte un toutes les 20 min environ en journée. Les lignes couvrent à peu près toute l'île, bien que l'accès à certains sites puisse nécessiter un peu de marche supplémentaire. Le train de Staten Island, qui part du terminal des ferries, est moins pratique pour les sites touristiques.

ST GEORGE

À deux pâtés de maisons du ferry se trouve le **Staten Island Museum** (☎ 718-727-1135 ; www. statenislandmuseum.org ; 75 Stuyvesant Pl à hauteur de Wall St ; adulte/senior et enfant 3/2 $; ☉ mar-dim 12h-17h), qui propose une exposition permanente sur le bateau que vous venez d'emprunter. N'hésitez pas à flâner dans le centre de St George avant de remonter dans le ferry de Manhattan moins d'une heure plus tard. Le musée se trouve derrière le poste de police.

SNUG HARBOR CULTURAL CENTER
☎ 718-448-2500 ; www.snug-harbor.org ;
1000 Richmond Tce ; ☐ S40 arrêt Snug Harbor
Situé dans une ancienne maison de retraite pour marins du XIXe siècle, à quelques mètres seulement de la mer, le centre culturel de Snug Harbor– meilleur site de l'île – ressemble plutôt à une université américaine. Le domaine de 33 ha comprend quelques jardins et 28 bâtiments occupés par le centre culturel et plusieurs autres organisations culturelles.

Le centre ouvrit ses portes en 1976 – après avoir échappé à la destruction grâce à Jackie Onassis. En 2005, la Smithsonian Institution accorda à Snug Harbor le statut de "membre affilié", ce qui signifie peut-être que le site va s'agrandir dans les prochaines années.

La visite peut manquer de cohérence, les différentes collections étant indépendantes les unes des autres. Vous pouvez acheter un billet pour chaque site ou bien opter pour un billet combiné (adulte/senior et étudiant 8/7 $), d'un bon rapport qualité/prix.

De l'arrêt de bus, on voit 5 bâtiments côte à côte (construits entre 1833 et 1880), formant façade. Ils sont garnis de colonnades et d'un style furieusement néogrec. (il s'agit d'anciens, et beaux, dortoirs). Le centre n°1, ou Main Hall, abrite le **centre d'information des visiteurs** (Visitors Center ; ☎ 718-425-3524 ; adulte/senior et enfant 3/2 $; ❂ mar-dim 10h-17h). Le prix d'entrée comprend l'accès aux expositions temporaires de cette salle (notez la vieille fresque du plafond) et aux excellentes **Newhouse Galleries**, juste derrière, qui s'intéressent à l'art moderne (l'une des dernières expositions a présenté d'immenses bannières de Coney Island datant des années 1920). Ces deux endroits sont fréquemment appelés "Snug Harbor" par les autres sites du complexe.

À gauche (en partant de l'arrêt de bus), se trouve l'indépendante **Noble Maritime Collection** (☎ 718-447-6490 ; adulte/senior et enfant 3/2 $; ❂ jeu-dim 13h-17h), l'endroit idéal pour s'imprégner de l'ambiance de Snug Harbor à l'époque. Elle présente des reconstitutions de dortoirs de marins, et des lithographies des derniers jours des bateaux en bois par John A. Noble. La collection est fermée au public du lundi au mercredi (d'autres sites sont fermés seulement le lundi).

Derrière les 5 bâtiments de façade, on aperçoit la serre du **jardin botanique de Staten Island** (☎ 718-273-8200 ; www.sibg.org ; entrée libre), et derrière elle, un labyrinthe. À l'ouest, se trouve le paisible **New York Chinese Scholar's Garden** (jardin du mandarin ; adulte/enfant 5/4 $, gratuit le mar 10h-13h ; ❂ mar-dim 10h-16h ou 17h), créé en 1999, il permet au flâneur de se promener parmi les pavillons et les maisons de thé (traversées par des cours d'eau). Il est très fréquenté en avril et en mai, à la saison des fleurs. Deux ou trois cafés servent aussi à manger.

Prendre le bus S40 au terminal du ferry. On peut s'y rendre à pied (la promenade n'est pas très agréable) en 20 min en remontant Richmond Tce.

ENVIRONS DE L'ÎLE
GREENBELT
☎ 718-667-2165 ; www.sigreenbelt.org ; 200 Nevada Ave
Au cœur de Staten Island, les 1120 ha de la Greenbelt (littéralement la "ceinture verte") – et ses 50 km de sentiers – englobent 5 écosystèmes, y compris des marais d'eau douce (prévoyez une protection contre les insectes). Le relief est parfois escarpé (Staten Island a la plus haute élévation du littoral Atlantique au sud du Maine). Les amateurs d'oiseaux pourront y observer 60 espèces.

Le site Internet indique les nombreux points d'accès. Un des lieux les plus intéressants est le High Rock Park, une forêt de grands arbres, sillonnée par 6 sentiers. Pour y accéder, prendre le bus S62 depuis le terminal des ferries, jusqu'à Victory Blvd/Manner Rd (environ 15 ou 20 min), puis changer pour le S54.

HISTORIC RICHMOND TOWN
☎ 718-351-1611; www.historicrichmondtown.org ; 441 Clarke Ave ; adulte/enfant 5/3,50 $; ❂ sept-juin mer-dim 13h-17h, juil-août mer-sam 10h-17h, dim 13h-17h ; ❑ 74 jusqu'à l'arrêt Richmond Rd et St Patrick's Pl
Située au centre de l'île, cette recontitution d'un village de 27 bâtiments (dont certains faisaient partie d'un village hollandais de 1695) occupe une zone de conservation de 40 ha placée sous la garde de la Staten Island Historical Society. On y verra l'ancien siège du comté de l'île. La maison la plus célèbre, la Voorlezer's House en séquoia, vieille de 300 ans, est la plus vieille école du pays. Une visite guidée est proposée toutes les heures, et en juillet et août, des guides en costumes d'époque se promènent sur le site et décrivent la vie coloniale dans les campagnes au XVIIe siècle.

Les horaires sont parfois prolongés en été. Téléphonez avant de vous déplacer. Le trajet du bus dure 40 min depuis le terminal du ferry.

Promenades

Promenades

On ne connaît bien New York qu'en le découvrant à pied. Il faut donc prendre le temps d'arpenter les avenues de Midtown ou d'explorer les recoins de Downtown et les chemins du bord de l'eau. Vous verrez ce qu'il est impossible de voir par la vitre d'un taxi (ou d'une rame de métro) : les dates du XIXe siècle gravées sur les immeubles de brique, les boutiquiers sur le pas de leur porte qui discutent en fumant une cigarette, les plaques anciennes et le nom des petites rues, parfois même un sourire. Manhattan est entièrement construit en terrain plat, et les boroughs extérieurs ne sont que légèrement pentus. Alors, ne cherchez pas d'excuses et partez à la découverte de l'une de ces 11 promenades qui vous feront aborder pêle-mêle des aspects très variés de New York : la mode, le jazz, le rock, l'architecture, les gratte-ciel, l'art, la cuisine et la nature.

BALADE DANS LOWER MANHATTAN

Nieuw Amsterdam est né sur la petite bande de terre où s'élèvent aujourd'hui les gratte-ciel de New York et le Financial District. Les rapports disproportionnés de ce quartier (rues minuscules et bâtiments gigantesques) donnent l'impression d'explorer un canyon de béton.

DONNÉES PRATIQUES

Départ pont de Brooklyn (4, 5, 6 Brooklyn Bridge)
Arrivée pont de Brooklyn (4, 5, 6 Brooklyn Bridge)
Distance 3 à 4 km
Durée 1 à 3 heures
Où se restaurer South Street Seaport

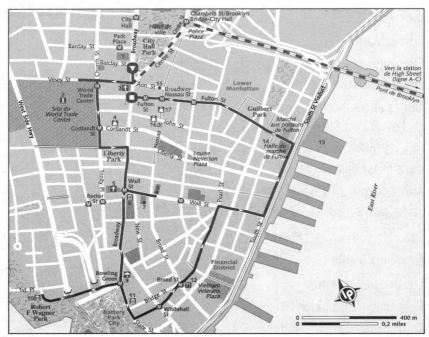

Les marcheurs invétérés prendront le métro jusqu'à High St (lignes A, C), à Brooklyn, et débuteront cette promenade en franchissant l'East River par le pont de Brooklyn pour admirer Lower Manhattan entre ses gracieuses arches gothiques.

Si vous préférez éviter ces 30 minutes de marche supplémentaires, prenez la ligne 4, 5 ou 6 vers le sud et descendez à la station Brooklyn Bridge. Bordé par un petit parc, le City Hall (hôtel de ville) se dresse entre Park Row (ou Centre St) et Broadway. Traversez le bas du City Hall Park pour arriver au croisement de Broadway et Park Place.

De l'autre côté de la rue, on aperçoit la façade du **Woolworth Building 1** (p. 125) de 1913, l'un des bâtiments les plus célèbres de la ville, qui fut brièvement la structure la plus haute du monde. La sécurité est stricte, mais vous pourrez sans doute entrevoir son opulent hall au plafond carrelé de bleu et d'or.

Descendez Broadway et franchissez Vesey St. À droite, **St Paul's Chapel 2** (p. 119) est le seul édifice religieux de la ville antérieur à la guerre d'Indépendance. L'ancien président George Washington vint prier ici le jour de son investiture en 1789 et y assista à la messe du dimanche tout le temps qu'il vécut à New York (on peut encore voir le banc qui lui était réservé). À l'intérieur, de nombreuses plaques évoquent Ground Zero et les attentats du 11 Septembre ; l'église servit de base aux sauveteurs durant les mois qui suivirent la catastrophe et elle est aujourd'hui intimement liée au site.

Sortez de St Paul's et tournez à gauche dans Vesey St pour rejoindre le site de **Ground Zero 3** (p. 124), où ont été apposées plusieurs plaques commémoratives. Un ponton d'observation surplombe l'endroit où se dressaient les tours jumelles. On peut faire le tour du site : en partant de Vesey St, on tourne dans Church St, puis on fait la boucle afin de se retrouver au point de départ pour la suite de la visite.

De l'autre côté de Church St, **Century 21 4** (p. 323) est un magasin très couru pour ses vêtements de grands couturiers vendus à prix cassés. À l'intersection de Church St et de Liberty St, empruntez cette dernière vers l'est jusqu'au croisement avec Broadway, que vous descendrez sur quelques pâtés de maisons pour arriver à **Trinity Church 5** (p. 122), autre lieu de culte important de l'ancien New York.

Traversez la rue pour contempler, dans un style radicalement différent, l'étincelant hall d'entrée Art déco rouge et or du **Museum of American Finance 6** (p. 121) qui marque le début de Wall St, rue très étroite pour New York mais bordée de bâtiments impressionnants.

La **New York Stock Exchange 7** (la Bourse ; p. 122), entre Wall St et Exchange Pl, est fermée aux visiteurs pour des raisons de sécurité, mais on peut apprécier sa façade Art déco de 1903 qui évoque un temple grec (quand elle n'est pas recouverte du logo de telle ou telle société).

En face, en diagonale, se tient le **Federal Hall 8** (p. 120) où George Washington prêta serment comme président des États-Unis après s'être recueilli à St Paul's Church. C'est également ici que John Peter Zenger fut acquitté en 1735 d'une accusation d'écrits séditieux – événement considéré par les historiens comme la première étape de l'établissement d'une presse libre. Fermé au moment de notre passage, le Federal Hall devait rouvrir en septembre 2006. Il est géré par le National Parks Service et propose de très intéressantes visites et de nombreuses expositions.

Retournez sur Broadway et tournez à gauche (vers le sud) dans le Canyon of Heroes, tronçon de rue dont se sert la ville chaque fois qu'elle veut honorer la réussite particulièrement brillante d'un de ses habitants (par exemple une victoire des Yankees). Continuez en direction du *Charging Bull*, sculpture représentant un taureau en train de charger, à l'extrémité du parc de **Bowling Green 9** (p. 120).

C'est dans ce parc que le Hollandais Peter Minuit aurait acheté Manhattan aux Indiens Lenapes pour 24 \$, bien que la véracité de cette anecdote prête à controverse. Pour savoir pourquoi, allez visiter le **National Museum of the American Indian 10** (p. 121), au bout du parc – en admirant au passage sa splendide façade de 1907. Autrefois siège du service des douanes américaines, le musée appartient aujourd'hui au Smithsonian Institution.

Continuez vers le sud pour rejoindre Battery Park, un endroit tranquille et relaxant d'où la vue embrasse la statue de la Liberté et un petit bout d'Ellis Island. Jetez un œil à la Biosphere et à l'Immigrants Statue, en déambulant à la périphérie de Battery Park City, un complexe résidentiel installé à l'intérieur du parc et adossé au **Museum of Jewish Heritage 11** (p. 118).

Revenez sur Broadway, puis suivez State St, qui s'incurve le long de la pointe de Lower Manhattan, et prenez au nord-est dans Pearl St jusqu'au **Fraunces Tavern Museum 12** (p. 120), l'un des plus anciens restaurants de la ville, et une excellente adresse où déjeuner.

Vous voici à présent au cœur de la ville coloniale. Ici, les rues deviennent étroites et tortueuses mais il n'y a aucun risque de se perdre. Flânez un peu au hasard puis remontez Pearl St jusqu'à Wall St et tournez à droite (vers l'est). Le dernier pâté de maisons de Wall St est récemment devenu piéton ; il vous mène jusqu'à l'East River et à la promenade qui longe la rive. Immédiatement au nord, admirez les grands navires du **South Street Seaport 13** (p. 122). Si vous n'avez pas déjà mangé, faites une halte ici pour grignoter. De l'autre côté de la rue, **Schermerhorn Row 14** (p. 122) serait le premier pâté de maisons new-yorkais à avoir eu l'électricité. De là, remontez Fulton St jusqu'à **Broadway 15** – vous pouvez pénétrer dans **John St 16** et **Nassau St 17** pour un peu de shopping. Ensuite, suivez Broadway vers le nord, la station de métro de Brooklyn Bridge est à quelques pas.

SHOPPING À SOHO, NOHO ET NOLITA

Si vous aimez le shopping, rien ne vaut ce petit quartier central, où la célèbre Broadway et ses minuscules rues transversales sont emplies de trésors capables de mettre votre carte de crédit à plat en une journée. Boutiques de luxe, stands de rues ou grandes chaînes offrent tout ce qu'on peut désirer en matière d'articles pour la maison, de livres, d'épicerie de luxe et surtout de mode : jeans, vêtements haute couture, bijoux faits main, baskets hip-hop, foulards de soie, etc.

Prenez la ligne R ou W jusqu'à Prince St et suivez celle-ci vers l'ouest. Bien que récemment envahie par les grandes chaînes, la rue possède toujours deux pôles d'intérêt : l'immense et carnavalesque **Apple Store 1** (p. 327), où les vendeurs vous laisseront essayer tous les produits (profitez-en pour consulter vos e-mails), et les stands de bijoux et d'art, surtout par beau temps. Retournez sur Broadway et prenez la direction du nord pour rejoindre le clinquant magasin **Adidas 2** (p. 326), puis **Atrium 3** (p. 330), boutique ultra-branchée proposant un excellent choix de jeans (Seven, Diesel, Joe's, etc) pour hommes et femmes. Longez encore un bloc d'habitation vers le nord et tournez à droite dans Bond St : vous y trouverez le charmant **Bond 07 4** (p. 330), où faire le plein de vêtements, chapeaux et montures de lunettes haut de gamme, et la parfumerie **Bond No. 9 5** (p. 330) qui vend des parfums censés évoquer New York, comme Chelsea Flowers et Eau de Noho. Tournez ensuite à droite dans Lafayette St, où, si vous avez un petit creux, **Sparky's 6** (p. 232) propose des hot dogs au tofu ou des hamburgers bio. Jetez un œil aux jolis vêtements vintage de **Zachary's Smile 7** (p. 330) avant de traverser Houston St. Notez la statue dorée de lutin (*puck*) au-dessus de la porte du splendide **Puck Building 8**, mais surtout les innombrables boutiques à partir de là, avec notamment **Otto Tootsi Plohound 9** (p. 329), pour les chaussures, et **Brooklyn Industries 10** (p. 353) spécialisé dans le streetwear.

Tournez à gauche dans Prince St et pénétrez dans le café-librairie **McNally Robinson 11** (p. 329) avant d'essayer les extravagantes chaussures de **John Fleuvog 12** (p. 328). Juste

Princesses en Prada (p. 329)

après la magnifique **St Patrick's Old Cathedral** 13 (p. 132) se trouve un parfait exemple du foisonnement de boutiques qu'offre Nolita : Mott St et sa douzaine de lieux délibérément chic, comme **Bad Dolly** 14, au n°278. Reprenez des forces dans l'ambiance européenne du **Café Gitane** 15 (p. 233) puis continuez dans Prince St, où vous trouverez peut-être votre bonheur sur les présentoirs d'**Ina** 16 (p. 332), un dépôt-vente de vêtements de marque. Prenez Elizabeth St à droite et arrêtez-vous pour admirer le jardin clos de l'**Elizabeth Street Gallery** 17 (210 Elizabeth St), où les riches New-Yorkais viennent se fournir en cheminées, fontaines et ornements de jardin.

À Spring St, tournez à droite. Si vous avez des enfants, emmenez-les au minuscule terrain de jeux de **Desalvio Playground** 18 (entre Mulberry St et Mott St), puis offrez-leur un riz au lait à **Rice to Riches** 19 (☎ 212-274-0008 ; 37 Spring St ; ⏱ dim-mer 11h-23h, jeu-sam 11h-minuit). Parcourez Spring St en savourant son architecture mêlant l'ancien et le nouveau. Arrivé à Broadway, vous pouvez faire un crochet vers le nord pour rejoindre l'**Original Levi's Store** 20 (p. 329) ou vers le sud

DONNÉES PRATIQUES

Départ métro Prince St (Ⓜ R, W)
Arrivée métro Canal St (Ⓜ A, C, E, 1)
Distance 6 km
Durée 3 à 5 heures
Où se restaurer Sparky's (p. 232), Café Gitane (p. 233), Rice to Riches

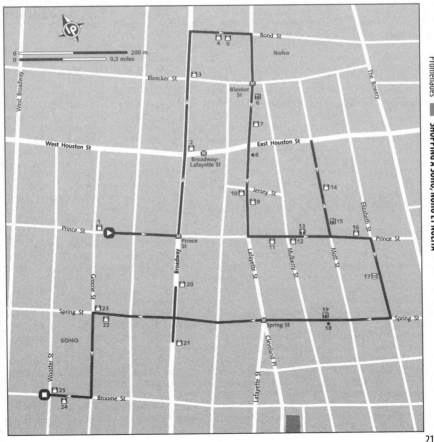

en direction de **Bloomingdale Soho** 21 (p. 327), ou tout simplement continuer à l'ouest jusqu'à **Evolution** 22 (p. 328) pour acheter toutes sortes d'objets horrifiants (dents de requins, scorpions moulés dans l'ambre, reproductions de crânes). En face, **American Apparel** 23 (p. 326) propose des tee-shirts et basiques en coton. Engagez-vous sur les pavés de Greene St, au sud, tournez à droite dans Broome St et achevez votre balade par deux petites merveilles : à gauche, les vendeurs branchés de **Broadway Panhandler** 24 (p. 327) vous aideront à choisir la casserole ou la machine à café de vos rêves ; à droite, **Vintage New York** 25 (p. 329) propose de déguster et d'acheter des vins rouges et blancs américains. Pour reprendre le métro, poursuivez au sud et tournez à droite dans Canal St. Sinon, pourquoi ne pas commencer la soirée dans le quartier ?

TABLES ET COMPTOIRS DU LOWER EAST SIDE

Il existe de nombreux points d'entrée dans le Lower East Side et le nouveau district de "BelDel" (Below Delancey St), mais nous supposerons que vous y accéderez depuis Lower Manhattan, Chinatown, Little Italy ou Soho.

Commencez par prendre des forces au **Xicala** 1 (☎ 212-219-0599 ; 151-B Elizabeth St, entre Broome St et Kenmare St), un agréable bar à tapas, puis remontez l'élégante Elizabeth St, avec ses restaurants de qualité,

On ne boit que du thé chez Teany (p. 236)

comme Lovely Day 2 (196 Elizabeth St) et Public 3 (p. 234 ; 210 Elizabeth St), ses galeries et ses graffitis. Au croisement avec Houston St, deux restaurants sont à inscrire sur vos tablettes : le **Rialto** 4 (à gauche) pour son fabuleux jardin et le **Colonial Café** 5 (à droite) pour son service décontracté et sa cuisine fusion franco-brésilienne.

Poursuivez à l'est dans Houston St, vous passerez devant la Jonah Schimmel Bakery 6, le plus ancien marchand de beignets (*knish*) de la ville, le **Bereket** 7 (p. 243 ; 187 Houston St), qui concocte de délicieuses spécialités turques et le Katz Deli 8 (205 Houston St), attraction touristique à part entière, à éviter si vous n'êtes pas friand de tartines au pastrami. Parcourez encore une dizaine de blocs (de nombreux bars vous tendent les bras si vous avez une petite soif), tournez à droite (au sud) dans Clinton St puis, au croisement avec Stanton St, poussez la porte du **Tapeo 29** 9 (☎ 212-979-0002 ; 29 Clinton St) pour un en-cas arrosé d'un verre de vin.

Continuez dans Clinton St jusqu'à Rivington St. Vous pourrez déguster des sushis au **Cube 63** 10 (p. 234) ou des plats italiens maison avec fromage à volonté, au **Falai** 11 (☎ 212-253-1960 ; 68 Clinton St). Cette rue abrite aussi le célèbre **WD50** 12 (p. 236), fondé par le génial chef Wylie Dufresne. Il y aura sûrement de l'attente pour obtenir une table, si tel est votre désir, mais vous pourrez patienter en allant grignoter quelques apéritifs au fromage entre les murs rouge vif du **Belly** 13 (☎ 212-533-1810 ; 155 Rivington St).

Prêt à faire un détour pour découvrir un petit coin vraiment agréable ? Alors continuez au sud dans Clinton St sur un pâté de maisons pour rejoindre le **Delancey** 14 (☎ 212-254-9920 ; 168 Delancey St à hauteur de Clinton St), élu meilleur bar à l'ancienne de New York. En été, on peut s'installer sur le toit-terrasse, et le sous-sol accueille toute l'année des concerts de rock.

Revenez sur vos pas et tournez à gauche dans Rivington St, une rue très animée, et arrêtez-vous au **Schiller's Liquor Bar** 15 (p. 236) pour boire une bière belge accompagnée de quelques frites au bar couleur chrome et or. Ensuite, poursuivez votre chemin jusqu'à Essex St, que vous prendrez vers le sud (à gauche). Comme son nom l'indique, le **Whiskey Ward** 16 (☎ 212-477-2998 ; 121 Essex St) sert du whisky, au tonneau, à la carafe ou simplement au verre. Le lieu est très sympathique mais essayez de ne pas trop vous attarder : il vous reste le quartier de BelDel à découvrir.

Toujours dans Essex St, quatre rues plus au sud, offrez-vous une chope de bière dans le très animé **King Size** 17 (☎ 212-995-5464 ; 21 Essex St), puis continuez jusqu'à Canal St. Tournez à droite et longez un pâté de maisons : juste avant le croisement avec Ludlow St se tient le bien nommé **Clandestino** 18 (☎ 212-475-5505 ; 35 Canal St), un bar très difficile à trouver.

Remontez Ludlow St sur deux blocs, prenez Grand St à gauche (vers l'ouest) et tournez à droite (vers le nord) dans Orchard St, où vous attendent trois bars-restaurants fantastiques : la **Ronaldo's Pizza** 19 (74 Orchard St), l'**Outlet Bar** 20 (76 Orchard St) et **El Bocadito** 21 (☎ 212-343331 ;

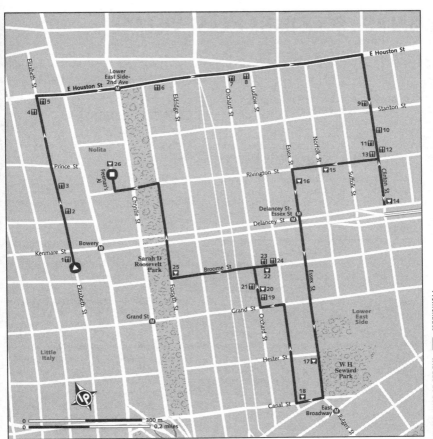

79 Orchard St), qui sert une succulente cuisine mexicaine à des prix abordables. Si vous avez encore faim, poussez au nord jusqu'à Broome St, prenez à droite (vers l'est) et choisissez entre les spécialités mexicaines du **Barrio Chino 22** (p. 267), les hot dogs du **Broomedoggs 23** (250 Broome St) et la cuisine française de qualité du **Casanis 24** (☎ 212-777-1589 ; 81 Ludlow à hauteur de Broome St).

Si vous vous êtes contenté de boire et de grignoter jusqu'à présent, vous êtes sans doute prêt pour quelque chose de plus consistant. Tenez bon, vous arrivez au bout de vos efforts. Reprenez Broome St vers l'ouest jusqu'à Forsyth St et poussez la porte du **Happy Ending 25** (☎ 212-334-9676 ; 302 Broome St) pour vous restaurer. Ensuite, suivez Forsyth St au nord en retraversant Delancey St et prenez à gauche (ouest) dans Rivington St. Traversez un petit parc et continuez sur un pâté de maisons : à votre droite s'ouvre une petite rue appelée Freeman's Alley. Au bout de l'allée, le **Freemans 26** (☎ 212-420-0012 ; près de Rivington entre The Bowery et Chrystie St) est un pub accueillant, ouvert tard et accessible sans réservation.

DONNÉES PRATIQUES

Départ angle Elizabeth St et Houston St (Ⓝ N, R jusqu'à Prince St)
Arrivée Rivington St près de The Bowery (Ⓖ 6, métro Bleecker St-Lafayette St ou métro Spring St)
Distance 3 km
Durée libre

BALADE ROCK DANS L'EAST VILLAGE

L'East Village n'est plus le paradis des marginaux et des drogués, mais il reste le cœur rock'n'roll de New York. Depuis la station de Bleecker St, suivez la verdoyante rue éponyme vers l'est sur quelques pâtés de maisons pour voir le célèbre **CBGB** 1 (p. 296) fermé depuis le 15 octobre. Ouvert en 1973, ce bar déglingué a lancé le punk rock grâce aux Ramones, qui hurlaient "1-2-3-4" avant de se lancer dans des chansons survoltées, inspirées des années 1950 et qui dépassaient rarement les deux minutes. Des groupes comme TV et Talking Heads ont également joué ici mais, depuis plusieurs années, le lieu n'accueille plus que du heavy metal poussif. À l'heure où nous mettions sous presse, le CBGB avait des problèmes de loyer et son avenir semblait compromis. À une rue au nord s'étend la **place Joey Ramone** 2, baptisée en l'honneur du chanteur des Ramones, emporté par un cancer en 2001.

DONNÉES PRATIQUES

Départ métro Bleecker St (⑥ 6)
Arrivée métro Lower Delancey St-Essex St (⑥ F, J, M, Z)
Distance 3 km
Durée 1 heure 30 à 2 heures 30
Où se restaurer Veselka's (p. 243), restaurant ukrainien où Joey Ramone mangeait du porridge au petit déjeuner

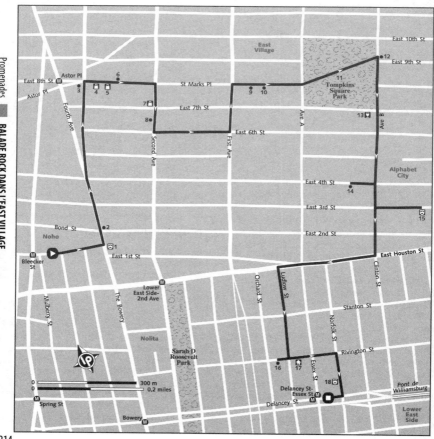

Promenades

BALADE ROCK DANS L'EAST VILLAGE

Suivez The Bowery puis Third Ave jusqu'à St Marks Pl. À gauche, sur Astor Pl, **Cooper Union 3** (p. 138), est l'endroit où, en 1860, le candidat Abraham Lincoln convainquit une foule sceptique par un vibrant discours antiesclavagiste qui lui assura la victoire aux élections présidentielles. Prenez à droite dans St Marks Pl, où se succèdent ateliers de tatoueurs, librairies militantes et boutiques subversives. Ancien épicentre de l'East Village, ce secteur paraît aujourd'hui un peu surfait mais il mérite d'être vu. À droite, **Trash & Vaudeville 4** (4 St Marks Pl) est une boutique gothique et punk ; dans les années 1960, Yoko Ono, avant de rencontrer John Lennon, organisait des happenings dans ce lieu. À côté, **Mondo Kim's 5** (6 St Mark's Pl) est célèbre pour son large choix de CD ; vous y trouverez des disques des Ramones, des New York Dolls ou encore *Raw Power* d'Iggy Pop and the Stooges. En face, une galerie commerciale moderne occupe l'ancien site du **Dom 6** (23 St Marks Pl) et, plus tard, de l'Electric Circus, qui accueillit en 1966 les spectacles Exploding Plastic Inevitable d'Andy Warhol, avec la participation du Velvet Underground.

Au coin de Second Ave, prenez à droite et arrêtez-vous à **Love Saves the Day 7** (p. 336) ; cette boutique spécialisée dans les vêtements et les figurines de Star Wars n'a guère changé depuis 1985, lorsque Rosanna Arquette venait y chercher la veste de Madonna dans *Recherche Susan désespérément*. À une rue au sud se trouve le site du **Fillmore East 8** (105 Second Ave), une grande salle de concert de 2 000 places dirigée par Bill Graham entre 1968 et 1971. C'est ici que les Who présentèrent la première de leur opéra rock, *Tommy*, et que les Allman Brothers enregistrèrent *At Fillmore East* en 1971.

Obliquez à gauche dans 6th St où vous longerez une multitude de restaurants indiens. Arrivé à First Ave, tournez à nouveau à gauche et regagnez St Marks Pl que vous emprunterez vers l'est (à droite). Établi depuis 30 ans, **Fun City Tattoo 9** (94 St Marks Pl) a tatoué des célébrités comme Joan Jett ou Boy George. Les deux immeubles voisins ont servi de cadre à la photo de couverture de l'album **Physical Graffiti 10** (96-98 St Marks Pl) de Led Zeppelin, et à l'hilarant clip tourné par les Stones en 1981 pour *Waiting on a Friend*.

Devant vous s'étend le **Tompkins Square Park 11** (p. 137), dans lequel des drag-queens lancèrent le festival "Wigstock" à l'endroit où jouait Jimi Hendrix dans les années 1960, où des émeutes éclatèrent lors de l'évacuation de squatteurs par la police en 1988 (événement immortalisé par Lou Reed dans son album *New York*) et où Ethan Hawke jouait au basket-ball. Les riverains promenant leurs chiens ont remplacé les junkies mais l'endroit reste très animé : musiciens ou communistes jouant aux échecs en se disputant dans le coin sud-est du parc. En face se dresse la **maison de Charlie Parker 12** (151 Ave B), jazzman de génie mort en 1955 à l'âge de 34 ans.

Au coin sud-est du parc, le **7B 13** (Horsehoe Bar ; 108 Ave B) est le bar emblématique de l'East Village, avec son excellente programmation musicale ; de nombreuses scènes de films ont été tournées ici, notamment *Le Parrain II* et *Crocodile Dundee*.

Dirigez-vous au sud dans Ave B en faisant un détour pour voir la maison où **Madonna 14** (230 E 4th St) vécut en 1978, ou pour écouter du slam au **Nuyorican Poets Cafe 15** (236 E 3rd St).

Aujourd'hui, la scène rock s'est déplacée vers le sud, dans le Lower East Side, que vous pouvez rejoindre par Houston St et Ludlow St. En 1989, les Beastie Boys ont illustré leur album **Paul's Boutique 16** d'une photo de l'angle de Ludlow St et Rivington St, mais le quartier a changé depuis. Les musiciens rock indépendants descendent au nouvel **Hotel on Rivington 17** (p. 359), à une rue à l'est ; c'est dans une des suites de cet établissement que Frank Black, des Pixies, enregistra son discours pour le Rock'n'Roll Hall of Fame en 2005. Prenez une bière au bar THOR de l'hôtel en rêvant de vos futurs succès musicaux ou allez voir un concert d'avant-garde au **Tonic 18** (p. 298).

Le métro se trouve à un demi-pâté de maisons au sud-ouest.

MILITANTISME AU VILLAGE

Les rues les plus sinueuses de Manhattan se trouvent à Greenwich Village, seule zone de ce borough à ne pas suivre un plan en damier. Le Village a vu naître toutes sortes de mouvements sociaux en servant de refuge et de point de ralliement aux radicaux, aux bohèmes, aux poètes, aux chanteurs folks, aux féministes et aux homosexuels. Cette promenade, qui inclut également une partie du West Village (les deux quartiers n'ont pas toujours été aussi nettement distincts), est non seulement splendide mais chargée d'histoire.

Descendez du métro à Christopher St et dépassez un petit bloc d'habitation vers l'est pour trouver la dernière librairie LGBT de New York, l'**Oscar Wilde Memorial Bookshop 1** (p. 337). Cette maison en brique d'allure banale vend des livres et des périodiques gays depuis 1967. Repartez vers l'ouest jusqu'au minuscule **Christopher Park** 2 (p. 140), avec ses deux statues blanches représentant des couples homosexuels (*Gay Liberation*, 1992). À l'extrémité nord du parc, se trouve le légendaire **Stonewall** 3 (p. 268) où des drag-queens manifestèrent pour leurs droits civiques en 1969, marquant le début de la révolution gay. Traversez 7th Ave South et poursuivez vers l'ouest dans Christopher St, qui reste aujourd'hui encore le cœur de la communauté gay. À Bedford St, tournez à gauche et profitez de la tranquillité de ce pittoresque quartier (à condition de venir en semaine). La discrète porte en bois surplombée par un climatiseur en guise d'enseigne est celle du **Chumley's** 4 (p. 271), un ancien bar clandestin dirigé par des socialistes durant la Prohibition. S'il n'est pas ouvert, revenez plus tard pour boire un verre et manger un morceau.

Continuez dans Bedford St, tournez à gauche dans Downing St et traversez 6th Ave. Au sud, une plaque marquée "**Little Red Square**" 5 ne commémore pas le communisme mais l'emplacement original de la Little Red

DONNÉES PRATIQUES

Départ Christopher St (ⓜ 1 jusqu'à Christopher St-Sheridan Sq)
Arrivée W 11th St (ⓜ A, C, E, B, D, F, V, métro W 4th St)
Distance 3 km
Durée 1 heure 30
Où se restaurer Minetta Lane Tavern, Caffé Reggio

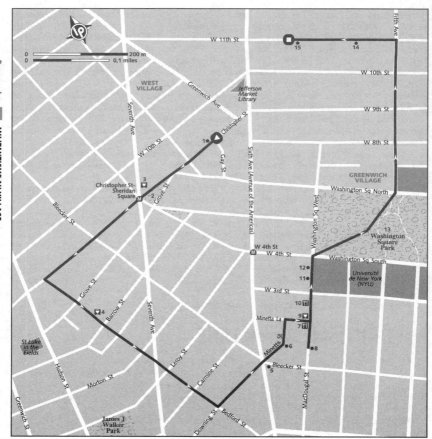

Schoolhouse, école expérimentale créée par Elisabeth Irwin en 1921 et aujourd'hui installée non loin. Poursuivez à l'est dans la tortueuse Minetta St, où le Panchito's Mexican Restaurant, un bâtiment d'apparence banale, arbore au-dessus de sa façade arrière de couleur rouge l'enseigne effacée du **Fat Black Pussycat 6** (103 MacDougal St), qui s'appelait The Commons en 1962 quand Bob Dylan y chanta pour la première fois *Blowin' in the Wind*.

Prenez à droite dans Minetta Lane puis de nouveau à droite dans MacDougal St pour rejoindre la **Minetta Tavern 7** (☎ 212-475-3850 ; 113 MacDougal St ; 🕓 12h-minuit), idéale pour faire une pause. Les photos des célébrités qui sont venues ici couvrent les murs de ce bar-restaurant ouvert dans la clandestinité en 1922 et plus tard fréquenté par un célèbre excentrique local, Joe Gould, immortalisé par les écrits du grand journaliste Joseph Mitchell (une amitié décrite en 2000 dans le film *Joe Gould's Secret*). Ce bloc d'habitation abrite aussi l'ancien site du **Folklore Center 8** (110 MacDougal St), point de ralliement voulu par Izzy Young pour des artistes comme Dylan, qui jouait alors au **Cafe Wha? 9** (☎ 212-254-3706 ; 115 MacDougal St).

Autre halte possible le long de MacDougal, l'accueillant **Café Reggio 10** (☎ 212-475-9557 ; 119 MacDougal St), ouvert en 1927, se targue d'avoir introduit le cappuccino en Amérique. Juste après se tiennent deux endroits célèbres. Le **Provincetown Playhouse 11** (☎ 212-998-5867 ; 133 MacDougal St), théâtre expérimental fondé en 1915 sur un quai de Provincetown, dans le Massachusetts, déménagea ensuite dans cette écurie reconvertie et fut dirigé par Eugene O'Neill. À côté, l'actuel Research Fellows & Scholars Office de la NYU School of Law abritait autrefois le **Liberal Club 12** (137 MacDougal St), "lieu de rencontre pour ceux qui s'intéressent aux idées nouvelles" créé en 1913 par des libres-penseurs comme Jack London et Upton Sinclair.

Au-delà s'ouvre l'entrée sud-ouest du **Washington Square Park 13** (p. 138), depuis longtemps le point de rendez-vous des radicaux, qui y organisent des manifestations contre la guerre, pour la marijuana ou la fierté lesbienne. Quittez le parc en passant sous sa célèbre arche et remontez Fifth Ave. Tournez à gauche dans W 11th St pour finir la promenade par deux bâtiments intéressants. La **Weathermen House 14** (18 W 11th St) servit en 1970 de repaire à un groupe anti-gouvernemental qui y fabriquait des bombes jusqu'à ce qu'une explosion accidentelle tue trois de ses membres et détruise la maison. Elle fut rebâtie en 1978 sous sa forme angulaire actuelle. Plus loin à l'ouest se dresse la **maison d'Oscar Wilde 15** (48 W 11th St), où l'écrivain vécut brièvement.

LES GALERIES DE CHELSEA

C'est un fait connu, Chelsea est synonyme de galeries d'art. Mais par où commencer quand on sait que le quartier en compte plus de 200 ? *Chelsea Art* ou le *New York Art World*, distribués gratuitement dans la plupart des lieux d'exposition, en donnent une liste complète. Si vous ne savez que choisir, suivez la promenade décrite ci-dessous. Les galeries sont ouvertes du mardi au samedi de 10h à 18h, sauf indication contraire.

Nourriture spirituelle sur les étals du Washington Square Park (p. 138)

L'itinéraire débute à l'ouest du quartier, sur les berges de l'**Hudson 1**, qui a inspiré au fil des siècles des peintres paysagistes comme Thomas Cole et Asher Brown Durand. Pour rejoindre le fleuve, descendez 23rd St par le bus M23. Admirez le paysage avant de retraverser la West Side Hwy et de pénétrer dans le quartier des galeries.

Commencez par 22nd St, qui regroupe une douzaine de lieux, dont le site temporaire du **New Museum of Contemporary Art 2** (p. 143). Le pont qui s'étire au-dessus de la rue est une voie ferrée désaffectée, la **High Line 3** (p. 140), qui sera bientôt réaménagée pour devenir, sur le modèle de la Coulée Verte de Paris, une promenade plantée surélevée.

Puis, rejoignez 24th St, où vous attendent diverses galeries, notamment **Metro Pictures 4** (☎ 212-206-7100 ; 519 W 24th St), qui expose la photographe Cindy Sherman, et **Luhring Augustine 5** (☎ 212-206-9100 ; www. luhringaugustine.com ; 531 W 24th St), où l'on peut souvent voir des photos grand format. Visitez également l'influente **galerie Mary Boone 6** (p. 142) ou, dans un genre très différent, la **Fischbach Gallery** (☎ 212-759-2345 ; n°801, 210 11th Ave, entre 24th St et 25th St) et la **galerie Robert Mann 7** (☎ 212-989-7600 ; n°10, 210 Eleventh Ave entre 24th St et 25th St), juste à côté. À une rue au nord, dans 25th St, faites une halte à **Cheim & Read 8** (☎ 212-242-7727 ; www.cheimread. com ; 547 W25th St) avant de gagner 26th St, qui abrite des lieux plus petits et plus avant-gardistes, tel **Lucas Shoormans 9** (☎ 212-243-3159 ; 508 W 26th St).

Sur 27th St, ne manquez pas le nouveau **groupe de galeries 10** (p. 54) dont tout le monde parle. Début 2006, six lieux d'exposition – Derek Eller Gallery, Foxy Production, Wallspace, Oliver Kamm Gallery, Clementine

DONNÉES PRATIQUES

Départ 23rd St au niveau de l'Hudson (bus M23)
Arrivée Meatpacking District (Ⓜ A, C, E, métro 14th St)
Distance 4,5 km
Durée 3 à 6 heures
Où se restaurer Tía Pol (p. 243), Chelsea Market (p. 142)

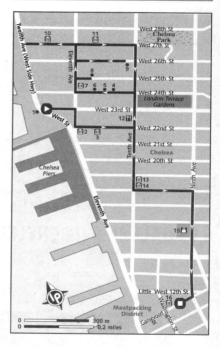

Gallery et John Connelly Presents – ont quitté leurs locaux de Chelsea pour emménager dans des entrepôts proches des quais qui abritaient auparavant un club, le Tunnel. Cet espace marque aujourd'hui la nouvelle frontière du quartier.

La faim vous tenaille ? En repartant vers Tenth Ave, vous passerez devant l'**Aperture Gallery 11** (☎ 212-505-5555 ; 547 W 27th St, entre 10th Ave et 11th Ave) que les amateurs de photographie ne manqueront pas, puis prendrez 10th Ave vers le sud où vous pourrez vous restaurer au **Tía Pol 12** (p. 243), un délicieux bar à tapas. Plus au sud dans 10th Ave, et s'il vous reste un peu d'énergie, découvrez les étoiles montantes exposées par **Alexander Bonin 13** (☎ 212-367-7474 ; 132 10th Ave, entre 18th St et 19th St) et **Bellwether 14** (☎ 212-929-5959 ; 134 10th Ave, entre 18th St et 19th St). Rejoignez ensuite 9th Ave pour plonger dans l'univers des arts culinaires : le **Chelsea Market 15** (p. 142), une galerie marchande de 250 mètres de long bordée de boutiques d'alimentation et de restaurants, où vous pourrez manger sur le pouce, faire des emplettes ou simplement humer de délicieux effluves. Juste au sud, le Meatpacking District abrite le futur site de la **Dia Art Foundation 16** (Gansevoort St à hauteur de Washington St), un bâtiment à l'architecture avant-gardiste niché sous la High Line. Si vous souhaitez finir la soirée ici, les environs ne manquent pas de bars, de discothèques et de restaurants.

LA VISITE DU NOUVEAU MOMA

Après deux ans d'"exil" dans le Queens, le MoMA est de retour à Manhattan où il a réinvesti son bâtiment original de 1939, superbement rénové par le Japonais Yoshio Taniguchi. Sa collection permanente se laisse découvrir dans une atmosphère que l'écrivain John Updike a qualifiée de "ni clinquante, ni bon marché".

DONNÉES PRATIQUES

Départ 11 West 53 St (entre 5th Ave et 6th Ave ; Ⓜ E, V jusqu'à 5th Ave-53rd St, V, B, D, F jusqu'à 47th St-50th St-Rockefeller Center)
Arrivée voir indications ci-dessus
Distance libre
Durée libre

Le prix d'entrée est élevé (20 \$) mais, même sans passer la journée ici, vous ne le regretterez pas. Après avoir acheté votre billet, ressortez du hall principal dans 53rd St et pénétrez dans le bâtiment en empruntant l'**entrée à auvent en porte-à-faux** 1, deux portes plus loin à l'est. Il s'agit de l'ancienne entrée, laissée intacte par Taniguchi et dont l'allure évoque un mini-piano à queue. Montez directement au **sixième niveau** 2, qui abrite les expositions temporaires, pour vous habituer à l'espace d'une blancheur immaculée

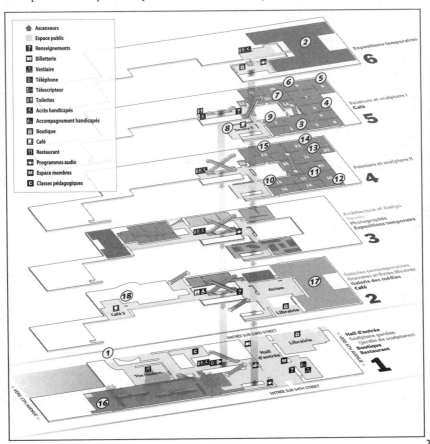

et à l'éclatante lumière naturelle qui imprègne les lieux. N'oubliez pas de regarder par les fenêtres pour admirer la façon dont Taniguchi est parvenu à intégrer le nouveau MoMA dans l'architecture plus ancienne qui l'enceint.

Ensuite, descendez au cinquième niveau, consacré, ainsi que l'étage inférieur, à l'art moderne et où sont exposées certaines des plus belles toiles du musée : *Les Demoiselles d'Avignon* de Picasso, sur le mur du fond de la **galerie 2 3**, *Les Marocains* d'Henri Matisse, dans la **galerie 6 4** et la troisième version de l'incontournable *Roue de bicyclette* de Marcel Duchamp, dans la **galerie 8 5**. Les autres salles abritent **Broadway Boogie Woogie 6** de Piet Mondrian et **Persistance de la mémoire 7** de Salvador Dali. Faites un tour par la **Terrace 5 8**, un café offrant de succulents desserts et une vue panoramique sur le Sculpture Garden et la ville. Le musée possède aussi plusieurs Van Gogh éparpillés sur ces deux étages, notamment *La Nuit étoilée* dans la galerie 1 9, au cinquième niveau.

Au quatrième niveau, ne manquez pas **The Jungle 10** de Wifredo Lam (galerie 15), **One: Number 31, 1950 11** de Jackson Pollock, **Woman 1 12** de Willem De Kooning, **Untitled 13** de Lee Bontecou, **Gold Marilyn Monroe 14** d'Andy Warhol et **Untitled 15** de Donald Judd.

Si vous êtes pressé, redescendez dans le hall d'entrée pour admirer le **Sculpture Garden 16**. L'ensemble de cette visite, y compris une pause casse-croûte, peut se faire en deux heures.

Sinon, continuez vers le troisième niveau, qui abrite un panorama des grands mouvements artistiques et architecturaux apparus à partir du milieu du XIXe siècle, une collection de dessins de 1880 à nos jours et une immense collection de photographies des années 1840 à aujourd'hui. Le deuxième niveau est consacré aux **gravures et livres illustrés 17** – le MoMA en possède plus de 50 000 – présentées de façon à mettre en valeur certains artistes et mouvements importants. On y voit aussi des expositions sur le cinéma et les médias qui coïncident souvent avec les cycles de films projetés dans le cinéma flambant neuf situé en dessous du hall d'entrée. Toujours au deuxième niveau, après l'atrium, le **Cafe 2 18** propose de la cuisine italienne que l'on commande au comptoir et qui est servie sur de grandes tables collectives. Pour une pause plus brève, vous trouverez aussi un bar à expresso. Le hall d'entrée abrite une librairie et une boutique mais ne partez pas sans avoir vu le magnifique Sculpture Garden, où même les bancs et les arbres semblent faire partie des œuvres exposées.

NEW YORK À VÉLO

Il existe des villes plus difficiles à négocier en deux-roues que New York, mais peu où la circulation est aussi frénétique ! Soyez très prudent sur les grandes artères aux heures de pointe. Sillonner la Grosse Pomme à vélo est amusant si vous savez où vous allez, éprouvant dans le cas contraire. Deux choix s'offrent aux cyclistes qui découvrent New York : se cantonner à Central Park, ou y ajouter une balade sur le Greenway Bike Tour, excellente piste cyclable (encore inachevée) qui longe la pointe de l'île.

DONNÉES PRATIQUES

Départ East River Park (Ⓝ Union Square si vous partez de 14th St, sinon ligne F jusqu'à Lower East Side-2nd Ave/Houston St)
Arrivée Central Park (Ⓖ 6, métro 68th St-Hunter College-Lexington Ave)
Distance 8 à 16 km
Durée 2 à 5 heures
Où se restaurer Chelsea Piers

Pour accéder aisément à l'East Side, empruntez **14th St 1a** ou **Houston St 1b** (de larges rues à deux voies) et suivez la passerelle pour franchir la FDR Drive. De là, vous pouvez partir au nord pratiquement jusqu'au bâtiment des Nations unies sans devoir replonger dans la circulation automobile, mais une meilleure solution consiste à mettre le cap au sud par l'**East River Park 2** (p. 133), le **Lower East Side 3** (p. 132), **Chinatown 4** (p. 111) et les **ponts de Williamsburg 5a** et de **Manhattan 5b**. Suivez ensuite l'extrémité sud de l'île en passant par **Battery Park City 6** (p. 116), où vous devrez emprunter un tronçon piétonnier, puis par **Hudson River Park 7** (p. 143), une esplanade de 225 ha qui s'étend jusqu'à 59th St. Vous pouvez sortir à hauteur de **Christopher St** (p. 140) pour pénétrer dans le **West Village 8** (p. 139), vous arrêter pour une glace au citron au **Chelsea Piers 9** (p. 142), puis continuer jusqu'à l'**USS Intrepid Museum 10**, dans 46th St (l'entrée se fait sur le Pier 86, au croisement de W 46th St et 12th Ave). Il est possible de suivre cette piste, avec des incursions occasionnelles dans la circulation automobile, jusqu'au

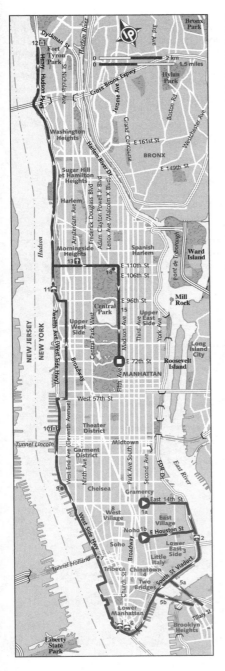

Cherry Walk (promenade des cerisiers) de **Riverside Park 11** (p. 159), un sentier d'un kilomètre et demi de long bordé au printemps et en été de cerisiers en fleur, qui s'étend de 100th St à 125th St. Si vous avez des muscles d'acier et ne rechignez pas à pousser votre vélo sur des tronçons réservés aux piétons, poursuivez jusqu'aux **Cloisters** 12 (p. 170), un musée situé dans Fort Tyron Park. Sinon, partez vers la **Cathedral Church of St John-the-Divine** 13 (p. 165), puis suivez l'extrémité nord de Central Park vers l'est, dans 110th St, en passant devant le lac **Harlem Meer 14** (angle 5th Ave et 110th St) et longez le côté est du parc en empruntant le **Museum Mile 15** (p. 153).

L'ESPRIT DE HARLEM

Le plus célèbre quartier afro-américain des États-Unis est en proie à une nouvelle "renaissance" qui se manifeste par la restauration des immeubles de brique autrefois abandonnés. Toute heure de la journée est propice à cette promenade.

Depuis la station de métro de 145th St, parcourez un pâté de maisons à l'ouest jusqu'à Convent Ave, dont les maisons de style Queen Anne du début du XXe siècle forment le district historique de Hamilton Heights. Près de l'angle de 141st St, arrêtez-vous à l'**Hamilton Grange 1** (p. 170 ; entrée libre), où vécut l'homme qui figure sur les billets de 10 $.

Empruntez 141st St puis St Nicholas Ave jusqu'à 138th St dans laquelle vous vous engagerez. Deux rues plus loin, on atteint les maisons des années 1890 de **Striver's Row 2** (p. 170), qui reçut son surnom de "rangée des battants" dans les années 1920 quand des Afro-Américains désireux de s'élever dans l'échelle sociale s'y installèrent.

À l'ouest d'Adam Clayton Powell Jr Blvd, l'**Abyssinian Baptist Church** 3 (p. 167) a vu le jour en 1808 quand des Noirs victimes de ségrégation à la messe décidèrent de fonder une église dans Lower Manhattan. L'ancien pasteur, Adam Clayton Powell Jr, fut le premier Afro-Américain à être élu au Congrès en 1944. À Lenox Ave, remontez au nord pour voir l'endroit où se tenaient deux célèbres clubs de jazz des années 1920 et 1930 (aujourd'hui remplacés par des HLM) : le **Savoy Club** 4 (596 Lenox Ave à hauteur de 140th St) et le **Cotton Club** 5 (644 Lenox Ave à hauteur de 142nd St).

Redescendez Lenox Ave jusqu'à 137th St dans laquelle, au milieu de nombreux bâtiments encore condamnés, se dresse la plus ancienne église noire de la ville (à l'origine dans Lower Manhattan), la **Mother African Methodist Episcopal Zion Church** 6 (p. 168). Au milieu du XIXe siècle, elle joua un rôle important dans l'"underground railroad", un réseau qui venait en aide aux esclaves fugitifs.

Suivez Adam Clayton Powell Jr Blvd vers le sud jusqu'à W 135th St. L'auberge **YMCA de Harlem** 7 (181 W 135th St), installée ici depuis 1919 et repérable à son enseigne au néon en haut de la tour, accueillait les nouveaux arrivants noirs (parmi eux James Baldwin, Jackie Robinson et Malcolm X) rejetés par les hôtels ségrégationnistes. Juste après le bâtiment, des terrains de basket-ball publics rappellent que "Harlem joue le meilleur basket du pays".

Continuez vers l'est pour consulter les archives et les photos du **Schomburg Center for Research in Black Culture** 8 (p. 168).

Prenez ensuite Lenox Ave vers le sud. Faites une halte à la librairie **Liberation Bookstore** 9 (p. 351), puis suivez 130th St

DONNÉES PRATIQUES

Départ métro 145th St (Ⓜ A, B, C, D)
Arrivée métro 125th St (Ⓜ A, B, C, D)
Distance 3 km
Durée 1 heure 30 à 2 heures 30
Où se restaurer Sylvia's (p. 254)

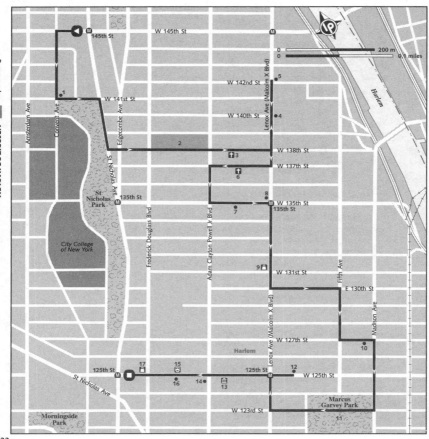

à l'est en passant devant une rangée de maisons en brique bâties par William Astor dans les années 1880. Arrivé à Fifth Ave, regardez au nord pour apercevoir le Yankee Stadium, dans le Bronx.

Puis obliquez vers le sud et tournez à gauche dans E 127th St pour voir la dernière **résidence du poète Langston Hughes 10** (20 E 127th St), mort en 1967. Suivez Madison Ave au sud jusqu'à 123rd St et au **Marcus Garvey Park 11**, baptisé en l'honneur du fondateur jamaïcain du mouvement "Retour en Afrique", qui vécut à Harlem de 1916 à 1927. Sur la colline, au centre du parc, la tour de guet offre une jolie vue.

Rejoignez Lenox Ave (Malcolm X Blvd) et remontez vers W 125th St, principale artère de Harlem, qui a notamment accueilli ces dernières années HMV, Starbucks et les **bureaux de Bill Clinton 12** (55 W 125th St).

En suivant 125th St vers l'ouest, passez sous le drapeau rouge, noir et vert des Afro-Américains et arrêtez-vous au **Studio Museum in Harlem 13** (p. 168), juste en face du State Office Building (1973). Au coin d'Adam Clayton Powell Jr Blvd, l'immense bâtiment de briques blanches est l'ancien **Hotel Theresa 14** (angle 125th St et Adam Clayton Powell Jr Blvd), surnommé aussi parfois le"Waldorf-Astoria noir", occupé aujourd'hui par des bureaux. Il accueillait les artistes qui passaient à l'Apollo voisin et Fidel Castro y descendit en 1960.

Plus loin, on passe devant le célèbre **Apollo Theater 15** (p. 167), dont la programmation très riche comprend une soirée amateurs le mercredi. En face, **Blumstein's 16** était un magasin (aujourd'hui fermé) qui fut contraint d'embaucher des Noirs après huit semaines de boycott en 1934. (D'ici, on aperçoit le bâtiment du Theresa, avec son enseigne toujours présente.)

125th St, à Harlem (p. 167)

À hauteur de Frederick Douglas Blvd, un arrêt s'impose à la première boutique de 125th ouverte par des Noirs, la **Bobby's Happy House 17** (p. 351) pour acheter un CD de gospel ou de blues. En vitrine, parmi les trophées du magasin, figure une copie du disque de platine reçu par U2 pour leur album *Rattle & Hum*.

PÈLERINAGE À BROOKLYN

Le pont favori des New-Yorkais (p. 123) doit être franchi à pied. Du **City Hall Park 1** (p. 125), traversez au feu pour rejoindre la passerelle surélevée. Restez à droite (au sud), en évitant la piste cyclable. Le bâtiment au sommet doré qui se dresse à gauche est le **Municipal Building 2** (p. 125) ; il occupe l'emplacement qui devait servir de point de départ à la route menant au pont. Devant, on aperçoit les épais câbles qui s'élancent vers les deux piliers du pont. L'architecte John Roebling avait prévu de les coiffer d'une arche, mais des problèmes de budget l'en empêchèrent.

Après le premier pilier (marqué de la date de son achèvement, "1875"), on voit la statue de la Liberté, à droite. Dans la même direction, au pied de Governor's Island, la bâtisse trapue de couleur blanche abrite le système de ventilation du tunnel de Brooklyn Battery (conçu au départ pour être un pont).

Une fois franchi le pont, environ 150 mètres après la fin de la promenade en bois, suivez l'embranchement à gauche et descendez les marches vers Washington St, sous une voie rapide surélevée. Vous voici à Brooklyn. À droite, la **Watchtower 3** (p. 173) est le siège des témoins de Jéhovah. Devant vous s'étend Dumbo (Down Under Manhattan Bridge

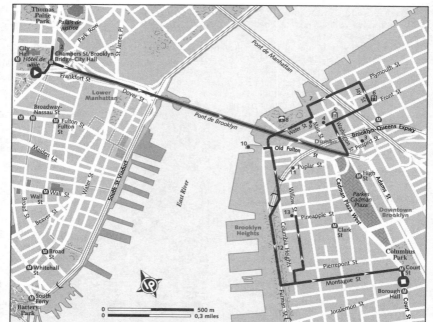

Underpass), quartier d'entrepôts encore à l'abandon il n'y a pas si longtemps, où l'on trouvait quelques artistes téméraires, et aujourd'hui zone résidentielle chic, avec points de vue splendides et lofts hors de prix. À l'arrière-plan, le pont bleu de Manhattan constitue un sujet idéal pour les photographes.

Tournez à gauche dans Front St pour gagner la salle de sport **Gleason's Gym** 4 (☎ 718-797-2872 ; 1er étage, 83 Front St), où s'entraînait Jake LaMotta dans *Raging Bull*. Vous pourrez (pour 5 $) y voir les entraîneurs essayer de repérer la prochaine grande star de la boxe. Reprenez Front St

dans l'autre sens (l'eau arrivait jusqu'ici avant les travaux d'assèchement entrepris au milieu du XIXe siècle), vous passerez devant l'entrée orange du **111 Front Street Galleries** 5 (111 Front St) qui abrite une dizaine de galeries.

Une fois passé le pont de Manhattan, les rues pavées de Dumbo se font plus accidentées. La terrasse du **Pedro's Bar & Restaurant** 6 (p. 255) est idéale pour prendre une bière (2,50 $ de 16h à 19h) ou manger un *tamale* (plat mexicain). Malgré l'arrivée de boutiques de meubles haut de gamme, le quartier conserve une partie de son ancien visage, plus rude : on y voit de nombreux graffitis et des artistes au travail derrière les fenêtres des lofts.

Prenez Plymouth St, repassez sous le pont de Manhattan et tournez à droite pour rejoindre deux parcs aménagés côte à côte : le **Brooklyn Bridge Park** 7 et l'**Empire Fulton Ferry State Park** 8, non loin de l'embarcadère d'où, pendant 300 ans, jusqu'en 1924, partaient les ferries pour Manhattan. Empruntez Main St sur un pâté de maisons et suivez Water St à droite ;

arrêtez-vous à la chocolaterie **Jacques Torres Chocolate** 9 (☎ 718-875-9772 ; 66 Water St ; ✆ lun-sam 9h-19h, dim 10h-18h), qui propose des dizaines de chocolats à 0,90 $ et le chocolat chaud à 2,50 $.

Continuez dans Water St. Au-delà du pont de Brooklyn, sur la droite, se tient le **Fulton Landing** 10, l'ancien débarcadère où de nombreux jeunes mariés viennent se faire photographier avec la statue de la Liberté en arrière-plan, tout au fond à droite.

Dépassez la pizzeria Grimaldi's (p. 255) et remontez la Columbia Heights St (juste après la vieille station-service Gulf). Deux rues plus loin en montant, après le parc pour chiens à gauche, la vue donne sur les deux niveaux de la voie rapide **Brooklyn-Queens Expwy (BQE)** 11. Les résidents de Brooklyn Heights durent se battre, dans les années 1950, pour empêcher que cette voie rapide ne saccage leur quartier historique d'immeubles en brique.

Suivez le trottoir qui s'incurve à droite pour atteindre la **promenade de Brooklyn Heights** 12 (p. 173), longue de dix pâtés de maisons et bordée de fleurs, dont la vue sur Lower Manhattan est gâchée par le bruit de la BQE qui passe juste en dessous. Mais il est possible de se promener ensuite dans les rues tranquilles de Brooklyn Heights. Fuyant les loyers excessifs de Manhattan, de nombreux écrivains se sont installés ici, faisant du quartier l'un des plus convoités de New York. La charmante Willow St abrite la **maison de Truman Capote** 13 (70 Willow St entre Pineapple St et Orange St), où celui-ci écrivit *Petit Déjeuner chez Tiffany*.

Pour finir, suivez l'artère principale de Brooklin Heights, Montague St. La station de métro de Court St se trouve au bout de la rue, celle de Borough Hall un bloc plus loin sur la droite.

TOURNÉE DES BARS À BILLYBURG

Les nouveaux quartiers à la mode sont Williamsburg (surnommé affectueusement "Billyburg"), et sa partie orientale "East Williamsburg", à l'est de la voie rapide Brooklyn-Queens Expwy. Cette promenade vous fait visiter les deux. Les bars poussent ici comme des champignons, attirant jeunes branchés et résidents de longue date (dont de nombreux Latino-Américains et quelques juifs hassidiques). En dehors des grandes artères, N 6th St et Bedford Ave, la plupart des bars se prennent moins au sérieux que ceux de Manhattan et sont généralement moins chers, plus décontractés et plus grands. Certains accueillent des musiciens (l'entrée est souvent gratuite), ce qui permet d'écouter quelques notes avant de poursuivre son chemin. Les soirées s'animent généralement après 23h mais rien ne vous empêche de commencer plus tôt.

Rendez-vous au **Moto** 1 (p. 259), sous les lignes de métro J-M-Z, un endroit faiblement éclairé, à l'atmosphère de vieux café parisien. Sortez de la station de Hewes St vers le sud et guettez les gens qui fument devant une porte sans enseigne. Le lieu vaut plus pour son ambiance que pour sa cuisine : contentez-vous d'un sandwich et d'une bière.

Remontez Hooper St puis Union ave et arrêtez-vous pour jouer sur d'anciens jeux d'arcade (Asteroids, Berzerk ou Star Wars) du **Barcade** 2 (☎ 718-302-6464 ; 388 Union Ave), qui propose une vingtaine de bières à 5 $ et un coin fumeurs, à l'avant, décoré d'une mosaïque de capsules de bouteilles.

Reprenez Union Ave vers le sud, passez devant un ou deux cafés et prenez Grand St à gauche. Passé Lorimer St se tient le **Bushwick Country Club** 3 (☎ 718-388-2114 ; 618 Grand St, entre Powers St et Ainslie St), imitation peu convaincante mais animée d'un club privé, avec un golf miniature à l'arrière et un juke-box qui diffuse Spandau Ballet et Billy Joel. Les barmans sont charmants et les boissons un peu étranges. Ne vous gavez pas de pop-corn mais gardez de la place pour l'*excellente* pizza servie gratuitement avec les boissons de l'**Alligator Lounge** 4 (p. 277), à quatre rues au nord.

Poursuivez à l'est dans Metropolitan Ave, où le **Blue Lady Lounge** 5 (☎ 718-218-6997 ; 769 Metropolitan Ave) propose un happy hour jusqu'à 21h sur un fond sonore composé de Metallica et de musique country.

Retournez sur vos pas, vers la voie rapide, pour rejoindre l'**Union Pool** 6 (☎ 718-609-0484 ; 404 Union St, à hauteur de Conselyea St), une ancienne boutique de fournitures pour billards où flotte une atmosphère des années 1950 – on appréciera notamment les DJ rockabilly et les box rembourrés.

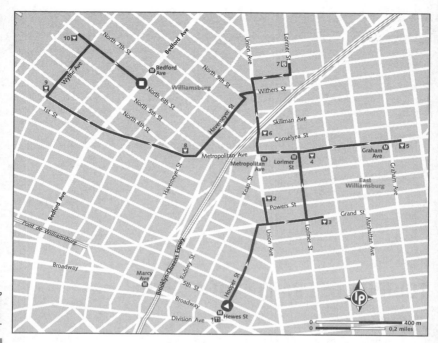

Passez sous la voie rapide dans Union Ave et rejoignez Lorimer St à droite. Installé dans une ancienne boutique de glacier des années 1940, le **Pete's Candy Store 7** (☎ 718-302-3770 ; www.petescandystore.com ; 709 Lorimer St, entre N 10th St et 11th St) organise tous les soirs des concerts gratuits et des animations (bingo le mardi, quiz le mercredi…).

Repartez au sud-ouest par Union Ave et Havermeyer Ave jusqu'à Metropolitan Ave pour vous attabler devant une assiette de fromage, déguster un thé ou l'une des fantastiques bières du **Spuyten Duyvil 8** (p. 278).

Suivez Metropolitan Ave en direction du fleuve – vous passerez devant plusieurs bars et restaurants. Tournez à droite dans Wythe Ave et arrêtez-vous au **Zebulon 9** (p. 278), un petit bar à l'entrée gratuite, fréquemment bondé, où se produisent des musiciens de world music et de jazz. On trouve ici des en-cas mais si vous préférez vous asseoir, optez pour le **Relish** (p. 259), en face.

Pour leur première visite à Williamsburg, beaucoup restent dans N 6th St. On y trouve le **Galapagos Art Space 10** (p. 278), et quelques bars entre Wythe Ave et Bedford Ave.

DONNÉES PRATIQUES

Départ métro Hewes St (J, M)
Arrivée Bedford Ave (L)
Distance 4,5 km
Durée au moins 3 heures
Où se restaurer Relish (p. 259)

Promenades

TOURNÉE DES BARS À BILLYBURG

Où se restaurer

Où se restaurer

Avec 18 000 restaurants et 365 jours dans une année, il vous faudrait manger dans 50 endroits chaque jour pour en faire le tour – une perspective qui ne réjouirait même pas le lauréat du concours Nathan's du plus gros mangeur de hot dogs (p. 258) qui a lieu chaque année, en juillet, à Coney Island. En plus, à la vitesse où les choses évoluent, nombre de ces établissements auraient fermé avant que leur tour arrive ! Nous vous faciliterons la tâche en vous proposant quelques adresses parmi les meilleures (à notre humble avis) de chaque quartier, dans tous les genres, du classique au plus à la mode – avec un chef dont tout le monde parle –, en passant par le traiteur juif et les authentiques restaurants de spécialités étrangères de France, d'Italie, d'Israël, du Japon, d'Inde du Sud, du Brésil, du Mexique… La liste est longue.

Mais d'abord, voici un rapide tour d'horizon des dernières tendances, à l'heure où nous mettons sous presse (ce qui ne garantit pas qu'elles soient toujours valables quand vous séjournerez à New York). Actuellement, la mode est aux "petites assiettes" qui permettent de goûter, en petites quantités, à pratiquement tous les plats de la carte. Des bars à tapas espagnoles traditionnels, des restaurants à mezze turcs et des restaurants de cuisines étrangères – parmi lesquels des restaurants à "petites assiettes" italiennes, moyen-orientales ou éclectiques – ont ouvert dans toute la ville. On note également un intérêt soutenu pour tout ce qui est "biologique" – du vin aux légumes et au bœuf –, ainsi que pour la cuisine dite "pan-latine", les plats de fromage artisanal, les desserts du genre choux à la crème et petits gâteaux, et les vins d'Argentine et d'Afrique du Sud. En outre, la municipalité a créé un nouveau service destiné à rassurer les New-Yorkais qui seraient convaincus que les restaurants de leur ville sont dans un état sanitaire déplorable : il s'agit du **site Web du Restaurant Inspection** (www.nyc.gov/health/restaurants). Le département de la santé de la ville a autorisé à mettre en ligne les informations glanées lors des inspections sanitaires.

Cela dit, il y a des jours où l'on ne rêve que d'une chose : manger un bol de nouilles *lo mein* en regardant la télévision dans sa chambre. D'autres jours, on a envie de créer sa propre ambiance, que ce soit un pique-nique à Central Park ou un casse-croûte dans le train de Long Island. Ceci n'est pas nouveau dans une ville où les habitants ne tiennent jamais longtemps en place. C'est pourquoi presque tous les restaurants – de la petite gargote chinoise au restaurant le plus select – offrent non seulement des plats à emporter mais un service de livraison à domicile. N'oubliez pas le pourboire du livreur : environ 15%.

Heures d'ouverture

La plupart des restaurants sont ouverts tous les jours. Certains ferment le lundi, et ceux restant ouverts ce jour-là sont généralement délaissés par les New-Yorkais, qui évitent de manger du poisson frais et des sushis, car il n'y a pas de livraison le dimanche ! Les heures des repas sont assez flexibles compte tenu des horaires variés de la population, et les restaurants s'adaptent : les établissements de type *diner* (voir l'encadré p. 92) servent souvent le petit déjeuner toute la journée, ou au moins à partir de 3h du matin, afin de permettre aux noceurs de dessoûler en avalant une pile de pancakes. D'une manière générale, on peut prendre son petit déjeuner jusqu'à midi. Le déjeuner commence à être servi vers 11h30, jusqu'à 16h, et le dîner se prend à n'importe quel moment entre 17 ou 18h et 22h en semaine, 23h le week-end ; mais des dizaines de restaurants servent encore à minuit, voire 1h, 2h et même 3h du matin. Pour le dîner, l'heure d'affluence est comprise entre 20h et 21h. Le brunch, réservé en principe au dimanche, est proposé de 11h à 15h ou 16h.

Prix

Même en disposant d'un budget très limité, vous pourrez vous nourrir à satiété et de façon relativement variée. Pour 2 à 4 $, vous pouvez acheter auprès des vendeurs ambulants un falafel, des fruits, une crêpe ou une soupe (évitez les noisettes grillées à l'odeur alléchante mais au goût décevant). Une part de pizza vous reviendra à 2 $, et un plat de cuisine exotique (chinoise, moyen-orientale, indienne, turque, japonaise, coréenne, vietnamienne) à 4 $. Les restaurants de catégorie moyenne proposent des plats à 17 $ environ. Comptez 35 $ dans un endroit plus luxueux, qui peut également proposer des menus aux alentours de 75 $. Vous pourrez vous régaler à moindre coût lors de la NYC and Company Restaurant Week (voir les détails sur www.

nycvisit.com), une période de 10 jours en hiver, renouvelée en été, au cours de laquelle les restaurants de luxe servent des déjeuners trois-plats à 25 $ et des dîners à 35 $.

Réservation

La plupart des restaurants prennent les réservations pour déjeuner et/ou dîner, mais certains ne les acceptent qu'à partir de quatre personnes (comme le Tía Pol, p. 243). D'autres les refusent systématiquement (tel le Roberto's, p. 262). Sachez, dans ce cas, que vous devrez certainement patienter au moins une demi-heure avant d'obtenir une table.

Pourboire

Comme partout ailleurs aux États-Unis, il est normal de laisser environ 15% de la note hors taxe, en pourboire. Selon votre appréciation du service, cela peut être légèrement moins ou plus (le pourboire standard est généralement de 20%). Dans certains cafés-bars, vous verrez un pot réservé aux pourboires à côté de la caisse. Glissez-y éventuellement un *quarter* ou deux.

LOWER MANHATTAN

À l'heure du déjeuner, vous aurez l'embarras du choix, que vous cherchiez une table pour un déjeuner d'affaires ou un simple sandwich grec. On aura plus de difficulté le soir quand les employés sont rentrés chez eux, sauf dans Tribeca, qui a toujours été un quartier de gourmets. Récemment néanmoins, de magnifiques restaurants ont fait leur apparition, venant s'ajouter à quelques vieilles adresses, pour faire du quartier un endroit tout à fait correct pour bien dîner. Les nostalgiques du Windows on the World, le restaurant du dernier étage du World Trade Center, noteront qu'un groupe de survivants de la catastrophe a ouvert, en 2006, un restaurant en coopérative dans Greenwich Village, Colors (p. 239), en hommage à leurs 73 collègues disparus.

BOBBY VAN'S STEAKHOUSE

Plan p. 444   *Steaks $$$*

☎ 212-344-8463, www.bobbyvans.com ; 25 Broad St à hauteur d'Exchange Pl ; 🕑 déj et dîner ; 🚇 2, 3, 4, 5 jusqu'à Wall St

Une des dernières adresses masculines apparues à New York, avec une cuisine classique de *steakhouse* (restaurant de grillades) : épaisses tranches d'aloyau, chateaubriands, homards entiers et côtelettes d'agneau. Bobby Van's est rapidement entré dans la liste des favoris des amateurs de bœuf. Si la clientèle actuelle est plutôt bourgeoise rangée – ce que justifient les prix aux alentours de 36 $ pour une belle tranche de bœuf –, le lieu a autrefois flirté avec la bohème. Le premier Bobby Van's a ouvert dans les Hamptons, avant que le coin ne devienne à la mode. Truman Capote et d'autres intellectuels marginaux étaient des habitués. Le restaurant d'origine existe toujours, avec deux succursales à New York et une à Washington DC.

CABANA Plan p. 444   *Nuevo Latino $$*

☎ 212-406-1155 ; 89 South St Seaport ; 🕑 déj et dîner ; 🚇 J, M, Z, 1, 2, 4, 5 jusqu'à Fulton St-Broadway Nassau

Parmi les restaurants de galerie marchande de Seaport, on préférera cette succursale d'une mini-chaîne "pan-latine" également présente dans l'Upper East Side et le Queens. Au menu : *ropa vieja* cubaine (émincé de bœuf et tomates), friture de plantains, *ceviche* (poissons crus), poulet à la jamaïcaine, salade de fruits de mer grillés marinés, et épaisses tranches d'*arepa con queso* (gâteaux de maïs recouverts de fromage blanc). La vue magnifique sur la baie de New York fait oublier l'attente.

FINANCIER PATISSERIE

Plan p. 444   *Café français $*

☎ 212-334-5600 ; 62 Stone St à hauteur de Mill Lane ; ⏱ lun-ven 7h-20h30, sam 7h-19h ; Ⓜ 2, 3, 4, 5 jusqu'à Wall St ou J, M, Z jusqu'à Broad St

Quel bonheur de trouver des mets français délicieux et abordables dans ce coin de la ville ! Ce charmant café s'est installé dans la minuscule et étrange Stone St. Les pâtisseries du chef (tartes aux fruits sous une croûte d'amandes, madeleines maison) ne laissent pas indifférent ; ni la cuisine plus consistante que déguste une clientèle sophistiquée qui a fait l'effort de dénicher cette adresse : soupes maison aux lentilles ou au céleri-rave, sandwichs (notamment poulet et fromage de chèvre sur *ciabatta*) et choix de salades.

LES HALLES

Plan p. 444   *Brasserie française $$$*

☎ 212-285-8585 ; www.leshalles.net ; 15 John St, entre Broadway et Nassau St ; ⏱ déj et dîner ; Ⓜ A, C jusqu'à Broadway-Nassau St ou J, M, Z, 2, 3, 4, 5 jusqu'à Fulton St

Le chef Anthony Bourdain règne encore sur cette grande brasserie qui ne désemplit pas. Dans un cadre élégant de luminaires boules, lambris sombres et linge blanc et raide, une clientèle bourgeoise et conservatrice se régale de plats classiques : côte de bœuf, choucroute garnie, moules frites, salade niçoise… La carte des vins, whiskies single malt et autres alcools est impressionnante, tout comme celle des desserts.

QUARTINO Plan p. 444   *Italien $$*

☎ 212-349-4433 ; 21 Peck Slip à hauteur de Water St ; ⏱ déj et dîner ; Ⓜ A, C jusqu'à Broadway-Nassau St ou J, M, Z, 2, 3, 4, 5 jusqu'à Fulton St

Au pied de South St Seaport, on ne s'attendrait pas à trouver un bar à vins-restaurant italien aussi lisse et sophistiqué. Joignez-vous à la foule cherchant la sérénité après le travail dans ce petit bijou aux lumières tamisées, pour goûter viandes fumées et fromages, pizzas et paninis ou pâtes fraîches. Ajoutez-y une carafe de vin ou une bouteille de Chinotto, boisson non alcoolisée traditionnelle. Autre succursale orientée biologique dans le Village : **Quartino Bottega Organica** (plan p. 450 ; ☎ 212-529-5133 ; 11 Bleecker St).

RUBEN'S EMPANADAS

Plan p. 450   *Argentin $*

☎ 212-962-5330 ; 64 Fulton St à hauteur de Gold St ; ⏱ lun-ven déj et dîner ; Ⓜ A, C jusqu'à Broadway-Nassau St ou J, M, Z, 2, 3, 4, 5 jusqu'à Fulton St

Dans cette gargote animée où l'on vient manger sur le pouce, la longue liste de petits délices retient l'attention. La grande affaire, ici, ce sont les empanadas – chaussons fourrés d'Amérique du Sud. Les versions au bœuf et au poulet sont les plus courantes, d'autres (au brocoli, mozzarella et ricotta, ou à la saucisse argentine) s'avèrent plus originales. Il y a aussi des farces pour petit déjeuner, aux œufs et aux légumes, et des versions sucrées à la goyave et aux cerises pour le dessert.

TRIBECA ET SOHO

Que ce soit dans l'un ou l'autre quartier, il faut s'attendre à une dose de merveilleux sous forme de hauts plafonds, de clientèle élégante et d'un vif tumulte enveloppant le cliquetis des fourchettes et des verres dans des restaurants qui balayent toute la gamme, du français et de l'italien au japonais, vietnamien et végétarien, sans oublier l'indémodable "haute cuisine éclectique".

BALTHAZAR

Plan p. 450   *Bistrot français $$$*

☎ 212-965-1414 ; 80 Spring St, entre Broadway et Crosby St ; ⏱ petit déj, déj et dîner ; Ⓜ 6 jusqu'à Spring St

Un bistrot animé (disons même bruyant) qui se maintient dans le peloton de tête, attirant un mélange de vedettes, d'habitants du quartier et de touristes. On y vient pour sa situation, très pratique quand on fait du shopping dans le quartier, son décor stimulant (grands miroirs encadrés, alcôves intimes, hauts plafonds et grandes fenêtres), et surtout pour sa carte, à même de satisfaire tout le monde : fruits de mer, steak frites, salade de betterave et risotto aux crevettes, à la sauge et à la courge musquée. Du jeudi au samedi, on sert jusqu'à 2h du matin. Le brunch est très apprécié.

BOULEY Plan p. 444   *Français $$$*

☎ 212-694-2525 ; www.davidbouley.com ; 120 W Broadway à hauteur de Duane St ; ⏱ déj et dîner ; Ⓜ A, C, 1, 2, 3 jusqu'à Chambers St

Les plats concoctés par le chef, David Bouley, sont dignes d'entrer dans la légende : baudroie rôtie dans un odorant ragoût de couteaux aux asperges, rougets de la Méditerranée aux olives roses et au safran, et même une exceptionnelle pièce de bœuf de Kobe (110 $ les 280 g). Deux élégantes salles (la rouge et la blanche) accueillent des gastronomes triés sur le volet. Réservez bien à l'avance ou soyez prêt à dîner à 22h30 au plus tôt. Sinon, il vous reste l'option du **Bouley Bakery, Café & Market** (130 W Broadway à hauteur de Duane St ; $$; boulangerie 7h30-19h30, dîner mar-sam), la porte à côté, où dîner de sushis, de salade de champignons sauvages ou de flétan grillé. Vous pouvez aussi vous contenter des produits de la boulangerie, qui font pâlir d'envie.

BREAD TRIBECA Plan p. 444 *Italien $$*

☎ 212-334-8282 ; 301 Church St, entre Walker St et White St ; déj et dîner ; A, C, E jusqu'à Canal St ou 1 jusqu'à Franklin St

Ici, tout est sandwich, mais ce terme est un euphémisme quand on voit les assiettes servies à une clientèle branchée, sous les hauts plafonds. De la cuisine ouverte sur la salle, dirigée par un ancien chef de Babbo (p. 239), jaillit un flot de créations originales : *ciabatta* et baguette maison garnies de prosciutto et mozzarella, sardines et tomates, poulet et avocat. Les plats qui ne sont pas à base de pain vont des raviolis maison servis avec du canard, aux salades, viandes grillées et pizzas. Le **Bread** d'origine (plan p. 450 ; ☎ 212-334-1015 ; 20 Spring St, entre Elizabeth St et Mott St) se trouve non loin de là, dans Nolita.

BUBBY'S PIE COMPANY

Plan p. 444 *Cuisine familiale $$*

☎ 212-219-0666 ; 120 Hudson St à hauteur de N Moore St ; tlj petit déj, déj et dîner, dim brunch ; 1 jusqu'à Franklin St

Ayant débuté en 1990 comme fabricant de tartes, "Bubby's" est maintenant l'un des restaurants les plus populaires de Tribeca. La rumeur qui en faisait un rendez-vous de célébrités locales est retombée, mais il reste un bon restaurant apprécié des familles avec enfants, que l'on a su séduire avec une carte spéciale comprenant bâtonnets de poulet et spaghettis au beurre (les enfants de moins de 8 ans mangent gratuitement le dimanche soir). Les adultes adorent l'ambiance douce, les hauts plafonds et les plats simples, excellents : *mac-and-cheese* (macaronis et fromage), barbecues à cuisson lente (entre autres poitrine de bœuf à la texane), soupe aux boulettes de *matzo* (pain azyme) et choix de plats mexicains. La rumeur s'est rallumée dernièrement avec l'ouverture d'un **Bubby's** (plan p. 462 ; ☎ 718-222-0666 ; 1 Main St), à Dumbo, Brooklyn, comportant une salle à manger plus chic et offrant une vue imprenable sur la ville.

FRANKLIN STATION CAFÉ

Plan p. 444 *Malaisien $*

☎ 212-274-8525 ; www.franklinstationcafé.com ; 222 W Broadway, entre Franklin St et N Moore St ; petit déj, déj et dîner ; 1 jusqu'à Franklin St

Petit café spacieux où l'on se lit avec bonheur, à n'importe quel moment de la journée. Le petit déjeuner mêle Orient et Occident avec brioche française, œufs pochés au caviar et saumon, et diverses variétés de *congee* (porridge de riz), notamment un au poulet émincé. Le déjeuner et le dîner se concentrent sur la cuisine malaisienne : crevettes épicées avec nouilles et germes de soja, curries de calamars ou de légumes, ou saumon grillé au curcuma et au gingembre.

HONMURA AN Plan p. 450 *Japonais $$*

☎ 212-334-5253 ; 170 Mercer St, entre Houston St et Prince St ; mer-ven déj et dîner, mar et dim dîner ; R, W jusqu'à Prince St

Joignez-vous à la foule des habitués dans ce restaurant calme qui ne fait pas de publicité, alors qu'on y sert les nouilles maison parmi les meilleures de la ville. Nouilles *soba* et *udon* sont servies chaudes ou froides avec toutes sortes de garnitures : tempura de grosses crevettes roses, gâteau au poisson ou légumes verts japonais. Choix limité de sashimi frais, et hors-d'œuvre originaux (sinon bizarres) disposés dans des boîtes, l'une d'elles comprenant des "gnocchis *soba*". Les indécis commanderont de petites assiettes : soupe chaude au tofu maison, *pickles* japonais et lamelles de canard fumé.

KITTICHAI

Plan p. 450 *Nouvelle cuisine thaïlandaise $$*

☎ 212-219-2000 ; www.kittichairestaurant.com ; RDC, Sixty Thompson, 60 Thompson St, entre Broome St et Spring St ; petit déj, déj et dîner ; C, E jusqu'à Spring St

Le breakfast à New York est une affaire sérieuse

Depuis son ouverture en 2004, cet espace magnifique et apaisant n'a récolté que des louanges, pour sa cuisine sans équivalent et son décor intérieur soigné aux murs en bois finement sculpté, avec des tentures en shantung rétroéclairées et des orchidées fraîches disposées avec art. La carte, à la fois traditionnelle et créative, offre un choix de tapas (entre autres, tartelette à la laitue et hachis de poulet, lotte marinée dans des feuilles de pandanus), et de plats comprenant un curry rouge aux légumes ou un délicieux morceau d'aloyau séché aux haricots noirs fermentés, sauce au whisky. Ce n'est pas ici que vous mangerez des nouilles sautées à la thaïlandaise, désolé !

SPARKY'S
Plan p. 450   *Fast-food bio $*
☎ 212-334-3035 ; 333 Lafayette St à hauteur de Bleecker St ; ⏱ lun-ven 8h-minuit , sam 10h-minuit, dim 10h-22h ; Ⓜ 6 jusqu'à Bleecker St
Serré entre deux vitrines de magasins, ce petit fast-food ne fait que 2,50 m de large, mais il est rempli de savoureux mets de qualité. Ses hot dogs au bœuf ou au soja sont servis sur des petits pains frais *challah* et recouverts de tout ce que l'on veut, du fromage bleu aux piments jalapeños grillés. On sert également de vrais sandwichs à la crème glacée ou au *tofutti* (tofu glacé), du fromage grillé et, au petit déjeuner, des yaourts artisanaux et des granola au lait. Tout est biologique et produit dans des fermes familiales.

CHINATOWN
En plus d'être depuis longtemps un haut lieu d'authentique cuisine chinoise à petits prix, Chinatown rassemble maintenant toutes les cuisines pan-asiatiques (toujours à très bas prix). Le quartier attire une foule d'amateurs de bonne chère qui n'auraient pas eu l'idée d'en faire une de leurs destinations il y a seulement cinq ans. Si vous voulez vivre une vraie aventure culinaire, laissez le guide à l'hôtel, prenez le métro, descendez à Canal St, engagez-vous dans les ruelles tortueuses et bondées côté sud, et entrez dans n'importe quelle gargote qui aiguise votre appétit. Pour le dessert, faites votre choix parmi les nombreux bars à "Bubble-Tea" (thés glacés aux perles de tapioca) ou les odorantes boulangeries chinoises.

BO KY RESTAURANT
Plan p. 444   *Pan-asiatique $*
☎ 212-406-2292 ; 80 Bayard St, entre Mott St et Mulberry St ; ⏱ petit déj, déj et dîner ; Ⓜ J, M, N, Q, R, W, Z, 6 jusqu'à Canal St
Cuisine incroyablement bon marché et délicieuse, notamment près de trois douzaines de soupes aux ingrédients exotiques où figurent généralement l'une ou l'autre sorte de nouilles, du porc ou du poulet (vigilance recommandée pour les végétariens). La soupe aux nouilles plates et boulettes de poisson, la soupe aux nouilles de riz et poulet au curry et la "soupe combinée" viennent en tête des commandes. Joignez-vous aux volubiles habitants du quartier qui mangent ici comme à la maison, dans un cadre très simple, avec un service aux manières brusques.

CANTON Plan p. 444   *Cantonais $$$*
☎ 212-226-4441 ; 45 Division St, entre The Bowery et Market St ; ⏱ mar-sam déj et dîner ; Ⓜ F jusqu'à East Broadway
À l'abri des regards, près du pont de Manhattan, cet établissement a cinquante ans de cuisine authentique derrière lui. Généreux et peu épicés, les mets reposent sur des ingrédients de qualité (poisson, volaille et porc) plutôt que sur des sauces pimentées ou des fritures. Outre des plats de base – nouilles aux oignons blancs et au gingembre, magret de canard, tofu sauté au porc –, la spécialité de la maison est la carpe (qu'il faut commander à l'avance). Bref, on fait là un véritable festin chinois.

DOYERS VIETNAMESE RESTAURANT
Plan p. 444   *Vietnamien $*
☎ 212-513-1521 ; 11 Doyers St, entre The Bowery et Pell St ; ⏱ déj et dîner ; Ⓜ J, M, N, Q, R, W, Z, 6 jusqu'à Canal St
Tout ici est original : la rue jalonnée de barbiers, l'atmosphère désuète et intime de la salle située en contrebas de la rue et, surtout, l'immense carte qui foisonne de plats étonnants. Goûtez les filets de tilapia croustillants, la salade de papaye aux crevettes, le curry d'anguilles ou les quelques spécialités végétariennes, tels les vermicelles de riz frits aux légumes ou le curry de cresson.

18 ARHANS
Plan p. 444   *Asiatique végétarien $*
☎ 212-941-8986 ; 227 Centre St, entre Grand St et Broome St ; ⏱ lun-ven 10h30-19h30, dim 13h-18h ; Ⓜ 6 jusqu'à Spring St
Prétendant offrir une "cuisine végétarienne familiale", la carte est analogue à

celle de ses deux concurrents du voisinage purement végétariens (Vegetarian Paradise 1 et 2 et Vegetarian Dim Sum House). Mais la nourriture est plus fraîche et plus légère ici, et l'ambiance plus calme et chaleureuse. La carte est très complète, avec des plats de nouilles *soba* ou des boulettes grasses. On relève aussi des plats uniques en leur genre, comme l'omelette au faux jambon servie sur du riz, le faux bœuf à l'orange, et un barbecue végétarien à l'edamame (graines de soja vertes), brocoli et tofu, dans une sauce fumée piquante. Thés glacés et jus rafraîchissants, tel le jus au miel et au gingembre, accompagnent agréablement les plats.

JAYA Plan p. 444 *Malaisien $$*
☎ 212-219-3331 ; 90 Baxter St, entre Walker St et White St ; 🕙 déj et dîner ; Ⓜ J, M, N, Q, R, W, Z, 6 jusqu'à Canal St

Si le service n'est pas son fort (mais il ne l'est guère à Chinatown – cela fait partie du charme de l'authenticité), vous y trouverez des plats délicieux, tels une petite assiette de *mai fun* (fines nouilles de riz frites), ou du *otak-otak* (poisson grillé dans une feuille de bananier) en hors-d'œuvre. Près d'une trentaine de plats de nouilles vous occuperont le temps de boire un ou deux cocktails et alimenteront à coup sûr la conversation d'avant dîner. Les nouilles aux œufs sont servies avec pâte de poisson, tofu et légumes, tandis que le *mee siam nyonya* y ajoute un œuf à la coque, des crevettes et une sauce pimentée. Les wontons sont de première qualité, de même que les spécialités (riz frit à la noix de coco et à l'ananas, poulet à la mangue avec sauce épicée au basilic…). Il y a aussi de nombreux plats végétariens – ce qui est rare dans les authentiques restaurants de Chinatown –, dont des aubergines au curry vert thaïlandais et des légumes variés à la pâte de soja.

MEI LAI WAH COFFEE HOUSE
Plan p. 444 *Boulangerie chinoise $*
☎ 212-925-5438 ; 64 Bayard St à hauteur de Elizabeth St ; 🕙 petit déj, déj et dîner ; Ⓜ J, M, N, Q, R, W, Z, 6 jusqu'à Canal St

Faites un tour le matin dans cette adorable petite boulangerie à l'ancienne. Philippins et Chinois du quartier viennent y avaler en vitesse de délicieux petits pains au porc et au sésame encore tout chauds avant de partir travailler. Et le café est tout aussi bon.

ORIGINAL CHINATOWN ICE CREAM FACTORY Plan p. 444 *Glacier $*
☎ 212-608-4170 ; www.chinatownicecreamfactory. com ; 65 Bayard St ; 🕙 11h-22h ; Ⓜ J, M, N, Q, R, W, Z, 6 jusqu'à Canal St

Il faut à tout prix découvrir ce glacier étonnant qui confectionne des parfums exotiques tels qu'avocat, durian, haricot rouge et sésame. Häagen-Dazs, qui se trouve à proximité, ne peut pas rivaliser.

LITTLE ITALY ET NOLITA

Si Little Italy n'est plus ce qu'il était – son territoire a peu à peu été grignoté par Chinatown et d'autres quartiers, réduisant son offre culinaire à une poignée de restaurants italiens à l'ancienne qui attirent surtout les touristes – Nolita a pris le relais. Bien qu'il s'agisse d'une toute petite enclave géographique, ses restaurants très à la mode, qu'ils soient asiatiques ou cubains, continuent d'attirer une foule branchée. Néanmoins, Little Italy n'est pas totalement dépourvu de charme gustatif. Autour de Mulberry St notamment, on découvrira des boulangeries et des épiceries à l'européenne qui font venir l'eau à la bouche.

CAFÉ GITANE
Plan p. 450 *Bistrot méditerranéen $$*
☎ 212-334-9552 ; 242 Mott St ; 🕙 17h30-23h30 ; Ⓜ N, R, W jusqu'à Prince St

Le Gitane est le genre d'endroit qu'on pourrait trouver à Paris ou Barcelone : éclairage dans les tons ocre, banquettes profondes et ambiance chaleureuse où planent de délicieuses odeurs de pain cuit et de cuisine à l'ail. À l'extérieur, une clientèle nonchalante mais fortunée fume des Gauloises et tout le monde boit du café. La cuisine est bonne également : ceviche d'albacore, boulettes de viande épicées avec sauce tomate au curcuma et œuf à la coque ; salade grecque sur *focaccia* ou salade de cœurs de palmier.

DA NICO Plan p. 450 *Italien $$-$$$*
☎ 212-343-1212 ; 164 Mulberry St ; 🕙 déj et dîner ; Ⓜ 6 jusqu'à Spring St

Si vous tenez à dîner à Little Italy, Da Nico, en plein cœur de ce qui reste de ce quartier et portant le nom de son propriétaire, Nicholas "Nico" Luizza, est un classique, géré en famille et à l'ambiance traditionnelle : murs de briques apparentes, tables et chaises en bois clair autour d'un four à pizza au charbon. La cuisine, du nord et du sud de l'Italie, n'a rien d'original mais tout est délicieux : scampi, poulet *cacciatore*, *aged shell steak* (contrefilet) et pâtes en abondance. Attention néanmoins à la foule des touristes les soirs d'été.

LA ESQUINA Plan p. 450   *Mexicain $$*
☎ 646-613-1333 ; 106 Kenmare St ; 🕙 24h/24 ;
Ⓜ 6 jusqu'à Spring St

Dans le petit triangle formé par Cleveland Pl et Lafayette St, cet endroit unique en son genre a succédé à une vieille gargote de quartier. En fait, trois lieux se superposent : un comptoir de tacos que l'on mange debout, un petit café mexicain et, en bas, un confortable restaurant-cave du dernier chic. On ne peut d'ailleurs y accéder sans réservation (l'entrée est défendue par une hôtesse armée de sa liste), suite à quoi on s'y régale de plats exquis, tels que tacos au chorizo, tacos au porc frotté aux épices ou salades de mangue et de jicama.

PEASANT Plan p. 450   *Italien $$$*
☎ 212-965-9511 ; www.peasantnyc.com ;
194 Elizabeth St, entre Spring St et Prince St ;
🕙 dîner ; Ⓜ 6 jusqu'à Spring St

Le trait de génie, ici, c'est la qualité et la simplicité à l'ancienne – une salle à manger chaleureuse aux tables disposées autour d'un âtre en brique et d'une cuisine ouverte où l'on prépare, avec amour, une cuisine italienne majoritairement carnée et généreuse. Apparemment, la recette a fait ses preuves car le Peasant a réussi à figurer sur diverses listes de meilleurs restaurants de la ville, et semble toujours rempli d'une clientèle des plus raffinées. Le chef propriétaire, Frank DiCarlo, s'est bâti une solide réputation à New York avant d'ouvrir son propre restaurant. Au nombre de ses spécialités, figurent les gnocchis aux champignons sauvages, le lapin au four et la *zuppa di pesce* (soupe de poisson).

PUBLIC Plan p. 450   *Éclectique $$*
☎ 212-343-7011, 343-7011 ; **210 Elizabeth St, entre Rivington St et Stanton St ;** 🕙 tlj déj et dîner, sam-dim brunch ; Ⓜ 6 jusqu'à Spring St

Public essaie, et réussit plutôt bien, à satisfaire tous les goûts, de toutes les clientèles – celles, du moins, qui apprécient la cuisine gastronomique à concept avec, en plus, une bonne dose de gibier sauvage. L'endroit est censé faire honneur au concept d'espace public, de la bibliothèque à l'école, par toutes sortes de détails futuristes ou démodés. Ce

qui remplit d'aise la jeune clientèle branchée. La carte, éclectique, aligne toutes sortes de curiosités, tels un gâteau de risotto aux châtaignes, *pickles* de courge et pignons de pin, un bar rayé aux panais, un chevreuil grillé au fenouil, ainsi qu'un surprenant hors-d'œuvre de kangourou grillé. Délicieux, assurément, et à la pointe de la mode.

RICE Plan p. 450   *Asiatique-caribéen $$*
☎ 212-226-5775 ; www.riceny.com ; **227 Mott St, entre Prince St et Spring St ;** 🕙 12h-minuit ;
Ⓜ 6 jusqu'à Spring St

Paradis pour végétariens et savoureuse expérience pour tout le monde, cet établissement aux prix raisonnables s'est multiplié en trois autres endroits, dont deux dans les quartiers très branchés de Brooklyn. Ici, comme on peut s'en douter, tout tourne autour du riz d'accompagnement, décliné en dix variétés – des plus traditionnelles comme le brun et le basmati, aux plus originales comme le vert spécial (imbibé de coriandre, persil et épinard) ou le noir thaïlandais (cuit à la vapeur dans du lait de coco). Parmi les plats, succulents, on retiendra les boulettes de viande végétariennes à base de tofu et de miso, le ragoût de lentilles vertes, les ailes de poulet à la jamaïcaine et un curry thaïlandais crémeux au lait de coco accompagné de légumes, de crevettes ou de poulet.

LOWER EAST SIDE

Impossible de suivre toutes les nouveautés de ce quartier tant les bars aguichants à cuisine "nouveau-fusion" et clientèle people apparaissent ou remplacent de "vieux" établissements à un rythme quasi hebdomadaire. S'il ne reste plus beaucoup de ces vieux restaurants juifs à l'européenne, quelques adresses maintiennent vaillamment les traditions : Katz's Deli (p. 235), Sammy's Roumanian Steakhouse (p. 236) et Yonah Shimmel Bakery (p. 236). Pour le reste, c'est strictement de la cuisine moderne, internationale et branchée.

CUBE 63 Plan p. 449   *Sushis $$$*
☎ 212-228-6751 ; **63 Clinton St, entre Rivington St et Stanton St ;** 🕙 déj et dîner ; Ⓜ F jusqu'à Delancey St ou J, M, Z jusqu'à Delancey St-Essex St

La cuisine de ce repaire futuriste, qui brille au milieu des cellules faiblement éclairées de cette rue à restaurants, s'avère exceptionnellement bonne. Outre des sushis et sashimis d'une parfaite fraîcheur, on y trouve quelques inventions

L'AUTHENTIQUE CUISINE DES QUARTIERS, PAR LE MENU

Certes, Little Italy et le Curry Row possèdent un certain charme, à condition d'aimer les foules de touristes en mal d'exotisme. Pour davantage d'authenticité, poussez jusqu'aux borouhgs périphériques, où se sont installées les dernières vagues d'immigrants. Voici un mini-guide de ces cuisines étrangères qui vous feront faire le tour du monde sans quitter New York :

- **Boukharienne** (ouzbèke) : Rego Park (plan p. 467), Queens, un quartier qui n'a pas d'équivalent pour les nourritures typiques des juifs de l'ancienne république soviétique. Métro R, V ou G jusqu'à Rego Park.
- **Chinoise** : Sunset Park (plan p. 460), Brooklyn, au lieu de Chinatown. À la place des touristes du New Jersey achetant des porte-monnaie Hello Kitty, vous côtoierez une foule asiatique mangeant une cuisine délicieuse (y compris dans des restaurants de dim sum ouverts 24h/24) et vous vous sentirez vraiment ailleurs. Métro N jusqu'à 8th Ave.
- **Grecque** : Astoria (plan p. 382), Queens, ou Bay Ridge (plan p. 460), Brooklyn, au lieu des gargotes de Midtown. Si Astoria est l'enclave grecque la plus importante et la plus connue, on commence aussi à voir apparaître des boutiques de feta et des restaurants de poulpe grillé dans l'ancienne enclave italienne de Bay Ridge. Pour le Queens, métro N ou W jusqu'à Astoria-Ditmars Blvd, et pour Brooklyn, R jusqu'à 86th St.
- **Indienne** : Jackson Heights (plan p. 442), Queens, au lieu de E 6th St. Offrez-vous le dépaysement avec des boutiques de saris, des assiettes de *thali* et des *dosas*, et de vrais cinémas Bollywood. Métro E, F, G, R ou 7 jusqu'à Roosevelt Ave.
- **Irlandaise** : Woodlawn (plan p. 468), Bronx, au lieu des bars irlandais de Manhattan, Third Ave. Laissez tomber les amitiés de comptoir scellées dans l'alcool et faites connaissance avec des pintes de Guinness versées comme il convient, d'authentiques *bangers 'n' mash* (saucisses-purée) et des jeunes gens fraîchement débarqués fréquentant une dizaine de pubs formidables. Métro 4 jusqu'à Woodlawn.
- **Italienne** : Belmont (plan p. 468), Bronx, ou Bensonhurst (plan p. 460), Brooklyn, au lieu de Little Italy. Remplacez le médiocre par l'excellent, goûtez à la mozzarella fraîche d'Arthur Ave Market (p. 354) et à des *cannoli* sublimes en compagnie de vrais sosies des acteurs de la série *Les Soprano*. Pour Belmont, métro B, D ou 4 jusqu'à Fordham Rd, puis bus Bx 12 jusqu'à Hoffman St ; pour Bensonhurst, métro M ou W jusqu'à 79th St.
- **Juive européenne** : Borough Park (p. 460), Brooklyn, au lieu du Lower East Side (LES). Plutôt que de vous accrocher désespérément aux quelques épiceries qui restent dans le LES, plongez-vous dans l'ambiance authentique de cette communauté hassidique très soudée (avec respect, bien sûr). Métro F jusqu'à Ditmas Ave.
- **Coréenne** : Flushing (plan p. 467), Queens, au lieu de Koreatown. Adieu les clients de Macy's, bonjour les vrais amateurs de *kimchi*. Train 7 jusqu'à Flushing-Main St.
- **Russe** : Brighton Beach (plan p. 466), Brooklyn, au lieu de Midtown. Fini les *vodkatinis*, il y a là uniquement des marchés aux vendeurs rogues, des bastringues bruyants et une promenade en planches comme si vous étiez à Odessa. Métro D jusqu'à Ocean Pkwy.

"fusion" maison : le rouleau mexicain (jalapeño, sauce épicée et poisson maigre), Volcan (crabe, crevettes grillées et sauce à l'anguille) ou l'incroyable rouleau 63 (thon épicé, avocat et salade de homard). Clientèle branchée et impertinente, comme la cuisine.

'INOTECA Plan p. 449 *En-cas italiens $$*
☎ 212-614-0473 ; 98 Rivington St à hauteur de Ludlow St ; ☺ tlj déj et dîner, sam-dim brunch ; Ⓢ F, V jusqu'à Lower East Side-2nd Ave
Asseyez-vous à l'une des tables de ce spacieux restaurant tapissé de bois sombre, et choisissez parmi les *tramezzini* (petits sandwichs au pain blanc ou pain complet), les paninis et les différentes versions de *bruschetta*, tous délicieux et abordables. Le toast à l'œuf truffé, un carré de pain troué au centre et rempli d'œuf, de truffe et de fromage Fontina, est une spécialité maison.

Sinon, il y a la salade de betteraves à l'orange et à la menthe, les lasagnes végétariennes faites de couches d'aubergines et non de pâte, ou l'assiette de moules à l'ail. La liste de 200 vins, dont 25 disponibles au verre, est une merveille. L'attente est de rigueur mais l'endroit en vaut la peine. Et si l'envie vous prenait d'un toast truffé en vous promenant dans West Village, vous pouvez aller chez 'Ino, la maison mère (plan p. 448 ; ☎ 212-989-5769 ; 21 Bedford St, entre 6th Ave et Downing St).

KATZ'S DELI Plan p. 449 *Delicatessen $*
☎ 212-254-2246 ; 205 E Houston St à hauteur de Ludlow St ; ☺ petit déj, déj et dîner ; Ⓢ F, V jusqu'à Lower East Side-2nd Ave
C'est ici que Meg Ryan simule un orgasme célèbre dans le film *Quand Harry rencontre Sally*. Dans une grande salle usée jusqu'à la

235

corde et empreinte de nostalgie (voyez l'affiche datant de la Seconde Guerre mondiale "Send a salami to your boy in the army"), des serveurs bourrus distribuent des cornichons à l'aneth, d'onctueuses crèmes au chocolat, du pastrami ou du corned-beef sur du pain de seigle bien frais. Le temps fort d'un séjour à New York, surtout à 2h du matin, avec la foule des clubbeurs qui viennent y reprendre des forces.

SAMMY'S ROUMANIAN STEAK HOUSE
Plan p. 449　　　*Est-européen $$$*
☎ 212-673-0330 ; 157 Chrystie St, entre Delancey St et Rivington St ; ☽ dîner ; ◉ F jusqu'à Delancey St ou J, M, Z jusqu'à Delancey St-Essex St

Vieux restaurant juif européen, bas de plafond, pour banlieusards nostalgiques qui gardent autant d'attaches à Brooklyn qu'en Europe de l'Est. Le Sammy's est un monument de kitsch et la cuisine ne comprend que des délices de grand-mère baignant dans la graisse : énormes bavettes trempant dans l'ail, foie haché et crêpes de pomme de terre, que beaucoup inondent de *golden schmaltz*, autrement dit de graisse de poulet – disponible sur chaque table dans des pots en verre. En 65 ans d'existence, le Sammy's a tout vu : les drogués affalés dans le parc de l'autre côté de la rue, puis la construction des tours de luxe un peu partout dans le quartier. Un merveilleux voyage dans le temps.

SCHILLER'S LIQUOR BAR
Plan p. 449　　*Bistrot français/éclectique $$*
☎ 212-673-0330, 260-4555 ; 131 Rivington St à hauteur de Norfolk St ; ☽ dîner ; ◉ F jusqu'à Delancey St ou J, M, Z jusqu'à Delancey St-Essex St

L'un des endroits les plus attachants du quartier apporte un rayon de gaieté dans ce coin autrefois sinistre, par son étonnant décor bohême/antiquité et sa clientèle drôle et bourdonnante. La cuisine, aux prix très abordables, offre tous les fondamentaux : côtelettes de porc, steak frites, gratin d'aubergines et spaghettis au pesto. Le ton sarcastique et charmant du lieu est bien illustré par sa liste de vins, limitée à "Bon marché, Correct et Bon", avec ce commentaire que "Bon marché est le meilleur". Le bar vaut également le détour. On comprend mieux la popularité de Schiller's quand on sait qu'il fait partie de l'empire Keith McNally – à qui l'on doit, entre autres, le Balthazar (p. 230) et le Pastis (près du Paradou, p. 240).

TEANY
Plan p. 449　　　*Salon de thé végétalien $*
☎ 212-475-9190 ; 90 Rivington St, entre Ludlow St et Orchard St ; ☽ petit déj, déj et dîner jusqu'à une heure tardive ; ◉ F jusqu'à Delancey St ou J, M Z jusqu'à Delancey St-Essex St

Ce minuscule salon de thé en contrebas de la rue, dans un pâté de maisons devenu branché, est en copropriété avec Moby, pop star célèbre pour son végétalisme. Dans la paisible salle éclairée aux bougies, la carte énumère une centaine de thés servis en théière individuelle, allant du typique (menthe, *Irish breakfast*) au sublime exotique (vert anémone de mer, blanc pivoine). On peut aussi boire de la bière, du vin, un café au lait de soja, et grignoter des petites choses délicieuses, comme les muffins et les *tea sandwiches* (le *cheddar-pickle* et le beurre de cacahuète-chocolat sont renversants), des salades et des desserts.

WD 50
Plan p. 449　　*Cuisine américaine créative $$$*
☎ 212-477-2900 ; 50 Clinton St à hauteur de Stanton St ; ☽ lun-sam dîner ; ◉ F jusqu'à Delancey St ou J, M, Z jusqu'à Delancey St-Essex St

Wylie Dufresne, le génial inventeur du 71 Clinton Fresh Foods (un peu plus bas dans la rue) et l'un des principaux initiateurs de l'embourgeoisement accéléré du quartier, a ajouté cette perle à son collier en 2003. Depuis lors, le tout-New York et ceux qui voudraient en faire partie s'y pressent sans discontinuer. Planchers en bambou, cheminée et poutres apparentes rehaussent le charme provocant de la cuisine servie en ce lieu, à la fois sélecte et décontractée : huîtres aux pommes, olives et pistaches ; raie garnie de gnocchis au citron en conserve et d'oignons blancs fumés. Tant de nourritures que vous aimiez sans le savoir !

YONAH SHIMMEL BAKERY
Plan p. 450　　　　　　　*Yiddish $*
☎ 212-477-2858 ; 137 E Houston St, entre Eldridge St et Forsyth St ; ☽ 9h30-19h ; ◉ F, V jusqu'à Lower East Side-2nd Ave

Shimmel vend des *knish* (crêpes fourrées à la viande, aux patates ou au fromage, cuites au four ou frites) de première qualité depuis 92 ans, et il connaît son métier. Toutes sortes de variétés sont disponibles : pomme de terre, patate douce, chou rouge, fromage et kasha (graines de sarrasin grillées). Dans cette petite boutique à deux pas du complexe Landmark Sunshine Cinemas (p. 303), vous trouverez également bagels, *blintz* (crêpes fourrées) et cookies. Un endroit idéal pour grignoter avant ou après un film.

EAST VILLAGE

Ici se trouve la quintessence de la scène gastronomique new-yorkaise, de par la variété : un seul pâté de maisons réunit en effet plusieurs continents et toute la gamme des prix possibles. Les racines du quartier plongeant dans les traditions ukrainiennes, on y trouve encore des palais à *pierogi* (raviolis polonais) sans lustre inutile, surtout le long d'Avenue A et dans les rues traversales. Les pizzerias, bars à sushis, bistrots végétariens et indiens sont aussi fort nombreux, surtout dans le tronçon carnavalesque de E 6th St, entre First Ave et Second Ave – aussi dénommé Curry Row –, où les restaurants indiens se comptent par dizaines. Mauvaise nouvelle cependant : à l'heure où nous rédigions ce guide, le Second Avenue Deli – delicatessen légendaire qui servait d'épais sandwichs de dinde ou de *pastrami* (tranches de bœuf) sur de fines tranches de pain de seigle – fermait ses portes, pour cause d'augmentation de loyer. Les New-Yorkais espèrent sa réouverture, sans y croire vraiment.

B&H DAIRY Plan p. 214 *Crémerie kasher $*
☎ 212-505-8065 ; 127 2nd Ave, entre St Marks Pl et E 7th St ; ☽ petit déj, déj et dîner ; Ⓢ 6 jusqu'à Astor Pl
Classique comptoir à déjeuner servant les produits laitiers juifs parmi les plus authentiques de New York, avec cet accueil rogue habituel. Tout est fait maison, frais et

végétarien, y compris les six sortes de soupes préparées quotidiennement (le bortsch et la champignon-orge sont un délice) et accompagnées d'une épaisse tranche de *challah* sortant du four. De quoi tenir pendant des heures – pour 6 $ seulement. Attention : le fait de s'asseoir au comptoir ne garantit pas d'être servi ; il faut aussi donner de la voix. Mais, une fois qu'on a compris, on a l'impression de faire partie d'une petite famille de dîneurs, chaleureuse et diverse.

BAO 111 Plan p. 214 *Vietnamien $$*
☎ 212-254-7773 ; 111 Ave C à hauteur de E 7th St ; ☽ dîner jusqu'à 2h ; 🚌 M14-Ave C
Nouveau venu à l'extrême est du quartier, l'étincelant Bao offre un cadre chaleureux et des versions haut de gamme de classiques vietnamiens à une clientèle hyper-branchée. Sakés de la meilleure qualité, sakés chauds aux fruits et *saketinis* dangereusement délicieux vous mettront dans l'état d'esprit idéal pour déguster des plats d'exception : curry de crevettes à la citronnelle, poulet à la cocotte aux œufs de caille, légumes braisés et curry de tofu… Desserts sublimes, comme le pudding de riz noir à la vapeur avec mangue grillée et crème à la noix de coco.

CHIKALICIOUS Plan p. 214 *Bar à desserts $$*
☎ 212-995-9511 ; www.chikalicious.com ; 203 E 10th St, entre 1st Ave et 2nd Ave ; ☽ mer-dim 15h-23h30 ; Ⓢ 6 jusqu'à Astor Pl
Le meilleur d'abord : le dessert. Chikalicious est le premier (et l'unique) bar à desserts de New York. On prend place autour d'une cuisine ouverte et on s'installe comme pour prendre un vrai repas mais, à la place, on vous sert un festin

New York ravira les amateurs de pizzas (voir l'encadré page suivante)

LA PERFECTION EN MATIÈRE DE PIZZA

Difficile de trouver une part de pizza vraiment mauvaise à New York. Toutes, du triangle gras et mou au carré épais de blé complet recouvert de fromage de chèvre et de fenouil, sont fraîches, chaudes et délicieuses, à toute heure du jour et de la nuit. Néanmoins, il arrive qu'on ait envie de trouver la meilleure. Voici quelques adresses qui nous semblent sortir du lot (pour Brooklyn, voir *A Slice of Brooklyn Pizza Tour*, p. 113) :

John's Famous Pizzeria (plan p. 448 ; ☎ 212-243-1680 ; 278 Bleecker St) Grande réputation dans West Village. Pâte fine mais caoutchouteuse.

Arturo's Pizzeria (plan p. 448 ; ☎ 212-677-3820 ; 106 W Houston St) Pâte ultra-fine et croquante, garniture fraîche, salle animée avec un pianiste.

Stromboli Pizzeria (plan p. 448 ; ☎ 212-255-0812 ; 112 University Pl) À emporter uniquement. Fait impression, avec une abondance de sauce épicée.

Lombardi's (plan p. 450 ; ☎ 212-941-7994; 32 Spring St) Très connu à Soho. Sauce relevée, mozzarella fraîche, garnitures gargantuesques et pâte épaisse parsemée de graines de sésame.

Patsy's Pizzeria (plan p. 449 ; ☎ 212-534-9783 ; 2287 1st Ave) La maison mère, vieille de 75 ans, d'une chaîne de cinq pizzerias. Triangles extra-larges cuits au four à charbon.

Two Boots Pizzerias (plan p. 449 ; ☎ 212-254-1919 ; 42 Ave A) Sortez du classique avec des garnitures originales : poulet mariné et tomates olivettes, crevettes grillées, andouille et écrevisses aux jalapeños, toutes avec des pâtes saupoudrées de farine de maïs.

de trois desserts. Les "repas" comprennent une assiette de petits fours et des suggestions de vins de dessert, portos et champagnes. Et les desserts ? Il y en a toute une liste, tous aussi bons les uns que les autres, comme le pudding au chocolat avec génoise à l'expresso, la crème brûlée aux patates douces avec glace à l'Eggnog, la tarte chaude au chocolat avec glace au poivre rose et copeaux de truffe raclés à la table. Le paradis, en quelque sorte.

COUNTER Plan p. 214 *Éclectique végétarien $$*
☎ 212-982-5870 ; 105 1st Ave, entre E 6th St et E 7th St ; ☼ mar-sam déj et dîner ; Ⓜ F, V jusqu'à Lower East Side-2nd Ave
Asseyez-vous au comptoir circulaire au centre de cette salle spacieuse et commandez l'un des vins biologiques ou biodynamiques avec une belle assiette de pâte d'olive et de noix de cajou. Ou bien installez-vous à une table pour prendre le temps de déguster une cuisine fraîche et créative – souvent rehaussée d'ingrédients cultivés sur le toit – tels le "risotto" au chou-fleur, le mille-feuille de légumes grillés ou le "steak de seitan" (fait à base de gluten de blé) au poivre. Les plats du jour sont de saison et excellents, et la clientèle, cool.

IL BAGATTO Plan p. 214 *Italien $$*
☎ 212-228-3703 ; 192 E 2nd St, entre Ave A et Ave B ; ☼ déj et dîner ; Ⓜ F, V jusqu'à Lower East Side-2nd Ave
Un petit restaurant romantique et animé,

servant des créations italiennes fameuses à des prix très doux. La liste des vins est fournie et un sommelier vous fait goûter à plusieurs d'entre eux avant que vous ne fassiez votre choix (une merveilleuse étrangeté pour un restaurant aussi simple). Les propriétaires, que la fatigue ne rend pas moins chaleureux, vous accueillent comme de vieux amis, mais il faut attendre, même si vous avez réservé – il en va ainsi dans ce restaurant de quartier sans chichi. Ici d'ailleurs, on ne connaît pas la cuisine minceur. Les raviolis au fromage et aux épinards nagent dans le beurre et la sauce à la sauge, les gnocchis maison dans la sauce au gorgonzola, et les tranches de bœuf, fines comme du papier, sont revenues dans l'huile d'olive et le vin blanc. Desserts remarquables.

PRUNE Plan p. 214 *Américain créatif $$*
☎ 212-677-6221 ; 54 E 1st St, entre 1st Ave et 2nd Ave ; ☼ tlj déj et dîner, sam-dim brunch ; Ⓜ F, V jusqu'à Lower East Side-2nd Ave
Repas caloriques, ici également, avec de généreuses portions de cochon de lait rôti, de ris de veau et de ragoûts de saucisses. La salle exiguë est bien éclairée et grande ouverte, les soirs d'été, offrant un agréable point de vue sur cette partie pittoresque de First St. Il y a toujours du monde, surtout au brunch du dimanche quand les couche-tard viennent se réveiller à coup de Bloody Mary (neuf excellentes versions), de saumon fumé et d'huîtres.

GREENWICH VILLAGE

Côté prix, le Village abrite les deux extrémités de la gamme, de l'hyper-luxueux Babbo au très simple Manna Bento, et tous les degrés intermédiaires. Le quartier de l'université de New York ne manque pas de comptoirs de falafels et de pizza appréciés des étudiants, mais c'est aussi une zone de loyers élevés où les restaurants chers sont légion. En vous promenant au sud de Washington Sq Park, vous découvrirez de formidables cafés, comme le Reggio dans MacDougal St, où déguster un café *latte* fumant et des *biscotti* tout en songeant avec nostalgie au passé bohème de Greenwich Village.

TOP 5 DE DOWNTOWN

- **Babbo** (ci-contre) – Avec le roi italien de Greenwich Village : le chef Mario Batali
- **Chikalicious** (p. 237) – Un festival de desserts, suite à un repas traditionnel
- **'Inoteca** (p. 235) – La perfection en matière de vins, de paninis et d'ambiance
- **Kittichai** (p. 231) – La cuisine thaïlandaise comme vous ne l'avez jamais goûtée
- **WD 50** (p. 236) – Un chef vedette aux créations hors du commun

---

BABBO Plan p. 448 *Italien $$$*
☎ 212-777-0303 ; 110 Waverly Pl à hauteur de MacDougal St ; dîner ; A, B, C, D, E, F, V jusqu'à W 4th St

Le célèbre chef Mario Batali, un rouquin au sourire espiègle dont l'empire s'est étendu pour inclure le Lupa à Soho, l'Esca dans le Theater District, l'Otto Enoteca Pizzeria dans le Village, la Casa Mono/Bar Jamon à Gramercy, le Del Posto dans le Meatpacking District et le Bistro du Vent dans Midtown, est sans doute plus connu pour ce restaurant-ci – le premier qu'il ait ouvert à New York. La salle à deux niveaux, dans une maison romantique du Village, est toute vibrante de l'excitation de ses fans et du rock'n'roll qui accompagne les repas. La critique ne tarit pas d'éloges sur sa cuisine (végétariens s'abstenir) où l'on relève, entre autres, cervelle d'agneau au citron et à la sauge, raviolis de foie gras d'oie, pintade grillée et osso-buco pour deux. Réservez de bonne heure, sinon vous n'entrerez pas.

BLUE HILL Plan p. 448 *Américain $$$*
☎ 212-539-1776 ; 75 Washington Pl, entre 6th Ave et Washington Sq ; dîner ; A, B, C, D, E, F, V jusqu'à W 4th St

Une adresse pour les militants du Slow Food aux poches pleines, soit un restaurant haut de gamme sans faste inutile, où vous aurez l'assurance que tous les ingrédients sont frais et de saison. Le talent universellement reconnu du chef Dan Barber, originaire d'une famille de fermiers des Berkshires, Massachusetts, fait appel aux produits de sa région et à ceux des fermes de l'État de New York. Des légumes à peine relevés et d'une parfaite maturité rehaussent des pièces centrales telles que la morue cuite dans un court-bouillon aux amandes, le porc du Berkshire mijoté avec quatre sortes de haricots, et l'agneau nourri au fourrage aux haricots blancs et pommes de terre nouvelles. La salle à manger, légèrement en contrebas de la rue et située dans un bâtiment classé et pittoresque qui fut un bar clandestin, est calme et raffinée.

COLORS
Plan p. 449 *Éclectique international $$*
☎ 212-777-8443 ; 417 Lafayette St, entre Astor Pl et E 4th St ; 6 jusqu'à Astor Pl

Ouvert début 2006 par d'anciens employés du Window on the World qui ont formé une coopérative, ce restaurant est une forme d'hommage à leurs collègues, qui ont péri dans les tours le 11 septembre 2001. Cette délicate attention s'est traduite dans son thème universel, nombre de ses plats internationaux étant inspirés de recettes familiales. On y retrouve un seitan fumé au chutney d'abricot, de basilic et de pois cassés, et un ragoût de conque haïtien aux radis et mayonnaise au safran. La salle à manger, moderne, est ornée d'une grande mappemonde conçue par l'architecte d'intérieur du Maritime Hotel.

EN JAPANESE BRASSERIE
Plan p. 448 *Japonais moderne $$*
☎ 212-647-9196 ; 5 Hudson St à hauteur de Leroy St ; déj et dîner ; 1 jusqu'à Houston St

Un grand bar à sushis trône au centre de cet espace haut de plafond. L'étonnant décor et l'accueil exubérant des cuisiniers vous font tout de suite comprendre que vous venez d'entrer dans un endroit spécial. Les propositions de la carte sont sublimes : tempura de crabe des neiges avec avocat, morue noire en miso – le plus excitant étant sans doute la gamme des tofus archi-frais.

Où se restaurer **GREENWICH VILLAGE**

GOBO Plan p. 448   *Végétarien $$*

☎ 212-255-3242 ; 6th Ave, entre Waverly Pl et W 8th St ; 😋 déj et dîner ; Ⓜ A, B, C, D, E, F, V jusqu'à W 4th St

Un de ces rares endroits à clientèle herbivore, qui donne néanmoins l'impression de faire un vrai dîner, grâce à la lumière tamisée et à une fabuleuse carte des vins. Gobo plaît autant aux végétariens qu'aux amateurs de viande. Une carte complexe et créative fait un usage intelligent du seitan, du tofu et des légumes frais, et donne à choisir entre "petites rations", "petites assiettes" et "grandes assiettes" – le meilleur moyen pour commander une tonne de nourriture à partager entre amis. Parmi les plats fétiches, on notera les légumes aux pignons de pin enveloppés dans des feuilles de laitue, les nouilles au thé vert à la sauce bolognaise végétarienne, et le plateau de grésillantes croquettes de soja dans une sauce au poivre noir. Les desserts tirent magnifiquement parti du tofu et des édulcorants naturels.

MANNA BENTO Plan p. 448   *Coréen $*

☎ 212-473-6162 ; 289 Mercer St, entre Waverly Pl et 8th St ; 😋 lun-sam déj et dîner ; Ⓜ N, R jusqu'à 8th St-NYU

On risque facilement de passer à côté de cette perle rare et bien cachée, connue presque exclusivement des étudiants de l'université de New York que l'on voit penchés sur des assiettes fumantes tout en potassant leurs manuels, tandis qu'une charmante dame portant un petit bonnet blanc sert une cuisine familiale – légumes, tofu épicé, nouilles de soja et *kimchi* sur un édredon de riz blanc, pour 5 $ seulement, tous les après-midi.

WEST VILLAGE ET LE MEATPACKING DISTRICT

FLORENT

Plan p. 448   *"Diner" français $$*

☎ 212-989-5779 ; 69 Gansevoort St, entre Greenwich St et Washington St ; 😋 lun-mer petit déj et déj, ven-dim 24h/24 ; Ⓜ A, C, E jusqu'à 14th St ou L jusqu'à 8th Ave

Ce rendez-vous "cool", ouvert toute la nuit, a ouvert il y a bien longtemps dans le Meatpacking District. Aujourd'hui environné d'une multitude de concurrents, il reste très prisé des ouvriers et des résidents, ainsi que d'une nouvelle vague de touristes et de l'éternelle nuée de clubbeurs qui se précipitent à toute heure sur ses onglets, hamburgers, omelettes et côtes de porc. L'atmosphère est conviviale et, le week-end le plus proche du 14 Juillet, Florent colonise Gansevoort St pour un bal en plein air.

MI COCINA Plan p. 448   *Mexicain $$*

☎ 212-627-8273 ; 57 Jane à hauteur de Hudson St ; 😋 tlj dîner, sam-dim déj ; Ⓜ A, C, E jusqu'à 14th St ou L jusqu'à 8th Ave

Adresse festive et romantique, au joli décor mexicain, où goûter une cuisine traditionnelle haut de gamme, avec un rien de fusion, et des préparations expertes qui empruntent à toutes les régions et flirtent aussi avec le végétarisme (délicieuses enchiladas végétariennes garnies de bettes et d'une sauce tomate au piment, ragoût de courgettes et de maïs rehaussé d'un mélange de tomates grillées, fromage et coriandre). Les plats courants, tels le poulet grillé et les crevettes grillées, sont égayés d'origan mexicain, de vin blanc et de petites touches de guacamole et de crème aigre. Des tequilas de qualité supérieure donnent lieu à des cocktails fantastiques, et les desserts sont tout aussi fameux.

PARADOU Plan p. 448   *Bistrot français $$*

☎ 212-463-8345 ; 8 Little W 12th St, entre 9th Ave et Washington St ; 😋 dîner ; Ⓜ A, C, E jusqu'à 14th St ou L jusqu'à 8th Ave

Laissez la clientèle mode du Pastis de l'autre côté de la rue, et venez plutôt vous attabler dans ce petit bistrot agrémenté d'un jardin à l'arrière, rempli d'hortensias – une merveille au printemps. La petite salle, romantique à souhait, est parfaite toute l'année. Le personnel, qui assure un service bien rythmé, n'est pas avare en conseils et sert avec panache, crêpes au sarrasin, paninis et poisson grillé. Magnifique carte des vins, avec quantité d'options abordables et disponibles au verre, dans de mini-carafes individuelles.

Florent (ci-contre), une institution du Meatpacking District

SOY LUCK CLUB Plan p. 448 *Café diététique $*
☎ 212-229-9191 ; 115 Greenwich Ave à hauteur de
Jane St ; 🕙 lun-ven 7h-22h, sam-dim 9h-22h ;
🚇 A, C, E jusqu'à 14th St ou L jusqu'à 8th Ave
Lorsqu'il ouvrit ses portes, ce café semblait un
peu trop spécialisé pour pouvoir durer – le
soja n'est pas ce qu'il y a de plus séduisant
dans la gastronomie. Or, il est toujours, des
années après, un rendez-vous de quartier
pour clientèle branchée, qui apprécie le Wifi
gratuit, le soleil et le comptoir débordant d'en-
cas irrésistibles et de boissons innovantes.
Quantité de plats sont effectivement à base
de soja – en hors-d'œuvre, la crêpe de soja
(sans blé) au poulet et au fromage Fontina,
le sandwich à la salade de tofu et à l'avocat,
ou la salade de mesclun, edamame et noix de
soja –, mais beaucoup d'autres séduiront les
sojaphobes, comme les paninis, les salades et
les plats de brunch, dont certains contiennent
même de la viande. Tout est frais et savoureux, surtout les boissons de la maison à base
de lait de soja, chaud ou glacé, et mélangé à
du chocolat noir, du miel ou du gingembre.

SPICE MARKET Plan p. 448 *Sud-asiatique $$*
☎ 212-675-2322 ; 403 W 13th St à hauteur de
9th Ave ; 🕙 déj et dîner ; 🚇 A, C, E jusqu'à 14th St, L
jusqu'à 8th Ave
Fleuron de l'empire de Jean-Georges
Vongerichten, ce restaurant est devenu instan-
tanément un haut lieu du Meatpacking District
grâce à son décor de parc à thème qui déploie
une panoplie de murs sculptés et de pagodes
traditionnelles sur 1 100 m², et à sa cuisine qui

revisite avec humour les mets vendus dans
les rues d'Asie du Sud. Ainsi des nouilles aux
crevettes et aux œufs, curry de canard et steak
à la coriandre et au citron vert. De quoi exciter
les night-clubbeurs, mais, attention, l'endroit
n'est plus aussi "chaud" ces temps-ci, et la
foule, toujours présente, est plutôt constituée
de touristes… Mais il n'y a rien de mal à cela.

SPOTTED PIG Plan p. 448 *Cuisine de pub $$*
☎ 212-620-0393 ; 314 W 11th St à hauteur de
Greenwich St ; 🕙 déj et dîner jusqu'à 2h du matin ;
🚇 A, C, E jusqu'à 14th St ou L jusqu'à 8th Ave
Autre apparition soudaine, ce petit pub
situé dans un coin romantique et résidentiel
du West Village connaît un franc succès. La
clientèle adore le mélange haut de gamme
de cuisines italienne, anglaise et irlandaise. Au
lieu du célèbre *bangers and mash* (saucisses-
purée), on vous servira du saumon grillé et
des légumes bio, du foie de veau aux oignons
grillé au barbecue, une salade de potiron grillé
aux pignons de pin, ou l'inévitable hamburger
juteux (cependant au-dessus de la moyenne).
À déguster avec une bière brune bien fraîche
et vous passerez une délicieuse soirée.

TAÏM Plan p. 448 *Israélien $*
☎ 212-691-1287 ; 222 Waverly St, entre Perry St et
W 11th St ; 🕙 déj et dîner ; 🚇 1, 2, 3 jusqu'à 14th St
Toutes les cuisines moyen-orientales ne se
ressemblent pas, et ce petit débit de falafels
en fait la démonstration avec ses salades
et légumes frais, et ses falafels diversement
relevés (au persil et à la menthe, au poivron

À L'HEURE DU BRUNCH

- **Amy Ruth's** (p. 253) – Mélangez du poulet et des gaufres et du gospel live et vous obtenez un établissement phare de Harlem.
- **Balthazar** (p. 230) – Gaufres aux noisettes et à la crème, saumon fumé à la crème fraîche et brioche, boissons anti-gueule de bois comme le puissant Ramos Fizz… Qui dit mieux ?
- **Elmo** (p. 242) – Des classiques très bien faits – omelettes, steak et œufs, crêpes au beurre – et des assiettes de fruits pour la diététique.
- **Mana** (p. 250) – Les végétariens lassés de manger des toasts secs à la place d'omelettes se régaleront de gaufres aux céréales, de poêlées de tofu et de porridge crémeux au riz.
- **Mi Cocina** (p. 240) – Quelque chose de complètement différent, comme les *chilaquiles verdes*, des lanières de poulet, tortillas et fromage, ou le *menudo*, traditionnelle potée anti-gueule de bois de tripes à la bouillie de semoule de maïs.
- **Park Terrace Bistro** (p. 254) – Le bout du monde (ou du moins de Manhattan) avec un cadre marocain et un choix éclectique : lanières de porc ou crêpes aux myrtilles.
- **Picnic Market and Café** (p. 251) – La nouvelle perle de l'Upper West Side pour les amateurs de pain perdu et de *frittatas* (tartelettes sans pâte).
- **Prune** (p. 238) – Il n'y en a que pour les neuf variétés de Bloody Mary sur-décorés, mais les huîtres, le saumon fumé, les pâtisseries fraîches et la clientèle branchée ne sont pas mal non plus.

rouge grillé ou à l'harissa). Les boulettes frites sont servies dans une pain pita garni de sauce *tahini* et d'une généreuse portion de salade israélienne, ou sur une assiette. Parmi les salades rafraîchissantes, figurent celle de carotte à l'ail et au cumin, et celle de betteraves marinées. Mais on ne saurait dire ce qui est le le meilleur : les *smoothies* (boisson à base de fruits frais, de yaourt et de glace pilée) aux saveurs exotiques (dattes ou tamarin), ou la clientèle d'habitués israéliens qui viennent discuter en hébreu avec le charmant personnel ?

CHELSEA

Ce quartier est l'un des derniers rendez-vous de gourmets apparus à New York, très varié dans son offre de cuisines et ses prix. Si toutes les régions du monde sont représentées, vous remarquerez rapidement que la note dominante est américaine avec, plus particulièrement, des hamburgers et des petits bistrots gastronomiques. Si Elmo (p. 242) est l'un des meilleurs, le nombre de ces hybrides de bar chic et de petit restaurant a explosé au cours des deux dernières années, dans le sillage du Food Bar, du Diner 24 et du Cafeteria. Vous les verrez tous en vous promenant autour de Seventh Ave et Eighth Ave. Entrez pour prendre un cocktail, le spectacle en vaut la peine.

AMUSE Plan p. 446   *Créatif américain $$*
☎ 212-929-9755 ; 108 W 18th St, entre 6th Ave et 7th Ave ; 🕑 déj et dîner ; Ⓜ 1 jusqu'à 18th St
Logé dans une longue salle ponctuée d'une profusion de rétroéclairages et de canapés disposés tout autour, Amuse se plaît à ajouter des touches d'innovation à des standards américains, au grand bonheur de la clientèle qui vient dîner après le spectacle. En hors-d'œuvre, les sandwichs de *pulled pork* (porc fumé émietté) sont relevés au cumin, les frites servies avec de l'aïoli au chipotle. En plat de résistance, nous vous conseillons les *cavatelli* à la ricotta avec chanterelles et *cima di rapa* (le meilleur choix pour les végétariens), et un succulent carré d'agneau avec un gratin de pommes de terre.

BETTER BURGER
Plan p. 446   *Hamburger bio $*
☎ 212-989-6688 ; www.betterburger.nyc.com ; 178 8th Ave à hauteur de W 19th St ; 🕑 déj et dîner ; Ⓜ A, C, E jusqu'à 14th St ou 1 jusqu'à 18th St
Très apprécié des jeunes hommes musclés (et adeptes des protéines) du quartier,

Better Burger est une brillante mise à jour de la vieille formule du hamburger. Ce fast-food ne propose que du bio sans hormones : bœuf, autruche, dinde, poulet, thon, soja ou purée de légumes. Le tout disposé sur de petits pains au blé complet faits maison et garnis de "tomato zest", une variante raffinée du ketchup. Pour vous faire plaisir, complétez avec une portion de "frites" cuites à l'air pulsé – tellement délicieuses que vous jureriez qu'elles ont été cuites dans la graisse –, un gâteau ou une bière en bouteille. La chaîne se développe rapidement, avec des succursales à Midtown, Murray Hill et Upper East Side (adresses sur le site Internet).

BLOSSOM Plan p. 446   *Végétarien $$*
☎ 212-627-1144 ; 187 9th Ave, entre W 21st St et W 22nd St ; 🕑 déj et dîner ; Ⓜ C, E jusqu'à 23rd St
Chelsea regorge de restaurants américains qui aiment innover avec la viande, mais le végétarisme n'y est guère à la mode. Toute nouvelle adresse, Blossom voudrait inverser la tendance. Logé dans une maison typique du quartier et dirigé par une équipe créative (mari et femme), le simple bar à jus de fruits qu'il est pendant la journée se transforme le soir en un restaurant d'ambiance, éclairé aux chandelles et chauffé par une cheminée. C'est alors qu'il révèle tous ses charmes. La carte parcourt la terre entière, pour la plus grande joie des papilles. On goûtera ainsi aux gnocchis au potiron et champignons sauvages à la saveur délicatement sucrée, ou au tofu *fra diablo* qui accompagne la pâte de soja d'une sauce tomate épicée et de *cima di rapa* (pousses de navets). Pour finir : gâteau à la ganache au chocolat ou crêpe à l'ananas.

ELMO Plan p. 446   *Américain $$*
☎ 212-337-8000 ; 156 7th Ave, entre W 19th St et W 20th St ; 🕑 11h-23h ; Ⓜ 1 jusqu'à 18th St
Un des nombreux épicentres de la vie gay du quartier, où les garçons viennent reprendre des forces après une nuit en boîte et avant une séance de muscu, ou vice versa. Elmo fait partie de la grande famille des petits restaurants à ambiance night-club (il possède un vrai bar discothèque avec un programme de soirées, au sous-sol). L'endroit est séduisant, avec ses hauts plafonds, son éclairage tamisé, ses canapés et sa façade en porte de garage qui s'ouvre en grand sur la rue, quand arrive le printemps. Les versions de plats simples et familiaux qu'on y sert – *meatloaf*,

poulet frit, *mac 'n' cheese* (à la Fontina et au gruyère), moules (à la tequila) et grandes salades – sont vraiment toutes délicieuses. Sans oublier de charmants (et beaux) serveurs et une clientèle tout aussi agréable.

SUEÑOS Plan p. 446 *Mexicain $$*
☎ 212-243-1333 ; 311 W 17th St ; 🕑 mar-dim dîner ; Ⓜ A, C, E jusqu'à 8th Ave ou 1 jusqu'à 18th St

La chef et propriétaire, Sue Torres, qui dirige également, dans les environs, le célèbre Rocking Horse Café, annonce fièrement que son espace aux vives couleurs est un authentique restaurant mexicain. Si cette prétention paraît contestable au vu des empanadas au fromage de chèvre et de la "dame tortilla" qui prépare à la chaîne des pains ronds de farine de maïs sur une estrade d'angle digne d'un DJ, son aristocratique cuisine fusion n'en est pas moins délicieuse. Les quesadillas au *huitlacoche,* une moisissure de maïs hyper-tendance et populaire dans le nord du Mexique, tout comme le vivaneau à la poêle avec une sauce à la mangue, vous laisseront des souvenirs. Réservez de bonne heure.

TÍA POL Plan p. 446 *Tapas espagnoles $$*
☎ 212-675-8805 ; 205 10th Ave, entre W 22nd St et W 23rd St ; 🕑 mar-dim dîner ; Ⓜ C, E jusqu'à 23rd St

Ce petit bout de bar à tapas des plus authentiques et des plus romantiques est une vraie perle. Une foule d'habitués se bouscule au bar en attendant que se libère une des six tables de la salle à manger. Arrivez le plus tôt possible et vous n'attendrez peut-être qu'une demi-heure en grignotant des tortillas arrosées de vin rouge. Tout est délicieux : la salade verte au thon, la *bruschetta* à la purée de haricots de Lima et la poêlée de coques et de couteaux. Si vous passez dans le quartier, un arrêt chez Tía Pol s'impose.

UNION SQUARE, FLATIRON DISTRICT, GRAMERCY PARK ET MURRAY HILL

Véritable repaire de restaurants, ce quartier aux multiples noms s'étend de E 14th St jusqu'au milieu des trentièmes rues. Sa grande attraction culinaire est l'Union Sq Greenmarket, un marché de primeurs qui se tient les lundis, mercredis, vendredis et samedis (voir l'encadré p. 146). Les chefs, professionnels et amateurs, viennent s'y approvisionner en produits fermiers provenant de l'État de New York et glaner des idées de plats. Même si aucune cuisine ne vous attend, il est distrayant de se promener devant les stands et de goûter ici ou là à un échantillon de fromage ou de pain. Outre ce carré de verdure, on trouvera, ici aussi, une vraie richesse gastronomique à tous les prix. Lexington Ave, en haut des vingtièmes rues, est connue sous le nom de Curry Hill, en raison de l'abondance d'établissements servant de la cuisine indienne méridionale, végétarienne et kasher. Choisissez l'endroit qui vous tente, et bon appétit !

FAITES VOTRE MARCHÉ

Outre les restaurants, New York regorge de fabuleux marchés qui vendent produits frais ou cuisinés à des prix raisonnables. Les plus intéressants se situent dans les quartiers ethniques, comme Chinatown, le "croissant fertile" des boutiques moyen-orientales de Brooklyn Height, le Little India de Jackson Heights ou l'enclave russe de Brighton Beach. Les épiceries coréennes, omniprésentes dans la ville, offrent des prix imbattables et proposent, 24h/24, des comptoirs de salades ou de plats chauds. Voici quelques autres lieux à découvrir dans Manhattan.

Chelsea Market (plan p. 446 ; www.chelseamarket.com ; 75 9th Ave, entre 15th St et 16th St ; Ⓢ A, C, E jusqu'à 14 St ou L jusqu'à 8th Ave) Vins, gâteaux, fromages et autres mets délicats (voir p. 142).

Dean & DeLuca (plan p. 450 ; ☎ 212-226-6800 ; www.deananddeluca.com ; 560 Broadway à hauteur de Prince St ; Ⓢ R, W jusqu'à Prince St ; plan p. 448 ; ☎ 212-473-1908 ; 75 University Pl ; Ⓢ L, N, Q, R, W, 4, 5, 6 jusqu'à 14th St-Union Sq) Produits de grande qualité, chocolats, gâteaux, fromages et plats cuisinés à des prix exorbitants.

Fairway (plan p. 454 ; ☎ 212-595-1888 ; www.fairwaymarket.com ; 2127 Broadway à hauteur de 74th St ; plan p. 458 ; ☎ 212-234-3883 ; 2328 12th Ave à hauteur de 132nd St) Aux deux adresses, très grand choix de produits du monde entier, mais le marché de Harlem est plus grand et dispose d'une "chambre froide" de 1 000 m² où faire ses emplettes de viande, de fleurs et de produits laitiers en portant un gilet spécial.

Gourmet Garage (plan p. 450 ; ☎ 212-941-5850 ; www.gourmetgarage.com ; 453 Broome St à hauteur de Mercer St) Autres adresses (voir plan p. 454), chacune de taille différente, mais la qualité est partout exemplaire – surtout les olives en gros et les plats cuisinés.

Kalustyan's (plan p. 452 ; ☎ 212-685-3451 ; www.kalustyans.com ; 123 Lexington Ave à hauteur de 28th St) Boutique intime mais néanmoins très complète, remplie de produits d'épicerie fine indienne : épices, chutneys, produits rares (feuilles fraîches de curry), pains, haricots secs et huiles.

Whole Foods (plan p. 452 ; ☎ 212-924-5969 ; www.wholefoodsmarket.com ; 250 7th Ave à hauteur de 24th St ; plan p. 284 ; ☎ 212-823-9600 ; Time Warner Center, Columbus Circle ; plan p. 446 ; ☎ 212-673-5388 ; 4 Union Sq S) Envahissent le marché, dans l'indifférence générale, semble-t-il. Des kilomètres de produits bio.

Zabar's (plan p. 454 ; ☎ 212-787-2000 ; www.zabars.com ; 2245 Broadway à hauteur de W 80th St) Une institution de l'Upper West Side. On vient de toute la région de New York pour les fromages fins, les gâteaux divins, le café en grain et les plats cuisinés juifs.

ARTISANAL Plan p. 452   *Français $$$*
☎ 212-725-8585 ; 2 Park Ave S à hauteur de E 32nd St ; ⓧ déj et dîner ; Ⓢ 6 jusqu'à 33rd St

C'est dans une somptueuse salle Art déco que l'on vient ici savourer une cuisine de bistrot raffinée axée sur le fromage. La carte en propose 250 sortes, du plus doux au plus fort, conservés dans une réserve dont l'odeur pénétrante vous accueille dès l'entrée. "Si le fromage est une religion, a écrit un critique gastronomique du magazine *New York,* son Balthazar est venu déposer ses offrandes à Midtown." Les assiettes de fromage et les fondues sont naturellement les grandes spécialités du lieu, auxquelles s'ajoutent quelques plats très bien exécutés comme le risotto à l'artichaut, la morue en croûte d'olives et l'inévitable steak au poivre.

CHENNAI GARDEN
Plan p. 452   *Indien kasher $*
☎ 212-689-1999 ; 129 E 27th St, entre Park Ave S et Lexington Ave ; ⓧ déj et dîner ; Ⓢ 6 jusqu'à 28th St

Les anciens propriétaires du Madras Mahal (aujourd'hui disparu), qui fut un pionnier de la mode indienne méridionale kasher dans ce quartier, sont revenus à New York après un passage à Miami, et leur formule est à nouveau un succès. À côté des longues et fines *dosas* (crêpes de riz) fourrées de mélanges épicés à base de pommes de terre et de petits pois, des *utthappams* (crêpes de riz plus épaisses parsemées de légumes et d'herbes), des gâteaux à la vapeur *idli* et des *bhel poori* – deux mets omniprésents dans les rues d'Inde du Sud – à base de riz et de pois chiches, on trouvera des plats plus convenus d'Inde du Nord, comme des curries. L'intérieur est lumineux et bourdonnant, surtout le midi, à l'heure du célèbre buffet qui donne droit, moyennant 6 $, à reprendre encore et encore de tous les plats.

CITY BAKERY Plan p. 446   *Café $$*
☎ 212-366-1414 ; 3 W 18th St, entre 5th Ave et 6th Ave ; ⓧ déj et dîner ; Ⓢ L, N, Q, R, W, 4, 5, 6 jusqu'à 14th St-Union Sq

Idéal pour marquer une pause après un tour au Greenmarket de Union Square (voir l'encadré p. 146). Bien qu'un peu chères, les salades valent le détour : *yuba* (peau du tofu), betteraves cuites, poulet grillé et pois gourmands, graines de soja et chou. Hormis à l'heure du déjeuner, on trouve facilement une place aux nombreuses tables qui entourent l'espace. Après une formule aussi diététique, vous pourrez vous autoriser un dessert : cookies aux pépites de chocolat, ou chocolat chaud bien épais, accompagné de marshmallows maison.

FLEUR DE SEL
Plan p. 446   *Français $$$*
☎ 212-460-9100 ; 5 E 20th St, entre Broadway et 5th Ave ; ◷ déj et dîner ; Ⓡ R, W jusqu'à 23rd St

Superstar de la scène culinaire new-yorkaise, le chef breton Cyril Renaud a rehaussé sa salle à manger aux murs de brique et nappes blanches de ses propres aquarelles. Une fois à table, vous découvrirez une carte des vins ponctuée de grands crus et une liste de chefs-d'œuvre d'inspiration française. La salade de homard avec mayonnaise à la truffe noire, les raviolis aux artichauts et fromage de chèvre, le bar en croûte de pomme de terre et la côte de porc à la canne à sucre – pour ne citer que des hors-d'œuvre – ne sont pas seulement délicieux ; un chef aussi artiste a su en faire des morceaux de sculpture comestible d'une irréprochable présentation. Clientèle impeccable et fortunée, comme il se doit.

PURE FOOD AND WINE
Plan p. 446   *Produits crus/végétarien $$*
☎ 212-477-1010 ; 54 Irving Pl, entre E 17th St et E 18th St ; ◷ dîner ; Ⓛ L, N, Q, R, W, 4, 5, 6 jusqu'à 14th St-Union Sq

Ici, le "chef" (la cuisine n'a pas de four) a réussi l'impossible : réaliser des préparations comestibles exquises et créatives, uniquement à base de produits organiques crus passés au mixeur et au déshydrateur – et entre les mains expertes des cuisiniers. Le résultat est original, frais et désarmant de saveur. Les lasagnes à la tomate et aux courgettes (sans pâte ni fromage), les sushis au champignon, avocat et gingembre, et les raviolis aux chanterelles, olives et ricotta dans une sauce à l'huile de pistache et crème de noix de macadamia nous ont impressionnés. La salle à manger est rutilante et festive et, en été, on peut s'installer à une table du jardin.

SHAKE SHACK
Plan p. 452   *Fast-food $*
☎ 212-889-6600 ; Madison Sq Park, E 23rd St à hauteur de Madison Ave ; ◷ avr-sept déj et dîner ; Ⓡ R, W, 6 jusqu'à 23rd St

En forme de cube argenté, cette "cabane" rétro à hamburgers et milk-shakes est la dernière contribution à l'embellissement de Madison Sq Park. Avec son chic architectural, ses tables en terrasse et sa cuisine de routier frappée d'un coup de baguette magique par le restaurateur Danny Meyer, voilà un endroit branché où il fait bon passer au printemps et en été. Au programme : hamburger au fromage ou aux champignons, hot dog gourmet au bœuf ou au poulet-pomme, frites, milk-shakes et *custard* glacée, aux parfums raffinés.

TABLA
Plan p. 452   *Fusion indien-américain $$-$$$*
☎ 212-889-0667 ; 11 Madison Ave à hauteur de 25th St ; ◷ lun-ven déj, tlj dîner ; Ⓡ R, W, 6 jusqu'à 23rd St

Un espace de lumière et d'arômes enchanteurs, avec quelques tables donnant sur le paisible Madison Sq Park, vous attend en haut d'un majestueux escalier. Toutes les créations du chef Floyd Cardoz, élevé à Goa et formé en

Whole Foods (voir l'encadré ci-contre) : ici tout est bio

Les gourmets ont un lieu de pèlerinage : Zabar's (p. 244)

France, rayonnent d'intelligence et d'amour (homard aux haricots verts dans un curry de coco, aux brochettes de champignons des bois et fenouil braisé) et sont servies avec des ornements de fruits ou de fleurs. Les desserts, comme le *kulfi* (glace) à la vanille de Tahiti ou le fromage blanc aux figues grillées et coings pochés, s'avèrent incomparables. Au rez-de-chaussée, le Bread Bar propose des plats indiens traditionnels (viandes tandoori, curries, naan) tout aussi bons, dans une atmosphère plus décontractée et branchée.

MIDTOWN
MIDTOWN EAST

AL BUSTAN Plan p. 452   *Libanais $$$*
☎ 212-759-5933 ; 827 3rd Ave, entre E 50th St et E 51st St ; ⏳ déj et dîner ; Ⓔ E, V jusqu'à Lexington Ave-53rd St, 6 jusqu'à 51st St

Si votre contact avec la cuisine moyen-orientale se limite encore à un falafel avalé rapidement dans un petit restaurant bondé, un repas chez Al Bustan s'impose. La vraie salle à manger, ornée d'une fresque, est remplie de dîneurs tirés à quatre épingles

246

qui savent ce qu'est un vrai hoummous – et un poulet grillé, et un *kibbeh* (tartare) d'agneau, et un sauté de caille, et un tagine épicé de vivaneau… Et, pour terminer : un baklava bien feuilleté – c'est le meilleur goût que puisse avoir actuellement la paix au Moyen-Orient.

CHO DANG GOI Plan p. 452   *Coréen $$*
☎ 212-695-8222 ; 55 W 35th St, entre 5th Ave et 6th Ave ; ⏳ déj et dîner ; Ⓔ B, D, F, N, Q, R, V, W jusqu'à 34th St-Herald Sq

Les jeunes Coréens affluent dans ce restaurant authentique situé au cœur du Koreatown en pleine expansion de Midtown, pour y prendre des repas remplis de petits morceaux du tofu maison. On y réussit très bien également les traditionnels *bibimbops* (plats de riz, de légumes et/ou de viande servis avec un œuf au plat), les plats de riz gluant et les fricassées de porc, de même que les mini-assiettes de *kimchi* (y compris un tas de tout petits poissons séchés) dont vous serez régalé avant le début du repas. Un voyage en un lointain pays, à deux pas du très américain Macy's.

DAWAT Plan p. 452   *Indien $$*
☎ 212-355-7555 ; 210 E 58th St, entre 2nd Ave et 3rd Ave ; ⏳ lun-sam déj, tlj dîner ; Ⓔ N, R, W jusqu'à Lexington Ave-59th St

La célèbre chef Madhur Jaffrey, auteur de livres de cuisine et actrice, dirige cet avant-poste du paradis qui transforme les plats traditionnels indiens, tels les *bhajia* (sorte de beignets) aux épinards ou les curries de poisson, en purs chefs-d'œuvre exotiques foisonnant d'invention. Le bar et les côtes d'agneau sont délicatement marinés dans divers mélanges au yaourt, aux graines de moutarde, au safran et au gingembre. Les desserts à la cardamome permettent

TIME WARNER CENTER : L'ARME ALIMENTAIRE

Le clinquant Time Warner Center (p. 153), un complexe vertical de boutiques, de salles de spectacle, de bureaux et d'habitations qui domine Central Park, à Columbus Circle, renferme non pas un mais sept restaurants du plus grand luxe, tenus par des célébrités de la gastronomie. On retiendra notamment l'accueillant **Per Se** (plan p. 284 ; ☎ 212-823-9335), où la cuisine se veut américaine créative ; le **Café Gray** (plan p. 284 ; ☎ 212-823-6338), où Gray Kunz, maître de la fusion franco-asiatique, règne sur une cuisine ouverte sur la salle ; et **Masa** (plan p. 284 ; ☎ 212-823-9800), temple de la cuisine japonaise au prix démentiel (dans les 300 $/pers).

de terminer le repas en toute légèreté. La salle à manger est sobre et soignée, et la clientèle un peu vieux jeu (le quartier en est la cause).

MODERN
Plan p. 452   *Franco-américain* $$-$$$
☎ 212-333-1220 ; Museum of Modern Art, 9 W 53rd St, entre 5th Ave et 6th Ave ; 🍽 déj et dîner ; Ⓜ E, V jusqu'à 5th Ave-53rd St

Le nouveau MoMA s'est doté d'un restaurant de grand standing – une œuvre d'art en soi, tant sur le plan visuel que gastronomique. La salle aux murs vitrés, vaste et austère, est bordée d'un bar design rétroéclairé, qui donne sur un jardin de sculptures, d'où se déversent des flots de lumière dans l'après-midi. Le restaurant est relié à un café plus abordable, dans la mesure où les plats sont proposés en petites rations – d'où une clientèle plus jeune et plus branchée. L'un et l'autre sont toujours pleins d'une foule enthousiasmée par la cuisine de Gabriel Kreuther : risotto à l'aubergine, flétan poché à la réglisse, magret de canard à la marmelade de truffe noire, et autres savoureuses préparations. Au dessert, une promenade dans les nouvelles salles du musée s'impose. Vous ne pouviez pas mieux tomber.

OMS/B
Plan p. 452   *Japonais* $
☎ 212-922-9788 ; 156 E 45th St, entre Lexington Ave et 3rd Ave ; 🍽 lun-ven 8h30-19h30, sam 11h-19h ; Ⓜ S, 4, 5, 6, 7 jusqu'à Grand Central-42nd St

Vous vous apprêtez à sortir après un marathon de musées et de sites architecturaux ? Laissez tomber les fast-foods habituels pour cette oasis où l'on sert un plat spécial de pique-nique japonais : des boulettes de riz farcies appelées *omusubi*. Ici, elles sont triangulaires, enveloppées d'une feuille de nori et garnies de mets japonais (miettes de poisson, poulet teriyaki, prunes japonaises) ou autres (pastrami, crevettes grillées

et prosciutto). Les boissons, délicieuses, comprennent toute une gamme de thés propices à la sérénité.

MIDTOWN WEST ET LE THEATER DISTRICT

Pizzerias, pubs irlandais et restaurants de spécialités étrangères de gamme moyenne remplissent les rues adjacentes à Times Sq. Il n'y a pas si longtemps, il était assez difficile de trouver un endroit correct où dîner, avant ou après le spectacle. Heureusement, les bons restaurateurs sont de plus en plus nombreux à se placer sur ce créneau, au point que le quartier est aussi devenu une destination de soirée au restaurant, sans théâtre.

DB BISTRO MODERNE
Plan p. 284   *Français* $$$
☎ 212-391-2400 ; 55 W 44th St à hauteur de Broadway ; 🍽 lun-sam déj, tlj dîner ; Ⓜ N, R, S, W, 1, 2, 3, 7 jusqu'à Times Sq-42nd St

Jetez un coup d'œil à la travers la vitrine de ce restaurant en plein cœur de Times Sq, et vous verrez que s'y déroule la fête qui vous paraîtra bien tentante. C'est celle que le magicien de la restauration Daniel Boulud, créateur entre autres du Café Boulud et de la Daniel Boulud Brasserie, a préparée pour vous. Au milieu de toutes ces façades tapageuses, l'endroit tranche par son raffinement, avec un intérieur résolument moderne – rideaux à perles, murs en plâtre rouge et plafond recouvert de tissu – et la foule élégante qui va avec. Tout cela est tellement sympathique que la cuisine pourrait passer au second plan. Ce qui n'est pas le cas. La bisque de homard, le thon grillé, le ragoût de chevreuil et l'indécent hamburger DB – aloyau grillé, farci de bouts de côte, foie gras et truffe noire braisés, à 29 $ – sont vraiment, vraiment bons (et vraiment caloriques).

CUISINE AMBULANTE

En plus du chapelet infini de pizzerias et de débits de falafels, une multitude de vendeurs de rue proposent des en-cas qu'ils préparent sur leurs cuisinières à roulettes. Si certains sont universels, comme les hot dogs, d'autres sont particuliers à certains quartiers. Voici, ci-dessous, un guide sommaire de la restauration ambulante :

- **Doughnuts et café** – Avec le lever du jour apparaissent les vendeurs de beignets sucrés, de café et même de bagels prébeurrés ; rien ne coûte plus d'un dollar.
- **Kebabs et falafels** – Omniprésents, surtout dans le quartier des bureaux de Midtown et des commerces de Soho (sur Broadway, notamment, entre Houston St et Lafayette St) ; savoureux.
- **Marrons grillés** – Un délice saisonnier qu'on voit apparaître partout en ville autour de Noël.
- **Soupe** – Potage épais au maïs, bisque de homard et velouté de pommes de terre sont vendus dans toute la ville, mais surtout à Soho (Prince St et Mercer St) et Midtown (34th St à hauteur de 9th Ave, en hors-d'œuvre).
- **Tacos** – Quelques-unes des meilleures spécialités mexicaines – tacos, *tortas* (sandwichs) et *horchatas* (boissons fraîches à l'eau de riz) – sont préparées dans des camions stationnés à des croisements de rues dans l'Upper West Side – comme celui de 98th St et Broadway, et celui de 104th St et Broadway. Ouvrez l'œil le matin également (dans le même quartier) : des femmes portant de petites glacières vendent des *tamales* maison et de l'*atole* fumant (lait de riz chaud et parfumé).
- **Gâteaux de taro** – Une multitude de petits mets chinois gras et délicieux sont vendus dans les rues de Chinatown (boulettes de poisson et travers de porc), mais ces cubes moelleux de purée de taro sont les plus goûteux.

RUSSIAN SAMOVAR

Plan p. 284   *Russe $$*
☎ 212-757-0168 ; 256 W 52nd St, entre Broadway et 8th Ave ; ◷ mar-sam déj, tlj dîner ; Ⓜ C, E, 1 jusqu'à 50th St

Le copropriétaire, Mikhail Baryshnikov, n'est pas le seul attrait de ce restaurant spécialisé dans le poulet à la Kiev. Russes et russophiles se pressent dans cette salle à manger authentique et distinguée, ornée de lampes suspendues à franges, où des musiciens viennent jouer certains soirs. Les hors-d'œuvre de caviar et blinis, ou de saumon fumé, fondent dans la bouche ; le carré d'agneau ou le steak grillé sont succulents et le poulet à la Kiev parfumé à l'aneth et aux graines de moutarde est la manière la plus exquise de préparer ce plat. Le tout sera arrosé d'un traditionnel thé à la cerise.

SOUL FIXINS

Plan p. 452   *Cuisine sudiste $*
☎ 212-736-1345 ; 371 W 34th St à hauteur de 9th Ave ; ◷ petit déj, déj et dîner ; Ⓜ A, C, E jusqu'à 34th St-Penn Station

Petit restaurant chaud et humide par n'importe quel temps en raison des marmites de chou, de *mac 'n' cheese*, d'ignames confites et autres spécialités du Sud qui mijotent à longueur de journée. Au petit déjeuner, offrez-vous, pour 5 $, un plat de poisson ou d'œufs au gruau de maïs, et à midi, goûtez à tous les légumes en prenant une assiette combinée. Le soir, les prix et le choix sont plus variés : poulet ou côtes de bœuf sauce barbecue, *meatloaf* et copieuses rations de poulet et de boulettes. Les habitués travaillent dans le quartier et ne s'attardent pas mais rien ne vous empêche de prendre votre temps.

VIRGIL'S REAL BARBECUE

Plan p. 284   *Barbecue sudiste $$*
☎ 212-921-9494 ; 152 W 44th St, entre Broadway et 8th Ave ; ◷ déj et dîner ; Ⓜ N, R, S, W, 1, 2, 3, 7 jusqu'à Times Sq-42nd St

Il n'y a encore pas si longtemps, deux grandes cuisines faisaient cruellement défaut à New York : la mexicaine, qui a récemment connu une véritable explosion dans tous les quartiers de la ville, et l'authentique barbecue sudiste. Si ce n'est pas encore l'invasion, le fait que des lieux comme le Virgil's existent donne des raisons d'espérer aux expatriés du Sud des États-Unis. Plutôt que de se spécialiser dans un type particulier de barbecues, lesquels varient selon la région par la viande et la sauce, l'établissement les met tous à l'honneur : *Oklahoma State Fair corndogs* (brochettes de saucisses), *pulled Carolina pork* (lanières de porc), sandwichs au jambon fumé du Maryland, et grandes assiettes de *sliced Texas beef brisket* (poitrine de bœuf) et de *Georgia chicken-fried steak* (côte de bœuf panée). Les viandes sont fumées avec un mélange de hickory (noyer blanc d'Amérique), de chêne et de bois fruitiers.

HELL'S KITCHEN

Jusqu'alors peu versé dans la gastronomie, Hell's Kitchen (également dénommé Clinton) est en train de rattraper son surnom et de se doter d'une véritable scène culinaire. À côté des vieux classiques bon marché, une nouvelle cuisine américaine y fait son apparition, grâce à la proximité de Chelsea et à la mise en valeur des zones à l'ouest de Ninth Ave. En remontant cette avenue, vous trouverez toutes sortes de points de vente de produits régionaux, allant des épices moyen-orientales aux fromages amish.

CUPCAKE CAFÉ Plan p. 284   *Café $*
☎ 212-465-1530 ; 522 9th Ave ; ☽ lun-ven 7h-19h, sam 8h-19h, dim 9h-17h ; ⓔ A, C, E jusqu'à 42nd St-Port Authority
Le spécialiste des *cupcakes* (petits gâteaux) artistiquement garnis d'un glaçage de crème au beurre, et un sympathique petit restaurant de quartier pour le petit déjeuner et le déjeuner. On y sert des menus variés : soupe-salade, potée épicée de haricots et de légumes ou quiche. Une succursale vient d'ouvrir au 18 W 18th St (entre 5th Ave et 6th Ave).

EATERY Plan p. 284   *Éclectique $$*
☎ 212-765-7080 ; 798 9th Ave à hauteur de W 53rd St ; ☽ lun-ven déj, sam-dim brunch, tlj dîner ; ⓔ C, E, 1 jusqu'à 50th Ste
Prenant exemple sur Chelsea et ses hybrides de bar et de restaurant, ce lieu chic et design mêle la techno et une carte variée de cuisine, vins et cocktails. Tâchez d'avoir une place sur la fabuleuse banquette d'angle en fer à cheval, mais soyez heureux si vous trouvez seulement une place. Le choix varie du club-sandwich au saumon, du *meatloaf* épicé au chipotle au filet mignon de porc glacé au rhum, à des plats plus exotiques comme la salade végétarienne de nouilles *udon* au tofu citronné, le poulet pékinois dans une sauce à la prune et au gingembre ou les bols d'eda-mame au sel de mer. Ajoutez-y une margarita à la pastèque, et la nuit s'annoncera sous les meilleurs auspices – dès lors que vous passez au bar, la table une fois débarrassée.

44½ Plan p. 284   *Américain $$*
☎ 212-399-4450 ; 626 10th Ave, entre W 44th St et W 45th St ; ☽ lun-sam déj et dîner ; ⓔ A, C, E jusqu'à 42nd St-Port Authority
Les propriétaires de l'étouffant Xth Ave Lounge et du chic et choc 44 & X, un restaurant pionnier dans ce quartier, ont ajouté ce joli petit café moderne à leurs possessions. On y sert des repas riches ou légers – bouillon de poulet toscan à l'*orzo* (orge) avec panini au jambon Forêt-Noire, par exemple, mais aussi assiette de risotto aux champignons des bois ou jarret d'agneau braisé – servis à table ou à l'agréable comptoir. Quand il fait beau, on peut manger à l'arrière, dans le jardin zen.

MARKET CAFÉ
Plan p. 284   *Américain créatif $$*
☎ 212-564-7350 ; 496 9th Ave, entre W 37th St et W 38th St ; ☽ lun-sam déj et dîner ; ⓔ A, C, E jusqu'à 34th St-Penn Station
Si les tables en Formica, les faïences blanches et les box bleu canard paraissent d'un autre temps, le service attentionné, les lustres en acier et la musique lounge ramènent dans un endroit branché de Downtown – sans parler de la carte : steak frites, morue grillée au bouillon de veau, salades vertes et fraîches. Le week-end, il n'est pas rare d'attendre, mais vous serez en bonne compagnie : pionnière en son temps, cette adresse est restée à la mode malgré la multiplication de l'offre dans le quartier.

MESKEREM Plan p. 284   *Éthiopien $$*
☎ 212-664-0520 ; 468 W 47th St, entre 9th Ave et 10th Ave ; ☽ déj et dîner ; ⓔ C, E jusqu'à 50th St
Situé dans une petite rue tranquille, l'endroit, de l'extérieur, n'a rien de très attirant : une salle faiblement éclairée qu'on pourrait prendre pour une gargote, n'étaient les quelques touches de décor africain. C'est pour la cuisine que l'on vient, comme le sait bien la clientèle de quartier assez mélangée qui le fréquente : grosses assiettes relevées de sauce *berbere* fortement épicée, accompagnées de pain plat, appelé *injera*, qui se dilate dans l'estomac. Les carnivores apprécieront les morceaux de bœuf à l'ail et la préparation de poulet aux œufs, tandis que les végétariens se régaleront de potées épicées de lentilles ou de pois chiches.

UPPER WEST SIDE

Allant du Lincoln Center dans les soixantièmes rues, aux soixante-dixièmes et quatre-vingtièmes rues, résidentielles et huppées, pour finir dans les quatre-vingt-dixièmes plus mélangées, ce très vaste quartier a toujours été riche en bons restaurants. Mais les gourmets n'auraient pas songé à en faire une de leurs destinations sans l'arrivée, il y a quelques années, du chef Tom Valenti, qui s'est lancé, avec Ouest (voir plus bas), dans une cuisine américaine créative détonnante. D'autres ont suivi, de sorte qu'aujourd'hui, le quartier n'a plus rien à envier aux autres.

BEARD PAPA'S

Plan p. 454   *Café/boulangerie $*
☎ 212-799-3770 ; 2167 Broadway à hauteur de W 75th St ; 🕑 10h-20h ; 🚇 1 jusqu'à 79th St
Si vous vous promenez dans Broadway, faites-vous plaisir avec un ou deux choux à la crème de chez Beard Papa's. Il faut voir ce curieux phénomène d'importation japonaise : les choux sont remplis à la chaîne, sous vos yeux, de crème aux parfums divers, de la vanille au thé vert. C'est fascinant. Le résultat est léger, délicieux et l'on ne peut plus s'arrêter. En outre, le décor jaune clair de la boutique vous met dans l'humeur adéquate.

CESCA Plan p. 454   *Italien $$$*
☎ 212-787-6300 ; 164 W 75th St, entre Columbus Ave et Amsterdam Ave ; 🕑 dîner ; 🚇 1, 2, 3, jusqu'à 72nd St
Tom Valenti, qui a mis l'Upper West Side gastronomique en ébullition avec Ouest, est passé de la France à l'Italie avec cet établissement. Dans un beau cadre rassurant (bois teints, candélabres et somptueuses banquettes en cuir), on dégustera maquereau, fricassée de poulet, gibier et raviolis, ainsi que d'astucieux antipasti, tels qu'artichauts nains marinés à la ricotta fraîche et mini-boulettes de veau et *pastina* (petites pâtes). L'impressionnante carte des vins compte surtout des crus italiens et un bon choix de vins au verre que l'on peut boire au bar, très classe, tout en grignotant des mets plus ordinaires (et abordables), tels qu'un bol de salade tiède au faro (blé).

COLUMBUS BAKERY

Plan p. 454   *Café/boulangerie $*
☎ 212-724-6880 ; 474 Columbus Ave, entre W 82nd St et W 83rd St ; 🕑 petit déj et déj ; 🚇 B, C jusqu'à 81st St-Museum of Natural History
Grande boulangerie-café d'atmosphère européenne, et un gros succès auprès de la population du quartier qui, tantôt passe en coup de vent prendre un café et un muffin, tantôt s'installe des heures durant devant une soupe maison, un bébé endormi (ou hurlant) dans une poussette à côté. C'est un endroit agréable pour récupérer après une exploration du quartier, et un bon fournisseur pour aller pique-niquer à Central Park. Les salades (de poulet à la sauce hoisin, ou de pois

chiches au fromage de chèvre), les sandwichs (au poulet grillé, poires pochées et cheddar, par exemple) et les produits de la boulangerie (comme le pain *pumpernickel* aux raisins secs, ou la brioche au chocolat) sont irrésistibles.

MANA

Plan p. 454   *Végétarien/macrobiotique $$*
☎ 212-787-1110 ; 646 Amsterdam Ave, entre W 91st St et W 92nd St ; 🕑 tlj déj et dîner, sam-dim brunch ; 🚇 1 jusqu'à 86th St
L'ambiance de propreté et de simplicité de cet établissement a séduit toute une population fan de diététique, qui apprécie ses repas purs et délicieux et son service accueillant. Légumes verts, céréales et haricots sont chaque jour différents, de même que les plats : potées d'inspiration asiatique, nouilles et même poisson bio. Le *vegetable gomae* (riche potée de légumes, seitan et tofu dans une sauce crémeuse à l'ail, miso et sésame) est une spécialité. On terminera en beauté avec un gâteau végétarien au chocolat, couplé à une tasse de succédané de café au sirop d'érable et lait de soja.

OUEST

Plan p. 454   *Franco-américain moderne $$$*
☎ 212-580-8700 ; 2315 Broadway, entre W 83rd St et W 84th St ; 🕑 tlj dîner, dim brunch ; 🚇 1 jusqu'à 86th St
Ouest est, de l'avis général, à l'origine de la révolution culinaire qui a balayé l'Upper West Side. Et l'on s'y bouscule toujours, chaque soir, pour avoir le privilège de déguster du gravlax (saumon mariné) sur une crêpe de pois chiche, au caviar et à l'huile de moutarde – une entrée stupéfiante, suivie, par exemple, du thon albacore poêlé aux riz et haricots marinés. On trouve aussi un curieux "lapin en trois façons" offrant la patte rôtie, le râble farci et roulé dans le bacon et un morceau confit, avec du citron et de la polenta blanche. Il y a aussi un plat du jour, tels des fruits de mer le lundi, et un steak le dimanche. Installez-vous et laissez-vous prendre par l'ambiance, des plus agréables.

PASHA Plan p. 454   *Turc $$*
☎ 212-579-8751 ; 70 W 71st St, entre Central Park W et Columbus Ave ; 🕑 tlj dîner, sam-dim brunch ; 🚇 B, C jusqu'à 72nd St
La cuisine gastronomique de ce nouveau-venu aux festifs murs rouges va bien au-delà des simples mezze d'aubergine grillée et de *cacik* (soupe froide au yaourt), qui sont d'excellentes entrées en matière. Passez à la vitesse supérieure avec des plats un peu moins conventionnels, tels les crêpes aux

courgettes et à l'aneth, le caviar rouge fouetté, le bar grillé aux tomates, persil et citron, ou le *sebzeli zuvec* végétarien (savoureux mélange de haricots verts, aubergines, courgettes, gombos, céleri-rave et tomates cuit dans une marmite en terre). Les desserts sont exquis et la sélection des vins et cocktails complète.

PICNIC MARKET & CAFÉ

Plan p. 454   *Français $$*
☎ 212-222-8222 ; 2665 Broadway, entre W 101st St et W 102nd St ; ☺ petit déj, déj et dîner ; ◉ 1 jusqu'à 103rd St

Créé par le même couple qui s'était distingué, il y a quelques années, en ouvrant la boulangerie Silver Moon Bakery, ce nouveau lieu a encore fait chavirer les gourmets du quartier, toujours avides de cuisine française. Sa joyeuse façade orange et son intérieur ensoleillé et haut de plafond attirent les passants. Une fois que vous aurez inspecté les mets à emporter bien rangés derrière des vitrines, vous n'aurez plus qu'une envie : les goûter. Le menu de saison change tous les jours, mais certains plats sont des spécialités : le magret de canard grillé au jus de menthe, la salade de tomates heirloom, et les sandwichs au fromage de chèvre pressé et à l'artichaut. Prenez place dans la salle austère mais confortable, essayez de trouver une table en terrasse ou faites provision de plats à emporter.

REGIONAL
Plan p. 454   *Italien $$*
☎ 212-666-1915 ; 2607 Broadway, entre W 98th St et W 99th St ; ☺ tlj dîner, sam-dim brunch ; ◉ 1, 2, 3 jusqu'à 96th St

Ouvert en 2005, le Regional, de style industriel chic avec une ambiance très Downtown, est le nouveau lieu branché du quartier – ce que l'on avait pas vu depuis longtemps. On y sert des assiettes grandes et petites de pas moins de 20 spécialités régionales italiennes. Artichaut farci, calamar épicé et nouilles garnies

d'un *ragu* de canard regorgent de saveurs et la carte des vins s'avère impressionnante. Il est amusant de manger au bar ou à l'une des six places de la table en vitrine, d'où regarder passer la foule sur Broadway.

THALIA CAFÉ
Plan p. 454   *Café $*
☎ 212-864-5400 ; Symphony Space, 2537 Broadway à hauteur de W 95th St ; ☺ tlj déj, sam-dim dîner ; ◉ 1, 2, 3 jusqu'à 96th St

Récente addition aux excellentes salles du Symphony Space (p. 283), ce petit joyau protégé par son entrée (dans une rue adjacente) est rarement bondé bien qu'il mérite de l'être. Il offre une variété de sièges, des petites tables en vitrine au canapé bas et confortable. Nourriture et boissons sont servis à un comptoir et comprennent des empanadas, des quiches, des salades, des gâteaux, un bon café et une gamme complète de thés en feuilles à infuser. Un rendez-vous d'artistes, de retraités qui mangent sur le pouce à midi et de mères avec enfants, tous saturés des Starbucks et compagnie qui ont envahi le quartier.

UPPER EAST SIDE

Ici se concentrent les rendez-vous de cadres dirigeants en costume cravate, où les conversations à voix basse et le service formel sont de rigueur. Mais le quartier recèle bien d'autres trésors turcs, belges ou new-yorkais d'antan, si l'on vous laissera entrer en jeans et débardeur si cela vous chante.

BEYOGLU
Plan p. 454   *Turc $$*
☎ 212-650-0850 ; 1431 Lexington Ave à hauteur de E 81st St ; ☺ déj et dîner ; ◉ 6 jusqu'à 77th St

Un des restaurants d'Orhan Yegen – sorte de salon plein de charme où la soupe au yaourt, les doner kebabs et les salades saupoudrées de feta sont raffinées et excellentes. Arrivez tôt pour avoir une bonne table. Assez proche du métro, il permet de terminer agréablement un après-midi culturel, c'est du moins ce pensent la clientèle locale et élégante et les visiteurs du Met qui le fréquentent. N'oubliez pas le petit verre de raki pour mettre de bonne humeur.

CANDLE CAFE
Plan p. 454   *Végétarien $$*
☎ 212-472-0970 ; 1307 3rd Ave, entre 74th St et 75th St ; ☺ déj et dîner ; ◉ 6 jusqu'à 77th St

Dans ce quartier "carnivore", le Candle est pris en sandwich entre un *steakhouse* populaire et un restaurant de hamburgers. Une clientèle

Lexington Candy Shop (ci-contre), 100% rétro cool

New Age fortunée fréquente cette petite boutique simple imprégnée de l'odeur du jus d'herbe de blé en vente à son bar à jus. L'offre de plats va du plus simple, telles les "good food plates" (assortiment sur mesure de légumes verts, racines, céréales et protéines à base de soja) aux préparations plus complexes, comme la très appréciée "paradise casserole", un mille-feuille de patates douces, de haricots noirs et de millet recouvert de sauce aux champignons. Les gâteaux végétariens sont étonnamment moelleux. Manifestement, la demande de nourriture diététique ne faiblit pas, car une succursale, un peu plus innovante, vient d'ouvrir, avec beaucoup de succès, à quelques rues de là : **Candle 79** (plan p. 454 ; ☎ 212-537-7179 ; 154 E 79th St à hauteur de Lexington Ave).

CENTRAL PARK BOATHOUSE
RESTAURANT Plan p. 454 *Poisson $$$*
☎ 212-517-2233 ; Central Park Lake, entrée par 5th Ave à hauteur de 72nd St ; ☽ tlj déj, sam-dim tte l'année brunch, tlj avr-nov dîner ; Ⓜ 6 jusqu'à 68th St
Quittez la ville pour rejoindre ce cadre magique au bord du lac, à 10 min de Fifth Ave. Le vieux hangar à bateaux du Loeb Boathouse est l'endroit idéal pour un repas tranquille et romantique, et la cuisine est de niveau supérieur. Les assiettes sont savoureuses et composées avec art – comme en témoigne, en hors-d'œuvre, le tartare de thon albacore disposé autour d'une sauce à la mangue et au jicama avec des copeaux de racine de lotus.

Parmi les autres plats de saison, nous avons relevé les gnocchis maison au chou-fleur en cuisson lente, pignons de pin et pesto, et un filet de porc poêlé aux oignons doux grillés. Réservez de bonne heure et demandez une table en terrasse, ou venez simplement au bar siroter un cocktail en faisant face au lac.

JO JO Plan p. 454 *Français $$$*
☎ 212-223-5656 ; 160 E 64th St, entre Lexington Ave et 3rd Ave ; ☽ déj et dîner ; Ⓜ 6 jusqu'à 68th St
Qui penserait que l'idée de ce restaurant, sis dans une demeure intime, a germé dans la tête de celui qui a imaginé cette caverne planante qu'est le Spice Market (p. 241), dans le Meatpacking District ? Mais Jean-Georges est un homme complet. En outre, il suffit de goûter à la nourriture pour reconnaître la touche d'un maître qui a revisité, à sa façon, les classiques de la cuisine française. Le foie gras est façonné à la manière d'une crème brûlée, les cubes de chevreuil sont relevés de graines de grenade, le poulet rôti est enseveli sous les olives vertes. Le gâteau au chocolat chaud Valrhona est, de l'avis général, le meilleur de la ville.

LE PAIN QUOTIDIEN
Plan p. 454 *Café/boulangerie $*
☎ 212-717-4800 ; 883 Lexington Ave à hauteur de 64th St ; ☽ petit déj, déj et dîner ; Ⓜ 6 jusqu'à 68th St-Hunter College
Appartenant à une chaîne de boulangeries belges de grand standing, voilà un endroit

252

parfait pour une pause devant une tasse d'épais chocolat chaud et un croissant. On peut aussi prendre des nourritures plus substantielles, comme un sandwich œuf salade aux câpres, et des tartines radis ricotta oignons blancs ou crevettes avocat. Restez un petit moment pour observer le défilé des locaux qui entrent ici ou pour simplement passer le temps, plongé dans la lecture du *New York Times*. L'endroit est facile à trouver, et il en existe un autre dans le quartier, au 1131 Madison Ave, entre E 84th St et E 85th St.

LEXINGTON CANDY SHOP
Plan p. 454   *"Diner" $*
☎ 212-288-0057 ; 1226 Lexington Ave à hauteur de E 83rd St ; 🕑 petit déj, déj et dîner ; 🚇 4, 5, 6 jusqu'à 86th St

Un petit restaurant typiquement américain, où trône encore une machine à soda à l'ancienne. Il faut y aller, ne serait-ce que pour le cadre, en parfait état, jugé digne de figurer dans *Les Trois Jours du Condor* (avec Robert Redford) et toute une ribambelle de spots publicitaires. Glissez-vous dans un box ou prenez place devant le long comptoir pour écouter les conversations des écoliers du voisinage ou des anciens du quartier. La nourriture est correcte, consistant – hamburgers, milk-shakes, et *tuna melts* (sandwichs au thon) – et à des prix raisonnables, pour ce quartier qui est l'un des plus chers de New York.

HARLEM ET LE NORD DE MANHATTAN
MORNINGSIDE HEIGHTS ET HARLEM

L'université de Columbia et ses dépendances ont colonisé la majeure partie de Morningside Heights, mais même si les petits bistrots bon marché et les bars pour étudiants sont encore légion, la hausse de l'immobilier et l'arrivée de familles yuppies ont amené dans leur sillage un certain nombre de restaurants plus cossus. Quant à Harlem, réputé à juste titre pour sa cuisine afro-américaine traditionnelle, il a également subi une réévaluation gastronomique consécutive à son embourgeoisement. On y trouve désormais toutes les cuisines, de la fusion-afro-américaine à la bonne cuisine chinoise haut de gamme.

AMY RUTH'S RESTAURANT
Plan p. 458   *Afro-américain $$*
☎ 212-280-8779 ; 114 W 116th St, entre Malcolm X Blvd (Lenox Ave) et Adam Clayton Powell Jr Blvd (7th Ave) ; 🕑 petit déj, déj et dîner, ven-sam 24h/24 ; 🚇 B, C, 2, 3 jusqu'à 116th St

Cette vieille adresse du circuit des restaurants touristiques afro-américains est devenue beaucoup plus survoltée depuis qu'on parle d'elle dans tous les médias, depuis les magazines de quartier jusqu'à la chaîne Food Network. Reste qu'on y cuisine magnifiquement tous les classiques – ignames confites, jambon fumé, pudding de maïs, gombos frits, etc. – et sa spécialité – les gaufres – est irrésistible : au chocolat, à la fraise, à la myrtille, couvertes de pommes sautées ou avec du poulet frit. Après cela, une promenade digestive s'impose, occasion de découvrir le quartier.

CAFFÉ SWISH
Plan p. 458   *Pan-asiatique $*
☎ 212-222-3568 ; 2953-55 Broadway, entre 115th St et 116th St ; 🕑 dim-jeu 11h-minuit, ven-sam 11h-1h ; 🚇 1 jusqu'à 116th St-Columbia University

Les étudiants aiment particulièrement ce rendez-vous branché, ouvert récemment juste en face de l'entrée de Columbia. On y sert pratiquement tous les plats asiatiques les plus connus (sushis, *pad thaï* et soupes *udon*), à côté de la grande spécialité, le *shabu-shabu* : les clients font cuire eux-mêmes leur viande et leurs légumes dans des marmites de bouillon placées sur la table.

GINGER
Plan p. 458   *Chinois $$*
☎ 212-423-1111 ; 1400 5th Ave à hauteur de 116th St ; 🕑 déj et dîner ; 🚇 2, 3, 6 jusqu'à 116th St

On ne s'attend pas forcément à trouver là une cuisine chinoise exceptionnelle – c'est pourtant le cas. Dans un cadre pimpant de lanternes rouges et de poutres en bambou, vous vous régalerez de délices bio inventifs, tels les bouts de côte braisés dans la bière de gingembre avec haricots et noix de cajou ; une spécialité maison de côtes de bœuf d'Angus grillées ; du tofu grillé pour les végétariens et un riz frit au porc et à l'ananas qui n'a vraiment rien à voir avec les versions susmentionnées servies dans les gargotes délabrées du quartier.

MAX SOHA
Plan p. 458   *Italien $$*
☎ 212-531-2221 ; 1274 Amsterdam Ave à hauteur de W 123rd St ; 🕑 déj et dîner ; 🚇 A, B, C, D, 1 jusqu'à 125th St

Succursale du Max d'East Village (plan p. 449 ; 51 Ave B, entre 3rd St et 4th St), ce restaurant à la mode est un petit coin de Downtown transporté dans les quartiers nord. Les élégants de Soha (pour South of Harlem) ne peuvent se rassasier de l'exquise cuisine italienne créative qu'on leur sert : gnocchis à la tomate, raviolis maison du jour, morue poêlée et somptueux accompagnements de légumes (épinards à la crème ou aubergines piquantes à la sauce tomate et au basilic). Il y a de quoi s'enthousiasmer.

MISS MAUDE'S SPOONBREAD TOO
Plan p. 458　　　　　　　　*Afro-américain $$*

☎ 212-690-3100 ; 547 Malcolm X Blvd (Lenox Ave), entre W 137th St et W 138th St ; 🕑 déj et dîner ; 🚇 2, 3 jusqu'à 135th St

Au lieu de suivre les cohortes de touristes qui se pressent chez Sylvia's, venez ici goûter à une atmosphère plus chaude et une cuisine traditionnelle plus savoureuse. *Short ribs* (bouts de côte), gaufres aux noix de pécan, poulet frit ou chou collard beurré et poivré, tout est délicieux. Le service et la clientèle sont sympathiques, ce qui ne gâche rien.

STRICTLY ROOTS
Plan p. 458　　　　　*Végétarien jamaïcain $*

☎ 212-864-8699 ; 2058 Adam Clayton Powell Jr Blvd (7th Ave), entre W 122nd St et W 123rd St ; 🕑 déj et dîner ; 🚇 A, B, C, D, 2, 3 jusqu'à 125th St

Repaire des rastas du quartier, cette cafétéria bannit tout ce qui "rampe, marche, nage ou vole". Au menu donc, friture de banane plantain, curry de faux bœuf, légumes à l'étuvée ou poêlés, pâtisseries épaisses et jus de fruits frais.

WASHINGTON HEIGHTS ET INWOOD

Traditionnellement réputé pour ses restaurants dominicains, Washington Heights s'est fortement embourgeoisé ces derniers temps, ce qui a fait apparaître toutes sortes de cuisines. Bien que le quartier ne soit toujours pas une destination gastronomique, on note quelques frémissements dans la zone appelée Hudson Heights, qui domine la rivière du haut des falaises des 180ᵉ rues. Inwood, dernier arrêt avant le Bronx, est un quartier de petites maisons de banlieue habité par une communauté juive très soudée, avec quelques bons restaurants.

BLEU EVOLUTION
Plan p. 468　　　　　　　　*Éclectique $-$$*

☎ 212-928-6006 ; 808 W 187th St, entre Fort Washington Ave et Pinehurst Ave N ; 🕑 déj et dîner ; 🚇 A jusqu'à 190th St

Partageant l'espace avec le Monkey Lounge tendu de velours, l'Evolution vous permet, jusqu'à 2h du matin, de prendre des cocktails et de manger de bons plats moyen-orientaux (houmous, *baba ganoush*, etc.), de lotte grillée ou de crêpes au canard. La clientèle est mélangée, surtout à une heure tardive, car il y a encore peu de choix dans ce quartier tranquille.

DR-K Plan p. 468　　　　　　　*Dominicain $$*

☎ 212-304-1717 ; 114 Dyckman St à hauteur de Nagle Ave ; 🕑 déj et dîner ; 🚇 1 jusqu'à Dyckman St

Parmi la multitude de gargotes dominicaines, DR-K fait exception par son chic. Vous serez régalé avec art d'empanadas diversement garnies (poulet et poisson entre autres), de ragoûts de fruits de mer épicés, de crevettes à la noix de coco, du traditionnel *pernil* (rôti de porc) et d'un incroyable plateau de grillades réunissant bœuf, porc, poulet, homard, crevettes et poulpe ! Les végétariens devront s'en tenir aux haricots, riz et plantains habituels, mais néanmoins délicieux. Après le repas, montez à l'étage avec votre *mojito* dominicain et entrez dans la danse sur des musiques latinos assourdissantes.

NEW LEAF CAFÉ
Plan p. 468　　　　　*Américain créatif $$$*

☎ 212-568-5323 ; Fort Tryon Park, 1 Margaret Corbin Dr ; 🕑 déj et dîner ; 🚇 A jusqu'à 190th St

Une fois rassasié d'art au musée Cloisters, une promenade dans Fort Tryon Park vous conduira jusqu'à ce bel édifice en pierre des années 1930, avec sa jolie vue sur la nature. La grande salle à manger est traversée d'arcades et ornée de bois sombre et de bras de lumière orange pour un éclairage sensuel. Par beau temps, on peut s'asseoir dans le patio-jardin. La carte est à même de satisfaire tous les appétits : *papardelle* aux fèves et à la ricotta, flétan grillé et risotto, et hamburgers avec salade niçoise, le midi. Concert de jazz le jeudi soir. Tous les profits sont destinés à l'entretien du parc.

PARK TERRACE BISTRO
Plan p. 468　　　　　　*Franco-marocain $$*

☎ 212-567-2828 ; 4959 Broadway à hauteur de 207th St ; 🕑 tlj dîner, sam-dim brunch ; 🚇 A jusqu'à Inwood-207th St

Avant-poste marocain situé à l'extrémité de Manhattan, cet établissement a toujours été vanté pour sa situation (superbe) et sa cuisine (fameuse). On ne s'attend pas à voir tant de monde dans un quartier aussi excentré – les habitants du quartier ont été rejoints par une foule venue de Downtown et qui pense avoir découvert ici la dernière aventure culinaire. Elle leur est offerte sous la forme d'un service parfait et de plats qui sèment le trouble, comme les escargots au confit de fenouil dans une pâte soufflée, le tagine épicé de poisson du jour, le tagine de poulet au gingembre et citron, et l'assiette de légumes frais servie sur demande. Brunch fameux avec, entre autres, des crêpes aux myrtilles ou des lanières de porc ; liste des vins très fournie, dans toutes les gammes de prix.

BROOKLYN

BROOKLYN HEIGHTS, DOWNTOWN BROOKLYN ET DUMBO

Cette vaste zone – coupée par une autoroute et deux bretelles d'accès à des ponts – compte plusieurs restaurants de choix. Les gourmets raffinés et fortunés mettront le cap sur Washington St à Dumbo, ou (un peu moins guindé) Montague St à Brooklyn Heights. À Downtown Brooklyn, on trouvera des pizzerias bon marché dans Court St ou le Fulton Mall. D'une manière générale, les meilleurs restaurants à découvrir en se promenant sont situés dans Smith St. Pour un chocolat exquis, passez chez Jacques Torres Chocolate (p. 353).

GRIMALDI'S Plan p. 462 *Pizzeria $*
☎ 718-858-4300 ; 19 Old Fulton St ; ⌚ déj et dîner ; Ⓜ A, C jusqu'à High St ou 2, 3 jusqu'à Clark St
Dénommée Patsy's dans une vie antérieure – et toujours reconnue comme l'une des meilleures pizzerias de New York – Grimaldi's attire une clientèle d'habitués composée de pompiers, d'hommes en veste de cuir au téléphone portable collé à l'oreille, et d'un ou deux touristes. Il arrive qu'on attende dehors, mais le débit du four en brique est très élevé. Des photos de Frank Sinatra ornent les murs et ses chansons sortent du juke-box. Quatre personnes affamées seront rassasiées avec deux grandes pizzas, une fois les garnitures choisies : tomates séchées au soleil avec un peu de basilic… Un régal !

JUNIOR'S Plan p. 460 *Cheesecakes $*
☎ 718-852-5257 ; 386 Flatbush Ave ; ⌚ petit déj, déj et dîner jusqu'à une heure tardive ; Ⓜ B, M, Q, R jusqu'à Dekalb Ave
On se croirait au paradis dans cette élégante institution datant de 1950, où la seule contribution vraiment surnaturelle est le cheesecake. Les habitants du quartier achètent leur part de gâteau à la cerise ou à l'ananas, et l'on peut aussi s'asseoir à l'intérieur et manger dans le décor orange (Bill Clinton serait un client fidèle). L'endroit n'est pas désagréable, le soir, pour prendre un en-cas ou une boisson (il y a aussi un bar) après un spectacle au BAM (p. 177).

PEDRO'S BAR & RESTAURANT
Plan p. 462 *Mexicain et espagnol $*
☎ 718-625-0031 ; 73 Jay St at Front St; ⌚ petit déj, déj et dîner ; Ⓜ F jusqu'à York St
Les restaurants chic, là-bas dans Washington St, semblent à des années-lumière de ce bar, le plus ancien de Dumbo, et bien-aimé de sa clientèle. Pedro's sert de copieux petits déjeuners et des *tamales* (tortilla farcie enroulée dans des feuilles de maïs) à 2 $ aux buveurs de bière. Happy hour de 16h à 19h (bière uniquement, à 2,50 $ la bouteille). À l'intérieur, on mélange des cocktails derrière un long comptoir en bois, et le mieux est encore de s'installer dans l'un des sièges dépareillés de la terrasse couverte.

COBBLE HILL, BOERUM HILL, CARROLL GARDENS ET RED HOOK

Smith St, au sud d'Atlantic Ave, est l'un des quartiers de restaurants branchés les plus réputés de Brooklyn (français, thaïlandais, mexicain, etc.), et nombre de ses bonnes adresses n'ont pas pu figurer ici. Une rue à l'ouest, Court St est elle aussi bordée de restaurants.

L'offre culinaire de Red Hook n'en est qu'à ses débuts, mais deux ou trois restaurants de Van Brunt St retiendront l'attention des aventuriers.

ALMA Plan p. 465 *Mexicain $$*
☎ 718-643-5400 ; 187 Columbia St à hauteur de Degraw St ; ⌚ lun-ven dîner, sam-dim petit déj, déj et dîner ; Ⓜ F, G jusqu'à Carroll St
En haut d'un bâtiment au bord de l'eau, l'Alma, sur deux niveaux, est réputé pour sa

liste d'une vingtaine de tequilas et sa vue extraordinaire sur Lower Manhattan depuis la terrasse sur le toit. La cuisine est mexicaine ordinaire (fajitas à la viande à 16 $), à côté des tortillas de maïs plus originales, farcies au poulet et au fromage et arrosées de sauce au potiron (12,50 $). Margaritas à partir de 7 $. Si vous n'avez pas réservé, vous pouvez attendre au bar, en bas, qu'une table se libère sur le toit, couvert et chauffé en hiver. Brunch le week-end à partir de 10h.

CUBANA CAFE Plan p. 465 *Cubain $*
☎ 718-858-3980 ; 272 Smith St, entre Sackett St et Degraw St ; 🕑 déj et dîner ; 🚇 F, G jusqu'à Carroll St
Mise en joie par des *mojitos* et des bières cubaines à 5 $, la clientèle du minuscule Cubana Café prend tout son temps pour déguster des repas savoureux et très bon marché. Il y a quantité de plats débordant de riz et de haricots, et le petit déjeuner est servi toute la journée. La plupart des options sont du genre porc en lanières et poulet haché, mais il existe aussi un plat végétarien de riz aux pois mange-tout, tomates, maïs et poivrons à 7 $. La *ropa vieja*, du bœuf braisé aux oignons, est magnifique. Les en-cas sont les moins chers de la ville : 2 $ l'épi de maïs grillé avec mayonnaise au chipotle.

GROCERY Plan p. 465 *Américain moderne $$*
☎ 718-596-3335 ; 288 Smith St ; 🕑 dîner ; 🚇 F, G jusqu'à Carroll St
Petit et minimal, le sympathique Grocery domine largement ses concurrents de Smith St avec sa carte changeante de poissons et de viandes – et le succès ne lui est pas monté à la tête. Les chefs viennent en personne vous aider à choisir le vin (entre 35 et 120 $ la bouteille) dans une liste de 50 options, et vous offrent quelques amuse-gueules surprise pour commencer. Les betteraves cuites sur raviolis au fromage de chèvre, saupoudrées de pignons de pin (11 $) s'avèrent un délice, et les plats du jour sont nombreux – la côte de porc juteuse est présentée coupée en tranches, de même que le poulet rôti sans os. Par beau temps, le jardin à l'arrière double la capacité du restaurant, mais il est impératif de réserver à toute époque de l'année.

PACIFICO Plan p. 462 *Mexicain $*
☎ 718-935-9090 ; 269 Pacific St ; 🕑 déj et dîner ; 🚇 F, G jusqu'à Bergen St
Ce restaurant mexicain à salles multiples ressemble à un repère de Don Quichotte (chandeliers à clochettes, poutres apparentes,

carreaux mexicains), avec trois pièces et des lampes chauffantes sur les terrasses extérieures. La nourriture est plutôt texane et bonne, et les assiettes de tacos ou d'enchiladas (7,50 $) pas trop copieuses (chips et sauce en supplément). Les margaritas coûtent 6 $.

360 Plan p. 465 *Français $$*
☎ 718-246-0360 ; 360 Van Brunt St, entre Wolcott St et Dikeman St ; 🕑 mer-dim dîner ; 🚇 F, G jusqu'à Carroll St
Face à des terrains de basket publics, ce petit restaurant français digne de louanges propose un menu fixe à 25 $ qui évite l'incontournable steak frites des restaurants français standards de New York. La carte varie selon la saison, faisant largement usage des produits bio de la région. N'oubliez pas de réserver : inutile de faire tout ce chemin pour être refoulé. Le bus B61 relie Red Hook à l'arrêt de métro.

PARK SLOPE ET PROSPECT HEIGHTS

Il n'est pas difficile de se restaurer sur Fifth ou Seventh Ave, à Park Slope. La plupart des établissements raffinés sont situés entre les rues adjacentes "à nom" – surtout sur Fifth Ave –, les moins chers se trouvant dans les rues transversales "à numéro", au sud.

Nombre d'habitants du quartier et de visiteurs vont manger à Park Slope, mais des cafés et deux ou trois bons restaurants sont apparus à Prospect Heights dans Vanderbilt Ave, entre Eastern Pkwy et Atlantic Ave.

Le quartier très vert et très américain de Ditmas Park rassemble des maisons individuelles le long de rues bordées d'arbres. Le choix de restaurants n'est pas très large, à part le Cinco de Mayo (ci-contre).

APPLEWOOD Plan p. 464 *Américain $$*
☎ 718-768-2044 ; www.applewoodny.com ; 501 11th St, entre 7th Ave et 8th Ave ; 🕑 mar-sam dîner, dim déj ; 🚇 F jusqu'à 7th Ave
Logé dans une boutique vieille d'un siècle située dans une rue adjacente ombragée, cet excellent restaurant se remplit chaque soir d'une foule bavarde qui s'attarde des heures durant dans ce cadre américain tout simple – bibliothèque, tables éclairées aux chandelles, feu dans la cheminée, et bar au fond proposant des cocktails et une longue liste de vins. À moins que vous n'ayez pas

très faim, prenez une entrée (portions superbement présentées mais pas très copieuses). Le velouté de homard est à 8 $, le gibier de la région, en tranche et grillé, est cuisiné avec des poireaux et des échalotes (26 $). Il y a toujours un plat végétarien – tel que risotto aux épinards et au basilic avec mascarpone – et plusieurs plats de poisson. Le chef David Shea donne un cours de cuisine une fois par mois.

BLUE RIBBON SUSHI BROOKLYN
Plan p. 464   *Sushis $$*
☎ 718-840-0408 ; 278 5th Ave, entre 1st St et Garfield Pl ; ◷ dîner ; ◉ M, R jusqu'à Union St
Ce bar à sushis épargne à nombre de "Brooklynites" le trajet en métro jusqu'à Manhattan afin de manger du poisson cru. Voisin de son homonyme servant de la viande et des huîtres, Blue Ribbon Sushi offre une longue liste de sashimis, sushis et makis. Si vous n'arrivez pas à choisir, optez pour le plat combiné sushsi sashimis, à 27,50 $.

CINCO DE MAYO Plan p. 460   *Mexicain $*
☎ 718-693-1022 ; 1202 Cortelyou Rd à hauteur de Westminster Rd ; ◷ petit déj, déj et dîner ; ◉ Q jusqu'à Courtelyou Rd
S'il s'agit de trouver une bonne enchilada, New York n'est ni San Francisco ni LA (ni Guadalajara), mais les restaurants mexicains de type familial sont de plus en plus nombreux. Celui-ci se trouve à 10 min à pied au sud de Prospect Park en suivant Coney Island Ave jusqu'à Courtelyou Rd. Il est petit, festif et sa cuisine est excellente comme en témoignent les *chilaquiles con huevo* avec sauce verte ou rouge épicée (7 $), consistant en un œuf et du fromage recouvrant des tortillas grillées. La station de métro est quelques pâtés de maisons à l'est.

TEA LOUNGE
Plan p. 464   *Sandwichs et thés $*
☎ 718-789-2762 ; 350 Union St, entre 6th Ave et 7th Ave ; ◷ lun-jeu 7h-1h, ven 7h-2h, sam 8h-2h, dim 8h-1h ; ◉ 2,3 jusqu'à Grand Army Plaza ou M, R jusqu'à Union St
Immense et populaire, le Tea Lounge a plutôt l'air d'un rendez-vous estudiantin de la Côte Ouest. Dans des coins à sièges collectifs, des ados armés d'ordinateurs portables profitent du Wifi gratuit pendant que les parents amusent les petits. Nombreux thés en vrac (2,75 $ avec théière individuelle), sandwichs et salades tous délicieux, et également des boissons alcoolisées.

TOM'S RESTAURANT
Plan p. 464   *"Diner" $*
☎ 718-636-9738 ; 782 Washington Ave, à hauteur de Sterling Pl ; ◷ lun-sam petit déj et déj ; ◉ 2, 3 jusqu'à Eastern Pkwy-Brooklyn Museum
À trois pâtés de maisons du Brooklyn Museum, cette joyeuse gargote sert toute la journée des petits déjeuners et des *egg creams* (spécialité new-yorkaise à base de lait, d'eau de Seltz et de sirop de chocolat) à la population du quartier. Depuis l'ouverture, en 1936, le décor (floral sous toutes les formes possibles) n'a cessé de s'enrichir au fil du temps. Et tout est bon et pas cher : deux œufs, toast, café, *home fries* (pommes de terre sautées maison) ou *grits* (gruau de maïs) – avec une préférence pour le *grits* – ne coûtent que 3 $. Les *huevos rancheros* sont une addition récente, en plus d'une dizaine de variétés de crêpes (celle au chocolat donne l'impression de manger un cookie grand comme l'assiette imbibé de sirop de chocolat). Le samedi matin, vous ferez la queue à la porte, mais le personnel (le plus sympathique de New York) vous apportera des tasses de café, des "cold orange slices" et des cookies pour vous faire patienter.

BAY RIDGE
Le meilleur endroit pour manger à Bay Ridge, au pied du pont de Verrazano-Narrows, est Third Ave, entre 76th St et 95th St.

PHO HOAI Plan p. 460   *Vietnamien $*
☎ 718-745-1640 ; 8616 4th Ave, entre 86th St et 87th St ; ◷ déj et dîner ; ◉ R jusqu'à 86th St
Très sympathique restaurant servant des plats vietnamiens ultra-frais – calamar grillé, *pho* (soupe de nouilles au bœuf), plats de vermicelles – à une clientèle d'habitués du quartier. C'est très simple, sur le modèle des restaurants de Chinatown, avec des lumières plus douces (et un sol plus propre). En entrée, nous vous recommandons le *goi tom can tay* (salade de crevettes) à 6 ou 8 $ (demandez des feuilles de riz pour faire des petits rouleaux). À un demi-pâté de maisons du métro.

CONEY ISLAND ET BRIGHTON BEACH
La plupart des restaurants bordant la promenade en planches de Coney Island s'adressent aux clients des salles de jeux et des manèges voisins. Brighton Beach offre un choix plus large.

Le long de Brighton Beach Ave, de Brighton 1st St à Brighton 12th ou 13th St, et le long de Coney Island Ave, vous trouverez quelques petites épiceries et restaurants dont la carte est écrite en cyrillique. Plusieurs épiceries sont bien fournies en produits de la mère patrie (comme les chocolats en boîte Czar).

CAFE GLECHIK Plan p. 466   *Russe $*

☎ 718-616-0494 ; 3159 Coney Island Ave ; 🕑 petit déj, déj et dîner ; 🚇 B, Q jusqu'à Brighton Beach

Orné de colifichets folkloriques russes, ce petit restaurant prépare des plats familiaux pour une clientèle d'habitués du quartier. Les prix sont bas et l'ambiance, à l'heure du déjeuner, plus animée que dans les grands restaurants-salle de banquet, assez tristes en dehors des heures de spectacles nocturnes. Le café ouvre à 10h. En venant prendre votre commande, la serveuse vous demandera : "*gotovie* ?" qui signifie : "prêt ?"

M & I INTERNATIONAL

Plan p. 466   *Épicerie $*

☎ 718-615-1011 ; 249 Brighton Beach Ave, entre Brighton 2nd St et 3rd St ; 🕑 8h-22h ; 🚇 B, Q jusqu'à Brighton Beach

La meilleure des épiceries, avec chocolats russes dans de jolies boîtes Czar. Il y a un coin restaurant et une terrasse à l'étage pour prendre du bortsch et des repas russes.

NATHAN'S FAMOUS

Plan p. 466   *Hot dogs $*

☎ 718-946-2202 ; 1310 Surf Ave ; 🕑 petit déj, déj et dîner jusqu'à une heure tardive ; 🚇 D, F jusqu'à Coney Island-Stillwell Ave

À ne pas manquer, si vous êtes amateur de hot dogs, car on vous servira ici une saucisse pur bœuf, avec choucroute et moutarde. Si on les appelle des Coneys, ce n'est pas pour rien (les premières charrettes à hot dogs firent leur apparition à Coney Island), et Nathan's en est le spécialiste depuis 1916. Retenez bien la date du 4 juillet, si vous voulez participer au concours du plus gros mangeur de hot dogs (le record – 49 – est actuellement détenu par le Japonais Takeru Kobayashi).

RESTAURANT VOLNA

Plan p. 466   *Russe $*

☎ 718-332-0501 ; 3145 Brighton 4th St ; 🕑 9h-22h ; 🚇 B, Q jusqu'à Brighton Beach

Cette salle bordant la promenade en planches est souvent pleine de consommateurs bourrus et de jeunes gens buvant du *kvas*

(bière de pain de seigle ; 3 $). On y sert aussi des plats du jour, dans une salle à manger avec vue sur la mer sentant le renfermé.

TATIANA Plan p. 466   *Russe $$$*

☎ 718-891-5151 ; www.tatiana-restaurant.com ; 3152 Brighton 6th St ; 🕑 déj et dîner ; 🚇 B, Q jusqu'à Brighton Beach

Sur la promenade de Brighton Beach, la salle de banquet de Tatiana est un mélange de clinquant et de fresques de datchas au mur. Les repas sont énormes, avec quantité de caviar et de viandes à partager, le tout arrosé de vodka. On a l'impression d'être en croisière sur la Volga, avec danseurs costumés, magiciens et acrobates. À partir de 65 $ le samedi soir, 85 $ le samedi midi et 55 $ le dimanche.

TOTONNO'S Plan p. 466   *Pizzeria $$*

☎ 718-372-8606 ; 1524 Neptune Ave ; 🕑 mer-dim 12h-20h ; 🚇 D, F jusqu'à Coney Island-Stillwell Ave

Tenu dans la même famille depuis 1924, Totonno's est (beaucoup de New-Yorkais sont formels) la meilleure pizzeria de la ville. Difficile de le contester étant donné que la mozzarella est fabriquée maison, les tomates importées d'Italie et les pizzas cuites au four en terre. L'endroit (à deux ou trois pâtés de maisons de la promenade en planches) est simple mais la sauce vaut à elle seule le déplacement à Coney Island.

FORT GREENE

Un certain nombre de restaurants de quartier bordent Delkalb Ave, entre Vanderbilt Ave et Fort Greene Park (Cumberland St). Les brunchs y sont très appréciés, de même que les repas à des heures tardives dans des restaurants de cuisines variées (japonaise, sud-africaine, italienne, indienne, française).

ICI Plan p. 460   *Français et américain $$*

☎ 718-789-2778 ; www.icirestaurant.com ; 246 Dekalb Ave ; 🕑 mar-dim petit déj, déj et dîner ; 🚇 G jusqu'à Clinton-Washington Ave

Français par le nom (et par le chef), Ici fusionne des mondes divers dans sa carte et sa liste de vins. Les plats de saison, à base d'ingrédients naturels de production fermière, n'hésitent pas à associer le maquereau au condiment *pico de gallo*, par exemple. Cap au Sud avec l'épaule de porc braisée au chou collard et gruau de maïs. La salle de 40 places, au rez-de-chaussée d'un immeuble en brique (*brownstone*), s'agrémente d'une cour. Le petit déjeuner est un plus, avec des croissants et d'excellentes versions des préparations habituelles.

WILLIAMSBURG

Les habitants branchés de Williamsburg doivent nécessairement manger *quelque part*. L'artère principale, Bedford Ave, est la plus riche en restaurants, souvent moins chers et moins raffinés que les nouvelles adresses apparues dans les petites rues, comme N 6th St. Beaucoup sont des établissements luxueux, pour les plus fortunés du quartier ou les "Uptowners" venus s'encanailler à Billyburg. Pour manger thaïlandais avec le gotha, vous pourrez vous rendre au SEA (p. 278).

ENID'S Plan p. 463 *Américain $*
☎ 718-349-3859 ; 560 Manhattan Ave à hauteur de Driggs Ave ; ☺ tlj dîner, sam-dim brunch ; ⊕ G jusqu'à Nassau Ave
À Greenpoint (à 15 min à pied du centre de Bedford), Enid's est un bar pittoresque qui sert, le week-end, un maigre brunch, profondément sudiste – le *hungry bear* est un petit gâteau avec un œuf et une saucisse végétale baignant dans la sauce – rencontrant un franc succès. L'intérieur se veut typiquement américain (parquet, plafonds en fer blanc et papier peint à fleurs qui s'écaille). Le personnel affirme que l'immeuble est hanté. Chaque soir, on peut y dîner agréablement, avant que le bar ne prenne le relais, à 22h.

LODGE Plan p. 463 *Américain $*
☎ 718-486-9400 ; 318 Grand St ; ☺ déj et dîner ; ⊕ L jusqu'à Bedford Ave
Dans une des rares rues ombragées de Williamsburg, un nouveau restaurant de style rustique (lustres en faux bois de cerf, colonnes en pierre, parquets en bois sombre, plantes en pot) servant une cuisine simple et réconfortante à des couples branchés. Le brunch du week-end à 10 $ comprend un Bloody Mary. Les dîners font la part belle au gibier, mais on trouve aussi un seitan à la polenta (12 $). La cuisine a une petite lucarne donnant sur le trottoir où des tables sont disposées par beau temps.

MOTO Plan p. 463 *Bistrot français $*
☎ 718-599-6895 ; 394 Broadway, angle Hooper St et Division Ave ; ☺ dîner ; ⊕ J, M, Z jusqu'à Hewes St
Occupant un ancien bureau d'encaissement de chèques, dans un angle de rue triangulaire

presque en dessous des voies du métro J-M-Z – un coin sombre de Williamsburg –, Moto (parce qu'on y aime les motos) est un endroit sans enseigne, remarquablement rénové. Il y a de la musique tous les soirs (grâce à un accordéoniste) ; le plancher qui craque et le mur de brique peint qui s'écaille lui donnent un petit côté européen (ou du moins québécois, comme dans le film *Delicatessen*). Amuse-gueules et paninis (8 $) et *macaroni-and-cheese* (11 $) sont probablement les meilleurs choix, mais l'établissement se recommande surtout pour son vin, sa bière d'importation et sa clientèle.

PETER LUGER STEAKHOUSE
Plan p. 463 *Steaks $$$*
☎ 718-387-7400 ; 178 Broadway ; ☺ déj et dîner ; ⊕ J, M, Z jusqu'à Marcy Ave
Depuis des lustres (1887 !), Peter Luger sert les biftecks d'aloyau les plus juteux et les plus réputés de la ville (ainsi que des côtelettes d'agneau, du saumon grillé et, pour les novices, des hamburgers). Le cadre est intemporel avec son décor bavarois et ses serveuses (plutôt brusques) en tablier. Apportez du liquide ; aucune carte de crédit n'est acceptée.

RELISH Plan p. 463 *Américain $$*
☎ 718-963-4546 ; 225 Wythe Ave à hauteur de N 3rd St ; ☺ déj et dîner ; ⊕ L jusqu'à Bedford Ave
Logé dans un wagon Pullman de 1952, installé ici en 1968, Relish offre beaucoup d'atmosphère – avec des sièges en cuir, des stores en aluminium et un bar incurvé à ampoules rouges et bougies qui répandent une douce lumière chaude sur les jeunes branchés (et leurs parents). La cuisine est bonne, mais ordinaire dans la catégorie supérieure : onglet aux pommes de terre (20 $) ou saumon glacé à la moutarde et aux lentilles (17 $). Les végétariens peuvent se rabattre sur le falafel à l'artichaut et à l'aubergine (13 $). Les habitants du quartier aiment bien y prendre le brunch de 11h, moins cher. Par beau temps, on peut manger dans la cour.

WILLIAMSBURGH CAFE
Plan p. 463 *Américain $$*
☎ 718-387-5855 ; 170 Wythe Ave ; ☺ mar-dim déj et dîner ; ⊕ L jusqu'à Bedford Ave
Sans doute le restaurant le moins adéquat pour porter le nom du quartier (quoiqu'il se distingue par le "h" du nom écrit à

l'ancienne). En tout cas, l'arrière-salle (dite aussi "jardin") est décorée d'une profusion de cartes, de photos et objets divers associés à la vie du quartier dans les années 1870. On vous sert de volumineux plats de bœuf et de poisson sur des planches en bois, tandis qu'un trio de jazz joue en sourdine sous un treillis de jardin intérieur. La cuisine est bonne (sans plus), et l'on s'amuse bien.

LE QUEENS

Le Queens est sans doute le borough le plus diversifié sur le plan ethnique. La perspective d'un voyage culinaire incite donc à traverser l'East River pour venir dans ce borough oublié et mésestimé. Beaucoup de restaurants populaires de Manhattan ont d'abord tâté le terrain en s'installant dans certains quartiers du Queens, comme Flushing.

LONG ISLAND CITY ET ASTORIA

Vernon Blvd, deux pâtés de maisons à l'ouest du PS1 (p. 185) et de l'immeuble Citicorp, est une zone qui monte, où trouver une ribambelle de nouveaux restaurants (pizzerias, thaïlandais, chinois, italiens).

Astoria foisonne d'établissements mexicains et est-européens, en particulier sous le métro aérien, dans 31st St. Plus au sud, Broadway (entre 31st St et 35th St) est une sorte de "Greek row" avec quantité de petits restaurants grecs. Pour ceux qui vont à Astoria, un arrêt au Bohemian Hall & Beer Garden (p. 278) s'impose pour boire une bière tchèque, et l'on peut y manger.

CAFE HENRI Plan p. 457 *Français $*
☎ 718-383-9315 ; 1010 50th Ave à hauteur de Vernon Blvd ; ☽ 8h-minuit ; ⊕ 7 jusqu'à Vernon Blvd-Jackson Ave
Pour faire une pause dans un marathon artistique, rien de mieux que de venir grignoter tranquillement quelque chose dans ce Café (à 5 min de PS1), cousin des crêperies Gamin de Manhattan. La cuisine ouvre directement sur le petit espace de 10 tables. L'omelette coûte 8,50 $, et les crêpes au fromage ou à la viande sont affichées à partir 7 $. Le jeudi et le samedi soir, un orchestre de jazz commence à jouer à 20h.

ELIA'S FISH CORNER
Plan p. 457 *Fruits de mer $$*
☎ 718-932-1510 ; 24-02, 31st St ; ☽ dîner ; ⊕ N, W jusqu'à Astoria Blvd
Notez bien le comptoir de poisson frais à l'entrée de ce petit restaurant (juste sous le métro aérien), car c'est votre dîner. Les chefs cuisiniers ne s'embarrassent pas de détails : vous choisissez votre poisson, on le grille et vous le mangez. En attendant, vous pourrez goûter une des nombreuses petites entrées, dont du poulpe grillé et des coquilles Saint-Jacques savoureuses. Bière et vins grecs.

COMMUNITEA
Plan p. 457 *Café et sandwichs $*
☎ 718-729-7708 ; 47-02 Vernon Blvd ; ☽ petit déj, déj et dîner ; ⊕ 7 jusqu'à Vernon Blvd-Jackson Ave
Un nouveau café décontracté ouvert dans un coin de rue de Long Island City. Il y a une carte écrite à la craie sur le mur du fond, des chaises en plastique design (genre Eames) et des murs de briques apparentes. De la musique électronique berce la clientèle à ordinateur portable qui vient manger des sandwichs, boire un café et profiter du Wifi, gratuit.

JACKSON HEIGHTS

Jackson Heights est le quartier du Queens le plus fourni en restaurants. On trouvera de quoi manger vite et pas cher dans Roosevelt Ave (tacos, *chow mein*, etc.), sous les voies du métro aérien de la ligne 7, et des établissements plus confortables, un pâté de maisons plus au nord, dans 37th Ave.

CAVALIER RESTAURANT *International $$*
☎ 718-458-7474 ; 85-19 37th Ave, entre 85th St et 86th St ; ☽ déj et dîner ; ⊕ 7 jusqu'à 82nd St-Jackson Heights
Ressemblant beaucoup à ce qu'il était lors de son ouverture en 1950, ce vieux restaurant tenu en famille est plein d'habitués âgés. Récemment rénovée, la jolie salle à box circulaires fait face à un bar. Un personnel en grande tenue y sert toutes sortes de plats, du *shepherd's pie* (hachis parmentier) à 8 $ au veau Cavalier ou au gratin de crevettes à 20 $. Le week-end, le brunch à 13 $ (de 12h à 15h) comprend un Bloody Mary. En octobre, le restaurant affiche les prix des années 1950 pendant une semaine. En sortant du métro, remontez un pâté de maisons vers le nord-est et tournez à droite dans 37th Ave. C'est quelques pâtés de maisons plus loin, sur la gauche.

JACKSON DINER Plan p. 442 *Indien $*

☎ 718-672-1232 ; 37-47 74th St, entre Roosevelt Ave et 37th Ave ; ☾ déj et dîner ; ⊙ 7 jusqu'à 74th St-Broadway

Si vous êtes parti pour manger un curry à Jackson Heights, vos narines vous guideront directement vers ce classique, qui fait le plein à midi, avec son buffet changeant de curries et de gâteaux (9 $ en semaine, 10 $ le week-end). Servi de 11h30 à 16h, il vaut bien les deux ou trois dollars de plus que les autres buffets bon marché du quartier – d'autant que la moitié des plats sont végétariens, la cuisine bonne et la salle assez confortable. Les boissons sont à 7,50 $. La carte prend le relais à partir de 16h. À un demi-pâté de maisons de la station de métro, sur le trottoir de droite.

LA BOINA ROJA Plan p. 442 *Colombien $$*

☎ 718-424-6711 ; 80-22 37th Ave, entre 80th St et 81st St ; ☾ déj et dîner ; ⊙ 7 jusqu'à 82nd St-Jackson Heights

Ce populaire restaurant de grillades colombien est ainsi dénommé en raison des bérets rouges que porte le personnel – une tradition de Medellín, semble-t-il. Le steak ou le vivaneau (il n'y a pas grand-chose pour les végétariens) s'accompagne de riz et de haricots. On commencera par un *chicharron con arepa* (flanc de porc frit avec gâteau de maïs) à 2,50 $. Depuis la station de métro, remontez un pâté de maisons vers le nord-ouest jusqu'à 37th Ave ; c'est un pâté de maisons plus loin.

FLUSHING ET JAMAICA

Pour certains, Flushing correspond à "Chinatown sans les touristes". Le fait est que l'agitation y est la même. La plupart des tentants restaurants chinois, vietnamiens, coréens et malaisiens sont rassemblés au croisement de Main St et Roosevelt Ave, ou à proximité.

Si vous faites la tournée des magasins hip-hop de Jamaïca, vous pourrez vous restaurer de conque ou de poulet à emporter, dans 165th St.

PRINCE RESTAURANT

Plan p. 467 *Chinois $*

☎ 718-888-3138 ; 37-17 Prince St, entre 37th Ave et 38th Ave ; ☾ 8h30-23h ; ⊙ 7 jusqu'à Flushing-Main St

Juste à l'ouest de l'artère principale de Flushing, dans la tranquille Prince St, cet authentique et bourdonnant restaurant de dim sum jouit d'une grande réputation. Passé les aquariums de l'entrée, des hôtesses circulent avec des chariots remplis de dim sum au porc, à la crevette et aux légumes – pour choisir, vous pointez du doigt. Ceux qui ne veulent pas prendre de risque (l'anglais n'est qu'une lointaine seconde langue) peuvent choisir un plat de nouilles à la carte. Les dim sum sont servis tous les jours de 9h à 15h. Il existe une salle au sous-sol, mais restez en haut pour profiter pleinement de l'animation. Il en coûte environ 12 $ par personne.

RINCÓN SALVADOREÑO *Salvadorien $*

☎ 718-526-3220 ; 92-15 149th St à hauteur de Jamaica Ave ; ☾ petit déj, déj et dîner ; ⊙ E, J, Z jusqu'à Jamaica Center-Parsons-Archer

À quelques pâtés de maisons des boutiques hip-hop de Jamaica, sur 165th St, le Rincón est un endroit festif rempli de familles qui passent commande *en español*. La cuisine est délicieuse et les *pupusas* farcies au fromage ou à la viande sont à 1,50 $. Diverses assiettes mélangées de *pupusas*, avec riz et haricots, énorme saucisse et cube de fromage blanc notamment, sont proposées entre 8 et 12 $. Musique à 20h les vendredis et samedis soir.

LE BRONX

Belmont, le Little Italy du Bronx où a été tourné *Il était une fois le Bronx*, est l'enclave culinaire la plus réputée du borough, avec toute une collection de trattorias et de pizzerias tentantes – toutes plus ou moins regroupées sur Arthur Ave, juste au sud de l'université Fordham.

BRUCKNER BAR & GRILL

Plan p. 468 *Sandwichs et salades $*

☎ 718-665-2001 ; angle Bruckner Blvd et 3rd Ave ; ☾ déj et dîner ; ⊙ 6 jusqu'à 3rd Ave-138th St

Ressemblant à un vieux restaurant du siècle dernier, avec son plancher abîmé et ses vieilles photos du quartier, le Bruckner Bar est en fait la réincarnation d'une usine d'ascenseurs. Son point fort est la bière, le vin et quelques sandwichs incroyablement bons, comme le *cubano* (jambon, hachis de porc et *pickles*). Le grill dispose d'une salle dotée d'une scène pour des spectacles et des numéros comiques. Le restaurant se situe presque en dessous du passage du pont de Third Ave.

TOP 5 DES RESTAURANTS DES BOROUGHS PÉRIPHÉRIQUES

- **Grimaldi's** (p. 255) Des pizzas de rêve
- **Jackson Diner** (p. 261) Un buffet indien pantagruélique
- **Junior's** (p. 255) Le roi du cheesecake
- **Totonno's** (p. 258) La meilleure pizzéria de la ville
- **Roberto's** (ci-dessous) Le meilleur de Little Italy

ROBERTO'S Plan p. 468   *Italien $$*
☎ 718-733-2868 ; 632 E 186th St à hauteur de Belmont Ave ; ☽ mar-ven déj et dîner, sam dîner ; Ⓜ B, D jusqu'à Fordham Rd

À deux pas d'Arthur Ave, Roberto's s'est acquis une clientèle de fidèles invétérés pour qui il est non seulement le meilleur italien de Belmont, mais de New York. Comme on ne peut réserver, on attend parfois des heures au bar – la patience est bien récompensée. Demandez le choix du chef, et Roberto se fera une joie d'animer votre table avec un défilé de plats ou de spécialités d'Italie du Nord. Il y a de nombreux plats du jour, dont un steak d'espadon ou des côtelettes de veau avec pâtes. Par beau temps, on peut dîner en terrasse.

TONY'S PIER Plan p. 468   *Fast-food $*
☎ 718-885-1424 ; 1 City Island Ave ; ☽ déj et dîner

City Island (p. 203) est riche en restaurants de fruits de mer, comme celui-ci – un genre de fast-food au bord de l'eau servant du poisson frit, où, le soir, la boisson coule à flots. Certaines nuits, la terrasse devient franchement agitée.

Où prendre un verre

Où prendre un verre

Cité raffinée, New York abonde en activités culturelles. Mais boire est un plaisir universel, n'est-ce pas ? Et dans cette ville, prendre un verre est même devenu une discipline artistique. Il y a là de superbes bars lounge avec éclairage tamisé et DJ attirant leurs fans ; des bars à cocktail où des spécialistes spécialement embauchés créent de nouveaux élixirs associant fruits frais, herbes et autres douceurs avec la même application que des sculpteurs taillant le marbre. Il y a aussi des bars à thème aux intérieurs semblables à un décor de théâtre et à l'ambiance musicale s'apparentant à une bande originale de film ; ou encore des bars à vin qui, d'une simple gorgée, vous transportent en Italie ou en Espagne.

Mais, avant de vous lancer, rappelez-vous que la cigarette n'a plus droit de cité dans aucun établissement, à l'exception des bars à cigares et des lieux ayant la chance de disposer d'un espace en plein air. Qu'il pleuve ou qu'il vente, vous serez donc contraint de fumer sur le trottoir. Vous devez également être âgé de plus de 21 ans pour pouvoir être servi, bien que certains établissements ne soient pas très regardants. Pour éviter les ennuis, munissez-vous d'une pièce d'identité. Rassurez-vous cependant : quelques boîtes sont accessibles à partir de 18 ans certains soirs, voire tous les soirs, notamment le **Spirit** (p. 301) et **Avalon** (p. 300).

Les hôtels abritent certains des meilleurs bars de New York (voir p. 372), et la plupart des bars ne ferment qu'à 4h – heure légale autorisée –, même si certains baissent le rideau à 2h. Les horaires d'ouverture varient, mais certains lieux ouvrent leurs portes dès 8h du matin.

LOWER MANHATTAN

Soyons honnêtes : ce n'est pas l'endroit idéal pour une nuit de peu folle. Mais si vous êtes dans le quartier après un dîner ou une journée de tourisme, ou si votre hôtel se trouve à proximité et que vous souhaitez prendre un dernier verre, vous pourrez étancher soif – vos voisins de bar seront plutôt des cadres de la finance en goguette.

DAKOTA ROADHOUSE Plan p. 444
☎ 212-962-9800 ; 43 Park Pl, entre Church St et West Broadway ; ⊚ 1 jusqu'à Park Pl
La version urbaine du relais routier qui aurait merveilleusement mal tourné. L'ambiance qui règne ici est renforcée par la table de hockey et l'aquarium à homards, qui permet (végétaliens s'abstenir) d'attraper un crustacé à l'aide d'une pince mécanique, telle une pêche miraculeuse dans une fête d'école – le cuisinier se fera un plaisir de faire cuire votre trophée. On peut aussi passer la soirée à jouer au billard, un passe-temps très populaire en ce lieu.

JEREMY'S ALE HOUSE Plan p. 444
☎ 212-964-3537 ; 254 Front St à hauteur de Dover St ; ⊚ J, M, Z jusqu'à Chambers St, 2, 3 jusqu'à Fulton St, 4, 5, 6 jusqu'à Brooklyn Bridge-City Hall
Un curieux mélange de maison d'étudiants et de troquet original : soutiens-gorge suspendus au-dessus du comptoir, pintes de bière servies dans des verres en polystyrène et belle vue sur le pont de Brooklyn. Un lieu étonnant où faire une pause à tout moment, vu l'heure d'ouverture très matinale (8h du matin les jours de semaine !).

HEARTLAND BREWERY Plan p. 444
☎ 646-472-2337 ; South Street Seaport, 93 South St à hauteur de Fulton St ; ⊚ J, M, Z, 2, 3, 4, 5 jusqu'à Fulton St
La dernière enseigne en date de cette petite chaîne de brasseries new-yorkaise, sur le port, dans un pub vieux de 200 ans. Vous pourrez vous installer sur l'une des terrasses ou opter pour l'intérieur chaleureux et d'époque, et faire votre choix parmi de délicieuses bières, comme la brune aux flocons d'avoine, la Stumbling Buffalo Ale chocolatée, la Summertime Apricot Ale ou la fameuse Smiling Pumpking Ale. Un régal.

RISE Plan p. 444
☎ 212-344-0800 ; Ritz-Carlton New York , 14e étage, 2 West St at Battery Pl ; ⊚ N, R, W jusqu'à Rector St
Malgré le prix excessif du martini (14 $), n'hésitez pas à faire une halte dans le superbe bar panoramique du **Ritz-Carlton** (p. 356). Vous pourrez y admirer, depuis le salon, les magnifiques couchers de soleil sur l'Hudson, tout en observant le

spectacle offert par la clientèle riche et (pas) célèbre. Tenue correcte exigée, mais l'endroit mérite bien que vous fassiez un petit effort.

ULYSSES Plan p. 444
☎ 212-482-0400 ; 95 Pearl St (ou 58 Stone St) ; Ⓜ 2, 3 jusqu'à Wall St

Les cadres de la finance apprécient particulièrement cette nouvelle adresse de Hanover Sq qui allie, avec succès, la tradition du pub irlandais à la modernité du bar lounge. Impressionnante carte de bières, tequilas, whiskies et liqueurs. On peut aussi s'y restaurer, et il y a même des huîtres à la carte. Personnel jeune et sympathique. Quant à la grande originalité du lieu, tenu par les mêmes propriétaires que le Puck Fair (plan p. 452 ; ☎ 212-431-1200 ; 298 Lafayette St, entre E Houston St et Prince St) à Soho et le Swift (☎ 212-242-9502 ; 34 E 4th St, entre Bowery et Lafayette St) dans l'East Village, c'est qu'il assure une navette gratuite d'un établissement à un autre. Parfait donc pour une tournée des bars en toute tranquillité…

TRIBECA ET SOHO

Ces deux quartiers ont toujours été réputés pour leurs bars lounge hauts de plafond où voir et être vu, leurs bars d'hôtels branchés et leurs pubs confortables et sans chichi. Si vous remontez Spring St de l'ouest vers l'est, vous aurez envie de vous arrêter toutes les 5 minutes pour découvrir l'un des nombreux agréables cafés, remplis d'élégants jeunes gens décontractés buvant un verre à la lumière des bougies.

TRIBECA
ANOTHER ROOM Plan p. 444
☎ 212-226-1418 ; 249 West Broadway, entre Beach St et North Moore St ; Ⓜ 1, 2 jusqu'à Franklin St

Le genre de lieu qui vous charme, que vous ayez envie ou non de boire un verre – un petit bar étroit de style industriel avec du ciment au sol et des œuvres d'artistes locaux exposées aux murs. Il n'y a pas de cocktails, mais la carte des vins et des bières est intéressante, tout comme la foule décontractée et bigarrée qui s'y presse tous les soirs. Dans le même esprit, mais dans d'autres quartiers, citons : Other Room (plan p. 448 ; 143 Perry St, entre Greenwich St et Washington St) et Room (144 Sullivan St, entre Houston St et Prince St).

BRANDY LIBRARY Plan p. 444
☎ 212-226-5545 ; 25 N Moore St à hauteur de Varick St ; Ⓜ 1 jusqu'à Franklin St

Siroter des verres est votre passe-temps favori ? Alors, vous serez ici au nirvana. Avec ses lumières douces, ses alignements de magnifiques bouteilles, ses étagères du sol au plafond et ses irrésistibles fauteuils club, tout est fait ici pour que vous puissiez boire avec la conscience tranquille. Faites votre choix parmi le large éventail d'alcools (cognac XO français vieille réserve, scotch des Orcades single malt Highland Park 18 ans d'âge), et dégustez.

LIQUOR STORE BAR Plan p. 444
☎ 212-226-7121 ; 235 West Broadway à hauteur de White St ; Ⓜ A, C, E jusqu'à Canal St

L'usage commercial de ce bâtiment de style fédéral remonterait à 1804, aiment à commenter les propriétaires des lieux. De larges baies vitrées et des tables en terrasse permettent d'observer à loisir les gens alentour, sans pour autant être troublé par l'ambiance "mode" de Tribeca.

SOHO
C TABAC Plan p. 450
☎ 212-941-1781 ; 32 Watts St, entre 6th Ave et Thompson St ; Ⓜ A, C, E, 1 jusqu'à Canal St

Une des 5 dernières adresses où vous pouvez non seulement fumer, mais où vous serez aussi invité à le faire. Plus de 150 sortes de tabacs sont proposées, principalement des cigares. Goûtez au Cucumber Cocktail (gin, citron, sucre et concombre) ou au Gingersnap (vodka au gingembre, gingembre confit et champagne). Le luxe du lounge, avec ses murs en bambou, ses fauteuils en velours et ses alcôves circulaires, va de pair avec la finesse des tabacs.

EAR INN Plan p. 450
☎ 212-226-9060 ; 326 Spring St, entre Greenwich St et Washington St ; Ⓜ C, E jusqu'à Spring St

À un pâté de maisons de l'Hudson, ce bar vénérable et sympathique a élu domicile dans la James Brown House (résidence d'un conseiller de George Washington, pas celle du roi de la soul), datant de 1817. Il est fréquenté aussi bien par des ouvriers et des employés de bureau que par des bikers et des poètes qui apprécient tous son célèbre hachis parmentier. Une institution qui n'est pas près de fermer ses portes, malgré le projet immobilier de Philip Johnson – l'Urban Glass House, de 12 étages – qui devrait bientôt sortir de terre.

MERCBAR Plan p. 450

☎ 212-966-2727 ; 151 Mercer St, entre Houston St et Prince St ; ⑥ R, W jusqu'à Prince St

Un havre de paix, intime, où l'on discute à voix basse dans un décor de style chalet en sirotant de délicieux élixirs. S'y côtoient en général des employés de l'édition, de la confection et du marketing (entre autres spécialités du quartier), qui viennent après la fermeture des bureaux.

MILANO'S Plan p. 450

☎ 212-226-8844 ; 51 E Houston St, entre Mulberry St et Mott St ; ⑥ B, D, F, V jusqu'à Broadway-Lafayette St

Pendant près d'un siècle, ce petit bistrot a résisté aux modes en restant fidèle à sa réputation –bières à 3 $ et paquets de chips présentés derrière le bar en bois. Les habitués, peu affables, se mêlent aux curieux autour d'une pinte de Guinness et d'un juke-box d'époque (chansons allant de Tony Bennett aux Chieftains).

PRAVDA Plan p. 450

☎ 212-226-4944 ; 281 Lafayette St, entre Prince St et Houston St ; ⑥ B, D, F, V jusqu'à Broadway-Lafayette St

Le Pravda a tenté de rester discret, mais les files d'attente devant sa porte l'ont trahi. En adoptant une tenue suffisamment branchée et un air pénétré, vous devriez pouvoir entrer dans ce faux bar clandestin évoquant l'Europe de l'Est, embrumé par les volutes des cigares. Les martinis récompenseront vos efforts. La carte des vodkas, longue de 2 pages, inclut, quant à elle, l'Inferno Pepper du Canada, et la Rain Organic de fabrication américaine.

CHINATOWN, LITTLE ITALY ET NOHO

À la nuit tombée, ces trois quartiers se fondent en un seul. Leurs adresses hétéroclites offrent un curieux mélange de bars classiques pour nostalgiques d'un certain âge et de temples pour adorateurs des dernières tendances. Chinatown, avec ses bars karaoké, attire autant les jeunes du quartier que les touristes, le Winnie's (ci-contre) étant un classique du genre. Se perdre dans le dédale de ses rues à la recherche de l'endroit le plus étonnant est toujours très amusant. De leur côté, Little Italy et Noho jouissent d'une ambiance plus désuète et moins surprenante.

TOP 5 DES BARS AVEC VUE

- **Ava Lounge** (p. 273) La plus belle terrasse sur le toit dans le Midtown
- **La Marina** (p. 276) Et Manhattan est à vos pieds
- **Park View** au Boathouse Restaurant (p. 252) Au bord du lac, dans Central Park. Est-on à New York ?
- **Plunge** (p. 271) Faites fi de la clientèle huppée pour un panorama sur le New Jersey
- **Rise** (p. 264) Vue sur l'Hudson depuis un perchoir très sélect

---

CHIBI'S BAR Plan p. 450

☎ 212-274-0025 ; 238 Mott St, entre Prince St et Spring St ; ⑥ 6 jusqu'à Spring St

Minuscule bar romantique doté d'un bar en bois avec des tabourets bleu métallique, et d'une agréable salle. Le charme opère, sur fond de jazz tranquille (concert le dimanche), avec des sakés et des cocktails à base de saké dangereusement délicieux, ainsi qu'un étonnant menu proposant notamment des graines de soja et du caviar de saumon. Dans le même esprit : Chibitini (63 Clinton St, entre Rivington St et Stanton St), dans le Lower East Side, et Kitchen Club (30 Prince St), juste à côté de Chibi's, où savourer des raviolis maison.

DOUBLE HAPPINESS Plan p. 450

☎ 212-941-1282 ; 173 Mott St, entre Broome St et Grand St ; ⑥ J, M, Z jusqu'à Bowery, 6 jusqu'à Spring St

Un bar aménagé en sous-sol dans un vieil appartement étroit. Le jour y pénètre par une lucarne et les tables sont éclairées à la bougie. De jolies filles scrutent la foule à la recherche d'un élégant Roméo parmi les poètes d'âge mûr. À défaut d'enseigne, repérez l'escalier en pierre, plutôt raide ! Sinon, allez dans le petit bistrot voisin, Palais Royale (plan p. 450 ; ☎ 212-941-6112 ; 173 ½ Mott St), qui réchauffe quelques plats surgelés pour les petites faims et dispose d'un billard pour se détendre.

MARE CHIARO Plan p. 450

☎ 212-226-9345 ; 176½ Mulberry St, entre Broome St et Grand St ; ⑥ B, D jusqu'à Grand St

Frank Sinatra aimait ce bar centenaire de Little Italy où furent tournées certaines scènes du *Parrain*. Et vous l'aimerez aussi, même si Little Italy disparaît lentement. Les vieux serveurs bourrus ajoutent au charme du lieu, tout comme le curieux mélange de touristes interloqués, d'habitués peu amènes et de jeunes branchés égarés.

WINNIE'S Plan p. 444

☎ 212-732-2384 ; 104 Bayard St, entre Baxter St et Mulberry St ; 🚇 J, M, Z, N, Q, R, W, 6 jusqu'à Canal St

Braver le ridicule en s'égosillant, un peu éméché, dans ce bar bondé de Chinatown est, pour les New-Yorkais, une sorte de rite initiatique. Les cocktails aux noms peu engageants – tel ce mélange de Sambuca et de Baileys baptisé Abortion (avortement) – déménagent, et les vidéos projetées derrière vous sur un écran de cinéma se limitent aux années 1980.

LOWER EAST SIDE

Les choses vont et viennent par vagues dans ce quartier qui compte encore quelques vénérables lieux du passé, mais qui voit surtout fleurir une kyrielle de nouvelles boîtes branchées semblant pousser comme des champignons. Quel que soit votre style, ce quartier surpeuplé est idéal pour passer une soirée à boire et à discuter. Pour le prouver, nous avons élaboré une très sérieuse **promenade des tables et comptoirs du Lower East Side** (p. 212). Notez que les meilleurs bars se trouvent souvent à l'intérieur d'excellents restaurants. Vous pourrez ainsi faire d'une pierre deux coups.

BARRAMUNDI Plan p. 449

☎ 212-529-6900 ; 67 Clinton St, entre Stanton St et Rivington St ; 🚇 F, J, M, Z jusqu'à Delancey St

Tenu par un Australien féru d'art, cet établissement autrefois basé Ludlow St a élu domicile dans un vieil immeuble après l'expiration du bail de la précédente adresse. Même s'il n'y a plus de jardin, l'ambiance n'a pas changé : alcôves conviviales, boissons à prix doux (notamment des produits importés d'Australie) et quelques troncs d'arbres reconvertis en tables.

BARRIO CHINO Plan p. 446

☎ 212-253 Broome St, entre Ludlow St et Orchard St ; 🚇 F, J, M, Z jusqu'à Delancey St

Rien de mieux que de s'accouder au bar en bois de cet agréable petit établissement éclairé aux lanternes chinoises. L'accent est mis sur les téquilas – il y en a 50 à la carte, dont certaines ne coûtent pas moins de 25 $ le verre. Celles à 7 $ sont beaucoup plus populaires, tout comme les margaritas aux oranges sanguines pressées, le guacamole et les tacos de poulet.

EAST SIDE COMPANY BAR Plan p. 446

☎ 212614-7408 ; 49 Essex St à hauteur de Grand St ; 🚇 F, J, M, Z jusqu'à Delancey St

Tenu par le même propriétaire que le désormais fermé Milk & Honey (un minuscule bar clandestin où il fallait téléphoner avant de venir au risque de ne pouvoir entrer), ce bar offre une ambiance similaire : intime et calme, avec alcôves, lumières douces et moulures en fer-blanc. Les DJ passent de la musique lounge le week-end, un accompagnement idéal pour les breuvages qui détonnent et la Guinness à la pression.

MAGICIAN Plan p. 449

☎ 212-673-7851 ; 118 Rivington St, entre Essex St et Norfolk St ; 🚇 F jusqu'à Delancey St, J, M, Z jusqu'à Delancey St-Essex St

Derrière une devanture quelconque, on découvre des éclairages tamisés, de bons cocktails et un fond musical éclectique (de Duke Ellington aux Cure). La clientèle, décontractée, s'y détend autour d'un comptoir spacieux.

SUBA Plan p. 449

☎ 212-982-5714 ; 109 Ludlow St, entre Delancey St et Rivington St ; 🕐 dim-mer 18h-1h, jeu 18h-2h, ven-sam 18h-4h ; 🚇 F jusqu'à Delancey St, J, M, Z jusqu'à Delancey St-Essex St

Décidé à écraser la concurrence des lieux à la mode du voisinage, Suba n'a pas hésité à entourer de douves remplies d'eau sa salle à manger souterraine. On y goûte une cuisine espagnole raffinée, accompagnée de cocktails. L'endroit est une merveille d'architecture et de design, avec ses murs en brique, ses cascades, ses mezzanines et ses spectaculaires escaliers. Sangrias, cocktails de fruits et tapas délicieux.

WELCOME TO THE JOHNSONS Plan p. 449

☎ 212-420-9911 ; 123 Rivington St, entre Essex St et Norfolk St ; 🚇 F jusqu'à Delancey St, J, M, Z jusqu'à Delancey St-Essex St

Le succès de ce bar ayant pour thème la série populaire *La Famille Brady* ne se dément pas. Les banlieusards raffolent du salon kitsch des années 1970, des boissons à prix modérés (notamment d'excellentes margaritas) et de la clientèle de jeunes branchés.

EAST VILLAGE

Ici, le choix de bars est tout aussi vaste que celui des restaurants, de la sombre gargote au bar lounge le plus chic. Impossible de longer un pâté de maisons sans tomber

BARS GAYS

Un nombre incalculable de lieux est dédié aux gays : des lounges sexy avec de beaux barmans, des bars de filles avec billards et bière coulant à flots, et même des bars de sports réservés aux gays dont Chelsea s'est fait une spécialité. Il existe un guide qui les recense (bien d'autres adresses sur www.hx.com). Voir également "Clubbing", p. 300. Jetez aussi un coup d'œil sur les sites de certains organisateurs de soirées homos : **Shescape** (www.shescape.com) pour les lesbiennes, **Saint at Large** (www.saintatlarge.com) pour les garçons, et **Motherfucker** (www.motherfuckernyc. com) pour les férus de musique et d'art.

Lower East Side/East Village

Easternbloc (plan p. 449 ; ☎ 212-420-8885 ; 505 E 6th St, entre Ave A et Ave B ; ❺ F, V jusqu'à Lower East Side-2nd Ave) La nouvelle adresse du quartier, dans un cadre kitsch à base de rideaux de fer, de vidéos de Bettie Page, d'affiches communistes et d'adorables barmaids au physique d'Europe de l'Est.

Girls Room (plan p. 449 ; ☎ 212-254-5043 ; 210 Rivington St à hauteur de Pitt St ; ❺ F jusqu'à East Broadway) Ce lieu a ouvert pour recueillir les lesbiennes en détresse du quartier après la fermeture de Meow Mix, il y a quelques années. Les divas de Downtown s'y pressent pour des soirées karaoké et go-go danseuses.

Slide/Marquee (☎ 212-420-8885 ; 356 Bowery ; ❺ F, V jusqu'à Lower East Side-2nd Ave) Bar sur deux niveaux – avec une scène réservée aux drag queens tout en haut – jouissant d'une ambiance décontractée. Clientèle de jeunes éphèbes barbus et tatoués, mêlée à quelques lesbiennes. Soirées cinéma, concert, spectacle et autres. Communique avec le fabuleux restaurant/ lounge Marion's, qui sert une bonne cuisine de bistrot au rez-de-chaussée.

Starlight Bar & Lounge (☎ 212-475-2172 ; 167 Ave A ; ❺ L jusqu'à 1st Ave) Lounge torride et tapageur, ouvert aux hétéros, avec une clientèle d'habitués des deux sexes. Le dimanche est réservé aux filles pour les fameuses soirées lesbiennes. Ne manquez pas le formidable spectacle avec Keith Price, le mercredi.

Greenwich Village/West Village

Henrietta Hudson (plan p. 448 ; ☎ 212-924-3347 ; 438 Hudson St ; ❺ 1 jusqu'à Houston St) Toutes sortes de ravissantes lesbiennes prennent d'assaut cet ancien pub reconverti en bar lounge élégant, animé par divers DJ.

Monster (plan p. 448 ; ☎ 212-924-3558 ; 80 Grove St à hauteur de Sheridan Sq ; ❺ 1 jusqu'à Christopher St-Sheridan Sq) Réservé, de longue date, aux gays, cet établissement abrite une petite piste de danse ainsi qu'un piano-bar et un espace cabaret. Les animations nocturnes vont de la nuit latino à la soirée drag queen ; le fameux DJ Warren Gluck passe de vieux tubes au **Stonewall** (plan p. 448 ; ☎ 212-463-0950 ; 53 Christopher St ; ❺ 1 jusqu'à Christopher St-Sheridan Sq) C'est ici qu'ont eu lieu les émeutes de Stonewall, en 1969, quand des drag queens ont fait de la résistance pendant une descente de police. Ce bar historique tient le coup, et il est même pris d'assaut par les jeunes depuis sa récente rénovation.

Chelsea

Eagle (☎ 646-473-1866 ; www.eaglenyc.com ; 554 W 28th St ; ❺ C, E jusqu'à 23rd St) Des hommes vêtus de cuir descendent à l'Eagle pour se donner du bon temps et participer aux soirées à thème qui incluent notamment un spectacle SM. L'été, la terrasse sur le toit est très prisée.

sur un bistrot – ou des clients titubants, en particulier le week-end. L'endroit idéal donc pour une soirée un peu arrosée.

11TH STREET BAR Plan p. 449
☎ 212-982-3929 ; 510 E 11th St, entre Ave A et Ave B ; ❺ F, V jusqu'à Lower East Side-2nd Ave

L'un des bars les plus chaleureux du quartier. Asseyez-vous sur l'un des canapés moelleux, prenez le chat de la maison sur vos genoux et détendez-vous. Le plafond en fer-blanc et les murs en briques apparentes ne feront que renforcer votre envie d'y rester.

ANGEL'S SHARE Plan p. 449
☎ 212-777-5415 ; 2e étage, 8 Stuyvesant St, entre 3rd Ave et 9th St ; ❺ 6 jusqu'à Astor Pl

Traversez le restaurant japonais situé au même étage pour découvrir ce petit bijou avec ses serveurs raffinés et ses cocktails originaux. On ne vous laissera pas prendre un verre s'il n'y a pas de place pour vous asseoir. Et comme c'est très souvent le cas, il vaut mieux arriver de bonne heure.

BEAUTY BAR Plan p. 449
☎ 212-539-1389 ; 531 E 14th St, entre 2nd Ave et 3rd Ave ; ❺ L jusqu'à 3rd Ave

Un bar kitsch, très prisé depuis le milieu des années 1990, qui rend hommage aux salons de beauté d'autrefois. Une clientèle décontractée vient là pour la musique entraînante, l'ambiance nostalgique et les margaritas Blue Rinse gratuites (accompagnées d'une manucure à 10 $), du mercredi au dimanche.

Gym (plan p. 446 ; ☎ 212-337-2439 ; 167 8th Ave à hauteur de 18th St ; Ⓜ A, C, E jusqu'à 14th St, L jusqu'à 8th Ave) Ce nouveau bar des sports pour hommes n'a rien à voir avec les bars des sports hétéros et bruyants qui pullulent dans Midtown. Ici, la décoration est soignée : larges lames de parquet, plafonds hauts et bar aux lignes pures. Les hommes sont polis et apprécient tout autant le championnat de patinage que les finales de basket (sans doute à cause du physique des joueurs).

Splash Bar (plan p. 446 ; ☎ 212-691-0073 ; 50 W 17th St ; Ⓜ L jusqu'à 6th Ave, F, V jusqu'à 14th St) Bien que rebaptisé plusieurs fois, cet établissement n'a pas changé et reste une institution. Sur plusieurs niveaux, il fait à la fois lounge et discothèque, et accueille les barmans les moins vêtus du quartier. La fête Trannyshack du dimanche est une soirée drag queen très courue.

xl (plan p. 446 ; ☎ 646-336-5574 ; 357 W 16th St ; Ⓜ A, C, E jusqu'à 14th St, L jusqu'à 8th Ave) Après le travail, des Adonis raffolent des délicieux cocktails de ce lounge onéreux et haut de plafond. TV à écran plat diffusant des clips. Bons spectacles de cabaret ou de drag queens certains soirs. Un énorme aquarium sert de cloison dans les WC (si les poissons pouvaient parler...), et les drogués du travail peuvent brancher leur portable grâce à l'accès Wifi gratuit.

Midtown

OW Bar (plan p. 452 ; ☎ 212-355-3395 ; 221 E 58th St, entre Lexington Ave et 3rd Ave) Un bar très apprécié qui sauve l'honneur du quartier. L'OW (comprenez : Oscar Wilde) dispose d'un super juke-box, d'un jardin extérieur et d'un vaste lounge accueillant des fêtes tous les soirs (concours de beauté, spectacles et go-go danseurs).

Therapy (plan p. 284 ; ☎ 212-397-1700 ; 348 W 52nd St, entre 8th Ave et 9th Ave) Avec une déco similaire à celle

du xl (sur plusieurs niveaux, spacieux et contemporain), ce haut lieu de Chelsea North (aussi appelé "Hell's Kitchen") propose différentes soirées à thème (du one-man-show à la comédie musicale). Cuisine correcte (burgers, houmous, salades) au 2e étage, en face d'une cheminée crépitante.

Boroughs périphériques

Cattyshack (plan p. 464 ; ☎ 718-230-5740 ; 249 4th Ave à hauteur de President St, Park Slope, Brooklyn ; Ⓜ M, R, W jusqu'à Union St) Après avoir fermé son établissement lesbien bien-aimé dans l'East Village (Meow Mix), Brooke Webster a apporté une ambiance encore meilleure aux filles de Park Slope (et elles sont nombreuses), avec cet espace chic organisé sur 3 niveaux. Les fumeurs adorent la terrasse sur le toit, et tout le monde raffole des go-go danseuses, des super DJ et des soirées à thème. Les garçons sont les bienvenus.

Chueca Bar (☎ 718-424-1171 ; 69-04 Woodside Ave, Woodside, Queens ; Ⓜ 7 jusqu'à 69th St) C'est un peu loin de Manhattan, mais les belles lesbiennes latines viennent des 4 coins de la région (et même du New Jersey et du Connecticut) pour faire la fête avec leurs copines de salsa.

Excelsior (plan p. 464 ; ☎ 718-832-1599 ; 390 5th Ave à hauteur de 6th St ; Ⓜ M, R, W jusqu'à Union St) Qui a dit qu'il n'y en avait que pour les filles à Park Slope ? Cette adresse gay de longue date est très prisée d'une clientèle de beaux garçons sympathiques. Excellent juke-box et patio pour les mois d'été (et pour ceux qui fument toute l'année).

Metropolitan (plan p. 463 ; ☎ 718-599-4444 ; 559 Lorimer St à hauteur de Metropolitan Ave ; Ⓜ G jusqu'à Metropolitan Ave, L jusqu'à Lorimer St) Club sympathique et décontracté de Williamsburg attirant une clientèle bohème de garçons et de filles. Personnel agréable, boissons bon marché, patio extérieur et bons DJ.

CLUBHOUSE Plan p. 449
☎ 212-260-7970 ; 700 E 9th St à hauteur de Ave C ; Ⓜ F, V jusqu'à Lower East Side-2nd Ave

Les propriétaires du bar gay **Starlight** (p. 291) ont ajouté cet établissement mixte à leur répertoire, il y a quelques années. Magnifique petit bar au design soigné et bien pensé et à l'éclairage tamisé. Les DJ remplissent souvent la petite piste de danseurs énergiques.

D.B.A. Plan p. 449
☎ 212-475-5097 ; 41 1st Ave, entre 2nd St et 3rd St ; Ⓜ F, V jusqu'à Lower East Side-2nd Ave

Ce pub sombre et dépouillé affiche une carte griffonnée sur une grande ardoise et propose 125 sortes de bières, 120 whiskies pur malt et pas moins de 50 téquilas. Il y a

aussi un minuscule patio à l'arrière, mais l'animation se concentre essentiellement près du bar, où un mélange d'étudiants, d'hommes d'affaires et d'habitués désœuvrés se retrouvent pour l'amour des spiritueux.

HOLIDAY COCKTAIL LOUNGE Plan p. 449
☎ 212-777-9637 ; 75 St Marks Pl, entre 1st Ave et 2nd Ave ; Ⓜ 6 jusqu'à Astor Pl

Rescapé d'une autre époque, un bar vieille génération typique, charmant et un peu vieillot. Le service est grognon, la TV reste allumée en permanence mais les verres ne coûtent que 3 $. Côté clientèle, c'est un curieux mélange de clients nostalgiques, d'alcooliques près de leurs sous et de grigous en tous genres.

MO PITKIN'S HOUSE OF
SATISFACTION Plan p. 449

☎ 212-777-5660 ; 34 Ave A à hauteur de E 4th St ;
Ⓜ F, V jusqu'à Lower East Side-2nd Ave

Moitié restaurant, moitié cabaret/café-théâtre burlesque (voir p. 290 pour plus de détails) et moitié bar à cocktails rétro, Mo Pitkin's est unique en son genre. On y commande des bières pression, des boissons typiquement new-yorkaises (comme l'Absolut Egg Cream, une vodka avec du sirop de chocolat, du lait et de l'eau gazeuse), tout en discutant avec des figures locales de tous âges.

ODESSA CAFÉ Plan p. 449

☎ 212-253-1470 ; 110 Ave A, entre St Marks Pl et E 7th St ; Ⓜ 6 jusqu'à Astor Pl

Un ancien restaurant transformé en bar, en plein Tompkins Sq Park, typique d'East Village. Le décor n'a jamais été rafraîchi, comme en témoigne le plafond rouge bosselé. Quant aux clients, ce sont plutôt des grunges, tatoués oui, mais fun et sympas. Une fois appréciés les cocktails à 4 $ et les assiettes de *pirojki* qui tiennent au corps, vous n'aurez aucun mal à vous intégrer à l'ambiance.

GREENWICH VILLAGE

Traditionnellement, le Village était le quartier de prédilection quand il s'agissait de boire des verres en refaisant le monde. Mais aujourd'hui, mieux vaut éviter ses bars, à moins qu'esquiver les bris de verres de bière d'étudiants passablement éméchés soit votre définition d'une bonne soirée. Il y a toutefois des exceptions, ainsi que quelques bars gays agréables (voir l'encadré précédent).

BAR NEXT DOOR Plan p. 449

☎ 212-529-5945 ; 129 MacDougal St, entre 3rd St et 4th St ; Ⓜ A, C, E, B, D, F, V jusqu'à W 4th St

L'une des plus jolies boîtes du quartier, au rez-de-chaussée d'une maison restaurée, avec plafonds bas, murs en brique et éclairage romantique. Concert de jazz tous les soirs et cuisine italienne du restaurant voisin, La Lanterna di Vittorio.

BOWLMOR LANES Plan p. 448

☎ 212-255-8188 ; 110 University Pl, entre E 12th St et E 13th St ; Ⓜ L, N, Q, R, W, 4, 5, 6 jusqu'à 14th St-Union Sq

La salle de bowling ne donne qu'un avant-goût de ce vaste complexe où vous pouvez vous rendre simplement pour vous asseoir sur les sièges acidulés du long bar, fabriqué à partir du bois luisant d'un ancien couloir de bowling, et regarder les gens jouer à travers une énorme vitre. L'atmosphère rétro est très prisée des grands groupes, et le DJ pourrait bien vous donner l'entrain suffisant pour faire une partie.

MARIE'S CRISIS Plan p. 448

☎ 212-243-9323 ; 59 Grove St, entre 7th Ave S et Bleecker St ; Ⓜ 1 jusqu'à Christopher St-Sheridan Sq

Des reines de Broadway vieillissantes et autres fans de comédies musicales se rassemblent autour du piano et s'époumonent à tour de rôle sur des airs kitsch, souvent repris en chœur par toute l'assistance. Un divertissement au charme désuet qui vous donnera de l'allant, même si vous êtes arrivé dans un état de fatigue avancé.

STONED CROW Plan p. 448

☎ 212-677-4022 ; 85 Washington Pl, entre Washington Sq West et 6th Ave ; Ⓜ A, C, E, B, D, F, V jusqu'à W 4th St

Un petit bistrot qui vaut le détour, vibrant au son de standards du rock crachés par un fantastique juke-box. Clientèle d'étudiants faisant semblant de travailler. Billard dans la salle du fond.

SULLIVAN ROOM Plan p. 448

☎ 212-252-2151 ; 218 Sullivan St, entre Bleecker St et W 3rd St ; Ⓜ A, C, E, B, D, F, V jusqu'à W 4th St

Ce bar discret, sans enseigne et en sous-sol, attire une foule de superbes créatures de la nuit vêtues de noir, venues écouter des DJ, boire des cocktails bien tassés ou choisir parmi le large éventail de bières étrangères. Un lieu caché mais très branché, qui détonne dans ce quartier.

WEST VILLAGE ET LE MEATPACKING DISTRICT

L'ouest du Village permet d'éviter la plupart des bars estudiantins et de trouver des petits bistrots romantiques au charme à la fois désuet et actuel, souvent situés dans des bâtiments historiques. Là, les rues tortueuses, où l'on se perd facilement, offrent une occasion rêvée de flâner à la recherche d'un bar et, si l'un vous semble accueillant, n'hésitez pas à y entrer. Quant au Meatpacking District, il jouit d'une ambiance résolument contemporaine, et la plupart des établissements, spacieux et modernes, avec des entrées aux rideaux de velours, proposent de longues listes de cocktails, dans un vacarme parfois assourdissant.

BRASS MONKEY Plan p. 448

☎ 212-675-6686 ; 55 Little W 12th St à hauteur de Washington St ; Ⓢ A, C, E jusqu'à 14th St, L jusqu'à 8th Ave
Si la plupart des bars du Meatpacking District sont plutôt chic, le Monkey fait exception, attirant ceux qui attachent plus d'importance à leur bière favorite qu'à leur tenue vestimentaire. Une fois franchie la petite façade en bois brut, l'intérieur ne fera que vous conforter dans votre choix : poutres apparentes au plafond, serveurs sympathiques et large choix de bières et de whiskies. Sans oublier une cuisine de bar et autres snacks pour se sustenter.

CHUMLEY'S Plan p. 448

☎ 212-675-4449 ; 86 Bedford St, entre Grove St et Barrow St ; Ⓢ 1 jusqu'à Christopher St-Sheridan Sq
Ce bar autrefois clandestin propose des plats de bistrot, ainsi que 11 bières pression différentes. On y vient pour son aspect historique : une déco en bois défraîchi, des photos jaunies et des jaquettes de livres d'auteurs influents alignées sur les murs. Arrivez de bonne heure, car les fins de soirée sont souvent très arrosées. Le lieu est difficile à trouver : repérez la porte marron, sans enseigne, sur un mur blanc.

DOUBLE SEVEN Plan p. 448

☎ 212-981-9099 ; 418 W 14th St, entre 9th Ave et 10th Ave ; Ⓢ A, C, E jusqu'à 14th St, L jusqu'à 8th Ave
Le propriétaire du très branché Lotus (p. 301), juste en face, a ouvert ce petit bar à cocktails pour une clientèle plus mûre – des trentenaires ! Dans ce lounge intime, avec de hauts tabourets en cuir confortables, la consommation d'alcool va bon train, sans doute parce que les boissons sont délicieuses et accompagnées d'un chocolat fin…

HUDSON BAR & BOOKS Plan p. 448

☎ 212-229-2642 ; 636 Hudson St, entre Horatio St et Jane St ; Ⓢ A, C, E jusqu'à 14th St, L jusqu'à 8th Ave
Un lieu unique en son genre, de style club privé masculin d'autrefois, offrant une atmosphère de bibliothèque de province. Les boissons reprennent le thème de James Bond et on peut y jouer aux échecs. C'est petit, rempli de boiseries chaleureuses, et aussi relaxant qu'une gorgée de cognac. Bar & Books est tellement populaire qu'il a également

---

TOP 5 DES BARS AVEC BILLARDS

- **Amsterdam Bar & Billiards** (p. 274) Une douzaine de tables, pour les amateurs
- **Dakota Roadhouse** (p. 264) Trois tables de billard, quand Lower Manhattan rencontre le Midwest
- **Gym** (p. 269) Des apollons profitent de leur passage dans ce bar des sports gay pour jouer au billard
- **Stoned Crow** (à gauche) Cette institution du Village dispose d'une bonne table
- **West Side Tavern** (p. 272) Un billard très prisé de la foule buveuse de bière

---

ouvert le **Cigar Bar** (plan p. 454 ; ☎ 212-717-3902 ; 1020 Lexington Ave à hauteur de 73rd St), ainsi que des bars à Prague et, bientôt, à Bucarest.

PLUNGE Plan p. 448

☎ 212-206-6700 ; Gansevoort Hotel, 18 9th Ave à hauteur de 13th St ; Ⓢ A, C, E jusqu'à 14th St, L jusqu'à 8th Ave
Située au 15ᵉ étage du très branché Gansevoort Hotel, cette star du Meatpacking District offre une vue magnifique sur l'Hudson et le New Jersey, encore plus belle au coucher de soleil. Mieux vaut d'ailleurs y venir en semaine et arriver tôt, pour éviter la foule de clients avides de panorama. Et n'imaginez même pas piquer une tête dans la piscine : elle est réservée aux hôtes de l'hôtel et les responsables de la sécurité veillent au grain.

CHELSEA

Bien que le quartier soit le paradis des bars lounge chic (lieux de drague favoris d'une population de gays flamboyants) et des boîtes de nuit immenses (pour tous), la diversité n'a pas entièrement disparu. On peut toujours y écouter du bon vieux jazz, y prendre un martini ou une pinte de bière. Toutefois, le point névralgique du quartier se déplace progressivement vers l'ouest, et Ninth Ave. S'y promener le soir permet de découvrir de charmants bars-restaurants et autres lieux méritant le détour.

CHELSEA BREWING COMPANY Plan p. 446

☎ 212-336-6440 ; Chelsea Piers, Pier 59, WestSide Hgwy à hauteur de 23rd St ; Ⓢ C, E jusqu'à 23rd St
Les amateurs de bières artisanales de qualité peuvent venir les déguster sur une vaste

Décompressez dans ce temple du luxe, Serena (ci-dessous)

terrasse au bord de l'eau – idéal après une journée de piscine, de golf ou d'escalade aux **Chelsea Piers** (p. 142), le centre sportif voisin.

HALF KING Plan p. 452
☎ 212-462-4300 ; 505 W 23rd St à hauteur de 10th Ave ; ⊕ C, E jusqu'à 23rd St
Mariage unique entre une simple taverne et un repaire d'écrivains, le Half accueille souvent des soirées littéraires éclairées à la bougie. Vous trouverez forcément votre bonheur parmi la myriade de sièges et fauteuils, surtout par temps chaud, quand le café donnant sur la rue ouvre ses portes, avec son agréable patio à l'arrière. Cuisine de bistrot très correcte, ainsi que diverses salades et des plats de pâtes.

SERENA Plan p. 446
☎ 212-255-4646 ; Chelsea Hotel, 222 W 23rd St, entre 7th Ave et 8th Ave ; ⊕ C, E, 1 jusqu'à 23rd St
Le luxueux lounge installé au sous-sol du Chelsea Hotel offre une atmosphère des plus raffinées, avec un ensemble de canapés, des recoins pour flirter, des DJ passant de la musique relaxante et des soirées à thème attirant une clientèle diverse. Le dimanche soir est réservé aux lesbiennes chic, depuis que le **Shescape** (p. 268), qui organise des soirées dans toute la ville, se pose ici chaque semaine pour prolonger le week-end.

WEST SIDE TAVERN Plan p. 446
☎ 212-366-3738 ; 360 W 23rd St, entre 8th Ave et 9th Ave ; ⊕ C, E jusqu'à 23rd St
Retour à la normalité ! Cette taverne, à l'ambiance surannée et fleurant bon la bière, diffuse de vieux tubes de rock et propose une bonne cuisine de pub. Billard et grandes tables le long du bar. Clientèle d'étudiants accompagnés de leurs petites amies. Snaxx, une soirée lounge avec DJ, a lieu en alter-

nance le vendredi, et réunit les plus beaux garçons du quartier ainsi qu'une foule de jeunes branchés, dans le petit sous-sol de l'établissement.

UNION SQUARE, FLATIRON DISTRICT ET GRAMERCY PARK

Ici, les bars lounge d'hôtels huppés et les bars-restaurants chic côtoient quelques gargotes des plus sommaires. Vous lèverez le coude en compagnie de gens fortunés, d'étudiants ultra-lookés sortant de l'école de mode voisine, et d'habitués appréciant les pubs irlandais qui se multiplient à mesure que l'on avance vers le nord. Vous pourrez déguster une pinte de Guinness servie, dans les règles de l'art, dans l'un des pubs bordant Third Ave, au nord de 14th St.

FLATIRON LOUNGE Plan p. 446
☎ 212-727-7741 ; 37 W 19th St, entre 5th Ave et 6th Ave ; ⊕ F, N, R, V, W jusqu'à 23rd St
Un bar simple et classique, datant de 1927, où apprécier des cocktails faits avec des ingrédients de saison (grenades, pommes granny smith, menthe, litchis). Le cadre, historique et rétro, est agrémenté de tabourets en cuir rouge et de lampes en vitrail. L'impressionnante entrée, à travers une voûte tamisée, participe au charme des lieux.

GALLERY AT THE GERSHWIN Plan p. 452
☎ 212-447-5700 ; Gershwin Hotel, 7 E 7th St, entre 5th Ave et Madison Ave ; ⊕ F, N, R, V, W jusqu'à 23rd St
Parfait pour ceux qui séjournent dans cet hôtel branché et bon marché, et idéal pour tout le monde – surtout les voyageurs en solo, qui y rencontreront certainement d'autres globe-trotters. Dans tous les cas, on se détend sur les confortables banquettes rouges en profitant de l'atmosphère à la fois artistique (grandes peintures accrochées aux murs), douce (des DJ donnent le ton avec une musique lounge), et intello (cocktails tirant leurs noms de sommités comme Pablo Neruda ou Jean-Michel Basquiat).

PETE'S TAVERN Plan p. 446
☎ 212-473-7676 ; 129 E 18th St à hauteur de Irving Pl ; ⊕ L, N, Q, R, W, 4, 5, 6 jusqu'à 14th St-Union Sq
Un classique de New York, sombre et pittoresque, dans un décor où dominent

les boiseries et l'étain, le tout dans une ambiance très littéraire. On sert là d'honnêtes burgers et plus de 15 sortes de bières pression. Clientèle hétéroclite de couples sortant du théâtre, d'expatriés irlandais et d'étudiants.

SAPA Plan p. 452
☎ 212-929-1800 ; 43 W 24th St, entre 5th Ave et 6th Ave ; Ⓜ N, R, W, 6 jusqu'à 23rd St

Décor moderne et inspiré, réalisé par des décorateurs réputés, pour cet élégant bar logé dans un restaurant franco-vietnamien. Une adresse incontournable de Flatiron, où la clientèle se compose de cadres travaillant dans le quartier, de gastronomes et, parfois de quelques célébrités (qui préfèrent les alcôves intimes à la salle à manger). Cherchez-les du regard ou admirez le mince bar en noyer, les voilages délicats et le magnifique système d'éclairage. Les cocktails sont frais et délicieux, avec des ingrédients subtils (menthe, sirop de mûre, infusions maison), mais vous pourrez aussi déguster un bon verre de vin ou une bière.

MIDTOWN

Des adresses pour tout un chacun – touristes, banlieusards, branchés de la haute société et hommes d'affaires en costume cravate –, voilà ce qui définit cette vaste étendue urbaine. Si, à l'ouest (surtout dans Hell's Kitchen), les bars sont moins collet monté qu'à l'est, au centre, les établissements restaient, jusqu'à récemment du moins, tout à fait ordinaires – certains propriétaires ont heureusement décidé de prendre des mesures face à ce manque total de raffinement, à proximité de Times Sq. Les bars de Midtown, surtout à l'est, changent très souvent, prenez la précaution d'appeler avant de vous y rendre.

MIDTOWN EAST
MANCHESTER PUB Plan p. 452
☎ 212-935-8901 ; 920 2nd Ave St à hauteur de 49th St ; Ⓜ E, V, 6 jusqu'à Lexington Ave-53rd St

Soif d'Angleterre ? Alors, rendez-vous dans ce pub chaleureux et populaire où trouver une nourriture copieuse, des pintes bien fraîches (de Guinness, naturellement) et un super juke-box cybernétique qui permet de télécharger toutes les chansons de votre choix. Mieux vaut s'y rendre de bonne heure, les habitués arrivent en masse vers 21 heures.

CAMPBELL APARTMENT Plan p. 452
☎ 212-953-0409 ; 15 Vanderbilt Ave à hauteur de 43rd St ; Ⓜ S, 4, 5, 6, 7 jusqu'à Grand Central

Prenez l'ascenseur à côté de l'Oyster Bar ou les escaliers jusqu'au West Balcony, et franchissez les portes à gauche. Le Campbell occupe l'ancien appartement d'un magnat des chemins de fer. Son décor en velours et acajou, agrémenté de fresques, offre un cadre sublime pour siroter un cocktail. On peut fumer le cigare, mais jeans et baskets n'ont pas droit de cité. L'endroit idéal pour apprécier toute la grandeur de la gare, un martini à la main.

GINGER MAN Plan p. 452
☎ 212-532-3740 ; 11 E 36th St, entre 5th Ave et Madison Ave ; Ⓜ 6 jusqu'à 33rd St

Un lieu comme il n'y en avait pas eu depuis longtemps dans Midtown, soit un joli pub haut de plafond, paradis des amateurs de bière. Basé au Texas (avec 3 établissements dans cet État et seulement 1 autre dans le reste du pays), ce bar propose un large éventail de boissons du monde entier, toute une gamme de whiskies, de vins et, même, de cigares. Copieuse cuisine de pub – ragoût de bœuf à la Guinness, sandwichs à la saucisse…

MIDTOWN WEST
AVA LOUNGE Plan p. 284
☎ 212-956-7020 ; Majestic Hotel, 210 W 55th St, entre 7th Ave et Broadway ; Ⓜ N, Q, R, W jusqu'à 57th St

La moderne terrasse sur le toit de l'hôtel Majestic, plantée de palmiers, est le petit bijou de Midtown. Elle offre, le soir, une vue spectaculaire sur la ligne des gratte-ciel alentour et, à l'intérieur, de somptueuses ottomanes permettent de profiter de la douceur du cadre, à la fois rétro et moderne, ainsi que de l'élégance de la clientèle.

BLUE LADY LOUNGE Plan p. 284
☎ 212-245-2422 ; 104 W 57th St, entre 6th Ave et 7th Ave ; Ⓜ F jusqu'à 57th St

Ce luxueux havre de paix, perché au-dessus de l'agitation du quartier commerçant de W 57th St, est une vraie aubaine à côté des innombrables traiteurs sans charme et autres restaurants ronflants qui pullulent dans le quartier. Accessible par un escalier prenant sous un petit auvent bleu, à côté de l'entrée principale de Shelly's New York (une institution pour les grillades et fruits de mer), c'est l'endroit idéal pour siroter un martini dans de confortables banquettes et écouter des orchestres de jazz qui jouent gratuitement tous les soirs. Vous pouvez également commander des plats chez Shelly's.

BRYANT PARK GRILL & CAFÉ Plan p. 452
☎ 212-840-6500 ; 25 W 40th St, entre 5th Ave et 6th Ave ; Ⓜ B, D, F, V jusqu'à 42nd St-Bryant Park
Deux bars-restaurants sur un joli petit carré de verdure, à l'extrémité est de Bryant Park, où profiter de l'air frais et des lumières des gratte-ciel. Le Grill est le plus chic : élégante salle à manger intérieure et bars sur le toit et dans le jardin. L'endroit est souvent fermé pour des événements privés. Aucune importance : le Café, plus informel, en terrasse, accueille une clientèle hétéroclite qui s'installe sous les parasols, dans des chaises en osier. Vous y trouverez des boissons alcoolisées et des plats beaucoup plus abordables.

KEMIA Plan p. 284
☎ 212-333-3410 ; 630 9th Ave à hauteur de 44th St ; Ⓜ A, C, E jusqu'à 42nd St-Port Authority
Les gens adorent y prendre un verre avant ou après le théâtre, car le lieu est lui-même théâtral : un escalier agrémenté de pétales de roses descend jusqu'à la splendide salle en sous-sol, garnie d'ottomanes, de tentures chatoyantes et, encore, de roses. Au programme : délicieux cocktails accompagnés d'amuse-gueules marocains, tandis que d'excellents DJ veillent à la musique. Un lieu caché, dans un quartier où il est souvent difficile de distinguer les bonnes des mauvaises adresses – Kemia appartient à la première catégorie.

MORRELL WINE BAR & CAFÉ Plan p. 284
☎ 212-262-7700 ; 1 Rockefeller Plaza (W 47th St, entre 5th Ave et 6th Ave) ; Ⓜ B, D, F, V 49th St-50th St-Rockefeller Ctr
L'un des pionniers de la mode des bars à vins à New York. La carte, interminable, affiche pas moins de 150 vins différents au verre. La salle, spacieuse et sur deux niveaux, juste en face de la fameuse patinoire, est splendide et à la hauteur des crus proposés.

SINGLE ROOM OCCUPANCY Plan p. 284
☎ 212-765-6299 ; 360 W 53rd St, entre 8th Ave et 9th Ave ; Ⓜ C, E jusqu'à 50th St
Parmi les endroits, de plus en plus nombreux, un peu difficiles à dénicher – ici, il faut sonner pour entrer. On se retrouve alors dans une sorte de bar clandestin, offrant

une belle sélection de vins et de bières – le lieu est exigu et ressemble à un sellier (claustrophobes s'abstenir), mais la plupart des gens adorent.

UPPER WEST SIDE

Un quartier plutôt familial qui n'attire pas vraiment les fêtards. Mais, à l'image des restaurants branchés qui s'y sont progressivement installés, d'agréables bars commencent à y ouvrir leurs portes. La frange nord offre la possibilité de dénicher de petites adresses sans prétention, grâce aux étudiants de l'université de Columbia, toute proche.

AMSTERDAM BILLIARDS & BAR
Plan p. 454
☎ 212-496-8180 ; 334 Amsterdam Ave, entre 75th St et 76th St ; Ⓜ 1, 2, 3 jusqu'à 72nd St
Ok, voilà un bar sympathique, aux murs en brique, où les cocktails sont bons et les tabourets confortables. Mais l'endroit abrite aussi – et c'est là son grand attrait – une collection d'une douzaine de superbes billards bien entretenus, pour les amateurs.

'CESCA Plan p. 454
☎ 212-787-6300 ; 164 W 75th St, entre Amsterdam Ave et Columbus Ave ; Ⓜ 1, 2, 3 jusqu'à 72nd St
Réputé pour son restaurant italien raffiné, 'Cesca dispose également d'un confortable espace lounge aux allures de fumoir d'autrefois – avec boiseries sombres, quelques tables assez intimes et bar flottant au milieu de la salle. La clientèle, variée pour le quartier, semble ravie d'avoir trouvé un bar proposant un choix impressionnant de vins au verre, ainsi que des cocktails savamment préparés, de bonnes bières et une délicieuse cuisine de bistrot, de l'assortiment de fromages italiens à la salade de faro.

MARITIME CAFÉ AT PIER 1 Plan p. 454
☎ 917-612-4330 ; 70th St à hauteur de l'Hudson ; Ⓜ 1, 2, 3 jusqu'à 72nd St
Aux beaux jours, ce café utilise l'esplanade du Riverside Park de manière ingénieuse. En prenant la peine de réserver, vous pourrez y goûter des cocktails et des grillades, sur l'herbe, bien calé dans votre chaise longue. Le meilleur endroit de la ville pour admirer le coucher de soleil, et le service est irréprochable. L'été, concerts réguliers organisés, ainsi que projections de films en plein air, au bout de la jetée.

SHALEL Plan p. 454

☎ 212-799-9030 ; 65 W 70th St, entre Central Park West et Columbus Ave ; ⊕ B, C, 1, 2, 3 jusqu'à 72nd St

Le style Downtown vous manque ? Alors, entrez dans le restaurant Greek Metsovo et descendez l'escalier éclairé à la bougie jusqu'au lounge d'inspiration marocaine, en sous-sol. Vous y trouverez des divans bas, des bougies à la lumière vacillante, des coussins moelleux et même une petite cascade. La bonne sélection de vins épicés ajoute à la magie de l'endroit, et les petites salles à manger privées sont très romantiques.

UPPER EAST SIDE

Un autre quartier assez raffiné où la vie nocturne n'a rien de trépidant. Seuls les bars lounge d'élégants hôtels dominent la scène, aux côtés d'une poignée de bistrots. Rendez-vous plutôt dans des cafés traditionnels, au cadre unique, entre le Metropolitan Museum et Central Park – en veillant à porter une tenue adéquate.

BEMELMAN'S BAR Plan p. 454

☎ 212-570-7109 ; Carlyle, 35 E 76th St à hauteur de Madison Ave ; ⊕ 6 jusqu'à 77th St

Serveurs en veste blanche, pianiste et peintures murales représentant Madeleine, le personnage de l'auteur et illustrateur de livres pour enfants, Ludwig Bemelman… En bref, un lieu conventionnel pour déguster un cocktail dans une ambiance sérieuse, et qui pourrait très bien apparaître dans un film de Woody Allen. Préparez-vous à assister à un spectacle aussi fascinant que prévisible.

BAR EAST Plan p. 454

☎ 212-876-0203 ; 1733 1st Ave, entre 89th St et 90th St ; ⊕ 6 jusqu'à 86th St

Sympathique bar de quartier, un peu hors des sentiers battus (et assez éloigné du métro). Il y a là un billard, de bons DJ pop rock, un jeu de fléchettes et un joli bar orné d'un miroir en toile de fond. Les gens du coin viennent y boire et papoter tranquillement – prenez un tabouret et faites de même.

SUBWAY INN Plan p. 454

☎ 212-223-8929 ; 143 E 60th St, entre Lexington Ave et 3rd Ave ; ⊕ 4, 5, 6 jusqu'à 59th St

Une clientèle d'un certain âge raffole de ce bar classique, où les serveurs portent chemise blanche et cravate noire. Le Subway

---

TOP 5 DES BARS AVEC JUKE-BOX

- **Excelsior** (p. 269) Bizarrement éclectique, à Brooklyn
- **Magician** (p. 267) Musique pour ados (les Cure, etc.) et jazz
- **Manchester Pub** (p. 273) Vous pouvez télécharger tout ce que vous voulez sur Internet
- **Milano's** (p. 266) Vieux standards classiques et irlandais
- **OW Bar** (p. 269) Des milliers de titres digitalisés dans ce bar gay de Midtown

---

a su rester authentique et bon marché, et offre une pause agréable après une séance de shopping chez **Bloomingdale's** (p. 350), au coin de la rue.

HARLEM ET LE NORD DE MANHATTAN

Le quartier de Manhattan qui s'étend au nord de 125th St est un monde en soi, propice à la flânerie, surtout si vous recherchez une ambiance de quartier ou des bœufs de jazz sans chichi. Nous vous recommandons particulièrement Broadway, entre 110th St et 125th St, où Morningside Heights offre un bon échantillon de bistrots d'étudiants et d'habitants du quartier ; Lenox Ave autour de 125th St, le cœur de Harlem ; et Broadway, aux environs de 140th St, où vous vous retrouverez au milieu des Latinos embourgeoisés de Washington Heights.

BLEU EVOLUTION/MONKEY LOUNGE Plan p. 458

☎ 212-928-6006 ; 808 W 187th, entre Fort Washington Ave et Pinehurst Ave N ; ⊕ A jusqu'à 190th St

Avec son intérieur drapé de velours, voilà un lieu idéal pour siroter des cocktails jusqu'à 2 heures du matin et déguster quelques salades du Moyen-Orient (houmous, caviar d'aubergine, etc.) ou des plats plus copieux, tels la lotte rôtie ou les crêpes de canard. Une clientèle variée s'y rend, surtout en fin de soirée, puisque le choix reste limité dans ce quartier calme et tranquille appelé Hudson Heights, et qui voit sa population grossir grâce aux prix de l'immobilier encore abordables.

LA MARINA Plan p. 458

☎ 212-567-8088 ; 348 Dyckman St à hauteur de l'Hudson ; ⓜ A jusqu'à Dyckman St

À Inwood, la meilleure adresse du quartier, pour passer une chaude soirée d'été. Tout est fait pour la détente : produits d'inspiration latine (*ceviche* et *mojito*), vue magnifique sur le pont George Washington, et talentueux danseurs de salsa qui se défoulent lorsque les DJ ou les groupes en concert jouent le week-end.

LENOX LOUNGE Plan p. 458

☎ 212-427-0253 ; www.lenoxlounge.com ; 288 Malcolm X Blvd, entre 124th St et 125th St ; ⓜ 2, 3 jusqu'à 125th St

Ce lounge Art déco classique, très prisé des amateurs de jazz du quartier, accueille régulièrement de grands noms. C'est du reste une magnifique maison d'époque qui offre un cadre agréable pour boire un verre. Au fond, ne ratez pas la luxueuse Zebra Room.

BROOKLYN

Croyez-le ou non, certains ne se contentent pas des bars de Manhattan et viennent de temps à autre boire un verre à Brooklyn, plus particulièrement à Williamsburg, qui n'est qu'à un arrêt de métro par la ligne L. Park Slope (à hauteur de Fifth Ave) abrite différents bars, dont deux bistrots gays et lesbiens appréciés de longue date.

BOERUM HILL, COBBLE HILL, CARROLL GARDENS ET RED HOOK

BROOKLYN INN Plan p. 464

☎ 718-625-9741 ; 138 Bergen St à hauteur de Hoyt St ; ⓜ F, G jusqu'à Bergen St

Avec sa façade noire et ses murs ornés de boiseries en chêne foncé, ce bar de quartier ressemble à un pub anglais, la fumée (ou les Anglais) en moins. Il y a une salle de billard au fond, mais l'activité se concentre autour du bar (et des pintes à 5 $), à côté du juke-box (Meat Puppets, Clash, Clap Your Hands). Heureusement, pas de TV. Les fumeurs se retrouvent dehors. Ce bar apparaît dans le film *Smoke* (1995).

FLOYD Plan p. 462

☎ 718-858-5810 ; 131 Atlantic Ave ; ⓜ 2, 3, 4, 5 jusqu'à Borough Hall

Si le Floyd doit sa renommée à son terrain de *bocce* (sorte de bowling sur gazon

italien), il abrite également une immense et confortable salle, avec des fauteuils en cuir et des canapés disposés autour de tables basses. L'ambiance est joviale et entraînante, même si la clientèle peut avoir tendance à s'échauffer un peu.

LONG ISLAND BAR & RESTAURANT Plan p. 462

110 Atlantic Ave, à hauteur de Henry St ; ⓒ lun-sam 9h-21h; ⓜ 2, 3,4, 5 jusqu'à Borough Hall

Ouvert depuis 1951 (et ça se voit), ce bar d'un autre temps a des fleurs aux fenêtres, des trophées sur son imposant bar et un personnel d'un certain âge qui vous préparera un burger à 4 $ pour accompagner une bière ou un gin tonic. Il ferme de bonne heure, mais c'est une bonne façon de commencer la soirée. Plein de sièges au bar, mais aussi des box en vinyle rouge.

SUNNY'S Plan p. 465

☎ 718-625-8211 ; 253 Conover St, entre Beard St et Reed St ; ⓒ mer 20h-2h, ven et sam 20h-4h ; ⓜ F, G jusqu'à Carroll St

Ce vieux bar de dockers perdu dans Red Hook semble tout droit sorti du film *Sur les quais*, sauf que Marlon Brando ne tricotait pas, contrairement à Sunny, le patron. Le week-end, la musique est à l'honneur – les clients apportent leurs instruments et improvisent du bluegrass. L'ambiance est conviviale et, après quelques bières, tout le monde plaisante d'une table à l'autre. À peine entré, vous en faites partie. Prendre le bus B61 à la sortie du métro.

PARK SLOPE

GINGER'S Plan p. 464

☎ 718-778-0924 ; 363 5th Ave ; ⓜ F, M, R jusqu'à 4th Ave-9th St

Ce lieu lesbien "peace and love", aux murs couleur rubis, voit défiler beaucoup de gays et d'hétéros devant son comptoir et dans son jardin du fond. Atmosphère plus décontractée que dans les bars lesbiens de Manhattan.

GREAT LAKES Plan p. 464

☎ 718-499-3710 ; 284 5th Ave à hauteur de 1st St ; ⓜ M, R jusqu'à Union St

Les fans de rock indépendant et d'autres se pressent dans ce bar au nom énigmatique ("grands lacs"). Le juke-box diffuse la musique des groupes les plus obscurs. Quelques photos montrent des poissons fraîchement pêchés. La devanture en verre permet de s'asseoir à l'intérieur tout en regardant qui se rend au Blue Ribbon voisin. Concerts de jazz et de rock certains soirs.

O'CONNOR'S Plan p. 464
☎ 718-783-9721 ; 39 5th Ave, entre Bergen St et Dean St ; ⏱ 12h-4h ; Ⓜ 2, 3 jusqu'à Bergen St
Une vieille gargote de 1931, sans charme aucun, dotée de néons au plafond, de vieux lambris aux murs et d'une TV constamment allumée. Les boissons très bon marché (2,50 $ le gin tonic !) et son ambiance tranquille y attirent également la jeunesse branchée.

WILLIAMSBURG
Sortir à Manhattan est passé de mode, depuis la fin des années 1990. La nuit, ce sont désormais les entrepôts industriels et les trottoirs sans arbres de Williamsburg qui s'animent. Pour s'y rendre, il suffit de suivre les groupes de jeunes sortant du métro et partant faire la tournée des bars. Bedford Ave est devenue un peu ringarde, mais c'est là que l'activité se concentre. North 6th St, en direction du fleuve, est un autre point de rendez-vous très prisé. Voir p. 225 pour une promenade à pied qui vous emmènera dans d'autres bars animés, à l'est de la voie express Brooklyn-Queens.

ALLIGATOR LOUNGE Plan p. 463
☎ 718-599-4440 ; 600 Metropolitan Ave, Williamsburg ; Ⓛ L jusqu'à Lorimer St
Dans le nord de Williamsburg, l'Alligator attire un curieux mélange de jeunes branchés et d'employés du quartier. L'ambiance est décontractée et bon enfant – canapés en U et alcôves d'inspiration japonaise au fond, son de la TV coupé et musique (Jimi Hendrix, les Pixies) maintenue à un niveau suffisamment bas pour inviter au bavardage – et l'endroit aussi très couru pour sa pizza *gratuite* cuite au feu de bois. Broc de Yuengling à 14 $. Karaoké le jeudi. Concert de jazz le dimanche.

BROOKLYN ALE HOUSE Plan p. 463
☎ 718-302-9811 ; 103 Berry St ; Ⓛ L jusqu'à Bedford Ave
Après 22 heures, tout le monde fume (ou s'en va) dans ce bar très "vieille école" avec parquet au sol et suspensions au plafond. Le juke-box diffuse ce qu'il faut de musique

COCKTAILS EMBLÉMATIQUES
Avant ou après dîner, ne manquez pas de goûter l'un de ces fameux cocktails new-yorkais.

Cosmopolitan
4cl de vodka / 2cl de liqueur d'orange (type Cointreau ou Grand Marnier) / 2cl de jus d'airelle / 1cl de jus de citron vert
Frapper dans un shaker et servir dans un verre à cocktail.

Long Island Iced Tea (le vrai, l'unique, pas l'imposteur à la tequila !)
1,5cl de vodka / 1,5cl de gin / 1,5cl de rhum blanc / 1,5cl de liqueur d'orange (type Cointreau ou Grand Marnier) / minimum 6cl de cola
Frapper tous les alcools dans un shaker, verser dans un verre à long drink (25cl) et ajouter le cola. Servir avec une rondelle de citron.

Manhattan
4cl de whisky / 2cl de vermouth (Martini ou autre) / 1 trait d'Angostura bitter
Verser l'Angostura, le vermouth et le whisky dans un shaker rempli de glace. Remuer et servir dans un verre à cocktail, avec une cerise en décoration.

L'abus d'alcool est dangereux pour la santé. À consommer avec modération.

cool mais les œuvres exposées au mur peuvent s'avérer passablement mauvaises. Le mélange de jeunes d'une vingtaine d'années et d'habitués d'âge canonique est assez surprenant.

100% TCHÈQUE

Astoria, dans le Queens, est un autre borough extérieur devenu un point de chute pour boire et s'amuser. Le **Bohemian Hall & Beer Garden** (plan p. 457 ; ☎ 718-274-4925 ; 29-19 24th Ave, entre 29th St et 31st St, Astoria ; ◷ lun-jeu 17h-2h, ven 17h-3h, sam-dim 12h-3h ; Ⓜ N, W jusqu'à Astoria Blvd) est l'un des bars les plus joyeux de New York. Créé en 1919 par des membres de la Bohemian Citizen's Benevolent Society (fondée pour les immigrés tchèques en 1892), il est devenu une institution à Astoria. Par beau temps, rien de mieux que de profiter de son immense *beer garden*, dernier rescapé sur les 800 *beer gardens* que comptait autrefois New York. Les délicieuses bières importées du pays sont servies avec l'accent tchèque. Les soirs d'été, des concerts sont improvisés (parfois moyennant un supplément de 5 $), et vous êtes libre de vous attarder aussi longtemps que vous le souhaitez (arrivez de bonne heure pour être sûr d'avoir une place). Les restaurants ne manquent pas dans le quartier. Le Hall propose, pour sa part, une cuisine tchèque copieuse (à partir de 8 $), mais aussi des salades, des boulettes de pommes de terre et des hamburgers. Les enfants peuvent rester jusqu'à 21 heures.

GALAPAGOS ART SPACE Plan p. 463
☎ 718-384-4586 ; www.galapagosartspace.com ;
70 N 6th St ; Ⓜ L jusqu'à Bedford Ave

Un "espace artistique", repaire de jeunes gens en quête de musique expérimentale et de groupes disco kitsch chantant le paradis gay. Immense bassin (qui fait la taille de certains bars d'East Village) dans l'entrée ; scène surélevée et long bar (cocktails à 6 $) dans le fond. Certains spectacles sont gratuits, d'autres coûtent entre 6 et 8 $.

SEA Plan p. 463
☎ 718-384-8850 ; 114 N 6th St ; ◷ 11h30-1h30 ;
Ⓜ L jusqu'à Bedford Ave

Institution de longue date, ce fastueux bar/restaurant thaï – avec une statue de Bouddha se reflétant dans un bassin – est à Williamsburg ce que le Hard Rock Cafe est à l'East Village. L'endroit est drôle et la cuisine bonne (plats 7-16 $) mais, le week-end, rempli de curieux venus de Manhattan.

SPUYTEN DUYVIL Plan p. 463
☎ 718-963-4101 ; spuytenduyvil@verizon.net ;
359 Metropolitan Ave, Williamsburg ; ◷ dim-jeu 17h-1h ou 2h, ven et sam 17h-3h ou 4h ; Ⓜ L jusqu'à Bedford Ave

Bar décontracté dont le nom signifie "embrocher le diable" en flamand. Jeunes et moins jeunes s'y retrouvent pour bavarder sur fond de jazz. Grand choix de bières et petite sélection de thés en vrac. Pour le cadre, plafonds en fer-blanc peints en rouge, collection de cartes et de cendriers d'époque, plancher et fauteuils tenus par de vieilles étagères de livres de poche que personne n'oserait voler. Par beau temps, l'arrière-cour est ouverte. Quelques en-cas (fromage, pickles, viande fumée).

ZEBULON Plan p. 463
☎ 718-218-6934 ; 258 Wythe Ave, Ⓜ L jusqu'à Bedford Ave

Le Zeb est une salle de spectacle mal entretenue et improbable qui accueille des orchestres de jazz expérimental, des poètes français et des batteurs haïtiens vaudou. L'ambiance est moins loufoque qu'il n'y paraît. Tous les soirs, les spectacles, gratuits, débutent à 22 heures. Si la musique vous plaît, vous pouvez acheter la compilation *This Is It : Live at Zebulon Vol 1*. La bière pression coûte 5 $, le thé à la menthe 3 $ et les bouteilles de vin commencent à 20 $. Soupes, tartines et tartes pour les petites faims.

Où sortir

Où sortir

À New York, inutile de faire gros efforts pour se divertir : aller au travail, prendre le métro, manger au restaurant, voire faire ses courses, la vie ici a toujours un côté dramatique, comique, piquant ou même musical (merci aux talentueux artistes des rues). Cependant, en décrochant le téléphone ou en surfant sur Internet, vous pourrez vous retrouver confortablement assis au milieu d'un vrai public devant l'un des spectacles les plus courus de la ville.

Musique, théâtre, danse, cinéma, opéra, lectures publiques, à chacun son choix, mais il est facile de s'y perdre : comédie musicale à Brodway ou théâtre à Downtown ? Concert d'une rock-star au **Madison Square Garden** (p. 282) ou obscur club de jazz à Brooklyn ? Blockbuster hollywoodien dans un multiplexe ou film d'art et d'essai étranger au **Film Forum** (p. 302) ? Ou peut-être une nuit blanche en discothèque ? La plupart des New-Yorkais choisissent un genre de distraction et s'y tiennent obstinément, en faisant parfois, de temps à autre, une incursion dans un autre domaine.

Si vous aimez le théâtre, tout reste affaire de style, qu'il s'agisse de l'étrangeté d'une pièce avant-gardiste de Downtown, d'un grand succès de Broadway porté par un immense battage médiatique ou, variante intermédiaire, d'une production off-Broadway acclamée par la critique. Côté cinéma, profitez des possibilités qu'offre New York : peut-être quelque obscur documentaire que vous ne verrez jamais chez vous, ou bien un **festival cinématographique** (p. 303) qui vous permettra de découvrir en avant-première les meilleurs films d'art et d'essai de demain ? Si c'est la danse qui vous passionne, vous avez sans doute déjà un faible pour le moderne ou pour le classique ; faites votre choix en fonction des troupes qui passent en ville. Même chose pour la musique, l'opéra et le reste.

Cela dit, comment s'y retrouver dans ce foisonnement culturel ? Aucune source ne recense l'intégralité de ce qui se passe ici, mais *Time Out New York, New York Times, New York, The Village Voice, New York Press* et le *New Yorker* s'efforcent d'être exhaustifs et publient en prime des critiques très complètes. En les consultant tous, vous serez pleinement informé. Ne perdez pas trop de temps à choisir ; vous serez rarement déçu, quel que soit votre centre d'intérêt. L'office du tourisme de la ville, **NYC & Company** (www.nycvisit.com) donne la liste des manifestations et concerts à venir, tandis que le site de **NYC/On Stage** (www.tdf.org/search) énumère les événements culturels dans chaque catégorie.

Billets, réservations et informations

Pour acheter des billets, vous pouvez vous adresser directement au guichet du théâtre ou passer par l'un des services de billetterie qui prennent les réservations par téléphone ou Internet (moyennant une commission) et proposent généralement des critiques et des informations sur les dernières productions.

Broadway Line (☎ 888-BROADWAY ; www. livebroadway.com) offre une description des spectacles et de bons prix pour tout ce qui passe sur Broadway.

Pour éviter les files d'attente au cinéma, **Movie Fone** (☎ 212-777-FILM ; movies.aol. com) permet d'acheter les billets plusieurs heures ou jours à l'avance. Pour les salles non couvertes par Movie Fone, essayez **Fandango** (www.fandango.com).

Les petits programmes jaune et blanc distribués par les ouvreuses dans les théâtres de Broadway sont publiés par **Playbill** (www. playbill.com), dont le site Web permet de se renseigner sur les pièces à l'affiche et de réserver des billets.

Talkin' Broadway (www.talkingbroadway. com) présente des critiques plus délurées et offre un service d'achat et de vente de billets de particulier à particulier. **Telecharge** (☎ 212-239-6200 ; www.telecharge.com) vend des billets pour les spectacles de Broadway et off-Broadway.

L'excellent **SmartTix.com** (☎ 212-868-4444 ; www.smarttix.com) vous renseigne sur le café-théâtre, le cabaret, les arts de la scène, la musique, la danse et le théâtre de Downtown, mais uniquement hors Broadway.

D'illustres musiciens, dont Tchaïkovski, ont joué au Carnegie Hall (ci-dessous)

Pour le théâtre sous toutes ses formes, **Theatermania** (☎ 212-352-3101 ; www.theatermania.com) propose liste des pièces, critiques et billets.

Ticketcentral (☎ 212-279-4200 ; www.ticketcentral.com) couvre également la danse, les conférences et les spectacles comiques de "stand-up".

Ticketmaster (☎ 212-279-4200 ; www.ticketcentral.com) vend des billets pour tous les grands événements : concerts de rock, opéra, ballet, théâtre à Broadway et off-Broadway, musées et compétitions sportives. Il possède des guichets dans les magasins de disques Tower Records.

Principales salles

Si la ville compte d'innombrables petits théâtres, lieux de conférences, salles de danse et autres espaces, seule une poignée de grandes salles organisent des manifestations de tous genres, tel le Lincoln Center qui accueille de l'opéra, de la danse, des orchestres, des films et du théâtre. Nous recensons ci-dessous tous ces poids lourds de la culture.

BEACON THEATER Plan p. 454
☎ 212-496-7070 ; 2124 Broadway entre 74th St et 75th St ; ⊙ 1, 2, 3 jusqu'à 72nd St
Salle de l'Upper West Side à l'atmosphère plutôt détendue, pour ceux qui veulent écouter de grosses pointures dans une ambiance plus intime que les grands stades.

Les Allman Brothers, Morrissey et Tina Turner y ont joué récemment. Hélas, les sièges gênent pour danser.

BROOKLYN ACADEMY OF MUSIC (BAM) Plan p. 464
☎ 718-636-4139 ; www.bam.org ; 30 Lafayette Ave à hauteur d'Ashland Pl, Fort Greene, Brooklyn ; ⊙ D, M, N, R jusqu'à Pacific St, B, Q, 2, 3, 4, 5 jusqu'à Atlantic Ave
Sorte de Lincoln Center en plus avant-gardiste, cette salle accueille toutes sortes de spectacles. Le **Howard Gilman Opera House** et le **Harvey Lichtenstein Theater** permettent de voir de la danse (Mark Morris Dance Group, Pina Bausch et Bill T. Jones), de l'opéra, du théâtre (Cate Blanchett a joué récemment dans *Hedda Gabler*), des concerts (Laurie Anderson et Patti Smith) et des conférences. Les magnifiques **BAM Rose Cinemas** projettent les derniers films indépendants (et d'autres moins récents), souvent en présence du réalisateur ; en 2005, Robert Redford y a installé le siège de son Sundance Film Festival. Enfin, le **Lepercq Space**, à l'ambiance intime malgré ses trois étages et ses hauts plafonds, abrite un excellent café et reçoit notamment des trios de jazz et des chanteurs de cabaret. Pour vous tenir au courant des nouvelles tendances, ne manquez pas le Next Wave Festival, au printemps.

CARNEGIE HALL Plan p. 284
☎ 212-247-7800 ; www.carnegiehall.org ; 154 W 57th St à hauteur de 7th Ave ; ⊙ N, R, Q, W jusqu'à 57th St
Cette salle de concert ouverte en 1891 a vu passer Tchaïkovski, Mahler et Prokofiev,

entre autres. Aujourd'hui, elle reçoit des orchestres étrangers en tournée, l'orchestre des New York Pops, divers musiciens de world music comme kd lang et Sweet Honey in the Rock, et organise les concerts familiaux CarnegieKids. On y trouve le splendide Isaac Stern Auditorium et deux salles plus petites, le Joan and Sanford I Weill Recital Hall et le Judy and Arthur Zankel Hall.

LINCOLN CENTER Plan p. 454

☎ 212-546-2656 ; www.lincolncenter.org ; Lincoln Center Plaza, Broadway à hauteur de W 65th St ; Ⓜ 1 jusqu'à 66th St-Lincoln Center

Toute la gamme des arts de la scène est représentée dans cet immense ensemble bâti à la fin des années 1960 et promis à une prochaine rénovation. L'**Avery Fisher Hall** est la salle attitrée du New York Philharmonic (www. newyorkphilharmonic.org), le plus ancien orchestre symphonique du pays. L'**Alice Tully Hall** (☎ 212-875-5050) abrite la Chamber Music Society of Lincoln Center, et le **New York State Theater** (☎ 212-870-5570) accueille à la fois le New York City Ballet (www.nycballet.com) et le New York City Opera (www.nycopera.com). Autres lieux : le **Walter Reade Theater** (☎ 212-875-5600; www.filminc.com) où se tient tous les ans le New York Film Festival et qui passe d'excellents films ; les magnifiques salles de théâtre **Mitzi E Newhouse** et **Vivian Beaumont** ; la **Juilliard School** et la **Fiorello H LaGuardia High School of Music** où l'on peut entendre des concerts. Outre la fontaine extérieure, qui apparaît dans *Éclair de lune*, avec Cher et dans *Les Producteurs* de Mel Brooks et où se déroule le festival d'été Lincoln Center Out of Doors Festival, le point fort du Lincoln Center reste cependant le **Metropolitan Opera House** (☎ 212-362-6000 ; www.metopera.org), avec ses deux fresques de Chagall visibles de la rue et son double escalier rouge qui s'élève majestueusement

Rugissez de plaisir au New Amsterdam Theatre (p. 286)

depuis le grand hall. Elle est investie de septembre à mai par le Metropolitan Opera, ses grandes stars et ses costumes et décors étourdissants, et le reste de l'année par des troupes étrangères en tournée – sauf au printemps, quand le mondialement célèbre American Ballet Theater occupe la scène. **Jazz at Lincoln Center** (voir l'encadré p. 152) a déménagé dans le Time Warner Center, à quelques rues de là sur Columbus Circle.

MADISON SQUARE GARDEN Plan p. 452

☎ 212-465-6741 ; www.thegarden.com ; 7th Ave à hauteur de W 33rd St ; Ⓜ A, C, E, 1, 2, 3, 9 jusqu'à 34th St-Penn Station

Lorsque Madonna, Bruce Springsteen ou les Rolling Stones se produisent en ville, c'est ici qu'on les trouve. Voir un concert à guichets fermés dans "la salle la plus célèbre du monde", dotée de 19 000 places et perchée au-dessus de Penn Station, dans Midtown, vous laissera des souvenirs inoubliables. S'y produisent aussi les Harlem Globetrotters, l'énorme cirque Ringling Bros and Barnum & Bailey, et le Westminster Kennel Club Dog Show.

THE MEADOWLANDS Plan p. 442

☎ 201-935-3900 ; www.meadowlands.com ; East Rutherford, NJ ; service de bus depuis Port Authority (☎ 800-772-2222)

Juste de l'autre côté de l'Hudson, dans le New Jersey, c'est l'un des lieux de spectacles les plus vastes. Il contient à la fois les Giants Stadium (stade de l'équipe de football américain éponyme), qui accueille l'été d'énormes concerts en plein air, et la Continental Airlines Arena, où se produisent de grands noms comme Coldplay et le festival multi-artiste Taste of Chaos Tour.

RADIO CITY MUSIC HALL Plan p. 452

☎ 212-247-4777 ; www.radiocity.com ; 6th Ave à hauteur de W 51st St ; Ⓜ B, D, F, V jusqu'à 47th St-50th St-Rockefeller Center

Cette grandiose salle Art déco de 1932, où se produisait la troupe de danseuses des Rockettes, organise chaque hiver le spectacle Christmas Spectacular. Gérée par la même équipe que le Madison Square Garden, elle mérite une petite visite. Si le MSG accueille les superstars, le Radio Music City Hall reçoit des artistes connus ou moins connus tels Ricky Martin, Il Divo, Martina McBride et David Gilmore. Les enfants ne sont pas oubliés, avec des spectacles comme *Dora l'exploratrice* et *Peter Pan*.

SYMPHONY SPACE Plan p. 454

☎ 212-864-1414 ; www.symphonyspace.org ; 2537 Broadway à hauteur de 95th St ; Ⓜ 1, 2, 3 jusqu'à 96th St

Très éclectique également, ce théâtre rénové est un joyau de l'Upper West Side. Composé de deux salles, le grand Peter Jay Sharpe Theatre et le petit Leonard Nimoy Thalia (LNT), il organise toutes sortes de manifestations de qualité : "Wall to Wall", marathons musicaux annuels gratuits consacré à un compositeur particulier ; "Selected Shorts", lectures de nouvelles par des célébrités ; et "Just Kidding!", pièces et concerts pour enfants. On peut aussi voir des classiques du cinéma et d'excellents spectacles de théâtre, de cabaret, de café-théâtre, de danse et de world music. Le café récemment ouvert sert une cuisine légère et délicieuse.

TOMMY HILFIGER JONES BEACH THEATER

☎ 516-221-1000 ; www.tommyhilfigerjonesbeach. com ; Jones Beach, Wantaugh, Long Island ; 🚆 Long Island Rail Road (LIRR) jusqu'à Freeport, puis bus jusqu'à Jones Beach

Autrefois simplement baptisé Jones Beach Theater avant d'être repris par Tommy Hilfiger, il accueille des artistes en vue. Si le concert qui vous intéresse n'a pas lieu aux Meadowlands (ou même si c'est le cas), c'est probablement dans cette salle immense mais agréablement située au bord de l'eau que vous le verrez. Tom Petty et Ozzfest sont passés ici récemment.

TOWN HALL Plan p. 284

☎ 212-840-2824 ; www.the-townhall-nyc.org ; 123 W 43rd St entre 6th Ave et 7th Ave ; Ⓜ B, D, F, V jusqu'à 42nd St-Bryant Park

Dans cette salle jouent régulièrement des ensembles classiques mais aussi des musiciens de folk, de jazz et de blues, et même Garrison Keilor lorsqu'il y enregistre son émission de radio *Prairie Home Companion*.

THÉÂTRE

Des comédies musicales de Broadway aux "one-woman-shows" parlant de céréales, des grandes salles légendaires de Times Sq aux théâtres délabrés de la taille d'un appartement, la ville a de quoi plaire à tous. En été, on peut voir des spectacles en plein air dans des lieux comme Central Park ou Washington Sq.

C'est Broadway, centré sur Times Sq, qui attire le plus de monde. L'époque où le quartier fourmillait de peep-shows et de cinémas porno a pris fin sous le mandat du maire Giuliani dans les années 1990. Ils ont été remplacés, sous l'œil chagrin de nombreux nostalgiques, par des salles jouant *Le Roi Lion*, *La Belle et la Bête* ou autres comédies musicales de Disney. Aujourd'hui, arpenter ce quartier brillamment illuminé est aussi fascinant que d'être assis au premier rang d'un théâtre ; et entrer dans un théâtre est plus confortable et bien plus amusant.

Outre les comédies musicales, les productions de Broadway se sont nettement diversifiées. À cette nouvelle vague de spectacles novateurs appartiennent *The Color Purple* (*La Couleur pourpre*, adapté du roman d'Alice Walker), le très culte *Wicked* (une histoire antérieure au *Magicien d'Oz* qui met en scène les sorcières), *Spamalot* des Monty Python (adapté du film) et *Grey Gardens : A New Musical* (basé sur le fascinant et déroutant documentaire de John Maysles). Des remakes de succès cinématographiques comme *The Producers* et *Hairspray* ont fait un tabac, de même que quelques reprises de comédies musicales, telles que *Chicago*, *Fiddler on the Roof* et_*Sweeney Todd*. Par ailleurs, le public ne s'est toujours pas lassé de productions indémodables comme *Rent*, *Le Fantôme de l'Opéra* et *Mama Mia!* Les amateurs d'un théâtre plus aventureux s'intéresseront à se qui se passe off-Broadway, à Downtown et même dans les boroughs périphériques (notamment à la BAM), car une partie de la création scénique la plus originale et la plus accomplie est montée très loin du Theater District. Chaque été, le festival international **Fringe Fest** (www.fringenyc. org), organisé dans différents théâtres de Downtown, permet de découvrir de nouvelles œuvres d'avant-garde.

BROADWAY

Il y a peu de temps encore, *Cats* était la comédie musicale de Broadway ayant tenu le plus longtemps l'affiche. Depuis début 2005, le titre est détenu par un autre grand succès d'Andrew Lloyd Weber, *Phantom of the Opera* (*Le Fantôme de l'Opéra*), qui a battu son prédécesseur en jouant sa 7486e représentation au Majestic Theater. Quantité d'autres productions semblent ne jamais devoir s'arrêter et de nouvelles

TIMES SQUARE ET LE THEATER DISTRICT

0 — 200 m
0 — 0,1 miles

A   **B**   **C**   **D**

W 59th St — 88
59th St / Columbus Circle — 15
Central Park South — 80

W 58th St — 77
W 58th St

57th St — 57th St — 79   28
57th St

67

W 56th St — W 56th St — 73

74
W 55th St — 40
27 — 55th St — 81

W 54th St — W 54th St — 83

44
Broadway
W 53rd St — 22   31 — 7th Ave — W 53rd St — 1
10 — 5
W 52nd St — 32   91 — 25 — W 52nd St — 11

W 51st St — 84 — 45 — 46 — W 51st St
39 — 36
W 50th St — 50th St — 18 — 33 — 38 — W 50th St — 47th-50th Sts-Rockefeller Center — 13
57 — 87
W 49th St — 89 — 49th St — 30   14
Rockefeller Center

W 48th St — 69 — 92 — 56 — W 48th St — 16
61 — 47th-50th Sts-Rockefeller Center

W 47th St — 19 — 24   65 — 35 — 82 — 47th St — W 47th St
62 — 42   43 — 55 — 8   93 — W 46th St — 86
W 46th St — 66
58 — Theater District
W 45th St — 76   70 — W 45th St
47 — 63
W 44th St — 34 — 49 — 67   78
29   7 — 54   26 — 21 — W 44th St
90 — 64   72 — 17   6 — Times Square — W 43rd St
W 43rd St — 52 — 42 St-Bryant Park — 5th Ave
48
W 42nd St — 52 — 94 — 42nd St — 53 — Times Sq-42nd St — Bryant Park
9 — 51
W 41st St — 12 — 50 — Times Sq-42nd St
Gare routière de Port Authority — 85 — 75 — Times Sq-42nd St — W 40th St — 71
59
60 — 4
W 39th St — 41
20 — W 39th St
W 38th St — 68
23
W 37th St — Garment District — W 37th St
W 36th St — W 36th St

Tenth Ave   Ninth Ave   Eighth Ave   Seventh Ave   Broadway   Sixth Ave (Ave of the Americas)

À VOIR ET À FAIRE (p. 156)
American Folk Art Museum........1 D2
Central Park Bicycle Tours & Rentals........2 B1
ESPN Zone........3 C5
Kiosque d'information du Fashion Center........4 C6
Gray Line........5 C2
International Center of Photography........6 D5
Kramer's Reality Tour........7 B4
Lazer Park........8 C4
Leisure Time Bowling Center........9 B5
Manhattan Bicycle........10 A2
Museum of Television & Radio........11 D2
New York Sports Club........12 C5
Radio City Music Hall........13 D3
Rockefeller Center........14 D3
Spa at Mandarin Oriental........(voir 15)
Time Warner Center........15 B1
Top of the Rock........16 D3
Town Hall........17 D5
Worldwide Plaza........18 B3

OÙ SE RESTAURER (p. 247)
441/2........19 A4
Café Gray........(voir 15)
Cupcake Café........20 B6
DB Bistro Moderne........21 C4
Eatery........22 B2
Market Café........23 B6
Masa........(voir 15)
Meskerem........24 B4
Russian Samovar........25 B3
Virgil's Real Barbecue........26 C4

OÙ PRENDRE UN VERRE (p. 273)
Ava Lounge........27 C2
Blue Lady Lounge........28 D1
Kemia........29 A4
Morrell Wine Bar & Café........30 D3
Oak Room........(voir 67)
Single Room Occupancy........31 B2
Therapy........32 B3

OÙ SORTIR (p. 279)
Ambassador Theater........33 C3
Birdland........34 B4
Brooks Atkinson Theatre........35 B4
Cadillac Winter Garden Theatre........36 C3
Carnegie Hall........37 C1
Carolines on Broadway........38 C3
Circle in the Square Theatre........39 C3
City Center........40 D2
Club Shelter........41 D6
Danny's Skylight Room........42 B4
Don't Tell Mama........43 B4
Ed Sullivan Theatre........44 C2
Gershwin Theatre........45 C3
Iridium Jazz Club........46 C3
John Golden Theatre........47 C4
Loews 42nd St E – Walk Theater........48 C5
Majestic Theatre........49 B4
Nederlander Theatre........50 C5
New Amsterdam Theatre........51 C5
Playwrights Horizons........52 A5
Roundabout Theatre Company........53 C5
St James Theater........54 C4
Kiosque TKTS........55 C4
Walter Kerr Theatre........56 C3

SHOPPING (p. 347)
Colony........57 C3
Delphinium Home........58 A4
Drama Bookshop........59 C5
Marché aux puces de Hell's Kitchen........60 A6
Manny's Music........61 C4
Mud, Sweat & Tears........62 A4
The Shops at Columbus Circle........(voir 15)
Toys 'R' Us........63 C4
Virgin Megastore........64 C5
Wear Me Out........65 B4

OÙ SE LOGER (p. 366)
414 Hotel........66 A4
Algonquin........67 D4
Americana Inn........68 D6
Belvedere Hotel........69 B3
Big Apple Hostel........70 D4
Bryant Park........71 D5
Casablanca Hotel........72 D5
Chambers........73 D2
Dream........74 C2
Hotel 41........75 B5
Hotel QT........76 D4
Hudson........77 B1
Iroquois........78 D4
Le Parker Meridien........79 D1
Mandarin Oriental New York........(voir 15)
Ritz-Carlton – New York, Central Park........80 C1
Shoreham........81 D2
W New York – Times Square........82 C4
Warwick Hotel........83 D2
WJ Hotel........84 B3

TRANSPORTS (p. 419)
Gare routière de Port Authority........85 B5

RENSEIGNEMENTS
Consulat du Brésil........86 D4
Consulat du Canada........87 D3
CVS........88 A1
Cyber Café........89 B3
Poste de police........90 C5
Bureau de poste de Radio City........91 B3
Thomas Cook........92 C4
Centre d'information de Times Square........93 C4
Bureau de poste de Times Square........94 B5

paraissent appelées à rencontrer le même succès. La liste suivante recense non pas des salles mais des spectacles, car c'est sur eux que se basent la plupart des gens pour choisir où passer leur soirée.

Les productions estampillées Broadway se jouent dans les salles somptueuses du début du XXe siècle entourant Times Sq. Elles coûtent cher, les meilleures places (et les seules à valoir la dépense) tournant autour de 80 $. Le rideau se lève à 20h, avec des matinées le mercredi à 14h. Tous les théâtres sont accessibles en métro par les lignes N, Q, R, S, W, 1, 2, 3, 7 jusqu'à Times Sq-42nd St.

AVENUE Q

John Golden Theatre, plan ci-contre ; 252 W 45th St, entre Broadway et 8th Ave ; N, R, 1, 2, 3, 7 jusqu'à Times Sq-42nd St

Qui aurait cru que de simples marionnettes auraient autant de succès ? Le dramaturge Jeff Whitty a imaginé cette histoire d'amour dans un univers de pantins au visage rose et vert évoquant les personnages du *Muppet Show*. Les marionnettistes se trouvent sur la scène, mais se fondent rapidement dans le décor. Les chansons parlant de *schadenfreude* (plaisir pervers) et les scènes coquines vous feront rougir (et rire).

CHICAGO

Ambassador Theater, plan p. 284 ; 219 W 49th St, entre Broadway et 8th Ave ; Ⓜ N, R, W jusqu'à 49th St, 1, 9 jusqu'à 50th St

D'abord une pièce, puis un film, puis à nouveau une pièce, ce grand classique relatant les aventures de Roxy Hart dans le milieu de la pègre à Chicago a fait un fabuleux come-back, sans doute grâce à la récente version cinématographique de Rob Marshall (2002), portée par les flamboyantes Renée Zellweger et Catherine Zeta-Jones.

DOUBT

Walter Kerr Theatre, plan p. 284 ; 219 W 48th St, entre Broadway et 8th Ave ; Ⓜ N, R, W jusqu'à 49th St, 1, 9 jusqu'à 50th St

Un grand succès noir, cette nouvelle pièce raconte une mystérieuse histoire d'abus sexuel dans une école catholique du Bronx au début des années 1960. Le premier rôle féminin (une religieuse) est tenu à l'heure actuelle par Eileen Atkins, qui a remplacé Cherry Jones, lauréate en 2005 du Tony Award de la meilleure actrice. Cette œuvre palpitante et dérangeante mérite d'être vue.

THE LION KING

New Amsterdam Theatre, plan p. 284 ; 214 W 42th St, entre 7th Ave et 8th Ave ; Ⓜ N, R, 1, 2, 3, 7 jusqu'à Times Sq-42nd St

Vue par beaucoup de New-Yorkais comme le spectacle qui a dénaturé Times Sq, cette comédie musicale de Disney demeure très appréciée des enfants de tous âges pour sa magie et ses couleurs. Excellente mise en scène et décors de Julie Taymore, sur une partition aux rythmes africains de Tim Rice et Elton John.

MAMMA MIA!

Cadillac Winter Garden Theatre, plan p. 284 ; 1634 Broadway à hauteur de 50th St ; Ⓜ N, R, W jusqu'à 49th St, 1, 9 jusqu'à 50th St

Occupant un lieu encore considéré par les New-Yorkais comme "la salle de *Cats*", cette histoire d'une mère et de sa fille, basée essentiellement sur les chansons du groupe Abba dans les années 1970, fait un tabac depuis sa première en 2001.

THE PHANTOM OF THE OPERA

Majestic Theatre, plan p. 284 ; 247 W 44th St, entre Broadway et 8th Ave ; Ⓜ N, R, 1, 2, 3, 7 jusqu'à Times Sq-42nd St

L'opérette d'Andrew Lloyd Weber, dont l'intrigue se déroule dans le Paris du XIXᵉ siècle, est aujourd'hui le spectacle resté le plus longtemps à l'affiche à Broadway. Une riche et noire histoire d'amour que les aficionados viennent souvent voir plusieurs fois d'affilée et qui a été reprise par Hollywood.

THE PRODUCERS

St James Theater, plan p. 284 ; 246 W 44th St, entre Broadway et 8th Ave ; Ⓜ N, R, 1, 2, 3, 7 jusqu'à Times Sq-42nd St

Cette pièce très appréciée a fait beaucoup parler d'elle quand elle a démarré en 2001 avec Matthew Broderick et Nathan Lane (que l'on retrouve ensemble dans la version cinématographique moderne de 2006, *Les Producteurs*). Basée sur le film de Mel Brooks de 1968, cette comédie musicale raconte l'histoire d'un spectacle ringard qui devient un grand succès de Broadway.

RENT

Nederlander Theater, plan p. 284 ; 208 W 41st St, entre Broadway et 8th Ave ; Ⓜ N, R, 1, 2, 3, 7 jusqu'à Times Sq-42nd St

Avec une excellente partition pop-rock et une intrigue inspirée de *La Bohème*, cette comédie musicale du regretté Jonathan Larson fait revivre une époque révolue : le début des années 1980 dans l'East Village, quand des artistes aux prises avec le sida et la drogue vivaient d'amour et d'eau fraîche dans d'immenses lofts. La pièce est bien meilleure que la version cinématographique récemment sortie.

THE 25TH ANNUAL PUTNAM COUNTY SPELLING BEE

Circle in the Square Theatre, plan p. 284 ; 1633 Broadway, entrée par 50th St ; Ⓜ N, R, W jusqu'à 49th St, 1, 9 jusqu'à 50th St

L'Amérique profonde expose son côté déjanté dans cette comédie musicale où six adolescents excentriques (et leurs familles) s'affrontent dans un concours d'orthographe. La grande surprise de l'année 2005, qui a remporté le Tony Award de la meilleure musique et celui du meilleur acteur (Dan Fogler, dans le rôle d'un père). Son succès ne se dément pas.

WICKED

Gershwin Theater, plan p. 284 ; 221 W 51st St ; Ⓜ B, D, F, V jusqu'à 47th St-50th St-Rockefeller Center

Ben Vereen joue le rôle du magicien dans cette comédie musicale pop-rock, insolite, mythologique et extravagante, basée sur le roman de Gregory Maguire de 1995, dont l'action précède celle du *Magicien d'Oz* et qui

Où sortir THÉÂTRE

TKTS OU BROADWAY À MOITIÉ PRIX

Expérience essentielle d'une visite à New York, une soirée au théâtre ne doit pas nécessairement vider votre compte en banque. Parfaitement adapté à l'emploi du temps du voyageur et facile à trouver à Times Sq (repérez les files d'attente devant l'enseigne rouge vif "TKTS"), le **kiosque TKTS** (☎ 212-768-1818 ; Broadway à hauteur de W 47th St) vend des billets à prix réduits pour les spectacles de Broadway et off-Broadway du jour même. Pour les représentations de 20h, venez de 15h à 20h du lundi au samedi ; pour les matinées, présentez-vous de 10h à 14h du mercredi au samedi et de 11h à 15h le dimanche. Un autre **kiosque TKTS**, bien moins fréquenté, est installé à **Downtown** (plan p. 444 ; angle Front St et John St ; ☯ 11h-18h, fermé dim en hiver), au South Street Seaport ; là, les billets pour les matinées du mercredi s'achètent le mardi. Dans les deux endroits, les réductions sont de 25% ou 50%, avec une commission de 3 $ (argent liquide ou chèques de voyage uniquement). La liste des spectacles disponibles figure sur la marquise électrique. Le choix est vaste, mais soyez prêt à faire preuve de souplesse. Le kiosque est géré par le Theatre Development Fund, association dédiée à la propagation des arts qui vend 2,5 millions de billets de théâtre par an. Si vous ne trouvez pas le TKTS à Times Sq, demandez au désormais célèbre cow-boy chanteur nu (il porte en fait des bottes, des sous-vêtements et un chapeau !) qui arbore un écriteau déclinant son sobriquet de *Singing Naked Cowboy* sous les yeux ébahis des touristes, comme des New-Yorkais.

permet aux sorcières de raconter l'histoire. Elle fait l'objet d'un véritable culte, avec fans-clubs, sites Web et blogs.

SALLES OFF-BROADWAY ET OFF-OFF BROADWAY

"Off-Broadway" désigne simplement les théâtres où les billets (et les coûts de production) sont légèrement moins élevés et qui peuvent accueillir de 200 à 500 spectateurs ; beaucoup se situent à deux pas des grandes salles de Broadway ou bien dans d'autres parties de la ville. Parmi les spectacles récents, on retiendra *Christine Jorgensen Reveals*, l'histoire d'un transsexuel, *Blue Man Group*, à l'affiche depuis longtemps, et deux pièces de Harold Pinter, *Celebration* et *The Room*. Les productions "off-off Broadway" vont de la simple lecture à des pièces expérimentales d'avant-garde et à des improvisations montées devant moins d'une centaine de spectateurs. C'est dans ces salles intimes que l'on peut assister à certaines des meilleures créations théâtrales du monde, où de futures stars, comme John Leguizamo et Whoopi Goldberg, firent leurs débuts.

ASTOR PLACE THEATER Plan p. 454

☎ 212-254-4370 ; 434 Lafayette St, entre W 4th St et Astor Pl ; Ⓢ R, W jusqu'à 8th St-NYU, 6 jusqu'à Astor Pl
Cette salle mérite une mention pour le fantastique **Blue Man Group** (www.blueman.com), trois garçons chauves et bleus qui utilisent de la peinture et toutes sortes d'accessoires pour faire rire du snobisme du monde de l'art. Le public participe qu'il le veuille ou non.

CULTURE PROJECT AU 45 BLEECKER ST Plan p. 450

☎ 212-253-7017 ; 45 Bleecker St à hauteur de Lafayette St ; Ⓢ 6 jusqu'à Bleecker St, B, D, F, V jusqu'à Broadway- Lafayette St
Ce petit théâtre politiquement engagé a connu un long succès avec *Exonerated*, l'histoire de condamnés à mort victimes d'une erreur judiciaire, qui a inspiré une nouvelle série télévisée. Il a également accueilli *Guantanamo : Honor Bound to Defend Freedom*, et *Bridge and Tunnel*, de Sarah Jones, ultérieurement repris à Broadway. Chaque été pendant deux semaines, le Women Center Stage Festival met les femmes dramaturges à l'honneur.

DIXON PLACE Plan p. 450

☎ 212-219-0736 ; www.dixonplace.org ; 258 The Bowery, entre Houston St et Prince St ; Ⓢ B, D, F, V jusqu'à Broadway-Lafayette St
Cette petite salle habituée du théâtre expérimental a ouvert en 1985 comme un lieu où se déroulaient des lectures. Elle envisage de déménager mais occupe pour l'instant un espace pareil à un appartement, doté de chaises dépareillées et dépourvu de véritable scène, ce qui ne l'empêche pas d'enchaîner les spectacles passionnants – pièces, comédies et lectures, souvent à tendance homosexuelle – et de conserver un public fidèle. En été, sa programmation "HOT!" permet d'assister aux œuvres les plus récentes.

JOSEPH PAPP PUBLIC THEATER Plan p. 449

☎ 212-260-2400 ; www.publictheater.org ; 425 Lafayette St, entre E 4th St et Astor Pl ; Ⓢ 6 jusqu'à Astor Pl
Un des centres culturels les plus importants de la ville, le Papp a célébré en 2006 sa

50e saison. Fondé par feu Joseph Papp, qui préféra un jour refuser une importante subvention publique que signer une convention anti-obscénité des plus conservatrices, il est actuellement dirigé par le visionnaire George C. Wolfe. Il a accueilli au fil des ans une liste presque ininterrompue de spectacles incontournables, comme les premières mondiales de *Hair, A Chorus Line, For Colored Girls Who Have Considered Suicide/When the Rainbow is Enuf* et *Plenty*, tous repris ensuite à Broadway ; c'est aussi ici que Larry Kramer a monté sa pièce sur le sida, *The Normal Heart*, en 1985. Récemment, on a pu voir *Top Dog/Underground, Take Me Out* et *Caroline, or Change*, aujourd'hui joués à Broadway. Situé dans l'East Village, le Papp abrite aussi le **Joe's Pub** (p. 296), qui accueille concerts et spectacles de cabaret. Chaque été, il organise son célèbre **Shakespeare in the Park at Delacorte Theater** (entrée par Central Park West à hauteur de 81st St). Ce festival gratuit lancé par Papp en 1954, avant même que soit construit ce magnifique théâtre verdoyant en plein air, a permis de voir notamment *Macbeth*, *Hamlet* et une version musicale des *Deux Gentilshommes de Vérone*, donnée dans les années 1960, puis reprise en 2005.

LA MAMA E.T.C. Plan p. 449
☎ 212-475-7710 ; www.lamama.org ; 74A E 4th St, entre 2nd Ave et 3rd Ave ; ⊕ F, V jusqu'à Lower East Side-2nd Ave
Fondé par Ellen Stewart dans un sous-sol de l'East Village, ce spécialiste de l'expérimentation scénique ("ETC" signifie "experimental theater club") est devenu un complexe comportant trois théâtres, un café, une galerie d'art et un bâtiment séparé pour les répétitions. Au programme : pièces d'avant-garde, spectacles comiques, sketchs et lectures de toutes sortes.

MITZI E NEWHOUSE THEATER AU LINCOLN CENTER Plan p. 454
☎ 212-239-6200 ; www.lct.org ; 150 W 65th St à hauteur de Broadway ; ⊕ 1 jusqu'à 66th St-Lincoln Center
Cet espace intime de 299 places fait partie du Lincoln Center Theater, de même que son homologue, le Vivian Beaumont Theater. Tous deux montent des pièces de grande qualité, moins chères que celles de Broadway. Les productions les plus récentes comprennent *Third* de Wendy Wasserstein et, au Beaumont, *The Light in the Piazza*, comédie musicale récompensée par un Tony Award.

NEW YORK THEATER WORKSHOP
Plan p. 454
☎ 212-460-5475 ; www.nytw.org ; 79 E 4th St, entre 2nd Ave et 3rd Ave ; ⊕ F, V jusqu'à Lower East Side-2nd Ave
C'est dans ce lieu novateur qu'ont démarré deux grands succès de Broadway, *Rent* et *Urinetown*. Ses spectacles, notamment les pièces de Paul Rudnick, de Michael Cunningham et des Five Lesbian Brothers (des célébrités locales), sont toujours de grande qualité. En 2005, il a monté *The Seven*, adaptation hip-hop de *Sept contre Thèbes*, d'Eschyle, chorégraphiée par Bill T. Jones.

ORPHEUM THEATER Plan p. 449
☎ 212-477-2477 ; 126 2nd Ave à hauteur de 8th St ; ⊕ 6 jusqu'à Astor Pl
Située dans l'East Village, cette salle de 349 places fut un haut lieu de la culture yiddish au début du XXe siècle. Revenue sur le devant de la scène dans les années 1980 grâce à l'immense succès de la comédie musicale *Little Shop of Horrors* (*La Petite Boutique des horreurs*, d'après Roger Corman, reprise à Broadway en 2003), elle accueille actuellement *Stomp*, un spectacle de percussions dont la popularité ne faiblit pas.

PLAYWRIGHTS HORIZONS Plan p. 284
☎ 212-564-1235 ; www.playwrightshorizons.org ; 416 W 42nd St, entre 9th Ave et 10th Ave ; ⊕ A, C, E jusqu'à Port Authority-42nd St
Le lieu idéal pour voir un nouveau spectacle qui pourrait devenir le grand succès de demain. Ce "théâtre d'écrivains" ouvert il y a 35 ans se consacre au théâtre américain contemporain. Parmi les productions passées, on citera *I Am My Own Wife, Sunday in the Park With George, The Heidi Chronicles* et *Driving Miss Daisy* (*Miss Daisy et son chauffeur*). Depuis début 2005, on joue ici *Grey Gardens : The New Musical*, adapté pour la scène par Doug Wright (*I Am My Own Wife*) d'après le documentaire de John Maysles.

PS 122 Plan p. 449
☎ 212-477-5288 ; www.ps122.org ; 150 1st Ave à hauteur de E 9th St ; ⊕ R jusqu'à 8th St-NYU, 6 jusqu'à Astor Pl
Depuis sa création en 1979, cette ancienne école se consacre à la promotion de nouveaux artistes aux idées farfelues. Ses deux scènes ont accueilli Meredith Monk, Eric Bogosian, le Blue Man Group et le regretté Spalding Gray. Le PS 122 organise

également des spectacles de danse et des projections de films, surtout depuis la naissance en 2006 de son WYSIWIG Film Festival, qui présente des auteurs de documentaires et de blogs.

ROUNDABOUT THEATRE COMPANY
Plan p. 284

☎ 212-719-1300 ; www.roundabouttheatre.org ;
227 W 42nd St entre 7th Ave et 8th Ave

La principale scène du Roundabout, portant le nom peu attrayant d'American Airlines Theatre, a lancé sa 40ᵉ saison en 2006. Parmi ses productions acclamées et primées figurent *Twelve Angry Men*, *The Constant Wife*, *After the Fall* et *Nine*. La comédie musicale *The Pajama Game*, avec Harry Connick Jr, a inauguré la saison 2006.

SOHO PLAYHOUSE Plan p. 450

☎ 212-691-1555 ; www.sohoplayhouse.com ;
15 Vandam St entre 6th Ave et Varick St ; Ⓒ C, E
jusqu'à Spring St, 1 jusqu'à Houston St

La saison 2006 a démarré sur les chapeaux de roues avec *Confessions of a Mormon Boy*, l'histoire d'un mormon homosexuel. Cette salle s'est également distinguée par le passé en montant les premières œuvres de grands auteurs comme Terrence McNally, Lanford Wilson et Sam Shepard.

CABARET ET CAFÉ-THÉÂTRE

Les spectacles de cabaret à New York ressemblent à de mini-comédies musicales montées dans des lieux plus intimes et souvent de très bonne qualité. Dégageant un charme à l'ancienne, ils font généralement appel à un pianiste et un chanteur qui reprennent des standards de compositeurs comme Cole Porter ou Ira Gershwin, souvent entrecoupés de chansons plus contemporaines. Les artistes se différencient par leur style d'interprétation et l'endroit où ils se produisent. Les cabarets les plus connus sont le **Café Carlyle** (ci-après, dirigé par Bobby Short pendant 36 ans jusqu'à sa mort en 2005), l'**Oak Room** (p. 290) et **Feinstein's at the Regency** (p. 290), mais vous trouverez des spectacles moins chers, plus décontractés et bien plus déjantés (drag-queens et drag-kings, par exemple) dans plusieurs petites salles, comme **Mo Pitkins House of Satisfaction** (p. 290) récemment établie dans l'East Village.

Comme la musique, le rire est une excellente thérapie dans une mégapole de huit millions d'habitants. Et ce ne sont pas les comiques qui manquent, ni les lieux, depuis les grandes salles traditionnelles (**Carolines on Broadway**, p. 290) jusqu'aux petits espaces d'avant-garde (**Upright Citizens Brigade Theatre**, p. 291). L'une des principales salles de Downtown, le Boston Comedy Club, dans le Village, a changé de mains en 2005 et son avenir semble incertain. Vous pourrez faire le point sur la situation en consultant le www.sheckymagazine.com. Si vous voulez sortir des sentiers battus, consultez les pages spectacles des journaux locaux et choisissez au hasard : peut-être le regretterez-vous, mais vous pourriez aussi assister à la naissance d'une future star…

CABARET

CAFÉ CARLYLE Plan p. 454

☎ 212-744-1600 ; 35 E 76th St à hauteur de
Madison Ave ; Ⓒ 6 jusqu'à 77th St

Ce cabaret chic de l'hôtel Carlyle attire des talents de premier ordre, comme Eartha Kitt ou Woody Allen, qui vient parfois jouer de la clarinette le lundi.

DANNY'S SKYLIGHT ROOM Plan p. 284

☎ 212-265-8133 ; 346 W 46th St, entre 8th Ave et
9th Ave ; Ⓒ A, C, E jusqu'à 42nd St-Port Authority

Ce piano-bar pour clientèle raffinée fait partie du restaurant Danny's Grand Sea Palace et accueille aussi bien des talents originaux que des vieux routiers du standard de base. Annie Ross, Maureen Taylor et John de Guzmán s'y sont produits récemment.

DON'T TELL MAMA Plan p. 284

☎ 212-757-0788 ; 343 W 46th St, entre 8th Ave et
9th Ave ; Ⓒ A, C, E jusqu'à 42nd St-Port Authority

Dans cette salle Art déco qui porte le nom d'une chanson de *Cabaret*, on applaudit des spectacles de travestis de qualité – Tommy Femia compose une Judy Garland époustouflante – mais aussi, dans un registre plus sérieux, de jeunes et talentueux artistes issus des écoles de musique des environs.

DUPLEX Plan p. 448

☎ 212-255-5438 ; 61 Christopher St à hauteur de
7th Ave ; Ⓒ 1 jusqu'à Christopher St-Sheridan Sq

Minuscule salle 100% gay, avec spectacles de drag-queens et piano-bar avec de jeunes talents prometteurs.

FEINSTEIN'S AT THE REGENCY Plan p. 454

☎ 212-339-4095 ; feinsteinsattheregency.com ;
540 Park Ave à hauteur de 61st St ;
⊙ F jusqu'à Lexington Ave-63rd St, N, R, W jusqu'à
Lexington Ave-59th St (W sam-dim uniquement)

Club ultra-chic dirigé par Michael Feinstein, avec serveurs en livrée, accès sur réservation uniquement et artistes aussi variés qu'Anne Hampton Callaway, Patti LuPone ou Feinstein en personne.

HELEN'S Plan p. 446

☎ 212-206-0609 ; 169 8th Ave, entre 18th St
et 19th St ; ⊙ A, C, E jusqu'à 14th St, L
jusqu'à 8th Ave

Ajout revigorant au circuit habituel, sur l'artère principale du Chelsea gay, ce restaurant abrite un piano-bar avec musique douce et crooners ainsi qu'une salle de 65 places, la Hideaway Room, consacrée à des spectacles plus toniques et accueillant des célébrités locales comme Baby Jane Dexter ou Edie (drag-queen aux longues jambes qui a récemment débuté à Broadway dans *The Threepenny Opera – L'Opéra de quat' sous –*, d'après Kurt Weil).

MO PITKIN'S HOUSE OF SATISFACTION Plan p. 449

☎ 212-777-5660 ; 34 Ave A à hauteur de E 4th St ;
⊙ F, V jusqu'à Lower East Side-2nd Ave

Mélange de bar, de restaurant et de cabaret/café-théâtre, cet endroit ne ressemble à aucun autre. Conçu comme une vitrine de l'East Village dans ce qu'il a de meilleur (farfelu, avant-gardiste, charmant), il reçoit les nouvelles coqueluches de la ville, de l'animateur et drag-queen Murray Hill à des chanteurs comme Laura Cantrell en passant par de jeunes comiques et artistes burlesques qui viennent se produire lors du spectacle de music-hall hebdomadaire.

OAK ROOM Plan p. 284

☎ 212-840-6800 ; Algonquin Hotel, 59 W 44th St,
entre 5th Ave et 6th Ave ; ⊙ B, D, F, V jusqu'à 42nd St-
Bryant Park

Commandez un martini, installez-vous confortablement à une table et laissez-vous pénétrer par l'aura de l'envoûtante Dorothy Parker dans ce célèbre piano-bar où Harry Connick Jr et Diana Krall ont fait leurs débuts. De nos jours, vous verrez sans doute de grands noms comme Barbara Carroll et Andrea Marcovicci. Il a fêté en 2006 sa 25e saison.

CAFÉ-THÉÂTRE

CAROLINES ON BROADWAY Plan p. 284

☎ 212-757-4100 ; 1626 Broadway à hauteur de 50th St ;
⊙ N, R, W jusqu'à 49th St, 1, 9 jusqu'à 50th St

Grande et brillante salle de Times Sq. Les spectacles comiques sont souvent filmés, ce qui en dit long sur leur qualité.

COMEDY CELLAR Plan p. 448

☎ 212-254-3480 ; www.comedycellar.com ;
117 MacDougal St entre 3rd St et Bleecker St ; ⊙ A, C,
E, B, D, F, V jusqu'à W 4th St

Installée en sous-sol, cette institution de Greenwich Village reste dans la tradition du genre, avec des comiques en vue (Jon Lovitz ou Jon Stewart, par exemple), dont certains débarquent à l'improviste pour une visite surprise. C'est ainsi que l'on a des chances de voir Colin Quinn ou Kevin Brennan.

GOTHAM COMEDY CLUB Plan p. 446

☎ 212-367-9000 ; 34 W 22nd St, entre 5th Ave et
Broadway ; ⊙ F, V, R, W jusqu'à 23rd St

Charmante salle intime, dans le Flatiron District, qui passe de nouveaux talents hilarants. Le Gotham possède désormais une autre salle plus grande, sa "vitrine" (plan p. 452 ; 208 W 23rd St, entre 7th Ave et 8th Ave), inaugurée début 2006. Le spectacle Gotham All-Stars permet de voir des comiques qui se sont fait les dents à la télévision, dans les émissions de Letterman, Leno, Comedy Central et HBO. Le dernier jeudi du mois, la soirée Homo Comicus présente des comiques gays comme Judy Gold, Poppi Kramer et Michele Balan.

NEW YORK IMPROV Plan p. 284

☎ 212-757-2323 ; 318 W 53rd St, entre 8th Ave et
9th Ave ; ⊙ C, E jusqu'à 50th St

Cette salle de Midtown reçoit des étoiles montantes ; elle a ainsi vu passer Richard Pryor et George Carlin. Plus récemment, on a pu voir des comiques découverts à la télévision, comme Mike Yard, Tom Shilue et Jessica Kirson.

STAND-UP NY Plan p. 454

☎ 212-595-0850 ; 236 W 78th St à hauteur de
Broadway ; ⊙ 1 jusqu'à 79th St

Petit cabaret de l'Upper West Side. Les spectacles vont de *Hump Day Humor* (le mercredi) aux soirées pour débutants gays, latinos ou autres. Assez classique, mais apporte une touche de gaieté dans un quartier où les cafés-théâtres brillent par leur absence.

STARLIGHT BAR & LOUNGE Plan p. 449
☎ 212-475-2172 ; 167 Ave A, entre 10th St t 11th St ;
Ⓛ L jusqu'à 1st Ave
Le mercredi soir, Keith Price accueille des comiques gays dans la salle du fond de ce charmant bar pour garçons pourvu de nombreux canapés et baigné d'une lumière tamisée.

UPRIGHT CITIZENS BRIGADE THEATRE Plan p. 452
☎ 212-366-9176 ; 307 W 26th St, entre 8th Ave et 9th Ave ; Ⓒ C, E jusqu'à 23rd St
Les pros du sketch comique et de l'improvisation osée veillent sur les destinées de ce petit cabaret très apprécié, qui propose aussi des cours. Les pros y passent surtout le dimanche.

MUSIQUE CLASSIQUE, OPÉRA ET DANSE

Spectacles de musique orchestrale ou de chambre, d'opéra et de ballet abondent à New York, certains parfois très avant-gardistes. Pour les représentations classiques et grandioses, ne manquez pas le Lincoln Center (p. 282), où se produisent le New York Philharmonic, le Metropolitan Opera, le New York City Opera, le New York City Ballet et l'American Ballet Theater. La Brooklyn Academy of Music (p. 177), ou BAM, est le lieu le plus novateur et éclectique de Brooklyn. D'autres salles, de taille, de prix et de qualité variables, sont installées dans toute la ville, notamment le Symphony Space (p. 283), doté de plusieurs scènes, le Carnegie Hall (p. 281) et le Town Hall (p. 283), joyau de Midtown. En été, le New York Philharmonic donne des concerts gratuits en plein air dans les parcs des cinq boroughs, à commencer par Central Park.

Côté opéra, vous n'aurez aucun mal à dénicher des productions de qualité. La prestigieuse compagnie du Metropolitan Opera est plébiscitée par le public mais, malgré des moyens plus modestes, le New York State Theater, qui héberge la troupe du New York City Opera, propose également des spectacles de très haut niveau, de même que plusieurs autres salles moins chères de Downtown, mais également la Brooklyn Academy of Music (p. 177).

La BAM accueille aussi d'excellents spectacles de danse. Du ballet au moderne, des productions célèbres aux plus obscures, le choix ne manque pas, à Brooklyn, dans le Bronx et partout à Manhattan. Des troupes de réputation mondiale, comme celles de Martha Graham, Alvin Ailey et Merce Cunningham, sont basées à New York ; les autres passent en ville au moins une ou deux fois par an. Il y a ici deux grandes saisons pour la danse : le printemps, de mars à mai, et la fin de l'automne, d'octobre à décembre, mais on trouve toujours quelque chose à voir quelle que soit l'époque de l'année.

MUSIQUE CLASSIQUE
BARGEMUSIC Plan p. 462
☎ 718-624-2083 ; Débarcadère du Fulton Ferry Landing, Brooklyn Heights, Brooklyn ; Ⓐ A, C jusqu'à High St, 2, 3 jusqu'à Clark St
Les concerts de musique de chambre organisés sur ce ferry de 125 places ont un caractère intime. L'endroit est connu et apprécié depuis 30 ans pour sa jolie vue sur l'eau et ses interprétations de Mozart, Brahms, Chostakovitch et autres compositeurs, proposées toute l'année, du jeudi au dimanche.

MERKIN CONCERT HALL Plan p. 454
☎ 212-501-3330 ; 129 W 67th St, entre Amsterdam Ave et Broadway ; Ⓞ 1 jusqu'à 66th St-Lincoln Center
En plein sur le territoire du Lincoln Center, cette salle de 457 places qui fait partie du Kaufman Cultural Center se distingue par son ambiance intime. Malgré une apparence banale, elle offre un choix remarquable de concerts : classique, moderne, jazz, folk et même world music.

METROPOLITAN MUSEUM OF ART
Plan p. 454
☎ 212-535-7710 ; www.metmuseum.org ; 5th Ave à hauteur de 82nd St ; donation recommandée adulte/senior et étudiant/enfant 15/10 $/gratuit ; 🕙 mar-jeu et dim 9h30-17h30, ven-sam jusqu'à 21h ; Ⓞ 4, 5, 6 jusqu'à 86th St
Le Met n'est pas seulement un musée d'art. Il propose aussi, dans le Grace Rainey Rogers Auditorium à l'acoustique excellente, des concerts joués par son ensemble, le Metropolitan Museum Artists in Concert, ainsi que par d'autres musiciens de renom. Renseignements sur le www.metmuseum.org/events.

TRINITY CHURCH/ST PAUL'S CHAPEL
Plan p. 444
☎ 212-602-0747 ; www.trinitywallstreet.org ; Broadway à hauteur de Wall St ; Ⓞ 2, 3, 4, 5 jusqu'à Wall St, N, R jusqu'à Rector St (St Paul's Chapel, Broadway à hauteur de Fulton St)
Cette ancienne église paroissiale anglicane offre l'excellent cycle de Concerts at One le

jeudi (le lundi à St Paul's Chapel) pour deux petits dollars (donation recommandée). Pour connaître le programme, appelez le numéro indiqué ci-dessus.

OPÉRA

AMATO OPERA THEATER Plan p. 449

☎ 212-228-8200 ; 319 Bowery à hauteur de 4th St ;
Ⓜ 6 jusqu'à Astor Pl

L'opéra sans l'apparat : cette petite salle alternative programme régulièrement les classiques favoris du public, tels que *La Chauve-Souris*, *Le Mariage de Figaro* et *La Bohème*.

METROPOLITAN OPERA HOUSE
Plan p. 454

☎ 212-362-6000 ; www.metopera.org ; Lincoln Center, W 64th St à hauteur d'Amsterdam Ave ; Ⓜ 1 jusqu'à 66th St-Lincoln Center

La première compagnie d'opéra de New York propose aussi bien des classiques que des créations. Il est quasiment impossible d'obtenir des billets pour les premières représentations si des stars comme Jessye Norman et Plácido Domingo sont à l'affiche, mais dès que la deuxième distribution prend le relais, des places se libèrent. La saison va de septembre à avril. Les billets s'échelonnent de 65 à près de 300 $, mais les places debout à 12 $ sont l'une des meilleures affaires de New York ; elles sont vendues le samedi à 10h pour les représentations de la semaine suivante. Le programme de la saison figure sur le site Web.

NEW YORK STATE THEATER Plan p. 454

☎ 212-870-5630 ; www.nycopera.com ;
Lincoln Center, Broadway à hauteur de 63rd St ;
Ⓜ 1 jusqu'à 66th St-Lincoln Center

C'est la scène du New York City Opera, une compagnie plus audacieuse et moins coûteuse que le Metropolitan Opera. Son répertoire comprend des œuvres nouvelles, des opéras oubliés et des classiques revisités, dans un cadre conçu par Philip Johnson. La saison se déroule en deux temps, quelques semaines au début de l'automne et au printemps.

DANSE

DANCE CEDAR LAKE ENSEMBLE CENTER Plan p. 452

☎ 212-868-4444 ; www.cedarlakedance.com ;
547 W 26th St ; Ⓜ C, E jusqu'à 23rd St

Cette nouvelle salle de 190 places accueille le Cedar Lake Ensemble, une compagnie de danse contemporaine qui s'efforce de faire connaître de jeunes chorégraphes.

CITY CENTER Plan p. 284

☎ 212-581-1212 ; www.citycenter.org ; 131 W 55th St, entre 6th Avec et 7th Ave ; Ⓜ N, R, Q, W jusqu'à 57th St

Avant l'avènement du Lincoln Center, ce lieu splendide hébergeait trois grandes troupes : l'American Ballet Theatre (ABT), le New York City Ballet et le Joffrey Ballet. Situé à Midtown, il accueille toujours l'Alvin Ailey American Dance Theater (cette compagnie monte occasionnellement des spectacles dans sa propre salle, l'Ailey Citigroup Theater, 405 W 55th St, qui fait partie de son école récemment construite dans le quartier de Hell's Kitchen). L'ABT se produit ici tous les ans en décembre et la Paul Taylor Dance Company au printemps. Le reste du temps, on peut voir aussi bien des danseurs de claquettes que le New York Flamenco Festival, en février. La programmation devrait encore s'élargir grâce à un partenariat formé en 2005 avec le **Carnegie Hall** (p. 281).

DANCE THEATER WORKSHOP
Plan p. 446

☎ 212-924-0077 ; 219 W 19th St, entre 7th Ave et 8th Ave ; Ⓜ 1 jusqu'à 18th St

Comportant le Bessie Schönberg Theater de 190 places et deux ateliers, cette élégante salle de danse de Chelsea présente des œuvres modernes et expérimentales.

DANSPACE PROJECT Plan p. 449

☎ 212-674-8194 ; St Mark's Church-in-the-Bowery, 2nd Ave à hauteur de 10th St ; Ⓜ F, V jusqu'à Lower East Side-2nd Ave

Ce lieu intime, logé sous les hauts plafonds d'une église, sert de vitrine à de jeunes danseurs très remarqués, parfois accompagnés de musiciens.

JOYCE THEATER Plan p. 446

☎ 212-242-0800 ; www.joyce.org ; 175 8th Ave à hauteur de W 19th St ; Ⓜ A, C, E jusqu'à 14th St, L jusqu'à 8th Ave

À Chelsea, cet ancien cinéma rénové de 470 places, décontracté et intime, présente essentiellement des troupes modernes connues, comme les compagnies Merce Cunningham et Pilobolus qui y font des apparitions annuelles. Vue parfaite sur la scène, où que l'on soit assis.

KITCHEN Plan p. 446

☎ 212-255-5793 ; 512 W 19th St, entre 10th Ave et 11th Ave ; ◉ A, C, E jusqu'à 14th St, L jusqu'à 8th Ave
Un minuscule espace expérimental à West Chelsea, où l'on peut découvrir presque tous les soirs des pièces nouvelles et avant-gardistes et des *works-in-progress* (œuvres en chantier).

METROPOLITAN OPERA HOUSE
Plan p. 454

☎ 212-362-6000 ; Lincoln Center, W 64th St à hauteur d'Amsterdam Ave ; ◉ 1 jusqu'à 66th St-Lincoln Center
Ce majestueux bâtiment du Lincoln Center (p. 282) accueille l'**American Ballet Theatre** (www. abt.org) à la fin du printemps et en été, au fil d'un programme essentiellement classique.

NEW YORK STATE THEATER Plan p. 454

☎ 212-870-5570 ; Lincoln Center, Broadway à hauteur de 63rd St ; ◉ 1 jusqu'à 66th St-Lincoln Center
Créé par Lincoln Kirstein et George Balan-chine en 1948, le **New York City Ballet** (www. nycballet.com) assure un programme varié, composé de nouveautés et de reprises, où figure toujours, pendant les vacances de Noël, le ballet *Casse-Noisette*. Située dans le Lincoln Center, la salle contient 2 755 places. On peut voir des œuvres de Balanchine, de Jerome Robbins, du chorégraphe maison Christopher Wheeldon et de Peter Martins, le maître de ballet de la compagnie.

LECTURES ET CONFÉRENCES

Le théâtre a beau se tailler la part du lion à New York, le public se presse encore aux bonnes vieilles lectures d'autrefois. Les succursales de Barnes & Nobles proposent un programme fourni de soirées autour d'écrivains célèbres qui ressemblent davantage à des actions de promotion soigneusement orchestrées et axées sur le profit ; mais beaucoup d'autres espaces littéraires vous donneront satisfaction, qu'ils soient une petite librairie indépendante, un pub littéraire, un grand théâtre, une bibliothèque ou un musée, comme l'excellent **92nd St Y** (p. 294). Les conférences, un peu plus guindées que les lectures et les débats publics, quoique tout aussi enrichissantes, peuvent avoir lieu en tout lieu culturel, des universités aux musées. Les adresses suivantes ne sont qu'une sélection.

LECTURES

BLUESTOCKINGS Plan p. 449

☎ 212-777-6028 ; www.bluestockings.com ; 172 Allen St entre Stanton St et Rivington St ; ◉ F, V jusqu'à Lower East Side-2nd Ave
Café-librairie indépendant, féministe, et récemment agrandi, qui organise de fréquentes lectures, rencontres et débats stimulants, orientés vers le changement social et politique. Diverses lectures mettent en valeur de nouveaux romanciers, des conteurs révolutionnaires et, le dernier mardi du mois, les poétesses, au cours d'une soirée mise en scène par la "poétesse goudou nabote la plus bosseuse du Lower East Side".

BOWERY POETRY CLUB Plan p. 450

☎ 212-614-0505 ; www.bowerypoetry.com ; 308 The Bowery, entre Bleecker St et Houston St ; ◉ 6 jusqu'à Bleecker St
Dans l'East Village, en face du CBGB, ce super café doté d'une scène propose des lectures excentriques en tous genres (théâtre ou fiction) et des "poetry slams" (tournois de slam-poésie) à thème.

CORNELIA ST CAFÉ Plan p. 448

☎ 212-989-9319 ; www.corneliastreetcafe.com ; 29 Cornelia St, entre Bleecker St et W 4th St ; ◉ A, C, E, B, D, F, V jusqu'à W 4th St
Café intime connu pour ses divers cycles littéraires, comprenant des rencontres mensuelles de conteurs, des scènes ouvertes, et des lectures dédiées aux Italo-Américains, aux Grecs, aux Caribéo-Américains, aux diplômés de la région new-yorkaise, aux membres de la Writers Room (un collectif local d'écrivains), aux prosateurs et aux futurs grands poètes.

HALF KING Plan p. 452

☎ 212-462-4300 ; 505 W 23rd St, entre 10th Ave et 11th Ave ; ◉ C, E jusqu'à 23rd St
De l'extérieur, on dirait un pub irlandais comme les autres, mais à l'intérieur, un public intello écoute des lectures de fiction et de poésie de grande qualité en sirotant de la Guinness à la lumière clignotante des bougies. Le copropriétaire Sebastian Junger, auteur de *En pleine tempête*, veille à la qualité de l'atmosphère.

KGB BAR Plan p. 449

☎ 212-505-3360 ; www.kgbbar.com ; 84 E 4th St, entre 2nd Ave et 3rd Ave ; ◉ F, V jusqu'à Lower East Side-2nd Ave
Bar à thème soviétique, un étage au-dessus de la rue, qui accueille presque tous les soirs des

lectures par les grands noms de la littérature tels Rick Moody et Luc Sante, et des soirées à thème très appréciées qui présentent des plateaux de journalistes, de romanciers juifs, de poètes et d'écrivains de *fantasy*.

92ND ST Y Plan p. 454

☎ 212-415-5500 ; www.92sty.org ; 1395 Lexington Ave à hauteur de 92nd St ; 🚇 6 jusqu'à 96th St

Le Y est un bastion de la grande littérature (doublé d'une scène de musique et de danse), grâce à son Unterburg Poetry Center au programme nourri de lectures, et à son cycle de conférences "Biographers and Brunch", le dimanche, où sont conviés les auteurs les plus célèbres. Parmi les invités récents figurent Paul Auster, Margaret Atwood, Joan Didion et Michael Chabon. Toutes les lectures de gens célèbres sont complètes, il faut donc penser à réserver bien à l'avance si vous voulez écouter votre auteur favori.

NUYORICAN POETS CAFÉ Plan p. 449

☎ 212-505-3360 ; www.nuyorican.org ; 236 E 3rd St, entre Ave B et Ave C ; 🚇 F, V jusqu'à Lower East Side-2nd Ave

Très en pointe à l'origine du mouvement des "poetry slams", cet endroit sympa est pétri d'histoire et propose tout un programme de scènes ouvertes, de jams hip-hop et rien moins que 92 slams poétiques par an.

SYMPHONY SPACE Plan p. 454

☎ 212-864-1414; 2537 Broadway à hauteur de 95th St; 🚇 1, 2, 3 jusqu'à 96th St

Outre d'originales soirées cinéma, concert ou danse, Symphony Space propose au printemps un cycle très apprécié intitulé "Selected Shorts" présenté chaque mercredi par Isaiah Sheffer et retransmis dans tout le pays sur les chaînes de la National Public Radio. La soirée consiste en lectures de nouvelles par des célébrités telles que Alec Baldwin, David Sedaris, Jane Fonda et Hope Davis. D'autres lectures ont des thèmes variés : histoires d'écrivains censurés ou dissidents, ou de chiens et de chats.

CONFÉRENCES

THE ARCHITECTURAL LEAGUE OF NEW YORK Plan p. 452

☎ 212-753-1722; www.archleague.org; The Urban Center, 457 Madison Ave, entre 50th St et 51st St ;

🚇 B, D, F, V jusqu'à 47th St-50th St-Rockefeller Center

Cette association à but non lucratif est unique en son genre. Elle a été fondée en 1881 par un groupe de jeunes architectes qui souhaitaient disposer de leur propre lieu où proposer des idées d'aménagement créatives et artistiques. Elle offre un programme permanent de conférences de haut niveau sur l'architecture (ainsi que des installations et des forums) traitant d'aménagement urbain, d'urbanisme, de design et de planification. La League a célébré son 125e anniversaire par une série d'événements tout au long de l'année 2006.

LGBT COMMUNITY CENTER

Plan p. 448

☎ 212-620-7310 ; www.gaycenter.org ; 208 W 13th St, entre 7th Ave et 8th Ave ; 🚇 1, 2, 3 jusqu'à 14th St

Le Lesbian, Gay, Bisexual & Transgender Community Center, affectueusement appelé "the Center", est l'un des plus grands centres sociaux gays du monde. Il s'y passe toujours quelque chose : spectacles, réunions de groupes de soutien, danses, cours et autres événements, tel un cycle impressionnant de conférences sur des sujets aussi divers que le bouddhisme et la création des comédies musicales de Broadway, ou les techniques SM sûres et le coming out. **Out Professionals** (www. outprofessionals.org) organise des séminaires sur le développement de réseaux, le conseil financier et d'autres sujets pratiques.

NEW SCHOOL UNIVERSITY

Plan p. 446

☎ 212-229-5880 ; www.newschool.edu ; 66 5th Ave à hauteur de 12th St ; 🚇 F, V jusqu'à 14th St

Tournée vers l'avenir, la New School, comprenant la Parsons School of Design et diverses écoles d'art, de musique et d'urbanisme, accueille un cycle de débats publics. Et si vous ne pouvez y assister en personne, le site de l'école diffuse les conférences sur Internet et vous pouvez télécharger les enregistrements. Parmi les sujets récemment traités, on relève : la politique étrangère de la période Bush, la photographie et les images emblématiques, l'organisation de la biennale du Whitney, la discrimination positive et l'éducation sexuelle.

NEW YORK PUBLIC LIBRARY

Plan p. 452

☎ 212-930-0830 ; www.nypl.org/events ; 42nd St à hauteur de 5th Ave ; 🕑 mar-mer 11h-19h30, jeu-sam 10h-18h ; 🚇 S, 4, 5, 6 jusqu'à Grand Central-42nd St, 7 jusqu'à 5th Ave

La bibliothèque publique de New York offre un programme dense de conférences et de séminaires publics dans ses nombreuses branches. Celles de la bibliothèque centrale, la **Humanities and Social Sciences Library** (p. 150), sur 42nd St, sont parmi les meilleures. Parmi les récentes soirées, on relève une interview remarquée de Bernard-Henri Lévy (dans le cadre de son livre *American Vertigo*) par Tina Brown sur le sujet "L'Amérique vue de l'extérieur", une conversation entre le dessinateur de BD Robert Crumb et le critique d'art Robert Hughes, et d'autres débats tels que "The New Literacy : A Conversation with Eric Bogosian & Co".

92ND ST Y Plan p. 454

☎ 212-415-5500 ; www.92y.org ; 1395 Lexington Ave à hauteur de 92nd St ; Ⓜ 6 jusqu'à 96th St

Outre son superbe programme de lectures, le centre Y, haut lieu culturel juif de Manhattan, propose un cycle de conférences et de débats "Lectures and Discussions" dont les invités ont été aussi divers que Jeff Greenfield, Madeline Albright, Donny Deutsch ou Dan Savage. Makor (☎ 212-601-1000 ; 35 W 67th St, entre Columbus Ave et Central Park West), la branche du centre Y destinée aux moins de 35 ans, a son propre programme tout aussi stimulant, avec des débats aussi divers que "Tendances émergentes de la pensée créative" ou "Comment négocier le marché new-yorkais de l'immobilier".

MUSIQUE

New York n'est pas Austin mais l'indie rock (ou rock indé) y est néanmoins bien représenté. Il a donné naissance, dans la période récente, à des groupes réputés comme The Strokes, We are Scientists, Clap Your Hands Say Yeah, Rufus Wainwright et Babe the Blue Ox.

Les passionnés se font un devoir de repérer les dernières nouveautés sonores, de les commenter sur des blogs et d'aller écouter leurs groupes préférés dans des petites salles qui bien souvent mélangent les genres et les têtes d'affiche. Le hip-hop continue d'y être créé et produit (avec le Queens pour foyer d'élection). Les sons plus traditionnels ne sont pas en reste. Une foule de clubs de jazz, de cabarets et de salles classiques programment régulièrement des concerts. New York offre évidemment tout l'éventail des concerts classiques par des orchestres locaux ou des artistes de passage. Pour tout savoir sur les artistes indie et leurs concerts lors de votre séjour à New York, consultez les rubriques spectacles (et les publicités dans le *Village Voice*) ainsi que les annonces dans les magasins de musique de Downtown. Les superstars font rarement une tournée sans faire une halte dans la région new-yorkaise ; en général, elles remplissent le Madison Square Garden, le plus grand espace de concert de la ville, et en été, le **Jones Beach** (p. 283), un fabuleux amphithéâtre en plein air sur la côte de Long Island.

ROCK, HIP-HOP ET INDIE

ARLENE'S GROCERY Plan p. 449

☎ 212-358-1633 ; www.arlenesgrocery.com ; 95 Stanton St à hauteur de Orchard St ; Ⓜ F, V jusqu'à Lower East Side-2nd Ave

Ancienne épicerie transformée en club, qui prend des airs snobinards parce qu'elle a su anticiper l'explosion du Lower East Side dans les années 1990. Son unique salle surchauffée sert d'incubateur aux talents locaux, avec des super concerts gratuits tous les soirs, et une bière bon marché.

BOWERY BALLROOM Plan p. 450

☎ 212-533-2111 ; www.boweryballroom.com ;
6 Delancey St à hauteur de Bowery ; J, M jusqu'à
The Bowery

Fantastique salle de taille moyenne dotée
d'une acoustique et d'une ambiance par-
faites pour écouter des groupes comme We
are Scientists, Camper Van Beethoven, Ben
Taylor et capter l'attention du public.

CBGB Plan p. 450

☎ 212-982-4052 ; www.cbgb.com ; 315 The Bowery,
entre E 1st St et 2nd St ; 6 jusqu'à Bleecker St

Malgré les efforts d'une brochette de
vénérables punks venus d'un peu partout
pour le sauver de la menace d'une
fermeture, le repaire mythique du rock
a définitivement fermé ses portes le 15
octobre 2006, après trente ans de service.
Son nom est le sigle de "Country, Bluegrass
and Blues," mais depuis le milieu des années
1970, on y entendait surtout du rock.
Blondie, les Talking Heads et les Ramones,
parmi d'autres sommités, y ont trempé leur
costume au cours de concerts légendaires.
Patti Smith en personne, qui avait fait ses
premiers pas en cses lieu aura eu l'honneur
de donner l'utlime et dernier concert du
CBGB en octobre 2006. Le propriétaire, âgé
de 74 ans, projetterait déjà de rouvrir le
CBGB ... à Las Vegas. L'adresse new-yorkaise
restera malgré tout un lieu mythique de
l'histoire du rock. Les objets et les posters
du club ont été mis aux enchères en ligne.

DELANCEY Plan p. 449

☎ 212-254-9920 ; www.thedelancey.com ;
168 Delancey St à hauteur de Clinton St ; F jusqu'à
Delancey St, J, M, Z jusqu'à Delancey St-Essex St

Récente addition aux lieux "in" du LES grâce
à un programme de bons groupes indie
– Clap Your Hands Say Yeah, Square Johns,
XYZ Affair – et à un patio au 1ᵉʳ étage bondé,
mais bien aéré.

HAMMERSTEIN BALLROOM Plan p. 452

☎ 212-279-7740 ; www.mcstudios.com ; Manhattan
Center, 311 W 34th St, entre 8th Ave et 9th Ave ; A,
C, E jusqu'à 34th St-Penn Station

Ce n'est pas l'endroit le plus sympathique
où passer une soirée – il faut supporter
les contrôles de sécurité, les boissons coûteuses et les foules bagarreuses – mais la
scène, de Coldplay à Phil Lesh and Friends,
est des plus séduisantes. Autre attrait : la
majesté décatie de l'intérieur n'est pas sans
charme.

Au Bowery Ballroom (à gauche), les tenues de bal sont en cuir...

IRVING PLAZA Plan p. 446

☎ 212-777-1224 ; www.irvingplaza.com ; 17 Irving Pl
à hauteur de 15th St ; L, N, Q, R, W, 4, 5, 6 jusqu'à
Union Sq

Aux abords d'Union Square, Irving Plaza est
sans doute le meilleur club de cette taille
recevant des artistes indie connus et intéressants comme Lifehouse, les Saw Doctors
et Bebel Gilberto. Soyez simplement prêt
à rester debout soit en bas, dans l'espace
restreint devant la scène, soit sur le balcon,
en haut (c'est préférable, si vous voulez
vraiment voir les musiciens).

JOE'S PUB Plan p. 449

☎ 212-539-8770 ; www.joespub.com ; Public Theater,
425 Lafayette St, entre Astor Pl et E 4th St ; R, W
jusqu'à 8th St-NYU, 6 jusqu'à Astor Pl

Mi-cabaret mi-salle de rock et new-indie,
ce restaurant-boîte de nuit a accueilli Toshi
Reagon, Aimee Mann et Diamanda Galas.

KNITTING FACTORY Plan p. 444

☎ 212-219-3055 ; www.knittingfactory.com ;
74 Leonard St, entre Church St et Broadway ;
1 jusqu'à Franklin St

Ce club célèbre de Tribeca a eu une grande
influence dans l'histoire du jazz new-yorkais,
mais se distingue plutôt aujourd'hui dans
le domaine de la musique folk, indie et
expérimentale, du cosmic space jazz au
Tokyo shock rock, sans oublier le rock et le
hip-hop. Les concerts s'écoutent depuis le
niveau principal, le balcon, le salon ou le bar
du sous-sol.

MERCURY LOUNGE Plan p. 449

☎ 212-260-4700 ; www.mercuryloungenyc.com ;
217 E Houston St, entre Ave A et Ludlow St ; F, V
jusqu'à Lower East Side-2nd Ave

Si les grands noms y font parfois une apparition, il y a toujours quelque chose d'intéressant

à écouter dans ce club bien-aimé du Lower East Side. Intime et confortable, avec des tables et toute la place qu'il faut pour danser devant la scène, le Mercury est incontournable pour entendre des artistes indie, de Serena Maneesh à Chad Van Gaalen. Il peut aussi se vanter d'avoir une très bonne sono ; bref, de quoi ravir les groupes locaux ou de passage, et leur public.

NORTH SIX Plan p. 463
☎ 718-599-5103 ; www.northsix.com 66 North 6th St, Williamsburg, Brooklyn ; ⑭ L jusqu'à Bedford Ave
Cette salle de Brooklyn accueille aussi bien les talents prometteurs que les groupes confirmés. Connue et appréciée à Williamsburg, située dans un vieil entrepôt, elle programme surtout du rock-pop, entrecoupé de quelques performances live d'artistes hip-hop.

PIANOS Plan p. 449
☎ 212-505-3733 ; www.pianosnyc.com ; 106 Norfolk St ; ⑭ F, V jusqu'à Lower East Side-2nd Ave
Ancien magasin de pianos devenu un paradis musical *hipster* servant des genres divers (hip-hop, cowpunk, electronica, Asian rock) et des flots de bière Rheingold à un public du Lower East Side très demandeur.

SOUTHPAW Plan p. 464
☎ 718-230-0236 ; www.spsounds.com ; 125 5th Ave, entre Sterling Pl et St John's Pl, Park Slope, Brooklyn ; ⑭ D, M, N, R jusqu'à Pacific St (M lun-ven uniquement), B, Q, 2, 3, 4, 5 jusqu'à Atlantic Ave
Ouverte en 2002, cette salle de rock est tout de suite devenue célèbre grâce à son architecture innovante. Celle-ci permet une vue dégagée de la scène quel que soit l'endroit où l'on s'assoit, au bar tout en longueur comme dans l'une des confortables banquettes périphériques. La sono dernier cri sert parfaitement le rock local, la funk et la world music qu'on y entend.

JAZZ ET IMPROVISATION

Le West Village est un vrai ghetto jazzique, avec une multitude de clubs aux longues jam-sessions, aux entrées bon marché et une grande variété de tendances. Midtown est également riche en salles de qualité, mais Uptown est toujours le vrai berceau de cette musique, si bien que les amateurs de l'ancienne école préféreront sans doute aller à Harlem. La seule chose qui manque, de nos jours, c'est l'indispensable nuage de fumée.

55 BAR Plan p. 448
☎ 212-929-9883 ; www.55bar.com ; 55 Christopher St à hauteur de 7th Ave ; ⑭ 1 jusqu'à Christopher St-Sheridan Sq
Salle du West Village où l'on entend tous les soirs du jazz, du blues et de la fusion, joués par des artistes en résidence de qualité ou des stars de passage. L'entrée varie de presque rien à 15 $ environ (incluant deux boissons).

BAM CAFÉ Plan p. 464
☎ 718-636-4139 ; www.bam.org ; 30 Lafayette Ave à hauteur de Ashland Pl, Fort Greene, Brooklyn ; ⑭ D, M, N, R jusqu'à Pacific St (M sam-dim uniquement), B, Q, 2, 3, 4, 5 jusqu'à Atlantic Ave
Bar-restaurant haut de plafond, à l'intérieur du complexe de la Brooklyn Academy of Music, qui, outre votre dîner, vous servira de généreuses rations de jazz vocal, piano et saxophone quartet – et parfois du R&B, du cabaret ou du slam.

BIRDLAND Plan p. 284
☎ 212-581-3080 ; www.birdlandjazz.com ; 315 W 44th St, entre 8th Ave et 9th Ave ; ⑭ A, C, E jusqu'à 42nd St-Port Authority
Ce monument de l'histoire du jazz a reçu le surnom de Charlie Parker, "Bird," et accueille tous les musiciens célèbres depuis 1949, époque où Parker y tenait la vedette (dans la salle d'origine, sur 52nd St), comme le firent Thelonious Monk, Miles Davis, Stan Getz et tous les autres. Aujourd'hui, vous y entendrez le Duke Ellington Orchestra (dirigé par Paul Mercer Ellington), Ann Hampton Calloway et un big band, ou un orchestre de jazz afro-cubain.

BLUE NOTE Plan p. 448
☎ 212-475-8592 ; www.bluenote.net ; 131 W 3rd St, entre 6th Ave et MacDougal St ; ⑭ A, C, E, F, V, S jusqu'à W 4th St
De loin, le plus célèbre (et le plus cher) des clubs de jazz de la ville. L'entrée (pouvant atteindre la coquette somme de 75 $) vous donnera le droit d'écouter des stars donner de courtes sessions devant un public figé dans un silence religieux.

CHICAGO B.L.U.E.S. Plan p. 448
☎ 212-924-9755 ; 73 8th Ave à hauteur de W 14th St ; ⑭ A, C, E jusqu'à 14th St, L jusqu'à 8th Ave
Cette salle du West Village reçoit tous les soirs des maîtres du blues de passage à New York. Les débutants y tentent aussi leur chance, et si vous avez votre harmonica

sur vous, un lundi soir, vous pourrez faire un bœuf lors d'une blues jam-session.

CLEOPATRA'S NEEDLE Plan p. 454
☎ 212-769-6969 ; www.cleopatrasneedleny.com ; 2485 Broadway, entre W 92nd St et 93rd St ; Ⓜ 1, 2, 3 jusqu'à 96th St

Les jam-sessions tardives et ouvertes à tout chanteur sont la spécialité du Cleopatra's Needle, qui ferme à 4h du matin. Le bar offre la meilleure visibilité. On y sert de la bière pression et de la cuisine aux couleurs méditerranéennes d'une qualité surprenante. Il n'y a pas d'entrée, mais la consommation minimum est à 10 $, et certains artistes supportent mal les conversations des dîneurs.

IRIDIUM JAZZ CLUB Plan p. 284
☎ 212-582-2121 ; www.iridiumjazzclub.com ; 1650 Broadway à hauteur de 51st St ; Ⓜ 1 jusqu'à 50th St

Les tables sont serrées mais l'acoustique est bonne et la vue dégagée. Les jazzmen traditionnels, chers et de grand talent, exécutent deux séances par soirée, trois le week-end. Le lundi est le soir du trio comique et talentueux Les Paul, et le mardi, depuis des décennies, celui du Mingus Big Band. Bon jazz-brunch le dimanche.

JAZZ AT LINCOLN CENTER Plan p. 454
☎ 212-258-9595 ; www.jazzatlincolncenter.org ; Time Warner Center, Broadway à hauteur de 60th St ; Ⓜ A, B, C, D, 1 jusqu'à 59th St-Columbus Circle

Des trois salles existantes, le raffiné Rose Theater, l'Allen Room et le Dizzy's Club Coca-Cola, c'est ce dernier que vous avez le plus de chance de découvrir, car on y donne des concerts tous les soirs. Hormis son nom épouvantable, on ne voit rien à reprocher à ce club qui jouit d'une vue superbe sur Central Park et accueille d'excellents artistes locaux et en tournée.

JAZZ GALLERY Plan p. 448
☎ 212-242-1063 ; www.jazzgallery.org ; 290 Hudson St, entre Dominick St et Spring St ; Ⓜ C, E jusqu'à Spring St

Centre culturel plutôt que club de jazz traditionnel (pas de bar), le Gallery est réservé aux amateurs avertis. Petit espace doté d'une très belle acoustique, avec plusieurs concerts par semaine, de deux séances chacun. Vous y entendrez de formidables pianistes, orchestres, quintets etc, allant du traditionnel à l'expérimental.

LENOX LOUNGE Plan p. 458
☎ 212-427-0253 ; www.lenoxlounge.com ; 288 Malcolm X Blvd, entre 124th St et 125th St ; Ⓜ 2, 3 jusqu'à 125th St

Ce bar Art déco où les célébrités du jazz ont leurs habitudes est connu depuis longtemps des amateurs locaux et, depuis peu, des touristes étrangers fascinés par Harlem. Ne manquez pas la luxueuse Zebra Room, au fond.

ST NICK'S PUB Plan p. 458
☎ 212-283-9728 ; 773 St Nicholas Ave à hauteur de W 149th St ; Ⓜ A, B, C, D jusqu'à 145th St

Un endroit fantastique où écouter du jazz "brut" créé par des musiciens pour des musiciens. Le lundi soir est réservé à une jam-session ouverte à tous, commençant à 21h30, occasion pour les touristes qui jouent d'un instrument de relever le gant. Plus tard dans la soirée arrivent des musiciens qui, à la fin de leur concert donné ailleurs, continuent la fête au Pub.

SMOKE Plan p. 454
☎ 212-864-6662 ; www.smokejazz.com ; 2751 Broadway, entre 105th St et 106th St ; Ⓜ 1 jusqu'à 103rd St

Vue dégagée, sofas moelleux et musiciens triés sur le volet ont fait le succès du Smoke au point que, le week-end, on fait la queue pour entrer. Vous y entendrez Eddie Henderson, Hilton Ruiz et Lea Delaria, par exemple, qui vit dans le quartier et passe de temps en temps faire du scat. En semaine, il y a moins de monde et l'entrée est gratuite.

TONIC Plan p. 449
☎ 212-358-7501 ; www.tonicnyc.com ; 107 Norfolk St, entre Delancey St et Rivington St ; Ⓜ F jusqu'à Delancey St

C'est de la musique d'avant-garde, créative et expérimentale, que vous entendrez dans ce bar bien-aimé du LES qui aurait fermé pour cause d'expulsion, en 2005, s'il n'avait reçu le soutien de la population du quartier et de bienfaiteurs au nombre desquels Yoko Ono. Côté jazz, il est connu pour ses jam-sessions inspirées et ses trios de percussions, mais vous y entendrez aussi de bons musiciens de rock, de folk et de musique expérimentale.

VILLAGE VANGUARD Plan p. 448
☎ 212-255-4037 ; www.villagevanguard.net ; 178 7th Ave à hauteur de W 11th St ; Ⓜ 1, 9 jusqu'à Christopher St-Sheridan Sq

Ce club en sous-sol, situé dans le West Village, est sans doute l'un des plus prestigieux. Tous les grands noms du jazz, dont le mythique Bill Evans Trio, y jouent depuis cinquante ans. Consommation minimum de deux boissons et interdiction de parler.

COUNTRY, BLUEGRASS, FOLK ET BLUES

BACK FENCE Plan p. 448
☎ 212-475-9221 ; 155 Bleecker St, entre MacDougal St et Sullivan St ; Ⓢ A, C, E, F, V, S jusqu'à W 4th St
Salle plutôt décontractée située dans une partie du Village désagréablement envahie de jeunes étudiants tapageurs. Folk, country et blues pendant la semaine, rock classique le week-end.

BB KING BLUES CLUB & GRILL Plan p. 284
☎ 212-997-4144; www.bbkingblues.com; 237 W 42nd St; Ⓢ N, R, 1, 2, 3, 7 jusqu'à Times Sq-42nd St
Musiciens de blues à l'ancienne, mais aussi artistes de rock, folk et reggae, comme Etta James et Merle Haggard, se produisent dans cette salle en fer à cheval, à deux niveaux, au cœur du nouveau Times Sq. Des vedettes secondaires, mais toutefois excellentes, passent au Lucille's Grill voisin.

PADDY REILLY'S MUSIC BAR Plan p. 452
☎ 212-686-1210 ; 510 2nd Ave à hauteur de 29th St ; Ⓢ 6 jusqu'à 28th St
Une bonne bière et des groupes et jam-sessions de folk irlandais encore meilleurs, toute la semaine.

PEOPLE'S VOICE CAFÉ Plan p. 452
☎ 212-787-3903 ; www.peoplesvoicecafe.org ; 45 E 33rd St, entre Madison Ave et Park Ave ; Ⓢ 6 jusqu'à 33rd St
Ce bon vieux café pacifiste fut ouvert en 1979 par des membres du groupe Songs of Freedom and Struggle. De nos jours, il est tenu par un collectif de musiciens et d'activistes qui invitent des harangueurs politiques, des conteurs et des danseurs. Pete Seeger a honoré le café de sa présence pour fêter son 25e anniversaire en 2005.

POSTCRYPT COFFEEHOUSE Plan p. 458
☎ 212-854-1953 ; www.columbia.edu/cu/postcrypt/coffeehouse ; université de Columbia, par l'entrée de 116th St ; Ⓢ 1 jusqu'à 116th St
Petite salle de blues, folk, chant a capella et poésie, située au sous-sol de la chapelle Saint-Paul de l'université. Des talents aussi

divers que Suzanne Vega, Ani DiFranco, Patty Larkin et Martin Sexton y sont passés. De nos jours, vous entendrez plutôt des débutants locaux. Arrivez tôt si vous voulez profiter de l'une des 35 places et du pop-corn gratuit.

RODEO BAR & GRILL Plan p. 452
☎ 212-683-6500 ; www.rodeobar.com ; 375 3rd Ave à hauteur de 27th St ; Ⓢ 6 jusqu'à 28th St
Petit coin de Texas à New York, ce club relax de style relais routier donne à entendre rockabilly, bluegrass et country de qualité, sans droit d'entrée.

MUSIQUES LATINE ET DU MONDE

COPACABANA Plan p. 452
☎ 212-239-2672 ; 560 W 34th St à hauteur de 11th Ave ; Ⓢ A, C, E jusqu'à 34th St-Penn Station
Miami à New York, ce club géant offre de la danse latine au niveau principal et, en haut, de la salsa et du mérengué live, avec danseuses sur scène.

EL TALLER LATINO AMERICANO Plan p. 454
☎ 212-665-9460 ; 2710 Broadway à hauteur de 104th St ; Ⓢ 1 jusqu'à 103rd St
Centre culturel latino-américain complet offrant toutes sortes d'activités : cours d'espagnol, expositions, cours de danse et d'instruments. Sa salle de spectacle aux allures de salon reçoit fréquemment des artistes de musique latine et du monde. Récemment, un chanteur de jazz brésilien, un groupe de flamenco et un cycle de jazz argentin s'y sont produits.

Où sortir

MUSIQUE

GONZALEZ Y GONZALEZ Plan p. 448
☎ 212-473-8787 ; 625 Broadway, entre Bleecker St et Houston St ; ⊕ B, D, F, V jusqu'à Broadway-Lafayette St, 6 jusqu'à Bleecker St

L'attente avant d'entrer est parfois interminable. À l'intérieur, la fiesta est un peu tapageuse, ce qui ravira les amateurs de salsa live, de margarita forte et de foule dansante frénétique.

S.O.B.'S Plan p. 448
☎ 212-243-4940 ; 204 Varick St, entre King St et Houston St ; ⊕ 1 jusqu'à Houston St

SOB (pour Sounds of Brazil) ne se limite pas à la samba. On peut y inclure l'afro-cubain, la salsa et le reggae, live ou enregistrés. Dîners spectacles tous les soirs, mais l'ambiance ne s'échauffe vraiment qu'à partir de 2h du matin.

CLUBBING ET SOIRÉES

Les points chauds de la nuit new-yorkaise changent en permanence. Tout d'abord parce que les noctambules ont vite fait de s'ennuyer, mais aussi parce que les animateurs de la nuit sont en lutte incessante avec la municipalité et le voisinage pour des questions de drogue, de bruit et de qualité de vie. C'est pour éviter ces complications que la plupart des grandes discothèques comme le Crobar, le Spirit et le Pacha, se sont installées sur les franges moins peuplées de la ville, plus près de la West Side Hwy que des quartiers résidentiels.

Les discothèques sont généralement de grands espaces organisés autour de pistes de danse et de DJ très médiatisés. Les *parties* sont les soirées spéciales qui se déroulent dans ces grands clubs et qui peuvent changer de lieu d'accueil. Pour avoir le

Une soirée sans nuages au Cielo (à droite)

programme des festivités, on consultera la rubrique "clubs" de l'hebdomadaire *Time Out New York*, le site, toujours mis à jour, du mensuel *Paper* (www.papermag.com), et pour les soirées gays, l'un ou l'autre des magazines *HX* ou *Next*, deux mensuels distribués dans les bars gays. Soyez également à l'affût des tracts affichés sur les murs et panneaux d'affichage de l'East Village. C'est parfois le meilleur moyen d'être tenu au courant des activités de clubs qui n'ont pas de téléphone et ne font pas de publicité. Enfin, dernière recommandation : inutile de vous présenter aux adresses suivantes avant minuit (même en semaine), car les choses ne bougent vraiment qu'après 1h du matin. Pour un survol des options, et même pour payer les entrées, adressez-vous à **Clubfone** (☎ 212-777-2582 ; www.clubfone. com). Pour une liste de bars et discothèques exclusivement gays ou lesbiens (en plus de ceux mentionnés ci-après), voir p. 268.

AVALON Plan p. 446
☎ 212-807-7780 ; 660 6th Ave à hauteur de 20th St ; entrée 25 $; ⊕ F, V, R, W jusqu'à 23rd St

Le dernier avatar du Limelight (ce repaire mouvementé de "club-kids" ayant appartenu au roi de la nuit Peter Gratien, aujourd'hui expulsé) est réputé pour ses soirées hip-hop du jeudi et ses soirées gays du dimanche.

CIELO Plan p. 448
☎ 212-645-5700 ; 18 Little W 12th St, entre 9th Ave et Washington St ; entrée 5-20 $; ⊕ A, C, E jusqu'à 8th Ave, L jusqu'à 14th St

Cadre intime, soirées gratuites ou peu coûteuses, ce haut lieu du Meatpacking District attire tous les soirs une foule mode et multiculturelle qui danse sur un mélange de tribal, de house saupoudrée de latino et de rythmes très soul, surtout le lundi avec les sons "interplanétaires" de la soirée Deep Space du DJ Francois K.

CLUB SHELTER Plan p. 284
☎ 212-719-4479 ; 20 W 39th St, entre 5th Ave et 6th Ave ; entrée 10-20 $; ⊕ B, D, F, V jusqu'à 42nd St-Bryant Park

Ne manquez pas, dans cette boîte à plusieurs niveaux, la soirée deep-house Shelter du samedi, depuis longtemps animée par le DJ de légende Timmy Regisford. Le même soir, deux étages sont réservés à la soirée lesbienne Lovergirl, plus connue pour la drague que pour la musique. Le vendredi accueille désormais la soirée Area 10039, avatar

Uptown de l'Area 10009 (qui se déroulait dans le club aujourd'hui fermé Opaline).

CROBAR Plan p. 452

☎ 212-629-9000 ; 530 W 28th St, entre 10th Ave et 11th Ave ; entrée 25 $; Ⓜ C, E jusqu'à 23rd St

Un monde en soi, cette discothèque géante, parente des Crobar de Miami, Chicago et Buenos Aires se remplit de banlieusards le week-end, mais donne des fêtes à tendance gay, en semaine, avec d'excellents DJ, comme Victor Calderone, Felix da Housecat, pour ne citer qu'eux. Nombreuses salles où se déroulent simultanément des soirées à thème, avec un public et des DJ variés.

LOTUS Plan p. 448

☎ 212-243-4420 ; 409 W 14th St, entre 9th Ave et 10th Ave ; entrée 10-20 $; Ⓜ A, C, E jusqu'à 14th St, L jusqu'à 8th Ave

La grande soirée de ce club BCBG a lieu le vendredi quand GBH fait vibrer la maison avec un mélange de house, disco et garage, pour les jeunes branchés de Downtown.

MARQUEE Plan p. 452

☎ 646-473-0202 ; 289 10th Ave entre, 26th St et 27th St ; Ⓜ C, E jusqu'à 23rd St

Un public branché et glamour, avec son contingent de célébrités, se presse pour passer le cordon de velours et venir se déhancher dans la salle spacieuse sur les musiques du moment ou observer depuis la mezzanine, à travers un mur vitré, l'action qui se déroule en bas.

PACHA Plan p. 452

☎ 212-209-7500 ; 618 W 46th St, entre 11th Ave et West Side Hwy ; Ⓜ A, C, E jusqu'à Port Authority-42nd St

La discothèque la plus récente est un endroit immense et spectaculaire de 2800 m² sur quatre niveaux remplis d'espaces lisses et brillants, et de petits coins intimes où s'asseoir qui s'élèvent autour de l'atrium central où se trouve la piste de danse. Le DJ résident est Erick Morillo, et de grands noms se tiennent en réserve.

PYRAMID Plan p. 449

☎ 212-228-4888 ; 101 Ave A, entre 6th St et 7th St ; Ⓜ F, V jusqu'à Lower East Side-2nd Ave

Presque tous les soirs de la semaine, vous pouvez compter sur une soirée à thème où l'on ne s'ennuie pas, dans cette caverne discothèque principalement gay. La foule est particulièrement nombreuse le vendredi pour la fête 1984 qui tourne depuis les années 1980.

ROXY Plan p. 446

☎ 212-627-0404 ; 515 W 18th St, entre 10th Ave et 11th Ave ; entrée 15-25 $; Ⓜ A, C, E jusqu'à 14th St, L jusqu'à 8th Ave

Ce club légendaire a gardé ses bonnes habitudes avec sa soirée roller disco du mercredi. John Blair est le promoteur de l'incontournable grande soirée gay du samedi, qui attire une foule d'hommes torse nu venus se déhancher sur les musiques de Manny Lehman ou Junior Vasquez. On n'est pas près d'oublier l'apparition de Madonna en personne, fin 2005, pour la promotion de son album *Confessions on the Dance Floor*.

SAPPHIRE Plan p. 449

☎ 212-777-5153 ; 249 Eldridge St à hauteur de E Houston St ; entrée 5 $; Ⓜ F, V jusqu'à Lower East Side-2nd Ave

Cette petite boîte a survécu au boom de Ludlow St du milieu des années 1990 tout en restant très branchée. Ambiance torride et foule compacte.

718 SESSIONS Plan p. 446

Deep ; ☎ 212-229-2000 ; 16 W 22nd St, entre 5th Ave et 6th Ave ; entrée 12-25 $; Ⓜ F, V, R, W jusqu'à 23rd St (W sam-dim uniquement)

Cette soirée mensuelle qui se déroule dans un espace par ailleurs tout à fait ordinaire mélange soirées danse sur le deep house vieille école du DJ Danny Krivit et de temps en temps des spectacles live comme celui de Joi Cardwell pour la dernière soirée du Nouvel An. Les soirées house font rage le vendredi avec le DJ Marc Anthony.

SPIRIT Plan p. 452

☎ 212-268-9477 ; 530 W 27th St, entre 10th Ave et 11th Ave ; Ⓜ C, E jusqu'à 23rd St

Pour cette discothèque géante, une émanation d'un Spirit à Dublin, il n'a pas été facile de succéder au Twilo, mais le week-end, des DJ connus comme Danny Tenaglia sont aux commandes. Les dimanches, organisés par John Blair, du Roxy, attirent une foule excitée de jeunes étudiants.

TURNTABLES ON THE HUDSON

☎ 212-560-5593 ; www.turntablesonthehudson.com

Fabuleuse soirée itinérante centrée sur les DJ, avec percussionnistes et dubs, qui change de lieu chaque jour traînant à sa suite une foule d'adeptes. Le vendredi, elle fait escale à son adresse permanente, le Lightship Frying Pan (plan p. 452 ; Pier 63,

Où sortir

CLUBBING ET SOIRÉES

12th Ave à hauteur de 23rd St), un ancien phare flottant qui est devenu l'un des lieux de soirée les plus curieux et les plus "in" de New York.

CINÉMA ET TÉLÉVISION

Les cinéphiles pourront, à New York, assouvir leur fringale de films, du dernier dessin animé japonais au film européen le plus provocant interdit partout ailleurs aux États-Unis, ce qui explique que certains Américains viennent à New York pour aller au cinéma. Exception dans ce pays, les New-Yorkais considèrent le cinéma comme un art aussi évolué que l'opéra ou le théâtre de Broadway. En outre, rien n'égale le plaisir d'une salle climatisée, un jour de canicule. Les **festivals** (New York, Jewish, Lesbian & Gay et Asian American, entre autres ; voir l'encadré ci-contre) qui se déroulent tout au long de l'année sont une incitation supplémentaire à fréquenter les salles obscures.

Les places ont beau coûter au bas mot 10 $, de longues files d'attente se forment certains soirs et le week-end. Pour être sûr d'obtenir une place (et ne pas se retrouver au premier rang), il est quasiment impératif d'acheter son billet par téléphone à l'avance (sauf en milieu de semaine, à midi ou pour voir un film depuis plusieurs mois sur les écrans). Consultez les rubriques cinéma pour avoir les numéros de téléphone, et les sites Internet pour les achats d'avance. La plupart des transactions passent par **Movie Fone** (☎ 212-777-3456 ; www.moviefone. com) ou **Fandango** (www.fandango.com). La place vous coûtera 1,50 $ de plus, mais elle le mérite. Les téléspectateurs qui aimeraient assister à une émission en direct seront comblés à New York, car c'est ici que sont enregistrées la plupart des émissions publiques, de *Late Night with David Letterman* à *Good Morning America*. On lira plus loin comment avoir son quart d'heure de célébrité.

ART ET ESSAI, RÉTROSPECTIVES

ANTHOLOGY FILM ARCHIVES Plan p. 449
☎ 212-505-5181 ; 32 2nd Ave à hauteur de 2nd St ;
Ⓕ F, V jusqu'à Lower East Side-2nd Ave
Cette salle de l'East Village projette des films européens à petit budget et des œuvres marginales, ainsi que des reprises de classiques comme *From Here to Eternity* (*Tant qu'il y aura des hommes*). Elle propose aussi des festivals, entre autres, de films turcs, suédois ou à thème sportif.

CLEARVIEW'S CHELSEA Plan p. 446
☎ 212-777-3456 ; 260 W 23rd St, entre 7th Ave et 8th Ave ; Ⓒ C, E jusqu'à 23rd St
Outre des films en exclusivité, ce multiplexe projette le *Rocky Horror Picture Show* à minuit, et propose un cycle, Chelsea Classics, le jeudi soir, avec la vedette travestie locale Hedda Lettuce qui présente de vieux films kitsch avec Joan Crawford, Bette Davis et Barbra Streisand.

EAGLE THEATER Plan p. 457
☎ 718-205-2800 ; 73-07 37th Rd, Jackson Heights, Queens ; billets 5 $; Ⓖ 7 jusqu'à 74th St-Broadway
Temple du cinéma Bollywood à New York (avec samosas chauds en vente), l'Eagle passe des films indiens tous les soirs – avec clochettes et sifflets. L'animation est à son comble le vendredi quand les spectateurs mettent leurs plus beaux atours pour aller au cinéma. Des sous-titres anglais aident à la compréhension, mais on peut s'en passer…

FILM FORUM Plan p. 448
☎ 212-727-8110 ; 209 W Houston St, entre Varick St et 6th Ave ; Ⓘ 1 jusqu'à Houston St
Ce petit complexe de Soho (3 salles) montre des films indépendants, des reprises et des rétrospectives. Les salles sont petites, comme les écrans. Petit café sympa dans le hall.

PLAISIRS GRATUITS II : CINÉMA À BRYANT PARK

L'été, **Bryant Park** (plan p. 452 ; www.bryantpark.org) fait son cinéma. Tous les lundis, des films, classiques et modernes, sont projetés en plein air sur un écran géant dressé dès le mois de juin sur le côté ouest de ce jardin bordé d'arbres. Les premiers cinéphiles prennent place vers 15h30, avec nappe, pique-nique et bouteilles de vin, rejoints vers 18h par les employés de bureau impatients de profiter des derniers rayons de soleil. Les films, dont le thème varie chaque année, commencent vers 21h. Récemment, on a pu voir *The Odd Couple* (*Drôle de couple*), *Jaws* (*Les Dents de la mer*), *Whatever Happened to Baby Jane?* (*Qu'est-il arrivé à Baby Jane ?*), *Sleepless In Seattle* (*Nuits blanches à Seattle*) et *Breakfast at Tiffany's* (*Diamants sur canapé*).

FESTIVALS DE CINÉMA

Les festivals sont si nombreux – 30 au dernier recensement – que vous êtes à peu près sûr que votre visite coïncidera avec l'un d'entre eux. Le **Tribeca Film Festival** (p. 127) qui bénéficie d'une forte promotion et d'un succès grandissant n'a pas peu contribué à l'élévation du niveau qualitatif des films présentés et des lieux de projection. Les sujets abordés sont aussi variés que la ville elle-même : la danse pour Dance on Camera (janvier), la culture et la religion juives pour le Jewish Film Festival (janvier), les jeunes réalisateurs pour le très attendu New York Film Festival (janvier), et les femmes de la communauté noire pour l'African-American Women in Film Festival (mars). Le Williamsburg Film Festival (mars), qui s'intéresse aux réalisateurs locaux, a introduit cette mode dans ce quartier branché de Brooklyn. Le Lesbian & Gay Film Festival (juin), un temps fort du mois de la Gay Pride, ajoute l'impact du cinéma au souci de reconnaissance de l'image homosexuelle. Le Human Rights Watch Film Festival (juin), quant à lui, éclaire la population locale sur les maux dont souffrent les sociétés de la planète, tandis que le New York Hawaiian Film Festival (mai), l'Asian-American International Film Festival (juin) et l'Israeli Film Festival (juin) se concentrent sur les cultures hawaïenne, asiatique-américaine et israélienne.

IFC CENTER Plan p. 448
☎ 212-924-7771 ; 323 6th Ave à hauteur de 3rd St ;
🚇 A, B, C, D, E, F, V jusqu'à W 4th St
L'ancien Waverly, qui était fermé depuis quelques années, est devenu un cinéma d'art et d'essai de 3 salles, avec un très bon café et un riche programme de films indépendants, de grands classiques et de films étrangers.

LEONARD NIMOY THALIA Plan p. 454
☎ 212-864-1414 ; Symphony Space, 2537 Broadway à hauteur de 95th St ; 🚇 1, 2, 3 jusqu'à 96th St
Petite salle tout juste rénovée, faisant partie du complexe du Symphony Space, passant deux films par séance (films de genre et en costumes d'époque).

MUSEUM OF MODERN ART GRAMERCY THEATRE Plan p. 454
☎ 212-777-4900 ; 127 E 23rd St, entre Park Ave S et Lexington Ave ; 🚇 R, W, 6 jusqu'à 23rd St
Salle magnifique qui propose en permanence des rétrospectives de qualité et quelques festivals de films étrangers.

WALTER READE THEATER Plan p. 454
☎ 212-875-5600 ; Lincoln Center, 165 W 65th St ;
🚇 1 jusqu'à 66th St-Lincoln Center

Le Walter Reade peut se vanter de s'offrir des sièges profonds, dignes de salles de visionnage. Le New York Film Festival s'y déroule chaque année au mois de septembre. Le reste du temps, il programme des films indépendants, des rétrospectives et des festivals à thème.

EXCLUSIVITÉS

ANGELIKA FILM CENTER Plan p. 450
☎ 212-995-2000 ; 18 W Houston St à hauteur de Mercer St ; 🚇 B, D, F, V jusqu'à Broadway-Lafayette St
Vieux cinéma spécialisé dans les films indépendants et étrangers. Apparemment, le public n'est rebuté ni par la petitesse des écrans ni par le bruit du métro, et les séances font souvent salle comble. Un café spacieux sert de la cuisine raffinée. Le bâtiment fin XIXᵉ, œuvre de Stanford White, mérite qu'on s'y arrête. Surnommé le Cable Building (parce qu'il abritait les grands tambours autour desquels s'enroulaient les kilomètres de câbles qui tirèrent les premiers et derniers tramways à câble de la ville), il est orné sur la façade côté Broadway d'une baie ovale et de caryatides.

BAM ROSE CINEMA Plan p. 464
☎ 718-623-2770 ; 30 Lafayette Ave à hauteur de Flatbush Ave, Fort Greene, Brooklyn ; 🚇 M, N, R, W jusqu'à Pacific St, Q, 1, 2, 4, 5 jusqu'à Atlantic Ave
Le somptueux cinéma de la BAM passe des films indépendants et étrangers dans des salles équipées d'excellents sièges, d'écrans géants et d'un beau décor classé. On y verra également des mini-festivals et des reprises.

LANDMARK SUNSHINE CINEMAS
Plan p. 450
☎ 212-358-7709 ; 143 E Houston St ; 🚇 F, V jusqu'à Lower East Side-2nd Ave

L'Angelika Film Center (ci-dessus)

ENREGISTREMENTS D'ÉMISSIONS TÉLÉ

Vous pouvez assister à l'une des nombreuses émissions de télévision enregistrées à New York. Bien qu'elles soient réservées longtemps à l'avance, vous pouvez toujours vous présenter le jour de l'enregistrement en comptant sur des places en stand-by ou des annulations.

Il est notoirement difficile d'assister à *Saturday Night Live* (p. 155), l'une des émissions new-yorkaises les plus populaires. Cela dit, vous pouvez tenter votre chance en vous inscrivant à la loterie qui a lieu en automne. Envoyez simplement un courriel à snltickets@nbc.com, en août, ou présentez-vous à 8h15 le jour de l'émission aux studios de la NBC, 50th St, entre 5th Ave et 6th Ave, pour la loterie des billets stand-by (interdit aux moins de 16 ans). Une autre émission tardive très recherchée est le *Late Show with David Letterman*. Vous pouvez essayer d'obtenir des billets pour une émission précise sur www.cbs.com/lateshow, ou bien obtenir un billet stand-by en appelant le ☎ 212-247-6497 à 11h le jour de l'enregistrement, qui commence à 17h30, du lundi au jeudi. Pour être présent à l'émission *Daily Show with John Stewart* sur Comedy Central, il faut réserver au moins 3 mois à l'avance en appelant le ☎ 212-586-2477, ou en appelant à 11h30 le vendredi précédent le jour de votre choix en espérant une place libre de dernière minute.

Le public de *Total Request Live* doit avoir 16 ans minimum. Présentez-vous aux **studios de MTV** (plan p. 452 ; 1515 Broadway entre 43rd St et 44th St) avant midi pour les enregistrements en semaine, qui commencent à 15h30, ou appelez la **hotline de MTV** (☎ 212-398-8549) pour un jour particulier. Pour l'émission *Last Call with Carson Daly,* réservez en ligne sur www.1iota.com, ou appelez ☎ 800-452-8499 ; vous pouvez aussi compter sur un stand-by en vous présentant à 11h à l'entrée de 49th St du 30 Rockefeller Plaza (studios de la NBC). Les amateurs de l'émission à scandale *Ricki Lake Show* doivent remplir une demande de billet sur www.sonypictures.com/tv/shows/ricki/index.htm.

Pour d'autres précisions, consultez les sites Internet des chaînes, ou le site www.tvtickets.com.

Ancien théâtre yiddish rénové, le superbe Landmark passe des films étrangers et grand public sur des écrans géants, un atout appréciable pour le quartier.

LINCOLN PLAZA CINEMAS Plan p. 454
☎ 212-757-2280 ; 1886 Broadway à hauteur de 62nd St ;
Ⓜ A, B, C, D, 1, 2 jusqu'à 59th St-Columbus Circle
Cinéma de 6 salles en sous-sol, dans l'Upper West Side, spécialisé dans le cinéma d'art et d'essai indépendant.

LOEWS 42ND ST E – WALK THEATER
Plan p. 284
☎ 212-505-6397 ; W 42nd St, entre 7th Ave et 8th Ave ; Ⓜ N, Q, R, S, W, 1, 2, 3, 7 jusqu'à Times Sq

Grand complexe de 13 salles, à Times Sq, où passent toutes les productions d'Hollywood, dans un confort maximum. Bon endroit pour voir des petits films indépendants, car ils n'attirent pas autant de public et les conditions de projection sont idéales.

LOEWS LINCOLN SQUARE
Plan p. 454
☎ 212-336-5000 ; 1992 Broadway à hauteur de 68th St ; Ⓜ 1, 2, 3 jusqu'à 72nd St
Mastodonte de l'Upper West Side comprenant une salle 3D IMAX et 12 salles grand écran projetant des nouveautés. Attention pour les moins grands : les sièges ne sont pas en gradins.

**Activités
sportives** ◄

Activités sportives

Outre ses musées et ses théâtres, New York regorge d'endroits et d'activités pour se défouler physiquement. Au quotidien, les stations de métro s'apparentent parfois à des saunas et héler un taxi peut s'apparenter à un exercice de haut vol. Il y a aussi des façons plus traditionnelles d'apprécier le sport. Il est difficile de dire que vous avez été à New York et que vous n'avez pas mangé un hot dog sur les gradins du Yankee Stadium. Vous pouvez aussi psalmodier des mantras avec des stars dans les centres de yoga de Downtown, nager dans des piscines où le Raging Bull a fait des longueurs (ou du moins qu'il a fréquentées), écouter le langage ordurier des joueurs de *stickball* (le dernier sport de rue en vogue, voir l'encadré p. 317), améliorer votre service-volée sur les courts de l'US Open, surfer sur l'Atlantique ou descendre en kayak à Brooklyn.

> ## TOP 5 DES ACTIVITÉS SPORTIVES
>
> - Assister à un match de basket de rue (p. 308) à "la cage" ou dans le mythique Rucker Park à Harlem
> - Courir (p. 316), pédaler (p. 313), patiner (p. 315) ou observer les oiseaux (p. 311) à Central Park
> - Faire du kayak sur l'Hudson (p. 311) sans dépenser autre chose que des calories
> - Partir à l'assaut des vagues (p. 317) – le surf est de retour à New York, du moins il n'est plus interdit
> - Acclamer les Yankees dans leur antre (ci-contre)

MANIFESTATIONS SPORTIVES

Si vous n'avez pas la chance d'assister à un match depuis les gradins – il vaut vraiment la peine d'assister au moins à un match des Yankees –, sachez que n'importe quel petit bar de quartier se transforme en stade dès que les Knicks, les Giants ou les Yankees disputent un match. Soyez prêt à taper dans la main de votre voisin à la moindre prouesse d'Eli Manning (Giants) ou de Derek Jeter (Yankees) ! Optez pour un bar d'un borough résidentiel, loin des quartiers chic de Manhattan, qui arbore le logo au néon d'une équipe et saura vous dire à quelle heure a lieu le mach. Ceux qui ne connaissent rien aux sports américains trouveront des instructeurs enthousiastes (et sans doute éméchés). Si vous voulez lire des infos sur les sports locaux, évitez les commentaires polis du *Times* et consultez directement les dernières pages des tabloïdes *New York Daily News* ou *New York Post* au style beaucoup plus incisif.

Basket (p. 308) au West 4th Street Courts, un sport auquel les New-Yorkais sont attachés

Tickets

Vu le grand nombre d'équipes et de saisons sportives concomitantes, il se passe rarement une journée sans rencontre et, en dehors du football américain, on trouve généralement des places. **Ticketmaster** (www.ticketmaster.com) vend des billets individuels et les équipes proposent des abonnements. Sur les sites Internet des équipes (voir ci-dessous, sous chaque entrée), des liens vous connectent directement à une billetterie en ligne ("Tickets"). Dans certains cas, vous pouvez acheter des billets par téléphone (numéro spécial des équipes) ou *via* une billetterie. Sinon, vous pouvez vous adresser à **StubHub** (☎ 866-788-2482 ; www. stubhub.com) ou à **Buy-Sell-Tix** (☎ 800-451-8499 ; www.buyselltix.com).

BASE-BALL

New York est sans doute un des rares endroits d'Amérique où le base-ball jouit encore d'une plus grande popularité que le football américain ou le basket, et vu le prix des places (à partir de 5 ou 10 \$) il serait dommage de se priver de ce spectacle. Après la Seconde Guerre mondiale, New York possédait trois équipes, toutes très dynamiques : les New York Yankees, les Giants et les Brooklyn Dodgers. À treize reprises, deux d'entre elles s'affrontèrent au cours de la finale des Subway Series. L'impensable se produisit en 1957, quand les Dodgers et les Giants déménagèrent en Californie. L'arrivée des Mets quelques années plus tard (qui adoptèrent une combinaison des couleurs des équipes émigrées) fut accueillie positivement, mais elle n'atténua pas le sentiment de trahison ressenti par de nombreux supporters. En 2000, les Yanks l'ont emporté sur les Mets lors d'une reprise des Subway Series. Le prolongement d'une tradition, en quelque sorte.

Les équipes jouent 162 matchs durant la saison régulière qui s'étend d'avril à octobre, époque à laquelle commencent les choses sérieuses : les playoffs.

BROOKLYN CYCLONES

☎ 718-449-8497 ; www.brooklyncyclones.com ; KeySpan Park, angle Surf Ave et W 17th St, Coney Island ; billets 6-14 \$; ⊙ billetterie lun-ven 10h-16h, sam 10h-15h ; ⊙ F, D jusqu'à Coney Island-Stillwell Ave

L'équipe "de réserve" des Mets a (enfin) ramené le base-ball à Brooklyn en 2001. Cette équipe évoluant dans la New York/ Penn League, joue au KeySpan Park (plan p. 466), à deux pas de la jetée de Coney Island. C'est l'endroit idéal pour aller manger un hot dog au son des claquements de battes. L'équipe a pris le nom des montagnes russes qui se trouvent juste à côté (p. 181).

NEW YORK METS

☎ 718-507-8499 ; www.mets.com ; Shea Stadium, 123-01 Roosevelt Ave, Flushing, Queens ; billets 5-70 \$; ⊙ 7 jusqu'à Willets Point-Shea Stadium

La "nouvelle" équipe de base-ball de New York est présente en National League depuis 1962. Les fans se souviennent encore de 1986, année magique au cours de laquelle le club finit par remporter les World Series après un retour miraculeux. Leur emblème bleu et orange comporte un monument de chacun des cinq boroughs de New York, mais ils ne comptent pas beaucoup de fans dans le Bronx des Yankees. Le nouvel enfant chéri des Mets est l'ancien lanceur des Red Sox, Pedro Martinez qui fit trembler les New-Yorkais lorsqu'il mena son équipe de Boston à la victoire contre les Yankees, en 2004. Les Mets auraient bien besoin que la magie opère de nouveau, après leur échec aux qualifications des playoffs en 2005. Il faut 35 min pour se rendre en métro au Shea Stadium depuis Midtown.

NEW YORK YANKEES

☎ 718-293-6000, billetterie 212-307-1212 ; www.yankees.com ; Yankee Stadium, angle 161st St et River Ave, Bronx ; billets 10-115 \$; ⊙ B, D, 4 jusqu'à 161st St-Yankee Stadium

Qualifier les Yankees de dynastie du base-ball serait un euphémisme. Jouant dans l'American League, les "Bronx Bombers" ont gagné 26 championnats des World Series au siècle dernier. Aujourd'hui encore, les Yankees jouent chaque année pour le titre, avec Derek Jeter, Alex Rodriguez et (soustrait à l'ennemi juré, les Red Sox de Boston) Johnny Damon. Une grande équipe de champions. Les matchs se déroulent au légendaire Yankee Stadium (p. 204), à 15 min en métro de Midtown. On trouve presque toujours des places non abritées (*bleacher seats*). Il n'est pas conseillé de porter autre chose que du bleu Yankee…

STATEN ISLAND YANKEES

☎ 718-720-9265 ; www.siyanks.com ; Richmond County Bank Ballpark, 75 Richmond Tce, Staten Island ; billets 10 $; ⏰ billetterie lun-ven 9h-17h, sam 10h-15h ; 🚢 ferry de Staten Island

Trois fois champions de la New York/Penn League au cours de la décennie passée (notamment en 2005), ces Yankees jouent pour ainsi dire aussi bien que leurs alter ego du Bronx. En plus du match, vous aurez droit à une vue superbe sur Manhattan depuis le Richmond County Bank Ballpark, un stade magnifique au bord de l'eau en face de la rade de New York.

BASKET

Deux équipes de la NBA, les Knicks et les Nets, sont basées à New York. La saison dure d'octobre à mai ou juin. L'achat de billets individuels s'effectue auprès de **Ticketmaster** (www.ticketmaster.com) ou de **StubHub** (☎ 866-788-2482 ; www.stubhub.com), ou directement à la billetterie des équipes.

En dernière minute, il est plus difficile d'obtenir des places pour les Knicks que pour les Nets. Dans tous les cas, réservez à l'avance si vous souhaitez assister à une rencontre entre l'un ou l'autre de ces clubs et voir les stars de NBA, comme Allen Iverson, Shaq, Kobe Bryant ou Lebron James.

BROOKLYN KINGS

☎ 718-775-7524 ; www.thebrooklynkings.com ; Metcalfe Hall, université de Long Island (campus de Brooklyn), angle Dekalb Ave et Flatbush Ave ; billets adulte/étudiant 8/5 $; Ⓜ B, M, Q, R jusqu'à Dekalb Ave

Ce n'est qu'une question de temps pour que l'United States Basketball League, une *minor league*, acquière une plus grande notoriété. En course depuis 1999 (finissant deuxième en 2005), les Kings jouent leur saison de 30 matchs de fin avril à fin juin. Ils sont basés au Metcalfe Hall (plan p. 460) à Brooklyn.

NEW JERSEY NETS

☎ 800-765-6387, 201-935-3900, billets individuels 201-507-8900 ; www.njnets.com ; Continental Airlines Arena, Meadowlands Sports Complex, New Jersey ; billets 15-115 $; ⏰ billetterie lun-sam 11h-18h, horaire réduit les jours de match

Éclipsés par les Knicks, relégués au Meadowlands Sport Complex, dans le New Jersey, les Nets ont pourtant fait bien mieux que leurs rivaux new-yorkais ces dernières années. En janvier 2004, Bruce Ratner a racheté l'équipe et annoncé un projet de transfert à Brooklyn pour 2007. Le signal du départ n'est toujours

---

MANIFESTATIONS SPORTIVES DANS LE NEW JERSEY

Les matchs à domicile des Giants, Jets, Nets, Devils et autres MetroStars se tiennent au Meadowlands Sports Complex d'East Rutherford, dans le New Jersey. Pour s'y rendre, prendre le bus public n°351 depuis la gare routière de Port Authority, Midtown. Le trajet de 20 min coûte 4,50 $ l'aller. Des bus circulent en permanence à partir de 2 heures avant la rencontre et jusqu'à une heure après celle-ci.

En voiture depuis Manhattan, empruntez le tunnel Lincoln, à Midtown, jusqu'à la Route 3 W et suivez les panneaux signalant Exit 4, Route 120.

---

pas donné, mais il semble sur le point de l'être. Pendant ce temps, avec des joueurs comme l'arrière astucieux Jason Kidd, et Vince "Vinsanity" Carter, les Nets peuvent prétendre à disputer chaque année le titre de champion de la Conférence Est. Voir l'encadré ci-dessus pour savoir comment se rendre au stade.

NEW YORK KNICKS

☎ 212-465-5867, billetterie 212-307-7171 ; www.nyknicks.com ; Madison Sq Garden, entre 7th Ave et 33rd St, Manhattan ; billets 10-80 $; ⓂA, C, E, 1, 2, 3 jusqu'à 34th St-Penn Station

La première chanson rap de tous les temps est consacrée aux bien-aimés Knickerbockers (*I have a color TV so I can watch the Knicks play basketball*, chante Sugar Hill Gang – "J'ai une télé en couleurs pour regarder les Knicks jouer au basket"). Les "bleu et orange" se produisent au Madison Square Garden (plan p. 452), devant leur fan n°1, Spike Lee, et 18 999 autres supporters. Ils ont cependant connu quelques déboires ces dernières années : le championnat leur échappe depuis 1973 ; même Patrick Ewing, la star des années 1980 et 1990, ne l'a jamais remporté. Les fans les plus optimistes sont persuadés qu'avec l'arrivée de Stephen Marbury, un natif de Brooklyn, et de l'entraîneur de champions Larry Brown (volé aux Detroit Pistons en 2005), la victoire tant attendue est en vue. Une participation aux playoffs serait un début, les Knicks ayant toujours navigué dans le bas de l'Atlantic Division au cours des dernières saisons. En général, on ne peut obtenir des billets qu'à partir de 45 $. Réservez un mois à l'avance.

NEW YORK LIBERTY

☎ 212-465-6293, billetterie 212-307-7171 ; www.nyliberty.com ; Madison Sq Garden, entre 7th Ave et

33rd St, Manhattan ; billets 10-55 $; Ⓜ A, C, E, 1, 2, 3
jusqu'à 34th St-Penn Station
Depuis le début de la ligue WNBA, en 1997,
le basket féminin a également la cote.
Toujours en attente de leur premier titre,
les Liberty, basées au MSG (plan p. 452),
jouent une saison de 34 matchs de mai à
septembre ou octobre.

FOOTBALL AMÉRICAIN

Les deux équipes new-yorkaises membres
de la National Football League (NFL)
jouent au Giants Stadium, dans le New
Jersey, d'août à décembre (et janvier, s'ils
se qualifient pour les playoffs), le week-end
en alternance (16 rencontres par saison).
Ils jouent toujours à guichets fermés mais il
est possible d'obtenir des places à condition
de dépenser au moins 200 $. Tentez votre
chance avec StubHub (p. 307) ou sur le
www.craigslist.com pour vous procurer des
places. Par ailleurs, les Giants disposent d'un
programme gratuit d'échange de billets ;
consultez leur site Web ou téléphonez pour
plus de détails. Voir l'encadré ci-contre pour
localiser le stade.

Le football universitaire, quant à lui, ne
déplace pas les foules, bien que les Rutgers
du New Jersey soient la plus vieille équipe
du pays. L'équipe de la très chic Ivy League
de Columbia joue (et perd en général) en
automne devant un maigre public.

NEW YORK DRAGONS

☎ 516-501-6700 ; billetterie 631-888-9000 ; www.
newyorkdragons.com ; Nassau Veterans Memorial
Coliseum, Uniondale, Long Island ; billets 15-55 $;
🚆 Long Island Rail Road (LIRR) jusqu'à Hempstead
Pour voir du football américain en salle, venez
observer l'équipe de l'Arena Football League
(AFL) de New York qui joue à Long Island sur un
mini-terrain. La saison des 17 équipes de l'AFL
va de février à mai. Depuis la gare, prendre le
bus N70, N71 ou N72 jusqu'au Coliseum.

NEW YORK GIANTS

☎ 201-935-811, billetterie 201-935-8222 ; www.giants.
com ; Giants Stadium, East Rutherford, New Jersey
Une des plus vieilles équipes de la NFL, les
Giants commencent à reprendre la maîtrise de
la division Est de la National Football Conference (NFC) sur les Eagles de Philadelphie, en
misant sur le bras d'Eli Manning, les jambes du
chouchou de l'équipe Tiki Barber, et la rigueur
de l'entraîneur Tom Coughlin. Voir l'ex-entraî-
neur, Bill Parcells, porter les couleurs de leurs
rivaux, les Cowboys de Dallas, est dur à avaler
pour beaucoup de Giants. La dernière fois qu'ils
sont parvenus en finale (le Super Bowl), c'était
en 2000, et ils furent écrasés par Baltimore.

NEW YORK JETS

☎ 516-560-8200 poste 1 ; www.newyorkjets.com ;
Giants Stadium, East Rutherford, New Jersey
Généralement moins populaires que les
Giants (ils se produisent au *Giants* Stadium !),

FAITES VOS JEUX : NEW JERSEY CONTRE NEW YORK

Le sport est parfois très intéressant aussi dans les coulisses. Les deux équipes de football américain de NFL de New York,
qui ont longtemps joué dans le New Jersey, et les autres grandes équipes sportives locales sont toutes à la recherche de
nouveaux espaces. Or, les deux rives de l'Hudson font tout ce qu'elles peuvent pour garder/prendre/accueillir/couver/
entretenir leurs équipes.

En 2004 et 2005, le maire de New York Michael Bloomberg soutint de tout son poids politique un projet controversé
de 1,7 milliard de dollars visant à faire venir les New York Jets à Manhattan, dans un nouveau stade, le West Side
Stadium, qui devait être construit à cet effet à proximité de la West Side Hwy. Le projet fut écarté en 2005. C'est alors
que, en mai 2005, les édiles du New Jersey renforcèrent leur emprise sur l'autre équipe de la NFL, les New York Giants
(qui partagent actuellement le "Giants Stadium" de Meadowlands, dans le New Jersey, avec les Jets) en engageant
800 millions de dollars dans le projet d'un nouveau stade de 80 000 places qui sera achevé en 2009. Un moment, on
crut que les Jets allaient partir pour le Flushing Meadows-Corona Park, dans le Queens, mais l'offre du New Jersey était
trop alléchante.

Dans le monde du hockey et du basket, Newark a conclu un accord en vue d'accueillir les Devils de la NHL dans le
centre-ville, ce qui, espéraient les politiciens du New Jersey, devait inciter les Nets de la NBA à rester dans cet État.
Cependant, depuis qu'il a acheté l'équipe en 2004, le magnat de l'immobilier Bruce Ratner projette de l'implanter dans
un complexe de 2,5 milliards de dollars, l'Atlantic Yards, à Brooklyn (ouverture prévue pour 2007). Il semble bien que
ce soit le chemin que suivront les Nets.

Les Yankees, quant à eux, sont bien implantés dans le Bronx, mais ils proposent la construction d'un nouveau stade
de 800 millions de dollars qui, si le projet est approuvé, devrait ouvrir en 2009.

les Jets n'ont pas encore renoué avec le succès enregistré au légendaire Super Bowl de 1969, quand le présomptueux attaquant Joe Namath s'était porté garant de la victoire. Ce triomphe annoncé inaugura une période de domination des équipes de l'American Football Conference (AFC) sur celles, jadis invincibles, de la NFC. Cela dit, depuis plusieurs saisons les Jets sont enfoncés dans la spirale de l'échec et ils ont fini derniers de leur division en 2005-2006.

HOCKEY

Avant tout, sachez qu'il existe à New York davantage d'équipes de hockey de première division que de tout autre sport. Après une année de grève en 2004-2005, la saison de la National Hockey League (NHL) devrait reprendre en septembre jusqu'en avril, chaque club jouant trois ou quatre matchs par semaine.

NEW JERSEY DEVILS

☎ 201-935-6050, billetterie 212-307-7171 ; www. newjerseydevils.com ; Continental Airlines Arena, East Rutherford, New Jersey ; billets 20-90 $

Les Devils ne sont peut-être pas new-yorkais – ils seraient plutôt une équipe sans ville d'attache (leurs "parades" victorieuses se déroulent sur le parking du stade) – mais ils pratiquent un hockey de premier ordre qui leur a valu de remporter par trois fois la Stanley Cup au cours de la dernière décennie, en 1995, 2000 et 2003. Le goal, Martin Brodeur, est un des plus gros atouts de l'équipe.

NEW YORK ISLANDERS

☎ 631-888-9000 ; www.newyorkislanders.com ; Nassau Veterans Memorial Coliseum, Uniondale, Long Island ; billets 25-160 $

L'autre équipe new-yorkaise de la NHL joue à Long Island. New York ne leur a pas témoigné beaucoup d'affection depuis leur période faste de 1980-1983, lorsqu'ils remportèrent quatre fois de suite la Stanley Cup. Consultez leur site Internet à la rubrique "Contact" pour savoir comment vous y rendre et le site www.sparkythedragon.com pour tout savoir sur leur sympathique mascotte.

NEW YORK RANGERS

☎ 212-465-6741, billetterie 212-307-7171 ; www. nyrangers.com ; Madison Sq Garden ; billets 27-140 $; Ⓐ A, C, E, 1, 2, 3 jusqu'à 34th St-Penn Station

L'équipe de hockey préférée de Manhattan a mis un terme à 54 ans de défaite en gagnant la Stanley Cup en 1994. Bien qu'une certaine baisse de la qualité du jeu ait marqué les saisons récentes (le départ du pointeur légendaire Mark Messier ne va pas arranger les choses), les fans des Rangers donnent toujours de la voix au Madison Sq Garden (plan p. 452), surtout lorsque les Blueshirts sont opposés à leurs rivaux de toujours, les New York Islanders. Ils attendent beaucoup de l'ailier droit Jaromir Jagr pour les saisons à venir.

COURSES DE CHEVAUX

Les amateurs de chevaux trouveront plusieurs champs de courses dans l'État de New York. Des pur-sang courent du mercredi au dimanche à l'Aqueduct Race Track (Howard Beach, Queens ; Ⓔ A jusqu'à Aqueduct Racetrack) d'octobre à début mai, et au Belmont Race Track (Belmont, Long Island ; Ⓡ LIRR jusqu'à Belmont Race Track) de mai à mi-juillet, et en septembre-octobre. Belmont accueille aussi en juin les fameux Belmont Stakes. Pour tout renseignement, contactez la New York Racing Association (☎ 718-641-4700 ; www.nyra.com).

L'hippodrome des Meadowlands (☎ 201-843-2446 ; www.thebigm.com ; Meadowlands Sports Complex, East Rutherford, New Jersey ; 1-5 $) organise des courses attelées de décembre à août, et des courses de pur-sang de septembre à novembre. Elles débutent à 19h30 du mercredi au samedi et à 13h30 le dimanche. Voir l'encadré p. 308 pour vous y rendre

FOOTBALL

Eh oui, le football se pratique bel et bien aux États-Unis. Malheureusement, la ligue professionnelle féminine, dont faisait partie le New York Power, a mis la clé sous la porte en 2003.

NEW YORK/NEW JERSEY METROSTARS

☎ 201-583-7000, billetterie 212-307-7171 ; www. metrostars.com ; Giants Stadium, East Rutherford, New Jersey ; billets 26-38 $

Bizarrement partagée entre New York et le New Jersey par le nom, l'équipe des Metro-Stars, renommée les New York Red Bulls en mars 2006, attire pour ses 30 matchs (d'avril à octobre) une foule hétéroclite de supporters qui contribue à rendre les parties très divertissantes. Vu d'Europe, le niveau de l'équipe fait sourire, mais on y reconnaîtra d'anciens champions comme le Français Youri Djorkaeff. Voir l'encadré p. 308 pour vous y rendre.

TENNIS

L'**US Open** (www.usopen.org), tournoi de tennis du Grand Chelem, se déroule pendant deux semaines à la fin du mois d'août à l'**USTA National Tennis Center** (plan p. 467 ; ☎ 718-760-6200 ; www.usta.com ; Flushing Meadows Corona Park, Queens ; ⊕ 7 jusqu'à Willets Point-Shea Stadium). Ticketmaster met les billets en vente au mois d'avril ou de mai. Difficile cependant d'obtenir des places pour les matchs sur le central (à l'Arthur Ashe Stadium). Cependant, en début de tournoi, il n'est pas difficile d'obtenir des billets donnant accès aux différents courts. Ils coûtent environ 50 $ (en haut des gradins du court n°7, on peut voir cinq matchs en même temps). La plupart des spectateurs font marcher leurs relations ou ont recours à des revendeurs. Consultez le site de l'USTA en janvier ou février pour les mises à jour.

ACTIVITÉS DE PLEIN AIR

À New York, les activités varient selon la saison. L'été, les parcs se remplissent de joueurs de football et de basket, et le fleuve accueille kayaks et bateaux à voile. L'hiver, beaucoup de gens chaussent leurs patins à glace ou pratiquent (dès 15 cm de neige) le ski de fond à Sheep Meadow, dans Central Park.

OBSERVATION DES OISEAUX

Aussi surprenant que cela puisse paraître, Central Park constitue l'une des principales zones ornithologiques du pays. Son habitat diversifié attire vers New York environ 15% des oiseaux migrateurs (quelque 200 espèces) au printemps et en automne. Pendant ces périodes, la **New York City Audubon Society** (plan p. 452 ; ☎ 212-691-7483 ; www.nycaudubon.org ; 71 W 23rd St ; ⊕ F, V jusqu'à 23rd St) organise des cours de quatre sessions pour les observateurs débutants (adulte 75 $), avec deux déplacements sur le terrain. À Noël, on procède aussi à un comptage des oiseaux à Central Park, et des croisières dans la rade de New York sont proposées.

Starr Saphir (☎ 212-304-3808), ornithologue de renom, organise des **promenades** (adulte/étudiant 6/3 $) de 3 heures dans Central Park. L'essentiel des promenades coïncide avec l'époque des migrations (avr-juin et sept-oct), quand il est possible d'observer jusqu'à 180 espèces (loriots, moineaux,

faucons pèlerins, etc.). Le lundi et le mercredi, la visite part de W 81st St/Central Park West à 7h30, le mardi de W 103rd St/Central Park West à 9h, et le samedi à 7h30. Le reste de l'année, les promenades ont lieu une fois par mois (sauf en juillet). En août, Starr Saphir conduit aussi des visites au Jamaica Bay Wildlife Refuge (p. 49) dans le Queens, au plus fort de la migration des oiseaux de rivage (200 espèces environ, notamment des aigrettes, des hérons et des faucons).

Le guide le plus complet sur les oiseaux de la ville est *The New York City Audubon Society Guide to Finding Birds in the Metropolitan Area*. Les enfants adorent le Discovery Kit, un sac à dos contenant du matériel de découverte ornithologique (jumelles, carnet de croquis), disponible au **château du Belvédère** (plan p. 454 ; ☎ 212-772-0210 ; ☒ mar-dim 10h-16h30) de Central Park.

BATEAU ET KAYAK

Les occasions de s'adonner aux activités nautiques ne manquent pas à New York, même dans le Bronx qui n'a pas d'accès direct à la mer. Le ferry de Staten Island (p. 116) permet les plus belles promenades en bateau ; et il est gratuit. À Central Park et au Prospect Park de Brooklyn, vous pourrez louer des barques. City Island, une petite île de pêcheurs dans le Bronx, offre la possibilité d'affréter des embarcations. La Circle Line (p. 111) propose des croisières classiques autour de Manhattan tandis que les bateaux-taxis jaune et noir (New York Water Taxis ; p. 421), desservent Manhattan et Brooklyn. Si vous aimez l'aventure, adressez-vous à la Manhattan Kayak Company (ci-après) qui vous fera pagayer jusqu'au New Jersey où vous déjeunerez de sushis.

Promenade en kayak sur l'Hudson

BOWLINGMANIA

Avides d'expériences rétro, les New-Yorkais trouvent amusant de passer une soirée au bowling, surtout en bande après quelques pintes de bières.

Amf Chelsea Pier Lanes (plan p. 446 ; ☎ 212-835-2695 ; Chelsea Pier, entre Pier 59 et Pier 60 ; 🕙 dim-jeu 9h-minuit, ven-sam 9h-2h ; 🚇 C, E jusqu'à 23rd St) Doté de 40 pistes, il facture 5,50 $ la partie (location de chaussures 3 $) avant 17h en semaine, 7,50 $ (chaussures 4,50 $) autrement.

Bowlmor Lanes (plan p. 446 ; ☎ 212-255-8188 ; 110 University Pl ; 🕙 lun, ven et sam 11h-4h, mar-mer 11h-1h, jeu 12h-2h, dim 11h-minuit ; 🚇 L, N, Q, R, W, 4, 5, 6 jusqu'à 14th St-Union Sq) Ouvert depuis 1938, il s'agit du bowling le plus réputé de New York. La partie coûte 7,50/8,50 $ avant/après 17h du lundi au jeudi, 8,50/9 $ vendredi, 9 $ samedi et 8,50 $ dimanche. Location de chaussures 5 $. Le lundi après 22h, l'endroit s'illumine et des DJ entrent en scène (20 $ pour jouer sans limites, chaussures comprises) ; il faut avoir au moins 21 ans.

Leisure Time Bowling Center (plan p. 284 ; ☎ 212-268-6909 ; 1er étage, gare routière de Port Authority, 625 8th Ave ; parties individuelles lun-ven avant/après 17h 6/8 $, sam-dim 8 $; 🕙 dim-jeu 10h-minuit, ven-sam 10h-2h ; 🚇 A, C, E jusqu'à 42nd St) Trente pistes en plein cœur du va-et-vient des bus de Port Authority. La location d'une piste coûte 30/45 $ l'heure avant/après 17h en semaine, 45 $ l'heure le samedi et le dimanche.

DOWNTOWN BOATHOUSE Plan p. 448
☎ 646-613-0740 ; www.downtownboathouse.org ; Pier 40, près de Houston St ; entrée libre ; 🕙 15 mai-15 oct sam-dim 9h-18h ; 🚇 1 jusqu'à Houston St
Ce fabuleux centre nautique propose 20 min de kayak gratuit (équipement compris) dans la baie de l'Hudson. Pas besoin de réserver, il suffit de se présenter sur place. Il est aussi ouvert certains soirs de semaine. Le centre est présent en deux autres endroits : **Clinton Cove** (plan p. 452 ; Pier 96, à l'ouest de 56th St ; 🕙 sam-dim 9h-18h, 17h-19h mi-juin à août) et **Riverside Park** (plan p. 454 ; W 72nd St ; 🕙 sam-dim 10h-17h). Des conseils sont donnés aux débutants. Après quelques séances, vous pouvez entreprendre le tour de la rade, long de 8 km, au départ de Clinton Cove (le week-end et les jours fériés ; présentez-vous avant 8h).

FRIENDS OF BROOK PARK Plan p. 468
☎ 646-206-5288 ; www.friendsofbrookpark.org ; 111 Lincoln St à hauteur de Bruckner Blvd ; sorties en kayak 50-150 $; 🚇 6 jusqu'à 3rd Av-138th St
Cette association socioculturelle du Bronx peut organiser des sorties en kayak (avec équipement) comprenant un pique-nique sur une île de la Harlem River. Elle propose également des cours de tango et de yoga, afin de financer l'entretien d'un jardin communautaire du voisinage, et cherche des soutiens pour construire un parc (qui fait grandement défaut) au bord de l'eau.

LOEB BOATHOUSE Plan p. 454
☎ 212-517-2233 ; Central Park, entre 74th St et 75th St ; 10 $/h ; 🕙 mars-oct 10h-17h30 ; 🚇 B, C jusqu'à 72nd St, 6 jusqu'à 77th St
Dans Central Park, la location de barques est possible (si le temps le permet). En été, des gondoles sont également disponibles (30 $ les 30 min). Et l'eau n'est pas aussi sale que le laisse entendre Woody Allen dans une scène de *Manhattan*.

MANHATTAN KAYAK COMPANY Plan p. 452
☎ 212-924-1788 ; www.manhattankayak.com ; Pier 63, entre W 23rd St et West Side Hwy ; 25-250 $; 🚇 C, E jusqu'à 23rd St
Avec plus de 30 excursions couvrant quelque 278 miles nautiques dans la baie de New York, cette société dispose de nombreuses solutions de sortie d'avril à novembre. Le "tour sushi" de 5 heures (100 $, déj inclus) traverse l'Hudson jusqu'à une communauté japonaise du New Jersey. Il existe aussi des sorties nocturnes lors de la pleine lune, des sorties de 5 heures jusqu'à Red Hook, Brooklyn (150 $), et des sorties éprouvantes d'une journée entière jusqu'à Riker's Island près de La Guardia (250 $). Tous niveaux acceptés. Cours d'orientation à 30 $.

SCHOONER ADIRONDACK Plan p. 446
☎ 646-336-5270 ; www.sail-nyc.com ; Chelsea Piers, Pier 62, entre W 23rd St et West Side Hwy ; en journée semaine/week-end 35/40 $, en soirée et de nuit 50 $; 🕙 journée 13h et 15h30, soirée 17h30, nuit 20h30 ; 🚇 C, E jusqu'à 23rd St
Tous les jours de mai à octobre, le deux-mâts '*Dack* effectue quatre croisières de 2 heures sur l'Hudson et dans la rade de New York. Pensez à réserver. Le yacht des années 1920 *Manhattan* fait le tour de Manhattan en 3 heures, du mercredi au dimanche, de mars

Activités sportives

ACTIVITÉS DE PLEIN AIR

à décembre, pour 55 à 75 $, ou 155 $ dîner inclus. Horaires communiqués par téléphone.

VÉLO

À moins d'avoir l'expérience du vélo en milieu urbain, vous préférerez sans doute limiter vos déplacements aux zones cyclables. Les quelques pistes existant le long des artères de la ville (Lafayette St, Broadway, Second Ave) sont souvent bloquées par des voitures garées en double file ou des véhicules qui doublent par la droite. On a fait beaucoup de bruit autour du plan Manhattan Greenway, un projet de pistes cyclables et de voies piétonnes de 560 km dont 17% existent déjà en divers points de la ville. Le maire en a fait un objectif prioritaire de son mandat.

Dans les rues, portez un casque et indiquez quand vous tournez. Surtout, ne roulez pas sur les trottoirs. Il est possible de transporter une bicyclette dans la dernière voiture des rames de métro, mais évitez les heures de pointe et restez près de votre vélo (pour tout renseignement sur les tickets spéciaux pour prendre le métro avec un vélo, voir p. 425). La plupart des ponts comportent des pistes cyclables (celui de Brooklyn est le plus plaisant). Le **Bike Network Development** (www.ci.nyc.ny.us/html/dcp/html/bike/home.html) vous fournira de plus amples informations et des cartes des pistes cyclables à télécharger.

Où circuler

Central Park vient naturellement à l'esprit quand il s'agit de pratiquer le vélo dans New York. De larges artères bien goudronnées le traversent du nord au sud, coupées par des voies transversales, et forment d'excellents circuits en boucle de 2,7 km, 8,4 km et 9,8 km (plan p. 454). Ces routes possèdent une piste cyclable et restent accessibles aux vélos quand elles sont fermées à la circulation automobile, de 10h à 15h et de 19h à 22h du lundi au vendredi, et toute la journée le week-end.

On peut aussi rouler le long des cours d'eau sur la majeure partie du périmètre de Manhattan, soit une cinquantaine de kilomètres. Les portions les plus intéressantes se situent au bord de l'Hudson, entre Battery Park, dans Lower Manhattan, et Riverside Park, dans l'Upper West Side. Sinon, rien ne vous empêche d'emprunter le parcours est, plus cabossé, qui part d'E 37th St et se dirige vers le sud, jusqu'à Battery Park.

Le splendide Prospect Park (p. 178) de Brooklyn abrite une piste (Park Dr) de 5,4 km que l'on peut emprunter à tout moment. Notez que cette dernière est ouverte à la circulation automobile de 7h à 9h et de 17h à 19h en semaine.

Les plus ambitieux se lanceront sur le Shore Parkway Bike Path, une piste cyclable qui relie Coney Island et le Queens. Renseignez-vous auprès d'un magasin de cycles.

Enfin, la **Greenbelt de Staten Island** (☎ 718-667-2165 ; www.sigreenbelt.org) comprend des kilomètres de pistes cyclables aménagées (et quelques collines) et l'on peut transporter son vélo à bord du ferry.

Plusieurs clubs organisent des excursions. Le **Five Borough Bicycle Club** (plan p. 454 ; ☎ 212-932-2300 poste 115 ; www.5bbc.org ; 891 Amsterdam Ave ; Ⓜ 1, 2, 3 jusqu'à 96th St) propose des circuits gratuits à ses adhérents (inscription annuelle 20 $). Le siège du club se trouve chez Hostelling International-New York (p. 374). Un autre club, le **New York Cycle Club** (☎ 212-828-5711 ; www.nycc.org) donne chaque semaine la liste des sorties qu'il organise, sur son site Internet, accessible aux membres uniquement (cotisation de 19 $). **Fast & Fabulous** (☎ 212-567-7160 ; www.fastnfab.org) est le seul club cycliste pour gays et lesbiennes. Il organise de fréquentes sorties dans (et aux abords) de la ville.

Plusieurs centaines de cyclistes (et de personnes en rollers) militent en faveur d'une meilleure sécurité routière et de nouvelles pistes cyclables à l'occasion de la *Critical Mass*, un rassemblement qui interrompt le trafic. Il part d'Union Sq à 19h le dernier vendredi du mois. Pour plus d'informations, y compris sur les ateliers de réparation organisés régulièrement, consultez **Time's Up** (www.times-up.org).

Location de vélos

CENTRAL PARK BICYCLE TOURS & RENTALS Plan p. 284

☎ 212-541-8759 ; www.centralparkbiketour.com ; 2 Columbus Circle ; 35 $/j, excursions adulte/enfant 35/20 $; Ⓜ A, B, C, D, 1 jusqu'à 59 St-Columbus Circle

L'endroit loue des VTT et propose plusieurs circuits dans le parc (l'un d'eux fait le tour des lieux filmés au cinéma). Fermé en hiver. Le prix des excursions comprend la location du vélo.

COMPLEXE SPORTIF DES CHELSEA PIERS

Le plus grand complexe sportif de New York occupe les anciens embarcadères de Chelsea, les **Chelsea Piers** (plan p. 446 ; ☎ 212-336-6666 ; www.chelseapiers.com ; West Side Hwy, entre W 16th St et 22nd St ; Ⓜ C, E jusqu'à 23rd St), un espace de 12 ha où l'on peut pratiquer le golf, s'entraîner, jouer au football et au basket, se faire masser, nager, boxer et bien d'autres choses encore.

Les Chelsea Piers, aujourd'hui rouge, blanc et bleu, furent le principal port de New York durant l'âge d'or des voyages transatlantiques. Construits en 1910 par les bâtisseurs de Grand Central Terminal, les Chelsea Piers auraient dû accueillir le *Titanic* en 1912 et servirent, pendant la Seconde Guerre mondiale, de point d'embarquement pour de nombreux soldats à destination de l'Europe. Leur activité portuaire prit fin en 1967.

Voici une courte sélection des multiples activités proposées :

Cages de base-ball (☎ 212-336-6500 ; Field House, Pier 59 ; 10 lancers 2 $; ⏰ lun-ven 11h-22h, sam-dim 9h-21h) Quatre cages d'exercice modernes à vitesse lente, moyenne ou rapide. Téléphonez pour les locations à l'heure.

Golf (☎ 212-336-6400 ; Golf Club, Pier 59 ; carte de parcours à partir de 20 $, simulateur de jeu 45 $/h ; ⏰ avr-sept 6h-minuit, oct-mars 6h30-23h) Le seul parcours de golf de Manhattan praticable en voiture possède quatre niveaux de départ abrités – sinon, vous pouvez toujours aller dans le New Jersey ! Possibilité de louer des clubs (4 $ l'un, 6 $ les 3).

Patinage et hockey (☎ 212-336-6100 ; Sky Rink, Pier 61 ; adulte/enfant 11/8,50 $, location de patins 6 $, casque 3 $) Deux patinoires fonctionnent toute l'année. Les horaires varient, avec une ouverture habituelle à 13h. L'accès pour jouer au hockey est limité, généralement en semaine à l'heure du déjeuner et le samedi soir (27 $, cages gratuites). Horaires par téléphone.

Roller (☎ 212-336-6200 ; Roller Rinks, Pier 62 ; adulte/enfant 7/6 $, location de rollers 18/13 $, protections 7 $; ⏰ pistes en plein air mai-août) Pour ceux qui aiment le frisson, la séance de roller "extrême" (rampes, obstacles) de trois ou quatre heures coûte 20 $. On y pratique aussi le hockey. Horaires par téléphone.

Football (☎ 212-336-6500 ; Field House, Pier 62) Un espace fermé pour le football, le basket et la gymnastique. Appelez pour connaître les heures auxquelles jouer au football en salle ("open soccer") – en général durant une heure environ, à midi, en semaine uniquement (8 $).

Spa (☎ 212-336-6780 ; Pier 60 ; massage 25-145 $, massage facial à partir de 90 $, gommage corporel 65 $; ⏰ lun-ven 10h-21h, sam-dim 10h-19h) Les massages et les soins du corps se déclinent sous de nombreuses formes. Un soin amincissant aux algues de 75 min coûte 125 $. Parmi les forfaits, le traitement complet d'une journée revient à 500 $, et l'essai de 90 min à 130 $.

Centres sportifs (☎ 212-336-6000 ; Pier 60 ; 50 $/j ; ⏰ lun-ven 6h-23h, sam-dim 8h-21h) Piste de course indoor, piscine, appareils de musculation, basket, boxe, kick-boxing, volley-ball, yoga, escalade. Vous bénéficierez en outre d'une vue superbe depuis l'intérieur et les solariums.

LOEB BOATHOUSE Plan p. 454
☎ 212-517-2233 ; Central Park, entre 74th St et 75th St ; 9-21 $/h ; Ⓜ B, C jusqu'à 72nd St, 6 jusqu'à 77th St
Divers modèles disponibles, de 10h à 18h, d'avril à octobre. Carte de crédit et pièce d'identité requises pour toute location. Casque fourni.

MANHATTAN BICYCLE Plan p. 284
☎ 212-262-0111 ; 791 9th Ave entre 52nd St et 53rd St ; 5/25 $ h/j ; ⏰ lun-ven 9h30-19h, sam 11h-18h, dim 11h-17h ; Ⓜ C, E jusqu'à 50th St
À quelques rues au sud de Central Park. Tarifs casque compris.

RECYCLE-A-BICYCLE Plan p. 462
☎ 718-858-2972 ; 55 Washington St ; 35 $/j ; ⏰ lun-sam 12h-19h, dim 12h-17h ; Ⓜ F jusqu'à York St
Petite boutique près de la rivière, à Dumbo, Brooklyn. Vélos d'occasion à prix attractifs et location toute l'année.

SIXTH AVENUE BICYCLES Plan p. 446
☎ 212-255-5100 ; 545 6th Ave ; 35/45 $ j/24h ; ⏰ 9h30-18h ; Ⓜ F, V jusqu'à 14th St, L jusqu'à 6th Ave
Magasin de cycles et pièces détachées. Tarifs casque compris.

TOGA BIKE SHOP Plan p. 454
☎ 212-799-9625 ; www.togabikes.com ; 110 West End Ave, entre 64th St et 65th St ; 30-100 $/24h ; ⏰ lun-ven 11h-19h, sam 10h-18h, dim 11h-18h ; Ⓜ 1 jusqu'à 66th St-Lincoln Center
Cet ancien et sympathique magasin de cycles fait de la location toute l'année, mais il vend l'essentiel de sa flotte en hiver. Sa situation, à mi-chemin entre Central Park et l'Hudson, est intéressante. Vous devrez laisser une caution

sur carte de crédit. Le casque est inclus dans le prix. La succursale de Lower Manhattan loue des vélos d'avril à octobre uniquement : **Gotham Bikes Downtown** (plan p. 444 ; ☎ 212-732-2453 ; 112 W Broadway entre Duane St et Reade St ; 30 $/24h ; ◷ lun-sam 10h-18h30, dim 10h30-17h ; Ⓜ A, C, 1, 2, 3, 9 jusqu'à Chambers St).

GOLF

Il n'y a pas que les yuppies qui manient bois, fers et putter. La pratique du golf est très répandue mais, hormis un terrain d'exercice, les parcours se trouvent à l'extérieur de Manhattan. Ils appliquent des tarifs légèrement supérieurs le week-end et vous devez réserver une heure de départ. Si vous souhaitez taper quelques balles sans marcher, rendez-vous aux **Chelsea Piers** (voir l'encadré ci-contre). Consultez www.nycteetimes.com pour une liste des différents terrains.

BETHPAGE ST PARK

☎ 516-249-0707 ; Farmingdale, Long Island ; accès au green 29-39 $, Black Course 78-98 $, résidents de l'État 39-49 $, location de clubs 30 $; Ⓡ LIRR Farmingdale
Cinq parcours publics, dont le Black Course qui fut le premier du genre à accueillir l'US Open (2002). Prendre un taxi depuis la gare.

GOLF DE DYKER BEACH Plan p. 460

☎ 718-836-9722 ; angle 86th St et 7th Ave, Dyker Beach ; accès au green lun-ven 25 $, sam-dim 37 $; Ⓜ R jusqu'à 86th St
Ce golf public spectaculaire est le plus facile d'accès en métro. Pas de location de clubs. Il y a quelques vieux clubs pour droitiers que l'on peut parfois emprunter gratuitement. Le terrain se trouve entre 7th Ave et 10th Ave, sur la droite, en venant de la station de métro.

FLUSHING MEADOWS PITCH & PUTT Plan p. 467

☎ 718-271-8182 ; Flushing Meadows Corona Park ; accès au green lun-ven 11,50 $, sam-dim 12,50 $, location de clubs 1 $ chacun ; Ⓜ 7 jusqu'à Willets Point-Shea Stadium
Si vos bois sont trop lourds à porter, vous n'aurez besoin que de deux ou trois clubs pour faire ce petit parcours de 18 trous . Le trou le plus court fait 36 m environ et le plus long 72 m. On n'est certes pas sur le circuit de l'US Open, mais les débutants s'y amuseront.

LA TOURETTE

☎ 718-351-1889 ; 1 001 Richmond Hill Rd, Staten Island ; accès au green lun-ven 29 $, sam-dim-35 $, location de clubs 20 $

Ce parcours de Staten Island est public. Prenez un taxi en descendant du ferry. Supplément de 6 ou 8 $ pour les résidents extérieurs à l'État.

GOLF DU VAN CORTLANDT PARK

Plan p. 468
☎ 718-543-4595 ; Bailey Ave ; accès au green lun-ven 29 $, sam-dim 35 $; Ⓜ 1 jusqu'à Van Cortlandt Park
Le plus ancien golf public à 18 trous des États-Unis. Les résidents extérieurs à l'État payent un supplément de 6 ou 8 $. Dans l'immense parc Van Cortland, vous pouvez aussi faire de l'équitation (☎ 718-548-0912) et jouer au tennis (☎ 718-430-1838).

PATINS À GLACE

Des patinoires en plein air fonctionnent durant les mois d'hiver et celle des Chelsea Piers (encadré ci-contre) reste ouverte toute l'année. Reportez-vous aussi p. 188 pour le Flushing Meadows Corona Park, dans le Queens.

PATINOIRE KATE WOLLMAN Plan p. 464

☎ 718-287-6431 ; Prospect Park, près d'Ocean Ave ; adulte/senior ou enfant 5/3 $, location de patins 5 $; ◷ fin nov-mars ; Ⓜ B, Q, S jusqu'à Prospect Park
Sur la rive ouest de Prospect Lake, dans la partie sud-est du parc de Brooklyn, la Kate Wollman Rink est moins chère et en général moins fréquentée que les patinoires de Manhattan. Téléphoner pour les horaires. Casiers gratuits et cours particuliers possibles (renseignements au ☎ 718-282-1226).

PATINOIRE DU ROCKEFELLER CENTER Plan p. 452

☎ 212-332-7654 ; Rockefeller Center, angle 49th St et 5th Ave ; adulte/enfant 9-17/7-12 $, location de patins 8 $; ◷ lun-jeu 8h-minuit, ven-sam 8h30-minuit, dim 8h30-22h ; Ⓜ B, D, F, V jusqu'à 47th St-50th St-Rockefeller Center
La plus célèbre patinoire de New York, dominée par une statue dorée de Prométhée, sur l'esplanade Art déco, offre un cadre incomparable pour virevolter sur la glace. Elle est malheureusement souvent bondée. Tâchez d'arriver à l'ouverture (8h ou 8h30). Après midi, l'attente peut durer 2 heures, et la foule est particulièrement dense le week-end. Les prix varient selon les horaires.

PATINOIRE WOLLMAN Plan p. 454

☎ 212-439-6900 ; Central Park, près de l'entrée sur 59th St et 6th Ave ; adulte/enfant avec location de patins 14,50/9,50 $; 🕐 lun-mar 10h-14h30, mer-jeu 10h-22h, ven-sam 10h-23h, dim 10h-21h ; 🚇 F jusqu'à 57th St, N, R, W jusqu'à 5th Ave-59th St

Plus vaste que la patinoire du Rockefeller Center, la Wollman Skating Rink se tient à la lisière sud de Central Park et jouit d'une vue sur les gratte-ciel qui bordent le parc ; l'atmosphère devient plus magique encore à la nuit tombée. La patinoire est ouverte d'octobre à avril.

ROLLERS

Depuis plusieurs dizaines d'années, les adeptes du free-style exhibent leurs talents sur une piste circulaire près de Naumberg Bandshell, à Central Park. Mais le roller est devenu un moyen de divertissement (et de transport) populaire partout dans New York. C'est notamment le cas sur la voie qui entoure Central Park (les voitures y sont interdites tout le week-end et de 10h à 15h et 19h à 7h en semaine) et le long de l'Hudson River Park, entre Battery Park et les Chelsea Piers (en suivant les pistes cyclables et les promenades) et plus au nord de Manhattan par le Riverside Park dans l'Upper West Side.

À Brooklyn, les pistes intéressantes sont la Park Dr qui fait une boucle de 5,6 km autour de Prospect Park, et le Shore Parkway Bike Path, juste au nord du pont de Verrazano (une promenade au bord de l'eau à laquelle on accède par les passerelles de 80th St ou 92nd St, ou à proximité de Bay 19th Ave – tous points situés à Bay Ridge).

Location

On peut louer des rollers toute l'année chez **Blades West** (plan p. 454 ; ☎ 212-787-3911 ; 120 W 72nd St ; 20 $/24h, avec protections ; 🚇 1, 2, 3 jusqu'à 72nd St). Chez **Blades Downtown** (plan p. 449 ; ☎ 212-477-7350 ; 659 Broadway ; 🚇 6 jusqu'à Bleecker St) vous pourrez seulement en acheter.

JOGGING

Manhattan recèle d'endroits propices au jogging. Les routes en boucle de Central Park offrent plus d'agrément en l'absence de circulation automobile (voir p. 313), malgré les nombreux cyclistes et adeptes du roller que vous croiserez. Le chemin de 2,5 km autour du réservoir Jacqueline Kennedy Onassis (plan p. 454 ; la dame avait l'habitude d'y faire son jogging) est réservé aux coureurs et aux marcheurs (accès entre

86th St et 96th St). Les berges de l'Hudson attirent aussi du monde, les tronçons les plus agréables se situant entre W 23rd St et Battery Park, dans Lower Manhattan. L'Upper East Side dispose d'un parcours le long de FDR Drive et de l'East River (d'E 63rd St à E 115th St). Enfin, à Brooklyn, Prospect Park renferme de multiples sentiers.

Le **New York Road Runners Club** (plan p. 454 ; ☎ 212-860-4455 ; www.nyrrc.org ; 9 E 89th St ; 🕐 lun-ven 10h-20h, sam 10h-17h, dim 10h-15h ; 🚇 6 jusqu'à 96th St) organise des courses le week-end dans toute la ville, ainsi que le marathon de New York.

Le marathon de New York

La façon dont le plus célèbre des marathons est passé d'un budget de 1 000 $ (avec 55 participants à l'arrivée), en 1970, à une course de premier plan couvrant les cinq boroughs, est aussi impressionnante que de voir les coureurs en action. Pour y participer, il faut autant de chance qu'une bonne condition physique et de l'entraînement car la liste des 30 000 marathoniens retenus est arrêtée par tirage au sort ; les candidatures sont acceptées chaque année jusqu'au mois d'avril ou de mai (voir www.nycmarathon.org pour en savoir plus). Lors de cet événement, le premier dimanche de novembre, on peut facilement assister au spectacle qu'offre la présence de plus d'un million de personnes dans les rues de la ville. Le marathon part de Staten Island et traverse le pont de Verrazano-Narrows. Le meilleur poste d'observation est sans doute le point d'arrivée, la Tavern on the Green (plan p. 454), à Central Park.

ESCALADE

Central Park abrite trois rochers fréquentés par les adeptes de l'escalade : le Chess Rock, juste au nord de la Wollman Rink, le Rat Rock, plus ardu, au nord de Heckscher Playground (autour de 61st St), et le City Boy (32 m), le plus intéressant, autour de 107th St, à l'ouest du bassin Harlem Meer.

CITY CLIMBERS CLUB Plan p. 452
☎ 212-974-2250 ; Parks & Recreation Center, 533 W 59th St ; 🕐 lun-ven 17h-22h, sam 12h-17h ; forfait journée 15 $, abonnement annuel 150 $;
🚇 A, B, C, D, 1 jusqu'à 59th St-Columbus Circle

Le premier mur d'escalade de New York sert toujours de QG aux grimpeurs, avec 11 relais et 30 itinéraires, plus une escalade dans une

SPORTS DE RUE

Handball gaélique

En 1882, l'immigrant irlandais Phil Casey construisit le premier terrain de handball 4-murs (sorte de squash) de New York et, parallèlement à ses succès personnels (il battit à plates coutures le champion du monde irlandais en 1887), la discipline prit son essor dans la ville. Au début du XXᵉ siècle, South Brooklyn commença à aménager des terrains pourvus d'un seul mur à Coney Island, renouant ainsi avec une tradition irlandaise depuis longtemps disparue. Ceci mena au paddleball à un mur, encore très pratiqué. De nos jours, on rencontre des terrains à un mur dans la plupart des parcs (plus de 260, rien qu'à Manhattan). Consultez le site www.nycgovparks.org pour les localiser.

Basket improvisé

Les amateurs que le basket fait rêver fréquentent les terrains de la ville tout au long de l'année. Le plus connu, **"The Cage"** ("la cage" ; plan p. 446 ; angle W 3rd St et 6th Ave), draine beaucoup de spectateurs les week-ends d'été et les matchs se transforment parfois en marathon du lancer franc. À Harlem, **Rucker Park** (plan p. 458 ; angle Frederick Douglass Blvd et 155th St) est l'endroit où des stars telles que Dr J, Kareem Abdul Jabaar, Kobe Bryant, Allen Iverson et Kevin Garnett font de temps en temps des apparitions. On y vient surtout pour regarder, et les matchs qui y sont organisés valent le déplacement – à partir de 18h, du lundi au jeudi, en été.

D'autres terrains sont situés au Tompkins Square Park (p. 137) dans l'East Village et au Riverside Park (p. 159) dans l'Upper West Side.

Stickball

Rien ne rime mieux avec la rue que le stickball, avatar new-yorkais de jeux anglais comme le "old cat" et le "town ball", apparu il y a quelques décennies. Il s'agit en substance d'une forme rudimentaire de base-ball, plus bruyante et plus agressive, et se jouant essentiellement dans la rue. Le *pitcher* lance une balle rose que le *batter* frappe avec un manche à balai, des plaques d'égout servant de *bases*, des voitures en stationnement et des escaliers de secours faisant office d'obstacles.

Depuis vingt ans, le stickball a fait son chemin. L'une des équipes les plus brillantes, l'**Emperors Stickball League** (☎ 212-591-0165 ; www.nyesl.org), basée dans le Bronx, joue de 10h à 14h ou 15h le dimanche au Stickball Blvd (plan p. 468), entre Seward Ave et Randall Ave ; téléphonez pour savoir comment vous y rendre.

---

grotte. Le premier mardi et le dernier jeudi du mois sont exclusivement réservés aux membres du club.

FOOTBALL

Vous pourrez participer au matchs organisés à l'East Meadow de Central Park, autour d'E 97th St et de la North Meadow, les week-ends d'avril à octobre. Les fameux matchs du Flushing Meadows Corona Park (plan p. 467) ont lieu dès que le temps le permet (même en février). Sinon, le complexe des Chelsea Piers (plan p. 446) dispose de terrains couverts. Des matchs improvisés ont lieu toutes les semaines au Riverside Park (p. 159), dans l'Upper West Side. Horaires communiqués par téléphone.

SURF

Début 2005, l'interdiction de surfer à Rockaway Beach (p. 201), dans le Queens, a enfin été levée, provoquant un afflux de surfeurs, surtout d'août à octobre, qui profitent des grosses vagues engendrées par les ouragans dans le sud du pays. La zone autorisée s'étend de Beach 88th St à Beach 90th St, à proximité de la station Beach 89th St sur la ligne A. Plus de renseignements sur www.surfrider.org/nyc.

TENNIS

D'avril à novembre, il vous faudra un permis (adulte/senior/enfant 100/20/10 $ par an) pour jouer sur la centaine de courts de tennis que compte New York. Le reste du temps, on y accède gratuitement. On peut acheter des tickets (7 $) pour un match auprès du centre de délivrance des permis de Central Park à l'**Arsenal** (plan p. 454 ; croisement de E 65th St et 5th Ave, entrez dans le parc à ce croisement ; ◷ lun-ven 9h-16h et sam 9h-12h). Paragon Athletic Goods (p. 342) délivre aussi des permis. Les détenteurs d'un permis annuel peuvent réserver un court au Central Park Tennis Center et au Prospect Park Tennis Center (voir ci-après). Sinon, prenez un ticket pour un match sur un court public, selon la règle du premier arrivé premier servi. Un gardien viendra vérifier votre ticket. Pour tout renseignement sur les permis, appelez le ☎ 212-360-8133 ou consultez le site www.nycgovparks.org.

Riverbank State Park (plan p. 454), dans l'Upper West Side, possède aussi des courts.

TENNIS CENTER DE CENTRAL PARK
Plan p. 454

☎ 212-280-0205 ; Central Park West ; ☒ avr-oct ou nov 6h30-coucher du soleil ; ⊕ B, C jusqu'à 96th St
Ces 26 courts en terre battue (plus 4 en Clerdal pour les leçons) sont éclairés seulement par la lumière du jour. On peut acheter des tickets à l'unité si un court est libre (7 $). Les détenteurs d'un permis peuvent réserver un court pour 7 $. Les heures les moins demandées sont de 12h à 16h en semaine.

TENNIS CENTER DE PROSPECT PARK
Plan p. 464

☎ 718-436-2500 ; www.prospectpark.org ; angle Parkside Ave et Coney Island Ave ; ☒ 7h-23h ; ⊕ F jusqu'à Fort Hamilton Pkwy, Q jusqu'à Parkside Ave
Ouvert toute l'année, ce complexe de 11 courts accepte les permis et vend des tickets à l'unité, de mi-mai à mi-novembre. Hors saison, les courts sont couverts et les tarifs à l'heure vont de 20 à 60 $ (forfaits saisonniers à partir de 560 $).

CENTRE NATIONAL DE TENNIS DE L'USTA Plan p. 467

☎ 718-760-6200 ; www.usta.com ; Flushing Meadows Corona Park ; court extérieur 16-24 $/h, court couvert 17-51 $/h ; ☒ nov-mai lun-ven 6h-minuit, sam 8h-minuit, dim 8h-23h, fin mai-oct jusqu'au coucher du soleil ; ⊕ 7 jusqu'à Willets Point-Shea Stadium
Prenez-vous pour André Agassi ou les sœurs Williams en jouant sur les courts du National Tennis Center de L'USTA, où se dispute chaque année l'US Open. L'USTA enregistre les réservations jusqu'à deux jours à l'avance pour les 22 terrains en plein air et les 9 autres en salle. Sans réserver, vous pourrez utiliser les courts couverts en semaine entre 6h et 8h (16 $/h). L'éclairage de nuit en extérieur vous coûtera un supplément de 8 $.

TRAPÈZE

NEW YORK TRAPEZE SCHOOL Plan p. 444
☎ 917-797-1872 ; www.newyork.trapezeschool.com ; West Side Hwy entre Pier 26 et Pier 34 ; cours 47-65 $; ⊕ 1 jusqu'à Canal St
Réalisez vos rêves d'acrobate en volant d'un trapèze à l'autre, sous cette structure en plein

air au bord du fleuve (couverte et chauffée en hiver). Téléphonez ou consultez le site Internet pour connaître le programme quotidien.

SANTÉ ET FITNESS
SALLES DE GYM ET PISCINES
Si vous voulez juste pédaler sur un vélo d'appartement pendant une demi-heure, tous les hôtels – hormis les moins chers – disposent au moins d'une petite salle de fitness. Manhattan regroupe à lui seul 17 centres de loisirs, dont la plupart abritent des installations de gym et une piscine couverte ou en plein air. Les Chelsea Piers (p. 314) constituent, en outre, un gigantesque complexe offrant à peu près toutes les activités possibles et imaginables. Sur le www.nycgovparks.org, vous trouverez plus de renseignements sur les piscines découvertes (il existe 52 parcs équipés de piscines en accès libre de fin juin au Labor Day). Consultez le *Village Voice* pour une liste des autres salles de gym.

ASPHALT GREEN Plan p. 454
☎ 212-369-8890 ; www.asphaltgreen.org ; 555 E 90th St ; salle de gym et piscine 25 $; ☒ lun-ven 5h30-22h, sam-dim 8h-20h ; ⊕ 4, 5, 6 jusqu'à 86th St
Ce centre de remise en forme à but non lucratif, dans l'Upper East Side, est réputé pour son superbe bassin olympique (avec un hublot d'observation pour les entraîneurs). Il existe aussi un bassin plus petit pour les leçons. Certaines heures sont réservées aux membres ; téléphonez ou consultez le site Internet. Beaucoup de programmes s'adressent aux enfants.

ASTORIA POOL Plan p. 457
☎ 718-626-8620 ; Astoria Park, angle 19th St et 23rd St ; ☒ juin-août 11h-19h ; ⊕ N, W jusqu'à Astoria Blvd
Construit en 1936, le bassin olympique en extérieur de la piscine Astoria est un véritable bijou d'architecture Art déco, avec vue sur Manhattan et le pont de Triborough. Il reçoit chaque jour un millier de visiteurs. Un très bel endroit – à condition de supporter la foule qui atteint un millier de baigneurs par jour en été.

CRUNCH Plan p. 452
☎ 212-594-8050 ; www.crunch.com ; 555 W 42nd St ; forfait journée 24 $; ☒ lun-ven 6h-22h, sam-dim 9h-19h ; ⊕ A, C, E jusqu'à 42nd St-Port Authority
Cette chaîne courue dispose de plusieurs emplacements en ville. Chacun est équipé d'une salle de sport complète, d'un sauna et d'un spa. Parmi les cours, yoga et trampoline.

Cette adresse est la seule qui comprend aussi une piscine.

METROPOLITAN POOL Plan p. 463
☎ 718-599-5707 ; 261 Bedford Ave à hauteur de Metropolitan Ave ; carte annuelle 50-75 $; ☽ lun-ven 7h-21h30, sam 7h-17h30 ; ⊕ L jusqu'à Bedford Ave

Ce joyau de 1922, entièrement rénové en 1997, est l'une des plus belles piscines publiques de New York et fait le bonheur des jeunes branchés de Williamsburg. Salle de fitness attenante.

NEW YORK SPORTS CLUB Plan p. 284
☎ 646-366-9400 ; www.mysportsclubs.com ; 230 W 41st St ; forfait journée 25 $; ☽ lun-jeu 6h-22h, ven-sam 6h-21h, dim 8h-18h ; ⊕ N, Q, R, S, 1, 2, 3, 7 jusqu'à Times Sq-42nd St

Le forfait journée de cette célèbre chaîne de salles de fitness donne droit à des cours collectifs sur vélo elliptique ("spinning") et l'accès au centre de fitness. Tous les renseignements sur les 37 salles de Manhattan (certaines avec piscine) sont disponibles sur le site Internet.

RIVERBANK STATE PARK Plan p. 458
☎ 212-694-3600 ; 679 Riverside Dr, à hauteur de W 145th St ; piscine adulte/enfant 2/1 $, salle de gym 8 $; ☽ parc 6h-22h ; ⊕ 1 jusqu'à 145th St

Réparties dans cinq bâtiments, au-dessus d'une usine de traitement des déchets, ces installations modernes comprennent une piscine olympique couverte, un long bassin en plein air, une salle de gym, des terrains de basket et de handball gaélique, une piste de course autour d'un terrain de football, un manège pour les petits, un théâtre de 800 places et un terrain de *softball*. Le patinage sur glace coûte 5/3 $ adulte/enfant, la location de patins 4 $, et en été, on peut faire du roller. L'accès au parc est gratuit et l'ambiance chaleureuse, avec un nombre incalculable d'animations. Horaires des activités et autres renseignements communiqués par téléphone.

TONY DAPOLITO RECREATION CENTER Plan p. 448
☎ 212-242-5228 ; 1 Clarkson St ; carte annuelle 75 $; ☽ lun-ven 7h-22h, sam-dim 9h-17h ; ⊕ 1 jusqu'à Houston St

Ce centre de loisirs de Greenwich Village (l'ex Carmine) possède l'une des plus belles piscines de la ville – avec deux bassins, dont un découvert (celui du film *Raging Bull*) – mais accessible uniquement aux adhérents. La salle de gym est ouverte au public.

WEST SIDE YMCA Plan p. 454
☎ 212-875-4100 ; www.ymcanyc.org ; 5 W 63rd St ; forfait journée 25 $; ☽ 6h-23h lun-ven, 8h-20h sam-dim ; ⊕ A, B, C, D, 1 jusqu'à 59th St-Columbus Circle

Ce YMCA possède 2 piscines, une piste de course intérieure, un terrain de basket, 5 courts de squash et une grande salle de culturisme. La cotisation mensuelle est de 76 $ (avec cotisation initiale de 125 $). Les autres salles sont indiquées sur le site Internet.

MASSAGES ET SPAS

Pensez à prendre rendez-vous avant de vous rendre à l'une des adresses suivantes.

BLISS49 Plan p. 452
☎ 212-219-8970 ; www.blissworld.com ; hôtel W New York, 3ᵉ étage, 541 Lexington Ave ; ☽ 8h-22h ; ⊕ 5 jusqu'à 51 St

Ce nouveau centre thermal, au cœur de l'indémodable hôtel W New York, se veut à la pointe du bien-être. Le soin exfoliant de 90 min avec préparation à la carotte et friction à l'huile coûte 165 $. Massages à partir de 55 $. Produits et lotions Bliss en vente sur place.

BODY CENTRAL Plan p. 448
☎ 212-677-5633 ; www.bodycentralnyc.com ; 4ᵉ étage, 99 University Pl ; ☽ lun et mer 12h30-21h, mar et jeu 8h30-21h, ven 8h30-17h, sam 10h-16h ; ⊕ L, N, Q, R, W, 4, 5, 6 jusqu'à 14th St-Union Sq

Le massage "Standing Ovation" de 30 min (50 $) soulage les pieds fatigués, et neuf autres formules de massage traitent le reste du corps. Body Central propose également les services d'un chiropracteur et d'un nutritionniste.

CORNELIA DAY RESORT Plan p. 452
☎ 212-871-3050 ; www.cornelia.com ; 663 5th Ave ; ☽ lun-ven 9h-21h, sam 9h-19h, dim 11h-18h ; ⊕ F jusqu'à 57th St, E, V jusqu'à 5th Ave-53rd St

Au-dessus du grand magasin chic Salvatore Ferragamo, le nouveau centre Cornelia offre le *nec plus ultra* des soins de beauté sur Fifth Ave, tel le bain de boue "Royal Romanian" (90 min, 245 $) ou le massage "Watsu Flow" qui se déroule dans la piscine d'eau de mer sur le toit (1 heure, 200 $). Salon de coiffure.

GRACEFUL SERVICES Plan p. 452
☎ 212-593-9904 ; 1 097 2nd Ave ; ☽ 10h-22h ; ⊕ 4, 5, 6 jusqu'à 59 St, N, R, W jusqu'à Lexington Ave-59 St

Une foule de New-Yorkais stressés fréquentent cet établissement sobre et sans surprise, pour un massage aux pierres chaudes ou facial. Certains repartent couverts de bleus après avoir fait l'expérience de la technique Guasha, importée directement de Chine, comportant un gommage avec une corne de taureau (80 $ avec massage). Le massage ou la séance d'acupuncture d'une heure coûtent 60 $.

PAUL LABRECQUE EAST Plan p. 454
☎ 212-988-7816 ; www.paullabrecque.com ; 171 E 65th St ; ⏰ lun-ven 8h-21h, sam 9h-20h, dim 10h-20h ; Ⓜ 6 jusqu'à 68th St-Hunter College
Prenez place au milieu des stars dans ce spa chic qui a convaincu Reese Witherspoon de donner de l'éclat à ses mèches à l'aide d'un vernis coloré (50 $) et Sting de se faire raser (65 $). Paul propose également des soins du visage à partir de 120 $, et une foule de massages et de soins corporels (125 $ l'enveloppement d'algues). Coupe de cheveux à 250 $.

SPA AT MANDARIN ORIENTAL Plan p. 452
☎ 212-805-8880 ; www.mandarinoriental.com ; 80 Columbus Circle, à hauteur de 60th St ; ⏰ 9h-21h ; Ⓜ A, B, C, D, 1 jusqu'à 59th St-Columbus Circle
La plupart des pièces ultra-exotiques de ce centre thermal/fitness surplombe l'Hudson du 34e étage. Vous pouvez choisir parmi toute une gamme de soins coûteux, comme des massages de 80 min à 285 $, ou le "life dance massage" à 410 $. Programmes demi-journée à partir de 485 $. Piscine étroite pour faire des longueurs et cours de yoga.

YOGA ET PILATES

BIKRAM YOGA NYC Plan p. 446
☎ 212-206-9400 ; www.bikramyoganyc.com ; 2e étage, 182 5th Ave ; 23 $/cours ; ⏰ lun-ven 7h-20h15, sam-dim 10h-17h ; Ⓜ N, R, W jusqu'à 23rd St
Il est très tendance de se rendre chez le follement hollywoodien Bikram. Prendre les 26 postures *asana* dans une pièce surchauffée du Flatiron vous fera sans doute perdre quelques kilos (heureusement, il y a des douches). Il existe deux autres adresses à New York.

JIVAMUKTI Plan p. 449
☎ 212-353-0214 ; www.jivamuktiyoga.com ; Suite 3, 404 Lafayette St ; 17 $/cours ; ⏰ cours lun-jeu 7h15-20h15, ven 7h15-18h45, sam-dim 10h-17h ; Ⓜ 6 jusqu'à Bleecker St
Distingué et spacieux, Jivamukti voit défiler une population branchée et des célébrités qui s'essayent aux postures *halasana* (en psalmodiant pendant 10 à 15 min) lors de séances de *vinyasa* et de hatha yoga. Les cours ne sont pas tous accessibles aux visiteurs de passage. Douches et boutique sur place.

LAUGHING LOTUS Plan p. 446
☎ 212-414-2903 ; www.laughinglotus.com ; 59 W 19th St ; 15 $/cours, 20 $ forfait 1ère semaine ; ⏰ cours lun-jeu 6h45-20h30, ven 6h45-22h, sam-dim 9h-19h ; Ⓜ F, V jusqu'à 23rd St
Gai, rose et fréquenté, le Laughing Lotus dispense des cours d'une heure et demie sans préinscription, allant de la salutation au soleil aux cours basiques de stretching et de respiration, en passant par une pratique avancée du *vinyasa* et des séances familiales d'une heure.

OM YOGA CENTER Plan p. 449
☎ 212-254-9642 ; www.omyoga.com ; 5e étage, 826 Broadway ; Ⓜ L, N, Q, R, W, 4, 5, 6 jusqu'à 14th St-Union Sq
Cet espace accueillant offre des cours prisés de *vinyasa* conduits par l'ancienne danseuse Cyndi Lee, pratiquante de hatha yoga et adepte du bouddhisme tibétain. Plusieurs types de cours, axés sur les parties spécifiques du corps, et cours "femmes enceintes" ou "yoga express" d'une heure, à 10 $. Horaires communiqués par téléphone ou sur Internet.

YOGA WORKS Plan p. 452
☎ 212-935-9642 ; www.yogaworks.com ; 160 E 56th St ; cours 5-20 $; Ⓜ N, R, W, 4, 5, 6 jusqu'à 59th St
Chaîne proposant divers types de yoga et de pilates. Cours pour athlètes, enfants et seniors. Programme et autres salles sur Internet.

Tous les sports mènent aux Chelsea Piers (p. 314)

Shopping

Shopping

Quoi que vous cherchiez, vous le trouverez à New York. Sacs Kate Spade, Levis 518 boot-cut et taille basse, chaussettes en cachemire, masques décoratifs tibétains, tapis turcs, herbe à chat bio, livres épuisés, jambières en cuir customisées ou iPod dernière génération, les milliers de magasins de la ville répondent à tous les goûts, lubies et envies, aussi bien les mégastores aux enseignes clinquantes que les petites boutiques traditionnelles résistant tant bien que mal. Vous pourrez acheter un bracelet en perles à un vendeur ambulant pour quelques pièces, dépenser des centaines de milliers de dollars pour une montre sertie de diamants chez Tiffany & Co, vous procurer une pile de tee-shirts "I ♥ New York" pour vos amis et faire une pause-déjeuner avant de repartir pour des emplettes sans limites.

Tous les quartiers se prêtent au shopping, en fonction de ce que vous cherchez. Fifth Ave, à Midtown, et Madison Ave, dans l'Upper East Side, regroupent la haute couture et les vêtements de luxe, vendus dans des endroits huppés comme Bergdorf Goodman, Tourneau ou Barneys New York, dont les vitrines sont envahies en hiver par les manteaux en fourrure. Les vêtements, jeans et bijoux de jeunes créateurs se trouvent à Downtown et, dans une version plus haut de gamme, à Soho, Noho et Nolita. Des quartiers comme le Lower East Side, l'East Village et le West Village conviennent aux portefeuilles bien garnis comme à ceux qui le sont moins, avec leurs luxueuses boutiques de mode, de décoration et d'antiquités qui cohabitent avec des magasins de musique, de cadeaux et de vêtements destinés à une clientèle plus jeune et plus fauchée. Greenwich Village mêle antiquaires, magasins de mode chic et boutiques de souvenirs orientées vers la communauté gay et vendant bijoux et tee-shirts aux couleurs du drapeau arc-en-ciel. Certaines parties de Brooklyn (Park Slope, Boerum Hill, Fort Greene et Williamsburg) regorgent de boutiques originales qui permettent d'acheter cadeaux, articles pour la maison et accessoires de mode.

Midtown regroupe les grands magasins comme Macy's, Gap et autres chaînes, mais aussi une succession ininterrompue de boutiques de souvenirs vendant des statues de la Liberté miniatures ou des globes enneigés de New York. Les marchés aux puces de Hell's Kitchen attirent de nombreux amateurs le week-end, tandis que Chelsea voit apparaître de plus de plus de boutiques de *clubwear* (vêtements extravagants pour les soirées clubbing) et de décoration – de même que le Meatpacking District, qui abrite des magasins de créateurs comme Jeffrey et Stella McCartney.

SOLDES : MODE D'EMPLOI

Si les soldes classiques se tiennent à des périodes fixes de l'année, par exemple aux changements de saison, il existe d'autres types de soldes, appelés *sample sales*, fréquemment organisés dans les immenses entrepôts de Soho ou du Fashion District, à Midtown. Conçus à l'origine pour que les couturiers puissent se débarrasser de modèles d'essai qu'ils ne trouvaient pas à leur goût, les *samples sales* sont aujourd'hui l'occasion pour les grandes marques d'écouler leurs invendus à prix cassés. Ainsi, deux fois par an, la **Barneys Warehouse Sale**, au Barneys Co-op (p. 341) de Chelsea, attire des foules d'acheteuses qui se livrent à une véritable foire d'empoigne pour trouver des robes Manolo Blahniks ou Diane Von Furstenburg à moitié prix.

Pour bien négocier ce genre d'événement, deux règles s'imposent. D'abord, mettez des habits faciles à ôter et de beaux sous-vêtements : ces soldes ayant lieu à la va-vite dans des lieux dépourvus de cabines, les essayages se font en public devant des miroirs disposés au milieu de la pièce (et souvent bien trop petits). Ensuite, ne vous laissez pas emporter par l'enthousiasme. Même si vous mettez la main sur un article Louis Vuitton ou Marc Jacobs qui rentre dans votre budget, demandez-vous s'il correspond vraiment à votre style ou s'il risque de traîner dans un coin de votre placard sans jamais en sortir.

Pour vous tenir au courant des dates, consultez **NY Sale** (www.nysale.com), la page "Sample Sale Seconds" du **Daily Candy** (www.dailycandy.com), **Lazar Shopping** (www.lazarshopping.com) ou la rubrique "Check Out" de *Time Out New York*.

La plupart des musées – Met, MoMA, etc. – permettent de faire provision de cadeaux. Pour des souvenirs plus kitsch (tee-shirts, casquettes des Yankees), visez plutôt Chinatown ou Times Sq.

En septembre 2005, la ville a supprimé la taxe de 4% sur la vente des vêtements et des chaussures de moins de 110 $. La taxe d'État de 4,375% existe encore mais le gouverneur annonce plusieurs fois dans l'année des périodes de ventes sans taxes, idéales pour se lancer dans un tourbillon de shopping. Pour en savoir plus, consultez le www.nyc.gov.

Heures d'ouverture

À l'exception des magasins de Lower Manhattan et des commerces tenus par les juifs pratiquants (qui ferment le samedi), presque tous les magasins, boutiques et mégastores accueillent les clients tous les jours. Ils n'ouvrent généralement pas avant 10h et ferment souvent à 19h ou 20h. Dans les quartiers plus résidentiels, comme l'East Village, le Lower East Side et Brooklyn, l'ouverture peut être encore plus tardive (11h ou 12h). Enfin, de nombreux magasins, en particulier sur Madison Ave, proposent une nocturne le jeudi.

LOWER MANHATTAN

On ne pense guère au quartier financier de Manhattan pour faire les boutiques, mais quelques-unes méritent la visite, essentiellement pour les vêtements et l'électronique. Le centre commercial **South Street Seaport** (p. 122), avec des esplanades en plein air, abrite une centaine de boutiques, dont J. Crew, Coach et Ann Taylor ; celui du **World Financial Center** (p. 119) compte les enseignes habituelles, telles que Gap, Banana Republic et Sunglass Hut. Toutefois, ces deux endroits valent surtout pour leur emplacement : le premier se situe au bord de l'East River, le second offre une vue panoramique sur le site du World Trade Center.

CENTURY 21

Plan p. 444   *Grand magasin discount*

☎ 212-227-9092 ; 22 Cortland St à hauteur de Church St ; ☽ lun-mer et ven 7h45-20h, jeu 7h45-20h30, sam 10h-20h, dim 11h-19h ; Ⓜ A, C, J, M, Z, 2, 3, 4, 5 jusqu'à Fulton St-Broadway-Nassau

Sur quatre étages, ce magasin au sol de marbre est le "secret" préféré des New-Yorkais. Inconvénient majeur : toute la ville est au courant. Pour éviter la foule quasi-permanente, venez tôt le matin, avant le petit déjeuner. L'endroit doit sa popularité aux gros rabais consentis sur les articles de créateurs, vêtements hommes et femmes, accessoires, chaussures, parfums et linge, parfois vendus à moins de la moitié du prix d'origine. On trouve ici tous les grands noms : Donna Karan, Marc Jacobs, Armani, etc. Attendez-vous à une longue attente devant les cabines d'essayage et tâchez de résister à l'envie de tout acheter !

CITYSTORE

Plan p. 444   *Cadeaux et livres sur New York*

☎ 212-669-7452 ; Municipal Bldg, 1 Centre St, North Plaza ; ☽ lun-ven 9h-16h30 ; Ⓜ 4, 5, 6, J, M jusqu'à Brooklyn Bridge

Cette petite boutique municipale peu connue vend des souvenirs typiquement new-yorkais : médaillons authentiques de taxis, plaques d'égout, cravates en soie et vêtements pour bébés portant le sceau officiel "City of New York", posters du pont de Brooklyn, casquettes de base-ball NYPD, panneaux officiels ("No Parking" ou "Don't Feed the Pigeons", par exemple) et balles de base-ball signées par les Mets et les Yanks... Sans oublier des livres sur New York, notamment le *Green Book*, annuaire officiel des services administratifs publié annuellement et introuvable ailleurs.

J&R MUSIC & COMPUTER WORLD

Plan p. 444   *Musique et électronique*

☎ 212-238-9000 ; 15-23 Park Row ; ☽ lun-sam 9h-19h30, dim 10h30-18h30 ; Ⓜ A, C jusqu'à Broadway-Nassau, J, M, 2, 3 jusqu'à Fulton St

Dans l'ancienne Newspaper Row – cœur du milieu journalistique new-yorkais entre les années 1840 et 1920 –, les magasins J&R, dotés chacun d'une entrée séparée, occupent tout un pâté de maisons. Un lieu incontournable pour acheter un ordinateur ou tout autre article électronique : appareil photo, magnétoscope, chaîne hi-fi, DVD, CD, etc. Bonnes affaires et personnel très compétent.

SHAKESPEARE & CO

Plan p. 444   *Librairie*

☎ 212-742-7025 ; 1 Whitehall St ; ☽ lun-ven 8h-19h ; Ⓜ R, W jusqu'à Whitehall St, 4, 5 jusqu'à Bowling Green

INDEX DES MAGASINS

Shopping

LOWER MANHATTAN

- Bouley Bakery & Market (p. 330)
- Chelsea Market (p. 142)
- Chinatown Ice Cream Factory (p. 331)
- Chocolate Bar (p. 339)
- Economy Candy (p. 333)
- Essex St Market (p. 334)
- Fairway (p. 348, 351)
- Jacques Torres Chocolate (p. 353)
- McNulty's Tea & Coffee (p. 340)
- Murray's Cheese (p. 337)
- Patel Brothers (p. 353)
- Sherry-Lehman (p. 350)
- Sunrise Mart (p. 336)
- Vintage New York (p. 329)
- Whole Foods (p. 343)
- Zabar's (p. 349)

Cadeaux, artisanat et objets de collection
- 360 Toy Group (p. 335)
- Alphabets (p. 335)
- Citystore (p. 323)
- Evolution (p. 328)
- Forbidden Planet (p. 337)
- Harlem Market (p. 351)
- Kate's Paperie (p. 328)
- Mud, Sweat and Tears (p. 348)
- New York Transit Museum Shop (p. 345)
- Pearl Paint Company (p. 331)
- Village Chess Shop (p. 338)

Santé et beauté
- Aedes de Venustas (p. 337)
- Bond No 9 (p. 330)
- CO Bigelow Chemists (p. 337)
- Kiehl's (p. 335)
- Shun An Tong Health Herbal Co (p. 354)

Maison et ameublement
- ABC Carpet & Home (p. 342)
- Authentiques Past and Present (p. 340)
- Bed, Bath & Beyond (p. 341)
- Broadway Panhandler (p. 327)
- Delphinium Home (p. 347)
- Gracious Home (p. 348)
- Kam Man (p. 331)
- Las Venus (p. 334)
- Moss (p. 329)
- Mxyplyzyk (p. 340)
- Susan Parrish Antiques (p. 340)
- Tiffany & Co (p. 345)

Lingerie
- AW Kaufman (p. 333)
- Mixona (p. 333)
- Town Shop (p. 349)

Musique
- Bobby's Happy House (p. 351)
- Breakbeat Science (p. 333)
- Colony (p. 347)
- Footlight Records (p. 335)
- J&R Music & Computer World (p. 323)
- Manny's Music (p. 347)
- Matt Umanov Guitars (p. 337)
- Other Music (p. 336)
- Rebel Rebel (p. 338)
- Today's Music (p. 353)
- Tower Records (p. 338)
- Virgin Megastore (p. 343, 348)

Animaux
- Whiskers Holistic Petcare (p. 336)

Jouets/vêtements érotiques
- Babeland (p. 327, 333)
- Leatherman (p. 339)
- Purple Passion (p. 342)

Chaussures
- Giraudon New York (p. 341)
- Harry's Shoes (p. 348)
- Jimmy Choo (p. 344)
- John Fleuvog (p. 328)
- Otto Tootsi Plohound (p. 329, 342)

Sportswear
- Adidas (p. 326)
- Capezio Dance Theater Shop (p. 350)
- NBA Store (p. 345)
- Niketown New York (p. 345)
- Paragon Athletic Goods (p. 342)
- Tent & Trails (p. 326)

Voyages
- Complete Traveller (p. 344)
- Flight 001 (p. 339)
- Hagstrom Map & Travel Center (p. 346)

Vêtements vintage et dépôts-ventes
- Beacon's Closet (p. 352)
- Chelsea Girl (p. 328)
- Everything Goes (p. 354)
- Foley + Corinna (p. 334)
- Housing Works Thrift Shop (p. 341)
- Ina (p. 332)
- Love Saves the Day (p. 336)
- Rags A-Go-Go (p. 342)
- Screaming Mimi's (p. 336)
- Tatiana's (p. 351)
- Tokio 7 (p. 336)
- Zachary's Smile (p. 330, 340)

Cette chaîne populaire est aussi implantée à **Greenwich Village** (p. 337), **Gramercy** (plan p. 446), **Midtown** (plan p. 452) et dans l'**Upper East Side** (p. 349). Vaste choix de livres contemporains (fiction ou non), de livres d'art et d'ouvrages sur New York, ainsi que quelques périodiques excellents.

STRAND BOOK STORE

Plan p. 444   *Livres d'occasion*
☎ 212-732-6070 ; 95 Fulton St ; ☽ lun-ven 9h30-21h, sam-dim 11h-20h ; Ⓜ A, C, J, M, Z, 2, 3, 4, 5 jusqu'à Fulton St-Broadway-Nassau
Voir la célèbre maison mère de **Downtown** (p. 338).

TENT & TRAILS

Plan p. 444   *Sports de plein air*
☎ 212-227-1760 ; 21 Park Pl ; ☽ lun-mer et sam 9h30-18h, jeu-ven 9h30-19h, dim 12h-18h ; Ⓜ 2, 3 jusqu'à Park Pl
Une rareté à New York : tentes, sacs à dos, chaussures de bonnes marques comme North Face, Kelty et Eureka, et quelques articles à louer. Personnel qualifié.

SOHO, NOHO ET TRIBECA

SOHO

Véritable paradis du shopping, Soho regorge de boutiques de toutes sortes et l'on peut facilement y passer un jour ou deux sans en faire le tour (mais en vidant son compte en banque). Broadway et West Broadway, les deux grandes artères, rassemblent plusieurs chaînes et boutiques classiques aux prix abordables, comme l'Original Levi's Store, Adidas, Banana Republic, Miss Sixty et Urban Outfitters. S'étendant entre les deux, Prince St compte également quelques chaînes, mais aussi des vendeurs ambulants proposant bijoux, chapeaux et objets artisanaux, surtout à la belle saison. Les autres rues du quartier sont investies par des boutiques de vêtements, de chaussures, de meubles et d'articles pour la maison. Lafayette St se spécialise dans les magasins pour DJ et fans de skate.

ADIDAS

Plan p. 450   *Chaussures et vêtements de sport*
☎ 212-529-0081 ; 610 Broadway à hauteur de Houston St ; ☽ lun-sam 10h-20h, dim 11h-19h ; Ⓜ B, D, F, V jusqu'à Broadway-Lafayette St

Vitrine en cours de création

Lorsque ce magasin de 3 000 m^2 a ouvert il y a quelques années, le quartier est devenu le haut lieu du gigantisme et du glamour. Chaussures pour tous les sports et large gamme de vêtements. Pour un look plus tendance, **Adidas Originals** (☎ 212-673-0398 ; 136 Wooster St ; ☽ lun-sam 11h-19h, dim 12h-18h) vous attend non loin ; lors de son ouverture, des foules de curieux sont venus faire la queue pendant des heures juste pour jeter un coup d'œil.

AMERICAN APPAREL

Plan p. 450   *Vêtements basiques*
☎ 212-226-4880 ; 121 Spring St, entre Broadway et Mercer St ; Ⓜ R, W jusqu'à Prince St
Cette chaîne de Los Angeles (autres adresses new-yorkaises sur www.americanapparel.net) produit elle-même ses vêtements d'une ravissante simplicité. Les tee-shirts et sweat-shirts qu'on trouve ailleurs couverts de slogans ou de photos sont vendus ici exempts de toute décoration. Débardeurs, sweat-shirts à capuche, sous-vêtements, chaussettes et foulards pour hommes, femmes, enfants, bébés et même chiens – le tout dans une immense palette de couleurs, du rose au vert olive.

ANNA SUI

Plan p. 450   *Vêtements pour femmes*
☎ 212-941-8406 ; www.annasui.com ; 113 Greene St ; ☽ lun-sam 11h30-19h, dim 12h-18h ; Ⓜ R, W jusqu'à Prince St

Dans une élégante boutique aux murs pourpres, la créatrice new-yorkaise Anna Sui présente ses robes et blouses vaporeuses et sexy, mi-hippies mi-branchées. Le look Courtney Love de la première période.

APPLE STORE SOHO
Plan p. 450   *Ordinateurs et électronique*
☎ 212-226-3126 ; 103 Prince St ; ⏱ lun-sam 10h-20h, dim 11h-19h ; Ⓜ N, R, W jusqu'à Prince St
Ce lumineux magasin Apple, avec ses escaliers, ses passerelles transparentes et son amphithéâtre consacré aux formations, fourmille d'acheteurs en quête d'iPods, iBooks et autres articles de l'iUnivers. Très à l'écoute, les jeunes et sympathiques vendeurs répondent à vos questions ou vous laissent libre d'essayer tout le matériel présenté, des ordinateurs aux caméscopes numériques.

Nouveautés en tout genre chez Apple (ci-dessus)

BABELAND
Plan p. 450   *Jouets et livres érotiques*
☎ 212-966-2120 ; 43 Mercer St ; ⏱ lun-sam 12h-21h, dim 12h-19h ; Ⓜ A, C, E jusqu'à Canal St
Tenu par des femmes, l'ancien Toys in Babeland a raccourci son nom mais reste le même : le personnel ouvert et sympathique vous aidera à choisir un godemichet en silicone, un plug anal, un harnais en cuir ou un vibromasseur (comme le très populaire High Joy Bunny), assortis de nombreux conseils. On trouve aussi des livres et maga-

zines érotiques, des DVD pour adultes, du lubrifiant parfumé et des tee-shirts Babeland. La boutique d'origine, plus petite, se trouve dans le Lower East Side (plan p. 449).

BLOOMINGDALE SOHO
Plan p. 450   *Grand magasin*
☎ 212-729-5900 ; 504 Broadway ; ⏱ lun-ven 10h-21h, sam 10h-20h, dim 11h-19h ; Ⓜ R, W jusqu'à Prince St
Plus petit et récent que la légendaire maison mère de l'Upper East Side (p. 350), ce grand magasin se concentre sur la mode, avec des marques allant de Marc Jacobs au *clubwear* (tenues de clubbing) ultra-tendance de Heatherette. Vêtements et chaussures pour hommes et femmes, grand choix de cosmétiques et de parfums au rez-de-chaussée.

BROADWAY PANHANDLER
Plan p. 450   *Ustensiles de cuisine*
☎ 212-966-3434 ; 477 Broome St ; ⏱ lun-sam 10h30-19h, dim 11h-18h ; Ⓜ A, C, E jusqu'à Canal St
Aussi bien achalandée (sinon plus) que les grandes chaînes spécialisées, cette boutique regorge d'ustensiles de cuisine Le Creuset, All Clad et Calphalon, de couteaux Wusthof, de robots ménagers, cafetières et gadgets Cuisinart, Waring, Bodum et Braun, ainsi que de fouets, tabliers, verres et boîtes de rangement. Vendeurs jeunes, aimables et compétents.

BROOKLYN INDUSTRIES
Plan p. 450   *Streetwear*
☎ 212-219-0862 ; 286 Lafayette St ; ⏱ lun-sam 11h-20h, dim 12h-19h30 ; Ⓜ B, D, F, V jusqu'à Broadway-Lafayette St
Cette boutique de Manhattan basée à Williamsburg est la plus lumineuse et aérée des adresses de cette chaîne en pleine croissance. Derrière une grande baie vitrée sont présentés des vêtements élégants, basiques et abordables : tee-shirts et sweat-shirts "Made in Brooklyn", pulls, vestes, jeans, manteaux, chapeaux, sacs et même étuis pour ordinateurs portables dans des couleurs terre. Tous portent le logo Brooklyn Industries – un paysage industriel dominé par un château d'eau. Autres magasins à Williamsburg (☎ 718-486-6464 ; 162 Bedford Ave) et Park Slope (plan p. 464 ; ☎ 718-789-2764 ; 206 5th Ave à hauteur de Union St), plus un magasin d'usine à South Williamsburg (☎ 718-218-9166 ; 184 Broadway à hauteur de Driggs St). Liste complète sur le www. brooklynindustries.com.

CHELSEA GIRL

Plan p. 450   *Vêtements vintage*

☎ 212-343-1658 ; www.chelsea-girl.com ;
63 Thompson St, entre Spring St et Broome St ;
🕐 12h-19h ; 🚇 C, E jusqu'à Spring St

Impossible de passer devant cette explosion de fantaisie et de couleurs sans s'arrêter pour jeter un coup d'œil. Tenue par Elisa Casas, cette petite boutique pleine de vêtements de toutes les époques est citée dans tous les grands magazines féminins et fréquentée par des célébrités. Les présentoirs croulent sous les robes, les pulls, les chaussures et les tailleurs en parfait état. Ne soyez pas surpris de voir une robe en soie Pucci des années 1970 côtoyer une gabardine en laine Adrian des années 1940.

DAFFY'S

Plan p. 450   *Vêtements et accessoires*
       discount de créateurs

☎ 212-334-7444 ; 462 Broadway à hauteur de Grand St ;
🕐 lun-sam 10h-20h, dim 12h-19h ; 🚇 A, C, E jusqu'à
Canal St

Parmi les nombreuses adresses de cette chaîne (voir le site www.daffys.com), celle-ci offre le meilleur choix, peut-être du fait de sa situation, à Downtown. Deux étages de mode hommes, femmes et enfants (et quelques articles pour la maison), à des prix parfois extraordinairement bas. Le prix d'origine figurant sur l'étiquette montre en moyenne une réduction de 50%.

EVOLUTION

Plan p. 450   *Sciences naturelles*

☎ 212-343-1114 ; 120 Spring St, entre Broadway St
et Mercer St ; 🕐 11h-19h ; 🚇 R, W jusqu'à Prince St

Si vous aimez les insectes, les crânes, les dents et autres incongruités du genre, cette boutique vend des spécimens qu'on voit généralement dans les musées : scarabées et papillons encadrés, insectes figés dans des cubes d'ambre, modèles anatomiques (oreille, larynx et squelette de main), dents de requin et os de pénis de divers animaux.

HOTEL VENUS

Plan p. 450   *Clubwear*

☎ 212-966-4066 ; 382 W Broadway ; 🕐 11h-20h ;
🚇 C, E jusqu'à Spring St

Après s'être imposée dans W 8th St, l'extravagante créatrice Patricia Field s'est installée à Soho. Perruques frisées de toutes les couleurs, vêtements spandex et lingerie, *clubwear* et tee-shirts Hysterical

Glamour et Heatherette, vestes bordées de fourrure et sweat-shirts coupés. Salon de coiffure à l'arrière.

HOUSING WORKS USED BOOK CAFÉ

Plan p. 450   *Livres d'occasion*

☎ 212-334-3324 ; 126 Crosby St ; 🕐 lun-ven 10h-21h,
sam 12h-21h, dim 12h-19h ; 🚇 B, D, F, V jusqu'à
Broadway-Lafayette St

Ressemblant à une vraie librairie et doté d'une mezzanine, ce café attire les foules le week-end. Plus de 45 000 livres et CD d'occasion y sont en vente, à bon prix. Les fonds recueillis sont reversés à Housing Works, association caritative qui s'occupe des séropositifs et malades du sida sans abri de la ville. Voir aussi le **Housing Works Thrift Shop** (p. 341).

JOHN FLEUVOG

Plan p. 450   *Chaussures*

☎ 212-431-4484 ; 250 Mulberry St ; 🕐 lun-sam
12h-20h, dim 12h-18h ; 🚇 R, W jusqu'à Prince St

Vous vous rappelez ces grosses chaussures presque clownesques que tous les étudiants portaient au milieu des années 1980 et au début des années 1990 ? Pas les Doc Martens, les autres, aux motifs plus tourbillonnants et aux couleurs plus voyantes ? Vous les trouverez dans cette petite boutique d'angle lumineuse, avec leurs épaisses semelles en latex et leurs empeignes colorées, pour hommes et femmes. Bottes et ballerines excentriques également.

KATE SPADE

Plan p. 450   *Sacs à main*

☎ 212-274-1991 ; 454 Broome St ; 🕐 lun-sam 11h-
19h, dim 12h-18h ; 🚇 R, W jusqu'à Prince St, 6 jusqu'à
Spring St

Entrez admirer la dernière collection de sacs en cuir et nylon style années 1950 de Kate, ainsi que ses accessoires, chaussures et lunettes de soleil. Les articles pour hommes (étuis pour ordinateurs portables, mallettes souples, sacoches) de son époux, Andy, se trouvent chez **Jack Spade** (☎ 212-625-1820 ; 56 Greene St ; même horaire), non loin.

KATE'S PAPERIE

Plan p. 450   *Papeterie*

☎ 212-941-9816 ; 561 Broadway ; 🕐 lun-sam
10h-20h, dim 11h-19h ; 🚇 R, W jusqu'à Prince St

Le grand classique pour faire graver des faire-part de mariage. On trouve aussi des carnets, des albums photos, des cartes, du papier cadeau, des stylos et bien sûr du

Chemises à gogo chez Pearl River Mart (ci-dessous)

papier, depuis le papier en lin fait main avec fleurs pressées dans la trame jusqu'au papier cartonné blanc recyclé.

MCNALLY ROBINSON

Plan p. 450   *Librairie*

☎ 212-274-1160 ; 52 Prince St à hauteur de Crosby St ; lun-sam 10h-22h, dim 10h-20h ; Ⓜ R, W jusqu'à Prince St

Nouvelle librairie indépendante installée au cœur de Soho, proposant un excellent choix de magazines et des rayons consacrés à des sujets comme la cuisine, l'architecture et le design, les romans pour ados et la littérature "LGBT" (lesbienne-gay-bi-transsexuelle). Possède aussi un agréable café où s'installer pour lire ou simplement regarder passer les gens.

MOSS

Plan p. 450   *Articles de créateurs pour la maison*

☎ 212-204-7100 ; 146 Greene St ; Ⓨ lun-sam 11h-19h, dim 12h-18h ; Ⓜ N, R, W jusqu'à Prince St

Dans une galerie reconvertie, les deux showrooms de Moss présentent des objets modernes, tendance et amusants, exposés dans des vitrines. Il est facile de trouver ici des choses qu'on ne voit pas souvent ailleurs – la pendule Yoshitomo Nara avec ses 84 dessins originaux ou la machine à expresso noire La Cupola.

ORIGINAL LEVI'S STORE

Plan p. 450   *Jeans et vêtements*

☎ 646-613-1847 ; 536 Broadway à hauteur de Spring St ; Ⓨ lun-sam 10h-20h, dim 11h-19h ; Ⓜ R, W jusqu'à Prince St

Vend tous les jeans Levi's – avec braguette à boutons, à taille basse et coupe boot-cut, à fermeture Éclair, etc. –, ainsi que des chemises, tee-shirts, sweat-shirts et vestes dans des styles en perpétuelle évolution.

OTTO TOOTSI PLOHOUND

Plan p. 450   *Chaussures*

☎ 212-431-7299 ; 273 Lafayette St ; Ⓨ lun-ven 11h30-19h30, sam 11h-20h, dim 12h-19h ; Ⓜ B, D, V, F jusqu'à Broadway-Lafayette St

Les branchés new-yorkais à la recherche de chaussures de marque à prix réduit (Miu Miu, Cynthia Rowley, Helmut Lang, Paul Smith et Prada Sport notamment) fréquentent régulièrement les quatre boutiques Tootsi, dont celles d'Union Sq et de Midtown, où les collections sont présentées comme dans de petits musées.

PEARL RIVER MART

Plan p. 450   *Grand magasin chinois*

☎ 212-431-4770 ; 477 Broadway ; Ⓨ 10h-19h ; Ⓜ J, M, N, Q, R, W, Z, 6 jusqu'à Canal St

Si Pearl a délaissé son adresse de Canal St pour un emplacement plus chic sur Broadway, ce grand magasin reste toutefois le meilleur de Chinatown. Toute l'Asie en rayon : théières chinoises et japonaises, robes imprimées de dragons, lanternes en papier, chaussons de toutes les couleurs, épices et sauces chinoises, thés importés, réveils à l'ancienne semblant dater de l'ère Mao et divers instruments de musique.

PRADA

Plan p. 450   *Vêtements de créateur*

☎ 212-334-8888 ; 575 Broadway ; Ⓨ lun-sam 11h-19h, dim 12h-18h ; Ⓜ N, R, W jusqu'à Prince St

Sans même parler des collections du couturier italien, le cadre mérite à lui seul la visite. Aménagé dans les anciens locaux du Guggenheim, imaginé par l'architecte hollandais Rem Koolhaas, et restauré après un incendie survenu début 2006, ce magasin aux parquets splendides et aux petites pièces en sous-sol est une pure merveille. Passez en cabine d'essayage, juste pour voir les parois transparentes des cabines se couvrir de buée quand vous fermez la porte !

VINTAGE NEW YORK

Plan p. 450   *Caviste*

☎ 212-226-9463 ; 482 Broome St à hauteur de Wooster St ; Ⓨ 10h-21h ; Ⓜ A C, E jusqu'à Canal St

Cette excellente boutique-bar à vins vend la production des grands domaines viticoles de l'État, notamment ceux de Long Island, de l'Hudson Valley et des Finger Lakes. Vins pétillants, chardonnay, riesling, pinot noir, merlot et cabernet sauvignon sont tous proposés à la dégustation. Point fort de l'endroit : puisqu'il s'agit techniquement d'une cave, il est autorisé à ouvrir le dimanche, contrairement aux autres boutiques de vins de la ville. De même, bien sûr, que son **annexe d'Uptown** (☎ 212-721-9999 ; 2492 Broadway à hauteur de 93rd St ; ☾ 10h-22h).

NOHO

Ce minuscule quartier touché par la grande mode des acronymes offre de nombreuses possibilités de shopping. Tout ici est tendance et coûteux. Les deux grandes rues commerçantes, Bond St et Lafayette St, ainsi que les rues transversales, regroupent des magasins de matériel pour artistes, de meubles et de vêtements de danse.

ATRIUM
Plan p. 450 *Vêtements et jeans*
☎ 212-473-9200 ; angle 644 Broadway St et Bleeker St ; ☾ 10h-20h ; ⊕ B, D, F, V jusqu'à Broadway-Lafayette St
Parmi une succession de boutiques sans grand intérêt, Atrium se distingue par son excellent choix de vêtements, chaussures et accessoires pour hommes et femmes (Diesel, G-Star, Miss Sixty et autres marques populaires). Son grand atout reste cependant l'immense gamme de jeans de qualité, comme Joe's, Seven, Blue Cult et True Religion.

BOND 07
Plan p. 450 *Vêtements et lunettes pour femmes*
☎ 212-677-8487 ; www.selimaoptique.com ; 7 Bond St ; ☾ lun-sam 11h-19h, dim 12h-19h ; ⊕ R, W jusqu'à Prince St
Selima Salaun vend ici des montures de lunettes tendance, prisées des célébrités et présentées dans des vitrines étincelantes. À l'avant de la boutique, on trouve quelques très beaux vêtements, essentiellement des chemisiers vaporeux et des robes créés par de jeunes stylistes avant-gardistes comme Alice Roi.

BOND NO 9
Plan p. 450 *Parfums*
☎ 212-228-1940 ; 9 Bond St ; ☾ lun-sam 11h-19h, dim 12h-18h ; ⊕ R, W jusqu'à Prince St
Une parfumerie vraiment unique en son genre, d'inspiration 100% new-yorkaise,

qui offre une vingtaine de senteurs maison baptisées d'après des quartiers de la ville (Riverside Drive, Chelsea Flowers, Central Park, Eau de Noho ou Chinatown, par exemple) et vendues dans des bouteilles décorées d'un logo rond rappelant les anciens jetons de métro. Comptez à partir de 100 $. Également en vente : des bouteilles anciennes à vaporisateur, à remplir du parfum de son choix.

ZACHARY'S SMILE
Plan p. 450 *Vêtements et chaussures vintage*
☎ 212-965-8248 ; 317 Lafayette St, entre Bleecker St et Houston St ; ⊕ B, D, F, V jusqu'à Broadway-Lafayette St
Seconde boutique, plus petite, de la nouvelle coqueluche de Downtown, dans le **West Village** (☎ 212-924-0604 ; 9 Greenwich Ave entre Christopher St et W 10th St). Excellent choix de vêtements des décennies passées, en parfait état : robes, pulls à sequins, talons aiguilles, bottes de cow-boy, fausses fourrures, pochettes, etc. Personnel charmant.

TRIBECA

Bien qu'il ne puisse rivaliser en taille avec son voisin Soho, ce petit quartier compte plusieurs boutiques haut de gamme très appréciées des habitants. Le bas de Hudson St et les allées environnantes regroupent des magasins vendant des articles originaux pour la maison et des antiquités.

BOULEY BAKERY & MARKET
Plan p. 444 *Épicerie fine*
☎ 212-608-5829 ; 130 W Broadway ; ☾ 7h30-19h30 ; ⊕ 1 jusqu'à Franklin St
Pour cuisiner chez vous les exquises créations culinaires du célèbre chef David Bouley, inscrivez-vous à ses cours. En attendant, vous pouvez vous procurer les mêmes ingrédients que lui dans la petite épicerie-boulangerie voisine de son fameux restaurant **Bouley** (p. 230). Si les poissons, comme le flétan, la raie et la limande à queue jaune, risquent de mal se garder dans votre chambre d'hôtel, composez-vous un pique-nique gourmand avec un bon fromage, un gâteau bio aux figues et des olives picholines et achetez du vinaigre de framboise et du sel de mer à rapporter chez vous.

BU AND THE DUCK

Plan p. 444   *Vêtements pour enfants*

☎ 212-219-7788 ; 106 Franklin St à hauteur de Church St ; 🕙 lun-sam 10h-18h, dim 11h-17h ; 🚇 1 jusqu'à Franklin St

Pour les mamans qui ne s'offusquent pas de voir leurs petits baver sur leurs tee-shirts en coton italien à 46 $ (qui seront de toute façon trop petits dans un mois), cette boutique vend des vêtements BCBG, des chaussures, des jouets (girafes au crochet à 50 $), des ceintures, des sacs et des chaussettes pour bébés et enfants jusqu'à huit ans.

ISSEY MIYAKE

Plan p. 444   *Vêtements de créateur*

☎ 212-226-0100 ; 119 Hudson St à hauteur de N Moore St ; 🕙 lun-ven 10h-18h, sam 11h-18h, dim 12h-17h ; 🚇 1 jusqu'à Franklin St

Cette boutique de Downtown propose les collections haute couture du grand créateur, par Naoki Takizawa, et plusieurs de ses autres lignes (dont Pleats Please, APOC et Me), avec des vêtements modernes, soyeux et raffinés pour hommes et femmes.

CHINATOWN

Chinatown s'étend sur une longue succession de pâtés de maisons et les magasins se concentrent dans Canal St et Mott St. N'hésitez pas à sortir des sentiers battus pour flâner dans des endroits inconnus des touristes : magasins de robes de mariées, galeries de jeux vidéo, boutiques de phytothérapie et boulangeries. Mais ne manquez pas non plus Canal St, entre The Bowery et 7th Ave, où les boutiques débordant sur les trottoirs offrent tee-shirts, bijoux (pas toujours de pacotille), réparation de montres et petit matériel électrique, prises et rallonges par exemple. Abstenez-vous cependant d'acheter tout produit nécessitant une garantie, comme du matériel hi-fi ou un appareil photo. Pour les objets importés (thé, robes en soie, produits exotiques, woks et baguettes), rendez-vous dans Mott St. Si vous avez besoin d'une coupe de cheveux et d'un rasage, la minuscule Pell St abrite de nombreux barbiers.

Signalons que l'excellent grand magasin **Pearl River Mart** (p. 329) a quitté Chinatown pour s'installer quelques rues plus au nord, dans Broadway.

AJI ICHIBAN

Plan p. 444   *Confiserie*

☎ 212-233-7650 ; 37 Mott St ; 🕙 10h-20h30 ; 🚇 J, M, N, Q, R, W, Z, 6 jusqu'à Canal St

Cette chaîne hongkongaise, dont le nom signifie "génial" en japonais, compte cinq boutiques à Chinatown (et une autre dans le Queens ; toutes les adresses sur le site www.ajiichiban-usa.com). Les gourmands pourront s'en donner à cœur joie : marshmallows au sésame, bonbons au lait de durian, prunes confites, zestes de mandarine, gommes au cassis, goyave séchée. Si vous préférez le salé, goûtez la morue croustillante épicée, les chips au crabe, les petits pois au wasabi ou les anchois séchés aux cacahuètes.

CHINATOWN ICE CREAM FACTORY

Plan p. 444   *Glaces et tee-shirts*

☎ 212-608-4170 ; 65 Bayard St ; 🕙 11h-22h ; 🚇 J, M, N, Q, R, W, Z, 6 jusqu'à Canal St

Éclipsant totalement le revendeur Häagen-Dazs proche, ce grand glacier propose des parfums tels que thé vert, gingembre, haricot rouge ou sésame noir et vend des tee-shirts jaunes à son nom représentant un dragon léchant joyeusement une glace (15 $).

KAM MAN

Plan p. 444   *Articles de cuisine*

☎ 212-571-0330 ; 200 Canal St ; 🕙 9h-21h ; 🚇 J, M, N, Q, R, W, Z, 6 jusqu'à Canal St

Passez devant les canards suspendus pour rejoindre le sous-sol de ce supermarché d'alimentation typique de Canal St, où vous pourrez trouver des services à thé chinois et japonais, des baguettes, des *rice cooker* (cuiseurs à riz), des woks et d'autres ustensiles pour les plats sautés.

PEARL PAINT COMPANY

Plan p. 450   *Fournitures d'art plastique*

☎ 212-431-7932 ; 308 Canal St ; 🕙 lun-ven 10h-19h, sam 10h-18h30, dim 10h-18h ; 🚇 J, M, N, Q, R, W, Z, 6 jusqu'à Canal St

Les artistes hantent les étages de cet immense entrepôt rouge et blanc pour se fournir en plâtre, peinture à huile Winsor & Newton, châssis entoilés, estèques de potier, papier vélin et mines de plomb. Les amateurs de travaux manuels trouveront de quoi s'occuper : feuilles d'or italiennes, pâte à modeler Fimo, pistolets à colle, paillettes en pot. Tout un rayon est consacré aux fournitures pour enfants.

LITTLE ITALY ET NOLITA

Le shopping dans ce quartier se limite en réalité à Nolita, dont les minuscules allées sont bordées d'une multitude de pimpantes boutiques prises d'assaut par des clients venus faire le plein de tenues et d'objets tendance à coups de carte de crédit. Si Mott St fourmille de magasins, Prince St, Mulberry St et Elizabeth St ne sont pas en reste. En ce qui concerne Little Italy, inutile d'espérer y trouver vêtements et accessoires branchés mais, si vous cherchez de l'huile d'olive extra vierge, des mille-feuilles ou un tee-shirt "Little Italy", c'est l'endroit qu'il vous faut. Visez Mulberry St et les petites rues qui en partent, juste au-dessus de Canal St.

CALYPSO

Plan p. 450   *Vêtements pour femmes*
☎ 212-965-0990 ; 280 Mott St ; ☽ lun-sam 11h30-19h30, dim 12h-18h30 ; ◉ B, D, F, V jusqu'à Broadway-Lafayette St

CORRESPONDANCE DES TAILLES

Ces indications sont approximatives, essayez toujours avant d'acheter

Vêtements femmes

Europe	36	38	40	42	44	46
GB	8	10	12	14	16	18
USA	6	8	10	12	14	16

Chaussures femmes

Europe	35	36	37	38	39	40
France	35	36	38	39	40	42
GB	3½	4½	5½	6½	7½	8½
USA	5	6	7	8	9	10

Vêtements hommes

Europe	46	48	50	52	54	56
GB/USA	35	36	37	38	39	40

Chemises hommes (col)

Europe	38	39	40	41	42	43
GB/USA	15	15½	16	16½	17	17½

Chaussures hommes

Europe	41	42	43	44½	46	47
GB	7	8	9	10	11	12
USA	7½	8½	9½	10½	11½	12½

L'été dure toute l'année dans cette boutique qui vend des vêtements tropicaux, des robes légères, des maillots de bain Dr Boudoir, des tongs et des chemisiers sexy. Cette enseigne née à Saint-Barthélemy compte plusieurs magasins (la bijouterie se trouve quelques mètres plus bas), notamment dans 74th St et sur Madison Ave, dans l'Upper East Side. Pour en savoir plus, téléphonez ou consultez le site www.calypso-celle.com.

HIGHWAY

Plan p. 450   *Maroquinerie*
☎ 212-966-4388 ; 238 Mott St, entre Prince St et Spring St ; ☽ 11h-19h ; ◉ B, D, F, V jusqu'à Broadway-Lafayette St

On ne trouve ici que des sacs Jem Filippi, disponibles dans une vingtaine de styles différents et joliment présentés sur des comptoirs. En nylon, en PVC ou en cuir repoussé, ces sacs amusants et fonctionnels se vendent à quelque 125 $ et répondent à tous les besoins : pochettes, porte-monnaie, portefeuilles ou étuis pour ordinateurs portables.

HOLLYWOULD

Plan p. 450   *Vêtements et chaussures pour femmes*
☎ 212-243-8344 ; 198 Elizabeth St, entre Prince St et Spring St ; ☽ lun-sam 11h30-19h, dim 12h-17h ; ◉ 6 jusqu'à Spring St

Holly Dunlap, ancienne styliste de Lilly Pulitzer, a créé son propre empire avec une version plus avant-gardiste des imprimés à fleurs éclatants qui ont fait la réputation de Pulitzer. Elle est surtout connue pour ses chaussures : sandales à lanières et semelles compensées, chaussures plates à bout pointu, tongs métalliques incrustées de pierres précieuses, mules dorées et ballerines à rayures roses et blanches (toutes facturées aux alentours de 700 $). Jetez aussi un coup d'œil à ses robes aux motifs aquatiques, ses robes polos incrustées de nacre et ses robes dos nu jaunes et aériennes d'inspiration mexicaine.

INA

Plan p. 450   *Dépôt-vente de vêtements*
☎ 212-334-9048 ; 21 Prince St ; ☽ dim-jeu 12h-19h, ven-sam 12h-20h ; ◉ N, R, W jusqu'à Prince St, B, D, F, V jusqu'à Broadway-Lafayette St

Très prisé des New-Yorkais, ce dépôt-vente propose des vêtements de créateurs pour femmes (boutique pour hommes juste au coin de la rue, au 262 Mott St). Nous avons vu récemment une robe Louis Vuitton à 775 $, des jeans Seven à 65 $ et une veste Chanel à 1 300 $. Ceintures et foulards à prix très intéressants.

MIXONA
Plan p. 450   *Lingerie*
☎ 646-613-0100 ; www.mixona.com ; 262 Mott St, entre Houston St et Prince St ; ⊙ lun-sam 11h-20h30, dim 11h-19h30 ; ◉ B, D, F, V jusqu'à Broadway-Lafayette St
Très connue des habitants, cette spacieuse boutique de style industriel chic regorge de lingerie sexy dans tous les styles et pour tous les goûts. Très bonnes marques, comme Cosabella, Andres Sarda, Dolce & Gabbana, Kenzo, La Perla et Moschino.

REBECCA TAYLOR
Plan p. 450   *Vêtements pour femmes*
☎ 212-966-0406 ; 260 Mott St, entre Houston St et Prince St ; ⊙ lun-sam 11h-19h, dim 12h-19h
Féminines et romantiques, les robes légères et les blouses de cette styliste sont très appréciées de Cameron Diaz et d'Uma Thurman. Le magasin principal se trouve au Japon mais cette boutique propose un bon choix de robes à fanfreluches, de jupes trapèze et de pantalons taille basse.

LOWER EAST SIDE
Le Lower East Side ressemble à Nolita par la densité de ses minuscules boutiques branchées mais s'adresse à une clientèle plus jeune, avant-gardiste et décontractée, qu'il s'agisse de livres, de robes vintage ou de décoration d'intérieur. La plupart des magasins se regroupent dans Orchard St et Ludlow St, entre Houston St et Delancey St, mais d'autres coins valent la peine d'être explorés. Avant que le quartier ne devienne aussi branché, le shopping se limitait aux boutiques de vestes en cuir et de lingerie à l'ancienne et aux magasins juifs d'Essex St, entre Grand St et Canal St. Ils n'ont pas disparu et méritent une petite visite, de même que les quelques traiteurs juifs qu'on trouve encore ici.

AW KAUFMAN
Plan p. 446   *Lingerie et sous-vêtements*
☎ 212-226-1629 ; 73 Orchard St à hauteur de Grand St ; ⊙ dim-jeu 10h30-17h, ven 10h30-14h ; ◉ B, D, F jusqu'à Grand St

Cette boutique tenue en famille depuis 1924 est spécialisée dans les soutiens-gorge, mais elle vend des sous-vêtements de toutes sortes, pour hommes et pour femmes. Un simple coup d'œil à vos avantages suffit aux vendeuses pour trouver le style et la taille qui vous iront "comme un gant". Service à l'ancienne, comme on n'en voit plus guère à New York.

BABELAND
Plan p. 449   *Jouets érotiques*
☎ 212-375-1701 ; www.babeland.com ; 94 Rivington St ; ⊙ lun-sam 12h-22h, dim 12h-19h ; ◉ F, J, M, Z jusqu'à Delancey St-Essex St
Voir le Babeland de Soho (p. 327).

BLUESTOCKINGS
Plan p. 449   *Librairie-café engagée*
☎ 212-777-6028 ; 172 Allen St ; www.bluestockings. com ; ⊙ 13h-22h ; ◉ F, V jusqu'à Lower East Side-2nd Ave
Tenue par des femmes et d'abord orientée vers une clientèle lesbienne, cette librairie indépendante s'est ouverte à tous les anti-conformismes. Vaste sélection de livres sur le lesbianisme et le féminisme, mais aussi sur les relations homme-femme, le capitalisme mondial, la démocratie, le mouvement noir, les systèmes policiers et pénitentiaires. Un café végétarien et bio promeut le commerce équitable et organise des lectures poétiques, des conférences politiques et même un atelier tricot mensuel pour lesbiennes (voir *Lectures et conférences*, p. 293).

BREAKBEAT SCIENCE
Plan p. 449   *Musique et accessoires pour DJ*
☎ 212-995-2592 ; 181 Orchard St ; ⊙ dim-mer 13h-20h, jeu-sam 13h-21h ; ◉ F, V jusqu'à Lower East Side-2nd Ave
La boutique de ce label de musique vend des vinyles et des CD drums'n'bass et jungle (avec possibilité de les écouter), ainsi que des tee-shirts, des sweat-shirts, des bijoux, des nécessaires de nettoyage pour les disques, des sacs de rangement et des figurines Breakbeat Science.

ECONOMY CANDY
Plan p. 449   *Confiserie*
☎ 212-254-1531 ; 108 Rivington St à hauteur de Essex St ; ⊙ lun-ven 9h-18h, sam 10h-17h ; ◉ F, J, M, Z jusqu'à Delancey St-Essex St
Ouvert depuis 1937, ce magasin bourré de bonbons du sol au plafond possède

quelques magnifiques distributeurs de chewing-gums anciens. Dragées à la gelée de sucre, sucettes, boules de gomme, friandises Cadbury, bonbons mous en forme de vers de terre, sucre d'orge, mais aussi douceurs plus appréciées des adultes : halva, bonbons au thé vert, chocolats artisanaux, gingembre et papaye confits, noix du Brésil, pistaches et barres au sésame et au miel.

MARCHÉ D'ESSEX ST

Plan p. 449   *Marché d'alimentation*
☎ 212-312-3603 ; 120 Essex St, entre Delancey St et Rivington St ; ☽ lun-sam 8h-18h ; ◉ F, V jusqu'à Delancey St, J, M, Z jusqu'à Delancey St-Essex St
Véritable institution locale, ce marché implanté depuis 60 ans vend des produits alimentaires, des poissons, des viandes à la coupe, des fromages et des spécialités latino-américaines. On trouve même un barbier, ainsi qu'un comptoir à vins du célèbre **Schapiro Wines**, premier établissement de vins casher de New York qui fut fondé en 1899 par la famille Schapiro. Il proposait autrefois des visites de ses caves, dotées de cuves de 200 000 litres, mais s'est installé dans le nord de l'État au milieu des années 1990.

FOLEY + CORINNA

Plan p. 449   *Vêtements femmes*
et chaussures vintage
☎ 212-529-5042 ; 143 Ludlow St à hauteur de Stanton St ; ◉ F, V jusqu'à Lower East Side-2nd Ave
Dans un lieu féminin, avec plancher en bois sombre et jolies peintures murales, cette boutique attire les amatrices de rétro romantique, dont une bonne poignée de stars. Elle propose des chemisiers, des robes et des débardeurs issus des nouvelles collections de Dana Foley, mais aussi des chaussures et accessoires rétro haut de gamme rassemblés par Corinna. La **boutique hommes** (114 Stanton St à hauteur de Ludlow St) se trouve tout à côté.

48 HESTER

Plan p. 446   *Vêtements*
pour hommes et femmes
☎ 212-473-3496 ; 48 Hester St à hauteur de Ludlow St ; ☽ mar-ven 12h-19h, sam-dim 11h-18h ; ◉ F, V jusqu'à Lower East Side-2nd Ave
La publicitaire et grande prêtresse du marketing Denise Williamson a ouvert cette boutique qui vend les robes, chemisiers, vestes et pantalons de ses clients préférés (Ulla Johnson, Kristen Lee, Sass & Bide et

Rag & Bone), auxquels s'ajouteront bientôt ses propres créations en coton, sous le nouveau label Franck.

FUCK YOGA

Plan p. 449   *Tee-shirts sarcastiques*
☎ 212-995-9171 ; 132A Ludlow St à hauteur de Rivington St ; ◉ F, V jusqu'à Lower East Side-2nd Ave
Ce qui avait commencé comme une plaisanterie est devenu un phénomène culte (même les costumiers de *Sex and the City* viennent se fournir ici). Tee-shirts pour hommes et femmes ornés de commentaires acides du genre "Fuck Frank Gehry" et "Prayer ain't cutting it" ("Prier, c'est pas suffisant").

JUTTA NEUMANN

Plan p. 449   *Accessoires en cuir*
☎ 212-982-7048 ; www.juttaneumann.com ; 158 Allen St à hauteur de Rivington St ; ☽ 11h-19h ; ◉ F, V jusqu'à Lower East Side-2nd Ave
L'Allemande Jutta Neuman s'est formée pendant plusieurs années auprès d'un maroquinier new-yorkais avant de se lancer. Aujourd'hui, les New-Yorkaises chic et les stylistes des magazines de mode raffolent de ses accessoires – épais bracelets en cuir avec boucles, simples sandales, sacs, portefeuilles et ceintures.

LAS VENUS

Plan p. 449   *Meubles vintage*
☎ 212-982-0608 ; 163 Ludlow St ; ☽ lun-jeu 12h-21h, ven-sam 12h-minuit, dim 12h-20h ; ◉ F, J, M, Z jusqu'à Delancey St-Essex St
En retrait de la rue, cette boutique colorée propose du mobilier rétro, en particulier de beaux meubles danois des années 1950, 1960 et 1970. La plupart sont plutôt chers, mais on déniche parfois de bonnes affaires (signalons aussi, pour les amateurs, une collection de vieux *Playboy*). Les meubles chromés sont en vente au 1er étage de **ABC Carpet & Home** (p. 342).

MARY ADAMS THE DRESS

Plan p. 449   *Vêtements pour femmes*
☎ 212-473-0237 ; www.maryadamsthedress.com ; 138 Ludlow St ; ☽ mer-sam 13h-18h, dim 13h-17h, ou sur rendez-vous ; ◉ F, J, M, Z jusqu'à Delancey St-Essex St
Passez voir les dernières créations de Mary Adams – des robes colorées souvent agrémentées de dentelles romantiques, ou commandez un modèle sur mesure (à partir de 1 500 $). Cette styliste est célèbre pour

ses robes de mariage ultra-romantiques, incorporant aussi bien un corset en coton à lacets que des volants en organdi taillés dans le biais.

360 TOY GROUP

Plan p. 449 — *Figurines japonaises de collection*

☎ 646-602-0138 ; 239 Eldridge St, entre Houston St et Stanton St ; ⊙ dim 11h-19h, lun 12h-18h ; ⊚ F, J, M, Z jusqu'à Delancey St-Essex St

Le propriétaire, Jakuan, présente et vend les plus insolites et les plus belles figurines américaines, japonaises et hongkongaises. Non destinées aux enfants, ces figurines sérieuses mais amusantes comprennent les personnages urbains d'Eric So, les figures enfantines de Michael Lau, des singes prenant un bain coiffés d'un chapeau de pluie, des robots chasseurs de prime et les caractères abstraits de la ligne de vêtements Rock Hard, créée par Jakuan.

EAST VILLAGE

Alliant le nouveau et l'ancien, l'East Village mêle les boutiques de jeunes créateurs tendance et les vestiges des années 1980, avec ses magasins de tee-shirts imprimés de jurons, ses vendeurs ambulants proposant bijoux et chaussettes et ses établissements poussiéreux vendant vêtements et meubles vintage. Les boutiques "old-school" se trouvent à St Marks Pl, entre Third Ave et First Ave, tandis que les nouvelles boutiques occupent principalement les rues parallèles, de E 13th St à E Houston St, et jusqu'à Ave D à l'est. Le week-end, les vendeurs ambulants s'installent sur St Marks Pl et Ave A, et un marché se tient dans le Tompkins Sq Park. Pour trouver des vêtements vintage, des tatoueurs et des magasins de disques, dirigez-vous vers les pâtés de maisons qui s'étendent de E 2nd St à E 7th St, entre Second Ave et Ave B. Signalons aussi la présence d'un immense magasin fourre-tout Kmart sur Astor Pl.

A CHENG

Plan p. 449 — *Vêtements pour femmes*

☎ 212-979-7324 ; www.achengshop.com ; 443 E 9th St ; ⊙ lun-ven 11h30-20h, sam-dim 12h-19h ; ⊚ L jusqu'à 1st Ave, 6 jusqu'à Astor Pl

Chouchou des filles du quartier depuis plusieurs années, la styliste locale A Cheng propose ses dernières collections de trench-coats à passepoil et gros boutons,

dos nus taillés dans des tissus à chevrons de couleurs vives, cardigans à pois et robes d'été à fleurs.

ALPHABETS

Plan p. 449 — *Cadeaux, tee-shirts*

☎ 212-475-7250 ; 115 Ave A, entre 7th St et St Marks Pl ; ⊚ F, V jusqu'à Lower East Side-2nd Ave

Divisé en deux parties distinctes, l'une consacrée à une kyrielle d'objets kitsch, tee-shirts, cartes et jouets nostalgiques, l'autre à des articles plus haut de gamme mais toujours amusants, comme des bouilloires Michael Graves, des bols Precidio, des chemises à col boutonné pour hommes et des boutons de manchette pareils aux cibles des jeux de fléchettes. Une autre boutique, dans l'Upper West Side (☎ 212-579-5702 ; 2284 Broadway, entre 83rd St et 84th St), confère une touche de fantaisie à un quartier un peu austère.

DINOSAUR HILL

Plan p. 449 — *Jouets et vêtements pour bébés*

☎ 212-473-5850 ; 306 E 9th St ; ⊙ 11h-19h ; ⊚ 6 jusqu'à Astor Pl

À l'opposé des films de Disney, ce petit magasin à l'ancienne vend une étonnante collection de marionnettes (tchèques notamment), diables à ressort, boîtes d'activités artistiques et scientifiques, cubes en bois et billes, ainsi que des vêtements pour bébés en fibres naturelles.

FOOTLIGHT RECORDS

Plan p. 449 — *Musique*

☎ 212-533-1572 ; 113 E 12th St ; ⊙ lun-ven 11h-19h, sam 10h-18h, dim 12h-17h ; ⊚ R, W jusqu'à 8th St-NYU, 6 jusqu'à Astor Pl

Intéressante sélection de bandes originales de films étrangers et de spectacles de Broadway. Bon choix également de 33 tours de jazz, de chansons et… de documentaires (!). Un must pour les amoureux des vinyles.

KIEHL'S

Plan p. 449 — *Produits de beauté*

☎ 212-677-3171, 800-543-4571 ; 109 3rd Ave ; ⊙ lun-sam 10h-19h, dim 12h-18h ; ⊚ L jusqu'à 3rd Ave

Fabricant et distributeur de produits de beauté depuis 1851, Kiehl's est devenu une chaîne internationale et a doublé la taille de son magasin sans pour autant changer ses pratiques (comme la taille généreuse de ses échantillons). Essayez les crèmes

335

hydratantes, masques et laits corporels qui ont fait sa réputation : Creme with Silk Groom (cheveux), Creme de Corps (corps) ou Abyssine Serum (visage), par exemple.

LOVE SAVES THE DAY

Plan p. 449   *Articles vintage et kitsch*
☎ 212-228-3802 ; 119 2nd Ave ; ☾ lun-ven 12h-20h, sam-dim 12h-21h ; Ⓜ 6 jusqu'à Astor Pl

Imperméable aux transformations de l'East Village, Loves Saves the Day continue à vendre des vieux vêtements en polyester, des fausses fourrures, des bottes à clous glam-rock, des figurines *Star Wars '77*, des GI Joes et autres jouets et poupées rétro. Le lieu n'a guère changé depuis l'époque où Rosanna Arquette venait y acheter la veste de Madonna dans le film emblématique des années 1980, *Recherche Susan désespérément*.

OTHER MUSIC

Plan p. 449   *Labels indépendants*
☎ 212-477-8150 ; 15 E 4th St ; ☾ lun-ven 12h-21h, sam 12h-20h, dim 12h-19h ; Ⓜ 6 jusqu'à Bleecker St

Face à Tower Records (le temple de la musique grand public), cette boutique a su s'imposer grâce à une sélection pointue de CD en tout genre, lounge, psychédélique, électronique, rock alternatif, etc. Disques neufs et d'occasion. Très accueillant, le personnel connaît son affaire et vous aidera à trouver le CD idéal en fonction de vos goûts musicaux.

ST MARKS BOOKSHOP

Plan p. 449   *Librairie*
☎ 212-260-7853 ; 31 3rd Ave ; ☾ lun-sam 10h-minuit, dim 11h-minuit ; Ⓜ 6 jusqu'à Astor Pl

Installée en fait à quelques pas de St Marks après un déménagement effectué de longue date, cette librairie est spécialisée dans les ouvrages politiques, la poésie, les livres récents (romans ou non) et les revues universitaires. On trouve aussi un très bon choix de livres de cuisine, de guides de voyage et de magazines. Vendeurs parfois peu amènes mais très compétents.

SCREAMING MIMI'S

Plan p. 449   *Vêtements vintage*
☎ 212-677-6464 ; 382 Lafayette St ; ☾ lun-sam 12h-20h, dim 13h-19h ; Ⓜ 6 jusqu'à Bleecker St

La vitrine chaleureuse et colorée donne vraiment envie d'entrer. Le devant de la boutique est consacré aux accessoires et aux bijoux, l'arrière étant occupé par des vêtements des années 1940 à 1970 en excellent état et regroupés par décennie, notamment des cardigans en laine ornés de perles, des minirobes en daim et des bottes en cuir blanc.

SUNRISE MART

Plan p. 449   *Épicerie japonaise*
☎ 212-598-3040 ; 29 3rd Ave à hauteur de Stuyvesant St ; ☾ dim-jeu 10h-23h, ven-sam 10h-minuit ; Ⓜ 6 jusqu'à Astor Pl

Au 1er étage, ce supermarché lumineux est fréquenté par les étudiants japonais souffrant du mal du pays et par les New-Yorkais en proie à un nouvel engouement pour les bonbons Poki. En vente ici : poisson pré-tranché, nouilles de riz, sauce ponzu, riz pour sushi, sauce soja blanche, yuzu frais, miso, tofu, et des montagnes de friandises de toutes les couleurs.

TOKIO 7

Plan p. 449   *Dépôt-vente*
☎ 212-353-8443 ; 64 E 7th St ; ☾ lun-sam 12h-20h30, dim 12h-20h ; Ⓜ 6 jusqu'à Astor Pl

Sur une partie ombragée de E 7th St, en contrebas de la rue, ce dépôt-vente connaît un vif succès grâce à ses vêtements de créateurs en bon état à des prix extrêmement raisonnables. Voyez notamment les costumes pour hommes, souvent de belles pièces aux alentours de 100 à 150 $. Vous pouvez essayer de vendre les vêtements dont vous ne voulez plus, mais préparez-vous à un refus dédaigneux.

UNDERDOG EAST

Plan p. 449   *Vêtements pour hommes*
☎ 212-388-0560 ; 117 E 7th St, entre 1st Ave et Ave A ; Ⓜ 6 jusqu'à Astor Pl

Enfin une boutique exclusivement pour les hommes, ouverte en 2005. Dans un décor discret aux briques apparentes, ces messieurs trouveront jeans, pulls, chemises et accessoires (notamment chapeaux en cachemire) créés par des stylistes comme Earnest Sewn, Steven Alan, Filippa K et La Coppola Storta.

WHISKERS HOLISTIC PETCARE

Plan p. 449   *Produits naturels pour animaux*
☎ 212-979-2532 ; 235 E 9th St, entre 1st Ave et 2nd Ave ; Ⓜ 6 jusqu'à Astor Pl

Les propriétaires d'un chat ou d'un chien ne manqueront pas de faire un tour dans ce magasin à tendance écologique, établi de longue date et récemment rénové, où ils pourront faire provision d'herbe à chat bio, de shampooings, de poudres anti-puces, de médicaments à base de plantes, de bouchées au poisson et de jouets 100% naturels.

GREENWICH VILLAGE

Moins riche en boutiques que le West Village voisin, Greenwich Village ne s'en prête pas moins à de sympathiques virées shopping. Les magasins de cadeaux (bougies, décoration ou souvenirs) fourmillent dans Sixth Ave. Bleecker St, entre Broadway et Seventh Ave, compte plusieurs magasins de CD et de guitares, et à chaque coin de rue se tiennent de fabuleuses boutiques d'alimentation. La célèbre "rue des chaussures", dans Eighth St, entre Fifth Ave et Sixth Ave, comprend toujours (mais moins qu'il y a 5 ou 10 ans) de nombreux magasins de chaussures originales à prix réduits, où les vendeurs sont hélas particulièrement insistants.

AEDES DE VENUSTAS
Plan p. 448   *Bain et beauté*
☎ 212-206-8674 ; 9 Christopher St ; 🕐 lun-sam 12h-20h, dim 13h-19h ; 🚇 A, B, C, D, E, F, V jusqu'à W 4th St, 1, 9 jusqu'à Christopher St-Sheridan Sq
Luxueux et douillet, Aedes de Venustas ("temple de la beauté" en latin, si vous voulez impressionner vos interlocuteurs) propose plus de 30 marques de parfums de luxe, dont Chergui, Mark Birley for Men, Costes, Nirmala et Shalini, ainsi que des produits de beauté créés notamment par Patyka et Jurlique. Les célèbres bougies parfumées Diptyque se vendent ici 60 $.

CO BIGELOW CHEMISTS
Plan p. 448   *Santé et beauté*
☎ 212-473-7324 ; 414 6th Ave, entre 8th St et 9th St ; 🚇 A, C, E, B, D, F, V jusqu'à W 4th St
La "plus ancienne pharmacie d'Amérique" est devenue un paradis chic pour accros des produits de beauté (bien qu'on y trouve encore des médicaments et articles de droguerie). Outre les produits estampillés CO Bigelow (sticks à lèvres, baumes pour les mains et les pieds, crèmes à raser et eau de rose), l'endroit vend aussi lotions, sham-pooings, cosmétiques et parfums Acqua di Parma, Dr Hauschka, Weleda, Frédéric Fekkai et Propoline, entre autres.

EAST-WEST BOOKS
Plan p. 448   *Librairie spirituelle*
☎ 212-243-5994 ; 78 5th Ave ; 🕐 lun-sam 10h-19h30, dim 11h-18h30 ; 🚇 L, N, Q, R, W, 4, 5, 6 jusqu'à 14th St-Union Sq
Dans une ambiance très zen, cette librairie offre un vaste choix de livres sur le bouddhisme et les philosophies orientales, des disques de musique douce, des tapis de yoga et des bijoux.

FORBIDDEN PLANET
Plan p. 449   *Livres et jeux*
☎ 212-473-1576 ; 840 Broadway ; 🕐 lun-sam 10h-22h, dim 11h-20h ; 🚇 L, N, Q, R, W, 4, 5, 6 jusqu'à 14th St-Union Sq
Pour les amateurs de SF. Bandes dessinées, livres, jeux vidéo et figurines (de *Star Trek* à Shaq). Le salon aménagé à l'étage permet de jouer aux cartes Fellow Magic et Yu-Gi-Oh!

MATT UMANOV GUITARS
Plan p. 448   *Instruments de musique*
☎ 212-675-2157 ; 273 Bleecker St ; 🕐 lun-sam 11h-19h, dim 12h-18h ; 🚇 A, B, C, D, E, F, V jusqu'à W 4th St, 1, 9 jusqu'à Christopher St-Sheridan Sq
Sympathique magasin qui vend et répare toutes sortes de guitares (Gibson, Fender ou Gretsch, ainsi que des guitares à cordes d'acier et des banjos). On trouve aussi des pédales de distorsion.

MURRAY'S CHEESE
Plan p. 448   *Fromages fins*
☎ 212-243-3289 ; www.murrayscheese.com ; 254 Bleecker St, entre 6th Ave et 7th Ave
Fondée en 1914, cette fromagerie est régulièrement saluée comme la meilleure de la ville. Son propriétaire, Rob Kaufelt, a le chic pour dénicher les fromages les plus délicieux du monde (dégustation possible), qu'ils viennent d'Europe ou de petites fermes du Vermont et de l'État de New York.

OSCAR WILDE MEMORIAL BOOKSHOP
Plan p. 448   *Librairie gay et lesbienne*
☎ 212-255-8097 ; 15 Christopher St ; 🕐 11h-19h ; 🚇 1 jusqu'à Christopher St-Sheridan Sq
Occupant une ravissante maison en briques rouges, c'est la plus ancienne librairie du monde (1967) consacrée à la littérature homosexuelle. Livres neufs et d'occasion, magazines, drapeaux arc-en-ciel, autocol-lants et autres objets. Son rachat par LGBT, chaîne de Washington DC, l'a sauvée de la faillite en 2003.

REBEL REBEL

Plan p. 448   *Musique*

☎ 212-989-0770 ; 319 Bleecker St ; ⏰ dim-mer 12h-20h, jeu-sam 12h-21h ; Ⓜ 1 jusqu'à Christopher St-Sheridan Sq

Minuscule boutique foisonnant de CD et de vinyles rares. N'hésitez pas à demander si vous ne trouvez pas ce que vous cherchez, l'arrière-boutique renferme un énorme stock.

RICKY'S

Plan p. 448   *Santé, beauté et autres*

☎ 212-924-3401 ; 466 6th Ave à hauteur de 11th St ; ⏰ lun-sam 9h-23h, dim 9h-22h ; Ⓜ A, C, E jusqu'à 14th St, L jusqu'à 8th Ave

Il s'agit techniquement d'une droguerie, mais qui ne ressemble à aucune autre. Derrière le tube de dentifrice rose vif qui lui sert d'emblème s'étend un espace lumineux où retentit une musique de discothèque poussée au maximum. L'endroit mérite une visite, ne serait-ce que pour regarder les perruques de couleurs vives, les peignes, les cosmétiques, les bonbons et chewing-gums importés, les produits pour cheveux étrangers "disponibles uniquement dans les salons", les collants, les tee-shirts kitsch et les jouets. Un rayon

---

TOP 10 DES CRÉATEURS LOCAUX

- **Brooklyn Industries** (p. 327) Spécialisé dans le streetwear
- **Heatherette** (p. 326) *Clubwear* très apprécié des fêtards
- **Anna Sui** (p. 326) Robes légères, sexy et hippie-chic
- **Selima** (chez Bond 07, p. 330) Montures de lunettes pleines de fantaisie
- **Jem Filippi** (chez Highway, p. 332) Sacs pour toutes les occasions et toutes les saisons, sophistiqués et séduisants
- **Holly Dunlap** (chez Hollywould, p. 332) Vêtements sexy plus décontractés que ceux de Lily Pulitzer
- **Jutta Neumann** (p. 334) Bracelets, sacs et sandales en cuir repoussé
- **Marc Jacobs** (p. 340) Toujours le vent en poupe
- **Mary Adams** (p. 334) La robe sous toutes ses coutures
- **A Cheng** (p. 335) La coqueluche des filles pour son style East Village rafraîchissant

---

sex toys occupe l'arrière du magasin. Il existe 15 autres adresses à travers la ville (consulter le site www.rickys-nyc.com).

SHAKESPEARE & CO

Plan p. 449   *Librairie*

☎ 212-529-1330 ; 716 Broadway ; ⏰ dim-jeu 10h-23h, ven-sam 10h-23h30 ; Ⓜ N, R, W jusqu'à 8th St, 6 jusqu'à Astor Pl

Voir p. 323. Proche de l'école du cinéma Tisch de l'université de New York, cette succursale est plutôt spécialisée dans les scénarios et les livres sur le théâtre et le cinéma. Autres magasins à **Lower Manhattan** (p. 323), **Midtown** (plan p. 452) et dans l'**Upper East Side** (p. 350).

STRAND BOOK STORE

Plan p. 449   *Livres d'occasion*

☎ 212-473-1452 ; 828 Broadway à hauteur de 12th St ; ⏰ lun-sam 9h30-22h30, dim 11h-22h30 ; Ⓜ L, N, Q, R, W, 4, 5, 6 jusqu'à 14th St-Union Sq

Les New-Yorkais l'adorent : ne manquez pas cette librairie d'occasion fondée en 1927. Ses rayonnages recèlent "12 km" de bouquins, soit plus de deux millions (classement parfois un peu incertain), dont une incroyable collection d'exemplaires de presse au sous-sol. Vous pouvez vendre vos livres avant de reprendre l'avion, à un guichet situé sur le côté et ouvert en semaine. Il existe un autre magasin à **Lower Manhattan** (p. 326).

TOWER RECORDS

Plan p. 449   *Musique*

☎ 212-505-1500 ; 692 Broadway ; ⏰ 9h-minuit ; Ⓜ 6 jusqu'à Bleecker St

Avant Virgin, il y avait Tower : trois étages complets de CD de toutes sortes (world music, comédies musicales, bandes originales de films) mais surtout rock au rez-de-chaussée et jazz et blues au 1er étage. Les singles se trouvent au sous-sol. Keith Richards a habité un temps au-dessus du magasin.

VILLAGE CHESS SHOP LTD

Plan p. 448   *Jeux*

☎ 212-475-9580 ; 230 Thompson St ; ⏰ 11h-minuit ; Ⓜ A, B, C, D, E, F, V jusqu'à W 4th St

Les passionnés d'échecs fréquentent régulièrement cette petite boutique sans prétention pour disputer des parties à 1 $. On peut aussi s'offrir un café et acheter des ouvrages spécialisés et des échiquiers (les thématiques – les Aztèques, les Croisades, Las Vegas, etc. – sont les plus beaux).

WEST VILLAGE ET LE MEATPACKING DISTRICT

Les rues sinueuses et pittoresques du West Village abritent de nombreux petits magasins à l'ambiance plus désuète et détendue que les nouveaux quartiers commerçants à la mode. On trouve ici des cadeaux, de l'alimentation, des vêtements faits main et, dans Bleecker St, tout un regroupement d'antiquaires qui cèdent rapidement la place à des enseignes de créateurs haut de gamme, comme Marc Jacobs et Cynthia Rowley. Le Meatpacking District vibre d'une nouvelle atmosphère chic et branchée sur laquelle règnent des stylistes avant-gardistes aux boutiques parmi les plus tendance de la ville. Ces deux quartiers se fondent l'un dans l'autre aux alentours de W 12th St et plus à l'ouest.

CHOCOLATE BAR
Plan p. 448   *Chocolats*
☎ 212-367-7181 ; 48 8th Ave à hauteur de 13th St ; ⓔ A, C, E jusqu'à 14th St, L jusqu'à 8th Ave
On entre ici dans le royaume du chocolat. Faites remplir un ballotin en choisissant parmi les délices confectionnés par le Willy Wonka de Brooklyn, Jacques Torres (p. 353), dans des saveurs allant du thé à la menthe à la pâte d'amande-pistache ; faites provision de plaquettes ou sirotez simplement une tasse fumante de l'un des meilleurs chocolats chauds de tous les temps.

DESTINATION
Plan p. 448   *Bijoux et accessoires*
☎ 212-727-2031 ; www.destinationny.net ; 32-36 Little W 12th St à hauteur de Washington St ; ⓔ A, C, E jusqu'à 14th St, L jusqu'à 8th Ave
Un vaste espace tout blanc où les touches de couleur sont apportées par toutes sortes d'articles : bijoux de créateurs européens comme Les Bijoux de Sophie, Serge Thoraval et Corpus Christie, accessoires militaires chic (bottes en cuir à boucles Gianni Barbato, pantalons de marin John Rocha, sacs de marin Orca), gilets et vestes fantaisie, sacs Mik et chaussures Comptoirs de Trikitrixia (avec semelles parfumées !).

FLIGHT 001
Plan p. 448   *Accessoires de voyage*
☎ 212-691-1001 ; www.flight001.com ; 96 Greenwich Ave ; ☽ lun-ven 11h-20h30, sam 11h-20h, dim 12h-18h ; ⓔ A, C, E jusqu'à 14th St, L jusqu'à 8th Ave
Pour voyager dans des conditions optimales, rien ne vaut le magasin Flight 001, qui propose valises et petits sacs de voyage (Samsonite ou Orla Kiely, par exemple), pochettes pour passeport et étiquettes de couleurs vives, portefeuilles coupés à la taille des billets de banque étrangers, guides de voyage (dont Lonely Planet), objets de toilette, mini-dentifrices, masques pour les yeux, médicaments contre le décalage horaire, etc.

INTERMIX
Plan p. 448   *Vêtements et sacs pour femmes*
☎ 212-929-7180 ; 365 Bleecker St à hauteur de Charles St ; ☽ lun-ven 11h30-20h30, sam 11h30-19h30, dim 11h30-18h
Cette charmante petite boutique rose vend des hauts, des robes et des jeans de créateurs comme Chloe, Givenchy, True Religion, Stella et Splendid. Le tout est à la fois cool, mignon et sexy.

JAMES PERSE
Plan p. 448   *Vêtements pour hommes et femmes*
☎ 212-620-9991 ; 411 Bleecker St à hauteur de W 11th St ; ⓔ A, C, E jusqu'à 14th St, L jusqu'à 8th Ave
Le créateur de Los Angeles, connu pour ses tee-shirts en coton souple à superposer, a ouvert cette boutique en 2005, à la grande joie de ses fans conquis par cette alliance de confort et de style.

JEFFREY NEW YORK
Plan p. 448   *Vêtements de créateurs*
☎ 212-206-1272 ; 449 W 14th St ; ☽ 10h-20h ; ⓔ A, C, E jusqu'à 14th St, L jusqu'à 8th Ave
Jeffrey, l'un des premiers à s'être installé dans le Meatpacking District depuis la réhabilitation du quartier, vend des collections de grands créateurs (Versace, Pucci, Prada, Michael Kors, etc.) ainsi que des accessoires, des chaussures et quelques cosmétiques. Les DJ passant de la musique pop et alternative ajoutent à l'ambiance très tendance.

LEATHERMAN
Plan p. 448   *Sex-shop*
☎ 212-243-5339 ; 111 Christopher St ; ☽ lun-sam 12h-22h, dim 12h-20h ; ⓔ 1 jusqu'à Christopher St-Sheridan Sq
Célèbre pour ses vitrines suggestives, ce petit sex-shop spécialisé dans les articles en cuir

vend des vêtements, des jouets érotiques, des sous-vêtements et des vidéos. L'endroit s'adresse plutôt à une clientèle gay, mais le personnel accueille tout le monde avec amabilité. Offrez-vous un pantalon en cuir sur mesure ou allez faire un tour au sous-sol, consacré à des articles plus osés.

MARC JACOBS
Plan p. 448   *Vêtements de créateur*
☎ 212-924-0026 ; www.marcjacobs.com ; 405 Bleecker St, 403 Bleecker St et 385 Bleecker St ; ☺ lun-sam 12h-20h, dim 12h-19h ; ⊕ A, C, E jusqu'à 14th St, L jusqu'à 8th Ave

Le grand créateur a investi tout un pâté de maisons, avec trois petites boutiques dotées de grandes baies vitrées. Sacs en cuir et accessoires au n°385, vêtements pour hommes au n°403 et collection pour femmes Marc by Marc Jacobs au n°405.

MCNULTY'S TEA & COFFEE CO, INC
Plan p. 448   *Cafés et thés*
☎ 212-242-5351 ; 109 Christopher St ; ☺ lun-sam 10h-21h, dim 13h-19h ; ⊕ 1 jusqu'à Christopher St-Sheridan Sq

Voisin du sex-shop Leatherman, McNulty's vend thés et cafés de qualité depuis 1895. Avec ses planchers en bois usé et ses odorants sacs de café en grains, il fait revivre un Greenwich Village d'une autre époque.

MXYPLYZYK
Plan p. 448 *Cadeaux et articles pour la maison*
☎ 800-243-9810 ; www.mxyplyzyk.com ; 125 Greenwich Ave à hauteur de W 13th St ; ☺ lun-sam 11h-19h, dim 12h-17h ; ⊕ A, C, E jusqu'à 14th St, L jusqu'à 8th Ave

Tout ici sort de l'ordinaire, y compris le nom de la boutique. Serviettes de table aux motifs psychédéliques, calculettes aux couleurs fluo, immenses et plates, jeux (Doggie Dominoes), tapis de bain revêtus d'une photo représentant de l'herbe, et couteaux pour barbecue (avec une lampe au bout pour vérifier si la viande est cuite, quand il fait nuit).

NY ARTIFICIAL
Plan p. 448   *Sacs*
☎ 212-255-0825 ; 233 W 10th St, entre Bleecker St et Hudson St ; ☺ 11h-19h ; ⊕ 1 jusqu'à Christopher St

En contrebas de la rue, cette boutique regorge de sacs de créateurs, fantaisistes, sexy et fonctionnels, ayant une caractéristique commune : aucun n'est en cuir. Pour *fashion victims* végétaliennes.

SUSAN PARRISH ANTIQUES
Plan p. 446   *Antiquités*
☎ 212-645-5020 ; 390 Bleecker St ; ☺ lun-sam 12h-19h, ou sur rendez-vous ; ⊕ 1, 9 jusqu'à Christopher St-Sheridan Sq

Avoisinant d'autres antiquaires, cette boutique offre une belle collection d'objets américains (une rareté à New York), notamment des dessus-de-lit et du mobilier peint.

ZACHARY'S SMILE
Plan p. 448   *Vêtements et chaussures vintage*
☎ 212-924-0604 ; 9 Greenwich Ave, entre Christopher St et W 10th St ; ⊕ 1 jusqu'à Christopher St

Voir le magasin de Noho (p. 330).

CHELSEA

Surtout connu pour sa vie nocturne et ses restaurants, Chelsea recèle pas mal de boutiques vendant aussi bien des antiquités que des cadeaux ou des vêtements, sans compter toutes les galeries d'art, qui ne sont après tout que des magasins déguisés. Eighth Ave offre le choix le plus éclectique, avec également quelques chaînes, dont Banana Republic. Ninth Ave abrite le marché de Chelsea (p. 142), un agglomérat de 25 mini-marchés proposant gâteaux, plats préparés, vins et autres produits pour fins gourmets. Notez que le Chelsea Flea Market (marché aux puces) est désormais installé à Hell's Kitchen (voir p. 249).

192 BOOKS
Plan p. 446   *Librairie*
☎ 212-255-4022 ; 192 10th Ave, entre 21st St et 22nd St ; ☺ mar-sam 11h-19h, dim-lun 12h-18h ; ⊕ C, E jusqu'à 23rd St

En plein quartier des galeries, cette petite librairie indépendante propose des romans et des ouvrages sur l'histoire, les voyages, l'art et la critique littéraire. Elle accueille également des expositions temporaires qui sont l'occasion de mettre l'accent sur des livres en rapport avec le thème ou l'artiste présenté.

AUTHENTIQUES PAST & PRESENT
Plan p. 446   *Articles de maison vintage*
☎ 212-675-2179 ; 255 W 18th St, entre 7th Ave et 8th Ave ; ☺ mer-sam 12h-18h, dim 13h-18h ; ⊕ 1 jusqu'à 18th St

Dans une petite rue tranquille, cette boutique rétro 100% kitsch propose des lampes fantaisie des années 1950 et 1960, des vases et des cache-pots aux tons pastel, des verres insolites, des figurines de personnages de dessins animés et des bijoux voyants.

BALDUCCI'S

Plan p. 448   *Épicerie fine*

☎ 212-741-3700 ; 81 8th Ave à hauteur de 14th St ;

🕙 9h-22h ; ⓜ A, C, E jusqu'à 14th St, L jusqu'à 8th Ave

Balducci's (qui a régné pendant des années juste un peu au sud, dans le Village) a récemment emménagé ici, dans une ancienne banque du début du XXᵉ siècle. Produits d'alimentation de qualité, fromages, olives, gâteaux, café fraîchement torréfié et articles du monde entier. Une simple déambulation dans les rayons, sous les hauts plafonds de cet espace majestueux, est un véritable plaisir.

BALENCIAGA

Plan p. 446   *Vêtements de créateur*

☎ 212-206-0872 ; 522 W 22nd St à hauteur de 11th Ave ;

🕙 lun-sam 12h-19h, dim 12h-17h ; ⓜ C, E jusqu'à 23rd St

Dans un lieu gris, paisible et zen, venez admirer les collections artistiques, post-apocalyptiques et avant-gardistes de cette grande marque française. Lignes insolites, motifs gothiques et pantalons pour clientes longilignes (au portefeuille bien garni).

BARNES & NOBLE

Plan p. 446   *Livres et musique*

☎ 212-727-1227 ; 675 6th Ave à hauteur de 22nd St ;

🕙 lun-sam 9h-22h, dim 10h-22h ; ⓜ 1 jusqu'à 18th St

Avec plus de 20 magasins à travers la ville (adresses sur le www.bn.com), ce poids lourd n'est guère apprécié par les petits libraires mais il draine une large clientèle. Immense boutique regorgeant de livres classés par thème : voyages, cuisine, littérature classique, mémoires, biographies, livres pour enfants, art, danse, théâtre, santé, ouvrages gays et lesbiens et romans récents. Une moitié de l'espace est occupé par les CD en tout genre, et on trouve un Starbucks à l'arrière. Des auteurs récemment publiés viennent souvent lire des extraits de leurs œuvres.

BARNEYS CO-OP

Plan p. 446   *Vêtements de créateurs*

☎ 212-593-7800 ; 236 W 18th St ; 🕙 lun-ven 11h-20h, sam 11h-19h, dim 12h-18h ; ⓜ 1 jusqu'à 18th St

Installée dans une sorte de loft, cette version plus jeune et branchée de **Barneys** (p. 349)

présente une petite collection très choisie de vêtements pour hommes et femmes, de chaussures et de cosmétiques à des prix (relativement) abordables. En février et août, ses soldes sont pris d'assaut.

BED, BATH & BEYOND

Plan p. 448   *Articles pour la maison*

☎ 212-255-3550 ; 620 6th Ave à hauteur de 18th St ;

🕙 8h-21h ; ⓜ F, V jusqu'à 14th St

Si vous n'êtes jamais entré dans un magasin de cette chaîne, c'est l'occasion rêvée. On trouve ici tous les objets imaginables pour la cuisine, la salle de bains, la chambre à coucher, le bureau et le jardin. Notez les rideaux de douche, les draps en tissu épais, les serviettes de toilette moelleuses, les batteries de cuisine présentées sur des rayonnages s'étendant du sol au plafond. Attention, il y a foule le week-end.

BOOKS OF WONDER

Plan p. 446   *Livres pour enfants*

☎ 212-989-3270 ; 16 W 18th St ; 🕙 lun-sam 11h-19h, dim 11h45-18h ; ⓜ F, V jusqu'à 14th St

Très prisée des habitants du quartier, une petite librairie indépendante consacrée à la littérature jeunesse. Idéale par un jour de pluie, surtout quand un auteur vient lire ses livres ou qu'un conteur se produit.

GIRAUDON NEW YORK

Plan p. 446   *Chaussures*

☎ 212-633-0999 ; 152 8th Ave, entre 17th St et 18th St ; 🕙 lun-mer et ven-dim 11h30-19h30, jeu 11h30-23h ; ⓜ A, C, E jusqu'à 14th St, L jusqu'à 8th Ave

Cette petite boutique vendait des chaussures en cuir de qualité bien avant l'embourgeoisement du quartier. Style classique avec une pointe de modernisme, pour tous les jours ou plus glamour. Lieu minuscule mais rarement bondé. Les vendeurs sont accueillants.

HOUSING WORKS THRIFT SHOP

Plan p. 446   *Bonnes œuvres*

☎ 212-366-0820 ; 143 W 17th St ; 🕙 lun-sam 10h-18h, dim 12h-17h ; ⓜ 1 jusqu'à 18th St

Avec sa vitrine joliment présentée, cette boutique gérée par une association caritative ressemble à un magasin classique et propose des vêtements, des accessoires, des meubles et des livres d'un excellent rapport qualité/prix. Les fonds recueillis sont reversés aux sans-abri séropositifs et malades du sida de la ville.

LOEHMANN'S

Plan p. 446 *Grand magasin discount*

☎ 212-352-0856 ; 101 7th Ave à hauteur de 16th St ;
🕐 lun-sam 9h-21h, dim 11h-19h ; Ⓜ 1 jusqu'à 18th St

Point de départ des branchés en quête d'articles de marque à des prix abordables, ce grand magasin de cinq étages qui aurait incité le jeune Calvin Klein à se lancer dans la mode. Le magasin d'origine de la chaîne se trouve dans le Bronx. D'autres adresses sont consultables sur le site www. loehmanns.com.

PURPLE PASSION

Plan p. 446 *Sex-shop*

☎ 212-807-0486 ; www.purplepassion.com ;
211 W 20th St, entre 6th Ave et 7th Ave ; Ⓜ 1 jusqu'à 18th St

Derrière une devanture banale et modeste se cachent des vêtements fétichistes en cuir (verni ou non), latex, PVC ou cotte de mailles, ainsi que des corsets, des vibromasseurs, des ceintures de chasteté, des cagoules, des fouets, des bottes de motard et toutes sortes de livres, DVD et magazines.

RAGS A-GO-GO

Plan p. 448 *Vêtements vintage*

☎ 646-486-4011 ; 218 W 14th St, entre 7th Ave et 8th Ave ; 🕐 lun-sam 11h-19h, dim 12h-18h ; Ⓜ A, C, E jusqu'à 14th St, L jusqu'à 8th Ave

Dans une ambiance très Far West, cette amusante boutique propose robes des années 1950, jeans, chemises et jupes western, ainsi qu'une excellente collection de bottes de cow-boy.

UNION SQUARE ET LE FLATIRON DISTRICT

Outre le merveilleux marché bio **Union Square Greenmarket** (p. 146), qui se tient dans le parc plusieurs fois par semaine tout au long de l'année, le quartier compte surtout d'immenses chaînes, pour la plupart regroupées juste au nord ou au sud d'Union Sq. Vers l'ouest, 14th St est le royaume des appareils électroniques à prix réduit, du linge bon marché et des chaussures et vêtements de plus ou moins bonne qualité, vendus aussi bien par des magasins discount indépendants que par des chaînes comme Urban Outfitters et Diesel. Le fascinant **Flower District** (p. 141)

se situe sur Sixth Ave, entre 26th St et 30th St : allez-y tôt le matin, au moment où les grossistes livrent leurs cargaisons de fleurs exotiques.

ABC CARPET & HOME

Plan p. 448 *Articles pour la maison*

☎ 212-473-3000 ; 888 Broadway ; 🕐 lun-jeu 10h-20h, ven-sam 10h-18h30, dim 12h-18h ; Ⓜ L, N, Q, R, W, 4, 5, 6 jusqu'à 14th St-Union Sq

Décorateurs et architectes viennent chercher l'inspiration dans ce magasin organisé comme un musée, avec une kyrielle d'articles pour la maison sur 6 étages, y compris des babioles faciles à transporter, des bijoux de créateurs, des objets du monde entier, des meubles anciens plus encombrants et des tapis. Au moment de Noël, les décorations et les lumières en font un véritable plaisir pour les yeux.

FILENE'S BASEMENT

Plan p. 448 *Grand magasin discount*

☎ 212-348-0169 ; 4 Union Sq S ; 🕐 lun-sam 9h-22h, dim 11h-20h ; Ⓜ L, N, Q, R, W, 4, 5, 6 jusqu'à 14th St-Union Sq

Malgré son nom ("basement" signifie sous-sol), cette succursale d'une chaîne de Boston se trouve au 3ᵉ étage et offre une vue splendide sur Union Sq. On trouve ici des marques 70% moins chères que dans les boutiques classiques. Comme d'autres grands magasins discount, celui-ci vend des vêtements, des chaussures, des bijoux, des accessoires, des cosmétiques et quelques articles pour la maison (draps, par exemple). En faisant l'effort de fouiller, on peut dénicher bien des trésors, notamment des vêtements Dolce & Gabbana, Michael Kors et Versace.

OTTO TOOTSI PLOHOUND

Plan p. 446 *Chaussures*

☎ 212-460-8650 ; 137 5th Ave ; 🕐 lun-ven 11h30-19h30, sam 11h-20h, dim 12h-19h ; Ⓜ R, W jusqu'à 23rd St

Voir le magasin de Soho (p. 329).

PARAGON ATHLETIC GOODS

Plan p. 446 *Articles de sport*

☎ 212-255-8036 ; 867 Broadway ; 🕐 lun-sam 10h-20h, dim 11h30-19h ; Ⓜ L, N, Q, R, W, 4, 5, 6 jusqu'à 14th St-Union Sq

Dans un immense espace labyrinthique et dépourvu de fenêtres, Paragon offre une sélection très complète d'articles de sport : ballons de basket, raquettes de tennis, matériel de randonnée, lunettes de natation, bâtons de ski, battes de base-ball, chaussures et vêtements, etc., à des prix plus intéressants que dans les chaînes. Excellent choix de rollers. Promotions très courues en fin de saison.

REVOLUTION BOOKS

Plan p. 446   *Librairie engagée*
☎ 212-691-3345 ; 9 W 19th St ; 🕐 lun-sam 10h-19h, dim 12h-17h ; 🚇 1 jusqu'à 18th St
Le plus grand choix de livres, brochures et journaux engagés de New York. Rayons entiers consacrés à Lénine, Mao et Marx, nombreux ouvrages en espagnol. On peut même s'offrir de petites étoiles rouges en boucles d'oreilles. Débats organisés régulièrement.

VIRGIN MEGASTORE

Plan p. 449   *Musique et vidéos*
☎ 212-598-4666 ; 52 E 14th St ; 🕐 lun-sam 9h-1h, dim 10h-minuit ; 🚇 L, N, Q, R, W, 4, 5, 6 jusqu'à 14th St-Union Sq
Perpétuellement animé, il propose une multitude de CD et de DVD. Il existe un autre magasin à **Times Square** (p. 348).

WHOLE FOODS

Plan p. 448   *Supermarché pour gourmets*
☎ 212-673-5388 ; 4 Union Sq S ; 🕐 8h-22h ; 🚇 L, N, Q, R, W, 4, 5, 6 jusqu'à 14th St-Union Sq
L'une des adresses new-yorkaises de la chaîne d'aliments diététiques qui est en train d'envahir la ville (autre magasin dans la glalerie The Shops de Columbus Circle, p. 347). Parfait pour préparer un pique-nique. Fruits et légumes bio ou traditionnels, boucherie, boulangerie, rayon santé et beauté, et toutes sortes de produits naturels.

MIDTOWN

Le choix de magasins est aussi vaste que Midtown est étendu. Sur la très célèbre Fifth Ave, entre 42nd St et Central Park South, se succèdent les boutiques de grands couturiers, les magasins de luxe, tels que Bergdorf Goodman et Henri Bendel, et les bijoutiers comme Tiffany & Co et Cartier. Tous rivalisent pour créer des vitrines plus spectaculaires d'année en année, attirant une foule toujours plus compacte. Herald Sq, où convergent Broadway, Sixth Ave et 34th St, abrite Macy's et de nombreuses succursales de grandes chaînes, comme Gap (qui possède ici son magasin le plus grand de la ville), H&M ou Daffy's. Si Hell's Kitchen, tout à fait à l'ouest, n'est guère réputé comme un paradis du shopping, il commence à compter plusieurs petites boutiques charmantes vendant articles pour la maison ou vêtements. Les amateurs de bijoux ne manqueront pas le fabuleux **Diamond District** (quartier des diamantaires ; voir l'encadré ci-dessous), une aventure à part entière. Les accros de la mode mettront le cap sur le Fashion District, aux alentours de Seventh Ave et de 35th St, où ils trouveront des magasins de tissus et d'autres proposant boutons, fils, fermetures Éclair ou encore paillettes.

LES DIAMANTS SONT ÉTERNELS

Vous rêvez de vous offrir un petit diam ? Faites un tour dans Diamond District sur 47th St, entre Fifth et Sixth Ave, où se côtoient une centaine d'étals vendant à prix cassé diamants, perles et autres bijoux. Le marchandage est de mise et l'on obtient des prix nettement plus intéressants que dans les boutiques classiques. Généralement tenus par des juifs, la plupart de ces étals ferment de bonne heure le vendredi et n'ouvrent pas le week-end.

MIDTOWN EAST
BANANA REPUBLIC

Plan p. 452   *Vêtements*
☎ 212-974-2350 ; www.bananarepublic.com ; 626 5th Ave ; 🕐 lun-sam 10h-20h, dim 11h-19h ; 🚇 B, D, F, V jusqu'à 47th St-50th St-Rockefeller Center
Cette chaîne dispose de 12 magasins à Manhattan (adresses sur le site Web). Celui-ci, dans le Rockefeller Center, offre un grand choix d'articles.

BERGDORF GOODMAN

Plan p. 452   *Grand magasin*
☎ 212-753-7300 ; 754 5th Ave ; 🕐 lun-mer et ven 10h-19h, jeu 10h-20h, dim 12h-20h ; 🚇 N, R, W jusqu'à 5th Ave, F jusqu'à 57th St
Tout ici n'est que luxe, élégance et grande classe. Vêtements pour femmes (notamment Eli Tahari, Dolce & Gabbana, Yves Saint Laurent, Emilio Pucci, Stella McCartney, Alice + Olivia et Moschino), bijoux, parfums, chaussures, sacs à main, articles pour la maison et collections pour hommes (Gucci, Etro et Paul Smith). Le fabuleux Susan Ciminelli Spa, avec soins aux produits bio, occupe le 8e étage.

CARTIER

Plan p. 452 *Bijoux*

☎ 212-753-0111 ; www.cartier.com ; 653 5th Ave ;
☺ lun-sam 10h-17h30, dim 12h-17h ; Ⓔ E, V jusqu'à
5th Ave-53rd St

Les comptes en banque bien garnis trouveront ici les bagues, montres serties de pierres précieuses, lunettes, boutons de manchette et sacs en cuir du célèbre joaillier français, conservés sous clé dans un cadre somptueux où règne un silence presque religieux. Autre magasin dans l'**Upper East Side** (plan p. 452 ; ☎ 212-472-6400 ; 828 Madison Ave, entre 69th St et 70th St).

COMPLETE TRAVELLER

Plan p. 452 *Guides de voyage d'occasion*

☎ 212-685-9007 ; 199 Madison Ave à hauteur de
E 35th St ; ☺ lun-ven 10h-18h30, sam 10h-18h,
dim 12h-17h ; Ⓔ 6 jusqu' 33rd St

Deux pièces débordant d'anciens guides de voyage et cartes classés par destination. Idéal pour les globe-trotters : vieux Baedeker, série complète des guides WPA des États américains, cartes mais aussi quelques nouveautés.

THE CONRAN SHOP

Plan p. 452 *Articles pour la maison*

☎ 212-755-9079 ; 407 E 59th St à hauteur de 1st Ave ;
☺ lun-ven 11h-20h, sam 10h-19h, dim 12h-18h ;
Ⓔ 4, 5, 6 jusqu'à 59th St

Dans un magnifique espace aménagé sous le pont de Queensboro, le grand décorateur britannique Terence Conran propose vaisselle, linge, meubles et accessoires. Dans les rayons vous attendent notamment des canapés aux lignes dépouillés, de la porcelaine Missoni, des stylos Ducati, des réveils rétro Jacob Jensen, des verres Rob Brandt, des valises Mandarina Duck et des cadres photos Lucite.

FAO SCHWARTZ

Plan p. 452 *Jouets*

☎ 212-644-9400 ; 767 5th Ave ; ☺ lun-mer 12h-19h,
jeu-sam 12h-20h, dim 11h-18h ; Ⓔ 4, 5, 6 jusqu'à
59th St, N, R, W jusqu'à 5th Ave-59th St

Le géant du jouet, où Tom Hanks jouait du piano dans *Big*, est numéro un sur la liste des endroits à visiter avec des enfants. Ce magasin féerique (et temple du consumérisme à outrance) impressionnera les petits comme les grands, avec ses poupées à "adopter", ses peluches grandeur nature, ses décapotables pour enfants fonctionnant à l'essence et ses tables de hockey sur coussin d'air.

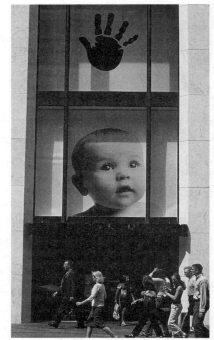

FAO Schwartz, le paradis des enfants (ci-contre)

HENRI BENDEL

Plan p. 452 *Grand magasin*

☎ 212-247-1100 ; 712 5th Ave ; ☺ ven-mer 10h-19h,
jeu 10h-20h ; Ⓔ E, V jusqu'à 5th Ave-53rd St, N, R, W
jusqu'à 5th Ave-59th St

Haut de gamme tout en étant douillet et accueillant, Bendel's mérite une petite visite. Collections de marques européennes, avec des stylistes bien établis et des créateurs originaux et prometteurs, mais aussi cosmétiques et accessoires. Admirez les vitres créées par Lalique.

JIMMY CHOO

Plan p. 452 *Chaussures*

☎ 212-593-0800 ; 645 51st St ; ☺ lun-sam 10h-18h,
dim 12h-17h ; Ⓔ E, V jusqu'à 5th Ave-53rd St,
6 jusqu'à 51st St

La boutique des stars… Et de toutes les femmes prêtes à dépenser 700 $ pour une paire de sandales à lanières (elles sont nombreuses dans une ville aussi obsédée par la mode que New York). Style classique, lignes pures et talons aiguilles. C'est ici que Madonna a acheté ses chaussures de mariage.

Shopping

MIDTOWN

LORD & TAYLOR

Plan p. 452   *Grand magasin*

☎ 212-391-3344 ; www.lordandtaylor.com ; 424 5th Ave ;
☾ lun-ven 10h-20h30, sam 10h-19h, dim 11h-19h ; ⊕ 6
jusqu'à 33rd St, 7 jusqu'à 5th Ave, S, 4, 5, 6, 7 jusqu'à Grand
Central-42nd St

Fidèle à ses racines (Ralph Lauren, Donna
Karan, Calvin Klein, etc.), ce grand magasin
réparti sur 10 étages permet de déambuler
sans être harcelé par les vendeuses (même
au rayon cosmétiques). Grand choix de
maillots de bain.

NBA STORE

Plan p. 452   *Articles de sport*

☎ 212-644-9400 ; 767 5th Ave ; ☾ lun-sam 10h-19h,
dim 11h-18h ; ⊕ E, V jusqu'à 5th Ave-53rd St

Au milieu des grandes enseignes de luxe et
des boutiques de couturiers, le magasin de
la fédération américaine de basket propose
des maillots, des ballons et autres objets à
des prix assez élevés. On peut aussi tenter de
mettre quelques paniers avant de reprendre
sa tournée des magasins.

BOUTIQUE DU NEW YORK TRANSIT MUSEUM

Plan p. 452   *Cadeaux*

☎ 212-878-0106 ; Shuttle Passage dans Grand Central
Station ; ☾ lun-ven 8h-20h, sam-dim 10h-18h ; ⊕ S,
4, 5, 6, 7 jusqu'à Grand Central-42nd St

Cette annexe du **Brooklyn Museum** (p. 179)
vend de très bons cadeaux à rapporter en
souvenir, tous tournant autour du thème
du métro : chemises, parapluies ornés de
la carte du réseau, montres, décorations
de Noël, sacs fourre-tout aux motifs de
la Metrocard, anciens plans du métro
et bijoux fabriqués à partir des jetons
aujourd'hui disparus.

NIKETOWN NEW YORK

Plan p. 452   *Vêtements de sport*

☎ 212-891-6453 ; 6 E 57th St à hauteur de 5th Ave ;
☾ lun-sam 10h-20h, dim 11h-19h ; ⊕ E, V jusqu'à
5th Ave-53rd St

Toute la gamme des produits Nike – baskets,
vêtements et gadgets pour tous les sports.
On peut même tester ses chaussures sur des
tapis de course !

SAKS FIFTH AVE

Plan p. 452   *Grand magasin*

☎ 212-753-4000 ; 611 5th Ave à hauteur de 50th St ;
☾ lun-mer ven et sam 10h-19h, jeu 10h-20h,
dim 12h-18h ; ⊕ B, D, F, V jusqu'à 47th St-50th St-
Rockefeller Center

Cette élégante enseigne dont à peu près
tout le monde a entendu parler présente ses
dernières collections hommes et femmes,
ainsi que des marques comme Gucci, Prada,
Juicy Couture, Theory, Eli Tahari et Burberry.
Ses soldes de janvier sont légendaires. Belle
vue sur le Rockefeller Center depuis les
étages supérieurs.

SALVATORE FERRAGAMO

Plan p. 452   *Vêtements*

☎ 212-759-3822 ; 655 5th Ave à hauteur de 52nd St ;
☾ lun-sam 10h-19h, dim 12h-18h ; ⊕ E, V jusqu'à
5th Ave-53rd St

Ouverte en 2003, cette boutique sur deux
étages se consacre exclusivement aux
collections très glamour du couturier
italien, notamment chaussures à semelles
dorées, *outerwear* (vêtements d'extérieur)
ostentatoires pour femmes et cols roulés
bohème-chic pour hommes.

TAKASHIMAYA

Plan p. 452   *Grand magasin*

☎ 212-350-0100 ; 693 5th Ave ; ☾ lun-sam 10h-19h,
dim 12h-17h ; ⊕ E, V jusqu'à 5th Ave-53rd St

Les Japonais ont apporté leur touche
minimaliste et élégante à Fifth Ave avec ce
superbe magasin qui propose du mobilier
et des vêtements haut de gamme du monde
entier, ainsi que des objets pour la maison
(moins coûteux). Les emballages sont
des œuvres d'art à part entière ! À l'étage
supérieur, la beauté est à l'honneur avec
des cosmétiques chic et un spa empreint
de sérénité. Même si vous n'achetez rien,
ne manquez pas les somptueux bouquets
présentés au rez-de-chaussée et offrez-
vous un thé vert au paisible **Tea Box café**, au
sous-sol.

TIFFANY & CO.

Plan p. 452   *Bijoux et décoration*

☎ 212-755-8000 ; 727 5th Ave ; ☾ lun-ven 10h-19h,
sam 10h-18h, dim 12h-17h ; ⊕ F jusqu'à 57th St

On ne présente plus ce célèbre bijoutier
et sa fameuse enseigne représentant Atlas
soutenant une pendule. Ses bagues de
diamants, ses montres, ses colliers en argent
Elsa Peretti et ses beaux vases et objets en
verre ont fait le tour du monde. Tiffany est le
lieu le plus sélect où acheter une alliance, et
les petites boîtes bleues du magasin provo-
quent des cris de joie chez toute jeune fille
assez chanceuse pour en recevoir une. Les
élégants ascenseurs sont actionnés par des
employés extrêmement stylés.

Luxe à toute heure chez Tiffany & Co. (p. 345)

URBAN CENTER BOOKS
Plan p. 452   *Livres sur l'architecture*
☎ 212-935-3592 ; 457 Madison Ave ; 🕐 lun-jeu 10h-19h, ven 10h-18h, sam 10h-17h30 ; Ⓜ 6 jusqu'à 51st St

Cette boutique de la Municipal Arts Society (p. 112), située dans la cour des historiques Villard Houses sur Madison Ave, compte 7 000 ouvrages récents (et quelques éditions épuisées) sur l'architecture, l'urbanisme, le paysage, l'histoire et les autres facettes de New York.

MIDTOWN WEST
B&H PHOTO-VIDEO
Plan p. 452   *Photo et électronique*
☎ 212-502-6200 (photo), 212-502-6300 (vidéo) ; www.bhphotovideo.com ; 420 9th Ave ; 🕐 lun-jeu 9h-19h, ven 9h-13h, dim 10h-17h ; Ⓜ A, C, E jusqu'à 34th St-Penn Station

Une visite à B&H, le magasin d'appareils photo le plus populaire de la ville, s'impose. Cet immense espace fourmille de monde, en particulier de juifs hassidiques tout en noir, venus en bus de quartiers éloignés de Brooklyn. Lorsque vous avez choisi un article, le vendeur le dépose dans un seau qui s'élève alors vers le plafond et le traverse jusqu'aux caisses (où vous devrez à nouveau faire la queue). Le tout est très bien organisé et fascinant à regarder. Vous y trouverez un très vaste choix d'appareils photo, de pellicules, d'ordinateurs et autre matériel électronique.

GOTHAM BOOK MART
Plan p. 452   *Librairie*
☎ 212-719-4448 ; 16 E 46th St, entre 5th Ave et Madison Ave ; 🕐 lun-ven 9h30-18h30, sam 9h30-18h ; Ⓜ B, D, F, V jusqu'à 47th St-50th St-Rockefeller Center

Regorgeant depuis 1920 de livres éclairés, Gotham Book Mart pourrait bien incarner la librairie idéale. Elle a récemment déménagé à un pâté de maisons de son lieu d'origine, où Frances Stelof (décédée en 1989) fonda, en 1947, la James Joyce Society et parvint à soustraire les ouvrages de ce dernier (et d'autres, comme *Tropique du Cancer* de Henry Miller) à la censure américaine.

HAGSTROM MAP & TRAVEL CENTER
Plan p. 452   *Librairie et accessoires de voyage*
☎ 212-785-5343 ; 51 W 43rd St ; 🕐 lun-ven 8h30-18h ; Ⓜ B, D, F, V jusqu'à 42nd St-Bryant Park

Hagstrom est une maison d'édition du Queens spécialisée dans les cartes géographiques et les atlas qu'elle vend, ainsi que divers guides de voyage et accessoires, dans cette boutique auparavant installée à Lower Manhattan.

H&M
Plan p. 452   *Mode bon marché*
☎ 646-473-1164 ; www.hm.com ; 1328 Broadway à hauteur de 34th St ; 🕐 lun-sam 10h-22h, dim 11h-20h ; Ⓜ B, D, F, N, Q, R, V, W jusqu'à 34th St-Herald Sq

L'enseigne suédoise de vêtements discount possède six magasins à New York (adresses sur le site Internet). Celui-ci, sur Herald Sq, est le plus important, avec les succursales de 51st St et de Fifth Ave.

J LEVINE JEWISH BOOKS & JUDAICA
Plan p. 452   *Librairie juive*
☎ 212-695-6888 ; 5 W 30th St ; 🕐 lun-mer 9h-18h, jeu 9h-19h, dim 10h-17h ; Ⓜ B, D, F, N, Q, R, V, W jusqu'à 34th St-Herald Sq

Depuis cinq générations, la famille Levine vend la Torah, des ouvrages en rapport avec le judaïsme, des menorah, des yarmulke, des tasses pour le kiddush et des accessoires nuptiaux (huppah, ketubah et autres).

MACY'S
Plan p. 452   *Grand magasin*
☎ 212-695-4400 ; 151 W 34th St à hauteur de Broadway ; 🕐 lun-sam 10h-20h30, dim 11h-19h ; Ⓜ B, D, F, N, Q, R, V, W jusqu'à 34th St-Herald Sq

Le plus grand magasin du monde propose vêtements, mobilier, vaisselle, draps, cafés, salons de coiffure, etc. Moins sélect que d'autres grands magasins de Midtown, il s'avère très pratique si vous cherchez simplement un jean ou une chemise. Prendre les vieux ascenseurs grinçants en bois, côté Broadway, est un must !

RIZZOLI

Plan p. 452   *Librairie*

☎ 212-759-2424 ; 31 W 57th St ; ◷ lun-ven 10h-19h30, sam 10h30-19h, dim 11h-19h ; ⊕ F jusqu'à 57th St

Cette belle librairie-maison d'édition italienne propose des livres d'art, d'architecture et de design, ainsi que des ouvrages plus généraux. Bon choix de journaux et de magazines étrangers également.

THE SHOPS AT COLUMBUS CIRCLE

Plan p. 452   *Centre commercial*

☎ 212-823-6300 ; 10 Columbus Circle ; ⊕ A, B, C, D, 1, 9 jusqu'à 59th St-Columbus Circle

Réunissant une multitude de chaînes de magasins sur quatre étages dans le Time Warner Center, ce centre commercial comprend 50 boutiques plutôt chic (et plusieurs restaurants), dont Coach, Williams-Sonoma, Hugo Boss, Thomas Pink, Sephora, J Crew, Borders Books & Music, Armani Exchange, Esprit et Benetton. Si vous voulez pique-niquer dans Central Park, allez choisir salades et sandwichs dans le gigantesque **Whole Foods** (p. 343 ; ◷ 8h-22h), au sous-sol.

TIMES SQUARE, LE THEATER DISTRICT ET HELL'S KITCHEN

L'ancien quartier des cinémas porno, de la prostitution et de la drogue ressemble aujourd'hui à Disney World, une image encore renforcée par tous les magasins clinquants qui s'y sont installés. Sur Broadway, juste au nord de 42nd St, se succèdent des mégastores tels que Sephora (cosmétiques), Toys 'R' Us (jouets), Skechers (chaussures) et Hershey (chocolats et friandises).

Dans les boutiques d'instruments de musique de W 48th St (tels Manny's et Sam Ash), on croise parfois une rock-star venue compléter son matériel. Tout à fait à l'ouest, Hell's Kitchen s'anime le week-end, lorsque les 170 étals du marché aux puces se déploient tout autour de l'**Annex/Hell's Kitchen Flea Market** (plan p. 284 ; ☎ 212-243-5343 ; 39th St, entre 9th Ave et 10th Ave ; ◷ sam-dim 7h-16h), anciennement situé à Chelsea, pour vendre des meubles, des accessoires, des CD, des vêtements et divers objets d'un autre âge.

COLONY

Plan p. 284   *Musique*

☎ 212-265-2050 ; 1619 Broadway ; ◷ lun-sam 9h30-minuit, dim 10h-minuit ; ⊕ R, W jusqu'à 49th St

Dans l'immeuble Brill (où résidèrent jadis les chansonniers de Tin Pan Alley), ce magasin historique a vendu des partitions à Charlie Parker, Miles Davis et consorts. Il reste le mieux fourni de la ville en la matière et dispose aussi d'une impressionnante collection de CD de karaoké (comédies musicales, mariachis, AC/DC, etc.) et de souvenirs (matériel de musique des Beatles, affiches originales de Broadway, vieux billets de concert, etc.).

DELPHINIUM HOME

Plan p. 284 *Cadeaux et articles pour la maison*

☎ 212-333-3213 ; 652 9th Ave, entre 45th St et 46th St ; ◷ lun-sam 11h-20h, dim 12h-19h ; ⊕ C, E jusqu'à 50th St

Dans une rue fourmillant de (bons) restaurants, cette boutique pétille de couleurs et de fantaisie. On trouve ici des cadeaux et articles originaux pour la maison, comme des gants de toilette pour enfants pourvus de doigts en forme de poules ou de cochons, des rideaux de douche, des boîtes à biscuits rétro en céramique, et un excellent choix de pendules et de réveils. Vendeurs sympathiques.

DRAMA BOOKSHOP

Plan p. 284   *Librairie de théâtre*

☎ 212-944-0595 ; www.dramabookshop.com ; 250 W 40th St ; ◷ lun-sam 10h-20h, dim 12h-18h ; ⊕ A, C, E jusqu'à 42nd St-Port Authority

Cette librairie spécialisée depuis 1917 dans les pièces de théâtre et les comédies musicales fait le bonheur des fans de Broadway. Le personnel saura guider votre choix. L'endroit organise régulièrement des activités, telles que des débats avec des dramaturges (voir le site Web).

MANNY'S MUSIC

Plan p. 284   *Instruments de musique*

☎ 212-819-0576 ; 156 W 48th St ; ◷ lun-sam 10h-19h, dim 12h-18h ; ⊕ R, W jusqu'à 49th St

Les passionnés de guitare et de rock ne manqueront pas de rendre visite à cette maison mythique ! Jimi Hendrix y a acheté nombre de ses guitares, les Stones, la pédale de distorsion utilisée dans *Satisfaction* et, bien avant, les grands du jazz comme Benny Goodman venaient y chercher une anche ou deux. Les photos aux murs retracent toute

Shopping ■ MIDTOWN

l'histoire. Aujourd'hui encore, Manny's vend tous les instruments qui vous permettront de monter votre groupe (guitares, basses, batteries, claviers). Dans la même rue, signalons aussi l'excellent **Sam Ash** (☎ 212-719-2299 ; 160 W 48th St ; 🕙 lun-ven 10h-20h, sam 10h-19h, dim 12h-18h).

MUD, SWEAT & TEARS
Plan p. 284   *Poterie et céramique*
☎ 212-974-9121 ; 654 10th Ave à hauteur de 46th St ; 🚇 C, E jusqu'à 50th St

Cette école de poterie vend, dans sa petite boutique, les plus belles œuvres de ses élèves et des potiers professionnels du quartier. Vaste choix d'objets fonctionnels ou purement décoratifs, en argile rouge vernissée ou en porcelaine blanche. Un lieu agréable et intime où acheter un cadeau à rapporter en souvenir (faites-le emballer soigneusement pour le voyage en avion).

TOYS 'R' US
Plan p. 284   *Jouets*
☎ 800-869-7787 ; 1514 Broadway ; 🕙 lun-sam 10h-22h, dim 11h-20h ; 🚇 N, Q, R, S, W, 1, 2, 3, 7, 9 jusqu'à Times Sq-42nd St

Version géante d'une chaîne présente partout dans le monde, avec trois niveaux thématiques, dont un immense espace consacré aux jeux vidéo au rez-de-chaussée, des rayons entiers de peluches et même une grande roue intérieure ! À fuir comme la peste au moment de Noël…

VIRGIN MEGASTORE
Plan p. 284   *Musique et vidéo*
☎ 212-921-1020 ; 1540 Broadway ; 🕙 dim-jeu 9h-1h, ven-sam 9h-2h ; 🚇 N, Q, R, S, W, 1, 2, 3, 7, 9 jusqu'à Times Sq-42nd St

Se targue d'être le plus grand magasin de disques du monde et organise fréquemment des séances de dédicaces avec des stars de la musique. Présent également à **Union Square** (p. 343).

WEAR ME OUT
Plan p. 284   *Clubwear gay*
☎ 212-333-3047 ; 358 W 47th St, entre 8th Ave et 9th Ave ; 🕙 11h30-20h ; 🚇 C, E jusqu'à 50th St

Une amusante et accueillante petite boutique où les garçons cherchant une tenue pour sortir au **Roxy** (p. 301) trouveront des tee-shirts moulant, des jeans Energie sexy, des caleçons provocants et divers bijoux, sous les encouragements de vendeurs très charmeurs.

UPPER WEST SIDE

Plutôt résidentiel, l'Upper West Side compte néanmoins, sur ses trois principales artères (Broadway, Amsterdam Ave et Columbus Ave), bon nombre de magasins destinés à ses habitants yuppies. Pour le shopping, le meilleur endroit est de loin Columbus Ave, jalonnée de belles boutiques haut de gamme, en particulier entre W 66th St et W 82nd St. Broadway, entre 80th St et 90th St, est bordée d'une infinité de chaînes comme Barnes & Noble, Banana Republic, Club Monaco ou Gap. Ajoutons que les vendeurs se montrent en général moins pressants que de l'autre côté de Central Park.

FAIRWAY
Plan p. 454   *Épicerie fine*
☎ 212-595-1888 ; 2127 Broadway à hauteur de 75th St ; 🕙 6h-1h ; 🚇 1, 2, 3 jusqu'à 72nd St

Cette épicerie expose ses produits sur des étals de trottoir pour inciter les passants à venir découvrir ses rayons chargés de délices du monde entier – huiles, noix, fromages, aliments préparés. L'étage est occupé par des produits bio et un café un peu chichi. Il existe une succursale plus grande et encore plus sélecte à **Harlem** (p. 351).

GRACIOUS HOME
Plan p. 454   *Articles pour la maison*
☎ 212-231-7800 ; 1992 Broadway à hauteur de W 67th St ; 🕙 lun-sam 9h-21h, dim 10h-19h ; 🚇 1 jusqu'à 66th St-Lincoln Ctr

Cette ancienne quincaillerie cubaine est devenue un magasin de plusieurs étages vendant toutes sortes d'articles de qualité pour la maison. Propose une large gamme de casseroles et de verres, mais aussi du linge, des ustensiles de cuisine, des lampes et des objets amusants, comme des bougies parfumées très smart. Trois autres adresses dans l'Upper East Side (voir le site www.gracioushome.com).

HARRY'S SHOES
Plan p. 454   *Chaussures*
☎ 212-874-2035 ; 2299 Broadway à hauteur de 83rd St ; 🕙 mar, mer, ven et sam 10h-18h45, lun et jeu 10h-19h45, dim 11h-18h ; 🚇 1 jusqu'à 86th St

Un grand classique, où des vendeurs très stylés mesurent votre pied dans un de ces appareils métalliques à l'ancienne et restent aux petits soins pour vous pendant tout l'essayage. On trouve surtout ici de solides chaussures de qualité, axées sur le confort plutot que le style, comme Merrel, Dansko, Birkenstock, Ecco, New Balance et Mephisto, mais aussi des articles plus mode (notamment Ugg Boots et Moon Boots). Vaste rayon enfants.

MURDER INK/IVY'S BOOKS
Plan p. 454   *Librairie de polars*
☎ 212-362-8905 ; 2486 Broadway à hauteur de 93rd St ; ⏲ lun-sam 10h-19h30, dim 11h-18h ; Ⓜ 1, 2, 3 jusqu'à 96th St
Fondée en 1972, Murder Ink est la première librairie de la ville à s'être spécialisée dans les policiers et romans noirs, parfois dans des éditions épuisées. Elle partage la boutique avec Ivy's Books, qui propose une large sélection d'ouvrages neufs ou d'occasion, des revues de qualité, des cartes et des livres pour enfants.

PENNY WHISTLE TOYS
Plan p. 454   *Jouets*
☎ 212-873-9090 ; 448 Columbus Ave, entre 81st St et 82nd St ; ⏲ lun-ven 9h-18h, sam 10h-18h, dim 11h-17h ; Ⓜ B, C jusqu'à 81st St
Petit magasin de jouets à l'ancienne qui vend de superbes cerfs-volants, des trains électriques Brio, des marionnettes tchèques, des puzzles, des déguisements et des poupées de collection.

PLAZA TOO
Plan p. 454   *Chaussures*
☎ 212-362-6871 ; 2231 Broadway à hauteur de 79th St ; Ⓜ 1 jusqu'à 79th St
Si **Harry's Shoes** (ci-contre) est un peu trop traditionnel pour vous, optez pour cette boutique récemment ouverte, la seule et unique adresse new-yorkaise d'une chaîne très prisée des banlieusards. Nombreuses marques en vente, dont Marc Jacobs, Chloe, Adrienne, Cynthia Rowley et Sigerson Morrison. Durant les soldes, les prix sont souvent divisés par deux.

TOWN SHOP
Plan p. 454   *Lingerie*
☎ 212-724-8160 ; 2273 Broadway à hauteur de 82nd St ; Ⓜ 1 jusqu'à 79th St
D'après les statistiques, 80% des femmes portent un soutien-gorge mal adapté. La solution : cette boutique vieille de plus d'un siècle, où les vendeuses vous installent dans une cabine d'essayage et vous apportent des brassées de jolis soutiens-gorge de qualité jusqu'à ce que vous en trouviez un qui vous aille parfaitement. Vous pourrez aussi vous fournir en lingerie fine et en nuisettes Cosabella, Wolford et Hanro.

ZABAR'S
Plan p. 454   *Épicerie et articles de cuisine*
☎ 212-787-2000 ; 2245 Broadway ; ⏲ lun-ven 8h30-19h30, sam 8h-20h, dim 9h-18h ; Ⓜ 1 jusqu'à 79th St
Bien connu des gourmets pour la finesse de ses produits (notamment fromages, olives, confitures, cafés, caviars et poissons fumés), le Zabar's possède aussi, au 1er étage, un grand rayon consacré aux ustensiles de cuisine. Le mug à 1 \$, avec le nom du magasin écrit en orange, est un souvenir incontournable.

UPPER EAST SIDE

Loin de se limiter à Midtown, les boutiques de créateurs et les grands magasins chic s'alignent le long de Madison Ave jusque dans l'Upper East Side, quartier huppé où les habitants font leurs emplettes chez Gucci, Prada et Cartier, aussi facilement que d'autres vont au Prisunic. Les magasins se concentrent sur Madison Ave et les rues adjacentes, de Midtown à E 75th St. On trouve aussi quelques boutiques branchées dans Lexington Ave et Third Ave, entre 70th St et 90th St, ainsi que de nombreuses épiceries fines. Pour des cadeaux originaux, voyez les boutiques des musées, comme le **Met** (p. 161), le **Whitney** (p. 164), le **Jewish Museum** (p. 161) et la **Neue Galerie** (p. 163).

ARGOSY
Plan p. 452   *Livres d'occasion*
☎ 212-753-4455 ; www.argosybooks.com ; 116 E 59th St ; ⏲ lun-ven 10h-18h, sam 10h-17h ; Ⓜ 4, 5, 6 jusqu'à 59th St, N, R, W jusqu'à Lexington Ave-59th St
Depuis 1925, cette librairie vend des ouvrages reliés en cuir, des cartes anciennes, des monographies sur l'art et d'autres livres rares trouvés lors de ventes de succession ou à l'occasion de la fermeture de magasins d'antiquités. Nous avons ainsi vu une édition de 1935 d'*Ulysse* de James Joyce illustrée et signée par Matisse (4 000 \$), parmi d'autres articles soldés, moins coûteux.

BARNEYS
Plan p. 454   *Grand magasin*
☎ 212-826-8900 ; 660 Madison Ave ; ⏲ lun-ven 10h-20h, sam 10h-19h, dim 11h-18h ; Ⓜ N, R, W jusqu'à 5th Ave-59th St
Sans doute le meilleur choix de vêtements de créateurs de Manhattan. Barney's rassemble les collections des meilleurs stylistes

Barneys (p. 349), le rendez-vous des branchés

du moment (Marc Jacobs, Prada, Helmut Lang, Paul Smith et chaussures Miu Miu), ce qui incite parfois le personnel à prendre des mines hautaines. Pour des articles moins onéreux destinés à une clientèle plus jeune, voyez Barneys Co-op, aux 6ᵉ et 7ᵉ étages, mais aussi dans l'Upper West Side, à Soho ou à Chelsea (p. 341).

BLOOMINGDALE'S
Plan p. 454   *Grand magasin*
☎ 212-705-2000 ; 1000 3rd Ave à hauteur de 59th St ; ⏰ lun-jeu 10h-20h30, ven-sam 9h-22h, dim 11h-19h ; Ⓜ 4, 5, 6 jusqu'à 59th St, N, R, W jusqu'à Lexington Ave-59th St

"Bloomies" est aux grands magasins ce que le Met est à l'art : mythique, gigantesque, fascinant, bondé et incontournable. Frayez-vous un chemin dans la foule (en évitant les dizaines de vendeuses qui tentent de vous asperger avec le dernier parfum à la mode) pour admirer les collections des grands couturiers et d'un nombre croissant de jeunes stylistes.

CANTALOUP
Plan p. 454   *Vêtements de créateurs*
☎ 212-288-3569 ; 1359 2nd Ave à hauteur de 72nd St ; ⏰ lun-jeu 10h-21h, ven 10h-18h, dim 11h-19h ; Ⓜ 6 jusqu'à 68th St-Hunter College

Des jeans True Religion et Paper Denim Cloth, ici, dans l'Upper East Side collet monté ? Eh oui ! De nombreuses *fashion victims* new-yorkaises fréquentent ce magasin aux couleurs vives et à l'ambiance pop qui

vend aussi robes sexy, chemisiers vaporeux et accessoires. Non loin se trouve Cantaloup 2 (☎ 212-249-3566 ; 1036 Lexington Ave à hauteur de 74th St).

CAPEZIO DANCE THEATER SHOP
Plan p. 454   *Vêtements de danse*
☎ 212-348-7210 ; 1651 3rd Ave à hauteur de 93rd St ; Ⓜ 6 jusqu'à 96th St

Voici l'une des nombreuses boutiques d'une enseigne très prisée des milieux de la danse et du théâtre (autres adresses sur le www.capeziodance.com). Justaucorps, robes, jupes, collants, jambières et chaussons pour la danse classique, jazz et la comédie musicale.

NELLIE M BOUTIQUE
Plan p. 454   *Vêtements pour femmes*
☎ 212-996-4410 ; 1309 Lexington Ave ; ⏰ lun-ven 10h-20h, sam 11h-20h, dim 11h-19h ; Ⓜ 4, 5, 6 jusqu'à 86th St

À deux pas de Madison Ave, cette jolie boutique vend des vêtements haut de gamme et branchés de marques moins connues (Rebecca Taylor, par exemple) que dans la plupart des grands magasins de l'Upper East Side. Grand choix de tenues de soirée et d'accessoires, ainsi que quelques articles plus décontractés.

RALPH LAUREN
Plan p. 454   *Vêtements de créateur*
☎ 212-606-2100 ; 867 Madison Ave ; ⏰ lun-mer et ven 10h-18h, jeu 10h-19h, dim 12h-17h ; Ⓜ 6 jusqu'à 68th St-Hunter College

Aménagé dans une belle demeure des années 1890 (l'une des dernières encore debout à Manhattan), ce magasin ponctue agréablement Madison Ave. Large choix de vêtements, en particulier dans les collections classiques pour hommes.

SHAKESPEARE & CO
Plan p. 454   *Librairie*
☎ 212-570-0201 ; 939 Lexington Ave ; ⏰ lun-ven 9h-20h30, sam 10h-19h, dim 10h-17h ; Ⓜ 6 jusqu'à 68th St-Hunter College

Voir Lower Manhattan (p. 323), Greenwich Village (p. 338) et Midtown (plan p. 452).

SHERRY-LEHMAN
Plan p. 454   *Vins*
☎ 212-838-7500 ; 679 Madison Ave ; ⏰ lun-sam 9h-19h ; Ⓜ 4, 5, 6 jusqu'à 59th St

Fondée en 1934, cette maison tenue en famille s'est fait un nom durant la Prohibi-

Shopping   **UPPER EAST SIDE**

tion. Elle a introduit sur le marché américain des produits haut de gamme comme le Dom Pérignon et le Chivas Regal et offre aujourd'hui plus de 7 000 vins et alcools dans un espace de 6 000 m². Vendeurs sympathiques et compétents.

TATIANA'S

Plan p. 454   *Dépôt-vente*
☎ 212-755-7744 ; 767 Lexington Ave ; ☽ lun-ven 11h-19h, sam 11h-18h ; ⊙ N, R, W jusqu'à Lexington Ave-59th St, 4, 5, 6 jusqu'à 59th St

Proche de Bloomingdale's, ce formidable dépôt-vente foisonne de tenues de soirée, de tailleurs, de jupes, de chemisiers et de chaussures de grandes marques. On déniche souvent des articles des collections de l'année précédente en excellent état et à prix cassés, déposés par les riches habitantes du quartier.

HARLEM

125th St est, depuis toujours, la principale artère commerçante de Harlem ; ce sont les boutiquiers qui changent. La récente "renaissance" du quartier passe en effet par l'ouverture de nouveaux centres commerciaux et de chaînes comme Nine West et H&M. Magic Johnson a ouvert un cinéma et un café Starbucks. Et tandis que les petits magasins d'autrefois tentent de résister, on assiste à l'éclosion d'une nouvelle vague de boutiques de mode indépendantes gérées par de jeunes propriétaires branchés. À l'autre bout de l'éventail, le centre commercial Harlem USA! (où trouver les magasins HMV, Old Navy et les Magic Theatres) se situe dans 125th St et Frederick Douglass Blvd.

BOBBY'S HAPPY HOUSE

Plan p. 458   *Gospel et blues*
☎ 212-663-5240 ; 2335 Frederick Douglass Blvd ; ☽ 11h-20h ; ⊙ A, B, C, D jusqu'à 125th St

Ce magasin extraordinaire recèle une petite collection amoureusement choisie de vidéos, CD et cassettes de gospel, R&B et blues. Lors de son ouverture en 1946 (dans 125th St), c'était la première boutique afro-américaine de la rue. Bobby Robinson, qui a produit des artistes de blues comme Elmore James, en est toujours propriétaire (il passe généralement le dimanche après-midi pour bavarder avec les clients). Vous ne risquez pas de manquer la vitrine accrocheuse, où passent en permanence des vidéos de gospel à plein volume.

FAIRWAY

Plan p. 458   *Épicerie fine*
☎ 212-234-3883 ; 2328 Twelfth Ave à hauteur de 132nd St ; ☽ 8h-23h ; ⊙ 1 jusqu'à 137th St-City College

Les clients apprécient cette succursale de la boutique de l'Upper West Side (p. 348), non seulement parce qu'elle dispose d'un parking (pas très grand) mais aussi pour ses succulents produits dont il est difficile de ne pas acheter une cargaison. Voyez notamment la Cold Room, un espace de 1 000 m² où l'on peut déambuler, vêtu d'une veste fournie par la maison, parmi ce qu'on fait de mieux en matière de viande, fromage, beurre, œufs, jus de fruits, pâtes fraîches et sauces.

HARLEMADE

Plan p. 458   *Vêtements estampillés Harlem*
☎ 212-987-2500 ; 174 Lenox Ave, entre 118th St et 119th St ; ☽ lun-ven 11h30-19h, sam 11h-19h, dim 12h-18h ; ⊙ 2, 3 jusqu'à 116th St

Décorée de splendides tables anciennes et baignant dans une ambiance décontractée, cette boutique propose des vêtements de créateurs et des objets qui mettent le quartier à l'honneur : tee-shirts et fourretout portant le profil d'une femme avec une coiffure afro, sacs à bandoulière dans des couleurs terre, casquettes, mugs et tabliers ornés du mot "Harlem".

JUMEL TERRACE BOOKS

Plan p. 458   *Livres rares*
☎ 646-472-5938 ; www.jumelterracebooks.com ; 426 W 160th St ; ☽ sur rendez-vous ; ⊙ 163rd St-Amsterdam Ave

Dans une habitation privée, ce nouveau magasin se spécialise dans les livres sur l'Afrique, l'histoire de Harlem et la littérature afro-américaine. Ouvert uniquement sur rendez-vous, mais si vous aimez les livres rares et les belles maisons, n'hésitez pas !

LIBERATION BOOKSTORE

Plan p. 458   *Librairie*
☎ 212-281-4615 ; 421 Lenox Ave à hauteur de 131st St ; ☽ mar-ven 15h-19h, sam 12h-16h ; ⊙ 2, 3 jusqu'à 125th St

Excellent choix d'ouvrages historiques, de romans et de livres d'art, axés sur la culture africaine et afro-américaine. Menacée de fermeture depuis plusieurs années en raison de difficultés financières, cette petite librairie compte de fidèles clients qui se réunissent souvent ici pour lui apporter son soutien. Ambiance très conviviale.

MARCHÉ MALCOLM SHABAZZ DE HARLEM

Plan p. 458   *Art et artisanat*
☎ 212-987-8131 ; 52 W 116th St ; ◷ 10h-17h ;
Ⓜ 2, 3 jusqu'à 116th St

Marché en plein air très populaire où on trouve des objets artisanaux africains, des huiles essentielles, de l'encens, des vêtements traditionnels, des CD et des vidéos piratées. Voir aussi p. 167.

PIECES OF HARLEM

Plan p. 458 *Vêtements de créateurs*
☎ 212-234-1725 ; 228 W 135th St ; ◷ dim et lun 12h-18h, mar-jeu 11h-19h, ven et sam 11h-20h ;
Ⓜ 2, 3 jusqu'à 135th St

Gérée par le couple qui a ouvert le premier magasin Pieces à Brooklyn, cette nouvelle boutique offre la même collection éclectique et soigneusement choisie de vêtements et d'accessoires de stylistes locaux et nationaux. Robes dos nu rigolotes et sexy, chemisiers légers, tuniques style Pucci, plus un choix d'accessoires branchés et de vêtements d'extérieur originaux.

SCARF LADY

Plan p. 458 *Foulards et chapeaux*
☎ 212-862-7369 ; 408 Lenox Ave ; ◷ mar-sam 11h30-19h ; Ⓜ 2, 3 jusqu'à 125th St

Des centaines de foulards colorés, de chapeaux et d'autres accessoires dessinés par la propriétaire de la boutique, Paulette Gay.

BROOKLYN

De l'autre côté de l'East River, Brooklyn abrite, de longue date, trois grandes zones commerçantes. Le quartier jeune et branché de Williamsburg s'articule autour de Bedford Ave, où s'alignent cafés et magasins, parmi lesquels plusieurs boutiques vintage, un magasin tenu par une association caritative et quelques lieux plus huppés.

Atlantic Ave, qui s'étend d'est en ouest près de Brooklyn Heights, est depuis longtemps le domaine des antiquaires et des magasins d'ameublement. Au sud de cette avenue, Court St et surtout Smith St sont bordées de boutiques de stylistes locaux. Pour plus de détails, on peut se procurer des guides recensant les magasins des quartiers Atlantic et Bococa. Plus résidentiel, Park Slope, à l'ouest de Prospect Park, comprend des boutiques de mode décontractées et des librairies dans

Fifth Ave (dont l'atmosphère branchée évoque le Lower East Side) et Seventh Ave (au chic plus "Upper West Side").

BEACON'S CLOSET

Plan p. 463 *Vêtements vintage*
☎ 718-486-0816 ; 88 N 11th St, Williamsburg ;
◷ lun-ven 12h-21h, sam-dim 11h-20h ; Ⓜ L jusqu'à Bedford Ave

Cet immense antre du rétro fait la joie de la jeunesse branchée de Williamsburg. La simple masse de manteaux, hauts en polyester et tee-shirts années 1970 classés par couleur peut impressionner de prime abord. De la station de métro, suivez Bedford Ave de 7th St à 11th St, prenez à gauche (vers Manhattan), et continuez sur deux pâtés de maisons. Le magasin se tient entre Berry St et White St. Succursale plus petite et moins fouillis sur Fifth Ave (plan p. 464 ; ☎ 718-230-1630 ; 220 5th Ave, Brooklyn), avec une sélection plus chic.

BREUKELEN/BARK

Plan p. 462 *Cadeaux et accessoires*
☎ 718-246-0024, 718-625-8997 ; 369 Atlantic Ave, Boerum Hill ; ◷ mar-sam 12h-19h, dim 12h-18h ;
Ⓜ A, C, G jusqu'à Hoyt Schermerhorn St

Deux boutiques à la même adresse, qui vendent des produits pour la maison et le corps, pour la plupart introuvables ailleurs. Voyez les appareils photo de Bark qui déforment les images grâce à des objectifs colorés et aux angles arrondis du viseur.

En Jimmy Choo (p. 344), évitez le métro !

Shopping

BROOKLYN

BROOKLYN INDUSTRIES

Plan p. 463   *Streetwear*

☎ 212-486-6464 ; www.brooklynindustries.com ;
162 Bedford Ave à hauteur de N 8th St, Williamsburg ;
🕐 lun-sam 11h-21h, dim 12h-20h30 ; 🚇 L jusqu'à
Bedford Ave

Pour une description de ce mini-empire
en pleine croissance, voyez la boutique
de **Soho** (p. 327). Magasin d'usine à **South
Williamsburg** (plan p. 463 ; ☎ 718-218-9166 ;
184 Broadway à hauteur de Driggs Ave) et
autres succursales à **Park Slope** (plan p.464 ;
☎ 718-789-2764 ; 206 5th Ave à hauteur
de Union St) et **Boerum Hill** (plan p. 465 ;
☎ 718-596-3986 ; 100 Smith St à hauteur
d'Atlantic Ave).

FLIRT

Plan p. 465   *Vêtements pour femmes*

☎ 718-858-7931 ; 252 Smith St, Cobble Hill ; 🚇 F, G
jusqu'à Bergen St

Le menu décrit bien cette boutique dont le
trio de propriétaires (parmi lesquelles deux
sœurs) vend des créations originales mais
féminines : jupes portefeuilles ajustables,
jupes sur mesure (choisissez la coupe et le
tissu) et minuscules hauts en tricot souple.
Ce magasin est installé à Cobble Hill depuis
plusieurs années, mais il en existe un autre
plus récent à **Park Slope** (plan p. 464 ; ☎ 718-
783-0364 ; 93 5th Ave).

JACQUES TORRES CHOCOLATE

Plan p. 462   *Chocolats*

☎ 718-875-9772 ; www.mrchocolate.com ; 66 Water St,
Dumbo ; 🕐 lun-sam 9h-19h ; 🚇 A, C jusqu'à High St, F
jusqu'à York St

Cette petite boutique-café de style européen
propose des chocolats maison aussi originaux que délicieux. Allez les savourer dans
l'Empire Fulton Ferry State Park tout proche,
face aux ponts de Brooklyn et de Manhattan.
Les produits sont également vendus sur
Internet ou au **Chocolate Bar** (p. 339) dans le
West Village.

SODAFINE

Plan p. 460   *Vêtements vintage*

☎ 718-230-3060 ; 246 Dekalb Ave, Fort Greene ;
🚇 M, N, Q, R, W jusqu'à Dekalb Ave

Avec sa collection de pièces uniques créées
par une trentaine de stylistes du quartier (et
une sélection de vêtements vintage), Soda-
fine évoque un peu un collectif d'artistes. À
l'étage, une pièce lumineuse regorge d'articles
sans cesse renouvelés, pulls au crochet style
mamie chic, robes amples ou encore sacs.

UMKARNA

Plan p. 464   *Vêtements d'Orient et bijoux*

☎ 718-398-5888 ; 69 5th Ave, Park Slope ;
🚇 2, 3 jusqu'à Bergen St

Tel un mini-bazar oriental en plein
Brooklyn, Umkarna vend des robes, tee-
shirts, vêtements pour enfants et draps
confectionnés par la propriétaire avec des
tissus rapportés de pays comme l'Inde, la
Turquie ou l'Ouzbékistan. Son mari, originaire
du Cachemire, lui fournit l'inspiration, de
même que la grand-mère de ce dernier, qui
a donné son nom au magasin. Les bijoux de
joailliers locaux, comme les créations en or
24 carats de Nora Kogan, font scintiller la
boutique de mille feux.

BOROUGHS PÉRIPHÉRIQUES

Sorti de Manhattan et de Brooklyn, la
meilleure façon de faire du shopping est
de s'y prendre quartier par quartier, en
considérant une étendue de plusieurs
pâtés de maisons le long d'une même
rue comme un mini-bazar dont les
différents magasins permettent de
faire des emplettes ou simplement de
s'imprégner de l'ambiance d'un autre
monde. À **Jackson Heights** (p. 187), dans le
Queens, la partie de 74th St qui démarre
à la station de métro Roosevelt Ave en
est un bon exemple : le quartier de Little
India regorge de magasins vendant toutes
sortes de choses : saris chez **India Sari Palace**
(☎ 718-426-2700 ; 37-07 74th St à hauteur
de 37th Ave) ; bijoux en or 24 carats chez
Mita Jewelers (☎ 718-507-1555 ; 37-30
74th St à hauteur de 37th Rd) ; DVD et
CD des films de Bollywood chez **Today's
Music** (☎ 718-429-7179 ; 73-09 37th Rd
à hauteur de 73rd St) ; produits indiens,
épices fraîches et mangues marinées
chez **Patel Brothers** (☎ 718-898-3445 ; 37-
27 74th St à hauteur de 37th Ave). Les
salons de beauté du quartier, qui épilent
les sourcils au fil et non à la cire, offrent
l'occasion de côtoyer les habitants dans
une ambiance détendue.

À **Flushing** (p. 187), dans le **Queens**,
les boutiques chinoises et coréennes
dominent Main St et ses environs. Le
Flushing Mall (plan p. 467 ; ☎ 718-762-9000 ;
133-31 39th Ave à hauteur de Prince St)
propose matériel électronique, vêtements,
musique pop chinoise et objets divers,

WOODBURY COMMON

Aussi surprenant que cela puisse paraître, nombre de New-Yorkais et de touristes vont désormais faire leur shopping en dehors de la ville. À 90 min au nord de New York, **Woodbury Common Premium Outlets** (☎ 845-928-4000 ; www.premiumoutlets.com ; 498 Red Apple Court, Central Valley, NY) regroupe plus de 200 enseignes réputées qui vendent généralement leurs collections à prix cassés. Outre tous les grands noms de la couture (Gucci, Christian Dior, Versace, Prada, Marc Jacobs, etc.), on dénombre plus d'une trentaine de boutiques de chaussures, sans parler des magasins de sport et de bagages. L'ensemble forme une sorte de "village" de style colonial sillonné d'allées piétonnes et entouré de parkings.

On s'y rend en voiture (plan sur le site Internet), en bus ou en train. La compagnie de bus **Gray Line New York** (☎ 212-445-0848, 800-669-0051 ext 3 ; adulte/enfant 35/17,50 $; ☺ départ 8h30-14h45, retour 15h30-21h25) assure des liaisons quotidiennes au départ de la gare routière de Port Authority.

ainsi qu'un gigantesque studio photo spécialisé dans les mariages. À l'extérieur du centre commercial se trouvent **Magic Castle** (plan p. 467 ; 136-82 39th Ave), domaine de la pop culture coréenne, avec ses autocollants, CD, pinces à cheveux et bijoux, et **Shun An Tong Health Herbal Co** (plan p. 467 ; 135-24 Roosevelt Ave, près de Main St), l'un des plus anciens herboristes chinois du quartier.

Pour faire le plein de produits italiens, mettez le cap sur Arthur Ave, à **Belmont** (p. 202), dans le **Bronx**. Des stands installés juste devant le **marché d'Arthur Avenue** (☎ 718-295-5033 ; 2344 Arthur Ave) vendent café fraîchement torréfié, olives, gâteaux, conserves importées, fruits, pâtes fraîches et fromages.

À **Staten Island** (p. 205), Ganas – une communauté d'environ 90 personnes – gère l'un des secrets les mieux gardés de New York : un ensemble de quatre magasins vintage baptisés Everything Goes, fonctionnant comme des coopératives, chacun spécialisé dans un domaine ; **Everything Goes Clothing** (☎ 718-273-7139 ; 140 Bay St ; ☺ mar-sam 10h30-18h30), **Everything Goes Book Café** (☎ 718-447-8256 ; 208 Bay St ; ☺ mar-sam 11h-19h, dim 12h-17h), **Everything Goes Furniture** (☎ 718-273-0568 ; 17 Brook St ; ☺ mar-sam 10h30-18h30) et **Everything Goes Gallery** (☎ 718-273-0568 ; 123 Victory Blvd ; ☺ mar-sam 10h30-18h30), qui vend des œuvres d'art, des antiquités et des objets de collection. Pour savoir comment vous y rendre (ils sont tous accessibles à pied depuis le terminal du ferry de Staten Island), consultez le www.well.com/user/ganas/etgstores/.

Où se loger

Où se loger

Mieux vaut avoir quelques réserves pécuniaires pour se loger car, au prix moyen de 292 $ la nuit en 2005, les hôtels de New York sont environ 200 $ plus chers que la moyenne nationale (même une chambre individuelle dans une auberge de jeunesse coûte dans les 100 $). Des tarifs qui ne découragent cependant aucunement les visiteurs.

Sur le terrain, la guerre entre les quartiers bat son plein, plusieurs essayant de s'imposer comme base idéale d'un séjour à New York (avec de nouveaux hôtels chic indépendants et très mode dans le Meatpacking District et le Lower East Side). Resté pendant longtemps le quartier privilégié des voyageurs – touristes en premier séjour, spectateurs de Broadway, hommes d'affaires –, Midtown poursuit son redéploiement dans le domaine des hôtels chic indépendants initié par le célèbre hôtelier Ian Schrager avec le Morgans (p. 371), toujours dans la course vingt ans après son inauguration. Vieille institution, le Plaza Hotel a fermé mais, non loin de là, le Best Western est devenu le Dream (p. 368), d'une modernité extrême, et l'Hotel QT (p. 369), au chic bon marché – avec piscine dans le lobby et chambres cellulaires – a ouvert à deux pas du fameux "Naked Cowboy" de Times Square.

LOWER MANHATTAN

Ouverts pour servir la clientèle de Wall Street et du Financial District, les hôtels de Lower Manhattan sont remplis d'hommes d'affaires en semaine et relativement tranquilles les week-ends – lors desquels certains pratiquent des tarifs réduits. Les touristes seront proches de quelques grandes attractions comme la statue de la Liberté, le South Street Seaport, le site du World Trade Center, et les canyons de gratte-ciel Art déco surplombant des ruelles tortueuses datant de l'époque de la Nouvelle-Amsterdam.

BATTERY PARK CITY RITZ-CARLTON
Plan p. 444   *International Deluxe $$*
☎ 212-344-0800 ; www.ritz-carlton.com ; 2 West St à hauteur de Battery Pl ; d/ste à partir de 260/800 $; Ⓢ 4, 5 jusqu'à Bowling Green ; 🔀 💻

Occupant les 14 premiers étages d'une tour moderne de 38 étages, le plus bel hôtel de Lower Manhattan domine la pointe sud de l'île. Nombre de ses 298 chambres, spacieuses et confortables, ont un télescope braqué sur la statue de la Liberté. Toutes sont équipées de sdb en marbre garnies de lotions et savons Bugari. Et les suites sont fastueuses. Le bar Rise (p. 264) sert des repas légers et offre une vue exceptionnelle sur la baie. N'oublions pas le centre thermal et la salle de gym.

BEST WESTERN SEAPORT INN
Plan p. 444   *Hôtel de chaîne $$*
☎ 212-766-6600, 800-468-3569 ; www.seaportinn. com ; 33 Peck Slip, entre Front St et Water St ; d à partir de 209 $; Ⓢ A, C jusqu'à Broadway-Nassau St, J, M, Z, 2, 3, 4, 5 jusqu'à Fulton St ; 🔀 💻
Sans âme, comme un hôtel de chaîne, mais les chambres avec terrasse donnent sur l'East River et le pont de Brooklyn – et les tarifs sont inférieurs à la plupart de ceux des hôtels situés à quelques minutes à pied de Wall Street. Soit 72 chambres (avec TV 27 pouces, lecteur vidéo et accès Internet) dans le vieux quartier de South Street Seaport. Petit déj gratuit servi dans la salle TV, en bas. Petite salle de gym.

MILLENIUM HILTON
Plan p. 444   *Hôtel d'affaires $$$*
☎ 212-693-2001, 800-445-8667 ; www.hilton.com ; 55 Church St ; d 219-459 $, ste à partir de 319 $; Ⓢ N, R jusqu'à Cortland St ; 💻 🎬 🔀

TYPES DE CHAMBRES

Pour résoudre l'éternelle question du choix entre Midtown et Downtown, nous vous renvoyons aux introductions de chaque quartier de ce chapitre. Pour ce qui est du style d'hébergement, on en compte essentiellement cinq :

B&B ou pension de style familial, avec mobilier dépareillé et grosses économies sur les prix (si le style victorien ne vous dérange pas, toutefois, ni le petit déj en compagnie d'étrangers) ; ceux de Brooklyn (p. 377) sont particulièrement intéressants ; leurs prix sont à peu près équivalents à ceux des hôtels petits budgets

Hôtel chic indépendant ("boutique hotel") : en général, de petits espaces au design minimaliste, au personnel en uniforme noir portant des casques téléphoniques, et diffusant de la musique électronique douce pour vous accueillir dans le lobby et dans la chambre. Comptez aussi sur un bar élégant, sur le toit ou au sous-sol, où les New-Yorkais se bousculent pour entrer en faisant la queue derrière un cordon de velours). Tarif de base : 200 à 300 $

Hôtels "classiques", dont le meilleur exemple est le Waldorf-Astoria (p. 373) et ses chambres tapissées de tissu à fleurs, fidèle à un style européen modernisé. Ils coûtent le même prix que les "boutique hotel" et ne sont pas toujours plus grands.

Hôtels "petits budgets" de style européen, pas chers mais propres, au plancher qui craque et aux petites chambres à décor fleuri, souvent avec sdb commune. Parmi les meilleurs, citons l'Hotel 17 (p. 365) et l'Hotel 31 (p. 370) ; tous demandent de 100 à 150 $

Auberges de jeunesse, dotées de dortoirs fonctionnels (souvent tristes et exigus), mais débordant de vie dans les jardins à l'arrière, les cuisines et les salles de TV. Chelsea en compte un certain nombre, mais les meilleures, sans doute, sont le Jazz on the Park (p. 375) et l'Hostelling International (p. 374), dans l'Upper West Side (si vous n'avez pas peur de rentrer en métro la nuit). Entre 30 et 35 $ en dortoir.

Concurrente de l'obélisque qui intrigue les singes de *2001, l'odyssée de l'espace*, et face au site intimidant du World Trade Center, l'étroite tour de 55 étages du Hilton possède plus de caractère que la moyenne des hôtels de la chaîne. Les chambres – toujours neuves d'apparence depuis leur rénovation d'après 11 Septembre – bénéficient d'extras, tels que Wifi et TV à écran plasma 42 pouces. Salle de gym avec piscine.

WALL STREET INN
Plan p. 444 *Hôtel d'affaires indépendant $$*
☎ 212-747-1500, 800-695-8284 ; www.thewallstreetinn. com ; 9 South William St à hauteur de Broad St ; d petit déj inclus lun-jeu/ven-dim à partir de 259/159 $; ⊙ 2, 3 jusqu'à Broad St, 4, 5 jusqu'à Bowling Green ; ⊠ ▯

Non loin des pavés de Stone Street, à l'ombre de gratte-ciel de tous âges, les chambres du Wall Street, assez intimes, visent une clientèle d'affaires (sdb avec belles baignoires en marbre, et TV équipées de magnétoscope). L'immeuble a un passé : le carreau "LB" dans le vestibule rappelle qu'il a appartenu à la banque Lehman Brother's. Petit centre de fitness.

TRIBECA, SOHO ET NOLITA

Les quartiers les plus cossus de Downtown offrent une multitude d'auberges mode et de grands hôtels indépendants pour ceux qui ne savent pas où revenir avec leurs sacs de courses Prada ni où donner rendez-vous au producteur de leur film. Mais il faut mettre le prix pour loger dans ces quartiers de maisons en brique qui s'étendent à peu près de Chinatown à l'Hudson. Pour une double, compter au minimum 300 à 400 $ la nuit – une somme que les hôtels justifient par des bars et des restaurants de brunch fréquentés par le gratin new-yorkais.

COSMOPOLITAN HOTEL
Plan p. 444 *Hôtel petits budgets $*
☎ 212-566-1900, 888-895-9400 ; www.cosmohotel. com ; 95 West Broadway à hauteur de Chambers St ; d à partir de 145 $; ⊙ 1, 2, 3 jusqu'à Chambers St ; ⊠

Hôtel le moins Tribeca du quartier, le Cosmo, dans un angle de rue animé, sauvera ceux qui se réservent pour les restaurants et boutiques de luxe du coin. Les 122 chambres n'ont rien d'extraordinaire : propres, avec moquette et sdb, un ou deux lits doubles et du mobilier IKEA. Les chambres d'angle n° 422, 522 et 622 sont les meilleures, avec vue au loin sur l'Empire State Building. Entièrement rénové, le Cosmo est fier de son âge ; cet hôtel est en activité au même endroit depuis 1852, ce qui en fait le plus ancien de la ville.

MERCER
Plan p. 450   *Hôtel chic indépendant $$$*
☎ 212-966-6060 ; 147 Mercer St à hauteur de Prince St ; d/ste à partir de 440/680 $; 🅰 N, R, W jusqu'à Prince St ; 🅰 🅰
En plein cœur des rues en brique de Soho, le majestueux Mercer est l'adresse des stars : ambiance nonchalante dans le vestibule, excellent restaurant de Jean George au sous-sol, et 75 chambres offrant un chic version loft dans un entrepôt séculaire. TV à écran plat, parquet et sdb à carreaux de marbre ajoutent une touche moderne à des chambres qui ne font pas mystère de leur antécédent industriel, avec fenêtres ovales géantes, colonnes métalliques et murs en briques apparentes.

OFF-SOHO SUITES
Plan p. 450   *Hôtel petits budgets $*
☎ 212-979-9815 ; www.offsoho.com ; 11 Rivington St, entre Chrystie St et The Bowery ; ch/ste à partir de 129/209 $; 🅰 J, M, Z jusqu'à Bowery ; 🅰 🅰
Plus attirés par le Lower East Side que par le clinquant de Nolita, la plupart des clients du Off-Soho (40 chambres) se retrouvent dans les bars plus à l'est. Les suites (pour 4 pers) ressemblent à un petit appartement : kitchenette fonctionnelle (four à micro-ondes, cuisinière avec four et étagères garnies), clic-clac devant la TV par satellite, et chambre séparée avec penderie. Une foule de rockers indie y ont séjourné, comme en témoignent les photos qui ornent les murs des couloirs. Accès Wifi dans le salon.

SIXTY THOMPSON
Plan p. 450   *Hôtel chic indépendant $$$*
☎ 212-431-0400, 877-431-0400 ; www.60thompson. com ; 60 Thompson St, entre Broome St et Spring St ; s/d/ste à partir de 360/425/715 $; 🅰 C, E jusqu'à Spring St ; 🅰 🅰
Sorti du néant en 2000, le Sixty Thompson (98 chambres pleines d'allure) est une adresse typiquement à la mode. Vous y surprendrez

---

APPARTEMENTS PRIVÉS

Le marché tendu de l'hôtellerie – sans parler du prix exorbitant des loyers – a donné naissance à une sorte de petite industrie domestique qui transforme les New-Yorkais entreprenants en aubergistes à temps partiel. Après avoir été homologuée par une ou plusieurs agences de location, une résidence – en général celle d'une personne souvent absente de New York – devient disponible pour des séjours de longueur variable. Le prix est souvent très intéressant, et c'est un moyen de ne pas se sentir touriste et d'aller et venir à sa guise, sans être obligé de faire la conversation au petit déjeuner, comme il arrive souvent dans un B&B. Certaines chambres sont dans des maisons habitées par leurs propriétaires, ce qui vous fera au moins économiser la taxe de 13,625%.

Les agences suivantes offrent divers types d'appartements dans les cinq boroughs :

A Hospitality Company (☎ 212-965-1102, 800-987-1235 ; www.hospitalityco.com ; studio/app par nuitée à 225/309 $) Loue des appartements entièrement meublés avec branchements informatiques, TV câblée et cuisine équipée. Le site Internet en 5 langues propose des rabais.

CitySonnet (☎ 212-614-3034 ; www.westvillagebb.com ; s/d en app habité à partir de 80/110 $, app indépendant 135-185 $) Loue des appartements indépendants ou des chambres en appartements habités, notamment dans les endroits les plus branchés de Downtown, à Williamsburg et Brooklyn.

Gamut Realty Group (☎ 212-879-4229, 800-437-8353 ; www.gamutnyc.com ; studio à partir de 115 $, 2 pièces à partir de 150 $, 2 pièces par mois à partir de 1 350 $) Catalogue d'appartements à louer sur courtes et longues périodes, dans des tours avec portier ou des maisons de ville. Peu d'offres au sud de 14th St.

Manhattan Lodgings (☎ 212-677-7616 ; www.manhattanlodgings.com ; app par nuit/mois à partir de 150/2 250 $, séjours en app habités par nuit/mois à partir de 140/1 550 $) Choix de studios, 2 et 3 pièces dans tout Manhattan.

les habitants du quartier dire bonjour au personnel car ils viennent dîner au restaurant thaïlandais futuriste Kittichai, ou ingurgiter des cocktails au Thom Bar, sur le toit. Chambres minimalistes, plus confortables que dans certains autres hôtels du genre, dotées de lits à couette en duvet d'oie et de TV à écran plat. Wifi et connexion haut débit gratuits dans tout l'hôtel.

SOHO GRAND HOTEL
Plan p. 450   *International Deluxe $$*
☎ 212-965-3000, 800-965-3000 ; www.sohogrand. com ; 310 West Broadway ; d 250-350 $; Ⓜ A, C, E jusqu'à Canal St ; 🦽 💻

Depuis son ouverture en 1997, l'industriel chic Soho Grand a gardé son prestige auprès d'une clientèle cool haut de gamme. De l'extérieur, c'est une banale tour de 17 étages, mais l'intérieur s'orne d'un escalier en verre et fonte conduisant à un haut lobby (et au luxueux Grand Lounge) de style entrepôt. La lumière se déverse par de grandes baies vitrées dans les 363 chambres qui dominent les réservoirs d'eau des toits de Chinatown et de Soho. Un restaurant colonise la cour en été, et le Grand Lounge est bourdonnant d'activité toute l'année.

TRIBECA GRAND HOTEL
Plan p. 450   *International Deluxe $$$*
☎ 212-519-6600, 877-519-6600 ; www.tribecagrand. com ; 2 6thAve à hauteur de Church St ; d à partir de 399 $; Ⓜ 1 jusqu'à Franklin St, A, C, E jusqu'à Canal St ; 🦽 💻

À quelques pâtés de maisons au sud de son confrère le Soho Grand (ci-dessus), le Tribeca Grand (8 étages, inauguré en 2000) occupe tout un îlot triangulaire et attire davantage l'attention – accueillant le Tribeca Film Festival dans sa salle privée de 90 places. Luxueuses chambres, avec des détails qui font mouche (lecteur CD BOSE, chaise Herman Miller glissée sous un bureau, gigan-

Le hall industriel chic du Soho Grand Hotel (ci-dessus)

tesque fenêtre), qui donnent, à l'intérieur, sur le Church Lounge, où DJ et célébrités viennent faire la fête et "bruncher".

LOWER EAST SIDE
Autrefois, être hébergé chez un ami était quasiment la seule solution si on voulait loger dans le quartier. Mais le développement hôtelier s'est introduit dans ces rues branchées, sacralisées par les couvertures d'album des Beastie Boys et les traditions des immigrants juifs et latinos.

HOTEL ON RIVINGTON
Plan p. 449   *Hôtel chic indépendant $$*
☎ 212-475-2600, 800-915-1537 ; www.hotelonrivington. com ; 107 Rivington St, entre Essex St et Ludlow St ; ch/ste à partir de 295/490 $; Ⓜ F jusqu'à Delancey St, J, M, Z jusqu'à Delancey St-Essex St ; 🦽 💻

Si votre iPod a toutes les bonnes chansons, vous voudrez dormir à l'hôtel où descendent les rockeurs indie fortunés, comme Moby (la couverture de son album *Hotel* a été réalisée dans le penthouse), Frank Black et les Killers. Ouvert en 2005, le THOR (acronyme de l'hôtel) ressemble à une de ces tours miroitantes de Shanghai avec ses 20 étages dominant un parterre de *tenements* (logements ouvriers) du XIXe siècle. Les chambres, entièrement vitrées, ont une vue splendide sur l'East River et Downtown. Certaines ont des balcons, et les meilleures sont des "suites uniques", parfois situées en angle. Beaucoup d'espace où flâner, comme au bar du 1er étage et au restaurant du rez-de-chaussée.

HOWARD JOHNSON EXPRESS INN
Plan p. 449   *Hôtel de chaîne $$*
☎ 212-358-8844 ; www.hojo.com ; 135 E Houston St à hauteur de Forsyth St ; ch avec petit déj à partir de 249 $; Ⓜ F, V jusqu'à Lower East Side-2nd Ave ; 🦽 💻

Évidemment, c'est fade et pas très branché, mais l'immeuble n'a que quelques années et l'emplacement est idéal. Chambres aux lits confortables, avec TV et petit bureau. Des photos des artistes locaux ornent les murs du petit vestibule et le matin, muffins, céréales et jus de fruits sont gratuits. Meilleure affaire à la fin de l'hiver quand les prix baissent d'environ 100 $.

EAST VILLAGE
Il ne se passe pas grand-chose côté hôtellerie dans cette partie de la ville. Deux ou trois maisons ont été converties en pensions bon

marché, mais vu le manque de chambres, elles se remplissent vite.

EAST VILLAGE B&B Plan p. 449 _B&B $_
☎ 212-260-1865 ; evband@juno.com ; app 5-6, 244 E 7th St, entre Ave C et Ave D ; s avec petit déj 75 $, d avec petit déj 100 et 120 $; ◉ F, V jusqu'à 2nd Ave-Lower East Side ; ⌗ ▣

Une oasis tenue par des lesbiennes, très appréciée des couples saphiques en quête de paix et de tranquillité dans l'agitation de l'East Village. Situé dans un bel immeuble résidentiel, l'appartement comprend 3 chambres (1 simple et 2 doubles) d'une parfaite élégance et le grand salon commun, avec TV grand écran, est décoré de peintures provenant du monde entier. L'endroit, cependant, est vraiment très loin du métro.

JAZZ ON THE TOWN
Plan p. 449 _Auberge de jeunesse $_
☎ 212-228-2780 ; 307 E 14th St, entre 1st Ave et 2nd Ave ; dort à partir de 28 $; ◉ L jusqu'à 1st Ave ; ⌗ ▣

Un nouveau venu, affilié au Jazz on the Park (p. 375), de qualité supérieure. Cet immeuble bondé de 3 étages (sans ascenseur) est, en dépit des sourires, une auberge qui suit le règlement. Dortoirs fonctionnels de 4 à 6 lits. Terrasse sur le toit avec gazon artificiel et sièges donnant sur la bruyante 14th St (on peut y apporter de la bière). Il y a quelques ordinateurs pour consulter ses e-mails, une pièce où laisser les bagages et des machines à laver. Le bar du sous-sol propose des soirées boisson à volonté (12 $ le mardi et le jeudi), mais il est difficile d'aller faire un tour dans les bars du quartier en raison des horaires.

SECOND HOME ON SECOND AVE
Plan p. 449 _Pension $_
☎ 212-677-3161 ; www.secondhomesecondavenue. com ; 221 2nd Ave, entre E 13th St et E 14th St ; ch à partir de 100 $; ◉ L jusqu'à 3rd Ave ; ⌗

Bonne adresse pour les voyageurs à petits budgets. 7 chambres (TV câblée) décorées avec goût de mobilier artisanal ou de brocantes. La plus spacieuse est la Suite Moderne (195 $), où une porte-fenêtre sépare le salon et deux lits doubles. Cinq chambres ont des sdb communes propres.

ST MARKS HOTEL
Plan p. 449 _Hôtel petits budgets $_
☎ 212-674-0100 ; www.stmarkshotel.qpg.com ; 2 St Marks Pl à hauteur de 3rd Ave ; s/d 100/110 $; ◉ 6 jusqu'à Astor Pl ; ⌗

Vieille institution d'East Village (70 chambres), aux premières loges de St Marks Place. Chambres minuscules – juste de quoi se faufiler autour d'un lit double ou d'un grand lit – toutes avec TV fixée au mur et petite sdb. Quelques-unes, au 1er étage, reçoivent les effluves de la pizzeria d'en bas, et toutes celles donnant sur la rue sont bruyantes. On pourra garder vos bagages jusqu'au soir, et vous pouvez louer une chambre à la journée pour 50 $.

UNION SQUARE INN
Plan p. 449 _Hôtel petits budgets $_
☎ 212-614-0500 ; www.unionsquareinn.com ; 209 E 14th St, entre 2nd Ave et 3rd Ave ; d avec petit déj dim-jeu/ven-sam 119/129 $; ◉ L, N, Q, R, W, 4, 5, 6 jusqu'à 14th St-Union Sq ; ⌗

Petit hôtel de 47 chambres qui a rogné sur tout le superflu, afin d'offrir le strict nécessaire à qui veut loger dans Downtown : un lit et un toit pour moins de 150 $. La lumière naturelle fait cruellement défaut, mais les chambres sont équipées d'un petit portant pour les manteaux, de la TV sat, d'un petit réfrigérateur et d'une minuscule sdb. Il est incontestable que 14th St est bruyante – mieux vaut demander une chambre à l'arrière.

WEST VILLAGE ET GREENWICH VILLAGE

Du charme à l'ancienne, de l'intimité, des prix raisonnables et de bonnes dispositions envers les gays, c'est ce que vous trouverez ici, sans parler de deux ou trois adresses nouvelles et rutilantes. Ceux qui préfèrent la rudesse de l'East Side et peuvent tolérer 15 à 20 min de marche trouveront plus de choix par ici (certains d'un bon prix).

ABINGDON GUEST HOUSE
Plan p. 448 _B&B $_
☎ 212-243-5384 ; www.abingdonguesthouse.com ; 13 8th Ave, entre W 12th St et Jane St ; s/d avec petit déj à partir de 149/164 $; ◉ A, C, E jusqu'à 14th St, L jusqu'à 8th Ave ; ⌗ ▣

Lits à baldaquin, antiquités stylées et de la brique apparente à revendre donnent l'impression de séjourner dans une auberge de campagne de la Nouvelle-Angleterre. Dommage qu'il n'y ait que 9 chambres ! Elles occupent 2 maisons de 1850, et varient en thème (l'Ambassador, avec kitchenette, vous emmène en safari ; la Garden dispose d'un accès privé à un petit jardin). Accès Internet et sdb dans toutes. Seul inconvénient : séjour minimum imposé de 4 nuits sur le week-end, 2 nuits en semaine.

HOTEL GANSEVOORT
Plan p. 448   *Hôtel chic indépendant $$$*
☎ 212-206-6700, 877-426-7386 ; www.hotelgansevoort. com ; 18 9th Ave à hauteur de W 13th St ; ch/ste avec petit déj à partir de 395/625 $; Ⓜ A, C, E jusqu'à 14th St, L jusqu'à 8th Ave ; 🛌 ✖ 🖳

Tapissé de panneaux couleur zinc, et doté d'un bar sur le toit (le Plunge), pour lequel on fait la queue jusqu'au bout de la rue (les clients de l'hôtel ont accès à une piscine étriquée qui domine l'Hudson), le Gansevoort joue, depuis 2004, l'aventure du luxe, sur 14 étages, dans le Meatpacking District. La lumière inonde les 187 chambres (certaines ont un balcon) à travers des baies vitrées de la largeur du mur. L'aménagement est aéré et séduisant, avec TV à écran plasma et porte de sdb éclairée. Petit déj servi dans le beau restaurant Ono, très apprécié pour ses sushis et où prendre un verre le soir.

INCENTRA VILLAGE HOUSE
Plan p. 448   *B&B $$*
☎ 212-206-0007 ; 32 8th Ave, entre W 12th St et Jane St ; ch 169 $ et 199 $; Ⓜ A, C, E jusqu'à 14th St, L jusqu'à 8th Ave ; ✖ 🖳

À deux pas des discothèques de Chelsea, ces deux maisons en brique rouge, qui datent de 1841 furent, plus tard, la première auberge gay de la ville. Aujourd'hui, les 12 chambres sont réservées très longtemps à l'avance par la clientèle gay. Le superbe salon victorien

TOP 5 DES HÔTELS PETITS BUDGETS
- **414 Hotel** (p. 367) Pension simple, très sympathique, qui apporte un peu de fraîcheur à Hell's Kitchen
- **Chelsea Lodge** (p. 363) Décor 100% américain dans une maison ancienne
- **Gershwin Hotel** (p. 365) Chambres rétro aménagées Pop Art
- **Hotel 17** (p. 365) Hôtel de voyageurs à l'ancienne filmé par Woody Allen
- **Second Home on Second Avenue** (p. 360) Pension d'East Village au mobilier artisanal.

renferme un piano demi-queue utilisé pour de joyeuses soirées. Chambres meublées d'antiquités aux accents très américains. La "Garden Suite" s'ouvre sur un petit jardin à l'arrière. Borne Wifi dans le salon commun.

LARCHMONT HOTEL
Plan p. 448   *Auberge indépendante $*
☎ 212-989-9333 ; www.larchmonthotel.com ; 27 W 11th St, entre 5th Ave et 6th Ave ; s/d à partir de 75/99 $; Ⓜ F, V jusqu'à 14th St ; ✖ 🖳

Dans un quartier résidentiel verdoyant, à mi-distance entre les Villages West et East, une auberge populaire de style européen qui compte 60 chambres. Une super affaire si vous ne voyez pas d'inconvénient à descendre dans le hall sur la pointe des pieds, en mules et robe de chambre fournies par la maison, pour aller aux toilettes ou prendre

Le Gansevoort (ci-dessus) : bar sur le toit, écrans plasma et toute la séduction d'un cadre ultra-mode

une douche. Chambres petites mais correctes, avec mobilier en osier, TV câblée, climatiseur mural et connexion Internet haut débit. Pour 20 $ de plus, vous aurez un grand lit, une TV à écran plat et une jolie vue sur les maisons de la rue. Les tarifs augmentent de 10 à 15 $ le week-end.

SOHO HOUSE
Plan p. 448   *Hôtel chic indépendant $$$*
☎ 212-627-9800 ; www.sohohouseny.com ; 29-35 9th Ave à hauteur de W 13th St ; d/ste 395/550 $; Ⓜ A, C, E jusqu'à 14th St, L jusqu'à 8th Ave ; 🚇 🆇
Dernier avatar du Soho House de Londres, ce club privé pour VIP de la haute couture met 24 chambres à la disposition des non-membres ; mais n'espérez pas trop. Si vous en obtenez une, préférez les suites "playroom", offrant un espace digne d'un loft, des douches qui font bain de vapeur, un plein tiroir d'huiles "coquines" et une baignoire îlot Boffi sur parquet. Pour devenir membre, il faut du bagou et passer beaucoup de temps au bar sur le toit, dans la salle de projection privée ou au salon-salle de lecture du 5ᵉ étage. La liste d'attente comprend déjà 2 000 noms.

WASHINGTON SQUARE HOTEL
Plan p. 448   *Hôtel petits budgets $$*
☎ 212-777-9515, 800-222-0418 ; www.washington squarehotel.com ; 103 Waverly Pl, entre MacDougal St et 6th Ave ; d 166 $; Ⓜ A, C, E, B, D, F, V jusqu'à W 4th St ; 🆇 🖥
Cet hôtel jazzy de 8 étages maintient en vie le style Art déco, avec de vieilles photos d'Hollywood et des pétales de rose sur les murs de ses 160 chambres un peu bohèmes, dont la moitié viennent d'être rénovées. Situé en face du parc de Washington Sq – et cerné par l'université de New York – l'endroit est très vivant et offre un accès Wifi gratuit. Les chambres de luxe (34 $ en plus) sont plus belles, avec un mobilier entièrement neuf (coiffeuses à tablette de granit). Brunch en musique (jazz!) servi le dimanche au North Square Restaurant & Lounge, en sous-sol. Les autres jours, on peut prendre un thé à l'anglaise, l'après-midi, dans la Deco Room du vestibule.

CHELSEA
Ce vieux quartier rempli de night-clubs, de galeries et de "Chelsea boys" regorge aussi d'hôtels indépendants qui vont de l'auberge de jeunesse aux hôtels les plus chic, en passant par les B&B. L'endroit est très attirant, si l'on considère sa position entre les théâtres et sites de Midtown et les restaurants, bars et magasins de Downtown. Les hébergements semblent nourrir un amour particulier pour le quartier, vu le nombre de ceux qui, avec beaucoup d'originalité, ont attaché Chelsea à leur nom.

CHELSEA CENTER HOSTEL
Plan p. 452   *Auberge de jeunesse $*
☎ 212-643-0214 ; www.chelseacenterhostel.com ; 313 W 29th St, entre 8th Ave et 9th Ave ; dort avec petit déj 33 $; Ⓜ A, C, E jusqu'à 34th St-Penn Station ; 🆇
Un peu plus personnelle que la plupart des auberges de jeunesse, celle-ci loue ses 18 lits à des routards et des voyageurs européens à petits budgets. L'endroit, tranquille, dispose d'une cuisine, d'un coin salon et d'un petit jardin à l'arrière. Dortoirs pour femmes.

CHELSEA HOTEL
Plan p. 446   *Auberge indépendante $$*
☎ 212-243-3700 ; www.hotelchelsea.com ; 222 W 23rd St, entre 7th Ave et 8th Ave ; ch/ste à partir de 225/585 $; Ⓜ C, E, 1 jusqu'à 23rd St ; 🆇 🖥
Immortalisé par des poèmes, des overdoses célèbres (celle de Sid Vicious, après l'assassinat, dans des circonstances douteuses, de son amie Nancy Spungen), et par Ethan Hawke dans *Chelsea Walls*, le Chelsea Hotel est un "objet" unique qui a gardé toute sa vibration bohème, avec carte de crédit... C'est l'hôtel mythique de New York ; on imagine Bob Dylan écrivant les paroles de ses chansons dans une séquence perdue de *Don't Look Back*. Assortiment très divers de chambres qui montrent affectueusement leur âge – la plupart immenses, certaines avec kitchenette et salon séparé. En logeant ici, vous aurez l'impression de participer au tournage d'un film ou d'une photo, sans doute parce que l'un d'eux est en cours dans la chambre d'à côté. Accès Internet (7 $/h).

Le Washington Square Hotel (ci-dessus) : l'immersion dans un univers Art déco

CHELSEA INN Plan p. 446   *B&B $*

☎ 212-645-8989, 800-640-6469 ; www.chelseainn.
com ; 46 W 17th St, entre 5th Ave et 6th Ave ; s/d/ste
avec petit déj à partir de 89/140/160 $; Ⓜ 6th Ave-
14th St ; 🛰

Deux maisons du XIXᵉ siècle ont été réunies
pour former cette charmante pension
(3 étages sans ascenseur) aux petites chambres confortables qui donnent l'impression
d'avoir été meublées en faisant les marchés
aux puces et en vidant le grenier de sa
grand-mère. Du caractère à petit prix, juste
à l'est de la partie la plus enviée de ce
quartier où l'on ne s'ennuie pas. Les tarifs
baissent en hiver.

CHELSEA INTERNATIONAL HOSTEL

Plan p. 446   *Auberge de jeunesse $*

☎ 212-647-0010 ; www.chelseahostel.com ;
251 W 20th St, entre 7th Ave et 8th Ave ; dort/ch
28/70 $; Ⓜ C, E, 1 jusqu'à 23rd St ; 🛰

Clientèle festive et internationale pour cette
auberge où, le soir, la fête bat son plein
dans l'arrière-cour (jusqu'à minuit, pas plus)
pour les 350 hôtes (maximum). Dortoirs de
4 à 6 couchettes, cuisines et machines à
laver communes. On se croirait dans une
sorte de colonie de vacances urbaine, avec
certains moniteurs aimant mieux leur
travail que d'autres. Tout le monde, même
les Américains, doit montrer son passeport
en arrivant. Séjour maximum de deux
semaines.

CHELSEA LODGE Plan p. 446   *B&B $*

☎ 212-243-4499 ; www.chelsealodge.com ;
318 W 20th St, entre 8th Ave et 9th Ave ; ch/ste
à partir de 114/150 $; Ⓜ C, E jusqu'à 23rd St ; 🛰

Occupant un immeuble *brownstone* classé
du joli quartier historique de Chelsea, cet
hôtel de style européen est une super affaire,
avec ses 20 chambres intimes et bien tenues.
Décor très américain, avec des gravures de
scènes de chemin de fer dans les chambres,
des bustes d'Indiens ou des leurres de chasse
au canard au-dessus des portes. Les chambres
sont petites : juste un lit, avec TV câblée et
vieux meuble de rangement, plus douche et
lavabo. Toilettes en bas dans le hall. 6 suites
ont des sdb individuelles, dont 2 avec accès
privé au jardin.

CHELSEA PINES INN Plan p. 448   *B&B $*

☎ 212-929-1023, 888-546-2700 ; www.chelseapinesinn.
com ; 317 W 14th St, entre 8th Ave et 9th Ave ; ch avec
petit déj à partir de 139 $; Ⓜ A, C, E jusqu'à 14th St,
L jusqu'à 8th Ave ; 🛰 🖥

Avec ses 4 étages (sans ascenseur), codés aux
couleurs du drapeau arc-en-ciel, le Chelsea
Pines est l'un des hôtels gays et lesbiens les
plus courus de Chelsea – mais les clients de
tout bord sont les bienvenus. Mieux vaut
connaître la filmographie hitchcockienne, car
de vieilles affiches tapissent les murs, et les
chambres ont pour noms Kim Novak, Doris
Day, Ann-Margret, et autres starlettes. Dans
les chambres standards, la penderie-débarras
est équipée d'un lavabo, et des sdb propres
se trouvent au fond du hall. Le petit café, en
bas, dispose d'une borne Wifi et s'ouvre sur
une toute petite cour arrière. Le personnel
plein d'entrain vous conseillera sur les lieux
de drague, de fête et de restauration.

CHELSEA STAR HOTEL

Plan p. 452   *Auberge de jeunesse $*

☎ 212-244-7827 ; www.starhotelny.com ; 300 W 30th St
à hauteur de 8th Ave ; dort/ch à partir de 29/109 $;
Ⓜ A, C, E jusqu'à 34th St-Penn Station ; 🛰

Cet hôtel de 2 étages penche fortement du
côté de l'auberge de jeunesse avec ses couloirs
bleu et or, sa grande terrasse à l'arrière et ses
chambres à thèmes un peu farfelus comme
Star Trek, Coney Island et *Absolutely Fabulous.*
Les individuelles sont minuscules mais
impeccables, avec parquet, petite penderie et
TV câblée. Une ou deux sdb communes pour
chaque demi-douzaine de chambres. Les dortoirs ont chacun une sdb. Les chambres dites
"supérieures" sont un peu trop chères (199 $
minimum) mais équipées de sdb individuelles.
Attention, la proximité d'Eight Ave peut créer
des nuisances sonores. L'hôtel projetterait de
s'agrandir à l'immeuble voisin. Madonna y
séjourna brièvement en 1981.

COLONIAL HOUSE INN

Plan p. 446   *B&B $*

☎ 212-243-9669, 800-689-3779 ; www.colonialhouse
inn.com ; 318 W 22nd St, entre 8th Ave et 9th Ave ;
ch avec petit déj et sdb commune/individuelle à partir
de 65/135 $; Ⓜ C, E jusqu'à 23rd St ; 🛰

Simple et chaleureuse, cette auberge gay
de 20 chambres est coquette mais petite et
un peu défraîchie. La plupart des chambres
ont une penderie-débarras (avec petite TV
et réfrigérateur) et un lavabo. Le propriétaire
dirigea la Paradise Garage, un club hip-hop
très célèbre en son temps. Il vit au rez-de-
chaussée et tapisse les murs de ses peintures
colorées. Le petit déj dans le petit café
donne lieu à de grandes discussions. Quand
le temps le permet, la terrasse sur le toit se
transforme en plage nudiste.

INN ON 23RD ST

Plan p. 452   *B&B $$*

☎ 212-463-0330 ; www.innon23rd.com ; 131 W 23rd St, entre 6th Ave et 7th Ave ; s et d avec petit déj 229 $; 🔘 C, E, 1 jusqu'à 23rd St ; 🔀 🖵

Situé dans une maison indépendante du XIXᵉ siècle donnant sur la passagère 23rd St, ce B&B de 14 chambres est une perle. La cuisine partage ses fourneaux avec les élèves de la New School Culinary of Arts – toutes sortes de pains et de gâteaux confectionnés par des talents prometteurs atterrissent sur les tables de la salle à manger/bibliothèque victorienne du 1ᵉʳ étage. Grandes chambres accueillantes, avec tissus extravagants sur les lits à baldaquin ou en cuivre, et TV cachées dans de grandes armoires. Un bar fonctionne sur la confiance (3 $ la bière !) et un vieux piano attend son joueur de boogie-woogie.

MARITIME HOTEL

Plan p. 446   *Hôtel chic et indépendant $$$*

☎ 212-242-4300 ; www.themaritimehotel.com ; 363 W 16th St, entre 8th Ave et 9th Ave ; ch à partir de 325 $; 🔘 A, C, E jusqu'à 14th St, L jusqu'à 8th Ave ; 🔀 🖵

Ancien siège de la National Maritime Union, puis centre d'accueil pour adolescents à la rue, cette tour blanche trouée de hublots a été transformée en hôtel de luxe, à thème marin, par une équipe d'architectes branchés. On se croirait dans *La Croisière s'amuse*, avec ces 135 chambres à fenêtre ronde, aménagement compact et panneaux de teck, agrémentées de TV à écran plat 20 pouces et lecteur DVD. Les plus luxueuses offrent une douche extérieure, un jardin privé et un panorama somptueux sur l'Hudson. Des célébrités ont été aperçues au club Hiro, au sous-sol. La Bottega, trattoria-bar réputée, bénéficie d'une terrasse de 550 m² sur le devant.

UNION SQUARE ET LE FLATIRON DISTRICT

Souvent négligé, ce quartier est pourtant très intéressant à deux titres : sa tranquillité et son emplacement. Vous y trouverez des petits hôtels qui sembleront n'être là que pour vous, des rues résidentielles et verdoyantes, et pourrez vous rendre à pied dans Midtown ou East Village. Beaucoup de caractère mais pas beaucoup de place : réservez longtemps à l'avance.

Le **Gramercy Park Hotel** (plan p. 446 ; ☎ 212-475-4320 ; www.gramercyparkhotel.com ; 2 Lexington Ave à hauteur de 21st St) était en travaux pour une rénovation importante lors de notre passage, mais il devrait bientôt reprendre sa place d'honneur dans le quartier.

CARLTON HOTEL

Plan p. 452   *Hôtel chic indépendant $$$*
☎ 212-532-4100, 800-601-8500 ; www.carltonhotelny.
com ; 88 Madison Ave, entre 28th St et 29th St ; ch à
partir de 399 $; Ⓜ N, R, W jusqu'à 28th St, 6 jusqu'à
28th St ; ✄ 💻

Ouvert en 2005, cet hôtel de luxe jazzy donne
l'impression d'entrer dans un cliché sépia
de l'époque Art déco. Le très "in" Country
Restaurant domine la situation, mais vous
pouvez vous contenter d'une boisson ou
d'un brunch au bar-café hyper-élégant du
lobby. Chambres traditionnelles et intimes,
avec tentures tombant des têtes de lit, TV et
bureau de travail – la plupart équipées d'un
réveille-matin iHouse pour votre iPod. Accès
Internet gratuit et salles de réunion pour les
hommes d'affaires.

CARLTON ARMS HOTEL

Plan p. 452   *Hôtel petits budgets $*
☎ 212-679-0680 ; www.carltonarms.com ;
160 E 25th St, entre 3rd Ave et Lexington Ave ; d avec
sdb commune/individuelle 87/101 $; Ⓜ 6 jusqu'à
23rd St ; ✄

Le Carlton Arms donne l'impression de dormir
dans un lieu de répétition. Les 3 étages sans
ascenseur et les 54 chambres sont répartis
par thèmes (un étage est décoré façon *Little
Egypt*). Pour ajouter à l'ambiance, on joue de
temps en temps des "pièces" de chambre en
chambre. Une des chambres a un couvre-lit
rouge, une moquette bleue à poils longs et
des fresques vénitiennes. Un peu lourd mais
pas mal, à 15 pâtés de maisons seulement de
l'East Village. Cendrier dans toutes les cham-
bres pour rockeurs fumeurs.

GERSHWIN HOTEL

Plan p. 452   *Auberge indépendante $*
☎ 212-545-8000 ; www.gershwinhotel.com ; 7 E 27th St
à hauteur de 5th Ave ; dort 33 $, ch 43/119 $; Ⓜ 6
jusqu'à 28th St ; ✄ 💻

Voisin du musée du Sexe, et 4 rues au nord
de l'immeuble du Flatiron, voilà l'une des
grandes adresses de Manhattan – pour
beaucoup de jeunes (pas seulement) qui ne
veulent pas dépenser plusieurs centaines de
dollars par nuit. C'est une sorte de Chelsea
Hotel, essentiellement hôtel et partiellement
auberge de jeunesse. Sa façade est ornée
de grosses ampoules et l'intérieur d'œuvres
encadrées de Pop Art. Parmi les 159 chambres
réparties sur 12 étages, une poignée sont des
dortoirs moquettés à 4, 6 ou 10 couchettes
(mixtes pour la plupart, et un pour femmes
uniquement), tous dotés de sdb. Magnifi-

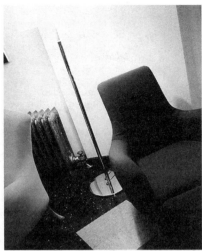

*Le Gershwin (ci-contre) : ambiance rock'n'roll
juste à côté du musée du Sexe*

ques chambres individuelles dotées de sdb
propres, de meubles d'époque, TV câblée
et commode. La terrasse sur le toit était en
rénovation lors de notre passage, mais devrait
rouvrir bientôt et offrir à nouveau un superbe
lieu de détente.

HOTEL 17

Plan p. 446   *Hôtel petits budgets $*
☎ 212-475-2845 ; www.hotel17ny.com ; 225 E 17th St,
entre 2nd Ave et 3rd Ave ; d 120-150 $; Ⓜ N, Q, R, 4, 5,
6 jusqu'à 14th St-Union Sq, L jusqu'à 3rd Ave ; ✄

À deux pas de Stuyvesant Sq, dans un îlot
résidentiel verdoyant, cette célèbre maison
de 7 étages offre tout le charme du New York
d'autrefois à des prix abordables. De plus,
Woody Allen y a tourné une scène de cadavre
pour son film *Meurtre mystérieux à Manhattan*
(1993). Seules 4 des 120 chambres disposent
de sdb ; toutes sont petites et meublées sim-
plement dans le goût traditionnel (moquette
grise, papier à rayures, couvre-lit en chintz,
stores bordeaux), et manquent considérable-
ment de lumière naturelle.

HOTEL GIRAFFE

Plan p. 452   *Hôtel chic indépendant $$$*
☎ 212-685-7700, 877-296-0009 ; www.hotelgiraffe.com ;
365 Park Ave South à hauteur de 26th St ; ch/ste avec
petit déj à partir de 325/425 $; Ⓜ 6 jusqu'à 23rd St, N,
R, W jusqu'à 23rd St ; ✄ 💻

Un cran au-dessus de la plupart des hôtels
chic indépendants de ce quartier sud, le

nouveau Giraffe offre 11 étages de chambres modernes aux lignes pures, dans un quartier d'immeubles Art déco, plus une terrasse sur le toit pour prendre un verre ou grignoter des tapas. La plupart des 72 chambres ont un petit balcon, et toutes une TV à écran plat avec lecteur DVD, un bureau en granit, et des stores qu'on commande depuis le lit. Les suites d'angle disposent d'un salon avec canapé-lit.

INN AT IRVING PLACE
Plan p. 446   *B&B $$$*
☎ 212-533-4600, 800-685-1447 ; www.innatirving. com ; 56 Irving Pl, entre 17th St et 18th St ; ch avec petit déj à partir de 325 $; Ⓜ L, N, R, 4, 5, 6 jusqu'à 14th St-Union Sq ; ⊠ ▣
Maison de brique rouge des plus victoriennes, datant de 1834, remplie d'objets d'époque, de motifs rosés et de capitons du temps ancien. 11 chambres portant des noms d'écrivains et de personnalités de l'époque, telle la chambre Edith Wharton, avec un coin salon en face de la cheminée d'origine (aujourd'hui décorative). Petit déj servi dans le salon Lady Mendl, chargé d'atmosphère, où l'on sert également un dîner de 5 plats (du mercredi au dimanche ; 35 $).

MARCEL
Plan p. 452   *Hôtel chic indépendant $$*
☎ 212-696-3800, 888-664-6835 ; www.nychotels.com ; 201 E 24th St à hauteur de 3rd Ave ; d à partir de 227 $; Ⓜ 6 jusqu'à 23rd St ; ⊠ ▣
Les 7 étages minimalistes n'égalent pas en confort ce qu'offrent les autres hôtels indépendants coûtant 100 $ de plus – mais si le moderne et le Flatiron District vous séduisent, vous ne pouvez pas ignorer le Marcel. La plupart des 98 chambres sont petites, avec accès Internet Wifi. Coin café en bas, mais pas beaucoup d'espace public.

W NEW YORK – UNION SQUARE
Plan p. 446 *Hôtel de chaîne haut de gamme $$$*
☎ 212-253-9119, 888-625-5144 ; www.whotels.com ; 201 Park Ave South à hauteur de 17th St ; ch à partir de 400 $; Ⓜ L, N, Q, R, 4, 5, 6 jusqu'à 14th St-Union Sq ; ⊠ ▣
L'ultra-branché W exige une garde-robe noire et une carte de crédit. Celui-ci, qui date de 1911, est le seul des 5 W de Manhattan à se situer à Downtown, et son UnderBar se remplit le soir. Tout est du plus grand style, des espaces communs aux chambres, hautes de plafond, équipées de TV, lecteur DVD et connexion Internet haut débit.

MIDTOWN

"Capitale" des hébergements de New York, Midtown offre des possibilités infinies, du petit hôtel à 75 $ avec toilettes au fond du couloir, aux suites à plusieurs milliers de dollars pourvues de terrasse privée donnant sur la forêt des gratte-ciel illuminés. En gros, on peut distinguer 4 secteurs dans Midtown : le quartier vibrionnant de Times Sq, qui englobe le secteur voisin de Hell's Kitchen – le plus pratique pour aller au théâtre ou si vous venez pour la première fois à New York. Le secteur plus luxueux entre Sixth Ave et Fifth Ave, où se concentrent les hôtels chic indépendants et les grands immortels comme l'Iroquois (p. 370), pour une clientèle aimant les musées d'art et le shopping dans Fifth Ave. Puis le secteur un peu moins rutilant et plus animé au sud de 42nd St et à l'ouest de Broadway, qui abrite des hôtels meilleur marché. Enfin, le secteur plus résidentiel et élégant à l'est de Park Ave, allant de Murray Hill dans les trentièmes rues, que l'on sous-estime souvent, jusqu'à la périphérie du quartier d'affaires dans les cinquantièmes rues.

TOP 5 DES HÔTELS À THÈME

- **Casablanca Hotel** (p. 368) Marocain. Laissez-vous surprendre par les mosaïques de faïence, les sculptures et détails sculptés.
- **Chelsea Pines Inn** (p. 363) Hollywood d'autrefois. D'accord, ce ne sont que des affiches de films dans des cadres… Mais on peut parier que les garçons qui dorment ici connaissent par cœur des répliques entières de grands classiques.
- **Harlem Flophouse** (p. 377) Jazz. La renaissance de Harlem en vrai, ou presque. Une pension petits budgets et une plongée dans les années 1920.
- **Library Hotel** (p. 371) Système décimal de Dewey. 2e étage ? Sciences sociales. 7e étage ? Littérature. Choisissez votre domaine de lecture de prédilection et prenez la chambre, avec les livres qui vont avec.
- **Maritime Hotel** (p. 364) Aventures nautiques. Glissez-vous dans votre cabine et regardez par le hublot – ici vous n'aurez pas le mal de mer.

414 HOTEL

Plan p. 284   **Hôtel petits budgets $$**

☎ 212-399-0006 ; www.414hotel.com ; 414 W 46th St, entre 9th Ave et 10th Ave ; ch avec petit déj 139-239 $; ⓖ B, D, F, V jusqu'à 42nd St ; 🖾 🖵

Organisé comme une pension, cet hôtel d'un très bon rapport qualité/prix offre 22 chambres nettes à quelques rues à l'ouest de Times Sq. Le personnel vous fournira des plans de la ville et vous conseillera sur tout. Les chambres sont simples, équipées d'un bureau, d'une commode, d'une penderie avec mini-coffre, de la TV câblée et d'un lavabo à l'extérieur d'une sdb carrelée. Une petite cour sépare les deux maisons. Petit déj servi dans le bâtiment de devant, où se trouvent un ordinateur et une petite cuisine libre d'accès.

ALGONQUIN Plan p. 284   **Hôtel de luxe $$**

☎ 212-840-6800, 888-304-2047 ; www.algonquinhotel.com ; 59 W 44th St, entre 5th Ave et 6th Ave ; d à partir de 300 $; ⓖ B, D, F, V jusqu'à 42nd St, 4, 5, 6, 7 jusqu'à Grand Central ; 🖾 🖵

Classique chargé d'histoire, pas très loin de Times Sq, l'Algonquin est devenu célèbre avec les déjeuners littéraires qu'organisait Dorothy Parker dans les années 1920. De nos jours, l'activité est toujours intense dans les superbes espaces publics (l'Oak Room pour les brunchs au cabernet sur fond de jazz, le bar du hall pour prendre un verre, ou le sombre Blue Bar pour des martinis à 13 $). Une rénovation récente a apporté aux 174 chambres des moquettes rouge et or, des TV à écran plat, le Wifi et des photos noir et blanc de détails de l'hôtel. Tarifs élevés mais, en l'honneur de Dorothy, les écrivains ne paient pas la première nuit !

AMERICANA INN

Plan p. 284   **Hôtel petits budgets $**

☎ 212-840-6800 ; 69 W 38th St, entre 5th Ave et 6th Ave ; ch à partir de 95 $; ⓖ B, D, F, N, Q, R, V, W jusqu'à 34th St-Herald Sq ; 🖾

D'une propreté clinique, centrales (pour Times Sq) et bon marché, les 52 chambres de l'Americana ne sont pas le chez-soi dont vous rêviez. Les murs blancs sont éclairés au néon, la TV n'offre que les chaînes locales et la sdb est au fond du hall, mais l'endroit est propre et sûr.

AVALON Plan p. 452   **Hôtel international $$**

☎ 212-299-7000, 888-442-8256 ; www.avalonhotelnyc.com ; 16 E 32nd St, entre Madison Ave et 5th Ave ; ch à partir de 275 $; ⓖ B, D, F, N, Q, R, V, W jusqu'à 34th St, 6 jusqu'à 33rd St ; 🖾 🖵

Cet hôtel de 100 chambres, à direction espagnole, a des airs de Vieux Continent, avec une profusion de colonnes et de marbre dans le hall, et du chintz dans les chambres ornées de paysages anglais sur fond de papiers rayés. TV et mini-bar. Les suites, pour 50 $ de plus, donnent droit à une entrée à parquet et un canapé-lit dans le salon TV. Les clients ont accès au Bally's Sports Club voisin.

BELVEDERE HOTEL

Plan p. 284   **Hôtel international $$**

☎ 212-245-7000, 888-468-3558 ; 319 W 48th St, entre 8th Ave et 9th Ave ; d avec petit déj 250-400 $; ⓖ C, E jusqu'à 50th St ; 🖾 🖵

Ouvert en 1928, le Belvedere a des racines (et une façade) originales Art déco, mais son réaménagement est une version moderne de sa splendeur passée. Les 400 chambres offrent le confort habituel (accès Internet). Centre d'affaires, salle de fitness et café dans le hall en faux style années 1920.

BENJAMIN

Plan p. 452   **Hôtel d'affaires $$$**

☎ 212-320-8002, 888-423-6526 ; www.thebenjamin.com ; 125 E 50th St à hauteur de Lexington Ave ; d/ste à partir de 400/500 $; ⓖ 6 jusqu'à 51st St ; 🖾 🖵

Juste à l'est du quartier des affaires, le Benjamin vise à satisfaire une clientèle qui souhaite séjourner là quelque temps. La plupart des 209 chambres sont des suites, et toutes disposent d'une cuisine équipée (four à micro-ondes et réfrigérateur) et d'un bureau géant qui peut être enlevé pour faire de la place. Quatre personnes auront intérêt à prendre une suite plutôt que de payer 40 $ pour un lit à roulettes. Centre de fitness ouvert 24h/24.

BIG APPLE HOSTEL

Plan p. 284   **Auberge de jeunesse $**

☎ 212-302-2603 ; 119 W 45th St, entre 6th Ave et Broadway ; dort/ch à partir de 35/92 $; ⓖ B, D, F, V jusqu'à 42nd St-Bryant Park ; 🖾

Tout près de Times Sq, cette auberge sans caractère ni superflu dispose de chambres propres et sûres, et d'un personnel à la gentillesse remarquable. Ses autres atouts : une cour, une cuisine et une buanderie au sous-sol. Comme les dortoirs, les chambres individuelles n'ont accès qu'à des sdb communes, mais disposent d'une TV câblée et de deux chaises.

BRYANT PARK

Plan p. 284   **Hôtel chic indépendant $$$**

☎ 212-869-0100 ; www.bryantparkhotel.com ; 40 W 40th St, entre 5th Ave et 6th Ave ; d/ste à partir de 365/465 $; ⓖ B, D, F, V jusqu'à 42nd St, 7 jusqu'à 5th Ave ; 🖾 🖵

Depuis le Bryant Park voisin, tous les yeux se tournent naturellement, au sud, vers ce joyau architectural – tour en briques noir et or de l'ancien American Standard Building (1934). L'hôtel offre 130 chambres d'un chic ultra-minimaliste, avec d'immenses vues. L'ascenseur est tapissé de cuir rouge ; les chambres dotées de TV à écran plat, de robes de chambre en cachemire et de baignoire grande largeur avec lotions Pipino. Si le prix n'est pas un problème, choisissez une suite qui fait face au parc (les plus chères ont une terrasse). Le restaurant KOI voisin est un grand restaurant de sushis.

CASABLANCA HOTEL
Plan p. 284   *Hôtel chic indépendant $$*
☎ 212-869-1212, 888-922-7225 ; www.casablancahotel. com ; 147 W 43rd St, entre 6th Ave et Broadway ; d avec petit déj à partir de 269 $; Ⓜ N, Q, R, S, W, 1, 2, 3, 7 jusqu'à Times Sq ; 🐾 🖳

Discret et tourné vers une clientèle touristique, le populaire Casablanca décline le thème nord-africain sous toutes ses formes (statues de tigres, fresques marocaines, tapisseries encadrées, et Rick's Café – conformément au film – au 1er étage). 48 agréables chambres, confortables, avec sol en sisal et coin salon. Internet gratuit, expresso servi toute la journée, vin à 17h, et lits supplémentaires à roulettes.

CHAMBERS
Plan p. 284   *Hôtel chic indépendant $$$*
☎ 212-974-5656, 866-204-5656 ; www.chambersnyc. com ; 15 W 56th St, entre 5th Ave et 6th Ave ; d à partir de 350 $; Ⓜ F jusqu'à 57th St, N, R, W jusqu'à 5th Ave-59th St ; 🐾 🖳

Proche des luxueux grands magasins de Fifth Ave, le Chambers reste dans la même note d'élégance extrême : hall tout en hauteur avec grand bar lounge en mezzanine des plus confortables ; détails de luxe dans les chambres, comme ces coussins duveteux posés sur les couettes des lits en bois ; sdb au sol en béton et douches en verre transparent équipées de pommes géantes. Room-service assuré par l'élégant restaurant voisin, le Town.

DREAM
Plan p. 284   *Hôtel chic indépendant $$$*
☎ 212-247-2000, 866-437-3266 ; www.dreamny.com ; 210 W 55th St, entre Broadway et 7th Ave ; d à partir de 365 $; Ⓜ N, R, Q, W jusqu'à 57th St ; 🐾 🖳

Ancien hôtel de chaîne insipide, le Dream est devenu un lieu surnaturel, après trans-

formation. Le hall bizarre est doté d'un immense aquarium rempli de poissons des Caraïbes et d'une statue de 3 figures géantes récupérée dans un restaurant russe du Connecticut. Les 220 chambres, d'une minimale blancheur, ont des lumières bleues qui émanent de dessous les lits et de l'intérieur des bureaux à plateau de verre (Internet gratuit et TV à écran plat). Point fort : le bar du penthouse, avec espaces en plein air d'où la vue plonge sur Broadway. Spa en sous-sol en construction lors de notre passage.

DYLAN
Plan p. 452   *Hôtel chic indépendant $$*
☎ 212-338-0500, 866-553-9526 ; www.dylanhotel. com ; 52 E 41st St, entre Madison Ave et Park Ave ; ch/ste à partir de 259/650 $; Ⓜ S, 4, 5, 6 jusqu'à 42nd St-Grand Central ; 🐾 🖳

Cet hôtel de luxe de 108 chambres a pris la suite du Chemist Club (il semble que ces éminents scientifiques étaient portés sur le style beaux-arts surchargé, comme en témoigne le tournoyant escalier d'origine, en marbre, et la façade de 1903). L'éclairage des chambres douillettes sera peut-être trop sombre pour certains, mais il est difficile de rester insensible aux sdb en marbre, aux fauteuils en cube et à la palette des couleurs bleu ciel, vert et lavande. Quant à l'Alchemy Suite (environ 899 $), c'est un faux laboratoire médiéval imaginé dans les années 1930. Au rez-de-chaussée, le Chemist Club est un restaurant de club cossu servant le petit déj et des plateaux d'huîtres et de fruits de mer à 75 $.

FLATOTEL
Plan p. 284   *Hôtel d'affaires $$*
☎ 212-887-9400, 800-352-6863 ; www.flatotel.com ; 135 W 52nd St, entre 6th Ave et 7th Ave ; ch à partir de 225 $; Ⓜ B, D, F, V jusqu'à 47th St-50th St-Rockefeller Center ; 🐾 🖳

Destiné en priorité à une clientèle d'affaires, cet ancien immeuble résidentiel offre maintenant 288 chambres luxueuses, quoique sans charme – et l'un des plus beaux panoramas depuis sa salle de sport. Chambres meublées de lits *king-size* avec tête de lit encastrée en bois, de petits bureaux assortis de chaises Aenon, de TV avec lecteur DVD, et de fours à micro-ondes. Dans le hall, le restaurant-bar Moda mérite qu'on s'y arrête pour un ou deux martinis. Et le centre de fitness du 45e étage permet de faire du vélo en plein ciel.

FOUR SEASONS

Plan p. 452 *Hôtel de chaîne internationale $$$*
☎ 212-758-5700, 800-819-5053 ; www.
fourseasons.com/newyorkfs ; 57 E 57th St,
entre Madison Ave et Park Ave ; ch/ste à partir de
725/1600 $; ⊕ N, R, W jusqu'à 5th Ave-59th St ;
⊠ ▯

Conçu par I.M. Pei, le hall grandiose
fait penser à une cathédrale gothique
moderne, avec des arcs en calcaire pré-
cédant une verrière zénithale, à côté du
bar et du restaurant. Même la plus petite
des 368 chambres (sur 51 étages) est une
œuvre d'art, avec moquette beige et TV
à écran plasma 10 pouces dans la sdb en
marbre. La vue sur Central Park est presque
indécente. L'hôtel dispose d'un centre de
fitness ouvert 24h/24 ; des portiers en
hauts-de-forme mettent à disposition
un service de voiturier gratuit pour vous
déposer où voulez (dans un rayon de
4 km), de 8h à 23h.

HOTEL 31

Plan p. 452 *Hôtel petits budgets $*
☎ 212-685-3060 ; 120 E 31st St, entre Park Ave South
et Lexington Ave ; s/d/tr 60/75/100 $; ⊕ N, R, W
jusqu'à 28th St, 6 jusqu'à 28th St ; ⊠

Avec sa brochette de fêlés et de clients à
demeure, l'amusante version Midtown de
l'Hotel 17 ressemble à un décor de film des
frères Coen. La moitié des 70 chambres
sont dotées de petites sdb propres ; toutes
sont décorées de moquette à carreaux
bleus, de couvre-lits à fleurs et de stores
bordeaux, avec la TV câblée. Et Ziggie, un
vieux membre du personnel qui travaille
ici depuis 20 ans, adore les bons mots.

HOTEL 41

Plan p. 284 *Hôtel chic indépendant $$*
☎ 212-703-8600, 877-847-4444 ; www.hotel41.
com ; 206 W 41st St, entre 7th Ave et 8th Ave ; ch à
partir de 189 $; ⊕ N, Q, R, W, 1, 2, 3, 7 jusqu'à Times
Sq-42nd St ; ⊠ ▯

À deux pas de Times Sq, les chambres
(47) moquettées du 41 ressemblent à des
capsules spatiales tant elles sont petites :
le modèle standard fait à peine 10m², tout
juste de quoi faire entrer une TV murale avec
lecteur DVD, un petit bureau, un grand lit
double et une sdb propre. Rien de luxueux,
mais c'est mieux que certains petits hôtels
bon marché et c'est vraiment tout près des
spectacles de Broadway. Internet gratuit.
Bar de style au rez-de-chaussée – où trouver
quantité de jeux.

HOTEL METRO

Plan p. 452 *Hôtel international $$*
☎ 212-947-2500 ; www.hotelmetronyc.com ;
45 W 35th St, entre 5th Ave et 6th Ave ; d avec petit déj
à partir de 199 $; ⊕ B, D, F, N, Q, R, V, W jusqu'à
34th St-Herald Sq ; ⊠ ▯

Immeuble des années 1930 de style Art
déco, sur 12 étages (et 179 chambres), avec
terrasse qui fait directement face à l'Empire
State Building. Le hall noir et or fait place à
une palette caramel dans les chambres con-
fortables, un rien quelconques, aménagées
plus intelligemment que dans la plupart des
hôtels de cette catégorie. Coin bibliothèque,
à côté de la salle du petit déj, disposant de
plusieurs TV à écran plat. En haute saison,
les prix démarrent souvent à 295 $ – un peu
trop cher pour ce que c'est.

HOTEL QT

Plan p. 284 *Hôtel chic indépendant $$*
☎ 212-354-2323 ; www.hotelqt.com ; 125 W 45th St,
entre 6th Ave et 7th Ave ; d avec petit déj à partir de
170 $; ⊕ N, Q, R, W, 1, 2, 3 jusqu'à Times Sq-42 St,
B, D, F, V jusqu'à 47th St-50th St-Rockefeller Center ;
▣ ⊠ ▯

Ouvert en 2005, cet hôtel de 139 chambres
d'une modernité insolente introduit le
concept de "boutique hotel" chic et bon
marché dans le quartier. La zone de réception
– un comptoir de style bodega – s'adosse à
un bar donnant directement sur une petite
piscine, avec un salon en mezzanine et un
spa au-dessus. Les chambres, exiguës et
rangées de A à F selon la taille, peinent à
contenir les lits posés sur des plates-formes
matelassées de la largeur de la pièce. Certaines sdb sont dépourvues de portes ; vous
n'échapperez pas à la vue des fesses de votre
colocataire. Mais c'est propre, décontracté et
en plein cœur de l'action.

TOP 5 DES HÔTELS CHIC INDÉPENDANTS

- **Hudson** (p. 370) L'entrée en trompe-l'œil de Ian Schrager est un modèle du genre
- **W New York – Times Sq** (p. 373) Broadway paraît tout petit du haut des suites d'angle
- **Hotel Gansevoort** (p. 361) Le bar et la piscine sur le toit, très en vogue, font penser à Miami
- **Mercer** (p. 358) Tellement Soho, tellement cool
- **Morgans** (p. 371) L'établissement pionnier de Schrager (1985) n'a pas dit son dernier mot

HOTEL STANFORD

Plan p. 452   *Hôtel petits budgets $$*

☎ 212-563-1500, 800-365-1115 ; www.hotelstanford. com ; 43 W 32nd St, entre 5th Ave et Broadway ; d avec petit déj à partir de 199 $; ⊕ B, D, F, N, Q, R, V, W jusqu'à 34th St-Herald Sq ; 🕱 🖵

Fans de karaoké, voilà votre adresse ! Dans une partie de Koreatown pleine de noodle-shops et de bars à karaoké, le Stanford offre 122 chambres plutôt froufrouteuses, avec couvre-lits et rideaux à fleurs et gravures de Monet. On peut emprunter des vidéos (principalement en japonais et en coréen) à passer sur le magnétoscope, ou prendre le micro au Maxim Lounge du 1er étage.

HOTEL WOLCOTT

Plan p. 452   *Hôtel petits budgets $$*

☎ 212-268-2900 ; www.wolcott.com ; 4 W 31st St, entre 5th Ave et Broadway ; d à partir de 180 $; ⊕ B, D, F, N, Q, R, V, W jusqu'à 34th St-Herald Sq ; 🕱 🖵

Buddy Holly, lorsqu'il enregistrait à New York dans les années 1950, séjournait dans ce "fossile" de style beaux-arts datant de 1904. Il s'en dégage une atmosphère "années 1980 jouant les années 1920", avec moquettes vertes, papiers peints à rayures et mobilier sans âge. Les moulures originales de l'édifice, conçu par l'architecte du tombeau de Grant (p. 166), donnent de l'allure à l'ensemble, de même que les lustres et les chérubins du hall doré. À deux pas de l'Empire State Building. Une rénovation complète ferait de lui une merveille.

HUDSON

Plan p. 284   *Hôtel chic indépendant $$*

☎ 212-554-6000, 800-697-1791 ; www.hudsonhotel. com ; 356 W 58th St, entre 8th Ave et 9th Ave ; ch 285-450 $; ⊕ A, C, B, D, 1 jusqu'à 59th St-Columbus Circle ; 🕱 🖵

Un des joyaux de la couronne des "boutique hotel" de Ian Schrager, le 200% branché Hudson est autant un night-club qu'un hôtel. Déjà, l'entrée est une ruse : des portes fluo jaune citron conduisent à un escalator lumineux qui débouche sur un hall au décor en fausse vigne et brique rouge. À côté se trouve le Chambers Bar, éclairé par le sol. Les chambres sont grandes comme des cabines de bateau, mais confortables dans leurs moindres détails. Des rideaux transparents séparent l'entrée en parquet et la chambre, avec une toute petite TV glissée dans un meuble sur le côté du bureau. Sdb aux murs en verre. Terrasse en plein ciel, au 14e étage, pour siroter des cocktails et profiter de la vue sur l'Hudson. La situation,

à deux pas de Central Park et quelques rues des théâtres de Broadway, est un bonus.

IROQUOIS

Plan p. 284   *Hôtel international $$$*

☎ 212-840-3080, 800-332-7220 ; www.iroquoisny.com ; 49 W 44th St, entre 5th Ave et 6th Ave ; ch/ste à partir de 385/600 $; ⊕ B, D, F, V jusqu'à 42nd St, 4, 5, 6, 7 jusqu'à Grand Central ; 🕱 🖵

Les 114 chambres de l'Iroquois – l'hôtel où séjourna James Dean, dans la n°803, de 1951 à 1953 – sont riches d'histoire et pourvues de toutes les commodités modernes, depuis une rénovation récente. La clientèle aisée, d'âge moyen, apprécie le style raffiné des chambres – tons vert et crème, sdb en marbre italien avec peignoirs de bain Frette, accès Internet Wifi. Quant aux chambres "zero line", elles offrent une magnifique vue sur le Chrysler Building. Le restaurant du hall, La Petite Triomphe, vrombit avant l'heure des spectacles.

IVY TERRACE

Plan p. 452   *B&B $$*

☎ 516-662-6862; www.ivyterrace.com ; E 58th St, entre Lexington Ave et 3rd Ave ; ch lun-ven/sam-dim à partir de 180/200 $; ⊕ 4, 5, 6 jusqu'à 59th St, N, R, W jusqu'à Lexington Ave-59th St ; 🕱

Ce B&B urbain tenu par des lesbiennes est très apprécié des couples qui veulent éviter la bousculade de Downtown. Cependant, avec les bars gays Townhouse et OW Bar dans le proche voisinage, sans parler de Bloomingdale's et des autres magasins de Midtown, ce quartier ne manque pas d'attraits, quelle que soit son orientation sexuelle. Les 4 chambres au charme victorien, avec rideaux en dentelle, lits bateaux, parquet et cuisines garnies pour le petit déj, sont vite retenues. Réserver assez longtemps à l'avance.

KIMBERLY HOTEL

Plan p. 452   *Hôtel d'affaires $$*

☎ 212-755-0400, 800-683-0400 ; www.kimberlyhotel. com ; 145 E 50th St, entre 3rd Ave et Lexington Ave ; d à partir de 225 $; ⊕ 6 jusqu'à 51st St, E, V jusqu'à Lexington Ave-53rd St ; 🕱 🖵

Destinées prioritairement aux voyageurs d'affaires en long séjour, les 186 majestueuses chambres, de style européen traditionnel, sont toutes équipées d'une kitchenette et d'un grand bureau avec fax. Pour détendre l'atmosphère, les clients ont droit à un tour gratuit sur le yacht de l'hôtel (le mercredi, le samedi ou le dimanche soir) et ont accès au New York Health & Racquet Club. En bas, le Nikki Beach Bar est un endroit étonnamment branché.

KITANO

Plan p. 452 *Auberge indépendante de luxe $$$*
☎ 212-885-7000, 800-548-2666 ; www.kitano.com ;
66 Park Ave à hauteur de 38th St ; d/ste à partir de
350/750 $; ⓔ S, 4, 5, 6, 7 jusqu'à Grand Central-
42nd St ; ⊠ ▱

L'ancien Murray Hill Hotel des Rockefeller,
racheté par des Japonais et devenu le "cool"
Kitano, a été entièrement reconstruit en 1995
– ses propriétaires n'étant pas satisfaits par
les hôtels de Manhattan. De fait, il émane de
cet établissement très soigné, destiné aux
hommes d'affaires, une tonalité très orientale,
et ses 17 étages devraient prochainement
subir une rénovation. Pour l'heure, les cham-
bres moquettées sont simples, avec couettes
pelucheuses, accès Wifi et TV à écran plat ; elles
devraient à l'avenir bénéficier de plus grands
bureaux. Pour une immersion totale, la suite
japonaise *ryokan*-style (890 $ minimum) est
décorée comme une auberge japonaise tradi-
tionnelle, avec sol en bois, tatamis et espace
pour prendre le thé. Le maire de New York,
Michael Bloomberg est un habitué du sushi-
bar, au sous-sol.

LE PARKER MERIDIEN

Plan p. 284 *Hôtel international $$$*
☎ 212-245-5000 ; www.parkermeridien.com ;
118 W 57th St, entre 6th Ave et 7th Ave ; d à partir
de 395 $; ⓔ Q, W jusqu'à 57th St, F jusqu'à 57th St ;
▤ ⊠ ▱

Luxueuse de bas en haut, mais orientée loisirs,
cette tour de 730 chambres dispose d'une
piscine en plein ciel, avec une piste de jogging
qui donne le vertige, d'une salle de squash au
sous-sol et de dessins animés dans l'ascenseur.
Vue extraordinaire depuis les chambres,
tapissées de panneaux de merisier et équipées
d'utiles centres de divertissement rotatifs, avec
TV à écran 32 pouces et lecteurs DVD. Petit
déj non compris, mais celui du Norma, dans
le hall, est très réputé. Pas très loin de l'hôtel,
un hamburger en néon signale un restaurant,
pas des moins chers, qui est une sidérante
reconstitution de l'Amérique profonde.

LIBRARY HOTEL

Plan p. 452 *Hôtel chic indépendant $$*
☎ 212-983-4500, 877-793-7323 ; www.libraryhotel.
com ; 299 Madison Ave à hauteur de 41st St ; d avec
petit déj 300 $; ⓔ S, 4, 5, 6 jusqu'à Grand Central-
42nd St ; ⊠ ▱

Chacun des 10 étages est dédié à l'une des
10 catégories du système décimal de Dewey
(inventeur d'un système de classification
des livres : sciences sociales, littérature, phi-

losophie, etc.), avec 6 000 volumes répartis
entre les chambres. Le style de l'endroit est
lui-même studieux, avec panneaux d'acajou,
salles de lecture silencieuses et ambiance
de club de gentlemen à laquelle contribue
grandement la majesté de l'édifice – un hôtel
particulier en brique de 1912. Le bar, sur le
toit, jouit d'une vue plongeante sur la vraie
bibliothèque de la 41st St.

MANDARIN ORIENTAL NEW YORK

Plan p. 284 *Hôtel de chaîne internationale $$$*
☎ 212-885-8800, 866-801-8880 ; www.mandarin
oriental.com ; 80 Columbus Circle à hauteur de 60th St ;
ch à partir de 850 $; ⓔ A, B, C, D, 1 jusqu'à 59th St-
Columbus Circle ; ▤ ⊠ ▱

Occupant une tour moderne de 83 étages,
du 34e au 53e étage, à la lisière sud-ouest de
Central Park, le Mandarin est l'hôtel phare
de New York. Avec des suites à 13 000 $ la
nuit, c'est l'opulence même – aux accents
orientaux, avec une vue inouïe sur le parc
et les gratte-ciel de Midtown. Même les
chambres ordinaires offrent quelques échos
des suites les plus luxueuse : bureaux japonais
à coffret-écritoire, TV à écran plat dans les
sdb en marbre, et chaises longues devant
les murs-baies vitrées. Si les moyens vous
manquent, vous pouvez vous rabattre sur le
martini (17 $) ou le thé (38 $), servis dans le
haut bar du hall. L'hôtel possède un centre
thermal et une piscine dans le centre de
fitness occupant deux étages.

MORGANS HOTEL

Plan p. 452 *Hôtel chic indépendant $$*
☎ 212-686-0300, 800-334-3408 ; www.morganshotel
group.com ; 237 Madison Ave, entre 37th St et 38th St ;
d avec petit déj à partir de 300 $; ⓔ 6 jusqu'à 33rd St,
B, D, F, N, Q, R, V, W jusqu'à 34th St ; ⊠ ▱

Ce classique de Ian Schrager, pionnier des
"boutique hotel" (chic et indépendants) de
New York, a toujours l'air aussi à la mode et
soigné que lors de son inauguration, en 1985.
Et il réserve quelques surprises. Dans le hall,
des rideaux masquent les portes du Morgans
Bar et de l'Asia de Cuba, restaurant sur deux
niveaux. Dans les chambres (113 au total), des
tirages de Robert Mapplethorpe (réalisés spé-
cialement pour l'hôtel) constituent l'unique
décor mural dans des espaces réduits mais
bien agencés. Les sdb, aux carreaux noirs et
blancs, sont équipées des mêmes lavabos
en acier qu'on trouvait dans les Concorde. Le
living-room possède un ordinateur réservé
aux clients et des coins salon donnant sur
Madison Ave.

TOP 5 DES BARS D'HÔTEL

Rendez-vous élégants où l'on peut s'asseoir sans se ruiner :

- **Algonquin, bar du hall** (p. 367) Des sièges cinquantenaires vous attendent, entourés de grands piliers et de fresques de scènes asiatiques
- **Carlyle, Bemelman's Bar** (p. 275) Passez l'entrée de granit noir et rejoignez le bar très sélect, ou allez voir Woody Allen jouer du jazz au café
- **Hotel Gansevoort, Plunge** (p. 361) La foule branchée du Meatpacking District anime le bar très épuré du dernier étage, avec sièges extérieurs et vue sur l'Hudson
- **Mandarin Oriental, bar du hall** (p. 371) À quelques dizaines d'étages de hauteur, asseyez-vous avec un martini à 17 $ et contemplez Central Park
- **Ritz Carlton – New York, Central Park, bar du hall** (ci-dessous) Norman, le barman légendaire, prépare ses mélanges tandis que le son de la harpe résonne dans ce cadre somptueux

MURRAY HILL INN

Plan p. 452 *Hôtel petits budgets $*
☎ 212-683-6900, 888-996-6376 ; www.murrayhillinn.com ; 143 E 30th St, entre Lexington Ave et 3rd Ave ; d à partir de 129 $; ⊕ 6 jusqu'à 33rd St ; 🆇 🖳
Portant le nom de cet agréable quartier résidentiel et verdoyant de Midtown, ce petit hôtel de 47 chambres est meilleur que la moyenne dans cette catégorie de prix. Suite à une rénovation récente, les chambres ont gagné un parquet et une TV à écran plat, en plus de leurs (petits) réfrigérateur et penderie. Toutes, sauf 2, ont une sdb.

RITZ-CARLTON – NEW YORK, CENTRAL PARK

Plan p. 284 *Hôtel de chaîne internationale $$$*
☎ 212-308-9100, 800-241-3333 ; www.ritzcarlton.com ; 50 Central Park South, entre 6th Ave et 7th Ave ; ch à partir de 995 $; ⊕ N, R, Q, W jusqu'à 57th St, F jusqu'à 57th St ; 🆇 🖳
Tout le luxe dont Manhattan est capable, soit un immeuble classé, avec une vue sur Central Park tellement rapprochée que c'est à peine si l'on voit New York. Dans le somptueux bar du hall, un harpiste égrène des accords tandis que la jet-set sirote des cocktails. Il y a là 261 chambres, au petit air français colonial, agrémentées de fauteuils, de belles sdb en marbre, et ayant de l'espace à revendre. Pour une folie, offrez-vous une chambre donnant sur le parc, avec télescope

et guide des oiseaux *Birds of New York*. Dîner de 3 plats au très chic Atelier à quelque 85 $. Centre thermal et centre d'affaires exceptionnels.

ROGER WILLIAMS

Plan p. 452 *Hôtel chic indépendant $$*
☎ 212-448-7000, 888-448-7788 ; www.hotelroger williams.com ; 131 Madison Ave à hauteur de 31st St ; d à partir de 250 $; ⊕ 6 jusqu'à 33rd St ; 🆇 🖳
Un hôtel indépendant (baptisé du nom du fondateur de Rhode Island – et de l'église d'à côté) qui n'a pas peur de la couleur, avec une touche géométrique d'orange, de bleu et de vert qui accueille les hôtes. Chambres petites mais douillettes, dotées de plaids pliés au bout du lit et de TV à écran plat au-dessus de petits bureaux. Les "Garden Terrace" s'agrémentent d'un balcon (295 $ minimum). Excellent petit déj (13 $) où figure tout ce que la boulangerie new-yorkaise produit de meilleur, dans le bar lounge du 1er étage.

ROYALTON

Plan p. 452 *Hôtel chic indépendant $$*
☎ 212-869-4400, 800-635-9013 ; www.royalton.com ; 44 W 44th St, entre 5th Ave et 6th Ave ; d à partir de 225 $; ⊕ B, D, F, V jusqu'à 42nd St ; 🆇 🖳
Plaisant mélange de classique et de moderne (thème paquebot à l'intérieur, colonnes grecques à l'extérieur), cette co-création de Ian Schrager et Philippe Starck reste un choix de premier ordre dans cette partie très recherchée de Midtown. Des couloirs incurvés desservent des chambres aux lits recouverts de couettes en duvet. Pour 50 $ de plus, les chambres supérieures vous octroient plus d'espace. Le bar lounge du hall est très agréable, avec jeux de damiers chinois et glouglous de cocktails.

SHOREHAM

Plan p. 284 *Hôtel chic indépendant $$*
☎ 212-247-6700, 800-553-3347 ; www.shorehamhotel.com ; 33 W 55th St, entre 5th Ave et 6th Ave ; d à partir de 300 $; ⊕ F jusqu'à 57th St ; 🆇 🖳
Tout pimpant après rénovation, le très chic Shoreham est une valeur montante au cœur de Midtown. Dans le hall, des vidéos de colibris passent en boucle, et les 175 chambres seraient, dit-on, inspirées par les lys : les têtes de lit sont faites de photos noir et blanc de fleurs. Il y a des TV à écran plat, des sdb à carreaux blancs et des bureaux avec accès Internet. Le bar du hall, au look futuriste, attire une foule de professionnels astucieux.

THIRTYTHIRTY

Plan p. 452   *Hôtel chic indépendant $$*
☎ 212-689-1900, 800-497-6078 ; www.thirtythirty-nyc.com ; 30 E 30th St, entre Park Ave et Madison Ave ; d à partir de 159 $; ⊕ 6 jusqu'à 33rd St ;
✇ ▯

Cet hôtel de 252 chambres entend offrir l'élégance "boutique hotel" à bas prix, mais s'égare parfois dans le mauvais goût – petites annonces dans les ascenseurs, ou musique du hall provenant d'une station de radio pop des années 1980 (pubs comprises). Néanmoins, nombre de visiteurs, les bras chargés de sacs Macy's, séjournent dans les chambres simples, dotées d'une TV fixée au mur, d'une petite penderie avec coffre-fort et d'ours en peluche entre les oreillers. Mérite attention à moins de 200 $ uniquement.

W NEW YORK – TIMES SQUARE

Plan p. 284   *Hôtel chic indépendant $$*
☎ 212-930-7400, 877-946-8357 ; www.whotelstheworld.com ; 1567 Broadway à hauteur de 47th St ; d/ste à partir de 300/450 $; ⊕ C, E jusqu'à 50th St, N, R, W jusqu'à 49th St ; ✇ ▯

Le plus beau des 5 W de Manhattan, hôtel ultra-chic de 507 chambres, offre une vue sensationnelle sur le délire de néons de Times Sq. Chambres "Wonderful" endessous du 30ᵉ étage ; les "Spectacular", identiques, sont au-dessus, avec entrée en carrelage blanc menant à une chambre dont le lit croule sous les oreillers. L'"Urban Suite", en angle, comprend 2 TV à écran plat et un super living-room doté d'un canapé-lit. Les clients sont exemptés des 20 $ d'entrée (et de la file d'attente) au bar Whiskey du sous-sol – si la foule des bars à cordon de velours est votre tasse de thé. Il y a 2 autres W côte à côte, dans Midtown : **W New York – The Court & The Tuscany** (plan p. 452 ; ☎ 212-685-1100 ; 130 E 39th St ; d à partir de 399 $), avec un grand restaurant, l'Icon, et un joli jardin ; et **W New York** (plan p. 452 ; ☎ 212-755-1200 ; 541 Lexington Ave ; d à partir de 409 $), le premier W, au milieu de vieux hôtels guindés. Voir aussi le **W New York – Union Square** (p. 366).

WALDORF-ASTORIA

Plan p. 452   *Chaîne légendaire $$*
☎ 212-355-3000, 800-925-3673 ; www.waldorfastoria.com ; 301 Park Ave, entre 49th St et 50th St ; s et d 200-500 $; ⊕ 6 jusqu'à 51st St, E, F jusqu'à Lexington Ave; ✇ ▯

Attraction en soi, ce légendaire hôtel de 41 étages et 416 chambres – qui fait aujourd'hui partie de la chaîne Hilton – est un monument Art déco occupant tout un pâté de maisons. 13 salles de conférence, des boutiques et des restaurants entretiennent un va-et-vient permanent au rez-de-chaussée. Les chambres ont quelque chose d'européen dans leur élégance tarabiscotée. Trois quarts du flot quotidien de visiteurs viennent uniquement pour voir – et il y a de quoi : la mosaïque *Wheel of Life* (à l'entrée de Park Ave) est faite de 150 000 carreaux de faïence.

WARWICK

Plan p. 284   *Hôtel de chaîne internationale $$*
☎ 212-247-2700, 800-223-4099 ; www.warwickhotels.com ; 65 W 54th St à hauteur de 6th Ave ; ch à partir de 225 $; ⊕ B, D, F, V jusqu'à 47th St-50th St-Rockefeller Center ; ✇ ▯

Une foule d'hommes d'affaires et de touristes grisonnants en voyage organisé séjournent dans cet hôtel vieux jeu. William Randolph Hearst l'aurait fait construire, en 1927, pour sa maîtresse Marion Davies, de mauvaise réputation, qui "jouait" chez Ziegfeld, à une rue de là. Les 32 étages abritent des chambres traditionnelles, récemment refaites. Dans le hall, le restaurant Murals on 54 est orné de fresques un tantinet polissonnes, peintes par un artiste en verve mécontent que Hearst ait rejeté sa facture. Centre de fitness et centre d'affaires.

Le W New York – Times Square (ci-contre) : maillon fort de la chaîne W

WJ HOTEL

Plan p. 284   *Hôtel petits budgets $$*

☎ 212-246-7550, 888-567-7550 ; www.wjhotel.com ;
318 W 51st St, entre 8th Ave et 9th Ave ; d à partir de
159 $; ◉ C, E jusqu'à 50th St ; ⊠ ▭
Encore sous l'effet de son toilettage complet
en 2003, le Washington Jefferson (devenu
"WJ" pour être dans le vent) offre des cham-
bres modernes et confortables avec lits sur
plate-forme, édredons en duvet d'oie et
grandes têtes de lit capitonnées pour appuyer
la tête en regardant la TV câblée. Le restaurant
de sushis, Shimizu, en bas, attire une clientèle
de quartier qui apprécie, le midi, ses plats du
jour abordables (à partir de 14 $).

UPPER WEST SIDE

Dans cette partie de la ville, vous trouverez
un bon choix d'hôtels de catégorie moyenne
et pour petits budgets, mais aucune trace
de l'ostentation qui caractérise les hôtels
à la mode de la partie sud de Manhattan.
Le style est 100% New York authentique :
du caractère, des prix intéressants, de la
grandeur sans superflu – et Central Park
à deux pas.

COUNTRY INN THE CITY

Plan p. 454   *B&B $$*

☎ 212-580-4183 ; www.countryinnthecity.com ;
270 W 77th St, entre Amsterdam Ave et Columbus Ave ;
app à partir de 185 $; ◉ 1 jusqu'à 79th St ; ⊠ ▭
Comme si vous logiez chez votre ami de la
grande ville. La maison en calcaire (1891)
donne sur une jolie rue arborée, et les 4 appartements indépendants sont raffinés, avec lits
à baldaquin, parquets cirés, couleurs chaudes
et lumière abondante. La plupart des meubles
– canapé, lampes, tapis – proviennent des
boutiques d'antiquités du coin, très portées
sur le XIXᵉ siècle. Kitchenettes (avec four et
micro-ondes) garnies de quelques provisions.
Chambres pour 2 personnes seulement (accès
Internet). Séjour minimum de 3 jours. Pas de
carte bancaire.

HOSTELLING INTERNATIONAL –
NEW YORK

Plan p. 454   *Auberge de jeunesse $*

☎ 212-932-2300 ; www.hinewyork.org ;
891 Amsterdam Ave à hauteur de 103rd St ; dort
29-40 $, d 135 $; ◉ 1 jusqu'à 103rd St ; ⊠ ▭
Impressionnant hôtel particulier de 1883
qui fut le siège de l'"Aide aux femmes
respectables, âgées et indigentes". De
nos jours, 624 couchettes impeccables

accueillent tout le monde. Couloirs et
chambres d'une propreté clinique, espaces
communs vastes et nombreux (pelouse à
l'arrière, cour en brique, grande cuisine)
et personnel de réception chaleureux qui
propose des promenades à pied (quelques-
unes gratuites). Du fait de la présence de
nombreux groupes, il est interdit de boire
de l'alcool. 3 chambres individuelles avec
sdb ; spacieux dortoirs (clim, moquette,
casiers). Accès Wifi et ordinateurs pour consulter ses e-mails. On raconte que l'auberge
serait hantée par un fantôme (qui ne visite
pas les chambres, heureusement).

HOTEL BELLECLAIRE

Plan p. 454   *Hôtel petits budgets $$*

☎ 212-362-7700 ; www.hotelbelleclaire.com ;
250 W 77th St à hauteur de Broadway ; d à partir de
199 $; ◉ 1 jusqu'à 79th St ; ⊠
Sans être extraordinaire, le Belleclaire
(8 étages) dépasse cependant les hôtels
internationaux fripés et démodés que l'on
trouve dans cette gamme de prix. Les petites
chambres s'efforcent de paraître modernes
– sdb carrelée, TV murale, couette en duvet
sur un lit confortable. Le centre de fitness
vous rendra claustrophobe, mais Central Park
n'est qu'à 3 pâtés de maisons.

HOTEL NEWTON

Plan p. 454   *Hôtel petits budgets $$*

☎ 212-678-6500 ; www.newyorkhotel.com/newton ;
2528 Broadway, entre 94th St et 95th St ; s et d à partir
de 150 $; ◉ 1, 2, 3 jusqu'à 96th St ; ⊠ ▭
Hôtel de 109 chambres propre et bon
marché, sans rien d'excitant malgré le
mobilier neuf. La clientèle est un mélange
de visiteurs internationaux et d'universitaires
cherchant un point de chute à proximité de
l'université de Columbia, une dizaine de rues
plus au nord. Les suites, d'un prix plus élevé,
disposent d'un "petit coin" salon. Toutes les
chambres ont un réfrigérateur, un four à
micro-ondes, l'accès Internet et des fenêtres
à double vitrage. En janvier et février, les
tarifs chutent à 80 $ – imbattable.

INN NEW YORK CITY

Plan p. 454   *B&B $$*

☎ 212-580-1900, 800-660-7051 ; www.innnewyorkcity.
com ; 266 W 71st St à hauteur de West End Ave ; ste à
partir de 300 $; ◉ 1, 2, 3 jusqu'à 72nd St ; ⊠
Quatre suites énormes et bizarres occupant
tout un étage de cet hôtel particulier 1900
vous donneront l'impression d'habiter dans
un château. C'est très loin à l'ouest, proche

CHAMBRES AUX ENCHÈRES

Il n'est plus si difficile de trouver des chambres à des prix intéressants dès lors que vous savez utiliser Internet. Une multitude de sites vous aident à trouver des rabais et vous permettent même de fixer votre prix – à l'instar de ce qui se pratique pour les billets d'avion à prix cassés.

Priceline.com est un site très clair qui vous laisse choisir le quartier de Manhattan où vous voulez séjourner, la catégorie de chambre souhaitée (de une à cinq-étoiles) et le prix que vous êtes prêt à payer. Une version un peu différente est proposée sur **Hotwire.com**, qui vous laisse choisir le quartier et vous donne un prix, mais pas l'hôtel. Le problème avec tous ces sites, c'est que vous devez fournir les données de votre carte bancaire avant de savoir où vous allez loger ; si le type d'hôtel que vous avez demandé est en accord avec votre prix, vous serez automatiquement débité, et l'on vous indiquera qu'une réservation a été prise à votre nom.

Les voyageurs qui veulent savoir d'abord à quelle enseigne ils seront logés ont plutôt intérêt à consulter les offres de l'un des sites de discount suivants : **Orbitz.com**, où vous choisissez la catégorie de l'hôtel et les commodités souhaitées, et l'on vous propose ensuite plusieurs choix. Idem pour **Hoteldiscounts.com** et **Travelzoo.com**, qui prétendent tous vous offrir des prix jusqu'à 70% inférieurs aux prix publics. **Justnewyorkhotels.com**, **Newyork. dealsonhotels.com**, **Newyorkcityhotelstoday.com** et **NYC-hotels.net** fonctionnent de la même manière, mais couvrent uniquement New York. Il n'est pas inutile non plus de consulter les sites de chaque hôtel, surtout pendant les périodes de moindre affluence, comme de mi-janvier à fin mars, les établissements proposant alors eux-mêmes des rabais.

à la fois de Riverside Park et de Central Park. Chambres meublées d'objets anciens, de lits en plumes couverts d'édredons en duvet, d'un Jacuzzi et de panneaux en vitrail. L'"Opera Suite" possède sa terrasse privée ; la petite "Vermont Suite" coûte 300 $ minimum ; 3 suites sont à 575 $ en haute saison, 475 $ le reste du temps. Toutes ont la TV câblée avec lecteur DVD et magnétoscope. Noble, écrasant et chargé d'histoire.

JAZZ ON THE PARK HOSTEL
Plan p. 454   *Auberge de jeunesse $*
☎ 212-932-1600 ; www.jazzhostel.com ; 36 W 106th St, entre Central Park West et Manhattan Ave ; dort avec petit déj 27-32 $, d avec petit déj 85 $; ⊙ B, C jusqu'à 103th St ; 🔀 🖳
Situé dans une rue qui a reçu le nom de Duke Ellington, cet ancien asile de nuit est, à juste titre, populaire. En plus de petites chambres simples, l'auberge offre beaucoup d'espaces communs : deux coins salon en terrasse et un bar au sous-sol (pour écouter du jazz et voir des spectacles comiques), en rénovation lors de notre passage. Le snack-bar sert des cafés expresso et des lasagnes à 3,50 $. Petits dortoirs mixtes et unisexes (entre 4 et 12 couchettes), équipés de casiers. Sdb communes impeccables, mais aucun espace prévu pour se changer à l'extérieur des douches. Accès Internet et dépôts de bagages fermés à clef. Chambres individuelles – guère plus qu'un lit entouré de murs – dans une annexe voisine

(54 W 105th St). Voir aussi l'hôtel Jazz on the Town (p. 360). Lors de notre passage, on projetait d'ouvrir un établissement à Harlem.

ON THE AVE
Plan p. 454   *Hôtel chic indépendant $$*
☎ 212-362-1100, 800-497-6028 ; www.ontheave.com ; 2178 Broadway à hauteur de W 77th St ; ch/ste à partir de 225/625 $; ⊙ 1, 2, 3 jusqu'à 79th St ; 🔀 🖳
Excellent hôtel de 16 étages, agréable et stylé, abritant 266 chambres pleines de petits luxes apparus lors de la dernière rénovation (têtes de lit en daim, lits en plumes, TV écran plat et lecteurs CD). La lumière du jour coule à flots par d'immenses fenêtres. Toutes les chambres ont un branchement informatique avec accès Wifi. Splendide balcon entièrement vitré au dernier étage.

PHILLIPS CLUB
Plan p. 454   *Hôtel d'affaires $$$*
☎ 212-835-8800 ; www.phillipsclub.com ; 155 W 66th St, entre Broadway et Amsterdam Ave ; ste à partir de 390 $, tarif mensuel à partir de 6 600 $; ⊙ 1 jusqu'à 66th St-Lincoln Center ; 🔀 🖳
On vient surtout ici pour de longs séjours – un mois ou plus –, mais il y a des suites disponibles à la nuit. Elles sont spacieuses et élégantes, avec linge de luxe et photographies originales au mur. Les services affaires comprennent : branchements informatiques, lignes multiphones avec messagerie vocale et salles de réunion. Les clients ont accès au très sélect Reebok Sports Club.

UPPER EAST SIDE

Certains des hôtels les plus huppés de New York se trouvent dans ce quartier, à deux pas du Met et de Central Park. Les prix minimums tournent autour de 300 $, et la vie nocturne est quasi inexistante. Aussi, soyez prêt à vous déplacer pour aller vous distraire.

BENTLEY
Plan p. 454   *Hôtel chic indépendant $$*
☎ 212-644-6000, 888-664-6835 ; www.nychotels.com ; 500 E 62nd St à hauteur de York Ave ; ch/ste à partir de 268/359 $; ⊙ F jusqu'à Lexington Ave-63rd St ; ⊠ ▣
Très à l'est – pratiquement sous les voies du tram de Roosevelt Island, à un jet de pierre de la voie sur berge FDR Expwy –, cet ancien immeuble de bureaux transformé en hôtel de 197 chambres a fait rentrer le style "chic indépendant" et moderne dans des espaces restreints. Suites gratifiées de 2 chambres, certaines situées en angle, avec mini-kitchenettes démodées. Le point fort : le bar du dernier étage, qui fait restaurant à partir de 17h, où il est agréable de prendre un verre après le dîner, environné des lumières de la ville.

Luxe et volupté règnent en maîtres au Carlyle (ci-dessous)

CARLYLE
Plan p. 454   *Auberge indépendante de luxe $$$*
☎ 212-744-1600 ; www.thecarlyle.com ; 35 E 76th St, entre Madison Ave et Park Ave ; d/ste à partir de 650/1 075 $; ⊙ 6 jusqu'à 77th St ; ⊠ ▣
Un classique depuis son ouverture, en 1930, et l'hôtel où Woody Allen joue de la clarinette le lundi soir. JFK et Jackie y séjournaient et Louis XIV aurait pu s'y sentir chez lui, tant l'opulence est à son comble. Sols en marbre noir dans le hall, Bemelman's Bar Art déco raffiné, et 179 chambres aussi grandes que des suites dans les autres hôtels, avec un luxe à l'ancienne (linge à 430 fils/pouce², baignoires Jacuzzi).

FRANKLIN
Plan p. 454   *Hôtel chic indépendant $$*
☎ 212-369-1000, 800-607-4009 ; www.franklinhotel. com ; 164 E 87th St, entre Lexington Ave et 3rd Ave ; d avec petit déj à partir de 290 $; ⊙ 4, 5, 6 jusqu'à 86th St ; ⊠ ▣
Un bon choix pour dormir dans l'Upper East Side pour moins de 300 $ (la plupart du temps). 49 petites chambres très bien décorées, avec plaids pliés au pied de hauts lits et fleurs fraîches. Ordinateur dans le hall où l'on sert une collation de vin et de fromage sur musique française d'accordéon, de 17h à 19h.

MARK NEW YORK
Plan p. 454 *Auberge indépendante de luxe $$$*
☎ 212-744-4300, 800-526-6566 ; www. mandarinoriental.com ; 25 E 77th St à hauteur de Madison Ave ; d/ste à partir de 310/735 $; ⊙ 6 jusqu'à 77th St ; ⊠ ▣
Le petit frère du très chic Mandarin Oriental (p. 371), mais pas vraiment bon marché ; cette ancienne résidence Art déco des années 1920 transformée en hôtel (176 chambres) offre cependant une ambiance plus intime en plein cœur de l'Upper East Side. Chambres standards claires, avec un petit goût pour le chintz. Les versions "luxe" valent les 30 ou 50 $ de supplément, donnant droit à une cuisine équipée et beaucoup plus d'espace. Petit centre de fitness.

WANDERERS INN
Plan p. 454   *Auberge de jeunesse $*
☎ 212-289-8083 ; www.wanderersinn.com ; 179 E 94th St ; dort avec petit déj 30-36 $, ch avec sdb commune/individuelle 75/85 $; ⊙ 6 jusqu'à 96th St ; ⊠ ▣
On s'étonne de trouver une auberge (ouverte en 2003) dans cette maison de 3 étages située dans un îlot très résidentiel d'un quartier des plus respectables. Soirées pizzas gratuites et cour où fumer tranquillement une cigarette. Dortoirs moquettés contenant de 4 à 10 couchettes spartiates (casiers de type militaire), certains assortis de sdb. Dortoirs du sous-sol un peu étouffants. Le Wanderers (☎ 212-222-8935 ; 257 W 113th St) gère une auberge analogue dans l'Upper West Side.

HARLEM

Suite à l'embourgeoisement du quartier sont arrivés des flots de visiteurs, et les entrepreneurs les plus malins ont cherché à en profiter avec élégance et originalité. Attention toutefois : certaines petites rues ne sont pas très rassurantes à la nuit tombée ; ne vous y aventurez pas seul.

HARLEM FLOPHOUSE

Plan p. 458   *Pension $*

☎ 212-662-0678 ; www.harlemflophouse.com ;
242 W 123rd St, entre Adam Clayton Powell Blvd et Frederick Douglass Blvd ; s/d 100/125 $; Ⓜ A, B, C, D jusqu'à 125th St

Une option de choix que cette maison des années 1890 ramenant à l'époque du jazz, avec objets anciens, parquets cirés et vieilles radios branchées sur une station de jazz. Les sdb sont communes – l'un des lavabos provient de chez Blumstein (p. 223) – et il n'y a ni clim ni TV. Un vrai voyage dans le temps. Le propriétaire peut vous indiquer les services religieux des environs, où entendre du gospel authentique (sans les cars de touristes), et des restaurants de bonne cuisine afro-américaine.

BROOKLYN

Autrefois, il fallait un enterrement pour décider les "Manhattaniens" à traverser l'East River, alors qu'en fait, on y est très vite en métro. Bien que l'hôtellerie à Brooklyn en soit encore à son premier stade de développement, ce borough constitue un point de chute sous-estimé. La plupart des lieux d'hébergement valables sont des B&B d'un bon prix, situés dans les agréables quartiers résidentiels du nord-ouest – et, en prime, on vous dira bonjour dans la rue.

AKWAABA MANSION INN

Plan p. 460   *B&B $$*

☎ 718-455-5958, 866-466-3855 ; www.akwaaba.com ;
347 MacDonough St, entre Lewis Ave et Stuyvesant Ave, Bedford Stuyvesant ; ch avec petit déj à partir de 150 $; Ⓜ A, C jusqu'à Utica Ave ; ⊠

Un rêve de New-Yorkais – soit un vrai petit manoir de style italien datant de 1860, niché dans un îlot de résidences séculaires. Seul inconvénient : l'éloignement, qui plus est dans un quartier encore mal jugé, Bedford Stuyvesant. Le beau Bed-Sty (tout au moins dans cette partie), qui sert actuellement de cadre à l'émis-

sion de télé de Chris Rock *Everybody Hates Chris*, a du mal à se défaire de l'image héritée d'un passé difficile. L'Akwaaba, ainsi que deux ou trois restaurants et boutiques du voisinage, s'efforcent de panser les plaies. Les parquets et moulures d'origine sont rehaussés de touches récentes au thème africain. Les 4 chambres sont thématiques : la "regal retreat" (retraite royale), la plus traditionnelle, offre une sdb avec baignoire à pattes de lion. Les petits déjeuners gargantuesques, de style sudiste, sont servis comme à la maison, dans un salon. L'auberge est souvent louée pour des mariages.

AWESOME B&B

Plan p. 462   *B&B $$*

☎ 718-858-4859 ; 136 Lawrence St, entre Willoughby St et Fulton St ; ch avec petit déj à partir de 140 $; Ⓜ M, R jusqu'à Lawrence St, 2, 3 jusqu'à Hoyt St ; ⊠ ▯

Dans le centre animé de Brooklyn, ce B&B rudimentaire loue 6 petites chambres très bien décorées (petites lampes, consoles dans l'entrée, murs peints à la main) et offre une atmosphère d'auberge de jeunesse. On s'y amuse aussi, lors de "nuits gothiques" diaboliquement médiévales. Le personnel vous imprimera des plans de New York en fonction de votre destination du jour. Deux sdb communes. Downtown n'est pas le quartier le plus pittoresque de Brooklyn, mais les restaurants de Smith Street et les *brownstones* de Brooklyn Heights sont à deux pas.

BAISLEY HOUSE

Plan p. 465   *B&B $$*

☎ 718-935-1959 ; 294 Hoyt St, entre Union St et Sackett St ; ch avec petit déj 162 et 192 $; Ⓜ F, G jusqu'à Carroll St ; ⊠

À 5 min à pied du métro, dans une petite rue bordée de maisons du XVIIIe, Baisley House, où l'actrice Susan Hayworth a passé son enfance, vous ramènera 150 ans en arrière. Elle est décorée d'une profusion d'objets victoriens du XVIIe au XIXe siècle (bustes et horloges sur les manteaux de cheminée, fauteuils à haut dossier, gravures anciennes) et les 3 chambres ont accès à une sdb commune. Copieux petit déj, différent chaque jour, servi dans le jardin quand le temps le permet. Le propriétaire est une encyclopédie vivante de l'histoire du quartier.

BED & BREAKFAST ON THE PARK

Plan p. 464   *B&B $$*

☎ 718-499-6115 ; www.bbnyc.com ; 113 Prospect Park West, entre 6th St et 7th St ; d avec petit déj à partir de 155 $; Ⓜ F jusqu'à 7th Ave-Park Slope ; ⊠

Où se loger

BROOKLYN

377

En face de Prospect Park, dans le quartier embourgeoisé de Park Slope, ce B&B d'une intimité toute victorienne offre 7 chambres (sdb individuelles) meublées de tapis orientaux, de plantes vertes, de lits à baldaquin et de cheminées marchant au gaz, avec parquets et moulures. Au petit déj, familial, la conversation peut s'éterniser autour des soufflés et *kielbasa* (saucisses). La borne Wifi couvre certaines chambres et le jardin à l'arrière.

MARRIOTT AT THE BROOKLYN BRIDGE

Plan p. 462 *Hôtel de chaîne internationale $$*

☎ 718-246-7000, 888-436-3759 ; 333 Adams St ; d à partir de 199 $; ⊕ 2, 3, 4, 5 jusqu'à Borough Hall, A, C, F jusqu'à Jay St ; 🔁 🔀 🖳

Appartenant à une chaîne hôtelière insipide, cet hôtel de 374 chambres est, pour le moment, le seul établissement de standing de ce côté-ci de l'East river. Les tarifs chutent le week-end quand les hommes d'affaires rentrent chez eux. Chambres sans surprise mais confortables, dotées de nouveaux matelas *king-size*, de couvre-lits en chintz, d'un bureau et d'un accès Internet. L'hôtel abrite un immense centre de fitness et une piscine pour faire des longueurs.

UNION STREET B&B

Plan p. 465 *B&B $*

☎ 718-852-8406 ; www.unionstbrooklynbandb.com ; 405 Union St, entre Smith St et Hoyt St ; s/d avec petit déj 100/150 $; ⊕ F, G jusqu'à Carroll St ; 🔀

Dans une belle rue de Carroll Gardens bordée de maisons, ce *brownstone* de 1898, un peu défraîchi et décoré d'objets victoriens, s'avère accueillant et bon marché, et le quartier est très bien. Les six chambres ont deux sdb communes, dont une avec une vieille baignoire à pattes de lion.

LE QUEENS

Ce borough très vaste compte quelques hôtels de chaîne pas très enthousiasmants, dont les clients sont essentiellement des personnes visitant leur famille.

HOWARD JOHNSON

Plan p. 467 *Hôtel de chaîne $*

☎ 718-461-3888 ; info@howardjohnsonny.com ; 135-33 38th Ave ; s ou d 119 $; ⊕ 7 jusqu'à Flushing-Main St ; 🔀 🖳

Un hôtel de chaîne basique au bout de la ligne 7, au cœur de Flushing – une solution de remplacement sûre et bon marché, entourée d'une multitude de merveilleux restaurants chinois, vietnamiens et coréens.

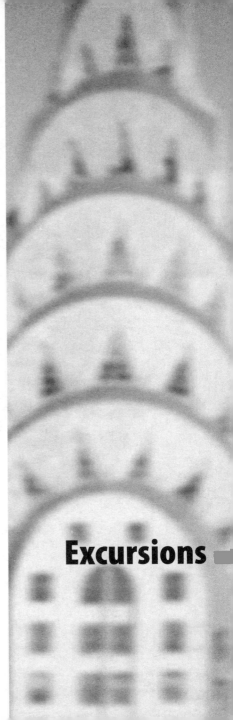

Excursions

Excursions

Pris dans la routine, les New-Yorkais ne quittent parfois pas la ville pendant des mois. Trop de monde, trop d'embouteillages et impossible de se déplacer sans voiture, se plaignent-ils souvent. Faux car, l'été venu, ils disparaissent en masse. Les environs immédiats de New York – l'Hudson Valley et les Catskills, les plages et les casinos du New Jersey, les Hamptons de Long Island, les domaines viticoles ou encore Philadelphie – offrent de larges possibilités d'escapades vers la mer, la ville ou la campagne. Toutes les sorties décrites dans ce chapitre peuvent s'effectuer avec les transports en commun (en louant un vélo à l'arrivée par exemple, pour davantage de liberté). Si vous préférez louer une voiture, sachez que les prix sont élevés (jusqu'à 60 \$/jour) et prévoyez votre excursion en semaine, pour éviter les embouteillages.

PLAGES

Aussi surprenant que cela puisse paraître, les plages ne manquent pas autour de New York. Les plus proches (Coney Island, the Rockaways, City Island), situées dans le périmètre de la ville, s'avèrent souvent bondées, bruyantes et sales. Mieux vaut s'éloigner un peu et gagner Long Island pour découvrir **Jones Beach**, sorte de ville de sable ; **Fire Island**, interdite à la circulation ; **Long Beach**, à quelques minutes en train de Manhattan, ou encore les longues plages de sable blanc des très chic **Hamptons**. Enfin, sur le littoral du New Jersey, citons notamment **Sandy Hook** et **Cape May**.

VIGNOBLES

Si les domaines de Finger Lakes, tout au nord de l'État, produisent le meilleur vin de la région, ceux de Long Island jouissent d'une réputation croissante. L'extrémité est de Long Island compte plus d'une trentaine d'exploitations viticoles, en particulier sur la **North Fork** et la **South Fork** (dans les **Hamptons**).

VILLES ET CAMPAGNE

La nature et les villages tranquilles sont plus proches de New York qu'on ne le pense généralement. Ponctuée de nombreux petits bourgs, **Hudson Valley** compte en outre des demeures anciennes et des musées intéressants. Plus au nord, les **Catskills** s'agrémentent de charmants hameaux et permettent d'alterner randonnées et virées chez les antiquaires. Sur Long Island, les **Hamptons** vous séduiront avec leurs rues pittoresques, leurs boutiques luxueuses et leurs restaurants haut de gamme (très courus des célébrités). Vous pourrez rejoindre en ferry la **North Fork** de Long Island, version plus populaire des Hamptons, avec de charmants B&B et de nombreux domaines vinicoles.

HISTOIRE

Il suffit d'un court trajet en bus pour rejoindre le cœur historique du pays : **Philadelphie**. Ville d'une taille plus humaine que New York, elle ne manque pas de charme ni de sites à visiter, tels la Liberty Bell, l'Independence Hall ou l'US Mint.

LONG ISLAND Carte p. 380

La plus grande île des États-Unis (un peu plus de 190 km de long), Long Island, s'ouvre à l'ouest sur Brooklyn (comté de Kings) et le Queens (comté du Queens). L'on pénètre ensuite dans le comté de Nassau, caractérisé par un habitat suburbain et d'immenses centres commerciaux. On établit souvent une nette distinction entre la côte sud et la côte nord, celle-ci étant la plus riche. À mesure que l'on poursuit vers l'est, le paysage s'aplatit et devient moins peuplé et plus rural dans le comté du Suffolk, qui comprend la pointe orientale de l'île. Ce comté englobe deux péninsules, désignées sous le nom de "Forks" (les fourches), nord et sud, séparées par Peconic Bay. La South Fork, appelée aussi East End ou les Hamptons, est la partie la plus visitée.

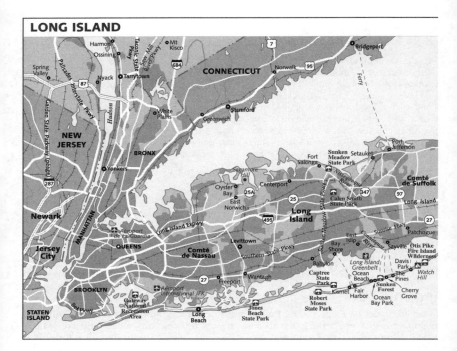

LES HAMPTONS

Ce qui était à l'origine un havre de paix pour les artistes, les musiciens et les écrivains s'est révélé au fil des ans une destination branchée et très prisée de la jet-set, des célébrités et des curieux. Il reste cependant encore quantité d'endroits préservés à découvrir. Les plages et les quelques zones rurales qui subsistent méritent notamment une visite, que l'on peut associer à des activités de plein air, tels le kayak et la randonnée. On peut aussi décider de venir pour les boutiques et les restaurants haut de gamme, voire pour tenter d'apercevoir des personnalités célèbres (surtout l'été). Une précision toutefois : tout est absolument hors de prix et le moindre hôtel demande largement plus de 300 $ pour une nuit (mais vous pouvez vous contenter de venir passer la journée, à condition de vous lever tôt), particulièrement en été, pleine saison touristique. Les prix diminuent un peu, de même que la fréquentation, un mois après le Labor Day. L'automne, période des récoltes et des vendanges, s'avère d'ailleurs la saison idéale pour visiter cette région, le temps demeurant encore très clément.

Les Hamptons désignent en fait plusieurs villages (dont le nom comprend généralement le mot "Hampton"). Hampton Bays, Quogue et Westhampton, à l'ouest (ou "à l'ouest du canal" comme disent les habitants en parlant du Shinnecock Canal) restent plus tranquilles que les villages de l'est, qui commencent avec Southampton. Moins clinquant et plus traditionnel que ses voisins, il regroupe de grosses demeures anciennes, une Main Street où l'on est prié de respecter une certaine décence (tenue correcte exigée en ville par exemple) et de jolies plages. Le bureau de la chambre de Commerce, niché entre des boutiques hors de prix et des restaurants relativement corrects, vous fournira plans et brochures. Des Amérindiens, les Shinnecocks, vivent dans une réserve dans la ville et tiennent le Shinnecock Museum, aux horaires irréguliers. Le Parrish Art Museum organise des expositions intéressantes (procurez-vous le *East Hampton Star* ou le *Southampton Press* pour la liste des galeries d'art locales). Pour dîner, les plats de poisson de James on Main, comme le bar à l'orange, sont fameux.

Plus à l'est, Bridgehampton rassemble boutiques et restaurants à la mode. La Bridgehampton Inn est une luxueuse auberge traditionnelle dotée d'une connexion Wifi.

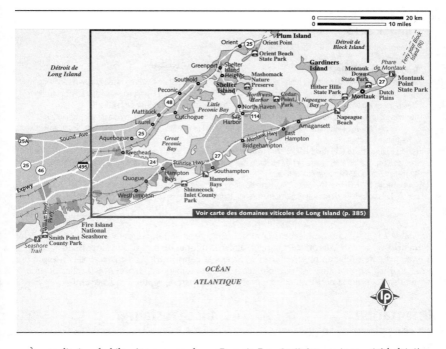

À une dizaine de kilomètres au nord, sur Peconic Bay, **Sag Harbor**, ancienne cité baleinière, compte de belles demeures historiques et divers sites intéressants. Le **Windmill Information Center**, sur Long Wharf, à l'extrémité de Main Street, édite des brochures proposant des circuits pédestres dans la ville. Visitez en particulier le **Sag Harbor Whaling Museum**, avant de flâner dans les ruelles et de découvrir quelques-uns des excellents restaurants du cru. La boutique **Bike Hampton** loue des vélos et vend des cartes des pistes cyclables des environs. Pour manger sans vous ruiner, rien ne vaut le **Fat Ralph's Deli**, délicieux et récemment ouvert. L'**American Hotel**, dans Main St, possède 8 chambres luxueuses et un restaurant de très bonne réputation fréquenté par une clientèle huppée.

Depuis North Haven, à côté de Sag Harbor, un ferry South Ferry (voir p. 384) conduit rapidement à la tranquille Shelter Island, occupée sur près d'un tiers par la **Mashomack Nature Preserve**, sillonnée de pistes cyclables et de sentiers de randonnée.

East Hampton est la station balnéaire la plus en vogue de Long Island. Arrêtez-vous au **Guild Hall** pour découvrir l'exposition en cours ou assister à une conférence, puis marquez une pause chez **Babette's,** un restaurant bio et essentiellement végétarien. Les plats d'inspiration italienne de **Della Femina** et **Nick & Toni's** attirent également pas mal de célébrités. Quant à la **Mill House Inn**, belle demeure rénovée, elle comprend 8 chambres adorables.

Plus rural et moins huppé que les autres Hamptons, **Montauk** rassemble des restaurants à des prix plus abordables et des bars animés, généralement tenus par un personnel saisonnier d'étudiants et d'immigrants mexicains de fraîche date. Descendez par exemple au **Memory Motel**, aujourd'hui un peu défraîchi mais relativement confortable, qui inspira à Mick Jagger la chanson du même nom. Ou alors, laissez-vous tenter par les soins de thalassothérapie proposés au **Gurney's Inn Resort**, directement sur la plage. Enfin, le **Lobster Roll ("Lunch")** est réputé pour ses sandwichs – de petits pains à hot dog garnis d'une salade de langouste.

Occupant toute l'extrémité est de la South Fork, le **Montauk Point State Park** est dominé par l'impressionnant phare de Montauk. On peut camper sur le sable dans le **Hither Hills State Park** voisin, ou gravir les **Walking Dunes**, qui s'élèvent à 25 m au-dessus du niveau de la mer. Il est également possible, pour planter sa tente, de gagner le **Cedar Point Park**, dans le quartier de Springs à East Hampton, du côté du paisible Northwest Harbor. Mieux vaut toutefois téléphoner au préalable car il affiche rapidement complet. Pratiquée de longue date à Montauk, la pêche demeure une activité très prisée. On peut facilement louer un bateau à la journée ou participer à une partie de pêche en mer (environ 35 $/pers la demi-journée). Le **Flying Cloud** du capitaine Fred E. Bird est notamment particulièrement apprécié pour la pêche à la plie, de mai à septembre, et pour la pêche au bar, au *porgy* et au *striper*, de septembre à novembre.

Orientation et renseignements

Bike Hampton (☎ 631-725-7329 ; 36 Main St, Sag Harbor ; location de vélo, 25-40 $ /j)

Cedar Point Park (☎ 631-852-7620)

Flying Cloud (☎ 631-668-2026 ; 67 Mulford Ave, Montauk)

Guild Hall (☎ 631-324-0806 ; www.guildhall.org ; 158 Main St, East Hampton)

Hither Hills State Park (☎ 631-668-2554)

Mashomack Nature Preserve (☎ 631-749-1001)

Montauk Point State Park (☎ 631-668-3781)

Parrish Art Museum (☎ 631-283-2111 ; 25 Jobs Lane, Southampton ; adulte/senior et étudiant 5/3 $; ⏰ Memorial Day-14 sept lun-sam 11h-17h, dim 13h-17h, fermé mar-mer le reste de l'année)

Sag Harbor Whaling Museum (☎ 631-725-0770 ; www. sagharborwhalingmuseum.org ; Main St à hauteur de Garden St, Sag Harbor ; adulte/senior et étudiant 5/3 $; ⏰ 17 mai-oct lun-sam 10h-17h, dim 13h-17h, fermé oct-déc)

Shinnecock Museum (☎ 631-287-4923 ; Montauk Hwy, Southampton ; entrée 5 $; ⏰ ven-dim 11h-16h)

Chambre de Commerce de Southampton (☎ 631-283-0402 ; 76 Main St, Southampton ; ⏰ lun-ven 9h-17h)

Windmill Information Center (☎ 631-692-4664 ; Long Wharf à hauteur de Main St, Sag Harbor ; ⏰ sam-dim 9h-16h)

Où se restaurer

Babette's (☎ 631-537-5377 ; 66 Newtown Lane, East Hampton ; plats 12-18 $)

Della Femina (☎ 631-329-6666 ; N Main St, East Hampton ; plats 18-30 $)

Fat Ralph's Deli (☎ 631-725-6688 ; 138 Division St, Sag Harbor ; sandwichs 7-10 $)

James on Main (☎ 631-283-7575 ; 75 Main St, Southampton ; plats 19-28 $)

Lobster Roll ("Lunch") (☎ 631-267-3740 ; 1980 Montauk Hwy, Montauk ; plats 12-20 $)

Nick & Toni's (☎ 631-324-3550 ; 136 N Main St, East Hampton ; plats 18-30 $)

Où dormir

American Hotel (☎ 631-725-3535 ; Main St, Sag Harbor ; ch basse saison 155-250 $, haute saison 210-335 $)

Bridgehampton Inn (☎ 631-537-3660 ; 2266 Main St ; ch basse saison 165-350 $, haute saison 310-450 $)

Gurney's Inn Resort (☎ 631-668-2345 ; 290 Old Montauk Hwy, Montauk ; ch 190-500 $)

Memory Motel (☎ 631-668-2702 ; 692 Montauk Hwy, Montauk ; ch 95-120 $)

Mill House Inn (☎ 631-324-9766 ; 31 N Main St, East Hampton ; ch basse saison 200-600 $, haute saison 350-800 $)

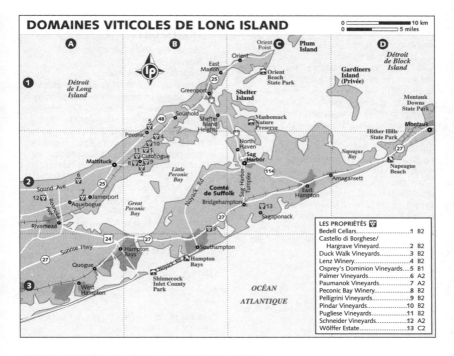

DOMAINES VITICOLES DE LONG ISLAND

LES PROPRIÉTÉS		
Bedell Cellars	1	B2
Castello di Borghese/		
Hargrave Vineyard	2	B2
Duck Walk Vineyards	3	B2
Lenz Winery	4	B2
Osprey's Dominion Vineyards	5	B1
Palmer Vineyards	6	A2
Paumanok Vineyards	7	A2
Peconic Bay Winery	8	B2
Pelligrini Vineyards	9	B2
Pindar Vineyards	10	B2
Pugliese Vineyards	11	B2
Schneider Vineyards	12	A2
Wölffer Estate	13	C2

LES VIGNOBLES DE LA NORTH FORK

En un peu plus de 25 ans, la viticulture s'est considérablement développée à Long Island pour devenir une activité prospère exploitant plus de 1 200 ha de terrain. L'immense majorité de la cinquantaine de domaines viticoles se situe à la pointe est de la North Fork. Un panneau vert marqué "wine trail" (route du vin) indique la Rte 25 à la sortie de Riverhead, au niveau de l'embranchement de la fourche. Si vous souhaitez également visiter les exploitations de la South Fork (**Duck Walk Vineyards** et **Wölffer Estate**), commencez par rejoindre les Hamptons, puis gagnez la North Fork en empruntant le ferry de Shelter Island (voir plus haut). L'on peut toutefois se contenter de la North Fork, beaucoup plus paisible et à l'écart de l'agitation mondaine qui règne de l'autre côté. L'automne aux couleurs changeantes, saison des vendanges et de la récolte des citrouilles, est idéal pour découvrir la région. La plupart des exploitations restent toutefois ouvertes toute l'année et certaines organisent des visites très complètes. Les domaines que nous citons ci-dessous proposent des dégustations (voir la carte ci-dessus) : **Bedell Cellars, Castello di Borghese/Hargrave Vineyard, Lenz Winery, Osprey's Dominion Vineyards, Palmer Vineyards, Paumanok Vineyards, Peconic Bay Winery, Pelligrini Vineyards, Pindar Vineyards, Pugliese Vineyards, Schneider Vineyards** et **Wölffer Estate**. Pour tout renseignement sur un domaine en particulier et pour vous procurer la carte de la route du vin, adressez-vous au **Long Island Wine Council**.

La North Fork ne se limite toutefois pas aux vignobles. Sympathique et plus abordable que les villages de la South Fork, **Greenport** foisonne de restaurants en plein air, regroupés sur le port. Très couru et fréquenté par les touristes, **Claudio's** devient rapidement bruyant. Plus raffiné, **Aldo's** prépare une cuisine exquise et des biscuits maison réputés. Réservations indispensables. Passez à la **chambre de Commerce de Greenport-Southold** pour vous procurer cartes et renseignements et profitez-en pour faire un tour sur le vieux **manège** restauré, en bord de mer.

On peut ensuite pousser jusqu'à **Orient**, à quelque 5 km de l'arrivée des ferries Orient Point. Ce hameau du XVIIe siècle ne déborde pas d'activité, mais sa vieille poste en bois, ses maisons à bardeaux blancs bien préservées et ses auberges anciennes retiendront votre attention. En vélo, longez l'Oyster Ponds, à l'est de Main Street, pour rejoindre la plage de l'**Orient Beach State Park**.

Excursions

LONG ISLAND

Les routes secondaires de la North Fork permettent de découvrir les fermes et les demeures rurales de la région. Si cette excursion vous semble trop longue pour une seule journée (c'est faisable, mais fatigant), vous trouverez sans peine un hôtel où passer la nuit. Citons notamment le **Red Barn B&B**, douillette auberge meublée d'antiquités à Jamesport, et les **Quintessentials B&B Spa**, luxueuse bâtisse victorienne des années 1840 parfaitement mise en valeur dans un joli cadre fleuri, qui offre des soins de thalassothérapie. Si vous préférez rentrer directement, nous vous conseillons de marquer une pause à **Riverhead**. Vous pourrez jeter un coup d'œil au **Tanger Outlet Center**, immense centre commercial avec, notamment, Banana Republic et Nautica, et visiter **Polish Town**, petit quartier d'immigrants polonais regroupant boulangeries et restaurants traditionnels, tel le **Polonez Polish Russian Restaurant**.

Orientation et renseignements

Les exploitations viticoles ouvrent généralement tlj de 11h à 17h, 18h en été.

Bedell Cellars (☎ 631-734-7537 ; Cutchogue)

Carousel (Front St, Greenport ; entrée 1 $; ☺ été 10h-22h, selon la météo le reste de l'année)

Castello di Borghese/Hargrave Vineyard (☎ 631-734-5158 ; Cutchogue)

Duck Walk Vineyards (☎ 631-726-7555 ; Southampton)

Chambre de Commerce de Greenport-Southold (☎ 631-765-3161 ; www.greenportsoutholdchamber.org ; Rte 25, Southold ; ☺ lun-ven 9h-16h)

Lenz Winery (☎ 631-734-6010 ; Peconic)

Long Island Wine Council (☎ 631-369-5887 ; www.liwines.com ; 104 Edwards Ave, Calverton)

Orient Beach State Park (☎ 631-323-3400)

Osprey's Dominion Vineyards (☎ 631-765-6188 ; Peconic)

Palmer Vineyards (☎ 631-722-9463 ; Riverhead)

Paumanok Vineyards (☎ 631-722-8800 ; Aquebogue)

Peconic Bay Winery (☎ 631-734-7361 ; Cutchogue)

Pelligrini Vineyards (☎ 631-734-4111 ; Cutchogue)

Pindar Vineyards (☎ 631-734-6200 ; Peconic)

Pugliese Vineyards (☎ 631-734-4057 ; Cutchogue)

Schneider Vineyards (☎ 631-727-3334 ; Riverhead)

Tanger Outlet Center (☎ 631-369-2732 ; 1770 W Main St, Riverhead)

Wölffer Estate (☎ 631-537-5106 ; Sagaponack)

TRANSPORTS

Distance depuis New York 161 km
Direction Est
Temps de trajet 2 heures 15
Voiture Sortez de Manhattan par le tunnel de Midtown pour prendre l'Interstate 495/Long Island Expwy. Suivez-la jusqu'au bout, à Riverhead, puis empruntez la route Rte 25, qui vous conduira vers l'est.
Hampton Jitney (☎ 212-362-8400 ; www.hamptonjitney.com ; aller simple 18 $, aller-retour 35 $) Démarre de 44th St à hauteur de Third Ave dans Manhattan, et s'arrête dans 10 villages de la North Fork.
Train Les trains du **Long Island Rail Road** (LIRR ; ☎ 718-217-5477 ; www.mta.nyc.ny.us/lirr) partent de Penn Station et de Brooklyn, sur la North Fork Line. Les billets, en vente aux guichets ou aux distributeurs, coûtent 13/19 $ l'aller-retour.

Où se restaurer

Aldo's (☎ 631-477-1699 ; 103-105 Front St, Greenport ; plats 15-25 $)

Claudio's (☎ 631-477-0715 ; 111 Main St, Greenport ; plats 18-30 $; ☺ mi-avr-1er jan)

Polonez Polish Russian Restaurant (☎ 631-369-8878 ; 123 W Main St, Riverhead ; plats 12-20 $)

Où se loger

Quintessentials B&B Spa (☎ 631-477-9400 ; 8585 Main Rd, East Marion ; ch 175-275 $)

Red Barn B&B (☎ 631-722-3695 ; 733 Herricks Lane, Jamesport ; ch 150-275 $)

La Mashomack Nature Preserve (p. 383), sur Shelter Island

JONES BEACH

Le **Jones Beach State Park** offre 10 km de plages généralement très fréquentés, occupés selon les sections par des surfeurs, des familles, des gays, ou encore des naturistes. En plein été, la température de l'eau atteint facilement 21°C et la baignade est surveillée. On peut aussi piquer une tête dans l'une des deux grandes piscines aménagées sur place, jouer aux palets ou au basket, flâner sur les 3 km de la promenade en front de mer ou dans les marais voisins, ou encore visiter le musée **Castles in the Sand** pour découvrir comment la création de Jones Beach dans les années 1940 a transformé Long Island. Les snack-bars des différentes sections de la plage vendent tous des hamburgers, des nachos, des glaces et autres collations de ce type. Face à l'océan, le **Boardwalk Restaurant** propose, quant à lui, du thon grillé et des poissons cuits à la vapeur à des prix assez élevés. Le soir, des barbecues sont organisés sur la plage, où le **Tommy Hilfiger Jones Beach Theater** (p. 283) organise des concerts en plein air.

Orientation et renseignements

Castles in the Sand (☎ 516-785-1600 ; entrée 1 $; ☯ Memorial Day-Labor Day sam-dim 10h-16h)

Jones Beach State Park (☎ 516-785-1600)

Tommy Hilfiger Jones Beach Theater (☎ 516-221-1000 ; www.tommyhilfigerjonesbeach.com) Prix d'entrée et horaires sur demande.

Où se restaurer

Boardwalk Restaurant (☎ 516-785-2420 ; plats 10-15 $)

TRANSPORTS

Distance depuis New York 53 km
Direction Est
Temps de trajet 45 min
Voiture Sortez de Manhattan par le tunnel de Midtown pour prendre l'I-495/Long Island Expwy. Roulez jusqu'à la sortie TK, puis empruntez la Northern State Pkwy ou la Southern State Pkwy pour rejoindre la Wantagh Pkwy, qui vous conduira directement au Jones Beach State Park.
Train Le **Long Island Rail Road** (LIRR ; ☎ 718-217-5477 ; www.mta.nyc.ny.us/lirr ; aller-retour 14 $) propose des allers-retours de Penn Station, et de Flatbush Ave Station à Brooklyn, jusqu'à la gare de Freeport, sur Long Island, en moins de 40 min. De Memorial Day à Labor Day, une navette vous emmène ensuite à Jones Beach.

FIRE ISLAND

Parallèle à Long Island, cette langue de sable d'une cinquantaine de kilomètres ne manque pas d'attraits. Bénéficiant d'un programme de protection fédéral, le **Fire Island National Seashore** est riche en dunes de sable, forêts et plages de sable blanc. Les randonneurs sont comblés par d'innombrables itinéraires et trouvent en chemin des campings, des auberges, des restaurants, une quinzaine de hameaux et deux villages. Ces derniers, interdits aux voitures, abritent surtout des maisons de vacances et des pubs généralement bondés. Sur les plages elles-mêmes, outre quelques rangées de tentes, on aperçoit souvent des cerfs. Seul endroit de l'île accessible en voiture, le **Robert Moses State Park**, à l'extrémité ouest, offre de longues plages sablonneuses, fréquentées par une population plus calme que celle de Jones Beach. Le **Fire Island Lighthouse** (phare) renferme un musée historique. Un peu plus à l'est s'étend la plage naturiste.

C'est à l'est de l'île, dans les paisibles villages fermés à la circulation, que se situent les points les plus intéressants. Les petits bourgs de Davis Park, Fair Harbor, Kismet, Ocean Bay Park et Ocean Beach, généralement constitués de maisons d'été, comptent tous quelques magasins, des bars, des restaurants et des night-clubs. Rappelons toutefois que pratiquement tout ferme environ 2 semaines après le Labor Day. On peut séjourner à l'**Ocean Beach Hotel** et faire appel aux services de **South Bay Water Taxi** pour se déplacer entre les différents hameaux qui ont chacun leur population particulière. Ici des célibataires, là davantage de familles… Pour plus de détails, consultez le site www.fireisland.com.

Deux stations balnéaires sont exclusivement réservées à la communauté homosexuelle, **Cherry Grove** et **the Pines**, avec néanmoins quelques différences. La première est ouverte aux hommes et aux femmes amateurs de plaisirs simples – les hamburgers, la bière, le naturisme –, tandis que la seconde s'est laissé annexer par des gays, généralement aisés et body-buildés. Les soirées privées ou se déroulant au **Pavilion**, le night-club local récemment rénové, sont souvent pimentées de substances illicites. Le bois qui sépare les deux hameaux sert fréquemment de lieu de rendez-vous. On peut facilement se rendre sur Fire Island pour une journée, mais il est particulièrement plaisant de s'y attarder, pour prendre le temps de flâner sur les sentiers qui serpentent entre les dunes et les habitations. Quelques suggestions d'hébergement : le **Belvedere** (réservé aux hommes), **Holly House** et le **Grove Hotel** à Grove. Ce dernier abrite un night-club. The Pines compte une auberge (à peine) rénovée, l'**Hôtel Ciel**.

Aucun restaurant ne mérite vraiment d'être cité, hormis deux adresses très fréquentées de Grove : **Rachel's** pour sa vue sur l'océan et le **Cherry's**, situé juste sur la baie.

Si vous préférez rester en pleine **nature**, vous apprécierez sans doute la **Sunken Forest**, une forêt vieille de 300 ans, dotée de son propre embarcadère (Sailor's Haven). À l'extrémité est de l'île, les 500 ha de la réserve d'**Otis Pike Fire Island Wilderness** abritent un camping au niveau de **Watch Hill** (réservations indispensables, jusqu'à un an à l'avance). Prenez garde aux moustiques.

Orientation et renseignements

Cherry Grove (☎ 914-844-7490 ; www.cherrygrove.com)

Informations sur Fire Island (www.fireisland.com)

Fire Island Lighthouse (phare ; ☎ 631-681-4876)

Fire Island National Seashore (☎ 631-289-4810 ; www.nps.gov/fiis)

Otis Pike Fire Island Wilderness/Watch Hill (☎ 631-289-9336 ; emplacement 25 $)

Pavilion (☎ 631-597-6677 ; entrée 5-20 $)

Robert Moses State Park (☎ 631-669-0449 ; www.nysparks.state.ny.us)

South Bay Water Taxi (☎ 631-665-8885 ; www.southbaywatertaxi.com ; course 10-20 $)

Sunken Forest (☎ 631-289-4810)

The Pines (www.thepinesfireisland.com)

Où se restaurer

Cherry's (☎ 631-597-9736 ; Cherry Grove ; plats 10-15 $)

Rachel's (☎ 631-597-4174 ; Cherry Grove ; plats 10-12 $)

Où se loger

Belvedere (☎ 631-597-6448 ; Cherry Grove ; ch à partir de 250 $)

Grove Hotel (☎ 631-597-6600 ; Cherry Grove ; ch 80-500 $, ste 90-500 $)

Holly House (☎ 631-597-6991 ; Cherry Grove ; ch à partir de 250 $)

Ocean Beach Hotel (☎ 631-583-9600 ; The Pines ; ch 225 $)

TRANSPORTS

Distance depuis New York 96 km

Direction Est

Durée du trajet 2 heures (inclut la traversée en bateau)

Voiture Sortez de Manhattan par le tunnel de Midtown pour prendre l'I-495/Long Island Expwy. Pour rejoindre les ferries Sayville (pour Pines, Cherry Grove et Sunken Forest), quittez la voie express à la sortie 57 et prenez la Vets Memorial Hwy. Tournez à droite dans Lakeland Ave et continuez jusqu'au bout (des panneaux indiquent les ferries). Pour le Davis Park Ferry, qui part de Patchogue (à destination de Watch Hill), empruntez la Long Island Expwy jusqu'à la sortie TK. Pour les ferries de Bay Shore (toutes les autres destinations de Fire Island), prenez la Long Island Expwy jusqu'à la sortie 30E, puis la Sagtikos Pkwy jusqu'à la sortie 42 sud et rejoignez le terminal de Fifth Ave sur Bay Shore. Sinon, le **Tommy's Taxi Service** (☎ 631-665-4800) peut vous prendre à Manhattan et vous conduire au ferry de Bay Shore moyennant 16 $. Pour vous rendre au Robert Moses State Park en voiture, quittez la Long Island Expwy à la sortie 53 et continuez vers le sud pour traverser la Moses Causeway.

Train Les trains du **Long Island Rail Road** (LIRR ; ☎ 718-217-5477 ; www.mta.nyc.ny.us/lirr) s'arrêtent à Sayville et Bay Shore. L'été, correspondance assurée avec les navettes du **Fire Island Ferry Service** (☎ 631-665-3600 ; Bay Shore), **Sayville Ferry Service** (☎ 631-589-0810 ; Sayville) et Davis Park Ferry (☎ 631-475-1665, Davis Park). Consulter le www.fireislandferries.com. L'aller simple au départ de Manhattan et de Brooklyn revient à environ 13 $, l'aller-retour en ferry à environ 14 $.

Excursions

LONG ISLAND

LONG BEACH

Encore plus proche de New York que Jones Beach ou Fire Island, Long Beach permet de profiter des joies de la plage à moins d'une heure de la ville. Facilement accessible en train, elle est bien entretenue et compte nombre de boutiques et de restaurants à proximité de l'océan. On y voit beaucoup de surfeurs et autres branchés new-yorkais. Pour davantage de renseignements, adressez-vous à la **chambre de Commerce de Long Beach** et au bureau de la **City of Long Beach**.

Vous vous repérerez sans difficulté car Long Beach n'est pas très étendue. Les surfeurs se retrouvent sur **Lincoln Beach**, à l'extrémité de Lincoln Blvd (location de planches et leçons auprès d'**Unsound Surf**). Cette petite plage fait face à une zone de hautes vagues, et l'on peut sinon se baigner et se faire bronzer en toute tranquillité en de multiples endroits. Juste derrière la plage un agréable quartier résidentiel comprend de jolies petites baraques de plage et des maisons plus imposantes, occupées toute l'année. La zone se prête à une balade à pied ou en vélo. La promenade qui longe la plage comporte aussi une piste cyclable. Location de vélos chez **Buddy's**.

Les environs de la plage foisonnent de bons restaurants. Laissez-vous guider par vos envies ou testez l'une des tables suivantes : **Baja California Grille**, où goûter une savoureuse cuisine mexicaine ; ou **Kitchen Off Pine Street**, parfait pour un repas décontracté avant de regagner New York. Les offres hôtelières s'avèrent en revanche limitées, mais il est vraiment très facile de rejoindre New York.

TRANSPORTS

Distance depuis New York 48 km
Direction Est
Durée du trajet 45 min
Voiture Prenez la Grand Central Pkwy vers l'est pour rejoindre la Van Wyck Expwy, en direction de JFK Airport. Quittez-la à la sortie 1E pour rejoindre la Nassau Expwy, qui conduit à Long Beach.
Train Le **Long Island Rail Road** (LIRR ; ☎ 718-217-5477 ; www.mta.nyc.ny.us/lirr ; aller-retour 12 $) dessert directement Long Beach depuis Penn Station et Flatbush Ave à Brooklyn.

Orientation et renseignements

Buddy's (☎ 516-431-0804 ; 907 W Beech St ; vélo 16 $/3 heures)

City of Long Beach (☎ 516-431-1000 ; www.long beachny.org ; 1 West Chester St ; ☺ lun-ven 9h-16h)

Chambre de Commerce de Long Beach (☎ 516-432-6000 ; 350 National Blvd ; ☺ lun-ven 9h-16h)

Unsound Surf (☎ 516-889-1112 ; infos spécial surf ☎ 516-892-7972 ; 359 East Park Ave ; cours 55 $/heure)

Lincoln Beach (☎ 516-431-1810)

Où se restaurer

Baja California Grille (☎ 516-889-5992 ; 1032 W Beech St ; plats 6-10 $)

Kitchen Off Pine Street (☎ 516-431-0033 ; 670 Long Beach Blvd ; plats 13-22 $)

UPSTATE NEW YORK

Au nord de New York, la campagne se couvre de collines boisées et de villes construites le long de l'Hudson. En automne, les paysages se parent de somptueuses couleurs et nombre de citadins louent une voiture pour profiter de la nature.

HUDSON VALLEY

Les petites routes de la vallée de l'Hudson serpentent entre des fermes, des cottages victoriens, des vergers de pommiers et de vieilles demeures construites par la bourgeoisie new-yorkaise. L'**Hudson Valley Tourism** dispose de toutes les informations sur les événements et les manifestations de la région. Les peintres de l'école de l'Hudson River, exposés dans plusieurs musées des beaux-arts et municipaux, ont su capter le charme de ces paysages. L'automne est la saison idéale pour découvrir cette région, en voiture (plus pratique pour sillonner les environs) ou en train. On peut aussi la parcourir en vélo (les mordus

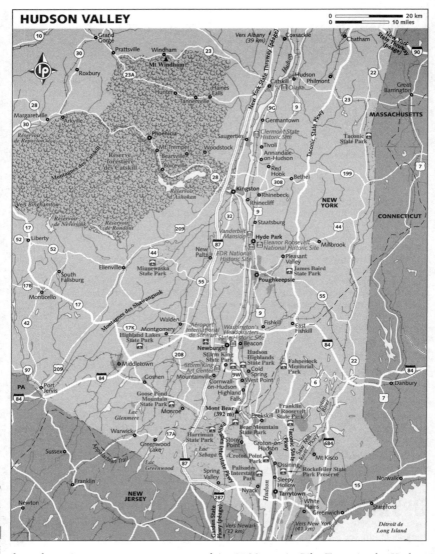

HUDSON VALLEY

0 ——— 20 km
0 ——— 10 miles

de cyclotourisme se procureront, en anglais, *25 Mountain Bike Tours in the Hudson Valley* de Peter Kick, Backcountry Books). À cette période, la chaude palette des couleurs automnales et la cueillette des pommes et des citrouilles font d'une telle excursion un moment privilégié.

À l'ouest du fleuve, à environ 60 km au nord de New York, le **Harriman State Park**, qui s'étend sur 115 km², offre des possibilités de baignade et de randonnées, un camping et un bureau d'information (Visitor Center). À côté, le point culminant du **Bear Mountain State Park**, de 390 m de haut, permer de jouir d'une vue magnifique sur toute la campagne environnante – les tours de Manhattan se dressent dans le lointain, au-delà du fleuve. Les plaisirs varient selon la saison : myriades de fleurs au printemps, randonnées en été, feuillage mordoré en

TRANSPORTS

Distance depuis New York 153 km (jusqu'à Hyde Park)
Direction Nord
Durée du trajet 1 heure 45
Voiture Quittez Manhattan par la Henry Hudson Pkwy, puis empruntez l'I-95 pour rejoindre Palisades Pkwy. Continuez jusqu'à la New York State Thruway et prenez alors la Rte 9W ou la Rte 9, les deux routes touristiques de la région. Plus rapide, la Taconic State Pkwy, qui part vers le nord depuis Ossining, passe par la plupart des villes et traverse des paysages magnifiques à l'automne.
Bus La compagnie **Short Line Buses** (☎ 212-736-4700 ; www.shortlinebus.com ; aller-retour 28 $) dessert régulièrement Hyde Park et Rhinebeck.
Train La ligne **Amtrak** (☎ 212-582-6875, 800-872-7245 ; www.amtrak.com) longe le fleuve et dessert plusieurs points de la rive est. Depuis New York, mieux vaut toutefois opter pour le **train de banlieue Metro-North** (☎ 212-532-4900, 800-638-7646 ; www.mnr.org ; aller simple heures creuses/heures de pointe 5,50-9,50 $), moins cher et plus pratique, qui part de Grand Central Terminal (prenez la "Hudson Line"). Les week-ends d'été et d'automne, Metro-North propose des forfaits touristiques comprenant le train et les transferts sur différents sites, comme Hyde Park et Vanderbilt Mansion.
Bateau La compagnie **NY Waterway** (☎ 800-533-3779 ; www.nywaterway.com ; plusieurs tarifs à partir de 40 $) organise des croisières sur l'Hudson, idéales pour découvrir tranquillement la région. Une journée complète permet de voir plusieurs châteaux et sites historiques.

automne et ski en hiver. Une halte s'impose au **Storm King Art Center**, à Mountainville, où sont exposées des sculptures avant-gardistes de Calder, Moore, Noguchi et d'autres artistes. Niché au pied des collines, il occupe un grand parc où la nature s'harmonise parfaitement avec l'art. Non loin, le **Storm King Lodge** loue, dans une demeure XIXᵉ, de jolies chambres décorées avec goût, toutes équipées d'une sdb et d'une cheminée.

La ville principale de la rive est de l'Hudson, **Poughkeepsie** (prononcer puh-kip-see), accueille le collège d'art progressiste **Vassar**, qui était exclusivement réservé aux femmes jusqu'en 1969. Le **Francis Lehman Loeb Art Center** présente des œuvres des peintres de l'école de l'Hudson River et d'artistes contemporains. Adressez-vous au à l'**office du tourisme du Dutchess County** pour tout renseignement sur la région. Toujours sur la rive est, Beacon, un petit village délabré au bord de l'eau, abrite la **Dia Beacon**, annexe du **Dia Center for the Arts** – musée new-yorkais d'art contemporain promis à une prochaine réouverture et réputé pour ses collections.

Les chaînes de motels bon marché de la ville jalonnent la Rte 9, au sud du pont de Mid-Hudson. Pour une chambre plus pittoresque, optez pour la **Copper Penny Inn**, un B&B très bien tenu, aménagé dans une ancienne ferme de la fin du XIXᵉ siècle.

Hyde Park est associé de longue date à la famille Roosevelt, qui joua un rôle majeur dans la région dès le XIXᵉ siècle. Le **Franklin D Roosevelt Library & Museum** retrace la vie du président à l'origine du New Deal. Son épouse, Eleanor, aimait se retirer seule dans son cottage, **Val-Kill**. À 3 km au nord, sur la Rte 9, le spectaculaire **Vanderbilt Mansion** mêle plusieurs styles architecturaux et recèle nombre d'œuvres d'art. On peut acheter un **billet groupé** (☎ 800-967-2283 ;

L'AUTRE CIA

Le très réputé **Culinary Institute of America** (CIA ; ☎ 800-285-4627 ; www.ciachef.edu) de Hyde Park forme les futurs chefs cuisiniers et régale les palais les plus fins. Les cinq restaurants tenus par des étudiants sont plutôt classiques et formels, mais le **St Andrew's Cafe** (☎ 845-471-6608 ; repas environ 30 $) s'avère plus décontracté et moins onéreux. Réservations obligatoires. Signalons également les chambres modernes et originales du **Willows Bed & Breakfast** (☎ 845-471-6115 ; 53 Travis Rd ; ch 135-165 $), dans le même secteur.

adulte 18 $) pour les trois sites. Réservations conseillées. D'autres châteaux émaillent la campagne environnante – le château de Lyndhurst Castle, de style néogothique se trouve à Tarrytown, non loin de **Kykuit**, propriété de la famille Rockefeller agrémentée de beaux jardins et d'anciens attelages. **Olana**, d'inspiration maure, édifié par le peintre de l'école de l'Hudson River, Frederic Church, est à Hudson. Quant à **Springwood**, à Hyde Park, c'était la résidence où Roosevelt enfant passait ses vacances.

Orientation et renseignements

Bear Mountain State Park (☎ 845-786-2701)

Dia Beacon (☎ 845-440-0100 ; www.diaart.org ; Beacon ; ☽ 14 avr-17 oct jeu-lun 11h-18h, reste de l'année ven-lun 11h-16h)

Dutchess County Tourism (office du tourisme ; ☎ 800-445-3131 ; www.dutchessny.gov ; 3 Neptune Rd, Poughkeepsie)

Franklin D Roosevelt Library & Museum (☎ 845-229-8114 ; www.fdrlibrary.marist.edu ; 511 Albany Post Rd/Rte 9, Hyde Park ; entrée 10 $; ☽ 9h-17h)

Harriman State Park (☎ 845-786-5003)

Hudson Valley Network (www.hvnet.com)

Hudson Valley Tourism (☎ 800-232-4782 ; www.hudsonvalley.org)

Kykuit (☎ 914-631-9491 ; Pocantico Hills, Tarrytown ; adulte/senior/enfant 22/20/18 $; ☽ visites 9h45, 13h45, 15h)

Lyndhurst Castle (☎ 914-631-4481 ; www.lyndhurst.org ; Rte 9, Tarrytown ; visites guidées ☽ mar-dim 10h30-16h15 ; château/parc 10/4 $)

Olana (☎ 518-828-0135 ; www.olana.org ; Rte 9G, Hudson ; parc ☽ 8h-crépuscule ; visites guidées mar-dim 10h-17h ; adulte/moins de 12 ans 3 $/gratuit) Pas de visites de la maison en 2006 pour cause de travaux de rénovation.

Springwood (☎ 800-967-2283 ; Albany Post Rd, Hyde Park ; entrée 14 $; ☽ 9h-17h)

Storm King Art Center (☎ 845-534-3115 ; www.stormkingartcenter.org ; Old Pleasant Hill Rd, Mountainville ; entrée 10 $; ☽ avr-nov)

Vassar/Francis Lehman Loeb Center (☎ 845-437-5632 ; Poughkeepsie ; entrée libre ; ☽ mar-sam 10h-17h, dim 13h-17h)

Val-Kill (☎ 845-229-9115 ; www.nps.gov/elro ; Albany Post Rd, Hyde Park ; entrée 8 $; ☽ mai-oct tlj, nov-avr jeu-lun 9h-17h)

Vanderbilt Mansion (☎ 800-967-2283 ; www.nps.gov/vama ; Rte 9, Hyde Park ; entrée 8 $; ☽ 9h-17h)

Où se loger

Copper Penny Inn (☎ 845-452-3045 ; www.copperpennyinn.com ; 2406 New Hackensack Rd, Poughkeepsie ; ch 110-199 $)

Storm King Lodge (☎ 845-534-9421 ; Mountainville ; ch 150-190 $)

LES CATSKILLS

Cette jolie région boisée, parsemée de bourgades, de fermes et de villages touristiques séduit depuis quelque temps le petit monde new-yorkais de l'édition et des personnalités en tout genre, lassé des mondanités tape-à-l'œil des Hamptons. S'ils rachètent de vieilles maisons qu'ils transforment en résidences secondaires, le caractère rural de cette belle zone de campagne demeure encore bien préservé et les petites bourgades conservent tout leur cachet – les soirs de week-end, les restaurants les plus côtés de la région sont pris d'assaut par les New-Yorkais branchés.

Au sud des Catskills, **Woodstock**, symbole de la période agitée que furent les années 1960, reste associé au rejet de l'autorité, à la revendication d'un mode de vie plus libre et à l'émergence d'une nouvelle culture populaire. Il n'a pas été épargné par la mode et son charme originel se pare désormais de quelques atours très tendance. Fréquenté par des artistes depuis le début du XXᵉ siècle, il rassemble à la fois des hippies grisonnants et des fans des Phish arborant fièrement leurs dreadlocks. La **Woodstock Guild** vous renseignera sur le calendrier des événements artistiques et culturels à venir, tel le Woodstock Film Festival, qui attire, chaque année en octobre, des cinéphiles du monde entier. Le fameux festival de musique de 1969 s'est en fait déroulé à **Bethel**, à 65 km au sud-ouest. Une simple plaque commémore aujourd'hui cette manifestation. Deux autres concerts appelés également "Woodstock" eurent lieu depuis, le premier à Saugerties (1994) dans les environs, et le second à Rome (1999). À quelques kilomètres de Woodstock, **Saugerties** est une petite ville du même style, avec sensiblement moins de galeries, de cafés et de restaurants. Ces derniers s'avèrent toutefois particulièrement remarquables, notamment le **Blue Mountain Bistro**, qui sert une cuisine d'inspiration française méditerranéenne et des tapas à une clientèle sophistiquée et le **New World Home Cooking Co**, où déguster des plats bio dans un décor original.

Parmi les nombreuses auberges correctes des environs, deux se démarquent vraiment du style victorien qui caractérise la région. Meilleure option, la **Villa at Saugerties** et ses 4 chambres. Tenue par un jeune couple d'ex-citadins, cette villa ressemble davantage à un hôtel moderne qu'à un B&B campagnard. La palme de l'originalité revient toutefois au **Saugerties Lighthouse**, un phare édifié en 1869 sur un îlot d'Esopus Creek – le Saugerties Lighthouse Conservancy l'a transformé en B&B ouvert toute l'année. Les 3 chambres, assez sommaires mais bien tenues, offrent bien évidemment une vue magnifique sur le fleuve. Traversée en bateau assurée.

Au sud de Saugerties, la Rte 28 file à l'ouest de Woodstock pour traverser les Catskills, longe l'Ashokan Reservoir et serpente dans les "French Catskills". Nombre de bons restaurants, de campings, d'hôtels bon marché et de jolies boutiques d'objets anciens jalonnent ce trajet. Sur le mont Tremper se dresse le **Kaatskill Kaleidoscope**, grand tube de 18 m de haut. Bien que très touristique, cette attraction n'est pas dénuée d'intérêt : elle retrace certains aspects de l'histoire des États-Unis, sur fond de couleurs psychédéliques et d'incontournables feuilles de marijuana. C'est aussi ici que se trouve le **Kate's Lazy Meadow Motel**, établissement kitsch et branché dont Kate Pierson, la chanteuse du groupe des B52, est propriétaire. À Arkville, on peut faire un tour dans un ancien train de la **Delaware and Ulster Rail Line**. Non loin, Fleischmanns organise tous les samedis soir une **vente aux enchères**, où les habitants des environs s'arrachent vieux disques et meubles défraîchis.

En hiver, il faut pousser un peu plus au nord si l'on veut skier. Les Rtes 23 et 23A conduisent au **Hunter Mountain Ski Bowl**, station de ski ouverte toute l'année où trouver des pistes très pentues et un mur de 480 m de haut. À **Windham Mountain**, station voisine, les pistes sont moins raides.

Orientation et renseignements

Delaware and Ulster Rail Line (☎ 845-652-2821 ; www. durr.org ; Hwy 28, Arkville ; adulte/senior/enfant 11/8/7 $; ☾ mai-août)

Hunter Mountain Ski Bowl (☎ 518-263-4223 ; www. huntermtn.com ; Hunter)

Kaatskill Kaleidoscope (☎ 888-303-3936 ; Mt Tremper ; adulte/enfant de moins de 12 ans 7 $/gratuit ; ☾ dim-jeu 10h-17h, ven-lun 10h-19h)

Windham Mountain (☎ 518-734-4300 ; www. skiwindham.com ; Windham)

Woodstock Guild (☎ 845-679-2079 ; www. woodstockguild.org ; Woodstock ; ☾ lun-ven 9h-17h)

Où se restaurer

Blue Mountain Bistro (☎ 845-679-8519 ; Glasco Turnpike, Saugerties ; plats 15-25 $)

New World Home Cooking Co (☎ 845-246-0900 ; Rte 212, Woodstock ; plats 10-20 $)

TRANSPORTS

Distance depuis New York 67 km (Saugerties)
Direction Nord
Durée du trajet 2 heures
Voiture Prenez la New York State Thruway (*via* la Henry Hudson Hwy, au nord de Manhattan) ou l'I-87 jusqu'à la Rte 375 pour Woodstock, la Rte 32 pour Saugerties ou la Rte 28 pour d'autres villes plus au nord.
Bus La compagnie **Adirondack Trailways** (☎ 800-858-8555 ; aller-retour 45 $ en moyenne) assure des liaisons quotidiennes avec Kingston, à l'entrée des Catskills, Saugerties, Catskill, Hunter et Woodstock.

Où se loger

Kate's Lazy Meadow Motel (☎ 845-688-7200 ; 5191 Rte 28, Mt Tremper ; ch 175-250 $)

Saugerties Lighthouse (☎ 847-247-0656 ; www. saugertieslighthouse.com ; Saugerties ; ch 160 $)

Villa at Saugerties (☎ 845-246-0682 ; www. thevillaatsaugerties.com ; 159 Fawn Rd, Saugerties ; ch 135-235 $)

NEW JERSEY

Le New Jersey fait l'objet de bien des moqueries. Tout particulièrement visés : ses innombrables zones commerciales, l'accent nasal de ses habitants et, surtout, les industries très polluantes (et nauséabondes) du secteur de Jersey Turnpike. Il faut prendre le temps de quitter les autoroutes et savoir éviter les centres commerciaux pour découvrir les plus beaux côtés de la région. Le visiteur étonné découvre alors que le New Jersey est encore une contrée de forêts et de champs cultivés. Outre son immense étendue boisée (40% de l'État) et ses superbes bâtisses victoriennes, il offre également près de 78 km de plages.

SANDY HOOK

Les 700 ha du parc naturel de Sandy Hook comprennent 4 km de plages. À l'instar de Jones Beach sur Long Island, tout le secteur s'agrémente de longues et magnifiques étendues de sable. Le **Sandy Hook Gateway National Recreation Area** abrite, de surcroît, le plus vieux phare du pays, ainsi que la Maritime Holly Forest, excellent site d'observation des oiseaux (comme le pluvier, en voie de disparition) d'où il est possible, par temps clair, d'apercevoir les tours de Manhattan. Une plage naturiste et une plage gay (zone G), ainsi qu'un vaste réseau de pistes cyclables serpentent entre les dunes et les baraquements abandonnés du fort Hancock attirent aussi les visiteurs. Le **ferry SeaStreak**, qui part de Lower Manhattan, peut vous déposer ici en 45 minutes. En vélo, vous pourrez ensuite facilement rejoindre différents points de la Jersey Shore, telles les villes d'**Atlantic Highlands** et de **Highlands**. La **chambre de Commerce d'Atlantic Highlands** vous renseignera sur les différents hôtels et restaurants de la région.

La plage compte de nombreux stands de restauration. Si vous préférez vous asseoir sous un toit, le **Seagull's Nest** sert des hamburgers, des palourdes frites et des bières bien fraîches. Sinon, traversez le pont en vélo pour profiter des fruits de mer et de l'ambiance paisible de l'**Inlet Café**, dans les Highlands. Tout proche de la plage, le **Sandy Hook Cottage**, tenu par des gays, loue des chambres décorées avec goût dans le style balnéaire. Demeure ancienne et romantique, le **Grand Lady By the Sea Bed and Breakfast** donne également sur la plage.

Orientation et renseignements

Chambre de Commerce d'Atlantic Highlands (☎ 732-872-8711 ; www.atlantichighlands.org ; Atlantic Highlands Municipal Harbor ; ☽ lun-ven 9h-16h)

Sandy Hook Gateway National Recreation Area (☎ 732-872-5970)

Où se restaurer

Inlet Café (☎ 732-872-9764 ; 3 Cornwall St, Highlands ; plats 8-20 $)

Seagull's Nest (☎ 732-872-0025 ; Sandy Hook Area D ; plats 5-10 $)

TRANSPORTS

Distance depuis New York 72 km
Direction Ouest
Durée du trajet 1 heure
Voiture Prenez la Garden State Pkwy jusqu'à la sortie 117, puis la Rte 36 en direction de l'est pour gagner la plage.
Ferry Le **ferry SeaStreak** (☎ 732-872-2628 ; www.seastreak.com ; 2 First Ave, Atlantic Highlands ; aller/AR 19/34 $, transfert vélo aller simple 3 $) part du Pier 11 près de Wall St et d'un autre quai, près de E 34th St.

Où se loger

Grand Lady By the Sea Bed and Breakfast (☎ 732-708-1900 ; www.grandladybythesea.com ; 254 Rte 36, Highlands ; ch 139-179 $)

Sandy Hook Cottage (☎ 732-708-1923 ; www.sandyhookcottage.com ; 36 Navesink Ave, Highlands ; ch 159-289 $)

ATLANTIC CITY

Avec l'arrivée du train sur Absecon Island dans les années 1850, les citadins y affluèrent rapidement pour profiter des immenses plages de sable blanc et de l'air marin. En 1900, une station balnéaire dotée de toutes les infrastructures nécessaires était née et, dans les années 1920, en pleine Prohibition, elle devint une plaque tournante du trafic d'alcool et des jeux d'argent. Après la Seconde Guerre mondiale et le développement des transports, d'autres destinations virent le jour et Atlantic City déclina rapidement. Aussi, en 1977, l'État décida d'autoriser l'ouverture de casinos afin de redynamiser la ville. Atlantic City (ou "AC" comme disent ses habitants) est devenue depuis l'une des stations touristiques les plus fréquentées du pays, avec 33 millions de visiteurs par an, qui ne dépensent pas moins de 4 milliards de dollars dans ses 12 casinos et multiples restaurants. Cette manne n'a pas atteint l'ensemble de la ville et, dès que l'on s'éloigne du front de mer, les terrains vagues, les bars délabrés ou les entrepôts abandonnés sont légion. AC constitue néanmoins une étape intéressante sur la route de Cape May, ne serait-ce que par curiosité ! Si vous aimez les jeux, vous serez comblé par les quelque 1 000 tables de blackjack et les 30 000 machines à sous de la ville.

Comme à Las Vegas, les hôtels-casinos sont thématiques (de l'Extrême-Orient à la Rome antique), mais la reconstitution demeure ici beaucoup plus sommaire – ils se ressemblent tous plus ou moins à l'intérieur, avec machines à sous, lumières clinquantes et buffets pantagruéliques.

Le Caesar's Atlantic City (ci-dessous)

TRANSPORTS

Distance depuis New York 210 km
Direction Sud
Durée du trajet 2 heures 15
Voiture Quittez Manhattan en traversant l'Hudson (tunnel Holland, tunnel Lincoln ou pont George Washington). Empruntez la NJ Turnpike pour rejoindre la Garden State Pkwy et quittez l'autoroute à la sortie 38 pour Atlantic City. L'Atlantic City Expwy relie directement Atlantic City à Philadelphie. Les parkings des casinos reviennent à environ 2 $/j, mais sont gratuits si vous présentez un reçu de vos dépenses à l'intérieur.
Bus Des bus **Greyhound** (☎ 800-231-2222), **Academy** (☎ 800-442-7272) et **New Jersey Transit** (☎ 973-762-5100 ; www.njtransit.com) démarrent de Port Authority. L'aller-retour coûte environ 25 $.
Gray Line (☎ 212-397-2620) part de 900 8th Ave, entre W 53rd St et 54th St, dans Midtown. Si vous vous rendez en bus jusque devant leur porte, les casinos vous remboursent généralement le montant du trajet (en chips, pièces ou jetons). Trajet moins cher du lundi au jeudi.
Train La compagnie **New Jersey Transit** (☎ 973-762-5100 ; www.njtransit.com) ne desservant pas directement AC, il faut changer deux fois et dépenser deux fois plus qu'en bus. Depuis Penn Station, allez à Trenton, changez pour Philadelphie, puis prenez l'Atlantic City Line.

La concurrence que se livrent de grands promoteurs immobiliers, comme Donald Trump et Steve Wynn, tend toutefois à instaurer une certaine originalité. Ainsi, la toute dernière création de Boyd Gaming et MGM Mirage, le **Borgata Hotel Casino & Spa**, a mis la barre très haut, avec chambres grand luxe, thalassothérapie et restaurants cinq-étoiles. Le prix d'une chambre dans l'un de ces hôtels varie d'un extrême à l'autre selon la saison : il s'échelonne de 50 $ en hiver à 400 $ en été.

Vous l'aurez compris, les hôtels-casinos sont la spécialité locale. Le plus au sud de la ville, l'**Atlantic City Hilton**, comprend plus de 500 chambres. Quant au **Caesar's Atlantic City**, il abrite, outre ses 1 000 chambres, un restaurant Planet Hollywood, à côté des salles de jeu.

Considéré comme le plus sympathique de la ville, le **Harrah's Marina Hotel Casino** emploie des croupiers tout disposés à initier les novices. Le gigantesque **Tropicana Casino & Entertainment Resort** renferme son propre parc d'attractions (Tivoli Pier), un casino et 1 020 chambres. Donald Trump détient le **Trump's Marina Resort**, de style Art déco, le **Trump Plaza Casino Hotel** et le **Trump Taj Mahal**, orné de neuf éléphants taillés dans le calcaire, tandis que 70 minarets éclatants couronnent l'édifice. Ajoutons qu'on y sert un excellent buffet.

Tous les établissements proposent une multitude de divertissements, des concerts de ragtime ou de jazz dans les salons des hôtels et des spectacles comiques dans les auditoriums des casinos. Ils donnent généralement dans le kitsch le plus débridé, avec paillettes et plumes, ce qui peut, par là même, exciter la curiosité.

La ville offre également quelques distractions en dehors des casinos. La promenade en planches du front de mer, la **Boardwalk**, fut aménagée en 1870. On peut s'y balader à pied ou en **fauteuil à roulettes** (adulte 20 $). Et l'on peut visiter l'**Atlantic City Historical Museum**, bien documenté. Il y a peu de temps encore, le concours de Miss America se déroulait dans le Convention Hall, qui abrite "le plus grand orgue du monde", un instrument de 150 tonnes composé de 33 000 tuyaux. Les manèges, les jeux de hasard et autres attractions du **Steel Pier**, juste en face du Trump Taj Mahal, appartiennent aussi à Donald Trump. On y trouve également "le plus grand karting du South Jersey". Installé sous le grand tipi au milieu de l'Atlantic City Expwy, le **centre d'information** (Visitor Information Center) vous informe sur les possibilités d'hébergement et distribue des cartes de la ville. Des kiosques d'information se trouvent également aux abords de la promenade.

ATLANTIC CITY

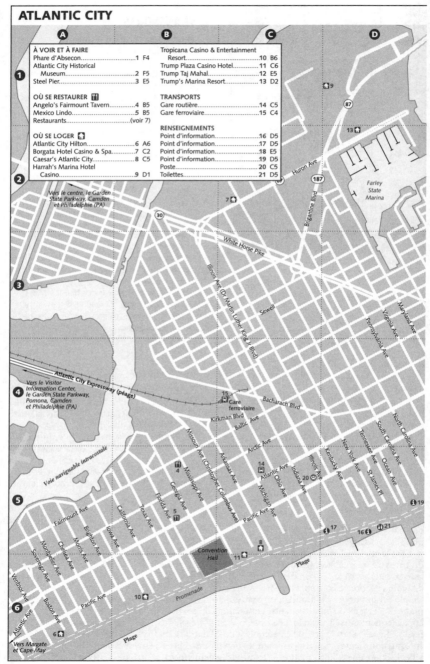

À VOIR ET À FAIRE
Phare d'Absecon.....................................1 F4
Atlantic City Historical
   Museum..2 F5
Steel Pier..3 E5

OÙ SE RESTAURER
Angelo's Fairmount Tavern.................4 B5
Mexico Lindo.....................................5 B5
Restaurants..................................(voir 7)

OÙ SE LOGER
Atlantic City Hilton.............................6 A6
Borgata Hotel Casino & Spa.............7 C2
Caesar's Atlantic City.........................8 C5
Harrah's Marina Hotel
   Casino...9 D1

Tropicana Casino & Entertainment
   Resort...10 B6
Trump Plaza Casino Hotel.................11 C6
Trump Taj Mahal................................12 E5
Trump's Marina Resort......................13 D2

TRANSPORTS
Gare routière....................................14 C5
Gare ferroviaire.................................15 C4

RENSEIGNEMENTS
Point d'information...........................16 D5
Point d'information...........................17 D5
Point d'information...........................18 E5
Point d'information...........................19 D5
Poste..20 C5
Toilettes...21 D5

Vers le centre, le Garden
State Parkway, Camden
et Philadelphie (PA)

White Horse Pike

Illinois Ave (Dr Martin Luther King Jr Blvd)

Sewell

Huron Ave

Brigantine Blvd

Farley
State
Marina

Maryland Ave
Virginia Ave
Pennsylvania Ave

Atlantic City Expressway (péage)

Vers le Visitor
Information Center,
le Garden State Parkway,
Pomona, Camden
et Philadelphie (PA)

Voie navigable intracostale

Bacharach Blvd

Gare
ferroviaire

Kirkman Blvd

Baltic Ave

Arctic Ave

Missouri Ave
Christopher Columbus Ave
Arkansas Ave

Atlantic Ave
Ohio Ave
Indiana Ave

Illinois Ave

Michigan Ave

Pacific Ave

New York Ave
Kentucky Ave
Tennessee Ave
South Carolina Ave
North Carolina Ave
St James Pl
Ocean Ave

Mississippi Ave
Georgia Ave
Texas Ave
Florida Ave
California Ave
Iowa Ave

Fairmount Ave
Brighton Ave
Morris Ave
Chelsea Ave
Montpelier Ave
Sovereign Ave

Convention
Hall

Plage

Promenade

Ventnor Ave
Boston Ave
Pacific Ave

Atlantic Ave

Vers Margate
et Cape May

Plage

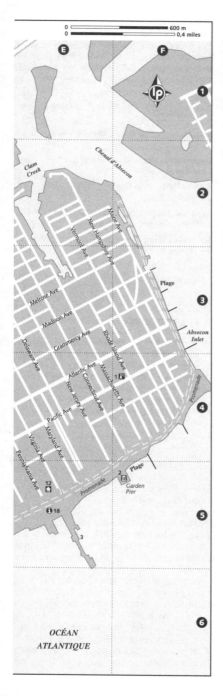

L'étonnant Trump Taj Mahal (p. 395) détrône les autres casinos

Édifié en 1857, l'**Absecon Lighthouse**, avec ses 51 m de haut, se targue d'être le phare le plus haut du New Jersey et le troisième du pays. Entièrement restauré (y compris les lentilles de Fresnel), il est ouvert aux visiteurs, qui doivent gravir 228 marches pour jouir d'un panorama époustouflant.

Hormis le Borgata, mieux vaut éviter les casinos pour faire un repas digne de ce nom. À quelques pâtés de maison du Boardwalk, un peu à l'écart du front de mer, le **Mexico Lindo** est très prisé des Mexicains, et le restaurant familial italien **Angelo's Fairmount Tavern** demeure très apprécié. Jouxtant le Sheraton, la **Tun Tavern**, unique brasserie d'AC, comprend un agréable jardin où déguster un hamburger accompagné d'une bière au coucher du soleil. Si vous êtes motorisé, ne manquez pas les petits déjeuners et les déjeuners de **Hannah G's**, à Ventnor, ou les steaks et les fruits de mer de **Maloney's**. Citons encore le **Ventura's Greenhouse Restaurant**, à Margate City, un italien très fréquenté.

Orientation et renseignements

Absecon Lighthouse (☎ 609-449-1360 ; www. absconlighthouse.org ; angle Rhode Island Ave et Pacific Ave ; ⊗ juil-août 10h-17h ; sept-juin lun et jeu-dim 11h-16h ; adulte/enfant 5/3 $)

Excursions

NEW JERSEY

Atlantic City Historical Museum (☎ 609-347-5839 ; www.acmuseum.org ; Garden Pier ; entrée libre ; 🕙 10h-16h)

Centre d'information (☎ 609-449-7130 ; www.atlanticcitynj.com ; Garden State Pkwy ; 🕙 9h-16h)

Où se restaurer

Angelo's Fairmount Tavern (☎ 609-344-2439 ; Mississippi Ave à hauteur de Fairmount Ave ; plats 13-20 $)

Hannah G's (☎ 609-823-1466 ; 7310 Ventnor Ave ; plats 5-13 $)

Maloney's (☎ 609-823-7858 ; 23 S Washington Ave ; plats 14-25 $)

Mexico Lindo (☎ 609-345-1880 ; 2435 Atlantic Ave ; plats 5-11 $)

Ventura's Greenhouse Restaurant (☎ 609-822-0140 ; 106 Benson Ave, Margate City ; plats 12-25 $)

Où se loger

Les prix des établissements cités ci-dessous peuvent varier de 50 à 400 $ la nuit, en fonction des manifestations en cours, de l'époque de l'année, des vacances, etc.

Atlantic City Hilton (☎ 609-340-7111 ; Boston Ave à hauteur du Boardwalk)

Borgata Hotel Casino & Spa (☎ 866-692-6742 ; One Borgata Way)

Caesar's Atlantic City (☎ 609-348-4411 ; Arkansas Ave à hauteur du Boardwalk)

Harrah's Marina Hotel Casino (☎ 609-441-5000 ; Brigantine Blvd)

Tropicana Casino & Entertainment Resort (☎ 609-340-4000 ; Iowa Ave à hauteur du Boardwalk)

Trump Plaza Casino Hotel (☎ 609-441-6000 ; Mississippi Ave à hauteur du Boardwalk)

Trump Taj Mahal (☎ 609-449-1000 ; 1000 Boardwalk)

Trump's Marina Resort (☎ 609-441-2000 ; Huron Ave)

CAPE MAY

À l'extrémité sud de l'État, Cape May, fondée en 1620, est la plus ancienne station balnéaire du pays. Mieux vaut éviter de venir en été, quand les touristes affluent sur les plages, pour flâner à loisir dans la ville – surtout si l'on s'intéresse à l'architecture victorienne –, entièrement classée National Historic Landmark (cité historique) depuis 1976. Outre son architecture caractéristique, ses hôtels (nombreux B&B dans des demeures anciennes) et ses restaurants, Cape May a

---

TRANSPORTS

Distance depuis New York 241 km
Direction Sud
Durée du trajet 2 heures 45
Voiture Même direction que pour Atlantic City en continuant la Garden State Pkwy jusqu'au bout.
Bus La compagnie **New Jersey Transit** (☎ 973-762-5100 ; www.njtransit.com) assure les liaisons avec New York.

---

tout pour séduire les visiteurs : une belle plage, un phare réputé, des boutiques d'antiquités et de multiples possibilités de pratiquer la pêche et d'observer les baleines et les oiseaux. C'est en outre l'unique endroit du New Jersey où l'on peut à la fois admirer le lever et le coucher du soleil sur la mer. La ville et ses environs attirent ainsi quantité de touristes américains, des familles venues de banlieues aux gays, particulièrement bien accueillis dans nombre d'auberges.

L'été constitue la haute saison touristique et la foule se presse sur les plages. On peut toutefois découvrir les petites pensions romantiques et les restaurants à toute autre époque de l'année et profiter alors des plages désertes. Le **Cape May Jazz Festival** se déroule deux fois par an. Quant au **Cape May Music Festival**, il culmine lors de concerts de jazz et de musique classique en plein air. Pour tout renseignement sur les manifestations de Cape May, rendez-vous au **Welcome Center** (office du tourisme).

En été, les plages de sable blanc représentent l'attraction principale. Pour accéder à l'étroite **Cape May Beach**, il faut acheter son billet au poste de secours sur la promenade, à l'extrémité de Grant St. On peut se rendre sur **Cape May Point Beach** (gratuite) directement depuis le parking du Cape May Point State Park, près du phare. C'est depuis **Sunset Beach** (gratuite), à l'extrémité de Sunset Blvd, que l'on a une vue imprenable sur les couchers de soleil ; là également que les plus chanceux dénichent les fameux "diamants de Cape May", des cristaux de quartz d'une grande pureté, polis par les vagues. De mai à septembre, ne manquez pas la cérémonie du baisser du drapeau qui se déroule sur la plage. Le **Cape May Whale Watcher** promet qu'à chacune de ses excursions en mer, on peut apercevoir des baleines.

CAPE MAY

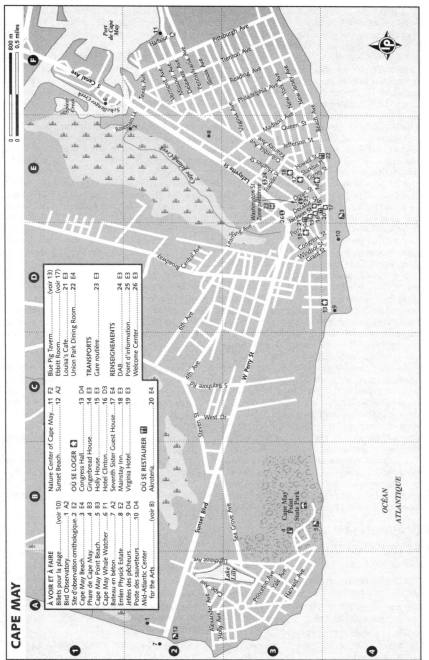

À VOIR ET À FAIRE
Billets pour la plage............(voir 10)
Bird Observatory..........................1 A2
Site d'observation ornithologique..2 E2
Cape May Beach............................3 E4
Phare de Cape May........................4 B3
Cape May Point Beach....................5 B3
Cape May Whale Watcher................6 F1
Emlen Physick Estate......................7 A2
Jetées des pêcheurs.......................8 E2
Poste des sauveteurs.....................9 D4
Mid-Atlantic Center
for the Arts...........................(voir 8)

Nature Center of Cape May....11 F2
Sunset Beach..........................12 A2

OÙ SE LOGER
Congress Hall........................13 D4
Gingerbread House................14 E3
Holly House............................15 B3
Hotel Clinton..........................16 D3
Seventh Sister Guest House....17 E4
Mainstay Inn.........................18 E3
Virginia Hotel........................19 E3

OÙ SE RESTAURER
Akroteria..............................20 E4

Blue Pig Tavern....................(voir 13)
Ebbitt Room.........................(voir 17)
Louisa's Cafe........................21 E3
Union Park Dining Room.......22 E4

TRANSPORTS
Gare routière........................23 E3

RENSEIGNEMENTS
DAB......................................24 E3
Point d'information...............25 E3
Welcome Center...................26 E3

Excursions

NEW JERSEY

399

À deux pas de Lighthouse Ave, le **Cape May Point State Park** inclut 3 km de sentiers, ainsi que le fameux **Cape May Lighthouse**. Bâti en 1859, ce phare de 47 m de haut a récemment fait l'objet d'une rénovation complète et son faisceau lumineux se repère désormais à 40 km à la ronde. L'été, on peut gravir ses 199 marches.

La péninsule de Cape May abrite chaque année des millions d'oiseaux migrateurs. Considéré par les spécialistes comme l'un des dix meilleurs sites d'observation du pays, le **Cape May Bird Observatory** (☎ 609-898-2473) assure des permanences téléphoniques pour informer les amateurs des derniers oiseaux aperçus. C'est en automne que l'on a le plus de chances de repérer quelques-unes des 400 espèces qui passent par la région, des faucons notamment. Cependant, passereaux et rapaces restent encore très nombreux de mars à mai. L'observatoire organise aussi des visites sur **Reed's Beach**, à 19 km au nord de Cape May, dans Delaware Bay, où les oiseaux marins migrateurs plongent dans la mer pour avaler les œufs déposés au mois de mai par des milliers de limules (crabes fer à cheval). Les passionnés ne manqueront pas non plus le **Nature Center of Cape May**, pourvu de plate-formes d'observation suspendues au-dessus des marais et des plages.

En ville, l'**Emlen Physick Estate**, vaste bâtisse de 18 pièces édifiée en 1879, accueille à présent le **Mid-Atlantic Center for the Arts**, qui organise les visites des demeures anciennes de Cape May, celles du phare ou du village historique voisin de Cold Spring. On peut également découvrir une partie de la coque en béton de l'*Atlantis*, qui gît à quelques mètres de la côte, sur Sunset Beach, à l'extrémité de Sunset Blvd. Pendant la Première Guerre mondiale, on expérimenta la construction de 12 navires en béton pour pallier une pénurie d'acier. Parmi eux, l'*Atlantis*, qui commença à naviguer en 1918 mais qui, endommagé huit ans plus tard par une tempête, dériva jusqu'aux abords de la côte de Cape May Point.

Il est possible de faire l'excursion jusqu'à Cape May en une seule journée, mais la cité foisonne d'hébergement très agréables – nombre d'entre eux ferment hors saison, mais ceux qui restent ouverts pratiquent des prix avantageux. En saison, beaucoup exigent des séjours de deux à trois nuitées minimum, en particulier en fin de semaine. Le **Hotel Clinton** est l'option la plus intéressante pour les voyageurs à petit budget. Le très chic **Virginia Hotel** loue de magnifiques chambres à l'ancienne à des tarifs variant selon la saison. Tenu par les mêmes propriétaires, le vaste **Congress Hall**, récemment rénové, propose plusieurs types de chambres à des prix différents et dispose d'une véranda agrémentée de fauteuils, face à l'océan.

La ville compte par ailleurs une ribambelle de B&B, notamment l'adorable **Gingerbread House**, demeure de 6 chambres dont le prix comprend un billet d'entrée à Cape May Beach, un petit déjeuner continental et, l'après-midi, un thé complet raffiné. Cottage édifié en 1890 et tenu par un ancien maire de la ville, la **Holly House** fait partie des Seven Sisters, un groupe de sept maisons identiques, dont cinq se situent dans Jackson St. La **Seventh Sister Guest House** se tient quelques mètres plus loin. Enfin, la **Mainstay Inn**, qui, à sa construction, en 1872, abritait un club de jeu réservé aux hommes, offre désormais des chambres décorées d'opulents meubles en bois, toutes avec sdb. Petit déjeuner compris.

Les bons restaurants ne manquent pas non plus. Sur la plage, l'**Akroteria** sert divers sandwichs et collations. Le petit **Louisa's Café** remporte un succès constant avec ses spécialités qui changent au gré des saisons. Décontractée, la **Blue Pig Tavern**, dans le Congress Hall, propose des plats comparables. Pour une cuisine plus recherchée, réservez une table à l'**Ebbitt Room** au Virginia Hotel ou à l'**Union Park Dining Room**, à l'Hotel Macomber.

Orientation et renseignements

Cape May Beach (☎ 609-884-9525 ; entrée j/sem 4/10 $)

Cape May Bird Observatory (☎ 609-861-0700 ; 701 East Lake Dr ; ◷ 9h-16h30)

Cape May Jazz Festival (☎ 609-884-7277 ; www.capemayjazz.com ; ◷ avr et nov)

Cape May Lighthouse (☎ 609-884-2159 ; Lighthouse Ave ; ◷ horaires variables tlj, se renseigner par télé ; entrée 5 $)

Cape May Music Festival (☎ 609-884-5404 ; www.capemaymac.org ; ◷ mi-mai–début juin)

Cape May Point State Park (☎ 609-884-2159 ; 707 E Lake Dr)

Cape May Whale Watcher (☎ 609-884-5445 ; www.capemaywhalewatcher.com, Miss Chris Marina, entre 2ndAve et Wilson Dr ; adulte 23-30 $, enfant 12-18 $)

Emlen Physick Estate/Mid-Atlantic Center for the Arts (☎ 609-884-5404, 800-275-4278 ; www.capemaymac.

org ; 1048 Washington St ; ☾ très variables,
se renseigner par téléphone)

Nature Center of Cape May (☎ 609-898-8848 ;
1600 Delaware Ave ; entrée libre ; ☾ été 9h-16h,
hiver 10h-13h, automne et printemps 10h-15h)

Welcome Center (office de tourisme ; 405 Lafayette St ;
☾ 9h-16h)

Où se restaurer

Akroteria (Beach Ave ; plats 2-6 $)

Louisa's Café (☎ 609-884-5884 ; 104 Jackson St ;
plats 12-18 $)

Union Park Dining Room (☎ 609-884-8811 ;
727 Beach Ave ; plats 18-30 $)

Où se loger

Congress Hall (☎ 609-884-8422 ; 251 Beach Ave ;
ch 115-400 $)

Gingerbread House (☎ 609-884-0211 ; 28 Gurney St ;
ch 98-260 $)

Holly House (☎ 609-884-7365 ; 20 Jackson St ; ch à partir
de 120 $)

Hotel Clinton (☎ 609-884-3993 ; 202 Perry St ;
ch 50-60 $)

Mainstay Inn (☎ 609-884-8690 ; 635 Columbia Ave ;
ch 115-295 $)

Seventh Sister Guest House (☎ 609-884-2280 ;
10 Jackson St ; ch à partir de 120 $)

Virginia Hotel (☎ 609-884-8690 ; 25 Jackson St ;
ch 80-365 $)

PHILADELPHIE

À deux heures à peine de New York, Philadelphie (Philly comme disent les Américains)
offre l'occasion de découvrir une autre grande ville. Les amateurs d'histoire apprécieront
tout particulièrement ses nombreux sites qui rappellent le passé des États-Unis. On peut
facilement associer cette visite à une excursion à Atlantic City et Cape May.

William Penn fonda Philadelphie en 1682 en choisissant un plan en damier composé
de larges avenues et de grandes places, largement repris ensuite dans de nombreuses villes
américaines. Deuxième plus grande ville de l'Empire britannique (juste après Londres),
Philadelphie synthétisa toutes les oppositions à la politique coloniale. Dès le début de la
Révolution, elle devint la capitale de la nouvelle nation. Elle perdit son statut en 1790,
détrônée par Washington DC. Au début du XIXᵉ siècle, New York imposa rapidement
sa prééminence sur le plan culturel, commercial et industriel, et Philadelphie ne regagna
jamais sa gloire passée. Cependant, dans les années 1970, les célébrations du bicentenaire du
pays s'accompagnèrent d'un vaste programme de développement urbain dont elle continue
encore à bénéficier à ce jour.

On se repère facilement à Philadelphie. La plupart des sites et des hébergements se situent
à faible distance les uns des autres, à pied ou en bus. Les rues orientées est-ouest portent
un nom, celles orientées nord-sud, un numéro, à l'exception de Broad St et Front St. Le
quartier historique comprend l'Independence National Historic Park et Old City, à l'est du
Delaware.

Si vous ne passez qu'une journée sur place, nous vous conseillons de suivre l'une des
nombreuses visites guidées de la ville afin d'en profiter au mieux. **Philadelphia Trolley Works**
organise des circuits en trolley de 90 min, très complets. On peut descendre à certains
endroits, poursuivre un moment la visite à pied et reprendre le trolley un peu plus loin. La
76 Carriage Company offre l'occasion unique de découvrir la ville en calèche. **Phlash** propose des
visites libres d'une heure d'environ 25 sites. Elles s'effectuent dans des minibus flambant
neufs, que l'on quitte et rejoint à sa guise – vous disposez d'une carte avec des repères
colorés afin de pouvoir vous repérer. Si vous préférez vous passer des services d'une
agence, passez par l'**Independence Visitors Center** (office du tourisme), tenu par le National Park
Service, pour vous procurer les plans et les brochures touristiques de la ville établies par
le *Philadelphia Official Visitors Guide*. Tout proche, le **Philadelphia Convention & Visitors Bureau**
renseigne uniquement sur le tourisme d'affaires.

En forme de L, l'**Independence National Historic Park** (actuellement en rénovation) et le secteur de
Old City sont surnommés le "kilomètre carré historique de l'Amérique". La visite de ce quartier,
qui s'apparente un peu à un retour dans le passé, vous permettra de mieux appréhender la
ville. **Carpenters' Hall**, qui appartient à la Carpenter Company, représente la plus ancienne guilde
marchande des États-Unis. Elle accueillit, en 1774, le premier Congrès continental. La **National**

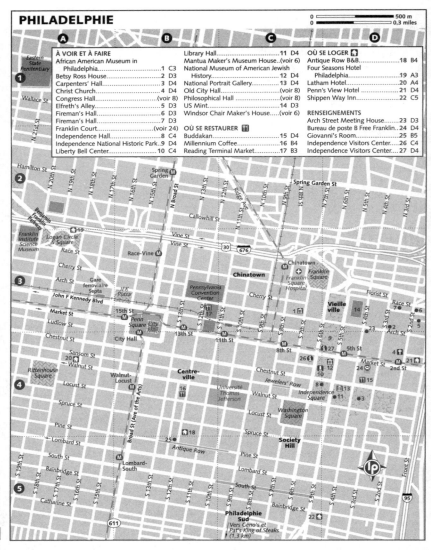

PHILADELPHIE

| 0 | 500 m |
| 0 | 0,3 miles |

Portrait Gallery, dans un bâtiment s'inspirant du Parthénon, renferme plusieurs portraits de personnages historiques peints par Charles Willson Peale. Le **Library Hall** expose une copie de la Déclaration d'Indépendance écrite par Thomas Jefferson, ainsi que des éditions originales de *L'origine des espèces* de Darwin et des notes des explorateurs Lewis et Clark.

Principale attraction touristique de la ville, le **Liberty Bell Center** a été récemment déplacé dans un nouveau pavillon, au sein de l'Independence Park. Fondue à Londres et inaugurée lors de la première lecture publique de la Déclaration d'Indépendance, cette cloche massive de 936 kg devint pour les abolitionnistes le symbole de la liberté. Elle porte l'inscription "Proclamez la liberté dans tout le pays et à tous ses habitants" (Lévitique 25/10). Ses nombreuses fêlures l'ont rendue inutilisable depuis 1846.

Ensemble de logements rénovés, le complexe **Franklin Court** comprend un musée en hommage aux inventions de Benjamin Franklin. Le courrier déposé au bureau de poste **B. Free Franklin**, qui abrite un petit musée de la poste américaine, se voit apposer un cachet spécial, imitant l'écriture de Franklin (qui fut à la fois homme politique, auteur, inventeur et facteur !). Lui-même et George Washington fréquentaient **Christ Church**, achevée en 1744.

Belle église anglicane construite par William Strickland, le **Greek Revival Philadelphia Exchange** abrita la première Bourse du pays (1834). Le site est désormais fermé au public, mais il est encore possible d'admirer la façade.

Old City – et Society Hill –, délimités par Walnut St, Vine St, Front St et 6th St, correspondent aux quartiers historiques de Philadelphie. Ils ont été réhabilités dans les années 1970 et nombre d'entrepôts ont alors été transformés en appartements, galeries et boutiques. Dans **Elfreth's Alley**, qui passe pour la plus ancienne rue des États-Unis, vous pourrez admirer les collections de mobilier ancien de la **Mantua Maker's Museum House**. Les fauteuils d'Independence Hall proviennent de la **Windsor Chair Maker's House**. Quant au **Fireman's Hall**, il rassemble les plus anciens camions de pompiers du pays et retrace la manière dont Benjamin Franklin mit en place les premières équipes de volontaires. Betsy Griscom Ross (1752–1836) aurait cousu le tout premier drapeau américain dans ce qui est aujourd'hui la **Betsy Ross House**.

Le **National Museum of American Jewish History** montre le rôle qu'a joué la communauté juive dans l'histoire des États-Unis. Non loin, le **US Mint** est ouvert au public. L'**Arch St Meeting House** représente la plus grande maison communautaire des quakers aux États-Unis. Enfin, l'**African American Museum in Philadelphia** renferme des collections très intéressantes sur la culture et l'histoire des Noirs.

Signalons aux voyageurs homosexuels que le Philadelphia Convention and Visitors Bureau a lancé en 2004 une vaste campagne publicitaire à l'intention des gays, lesbiennes, bisexuels et transsexuels. "Get your history straight and your nightlife gay" (Révisez votre histoire et appréciez nos soirées gays) proclamait le slogan. Bien que sans commune mesure avec ce qu'offre New York, la vie nocturne s'avère en effet assez animée à Philly. Très branché, le **Millennium Coffee** attire tous les beaux garçons de la ville et la librairie gay **Giovanni's Room**, dans Antique Row, mérite également une visite.

Si vous souhaitez passer la nuit sur place, sachez que vous devrez certainement vous loger dans l'une des multiples chaînes haut de gamme ou dans un B&B, car la ville manque cruellement de petits hôtels de charme. Quelque peu désuet, le **Penn's View Hotel** loue des chambres meublées dans le style Chippendale, avec briques apparentes et cheminées, donnant sur le fleuve. Petit déjeuner continental compris. Plus chic, le **Latham Hotel** propose des chambres de style victorien. Demeure coloniale des années 1750, la **Shippen Way Inn** comprend 9 chambres équipées de lits douillets. Dans une sympathique atmosphère familiale, elle offre vin et fromage dans la cuisine. Les chambres de l'**Antique Row B&B** sont meublées à l'ancienne. Excellents petits déjeuners dans l'Antique Row voisine. Le **Four Seasons Hotel Philadelphia** est l'adresse la plus luxueuse de la ville.

En matière de gastronomie, le choix est vaste et l'on compte de très bons restaurants à tout petit prix dans les quartiers de Chinatown et de South Street. Toujours bondé, le **Vietnam Restaurant** prépare d'authentiques plats vietnamiens, tels que rouleaux de printemps ou soupe aigre-douce de poisson aux vermicelles. Citons **Geno's** et **Pat's King of Steaks**, très prisés pour la spécialité incontournable de la région, les steaks au fromage.

TRANSPORTS

Distance depuis New York 161 km
Direction Sud-ouest
Durée du trajet 2 heures
Voiture Prenez le tunnel Lincoln pour gagner la NJ Turnpike (I-95), puis la Rte 73 en direction de Philadelphia. Elle rejoint la I-295, puis la US-30, par le pont Ben Franklin. Empruntez enfin la I-676 et sortez à Philadelphia.
Bus Les compagnies **Greyhound** (☎ 800-229-9424) et **Capitol Trailways** (☎ 800-444-2877) desservent Philly au départ du terminal des bus de Port Authority. Le trajet dure 2 heures et l'aller-retour revient à 40 $.
Train Au départ de Penn Station, **Amtrak** (☎ 212-582-6875, 800-872-7245 ; www.amtrak.com ; aller 42 $) dessert Philadelphie, mais **New Jersey Transit** (☎ 973-762-5100 ; www.njtransit.com ; aller-retour 40 $), beaucoup moins cher, assure des liaisons régulières de Philly à Penn Station, avec un changement à Trenton.

Le marché couvert **Reading Terminal Market** vend un grand choix de produits, des fromages amish aux desserts thaïlandais, en passant par les falafels, les steaks au fromage, les salades composées, les sushis, le canard laqué et de bons plats mexicains. Dans la catégorie supérieure, l'élégant **Buddakan** sert une succulente cuisine fusion asiatique.

Orientation et renseignements

Un seul numéro de téléphone pour vous renseigner sur les différents sites de l'Independence National Historic Park (INHP ; ☎ 215-597-8974). Ces sites sont ouverts tous les jours de 9h à 17h, sauf mention contraire.

76 Carriage Company & Philadelphia trolley Works (☎ 215-923-8516 ; www.phillytour.com ; angle 6th St et Chestnut St ; adulte 20-70 $, enfant 4-13 $)

African American Museum in Philadelphia (☎ 215-574-0380 ; www.aampmuseum.org ; 701 Arch St ; entrée 8 $; ☽ jeu-dim 10h-17h, mar 10h30-17h, mer 10h30-19h)

Arch St Meeting House (320 Arch St ; donation à l'entrée ; ☽ fermé dim)

Bureau de poste B. Free Franklin (☎ 215-592-1289 ; 316 Market St)

Betsy Ross House (☎ 215-686-1252 ; 239 Arch St ; donation à l'entrée ; ☽ 9h-17h)

Carpenters' Hall (INHP, entre Chestnut St et Walnut St ; ☽ fermé lun)

Christ Church (☎ 215-922-1695 ; 2nd St, entre Market St et Arch St)

Fireman's Hall (☎ 215-923-1438 ; 147 N 2nd St)

Franklin Court (INHP, Market St, entre S 3rd St et S 4th St)

Giovanni's Room (☎ 215-923-2960 ; 345 S 12th St)

Greek Revival Philadelphia Exchange (angle 3rd St et Walnut St)

Independence Hall/Congress Hall (INHP, Chestnut St, entre S 5th St et S 6th St)

Independence National Historic Park (☎ 215-597-8974 ; www.nps.gov/inde)

Independence Visitors Center (☎ 215-965-7676 ; www.independencevisitorscenter.com ; 6th St, entre Market St et Arch St ; ☽ 8h30-17h)

Liberty Bell Center (INHP, 6th St, entre Market St et Chestnut St)

Library Hall (INHP, S 5th, entre Chestnut St et Walnut St)

Mantua Maker's Museum House (☎ 215-574-0560 ; entrée 2 $; ☽ sam 10h-16h, dim 12h-16h)

National Museum of American Jewish History (☎ 215-923-3811 ; www.nmajh.org ; 55 N 5th St ; entrée libre ; ☽ lun-jeu 10h-17h, ven 10h-15h, dim 12h-17h)

National Portrait Gallery (INHP, Chestnut St, entre S 4th St et S 5th St)

Old City Hall/Philosophical Hall (INHP, Chestnut St, entre S 5th St et S 6th St)

Philadelphia Convention & Visitors Bureau (www.pcvb.org, 215-636-3300) Pas de renseignements sur place ; s'occupe uniquement de la promotion commerciale de la ville.

Phlash (☎ 215-474-5274 ; forfait journée 4 $)

US Mint (☎ 215-408-0114 ; INHP, entre 4th St et 5th St ; entrée libre)

Windsor Chair Maker's House (☎ 215-574-0560 ; 126 Elfreth's Alley ; entrée 2 $; ☽ sam 10h-16h, dim 12h-16h)

Où se restaurer

Geno's (☎ 215-389-0659 ; 1219 S 9th St ; plats 3-6 $)

Buddakan (☎ 215-574-9440 ; 325 Chestnut St ; plats 20-28 $)

Millennium Coffee (☎ 731-9798 ; 212 S 12th St ; plats 2-6 $)

Pat's King of Steaks (☎ 215-468-1546 ; 9th St à hauteur de Wahrton Ave et Passyunk Ave ; plats 3-7 $; ☽ 24h/24)

Reading Terminal Market (☎ 215-922-2317 ; www.readingterminalmarket.org ; 12th St et Arch St ; plats 2 $)

Où se loger

Antique Row B&B (☎ 215-592-7802 ; www.antiquerowbnb.com ; 341 S 12th St ; ch 65-110 $)

Four Seasons Hotel Philadelphia (☎ 215-963-1500 ; www.fourseasons.com/philadelphia ; One Logan Sq ; ch 220-300 $)

Latham Hotel (☎ 215-563-7474 ; www.lathamhotel.com ; 135 S 17th St ; ch 109-149 $)

Penn's View Hotel (☎ 215-922-7600 ; www.pennsviewhotel.com ; Front & Market St ; ch 165-185 $)

Shippen Way Inn (☎ 215-627-7266 ; 416-418 Bainbridge St ; ch 85-120 $)

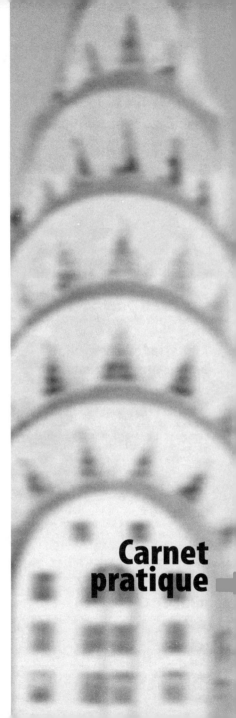

Carnet pratique

Carnet pratique

AMBASSADES ET CONSULATS

Ambassades et consulats étrangers à New York

Compte tenu de la présence des Nations unies, pratiquement tous les pays du monde sont représentés diplomatiquement à New York. Consultez les *Yellow Pages* à la rubrique "Consulates" (*Pages jaunes*, sous "Consulats") pour la liste complète. Voici les adresses des services consulaires francophones :

France (plan p. 454 ; ☎ 212-606-3680 ; www.consulfrance-newyork.org ; 934 5th Ave ; ⊗ lun-ven 9h-13h)

Belgique (☎ 212-586-5110 ; 1330 6th Ave)

Canada (plan p. 284 ; ☎ 212-596-1628 ; www.canada-ny.org ; 1251 6th Ave ; ⊗ lun-ven 8h45-17h)

Suisse (☎ 212-599-5700 ; 633 3rd Ave)

Ambassades et consulats américains à l'étranger

France Ambassade (☎ standard 01 43 12 22 22, service des visas boîte vocale 08 92 23 84 72 ou opérateur 0810 26 46 26, 14,50 € par appel ; www.amb-usa.fr ; 2, av. Gabriel, 75008 Paris ; service des visas 2, rue Saint Florentin 75001 Paris ; courrier 2, rue Saint Florentin, 75382 Paris Cedex 08) Consulat à Marseille (☎ 04 91 54 92 00 ; fax 04 91 55 56 95 ; 12, place Varian Fry, 13086 Marseille)

Belgique (☎ 02-508 21 11 ; fax 02-511 27 25 ; http:// french.belgium.usembassy.gov ; 27, Boulevard du Régent, B-1000 Bruxelles)

Canada Consulat (☎ 514-398 9695 ; http://montreal. usconsulate.gov ; 1155, rue Saint-Alexandre, Montréal, Québec, H2Z 1Z2 ; courrier Case Postale 65, succursale Desjardins, Montréal (Québec) H5B 1G1)

Suisse (☎ 031-357 70 11 ; fax 031-357 73 44 ; Jubiläum Strasse 93, Postfach, 3001 Bern)

ARGENT

Le dollar américain (familièrement appelé un "buck") est divisé en 100 cents (¢). Les pièces sont de 1 ¢ (penny), 5 ¢ (nickel), 10 ¢ (dime), 25 ¢ (quarter). La pièce de 50 ¢ (half-dollar) a pratiquement disparu. Pièce très rare, le dollar en or fut introduit début 2000. Elle représente Sacagawea, l'Indien qui guida les explorateurs Lewis et Clark au cours de leur expédition à travers l'Ouest américain. Certes, les nouvelles pièces font sensation, mais elles sont lourdes et leur tintement ne passe pas inaperçu. Ces pièces sont souvent rendues par les distributeurs de billets et de timbres. Les billets se présentent en coupures de 1, 2, 5, 10, 20, 50 et 100 \$.

Récemment, le Trésor américain a redessiné les billets de 5, 10, 20, 50 et 100 \$ pour faire échec aux faux-monnayeurs. Ils sont toujours verts, mais les portraits qui y figurent ont été très agrandis.

Voir p. 35, les renseignements sur les prix de biens et de services particuliers. Pour connaître le taux de change, reportez-vous au tableau figurant sur l'intérieur de la couverture de ce guide.

Bureaux de change

Les agents de change pratiquent les taux officiels, et on en trouve partout en ville. Les banques, elles, sont normalement ouvertes du lundi au vendredi de 9h à 16h.

Voici deux adresses parmi une myriade d'autres possibilités :

American Express (plan p. 452 ; ☎ 212-421-8240, pour d'autres adresses ☎ 800-221-7282 ; 374 Park Ave à hauteur de 53rd St ; ⊗ lun-ven 9h-17h). American Express est présent en de nombreux points de la ville.

Travelex (plan p. 284 ; ☎ 212-265-6049 ; 1590 Broadway à hauteur de 48th St ; ⊗ lun-sam 9h-19h, dim 9h-17h) Effectue des opérations de change en 8 points de la ville, dont l'agence de Times Sq.

Cartes bancaires

Les cartes de crédit sont acceptées dans la plupart des hôtels, restaurants, magasins et agences de location de voitures de New York. En fait, il vous sera difficile d'effectuer certaines transactions, telles que l'achat d'un billet de spectacle ou la location d'un véhicule, sans une carte bancaire.

Visa ou MasterCard sont les plus connues. Les endroits qui acceptent la Visa et la MasterCard accepteront également les cartes de débit, qui prélèvent directement vos achats sur votre compte chèques ou livret d'épargne. Vérifiez bien auprès de votre banque que votre carte de débit sera acceptée dans d'autres pays. Les cartes de débit des grandes banques commerciales sont souvent utilisables dans le monde entier.

En cas de perte ou de vol de votre carte, contactez immédiatement la société. Voici les numéros gratuits des principales sociétés de cartes de crédit :

American Express (☎ 800-528-4800)

Diners Club (☎ 800-234-6377)

Discover (☎ 800-347-2683)

MasterCard (☎ 800-826-2181)

Visa (☎ 800-336-8472)

Chèques de voyage

Une garantie éprouvée contre le vol et la perte. Les chèques émis par American Express et Thomas Cook sont acceptés à peu près partout, et ces deux organismes ont des politiques de remplacement efficaces. Il est essentiel de conserver les numéros des chèques et de noter ceux que vous avez utilisés, afin qu'ils puissent être remplacés en cas de perte. Conservez ces numéros séparément des chèques.

Munissez-vous de chèques de gros montants. C'est uniquement à la fin d'un voyage qu'on souhaite changer des petits chèques afin de ne pas rentrer avec trop de monnaie étrangère. Du fait du développement des DAB, les chèques de voyage sont de moins en moins utilisés, et vous pourriez sans doute vous en passer totalement.

Distributeurs automatiques de billets (DAB)

On trouvera des DAB ("ATM" en anglais) à presque tous les coins de rue. Vous pouvez soit utiliser votre carte dans les banques – en général dotées d'une pièce isolée accessible 24h/24 renfermant jusqu'à une douzaine de distributeurs – soit avoir recours aux distributeurs qui se trouvent dans les *deli*, les restaurants, les bars et les épiceries, prélevant une commission pouvant aller jusqu'à 5 $ pour les banques étrangères dans certains endroits. La plupart des banques new-yorkaises sont affiliées au système du New York Cash Exchange (NYCE), et vous pouvez utiliser indifféremment les cartes des banques locales à tous les DAB, ou moyennant des frais supplémentaires si vous tirez de l'argent en dehors de votre système.

ASSURANCE

Nous vous conseillons de souscrire une police d'assurance qui vous couvrira en cas de vol, de perte ou de problèmes médicaux (pour plus de détails, voir la rubrique *Services médicaux*, p. 415).

CARTES ET PLANS

Lonely Planet édite un plan de New York au format de poche, en vente chez les libraires. Vous pouvez vous procurer un plan gratuit de Downtown dans le hall de tout hôtel digne de ce nom et aux bornes de renseignements touristiques mises en place par NYC & Company (p. 413). Pour explorer la ville en profondeur, vous devrez vous munir d'un guide indicateur des rues des 5 boroughs, édité par le Long Island City, basé dans le Queens, qui publie aussi des plans très utiles de chacun des boroughs.

La plupart des stations de métro de Manhattan possèdent des "Passenger Information Centers" (points d'information) à côté des distributeurs de jetons, où vous trouverez un plan détaillé à grande échelle de la zone environnante, avec tous les centres d'intérêt clairement indiqués. Jetez-y un coup d'œil avant de sortir pour éviter de vous perdre. Vous obtiendrez des plans gratuits du métro et des bus auprès de l'employé du guichet du métro (pour peu qu'il lui en reste, ce qui n'est guère fréquent).

On peut acheter des cartes dans n'importe quelle librairie (Barnes & Noble, p. 341, possède normalement le plus grand choix), ou directement chez Hagstrom Map & Travel Center (p. 346).

CARTES DE RÉDUCTION

Le **New York City Pass** (www.citypass.com), qui s'achète en ligne ou dans les grands sites touristiques de la ville (musées, sites historiques, etc.), permet de visiter six sites pour 53 $ (41 $ de 6 à 17 ans), contre 107,50 $ au prix fort. Le **New York Pass** (www.newyorkpass.com), vendu 49 $ sur Internet, donne accès à 40 grands sites (Empire State Building, statue de la Liberté, musée Guggenheim, etc.) sur une journée complète et offre des réductions dans 25 magasins et restaurants. Il existe des cartes valables deux, trois ou sept jours. Vous pouvez vous les procurer directement à New York ou vous les faire envoyer chez vous avant votre départ.

Carnet pratique

L'**Entertainment Book** (www.entertainment.
com), à commander avant votre départ
moyennant 30 $, rassemble des coupons de
réduction valables dans les restaurants, les
magasins et les services : 20% de ristourne
dans certains restaurants, entrée gratuite au
South Street Seaport Museum et billets de
cinéma à 6 $ (au lieu de 10 $).

CLIMAT

Le printemps est fabuleux : les arbres se
parent de fleurs rouges et roses illuminées
par le soleil et les jours de pluie apportent
un agréable sentiment de renouveau. Les
températures peuvent rester fraîches en
soirée (4°C début avril par exemple), mais
elles atteignent facilement 15°C la journée,
idéales donc pour se balader.

L'été peut être caniculaire, avec des
températures parfois voisines de 37°C en juillet
et août. Elles restent toutefois généralement
comprises entre 21 et 26°C. Des orages très
brefs éclatent de temps en temps.

Enfin, les hivers sont rigoureux. La grisaille
s'installe parfois des jours durant, ponctuée
quelquefois par des chutes de neige, qui
forment rapidement un tapis boueux au sol.
Les températures tombent fréquemment en
dessous de zéro en janvier. New York sous la
neige ne manque pas de charme et invite à se
replier dans des lieux chaleureux, pour une
découverte très romantique de la ville.

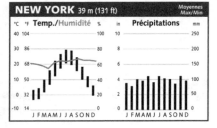

COURS

New York foisonne d'universités, de
collèges et d'écoles spécialisées qui
permettent de bénéficier de tous les
avantages offerts par la scène artistique,
gastronomique et culturelle de la ville.
Suivre une session de cours pendant
votre visite vous donnera la possibilité de
découvrir sous un autre angle la réalité
new-yorkaise.

Cuisine

Les Bouley Test Kitchen's Demonstration
Classes (Bouley Bakery, Café & Market,
p. 330) permettent de suivre, sous la
houlette du célèbre chef David Bouley, une
leçon à 175 $ qui comprend une dégustation
(vins et plats) et des photos de vos créations.
Sue Torres, de Sueños (p. 243), initie les
amateurs à la cuisine mexicaine le samedi
après-midi (50 $), tandis que le restaurant
Artisanal (p. 244) offre différents cours
consacrés au fromage (de 75 à 125 $). La
Gustibus Cooking School du grand magasin
Macy's (p. 346) propose un extraordinaire
éventail de possibilités : cours assurés par
des personnalités de la télé (comme Rachael
Ray ou Daisy Martinez) ou de nouveaux
cuisiniers en vogue (Tom Colicchio est venu
récemment préparer un menu dégustation),
leçons portant sur le maniement des
couteaux, cours de cuisine kasher. Comptez
environ 85 $ par personne.

Écriture

Media Bistro (plan p. 450 ; 212-929-2588 ;
www.mediabistro.com ; 494 Broadway, entre
Spring St et Broome St ; cours 65-125 $),
association de rencontre et d'enseignement
pour les journalistes et les écrivains, organise
régulièrement des séminaires de trois heures
sur des sujets comme les récits de voyages,
le démarchage des maisons d'édition ou
l'écriture d'essais érotiques. L'occasion idéale
de côtoyer le milieu littéraire new-yorkais.

Divers

Véritable institution new-yorkaise, la
Learning Annex (plan p. 452 ; 212-371-0280 ;
www.learningannex.com ; 16 W 53rd St,
entre 5th Ave et 6th Ave ; cours 40-250 $)
propose un très vaste choix de cours – feng
shui, fabrication de savon, rollerblades,
immobilier, ou comment tomber amoureux,
par exemple. fréquemment assurés par
des célébrités comme Donald Trump ou
Suze Orman ; ils se déroulent généralement
sur une journée ou une soirée.

DOUANE

Les douanes américaines autorisent
toute personne de plus de 21 ans à entrer
aux États-Unis avec 1 litre d'alcool et
200 cigarettes détaxées (un paquet coûte en

moyenne 7 $ à New York). Les ressortissants américains peuvent importer l'équivalent de 800 $ de cadeaux hors taxes, pour les ressortissants d'autres pays, la barre est fixée à 100 $. Il n'existe aucune restriction légale en matière de contrôle des changes, mais si vous emportez avec vous l'équivalent de plus de 10 000 $ en espèces, chèques de voyage, mandats-poste ou autres, il est obligatoire de le déclarer, au risque sinon d'encourir des tracasseries administratives.

Les produits alimentaires (fruits, légumes, fromage...) et végétaux sont strictement interdits, ainsi que certains médicaments. Si vous prenez des médicaments, emportez-les dans leurs emballages clairement étiquetés, ainsi que l'ordonnance correspondante. Pour être averti des changements (fréquents) en la matière, consultez le site www.customs.gov.

ÉLECTRICITÉ

Les États-Unis utilisent le 110 ou le 115 volts, 60 Hz et des prises à 2 ou 3 fiches (2 fiches plates avec souvent une fiche de terre ronde). On peut acheter un adaptateur dans les drugstores et les magasins de bricolage.

ENFANTS

Contrairement aux idées reçues, New York peut se révéler très agréable à visiter avec des enfants. Côté logement, mieux vaut éviter les hôtels ultra-branchés aux chambres minuscules et à la clientèle composée de célibataires et de fêtards ; les établissements qui accueillent les enfants à bras ouverts ne manquent pas. Le **Time Hotel** (plan p. 284 ; ☎ 212-246-5252 ; www. thetimeny.com ; 224 W 49th St ; d 259-569 $) reçoit gratuitement les moins de 12 ans et propose des lits à barreaux et un service de baby-sitting ; même chose pour l'Iroquois (p. 370), le Parker Meridien (p. 371) et le Gershwin Hotel (p. 365). Vous trouverez d'autres adresses sur le www. gocitykids.com.

Il paraît certes plus simple de venir en été pour profiter des nombreux parcs et des zoos, mais les activités d'intérieur ne manquent pas non plus. Voici quelques parcs dotés d'aires de jeux :

Battery Park (p. 116) Très bien situé au bord de l'eau, offre de nombreuses activités.

Safari Playground, Central Park (plan p. 199) Aménagé sur le thème du safari.

96th St Playground, Central Park (plan p. 199 ; 96th St à hauteur de 5th Ave) Possède une maison dans un arbre.

Glass Garden (plan p. 199 ; ☎ 212-263-6058 ; 400 E 34th St à hauteur de 1st Ave ; ⏰ lun-ven 8h-17h30, sam-dim 13h-17h30) Jardin botanique doté d'une mare avec des carpes et des tortues, et d'un espace éducatif, le PlayGarden.

Tompkins Sq Park (p. 137) Compte trois aires de jeux où les parents branchés de Downtown emmènent leurs enfants.

Les activités d'intérieur ne manquent pas non plus : musées, surtout ceux consacrés aux enfants, comme le Children's Museum of Manhattan (p. 158), théâtres, cinémas, librairies, magasins de jouets, aquariums et même certains restaurants (p. 94) sont parfaits en famille. Vous trouverez d'autres idées dans le Lonely Planet *Travel With Children*. Procurez-vous également l'hebdomadaire *Time Out Kids*, disponible dans les kiosques à journaux de la ville.

Les transports publics restent le gros point noir. Dans les stations de métro, les ascenseurs brillent par leur absence et vous devrez porter votre poussette dans les escaliers ; une porte spéciale, qu'on vous ouvrira sur demande, évite cependant le passage des tourniquets. Dans le bus, on ne vous acceptera qu'avec une poussette repliée. Le plus simple est de prendre un taxi.

Voir aussi la rubrique *Visas*, p. 418, pour les formalités en vigueur pour les enfants.

Baby-sitting

La plupart des grands hôtels traditionnels offrent un service de baby-sitting, ou du moins peuvent vous recommander des baby-sitters. À défaut, contactez une agence spécialisée. Fondée en 1940, **Baby Sitters' Guild** (☎ 212-682-0227 ; www.babysittersguild. com) s'occupe tout spécialement des voyageurs résidant à l'hôtel avec des enfants et emploie une équipe de baby-sitters polyglottes sélectionnées avec soin, et possédant souvent une formation et une expérience en puériculture. Ils viennent sur place, avec jeux et travaux manuels. Vous pouvez aussi faire appel aux services de **Pinch Sitters** (☎ 212-260-6005). Ces deux agences facturent environ 20 $ l'heure.

FORMALITÉS

Avant le départ, il est impératif de contacter les ambassades et les consulats pour s'assurer que les modalités d'entrée sur le territoire n'ont pas changé. Nous vous conseillons de photocopier tous vos documents importants (pages d'introduction de votre passeport, cartes de crédit, numéros de chèques de voyage, police d'assurance, billets de train/d'avion/de bus, permis de conduire, etc.). Emportez un jeu de ces copies, que vous conserverez à part des originaux. Vous remplacerez ainsi plus aisément ces documents en cas de perte ou de vol.

Pour les détails sur les passeports et les visas, reportez-vous p. 418.

HANDICAPÉS

La loi fédérale impose à tous les bâtiments et infrastructures administratifs d'être accessibles aux handicapés. Pour davantage de renseignements, appelez l'**Office for People with Disabilities** (☎ 212-788-2830 ; ☯ lun-ven 9h-17h) qui vous enverra gratuitement son guide *Access New York*. Par ailleurs, la **Society for Accessible Travel & Hospitality** (SATH ; plan p. 450 ; ☎ 212-447-7284 ; www.sath. org ; 347 5th Ave à hauteur de 34th St ; ☯ 9h-17h) fournit des renseignements aux voyageurs handicapés, aveugles, sourds ou souffrant d'insuffisance rénale.

Bien que les rues de New York soient embouteillées et difficiles à négocier, les choses s'améliorent lentement mais sûrement. Privilégiez les bus, tous équipés d'un monte-charge pour les fauteuils roulants et d'un espace réservé. Le métro, en revanche, se trouve sur des voies surélevées ou souterraines et compte très peu d'ascenseurs. Pour tout renseignement sur l'accessibilité des rames de métro et des bus, il vous faudra appeler l'**Accessible Line** (☎ 718-596-8585). Autre moyen de s'informer : le site Web de **NYC & Company** (www.nycvisit. com ; cliquer sur "NYC & Company" puis sur "Travelers with Disabilities").

Les cinémas et les théâtres de Broadway offrent aussi des places réservées. Dans les plus récents, elles se situent à l'avant de la salle, et non plus tout au fond. Les salles de Broadway fournissent aussi aux aveugles des appareils audio permettant de suivre ce qui se passe sur scène.

L'**APF** (Association des paralysés de France ; ☎ 01 40 78 69 00 ; fax 01 45 89 40 57 ; www.apf.asso.fr ; 17, bd Blanqui, 75013 Paris) peut fournir des informations sur les voyages accessibles. Consultez aussi le site www.handica.com qui propose des liens vers des agences de voyages spécialisées.

HÉBERGEMENT

Avec un parc hôtelier d'environ 70 000 chambres (un nombre en constante augmentation), la question n'est pas de savoir si vous trouverez où vous loger, mais où et à quel prix ? De nouveaux établissements ouvrent régulièrement, le Dream (p. 368), l'Hotel QT (p. 369) et le Night Hotel (plan p. 284 ; 132 W 45th St) comptant parmi les plus récents. New York n'a pas échappé à la nouvelle mode qui consiste à convertir totalement ou partiellement les hôtels en immeubles d'habitation (c'est le cas du Plaza, qui a perdu la moitié de ses chambres, et du Mandarin Oriental, p. 371, dans le Time Warner Center), mais l'impact sur l'offre hôtelière demeure encore minime.

Le chapitre *Où se loger* (p. 356) répertorie les hôtels par ordre alphabétique et par quartier, et les classe au moyen de signes $, plus ou moins nombreux suivant le prix des chambres (voir la table d'équivalence p. 356). Figurent en premier ceux des catégories moyenne et luxueuse, puis les établissements pour petit budget. Le prix moyen pour une chambre se monte à 300 $, avec quelques variations en fonction de la saison (moins cher en janvier et février, plus élevé en septembre et octobre). On trouve cependant de nombreux logements à des tarifs inférieurs et (surtout) supérieurs. Sachez qu'à votre facture viendra s'ajouter une taxe de 13,625%, plus une somme allant de 2 à 6 $ par nuit. Il s'avère néanmoins aisé de trouver une chambre pour petit budget (moins de 150 $ selon les critères new-yorkais), voire un lit à 50 $ dans une auberge de jeunesse. Des offres spéciales sont fréquemment proposées à tout moment de l'année, mais surtout sur les fins de semaine en plein cœur de l'été ou de l'hiver. Le reste de l'année, différents sites Web proposent des réductions allant jusqu'à 65%, notamment :

Hotel Conxions (www.hotelconxions.com) Excellent site, spécialiste de New York.

Just New York Hotels (www.justnewyorkhotels.com) Hôtels quatre-étoiles à des tarifs pouvant descendre à 171 $.

Lonely Planet (www.lonelyplanet.com) Cliquez sur "travel services", puis "hotels".

Orbitz (www.orbitz.com) Permet de choisir la catégorie de l'hôtel, le nom de la chaîne et autres détails.

Travelocity (www.travelocity.com) Propose des forfaits comprenant le billet d'avion.

Pour plus d'informations sur les chambres à prix cassé par Internet, voir l'encadré *Chambres aux enchères* p. 375. En fonction des établissements, il faut généralement libérer la chambre pour 11h et arriver à partir de 15h ; ces horaires peuvent souvent être aménagés, mais certains hôtels vous factureront alors une demi-journée supplémentaire.

Si vous avez l'esprit d'aventure, loger dans un quartier autre que Times Sq ou Soho permet de partir à l'exploration de coins moins connus et de dormir dans un cadre plus intime et accueillant que la majorité des établissements new-yorkais. Voyez par exemple la Harlem Flophouse (p. 377) à Harlem, ou encore, à Brooklyn, le Bed & Breakfast on the Park (p. 377) de Park Slope ou l'Union Street B&B (p. 378) de Carroll Gardens.

Pour des informations sur les locations, reportez-vous à la p. 358.

HEURE LOCALE

New York est situé dans le fuseau horaire de l'Eastern Standard Time (EST) – soit un retard de 5 heures par rapport au méridien de Greenwich, le Greenwich Mean Time (GMT). Presque tous les États-Unis ont adopté le changement d'heure en été : avance d'une heure le premier dimanche d'avril et retard d'une heure le dernier samedi d'octobre. La France a 6 heure d'avance par rapport à New York ; le Québec est à la même heure que New York. Pour connaître l'heure locale, consultez le site www.horlogeparlante.com.

HORAIRES D'OUVERTURE

Les bureaux ouvrent en général de 9h à 17h du lundi au vendredi. Les magasins démarrent souvent plus tard, vers 10h ou 11h, voire 12h dans le Village, et ferment entre 19h et 21h, souvent plus tard le week-end. Les restaurants servent le petit déjeuner de 6h à 12h, le déjeuner jusqu'à 15h ou 16h, puis le dîner à partir de 17h (l'on dîne toutefois plutôt aux alentours de 20h, ou 21h le week-end). La plupart des magasins ouvrent les jours fériés (sauf à Noël), mais pas les banques, les écoles et les bureaux. Les banques restent ouvertes de 9h à 16h du lundi au vendredi, mais dans Chinatown, certaines ouvrent quelques heures le samedi. La Commerce Bank compte de nombreuses agences dans tout Manhattan, aux horaires très flexibles (y compris en fin de semaine).

HOMOSEXUALITÉ

New York, lieu d'émergence du mouvement des droits des gays, se montre particulièrement convivial avec les homosexuels. La date charnière du mouvement pour les droits des homosexuels à New York est celle du 27 juin 1969, lorsque la police fit une descente au Stonewall Bar (p. 268), dont les clients pleuraient la mort de Judy Garland, une idole de la communauté gay. Beaucoup résistèrent à l'arrestation et trois nuits d'émeutes s'ensuivirent. La rébellion de Stonewall et d'autres manifestations suscitèrent l'adoption en 1971 de la première loi interdisant toute discrimination fondée sur l'orientation sexuelle. D'autres lois ont été adoptées depuis (le mariage homosexuel est toujours interdit) et la ville compte aujourd'hui plusieurs politiciens gays ; en 2006, Christine Quinn, élue municipale ouvertement lesbienne, a été élue présidente du conseil municipal, le poste le plus influent après celui du maire.

La Lesbian, Gay, Bisexual & Transgender Pride March (p. 25) se tient tous les ans en juin. Une liste des bars et discothèques homosexuels figure p. 268.

Le **LGBT Community Center** (☎ 212-620-7310 ; www.gaycenter.org ; 208 W 13th St) rassemble plus de 300 associations et propose salles de réunion, spectacles de danse, projections de films, soirées loto, conférences sur la famille, la santé et les jeunes, consultations psychologiques, etc. Faites-y un tour à votre arrivée pour obtenir toutes sortes de renseignements utiles.

Pour la liste des lieux gays et lesbiens, procurez-vous *HX*, *Next*, *Metrosource* et *Go* (publication lesbienne), disponibles dans les librairies et bars homosexuels et les distributeurs installés dans les rues. Il existe aussi deux hebdomadaires, le *New York Blade* et *Gay City News*.

INTERNET (ACCÈS)

La connexion à Internet ne pose pas de problème à New York. On trouve même désormais des accès aux coins des rues (et dans les aéroports de la région), grâce à l'installation récente d'une trentaine de téléphones publics équipés de portails Internet. Les TCC

Carnet pratique

Internet Phones, installés principalement dans Midtown, mais disséminés également dans l'East Village, Soho, Chinatown et l'Upper East Side, coûtent 1 $ les 4 min, mais l'accès aux sites d'information sur New York est gratuit. Encore mieux, les téléphones sont compatibles sans fil (dans un rayon de 300 m) permettant une connexion haut débit aux détenteurs d'ordinateurs portables compatibles.

La branche principale de la **New York Public Library** (plan p. 452 ; ☎ 212-930-0800 ; E 42nd St à hauteur de 5th Ave) offre une connexion Internet gratuite d'une demi-heure, mais, l'après-midi, il faut généralement attendre son tour. 80 autres branches de la bibliothèques publique offrent le même accès gratuit mais, en principe, sans attente. La liste des adresses figure sur le www.nypl.org/branch/local/. La ville compte de nombreux points de connexion Wifi gratuits : voir l'encadré ci-dessous.

Dans les cybercafés, vous pouvez surfer moyennant un tarif horaire qui varie de 1 $ à 12 $, ou vous brancher pour une connexion Wifi gratuite. On peut essayer les adresses suivantes, toutes ayant leur ambiance particulière :

Cyber Café (plan p. 284 ; ☎ 212-333-4109 ; 250 W 49th St, entre Broadway et 8th Ave ; 6,40 $/30 min, minimum 30 min ; ☺ lun-ven 8h-23h, sam-dim 11h-23h)

NEW YORK EN WIFI

New York n'est pas complètement connecté (et se place loin derrière d'autres villes en matière d'accès gratuit), mais compte de nombreux endroits où surfer sur Internet avec son ordinateur portable. **NYC Wireless** (www.nycwireless.net), association locale qui milite pour la gratuité du Wifi, publie sur son site Web une carte des points d'accès gratuits, sur inscription ; cette association a obtenu qu'on installe des points de connexion dans des parcs publics comme Bryant Park (p. 148), Tompkins Sq Park (p. 137) et Union Sq Park (p. 145). Autres possibilités : le campus de l'université de Columbia (p. 166), South Street Seaport (p. 122), et certains commerces tels que l'Apple Soho (p. 327), le marché de Chelsea (p. 142), le Soy Luck Club (p. 241) et même le bar/discothèque gay **xl** (p. 269), où vous pourrez surfer en sirotant un martini. Les centaines de Starbucks de la ville sont tous équipés mais vous devrez ouvrir un compte moyennant environ 6 $/h – sans compter le café à 4 $.

Connexion haut débit, imprimantes couleur, scanners, webcams, le tout doublé d'un café et d'un bar à vins.

Easy Internet Café (plan p. 284 ; ☎ 212-398-0724 ; 234 W 42nd St ; 2 $/h ; ☺ 24h/24) L'adresse la moins chère, et sans doute la plus grande capacité d'accueil.

LGBT Community Center (Centre social de la communauté lesbienne, gay, bisexuelle et transsexuelle, plan p. 448 ; ☎ 212-620-7310 ; 208 W 13th St ; donation recommandée de 3 $) Le cyber-center de ce centre social possède 15 ordinateurs en accès libre.

Web2Zone (plan p. 449 ; ☎ 212-614-7300 ; 54 Cooper Sq, entre Astor Pl et 4th Ave ; 5 $/h ; ☺ lun-ven 9h-23h, sam 10h-23h, dim 12h-22h) Service d'impression très complet et jeux en ligne.

JOURNAUX ET MAGAZINES

Les périodiques sont légion, on n'en attendait pas moins de l'une des capitales mondiales des médias. Au nombre des quotidiens :

Metro (www.metro.us) Présent également à Philadelphie et à Boston, ce quotidien publié uniquement en semaine et ciblant les usagers du métro présente l'actualité dans des petits articles bien écrits et faciles à lire.

New York Daily News (www.nydailynews.com) L'un des deux tabloïds new-yorkais avec le *Post* ; il est relativement plus sobre que ce dernier.

New York Newsday (www.nynewsday.com) De petit format, c'est la version new-yorkaise de *Newsday*, quotidien très apprécié de Long Island.

New York Observer (www.nyobserver.com) Reconnaissable à sa couleur saumon et spécialisé dans les cancans mondains.

New York Post (www.newyorkpost.com) Célèbre pour ses unes sensationnalistes, ses opinions politiques conservatrices et sa chronique "potins" en page 6.

New York Press (www.nypress.com) L'hebdomadaire alternatif qui a contraint le *Village Voice* à devenir gratuit ; beaucoup d'articles décousus écrits à la première personne, un ton se voulant spirituel et des critiques sur les manifestations artistiques.

New York Times (www.nytimes.com) La "dame grise" s'est dépoussiérée depuis quelques années, avec de nouvelles rubriques sur la technologie, l'art et les restaurants.

Village Voice (www.villagevoice.com) Récemment acheté par la chaîne de journaux alternatifs New Times, le légendaire *Voice* a perdu de son mordant mais continue de faire du bruit. On y trouve les articles de l'échotier favori de tous, Michael Musto.

Villager (www.thevillager.com) Cet hebdomadaire de quartier bien écrit est une excellente source d'informations sur ce qui se passe à Downtown.

Wall Street Journal (www.wallstreetjournal.com) Quotidien sérieux, spécialisé dans l'économie.

Des magazines permettent de se tenir au courant de la vie new-yorkaise :

BKLYN (www.bklynmagazine.com) Ce mensuel relativement récent se concentre sur le "Brooklyn des brownstones", c'est-à-dire les quartiers huppés comme Bococa, Park Slope et Brooklyn Heights.

New York Magazine (www.nymetro.com) Hebdomadaire qui propose des articles de fond et recense à peu près tout ce qui se passe à New York. Excellent site Web.

Paper (www.papermag.com) Un mensuel branché axé sur les people, la mode, l'art et le cinéma.

Time Out New York (www.timeout.com) Cet hebdomadaire s'efforce d'être extrêmement complet (voir en particulier ses pages culturelles) et offre des articles et des interviews sur les arts et les loisirs.

JOURS FÉRIÉS

Voici la liste des principaux jours fériés et manifestations spéciales à New York. Les entreprises ferment souvent ces jours-là et en raison de la forte affluence touristique, il peut s'avérer encore plus difficile de trouver un hôtel ou un restaurant. Reportez-vous p. 23 pour une liste plus détaillée.

Pâques	mi-avril
Memorial Day	fin mai
Gay Pride	dernier dimanche de juin
Independence Day	4 juillet
Labor Day	1er lundi de septembre
Rosh Hashanah et **Yom Kippur**	de mi-septembre à mi-octobre
Halloween	31 octobre
Thanksgiving	4e jeudi de novembre
Christmas Day	25 décembre
Boxing Day	26 décembre
New Year's Eve	31 décembre

OFFICES DU TOURISME
À New York

Les renseignements touristiques les plus fiables sont fournis soit sur Internet soit dans les agences et kiosques officiels à New York.

NYC & Company (plan p. 284 ; ☎ 212-484-1200 ; www.visitnyc.com ; 810 7th Ave, entre 52nd St et 53rd St) Le service touristique officiel de la ville distribue des plans et toutes sortes de brochures très utiles dans ses trois agences. Le site Web est très riche en renseignements : événements particuliers à venir, rabais divers, détails

historiques croustillants et dernières infos sur la sécurité. Les autres agences sont à Lower Manhattan (plan p. 444 ; City Hall Park à hauteur de Broadway), Harlem (plan p. 458 ; 163 W 125th St à hauteur d'Adam Clayton Powell Blvd) et Chinatown (plan p. 444 ; Canal St, Walker St et Baxter St).

Centre d'information de Times Square (plan p. 284 ; ☎ 212-768-1569 ; www.timessquarenyc.org ; Broadway entre 46th St et 47th St) Le Times Square Information Center, géré par le Times Square Business Improvement District, offre des brochures, des plans et des conseils en 10 langues différentes.

Office du tourisme de Brooklyn (plan p. 462 ; ☎ 718-802-3846 ; Brooklyn Borough Hall, 209 Joralemon St entre Court St et Adams St ; ⌚ lun-ven 10h-18h) Prodigue toutes sortes d'informations sur Brooklyn.

À l'étranger

Office du tourisme des États-Unis (☎ 0 899 70 24 701 0,35 €/appel + 0,35 €/min ; www.office-tourisme-usa.com ; infos@office-tourisme-usa.com)

PASSEPORT

Voir la rubrique *Visas*, p. 418.

PHOTO ET VIDÉO

De même qu'on peut faire développer ses photos argentiques en quelques minutes, il est désormais possible de faire graver ses photos numériques sur CD ou de les faire imprimer à partir de la carte mémoire de son appareil. Des chaînes omniprésentes, comme Rite Aid, CVS et Duane Reade, possèdent toutes des machines qui vous permettent de lire votre carte mémoire et de choisir les photos que vous souhaitez imprimer. Pour trouver un appareil photo ou des accessoires, essayez **B&H Photo and Video** (p. 346), dans Midtown, ou **J&R Music and Computer World** (p. 323), dans Lower Manhattan. Plusieurs labos de qualité, fréquentés par les professionnels, développent les photos traditionnelles et numériques : ils occupent les pâtés de maisons qui séparent 20th St de 24th St, entre Fifth Ave et 6th Ave ; citons notamment **Duggal** (plan p. 446 ; ☎ 212-924-8100 ; 29 W 23rd St, entre 5th Ave et 6th Ave).

POSTE

Les tarifs postaux augmentent régulièrement. Actuellement, l'envoi d'une lettre en service rapide à l'intérieur des États-Unis coûte 39 ¢ jusqu'à 1 oz (28 g), et l'envoi d'une carte postale 24 ¢. Le prix d'un colis ou d'une lettre pour l'étranger varie : demandez dans un bureau de poste ou connectez-vous sur le **calculateur des tarifs postaux** (http://ircalc.usps.gov/). Pour toute question relative à la poste, appelez le ☎ 800-275-8777 ou consultez le site Web de l'**US Post Office** (www.usps.com/welcome.htm).

La **General Post Office** de New York (plan p. 452 ; ☎ 212-967-8585 ; immeuble James A. Foley, 380 W 33rd St à hauteur de 8th Ave ; ◷ 24h/24) peut vous aider pour toute question postale, de même que les autres bureaux de poste indiqués sur le site. Des boutiques postales assurent un service d'envoi de courrier, telle la chaîne **Mailboxes Etc** (www.mbe.com), présente en plusieurs points de Manhattan (consultez le site Internet pour avoir la liste des adresses). Leur avantage : l'attente est minime et les agences sont nombreuses. Leur inconvénient : le prix.

POURBOIRE

Les pourboires sont de rigueur dans les restaurants, les bars et les grands hôtels, les taxis, et auprès des coiffeurs et des bagagistes. Au restaurant, les serveurs, rémunérés au-dessous du salaire minimum, comptent sur les pourboires pour gagner décemment leur vie. Il convient de laisser au moins 15% à moins que le service ait été déplorable. La plupart des New-Yorkais laissent carrément 20%, à moins de se contenter de doubler les 8,625% de taxes. Dans les bars, les serveurs s'attendent à recevoir 1 $ pour chaque boisson servie. Dans les fast-foods et les boutiques de vente à emporter, vous verrez souvent un bocal sur le comptoir pour les pourboires : mettez-y 25 ou 50 ¢.

Les chauffeurs de taxi et les coiffeurs comptent sur environ 15% si le service a donné satisfaction. Les porteurs d'aéroport ou d'hôtel reçoivent 2 $ pour le premier bagage et 1 $ pour les suivants. Dans les hôtels, laissez 5 $ par jour au personnel de ménage. Voyez également le chapitre *Où se restaurer*, p. 228.

PROBLÈMES JURIDIQUES

Si vous êtes arrêté, vous avez le droit de garder le silence. Il n'y a pas d'obligation légale de parler à un officier de police si vous n'en avez pas envie, d'autant plus que tout ce que vous pourriez dire "peut être et sera retenu contre vous", mais ne vous éloignez pas sans en avoir reçu l'autorisation. Toute personne arrêtée a le droit de passer un appel téléphonique. Si vous n'avez ni avocat ni membre de votre famille susceptible de vous aider, appelez votre consulat. La police vous communiquera son numéro sur votre demande.

RADIO

À côté des stations commerciales de pop-music, New York dispose de quelques bonnes stations. Le *New York Times*, dans son édition du dimanche, publie un excellent guide des programmes. Voici quelques-unes des meilleures chaînes, toutes étant également diffusées sur Internet :

East Village Radio (www.eastvillageradio.com) Radio locale disponible uniquement en ligne, avec musique, débats et émissions politiques.

WBAI 99.5 FM (www.wbai.org) Branche locale de Pacifica Radio. Débats politiques et actualité sont traités sous un angle activiste, avec quelques émissions phares comme *Democracy Now!*

WFUV 90.7 FM (www.wfuv.org) La radio de la Fordham University diffuse de l'excellente musique indie – folk, rock et autres sons alternatifs – présentée par des DJ connaisseurs.

WLIB 1190 AM (www.airamericaradio.com) La nouvelle station d'Air America. Émissions 24h/24. Ses opinions plutôt démocrates contrastent avec le discours conservateur qui remplit les bandes AM.

WNYC 93.9 FM et **820 AM** (www.wnyc.org) Chaîne publique locale, affiliée à la NPR. Mélange de débats et d'interviews nationaux et locaux, avec de la musique classique en cours de journée sur la station FM.

WOR 710 AM (www.wor710.com) Émissions animées notamment par les experts locaux Joan Hamburg et Arthur Schwartz, qui donnent des idées de restaurants, de shopping et de voyages. Le célèbre docteur Joy Brown y dispense également des conseils psychologiques aux auditeurs.

SÉCURITÉ

Le taux de criminalité reste à son plus bas niveau depuis plusieurs années. Il n'y a plus guère de quartiers – à Manhattan, tout au moins – où l'on ne se sente pas en sécurité, quelle que soit l'heure du jour ou de la nuit. Ceci vaut également pour les stations de métro, sauf dans certains quartiers pauvres, surtout dans les boroughs périphériques. Aucune raison d'être paranoïaque, mais le bon sens reste de mise : ne vous aventurez pas seul (et surtout seule), la nuit dans un quartier inconnu et semi-désert (évitez le Bronx, Harlem ou Central Park la nuit). Ne sortez pas de gros billets dans la rue au vu de tout le monde, et laissez vos objets de valeur en lieu sûr. La plupart des hôtels et auberges de jeunesse possèdent un coffre où vous pouvez déposer votre argent. De même, laissez autant que possible les bijoux à la maison (d'une manière générale, évitez de voyager avec tout objet dont vous ne pourriez pas supporter, financièrement ou émotionnellement, la perte). Glissez quelque part votre argent de la journée, mais pas dans un sac à main ou une poche extérieure, et prenez garde aux pickpockets dans les endroits bondés, comme Times Sq ou Penn Station aux heures de pointe.

La menace terroriste est toujours d'actualité et le sujet reste très sensible. À l'aéroport, respectez les règles strictes de sécurité. Restez vigilants dans les lieux très touristiques, tels que Times Sq, la statue de la Liberté ou les musées, ainsi que dans les gares et dans le métro.

SERVICES MÉDICAUX

La couverture des soins médicaux est l'un des grands problèmes des États-Unis du fait qu'il n'existe aucune loi fédérale garantissant la sécurité sociale pour tous, et les assurances santé sont extrêmement coûteuses. Les personnes vivant sous le seuil de pauvreté ont droit au service Medicaid, qui couvre un grand nombre de frais, et les personnes âgées peuvent avoir recours au Medicare, qui fonctionne de manière analogue. En tant que visiteur, vous devez savoir que tous les services d'urgences des hôpitaux sont tenus de recevoir les patients, qu'ils puissent payer ou non.

Les frais médicaux étant extrêmement élevés aux États-Unis, nous recommandons vivement la souscription d'une assurance voyage pour la durée du séjour. Elle doit couvrir les frais médicaux et de rapatriement. Attention ! Avant de souscrire une police d'assurance, vérifiez bien que vous ne bénéficiez pas déjà d'une assistance par votre carte de crédit, votre mutuelle ou votre assurance automobile et que celle-ci couvre bien l'Amérique du Nord.

Il n'est pas possible d'acheter des médicaments sur place avec une ordonnance française. Constituez le stock nécessaire avant de partir et conservez une copie de l'ordonnance.

Cliniques

Si vous êtes malade ou blessé, sans que votre état nécessite une intervention d'urgence, vous pouvez vous présenter aux services suivants :

Michael Callen-Audre Lorde Community Health Center (plan p. 448 ; ☎ 212-271-7200 ; www.callen-lorde.org ; 356 W 18th St entre 8th Ave et 9th Ave) Ce centre médical dédié à la communauté LGBT (lesbienne, gay, bisexuelle et transsexuelle) et aux personnes séropositives ou malades du sida, soigne les patients quelles que soient leurs ressources.

New York County Medical Society (☎ 212-684-4670 ; www.nycms.org) Vous serez dirigé vers un médecin, en fonction du problème à traiter et de la langue parlée.

Planning familial (Planned Parenthood ; plan p. 454 ; ☎ 212-965-7000 ; www.plannedparenthood.com ; 26 Bleecker St) Contrôle des naissances, tests de dépistage de MST et soins gynécologiques.

Pharmacies

New York regorge de "pharmacies" ouvertes 24h/24, en réalité de simples drugstores proposant des médicaments en vente libre et disposant d'un comptoir aux horaires plus limités où se procurer des médicaments sur ordonnance. Plus rares, les vraies pharmacies ouvertes 24h/24 comprennent **Rite Aid** (plan p. 446 ; ☎ 212-529-7115 ; 508 Grand St à hauteur de Clinton St) à Downtown et **CVS** (plan p. 284 ; ☎ 212-245-0636 ; 400 W 59th St à hauteur de Columbus Circle) à Midtown.

Services d'urgence

Les services d'urgence new-yorkais ressemblent à une succursale de l'enfer. Évitez-les à tout prix. Si vous ne pouvez pas faire autrement, consultez l'annuaire de votre quartier et préparez-vous à attendre en moyenne quatre heures (à moins d'être vraiment très mal en point). Voici quelques hôpitaux parmi les plus importants, dotés de services d'urgence :

Beth Israel Medical Center (plan p. 446 ; ☎ 212-420-2000 ; 1st Ave à hauteur de E 16th St)

Mount Sinai Hospital (plan p. 454 ; ☎ 212-241-6500 ; 1190 5th Ave à hauteur de 100th St)

New York Presbyterian Columbia University Hospital (plan p. 468 ; ☎ 212-305-6204 ; 622 168th St à hauteur de Ft Washington Ave)

St Vincent's Medical Center (plan p. 448 ; ☎ 212-604-7000 ; 153 W 11th St au niveau de Greenwich Ave)

Carnet pratique

TAXES

Restaurants et commerces de détail n'incluent jamais les taxes (8,625%) dans les prix affichés. Attention, donc, à ne pas commander un plat du jour à 4,99 $ si vous avez 5 $ en poche. En outre, plusieurs catégories de biens et services classés "de luxe", comme la location d'un véhicule ou le nettoyage à sec, supportent une taxe municipale supplémentaire de 5%, ce qui porte le taux de taxation à 13,625% dans ce dernier cas. Les chambres d'hôtel de New York sont aussi soumises à 13,625% de taxes auxquelles s'ajoute une taxe de séjour ("occupancy") fixe de 2 à 6 $ par nuit. Les États-Unis n'ayant pas de TVA nationale, les visiteurs étrangers n'ont pas la possibilité d'acheter "en détaxe".

TÉLÉPHONE

Les numéros de téléphone des États-Unis commencent par un indicatif régional à 3 chiffres suivi par un numéro à 7 chiffres. Si vous passez un appel longue distance, il faut composer le ☎ 1 + l'indicatif régional + le numéro à 7 chiffres.

Pour joindre le service de l'annuaire local et national, composez le ☎ 1 + 212 + 555-1212. Pour toute demande ayant trait à la vie de la cité, vous pouvez maintenant appeler le ☎ 311 – si vous êtes dérangé par le bruit, si vous voulez joindre un élu local ou si vous avez une question sur une règle de stationnement, le recyclage des déchets ou l'aire la plus proche où promener le chien sans laisse. Le service fonctionne 24h/24 et vous met rapidement en relation avec le service municipal le mieux à même de vous répondre.

Appeler New York

L'indicatif des États-Unis est le ☎ 1. Pour appeler New York depuis l'étranger, composez l'indicatif international ☎ 00 (011 depuis le Canada), suivi du ☎ 1 (l'indicatif des USA), et des 10 chiffres de votre correspondant.

Communications locales et nationales

À New York, les numéros de Manhattan relèvent de l'indicatif régional 212 ou 646 (et 917 pour les téléphones portables et certaines sociétés), et ceux des boroughs périphériques du 718. Quel que soit l'endroit d'où vous appelez, même si c'est de l'autre côté de la rue, vous devez *toujours* composer d'abord ☎ 1 + l'indicatif régional.

Tous les numéros gratuits commencent par le préfixe 800, 877 ou 888. Certains numéros gratuits de sociétés ou de services publics ne fonctionnent qu'à l'intérieur d'une zone géographique limitée. La plupart, cependant, peuvent être appelés même de l'étranger – sachez néanmoins que vous serez connecté au prix d'une communication longue distance ordinaire, ce qui pourrait devenir onéreux si le numéro que vous appelez a l'habitude de mettre les usagers en attente pendant un certain temps.

Communications internationales

Pour appeler directement de New York vers l'étranger, composez d'abord le ☎ 011, puis l'indicatif du pays (33 pour la France ; 32 pour la Belgique ; 1 pour le Canada ; 41 pour la Suisse), puis l'indicatif régional (sans le 0 initial), puis le numéro. Pour connaître le code du pays, consultez l'annuaire ou composez le ☎ 411 et demandez une opératrice internationale. Un délai de 45 secondes peut s'écouler avant que la sonnerie retentisse. Les tarifs internationaux varient selon le moment de la journée et la destination. Appelez l'opératrice (☎ 0) pour connaître les tarifs.

Cartes téléphoniques

Pour les appels longue distance, les cartes de débit téléphoniques sont une excellente solution. Vous accédez au service *via* un numéro 800 gratuit. Elles ont une valeur de 5, 10, 20 ou 50 $ et sont en vente chez Western Union, auprès de distributeurs dans les aéroports et les gares, dans certains supermarchés et presque tous les *deli*. Les avantages des unes et des autres varient selon le pays appelé (ainsi New York Alliance est la meilleure pour le Brésil, et Payless pour l'Irlande). Les fournisseurs des cartes pourront vous renseigner avec précision.

Téléphones mobiles

Les "cell phones" comme on les appelle ici, ont envahi la ville, et il est même prévu de rendre la réception disponible partout dans le métro. Les New-Yorkais raffolent de leurs nouveaux jouets, mais vous n'en aurez pas vraiment besoin vu le nombre de téléphones publics. En outre, le service laisse encore beaucoup à désirer, avec de nombreux trous dans la couverture de la ville.

Téléphones publics

Il y a encore des téléphones publics dans les rues de New York. Toutefois, ne comptez pas tomber sur une cabine ressemblant à celle où Superman se change, à moins de découvrir l'une des dernières encore debout. L'une d'elles se trouve à l'angle de West End Ave et de 101st St dans l'Upper West Side.

Pour vous servir d'un téléphone public, vous pouvez soit introduire des pièces d'un quarter, soit utiliser une carte de débit ou de crédit téléphonique, soit passer un appel en PCV. Vous trouverez des milliers de téléphones dans les rues, tous affichant une tarification différente, bien que la plupart (en particulier les téléphones Verizon, reconnaissables à leur combiné jaune), facturent 50 ¢ pour un appel local illimité.

Pour les communications longue distance, on trouve un peu partout, surtout dans les environs de Times Sq, des centres d'appel proposant des tarifs minutaires peu élevés.

TÉLÉVISION

Les New-Yorkais obsédés de culture pop sont naturellement accros au petit écran. Les émissions les plus populaires, celles que l'on passe des heures à commenter, sont avant tout produites à New York : il s'agit des émissions de télé-réalité *Project Runway* (Bravo) qui concerne des créateurs de mode, *Queer Eye For the Straight Guy* (Bravo) animée par une équipe de gays qui relookent des hétéros et *The Apprentice* (NBC) dont la vedette est Donald Trump.

Quelques chaînes locales méritent aussi un coup d'œil (on notera que le numéro de la chaîne varie selon le fournisseur de programme, Cablevision ou Time Warner pour le câble, Direct TV pour le satellite).

Manhattan Neighborhood Network (www.mnn.org ; diverses chaînes) Excellente chaîne locale, MNN présente des artistes, des animateurs et autres personnages narcissiques du quartier.

Metro TV (Cablevision 60 et Time Warner 70) Affiliée au *New York Magazine*, elle se consacre à la mode, aux rencontres amoureuses et à la vie culturelle.

MSG Network (www.msgnetwork.com) Chaîne sportive gérée par le Madison Sq Garden qui retransmet les matchs des équipes locales : Yankees, Mets, Knicks, Liberty, Jets et Rangers.

New York 1 (www.ny1.com) Chaîne d'informations locales émettant 24h/24, uniquement sur Time Warner Cable channel 1. Toutes les heures, les grands titres de l'actualité sont repris pendant une minute. Prévisions météo.

NYC TV (Channel 25) Chaîne officielle de la ville, elle diffuse d'excellents programmes consacrés à New York, comme *Cool in Your Code* qui présente les avantages culturels de chaque quartier en fonction de son code postal, et *City Classic* qui passe des images d'archives sur des manifestations, des conférences de presse et des événements particuliers.

Time Out On Demand (www.tony.com, Time Warner Digital channel 1112) Cette nouvelle chaîne interactive lancée par le magazine *Time Out New York* présente les manifestations culturelles et les sorties de la semaine.

TOILETTES

Un problème dans cette ville… L'explosion de la population des SDF dans les années 1970 a provoqué la fermeture des toilettes du métro, et la plupart des commerçants refusent l'accès des toilettes aux non-clients. Il reste néanmoins quelques toilettes publiques, dont celles de Grand Central Terminal, de Penn Station et de la gare routière de Port Authority, ainsi que dans Battery Park, Tompkins Sq Park, Washington Sq Park et Columbus Park à Chinatown, sans oublier tous les WC éparpillés dans Central Park. Le mieux est d'entrer dans un café Starbucks (présents un peu partout) et de se diriger directement vers les toilettes, à l'arrière.

TRAVAILLER À NEW YORK

Pour travailler légalement aux États-Unis, vous avez besoin, en général, d'un permis de travail et d'un visa de travail. Pour demander le visa correct à l'ambassade américaine, vous devez d'abord obtenir un permis de travail auprès de l'Immigration and Naturalization Service (INS). Votre futur employeur doit remplir pour vous une demande d'autorisation de travailler auprès de l'INS ; aussi, votre première démarche consiste à trouver une société disposée à vous employer et à remplir tous les papiers nécessaires. Vous trouverez des renseignements détaillés sur le site Internet du US Department of State (www. travel.state.gov).

URGENCES

Centre anti-poison (☎ 800-222-1222)

Police, pompiers, urgence médicale (☎ 911)

VISAS

En raison des craintes liées au terrorisme, les étrangers ayant besoin d'un visa pour les États-Unis doivent s'y prendre longtemps à l'avance. Cependant, un programme d'exemption de visa (Visa waiver Program) permet aux ressortissants de 27 pays de séjourner aux États-Unis sans visa, pour un séjour touristique ou d'affaire de moins de 90 jours. C'est le cas pour les ressortissants belges, canadiens, français et suisses. Il faut cependant préciser que cette dérogation ne vaut qu'à la condition que les voyageurs soient munis d'un passeport sécurisé à lecture optique (dit "modèle Delphine" en France), délivré avant le 26 octobre 2005. Les personne ne détenant pas de passeport à lecture optique, ou l'ayant obtenu après cette date, devront obligatoirement obtenir un visa pour se rendre aux États-Unis. L'attente pour l'entretien à l'obtention d'un visa est extrêmement longue, (en moyenne 9 semaines) ; aussi, prévoyez un délai suffisant pour cette formalité.

Les citoyens en possession d'un passeport électronique (ou biométrique, avec photo numérisée), délivré depuis mai 2006, bénéficient aussi de l'exemption de visa.

Par ailleurs, les voyageurs bénéficiant de la dérogation doivent être en possession d'un billet aller-retour non remboursable aux États-Unis, et ne sont pas autorisés à prolonger leur séjour touristique au-delà de 90 jours.

Les enfants doivent posséder un passeport individuel (ils ne peuvent être inscrits sur celui de l'un des parents). Si le passeport a été délivré après le 26 octobre 2005, l'enfant est soumis à l'obtention d'un visa.

Les ressortissants des pays soumis à l'obtention d'un visa pour entrer sur le territoire américain devront s'adresser à un consulat ou à une ambassade des États-Unis. Dans la plupart des pays, cette démarche peut s'effectuer par courrier. Les demandeurs seront peut-être tenus de "fournir la preuve de raisons contraignantes" les obligeant à revenir dans leur pays. Du fait de cette exigence, ceux qui projettent de traverser d'autres pays avant d'entrer aux États-Unis ont intérêt à demander leur visa dans leur pays avant de partir.

Le Non-Immigrant Visitors Visa est le visa le plus courant. Il se présente sous 2 formes : B1 pour les voyages d'affaires et B2 pour le tourisme ou les visites familiales et amicales. La période de validité du visa visiteur dépend de votre pays d'origine. La durée du séjour autorisé est fixée, en dernière instance, par les autorités de l'immigration du point d'entrée. Les non-Américains séropositifs doivent savoir qu'on peut leur refuser l'entrée aux États-Unis.

Enfin, sachez que les règles concernant la délivrance des visas sont susceptibles de changer à tout moment pour des raisons de sécurité. Pour connaître la situation du moment, vous pouvez consulter le site du **ministère des Affaires étrangères** (www.diplomatie.gouv.fr) à la rubrique "Conseils aux voyageurs", la **Government's Visa Page** (www.unitedstatesvisas.gov), le **US Department of State** (www.travel.state.gov) et la **Travel Security Administration** (www.tsa.gov). Voyez également le site de **Lonely Planet** (www.lonelyplanet.fr).

VOYAGER SEULE

Globalement, New York est une ville sûre pour les femmes qui voyagent seules, pour peu qu'elles fassent preuve de bon sens. Si vous vous demandez si une rue ou un quartier présente un risque potentiel, renseignez-vous auprès de la réception de votre hôtel ou demandez conseil à **NYC & Company** (☎ 212-484-1200). Naturellement, les femmes elles-mêmes sont toujours la meilleure source d'information. Selon le quartier où vous vous trouvez, vous êtes susceptible de faire l'objet de sifflements ou de "compliments" murmurés. Toute réponse vaut encouragement ; passez votre chemin, simplement. Enfin, si vous sortez en boîte de nuit ou si vous vous rendez le soir en un lieu distant, pensez à mettre de l'argent de côté pour rentrer en taxi. Si par malheur vous étiez victime d'une agression, appelez la **police** (☎ 911).

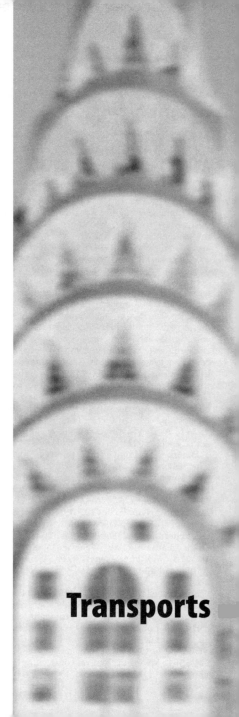

Transports

Transports

DEPUIS/VERS NEW YORK

AVION

Pour acheter un billet au meilleur prix, commencez vos recherches le plus tôt possible. Les affaires les plus intéressantes se font plusieurs mois à l'avance. La haute saison new-yorkaise s'étend de mi-juin à mi-septembre l'été et une semaine avant et après Noël. Février et mars et tout le mois d'octobre jusqu'à Thanksgiving (4ᵉ jeudi de novembre) sont considérés comme des périodes intermédiaires, pendant lesquelles les prix baissent légèrement. Si vous suivez un itinéraire complexe, n'hésitez pas à solliciter l'aide des agences de voyages ou à vous rendre dans les agences des compagnies aériennes citées ci-contre.

Depuis la France, vous pouvez contacter **Nouvelles Frontières** (réservations et informations ☎ 0 825 000 747, 0,15 €/mn ; www.nouvelles-frontieres.fr), **Usit Connections** (☎ 01 42 44 14 00 ou 0 825 0825 25 ; www.odysia.fr ; 6 rue de Vaugirard, 75006) ou **Voyageurs du Monde** (☎ 0892 23 56 56 ; fax 01 42 86 17 88 ; www.vdm.com ; 55 rue Sainte-Anne, Paris 75002).

Depuis la Belgique, vous pourrez vous adresser aux agences **Airstop** (☎ 070 23 31 88 ; www.airstop.be ; 28 rue du Fossé aux Loups, Bruxelles 1000) ou **Connections** (☎ 070/21 33 13 ; Bruxelles ☎ 02/647 06 05 ; 78 av. Adolphe-Buyllan, Ixelles 1050).

Depuis la Suisse, **STA Travel** (www.statravel.ch ; Lausanne ☎ 058/450 48 50 ; 20 bd de Grancy, Lausanne 1006 ; Genève ☎ 058/450 48 30 ; 3 rue Vigner, Genève 1205 ; Genève ☎ 058/450 48 00 ; 10 rue de Rive, Genève 1204) vous renseignera.

Sur place, **STA Travel** (☎ 800-777-0112, réservations 212-627-3111 ; www.statravel.com) propose des tarifs très avantageux, en particulier pour les étudiants. Elle possède de nombreux bureaux à Manhattan. La chaîne de la Côte Est **Liberty Travel** (☎ 888-271-1584 ; www.libertytravel.com) compte 12 agences à Manhattan et 19 dans les boroughs.

Vols réguliers

Air France (☎ 3654, 0,34 €/min ; www.airfrance.fr ; 49 av de l'opéra, 75002 Paris) rallie Paris, depuis l'aéroport Roissy-Charles-de-Gaulle, à New York (aéroports JFK ou Newark) en 8 heures. La compagnie effectue 6 vols quotidiens directs depuis la capitale et propose également des vols directs depuis Nice, opérés quotidiennement par Delta Airlines. Pour un aller-retour en semaine, comptez entre 470 € (basse saison) et 870 € (haute saison). Notez que les promotions sont assorties de contraintes quant aux dates de séjour, réservations et possibilités de remboursement.

American Airlines (☎ 0 810 872 872 ; www.americanairlines.fr ; 32B rue Victor Hugo, 92800 Puteaux) propose des vols directs au départ de Paris (aéroport CDG) à partir de 430 €. Les vols aux départs de la province comportent au moins une escale.

Voici d'autres adresses utiles d'agences et de transporteurs :

Air India (☎ 01 55 35 40 00 ; www.airindia.com ; 3 rue Colonnes, 75002 Paris)

Continental Airlines France (☎ 01 42 99 09 01 ; www.continental.com ; 4 rue Fbg Montmartre, 75009 Paris) Belgique (☎ 02 643 39 39 ; Jan Emiel Mommaertslaan, 1831 Machelen Diegem) Suisse (☎ 417 72 80 ; Dörflistr. 120, 8050 Zürich)

Delta Airlines France (☎ 0 800 35 40 80 ; www.delta.com ; 2 rue Robert Esnaul-Pelterie, 75007 Paris) Belgique (☎ 02 711 97 99 ; av Louise 1050 Bruxelles) Suisse (☎ 0800 55 20 36 ; Europa-Str. 31-33, 8152 Glattbrugg)

United Airlines France (☎ 0810 72 72 72 ; www.united.fr ; aéroport Charles de Gaulle, Terminal 1, porte 36 ; 95172 Roissy cedex) Belgique (02 713 36 00 ; www.united.be ; rue du Trône 130, 1050 Bruxelles) Suisse (212- 4717 ; www.united.ch ; United Airlines, Inc., 8001 Zürich)

Pour les tarifs, consultez les agences en lignes et les comparateurs de vols suivants : **Anyway** (http://voyages.anyway.com), **Cheap Tickets** (www.cheaptickets.com), **Easy voyage** (www.easyvoyage.com), **Ebookers** (www.ebookers.fr), **Expedia** (www.expedia.com), **Karavel** (www.karavel.com), **Kelkoo** (http://voyages.kelkoo.fr), **Lastminute** (www.lastminute.fr), **Nouvelles Frontières** (www.nouvelles-frontières.fr), **Onparou** (www.

onparou.com), **Opodo** (www.opodo.fr), **Orbitz** (www.orbitz.com), **Travelocity** (www.travelocity. com), **Sncf** (www.voyages-sncf.com).

Sécurité

Le niveau d'alerte terroriste reste élevé et les mesures de sécurité sont maintenues à un haut niveau dans les aéroports. Les contrôles peuvent être à tout moment intensifiés. À la suite des événements de Londres d'août 2006, à présent tous produits liquides, pâtes, gels sont interdits pour les vols à destination des États-Unis. Sâchez enfin que tout comportement inapproprié (refus d'obtempérer, blague) peut être pris très au sérieux et est passible de peine peinale. Pour des informations supplémentaires, consultez le site www.diplomatie.gouv.fr.

COMMENT CIRCULER
AVION

Aéroports

Trois aéroports principaux desservent New York. Le plus grand, John F Kennedy International (JFK), se situe dans le Queens, à une vingtaine de kilomètres de Midtown. Au nord-ouest de celui-ci, toujours dans le Queens, La Guardia Airport est à 13 km de Midtown. Enfin, Newark International Airport (EWR), de l'autre côté de l'Hudson, à Newark dans le New Jersey, est le moins proche, à 25 km de Midtown. Aucun des aéroports ne dispose de consignes à bagages. Pour la desserte des aéroports, voir l'encadré page suivante.

JFK INTERNATIONAL AIRPORT

À l'est du Queens, l'**aéroport JFK** (plan p. 442 ; JFK; ☎ 718-244-4444 ; www.panynj.gov) reçoit des vols du monde entier et accueille 35 millions de passagers par an. Ses neuf terminaux, immenses et souvent bondés, sont l'objet depuis quelques années d'importants travaux de rénovation. Jet Blue prévoit de rouvrir sous peu le magnifique terminal anciennement dévolu à la TWA, dessiné par l'architecte finlandais Eero Saarinen en 1962 et dont le décor rétro a servi de cadre au film *Attrape-moi si tu peux*. La navette gratuite AirTrain circule entre les terminaux.

LA GUARDIA AIRPORT

Essentiellement consacré aux vols intérieurs, **La Guardia** (plan p. 467 ; LGA ; ☎ 718-533-

3400 ; www.laguardiaairport.com) est un peu plus pratique que JFK si vous êtes en voiture ou en taxi, car il est plus petit et plus proche de Manhattan. Il accueille 25 millions de passagers par an. Ouvert depuis 1939, il est bien plus vieux que le célèbre JFK. US Airways et Delta possèdent ici leurs propres terminaux.

NEWARK LIBERTY INTERNATIONAL AIRPORT

Sur l'autre rive de l'Hudson, l'**aéroport de Newark** (plan p. 442 ; EWR ; ☎ 973-961-6000 ; www.panynj.gov) propose des vols moins chers que les autres aéroports et séduit de plus en plus de voyageurs. En outre, il est aussi facile d'accès que ses deux concurrents et fonctionne depuis plus longtemps, puisqu'il est devenu le premier grand aéroport de la ville en 1928. Il accueille surtout (mais pas uniquement) des vols intérieurs, en particulier ceux de Continental Airlines. Les contrôles d'immigration ont la réputation de s'effectuer plus rapidement qu'à JFK.

Compagnies aériennes

Se rendre dans les agences des compagnies aériennes ne se fait plus guère aujourd'hui (d'ailleurs, depuis quelques années, la plupart n'ont plus de bureaux à Manhattan). Pour trouver les numéros verts des compagnies aux États-Unis, appelez le ☎ 800-555-1212 ; leurs sites Web sont également riches en informations.

BATEAU

Peu de plaisanciers se rendent directement à New York et il existe peu de ports susceptibles d'accueillir des bateaux privés, à l'exception de ceux du World Financial Center et du 79th St Boathouse, dans l'Upper West Side.

Les navettes rapides de couleur jaune des **bateaux-taxis de New York** (New York Water Taxi ; ☎ 212-742-1969 ; www.nywatertaxi. com ; 5 ou 10 \$, forfait 2 jours adultes/enfants, seniors 25/15 \$) sont un autre moyen intéressant de faire le tour (littéralement) de la ville (de mai à octobre). Elles partent de W 44th St, sur l'Hudson, et desservent les neuf embarcadères suivants : W 23rd St, Christopher St, World Financial Center, Battery Park, South Street Seaport, Fulton Ferry à Dumbo (Brooklyn), Schaefer Landing au niveau de Kent Ave à Williamsburg,

DESSERTE DES AÉROPORTS

Il existe divers moyens de rejoindre ou quitter les trois grands aéroports de New York (JFK, La Guardia et Newark). Le plus simple est de suivre les panneaux indiquant les stations de taxis et de prendre place dans la file d'attente (ignorez les sollicitations des taxis non officiels). Par les transports publics, le trajet est souvent plus long.

Pour plus de confort, il existe des dizaines de sociétés de voiturage qui peuvent vous déposer ou venir vous chercher à votre aéroport, notamment **Tel Aviv** (☎ 212-777-7777, 800-222-9888 ; www.telavivlimo.com) et **Prime Time** (☎ 718-482-7900, 800-282-3227). Les tarifs de Tel Aviv sont 5 à 10 $ moins chers (à partir de 46 $ pour JFK ou Newark et 31 $ pour La Guardia). Que vous preniez un taxi ou un service de voiturage, prévoyez un pourboire de 3 à 5 $ pour le chauffeur.

Le **New York Airport Service Express Bus** (☎ 718-875-8200 ; www.nyairportservice.com ; toutes les 20-30 min) assure des liaisons avec JFK et La Guardia en s'arrêtant à la gare routière de Port Authority, à Penn Station et juste devant Grand Central Terminal (plan p. 452). Il est inutile de réserver.

Le **Super Shuttle Manhattan** (☎ 800-258-3826) est une sorte de taxi collectif qui relie tous les aéroports. Vous devez réserver et on viendra vous chercher, à l'heure convenue, avec d'autres personnes voyageant au même moment que vous. Depuis les aéroports, la réservation n'est pas nécessaire – présentez-vous au comptoir "ground transportation" et appelez le Super Shuttle, ou sortez et guettez la navette. Comptez 19 $ pour JFK et Newark, 15 $ pour La Guardia.

Depuis/vers JFK

- Un **taxi** jaune au départ de Manhattan coûte environ 50 $ (en fonction de la circulation) et le trajet peut prendre de 45 à 60 minutes.
- Prévoyez au moins 46 $, plus les péages et le pourboire, pour un **service de voiturage** (voir ci-dessus). Les ponts de Williamsburg, Manhattan et Brooklyn sont gratuits dans les deux sens, tandis que le Queens-Midtown Tunnel et le Battery Tunnel sont payants en direction de Manhattan.
- Si vous **conduisez**, les deux principales solutions pour rejoindre la ville sont de suivre la pointe sud de Brooklyn par le Belt Parkway jusqu'à l'US 278 (la Brooklyn-Queens Expressway ou BQE), ou de prendre l'US 678 (Van Wyck Expressway) jusqu'à l'US 495 (Long Island Expressway ou LIE), qui conduit à Manhattan *via* le Queens-Midtown Tunnel.
- Le **New York Airport Service Express Bus** (voir ci-dessus) coûte 15/27 $ l'aller/aller-retour.
- En **métro**, empruntez la ligne A jusqu'à Howard Beach-JFK Airport Station (direction Rockaway Beach), ou encore la ligne E, J ou Z ou le Long Island Rail jusqu'à Sutphin Blvd/Archer Ave (Jamaica Station), où vous pourrez prendre l'AirTrain pour JFK. La ligne express E au départ de Midtown compte le moins d'arrêts. La dernière portion du trajet, par l'AirTrain, revient à 5 $ l'aller, payable avec une Metrocard.

Depuis/vers La Guardia

- Un **taxi** de Manhattan coûte de 35 à 40 $ pour un trajet d'environ 30 min.
- Un **service de voiturage** (voir ci-dessus) assure la liaison pour 31 $ (pourboire et péages non compris).
- En **voiture**, prenez la Grand Central Expressway jusqu'à la BQE (US 278), puis le Queens-Midtown Tunnel *via* le LIE (US 495) ; si vous allez à Downtown, restez sur la BQE et traversez (gratuitement) le Williamsburg Bridge.
- Le **New York Airport Express Bus** (voir ci-dessus) coûte 13/21 $ l'aller /aller-retour.
- La Guardia est moins facilement accessible par les transports publics que les autres aéroports. En **métro**, descendez à la station 74 St-Broadway (ligne 7, correspondance avec les lignes E, F, G, R et V à la station Jackson Hts-Roosevelt Ave), et prenez le **bus** Q33 ou Q47 pour l'aéroport ; comptez une heure minimum, partagée à égalité entre le métro et le bus.

Depuis/vers Newark

- Un **service de voiturage** (voir ci-dessus) coûte de 46 à 60 $ pour un trajet de 45 min depuis Midtown – un **taxi** revient à peu près au même. Vous n'aurez à payer le péage qu'en empruntant le Lincoln Tunnel (à hauteur de 42nd St) ou le Holland Tunnel (à hauteur de Canal St) *vers* Manhattan depuis Jersey. Vous pouvez éviter le (modique) péage routier à Newark en demandant à votre chauffeur de prendre la Hwy 1 ou 9 (il connaîtra certainement).
- Les **transports publics** sont pratiques mais assez chers. Le **NJ Transit** (☎ 800-772-2222 ; www.njtransit. com) assure une liaison en AirTrain entre l'aéroport de Newark ("EWR") et Penn Station (New York) moyennant la somme exorbitante de 14 $ l'aller simple pour un trajet de 15 min (à éviter si vous voyagez en groupe). Le train passe toutes les 20 min de 4h20 à environ 2h. Ne jetez pas votre billet, vous devrez le présenter en sortant de la station. Depuis/vers Penn Station, on peut aussi prendre le **PATH train** (www. panynj.com) ; comptez 1,50 $ entre Penn Station (New York) et Penn Station (Newark), qui se trouve à un arrêt de l'aéroport par le NJ Transit (7,50 $).

Transports

East 34th St et Hunter's Point (à Long Island City, dans le Queens, avec une nouvelle plage et un bar). Une nouvelle gare fluviale devrait ouvrir prochainement à Red Hook. Comptez 5 $ pour aller d'un arrêt au suivant, 10 $ pour un trajet plus long.

Ces bateaux-taxis offrent également des circuits d'une heure dans la rade de New York, baptisés "Gateway to America" (adulte/enfant/senior 20/12/18 $). Départ toutes les heures de 11h à 16h en semaine et de 11h à 17h le week-end ; week-end uniquement hors saison.

Le **ferry de Staten Island** (p. 116), plus grand et orange, assure quant à lui des liaisons régulières et gratuites à travers la magnifique rade de New York, jusqu'à Staten Island.

Pour tout renseignement sur les circuits en bateau, reportez-vous p. 110.

BUS

Nombre de New-Yorkais n'envisagent pas une seconde d'emprunter les bus, jugés trop lents et peu fiables. Le service n'est pourtant pas mauvais, et il s'est grandement amélioré ces dix dernières années. Les bus roulent 24h/24 et leurs parcours évitent les voies où la circulation pose problème. Ils traversent la ville dans sa largeur, par les rues secondaires – 14th St, 23rd St, 34th St, 42nd St et 72nd St, ainsi que toutes les rues à double sens –, et du nord au sud par certaines grandes avenues. Les arrêts, souvent abrités, sont distants de quelques blocs et tous pourvus d'un plan du trajet et des horaires. Sur la plupart des lignes, la fréquence de passage est élevée. Soulignons en outre que les bus offrent un formidable moyen de découvrir la ville et d'observer la population ! Ils s'avèrent toutefois vite bondés aux heures de pointe et avancent désespérément lentement en cas d'embouteillage. Autrement dit, si vous êtes pressé, optez pour le métro.

Le prix d'un trajet est identique à celui du métro (2 $), sauf dans les bus express qui reviennent à 5 $ (à préférer pour les longs trajets au départ des boroughs périphériques). On paie avec la **Metrocard** (voir l'encadré p. 424) ou en donnant l'appoint, mais *pas* de billets. Les correspondances d'un bus à l'autre ou entre bus et métro sont gratuites. Elles doivent être effectuées dans un intervalle de 2 heures et sont enregistrées sur la Metrocard si vous l'utilisez.

Tous les bus interurbains et longue distance partent et arrivent à la **gare routière** de **Port Authority** (plan p. 284 ; ☎ 212-564-8484 ; www.panynj.gov ; 41st St, à hauteur de 8th Ave). Bien que ce terminal n'ait plus aussi mauvaise réputation qu'autrefois, vous risquez d'être importuné par des individus louches vous proposant de porter vos bagages contre quelques dollars. La compagnie **Greyhound** (☎ 800-231-2222 ; www.greyhound.com) relie New York à la plupart des grandes villes du pays. **Peter Pan Trailways** (☎ 800-343-9999 ; www.peterpan-bus.com) dessert les grandes villes les plus proches et assure notamment un service express quotidien pour Boston (aller/aller-retour 30/55 $), Washington DC (37/69 $) et Philadelphie (21/40 $), avec réservation 7 j à l'avance. **Short Line** (☎ 800-631-8405, 212-529-3666 ; www.shortlinebus.com) propose de nombreuses liaisons avec le nord du New Jersey et de l'État de New York. Enfin, **New Jersey Transit** (☎ 800-772-2222, 973-762-5100 ; www.njtransit.com) couvre tout le New Jersey et relie directement Atlantic City par le bus n° 319 (aller/aller-retour 26/28 $).

"Bus de Chinatown"

Les services les moins chers sont ceux offerts par les "bus de Chinatown" qui chargent leurs passagers à plusieurs "arrêts" dans Chinatown pour les emmener à Boston, Philadelphie et Washington DC. Détenir un billet ne garantit pas d'avoir une place assise, d'où la ruée pour monter dans les véhicules le week-end. **Fung Wah** (plan p. 444 ; ☎ 212-925-8889 ; www.fungwahbus.com ; 139 Canal St, à hauteur de The Bowery) offre 10 départs quotidiens entre 7h et 22h ; l'aller pour Boston coûte environ 15 $. Vous pouvez acheter votre billet sur Internet. Prenez-vous y à l'avance, surtout pour le week-end. Il existe de nombreuses compagnies concurrentes, dont **2000 New Century** (plan p. 444 ; ☎ 215-627-2666 ; www.2000coach.com ; 88 E Broadway) qui dessert Philadelphie pour 12 $ et Washington pour 20 $.

Pour voyager dans des conditions plus calmes, **Vamoose** (plan p. 452 ; ☎ 877-393-2828 ; www.vamoosebus.com), à Midtown, assure deux liaisons pour Washington DC (aller/aller-retour 25/40 $) presque tous les jours dans un bus climatisé (avec projection de films) ; une demi-douzaine de bus font la navette le vendredi et le dimanche (pas de service le samedi). Ils stationnent devant le Madison Sq Garden, dans 31st St, entre Seventh Ave et Eighth Ave.

LA METROCARD

Que ce soit dans le bus ou le métro, les jetons ont cédé la place à la Metrocard jaune et bleu, à acheter ou recharger dans les distributeurs automatiques des stations. Le paiement s'effectue en liquide ou par carte de crédit. Appuyez simplement sur la touche "get new card" et suivez les instructions.

Il existe deux types de Metrocard. La première fait payer chaque trajet 2 $ (avec correspondances métro-bus ou bus-bus dans un laps de temps de 2 heures) ; en achetant une carte à 20 $, vous bénéficiez de 2 trajets gratuits. La seconde autorise un nombre illimité de trajets (7 $ pour un "fun pass" d'une journée ou 24 $ pour un forfait de 7 jours) : c'est une solution très intéressante, surtout si vous prévoyez de petit-déjeuner dans le Village, visiter le Guggenheim, faire du shopping dans les grands magasins de Fifth Ave, manger à Chinatown, puis boire un verre à Tribeca – ce qui aurait vite fait de vider une Metrocard à 2 $ le trajet.

MÉTRO

Mythique, bon marché (2 $; voir l'encadré *Metrocard* ci-dessus), circulant 24h/24 et vieux d'un siècle, le métro de New York (*subway*) est le parfait exemple d'un transport de masse qui fonctionne envers et contre tout. Ce réseau de plus de 1 000 km impressionne au début, mais on apprend vite à en apprécier tous les avantages.

Avant toute chose, il faut savoir repérer votre rame. Chacune possède une lettre ou un numéro. Plusieurs rames différentes circulent généralement sur une même voie. Par exemple, dans Manhattan, la ligne rouge correspond aux métros 1, 2 et 3. Bien qu'ils suivent plus ou moins le même trajet, le 2 et le 3 finissent respectivement à Brooklyn et dans le Bronx. Il s'agit en outre de trains express (au nombre d'arrêts limité), alors que le 1 est omnibus (*local*). Si vous demandez quel métro prendre pour aller à W 72nd St, on vous répondra certainement "take the one-nine" ("prenez la 1-9"), qui inclut en réalité également les lignes 1, 2 et 3. Il en va de même pour tous les métros, avec lettre ou numéro. Pas de panique toutefois ! Le plan est très facile à comprendre, en raison justement des différentes couleurs de lignes.

Exploité par la Metropolitan Transportation Authority (MTA), le métro new-yorkais est le mode de transport le plus rapide et le plus fiable. Il s'avère en outre aujourd'hui

beaucoup plus sûr et propre qu'autrefois. Des plans de poche gratuits sont disponibles à chaque station, et des plans grand format sont affichés sur les quais et dans les rames. Les visiteurs commettent fréquemment l'erreur de monter dans un train express avant de s'apercevoir qu'il ne s'arrête pas à la station où ils voulaient descendre. Le plan (reproduit dans cet ouvrage p. 470) distingue les arrêts desservis uniquement par les omnibus (représentés en noir) de ceux desservis également par les express (en blanc). Toutefois, les surprises ne sont pas rares : un omnibus peut se transformer tout à coup en express, et inversement, généralement en raison d'interventions sur les voies (ou d'une urgence), car le réseau, ancien, subit constamment des réparations.

Pensez à bien vous tenir aux barres et aux mains courantes dans les rames car les secousses au démarrage et à l'arrivée peuvent être rudes !

Outre la disparition des jetons, les voyageurs qui ne sont pas venus à New York depuis quelque temps remarqueront que les trains les plus vieux ont été remplacés par des rames propres et flambant neuves et les stations sont désormais annoncées par une voix enregistrée fraîche et joyeuse (on entend néanmoins toujours les voix plus typées des conducteurs sur certaines lignes). Enfin, le trajet de plusieurs lignes (notamment les N, R, W, B, D et M) a été récemment modifié afin de traverser de nouveau le pont de Manhattan pour desservir Brooklyn, pour la première fois depuis de nombreuses années.

Très attendu, le projet de construction d'une nouvelle ligne dans Second Ave (l'est de Manhattan reste encore très mal desservi) a suscité bien des débats. Si le calendrier est respecté, la première section ouvrira aux voyageurs en 2011.

Pour tout renseignement sur le métro, appelez le ☎ 718-330-1234 ou consultez le site www.mta.info.

TAXI

Prendre un taxi à New York correspond un peu à un rite de passage, surtout si votre chauffeur ("hack" en langage new-yorkais) roule à tombeau ouvert ! La plupart sont bien entretenus et ne reviennent pas cher, comparé aux autres métropoles.

C'est la **Taxi & Limousine Commission** (TLC ; ☎ 311), l'organe public de tutelle des taxis, qui fixe les tarifs (il est possible de payer par carte de crédit). La prise en charge se monte à 2,50 $ (premier 5e de mile), on paie ensuite 40 ¢ pour chaque 5e de mile supplémentaire ou toutes les deux minutes en cas d'arrêt dans un embouteillage. S'ajoute un supplément de 1 $ aux heures de pointe (de 16h à 20h en semaine) et de 50 ¢ la nuit (de 20h à 6h tous les jours). Le pourboire est généralement compris entre 10 et 15% du prix de la course, moins si vous estimez ne pas avoir été bien traité. Dans ce cas, vous pouvez relever le numéro de permis du chauffeur et déposer une réclamation auprès de la TLC. Sachez que la Passenger's Bill of Rights (charte du passager) vous autorise à demander au chauffeur de suivre un trajet précis, de ne pas fumer ou d'éteindre la radio. Le chauffeur lui-même n'a pas le droit de refuser de vous prendre au motif que la course ne lui convient pas : pour éviter ce genre de situation, montez dans la voiture et attendez que le taximètre soit enclenché avant d'annoncer votre destination.

Les taxis libres ont une lumière allumée sur le toit. Il s'avère particulièrement difficile d'en dénicher un par temps de pluie, aux heures de pointe et vers 16h, lorsque de nombreux chauffeurs finissent leur service.

Dans les boroughs périphériques, on recourt souvent aux services de voitures, qui sont en fait des taxis (noirs et non jaunes) qu'il faut appeler au préalable ou aller chercher à une station précise. Le prix de la course varie selon le quartier et la distance parcourue. Il doit être déterminé à l'avance car ces voitures ne possèdent pas de taximètres. Nous vous déconseillons vivement de monter dans une voiture s'arrêtant à votre hauteur pour vous proposer de vous déposer, même si à Brooklyn et dans le Queens, ces taxis sont très nombreux. Pour éviter les ennuis, mieux vaut les réserver au préalable auprès de leur compagnie.

TAXI-BICYCLETTE

Récemment arrivés à New York, les *pedicabs*, ces taxis-bicyclettes semblables à des cyclo-pousse, sont essentiellement empruntés par les touristes. La course revient de 10 à 30 $, mais varie en fonction de la distance et du nombre de passagers. Pour plus d'informations, contacter **Manhattan Rickshaw** (☎ 212-604-4729 ; www. manhattanrickshaw.com).

TRAIN

Penn Station (33rd St, entre 7th Ave et 8th Ave) est la gare d'où partent les trains **Amtrak** (☎ 800-872-7245 ; www.amtrak. com), y compris le *Metroliner* et l'*Acela Express* à destination de Princeton, NJ, et Washington DC. Tous deux coûtent deux fois plus cher que le train classique car il s'agit de services express avec peu d'arrêts. Un aller simple de base pour Washington DC, revient à environ 84 $. Ce tarif varie cependant en fonction du jour et de l'heure du voyage. Contactez Amtrak pour tout renseignement sur les réductions possibles si vous envisagez de traverser les États-Unis en train par exemple. Penn Station ne possède pas de consignes à bagages.

Des milliers de trains de banlieue de la compagnie **Long Island Rail Road** (LIRR ; ☎ 718-217-5477 ; www.mta.nyc.ny.us/lirr) relient chaque jour Penn Station aux gares de Brooklyn, du Queens et des villes de Long Island, notamment les stations balnéaires de la North Fork et de la South Fork. Les prix sont fonction de la zone. Un trajet aux heures de pointe de Penn Station à Jamaica Station (pour rejoindre JFK par l'AirTrain) coûte 6,65 $ si vous le réglez sur Internet (contre 12 $ à bord !). La compagnie **New Jersey Transit** (☎ 800-772-2222 ; www. njtransit.com) dessert également la banlieue et la Jersey Shore, toujours au départ de Penn Station.

La **New Jersey Path** (plan p. 444 ; ☎ 800-234-7284 ; www.pathrail.com) rallie des villes du nord du New Jersey, telles que Hoboken ou Newark. Les trains (1,50 $) suivent Sixth Ave et s'arrêtent sur 34th St, 23rd St, 14th St, 9th St et Christopher St, ainsi que sur le site récemment rouvert du World Trade Center.

Les seuls trains qui partent encore de Grand Central Terminal (Park Ave à hauteur de 42nd St) sont ceux de la **Metro-North Railroad** (☎ 212-532-4900 ; www.mnr. org/mnr), qui desservent les banlieues nord, le Connecticut et l'Hudson Valley.

VÉLO

New York n'est sans doute pas la ville idéale pour les cyclistes, mais leur condition s'est néanmoins nettement améliorée ces dernières années, grâce notamment à la restauration des routes, à la création de nouvelles pistes cyclables (telle celle qui traverse Hudson Park

Transports

et l'ouest de Manhattan) et aux campagnes d'information menées par les groupes de défense de l'environnement. **Transportation Alternatives** (plan p. 452 ; ☎ 212-629-8080 ; www.transalt.org ; 127 W 26th St, Suite 1002) propose sur son site des cartes des pistes cyclables, finance la Bike Week NYC qui se déroule en mai et fournit toutes sortes de renseignements en rapport avec le vélo.

Nombre de New-Yorkais hésitent toutefois à enfourcher leur vélo pour slalomer entre les taxis, camions, voitures et bus qui sillonnent les avenues. On ne saurait trop recommander la prudence ! Portez un casque, choisissez un vélo aux pneus larges pour davantage de stabilité et restez toujours en alerte (pour éviter en particulier les ouvertures de portière inopinées). À moins de maîtriser parfaitement l'art du vélo en ville, restez plutôt sur les pistes cyclables de Central et Prospect Park, ainsi que le long de l'Hudson. Sachez que les vélos sont interdits sur les trottoirs. Pour attacher votre monture, choisissez le meilleur cadenas en U du marché ou les grosses chaînes métalliques à 100 $, les autres types d'antivols n'offrant aucune résistance.

Il est possible de prendre le métro avec son vélo. Dans les trains de banlieue également mais uniquement en dehors des heures de pointe – il faut au préalable se procurer un ticket spécial vélo (gratuit) au guichet.

Voir p. 313 les informations relatives aux clubs cyclistes et aux locations de vélos.

VOITURE ET MOTO

Sauf nécessité absolue, mieux vaut éviter de conduire à Manhattan : la circulation est dense et frénétique, l'essence et les parkings coûtent cher, les places pour se garer sont rares. Une voiture pose donc plus de problèmes qu'elle n'en résout, alors que les transports en commun offrent de nombreux avantages.

Conduite

Si vous prévoyez de sortir de Manhattan, procurez-vous tout d'abord la carte Hagstrom des cinq boroughs (voir p. 407) et réglez votre radio sur 1010 WINS, qui fournit des informations sur la circulation.

Hormis trouver une place de parking, le plus pénible est d'entrer ou sortir de la ville et de la traverser. Les conducteurs changent brutalement de voie ; aussi faites attention aux voitures qui se trouvent devant ou à côté de vous. Les automobilistes qui se garent en double voie peuvent bloquer la circulation : sur les avenues à plusieurs voies, vous irez plus vite en restant au milieu.

Sachez que tous les ponts qui relient Manhattan aux autres boroughs sont gratuits dans les deux sens (sauf le George Washington en venant du New Jersey). De plus, ils sont généralement moins embouteillés que les tunnels aux heures de pointe. Se déplacer dans la ville elle-même est sinon relativement simple, la majeure partie de Manhattan (sauf le Village) suivant un plan en damier. Le trafic intense supprime de surcroît toute velléité de vitesse. Respectez bien les réglementations locales (interdiction de tourner à droite lorsque le feu est rouge, par exemple, contrairement au reste des États-Unis) et sachez également que la plupart des rues sont à sens unique.

Comment quitter Manhattan

Pour aller dans le Queens, prenez le tunnel de Queens-Midtown (depuis 36th St, entre 1st Ave et 2nd Ave) ou le pont de Queensboro gratuit (depuis 60th St, entre 1st Ave et 2nd Ave). Si vous vous rendez à Brooklyn, suivez Delancey St, dans le Lower East Side, jusqu'au pont de Williamsburg ou tentez de prendre le pont de Manhattan par Canal St, une rue très fréquentée. La plupart du temps, on peut emprunter la West Side Hwy le long de la pointe sud de Manhattan pour rejoindre facilement le pont de Brooklyn (également accessible depuis Lafayette St, au sud de Chambers St).

Une fois sorti de la métropole, les choses sont assez simples (du moins sur le papier) : l'I-95, qui va du Maine à la Floride, traverse la ville d'est en ouest sous le nom de Cross Bronx Expressway (véritable cauchemar selon les New-Yorkais !). Après New York, l'I-95 file vers le sud sous le nom de New Jersey Turnpike ou vers le nord, en devenant la Connecticut Turnpike. Par l'I-95, Boston se trouve à 312 km au nord, Philadelphie, à 167 km au sud et Washington DC, à 378 km au sud.

Dans le Connecticut et l'État de New York, la vitesse est limitée à 65 mph (miles par heure, environ 100 km/h) sur les autoroutes. Dans le New Jersey, elle est toujours limitée à 55 mph (environ 90 km/h), sauf sur certaines grandes routes.

Location

Louer une voiture revient très cher. Les offres promotionnelles concernant les week-ends sont quasiment inexistantes dans les agences new-yorkaises. Si vous souhaitez louer une voiture pour quelques jours, pour une excursion en dehors de la ville par exemple, passez par une agence de voyages ou par Internet avant votre arrivée sur place. Sans réservation, comptez au moins 75 $ pour une voiture de catégorie moyenne (plus la taxe de 13,25%, les frais d'assurance, etc.), voire plus de 100 $.

Vous pouvez aussi quitter Manhattan en transport en commun et louer une voiture dans l'un des boroughs périphériques ou dans le New Jersey, généralement plus abordables. Les grandes agences proposent souvent des tarifs plus intéressants pour les locations de plusieurs jours au départ de l'aéroport de Newark.

Pour louer un véhicule, munissez-vous de votre permis de conduire et d'une carte de crédit. Il n'est plus obligatoire d'être âgé de plus de 25 ans, mais les loueurs sont toujours autorisés à facturer davantage les jeunes conducteurs – on atteint alors des prix prohibitifs.

Voici les agences de location les plus connues :

Avis (☎ 800-331-1212 ; www.avis.com)

Budget (☎ 800-527-0700 ; www.budget.com)

Dollar (☎ 800-800-4000 ; www.dollar.com)

Hertz (☎ 800-654-3131 ; www.hertz.com)

Accueillant et familial, **Autoteam USA** (☎ 866-438-8326, 732-727-7272 ; www.autoteamusa .com ; South Amboy, NJ) propose des tarifs à la semaine à partir de 26 $/j (comprenant 100 miles gratuits/j) ; comptez 7 $/j de plus pour l'assurance. On viendra vous chercher à la station de South Amboy sur la ligne NJ Transit.

Autre solution intéressante, **Zipcar** (☎ 212-691-2884, 866-494-7227 ; www. zipcar.com) loue des voitures pour des petits déplacements. La compagnie dispose d'automobiles réparties à travers la ville et disponibles sur demande 24h/24, à l'heure ou à la journée. Le prix comprend l'essence, l'assurance et la place de parking où stationne la voiture. Les prix sont généralement de 8 à 10 $ de l'heure,

et de 85 $ pour une journée (certaines ne coûtent que 65 $). Ils comprennent 125 miles (200 km) gratuits par jour, le mile supplémentaire coûtant 0,20 $. Pour plus de détails sur les disponibilités, les adresses et les prix, consultez le site Web.

Parking

Trouver une place de parking, gratuite ou non, relève de la gageure. Les places gratuites dans les rues sont rares. En revanche, les parcmètres sont légion et la plupart des rues (est-ouest) et des avenues (nord-sud) n'offrent tout simplement aucune possibilité de stationnement. Si par hasard vous dénichez une place, vérifiez bien tous les panneaux alentour, l'autorisation de stationner donnée par l'un pouvant être annulée quelques mètres plus loin par un autre. Les contraventions rapportant beaucoup d'argent à la ville, toute infraction est impitoyablement sanctionnée.

Les conducteurs finissent généralement dans un parking ou un garage – compter de 20 à 25 $ la journée. Certains pratiquent des prix moins élevés à condition d'arriver et de partir de bonne heure. Pour en savoir plus sur la circulation, notamment le stationnement alterné, consultez le site du New York City Department of Transportation (DOT), sur le www.nyc. gov/html/dot/home.html.

Dans la mesure où les visiteurs conduisent très rarement à New York, nous n'avons pas indiqué les parkings des restaurants et hôtels dans cet ouvrage, mais la plupart offrent une petite réduction sur le prix du parking le plus proche.

À PIED

Oubliez le métro, le taxi, le bus, l'hélicoptère et même la montgolfière. New York ne se laisse vraiment découvrir qu'à pied. Broadway s'étend sur 27 km. Franchir l'East River sur la promenade piétonnière en planches du pont de Brooklyn est une étape incontournable de tout séjour new-yorkais. Les sentiers de Central Park conduisent dans des recoins où la ville devient invisible (et presque inaudible).

Vous trouverez p. 110 des adresses d'agences proposant des balades guidées à pied. Si vous préférez partir seul, suivez l'une des promenades décrites p. 208.

En coulisses

LES GUIDES LONELY PLANET

Tout commence par un long voyage : en 1972, Tony et Maureen Wheeler rallient l'Australie après avoir traversé l'Europe et l'Asie. À l'époque, on ne disposait d'aucune information pratique pour mener à bien ce type d'aventure. Pour répondre à une demande croissante, ils rédigent leur premier guide Lonely Planet, écrit sur un coin de table.

Depuis, Lonely Planet est devenu le plus grand éditeur indépendant de guides de voyage dans le monde et dispose de bureaux à Melbourne (Australie), Oakland (États-Unis) et Londres (Royaume-Uni).

La collection couvre désormais le monde entier et ne cesse de s'étoffer. L'information est aujourd'hui présentée sur différents supports, mais notre objectif reste constant : donner des clés au voyageur pour qu'il comprenne mieux le pays qu'il découvre.

L'équipe de Lonely Planet est convaincue que les voyageurs peuvent avoir un impact positif sur les pays qu'ils visitent, pour peu qu'ils fassent preuve d'une attitude responsable. Depuis 1986, nous reversons un pourcentage de nos bénéfices à des actions humanitaires, à des campagnes en faveur des droits de l'homme et, plus récemment, à la défense de l'environnement.

À PROPOS DE L'OUVRAGE

Cette cinquième édition est l'œuvre de Beth Greenfield, Ginger Adams Otis et Robert Reid. Les précédentes avaient été écrites par Conner Gorry et David Ellis. Les chapitres *Histoire* et *Architecture* se sont respectivement appuyés sur des textes de Kathleen Hulser et Joyce Mendelsohn.

TRADUCTION FRANÇAISE
Hélène Demazure, Marine Héligon et Dominique Lablanche.

Responsable éditorial Didier Férat.
Coordination éditoriale Juliette Stephens.
Coordination graphique Jean-Noël Doan.
Maquette Pierre Brégiroux.
Cartographie Cartes originales créées par Alyson Lyall, Herman So et Amanda Sierp et adaptées en français par Christian Deloye.
Couverture Couverture originale de Daniel New et Wendy Wright et adaptée en français par Aude Gertou et Sébastienne Ocampo.
Remerciements Un grand merci à Rose-Hélène Lempereur, Jean-Victor Rebuffet et Dominique Bovet pour leur excellent travail sur le texte, ainsi qu'à Dolorès Mora pour sa précieuse contribution. Merci aussi à Gayle Welburn et à Xavière Quincy pour leur travail minutieux, chacune à un bout de la chaîne. Tout notre gratitude va à Dominique Spaety, Cécile Bertolissio pour son temps et sa gentillesse. Merci également à Debra Herrmann du bureau australien et à Clare Mercer et Becky Rangecroft du bureau londonien.

Photos de couverture Métro en pleine course à la station Chambers, par George J. Kunze/Photolibrary (devant) ; Personnes contemplant le site de Ground Zero depuis la staion de métro du World Trade Center, par Corey Wise/ Lonely Planet Images (dos).

Photos à l'intérieur par Dan Herrick/Lonely Planet Images et Angus Oborn/Lonely Planet Images hormis les suivantes : p. 67 (bas) Adrian Wilson/Photolibrary ; p. 74 Alan Scein/ Corbis ; p. 197 Aurora/Getty ; p. 200 Becca Posterino/Lonely Planet Images; p. 15 (bas), p. 16 Carole Martin/Lonely Planet Images; p. 14 Chrishauther Groenhout/Lonely Planet Images; p. 4 (bas), p. 6 (haut), p. 7 (droite), p. 12 (haut), p. 15 (haut et centre), p. 72 (gauche), p. 73, p. 191, p. 199 Corey Wise/Lonely Planet Images; p. 75 Greg Gawlowski/Lonely Planet Images ; p. 72 (droite) James Marshall/Lonely Planet Images ; p. 70 (haut) Jeff Greenberg/Lonely Planet Images ; p. 9 (haut) Jerry Alexander/Lonely Planet Images ; p. 69 John Neubauer/Lonely Planet Images ; p. 6 (bas), p. 70 (bas), p. 196 Kim Grant/Lonely Planet Images ; p.67 (haut) Lee Snider/Corbis ; p. 193 (inset) Martin Moos/Lonely Planet Images ; p. 12 (centre) Michael Gebicki/Lonely Planet Images ; p. 192 (bas) Michael Nichols/Getty ; p. 9 (bas), p. 65, p. 71 (droite) Michael Taylor/Lonely Planet Images ; p. 195 (inset) MedioImages/Getty ; p. 190 Neil Setchfield/ Lonely Planet Images ; p. 4 (haut) Peter Hendriemp/Lonely Planet Images ; p. 195 (image principale) Rafael Macia/ Lonely Planet Images ; p. 10, p. 66 Ray Laskowitz/Lonely Planet Images ; p. 189 Rob Blakers/Lonely Planet Images ; p. 76 Timothy Hursley/MoMA ; p. 68 (droite) Von Briel Rudi/Photolibrary.

Toutes les images sont la propriété des photographes sauf mention contraire. La plupart des photos publiées dans ce guide sont disponibles auprès de notre agence photographique Lonely Planet Images : www.lonelyplanetimages.com.

UN MOT DES AUTEURS
BETH GREENFIELD

Merci à Jay Cooke pour son soutien et son fabuleux travail de révision ; à Robert Reid et Ginger Adams Otis pour leur savoir et leur esprit d'équipe ; à Frank Ruiz et Cindy Cohen pour leurs remarques ; à Melissa Faulkner pour son calme sous la pression des délais ; à Maya Israel, de Haut of the Rock, pour m'avoir donné accès à la fantastique vue ; à Greg Wessner pour ses cours sur l'architecture ; ainsi qu'à tous les amis qui ont mangé, bu et fait du shopping avec moi cette année. Mes remerciements particuliers à mes parents pour leur soutien et leur enthousiasme, et à Kiki pour sa présence à tous les niveaux.

ROBERT REID

Que Jay Cooke, du bureau de Lonely Planet à Oakland, soit remercié pour m'avoir offert ce beau livre et accompagné à travers Manhattan, tout comme Beth Greenfield avec qui il est si agréable de travailler, ainsi que Melissa Faulkner du bureau de Melbourne pour avoir révisé et rassemblé toutes les pages.

GINGER ADAMS OTIS

Avant tout, merci à Jay Cooke pour m'avoir confié une mission aussi passionnante. Merci à Melissa Faulkner, dont le travail sur les cartes et les modifications ont fait de ce livre une grande réussite et à tous les New-Yorkais qui ont bien voulu se laisser photographier et répondre à mes questions.

NOS LECTEURS

Nous tenons à remercier les lecteurs qui ont utilisé la précédente édition et nous ont écrit pour faire part de leurs commentaires, conseils, recommandations et anecdotes : **B** Baumgartner Thomas, Becanne Xavier **C** Carle Michèle, Casetta Nicolas, Chlapowski Jacqueline, Conde Sophie, Cudel Audrey **D** Domenach Catherine **F** Fievez Nicolas **G** Genet Caroline **H** Humbert Emeraude **K** Knipping Johan **L** Lagadec

VOS RÉACTIONS ?

Vos commentaires nous sont très précieux et nous permettent d'améliorer constamment nos guides. Notre équipe lit toutes vos lettres avec la plus grande attention. Nous ne pouvons pas répondre individuellement à tous ceux qui nous écrivent, mais vos commentaires sont transmis aux auteurs concernés. Tous les lecteurs qui prennent la peine de nous communiquer des informations sont remerciés dans l'édition suivante, et ceux qui nous fournissent les renseignements les plus utiles se voient offrir un guide.

Pour nous faire part de vos réactions, prendre connaissance de notre catalogue et vous abonner à Comète, notre lettre d'information, consultez notre site web : **www.lonelyplanet.fr**.

Nous reprenons parfois des extraits de notre courrier pour les publier dans nos produits, guides ou sites web. Si vous ne souhaitez pas que vos commentaires soient repris ou que votre nom apparaisse, merci de nous le préciser. Pour connaître notre politique en matière de confidentialité, connectez-vous sur notre site.

Laurent, Lahaye Didier **M** Menardeau Sylvie, Moroz Nicolas **N** Nallard Olivier, Nemitz Michèle, Niemaz Pierre **P** Passet Frank, Poncet Gabriel **Q** Quodverte Delphine **R** Rapp Sébastien, Remond Matthieu, Rochette Denis **S** Spinard Laure et Standaert Benoît.

REMERCIEMENTS

Pour nous avoir autorisé à utiliser leur plan, nous remercions : Le Museum of Modern Art (MoMA) pour leur plan du musée © 2006 ; le Metropolitan Transit Authority pour la New York City subway map © 2006.

Index

Voir aussi les index des chapitres Où se restaurer (p. 435), Où prendre un verre (p. 436), Où sortit (p. 437), Shopping (p. 438) et Où se loger (p. 439)

Les références des cartes sont indiquées en **gras**.

Les références des cartes sont
indiquées en **gras**.

OÙ PRENDRE UN VERRE

OÙ SORTIR

SHOPPING

Index

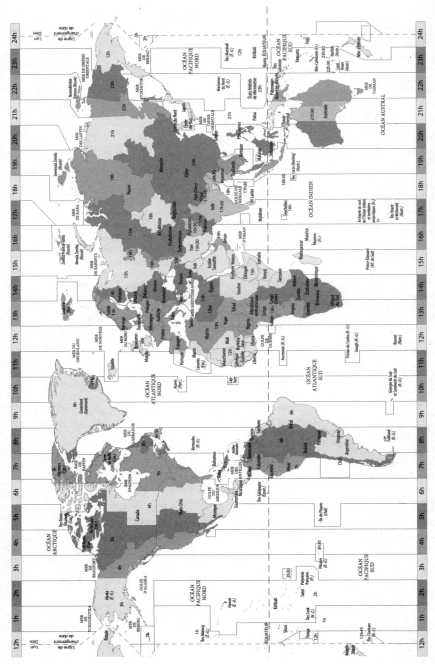

440

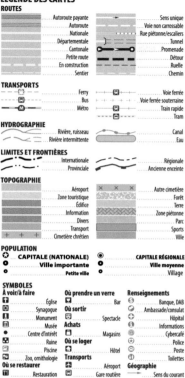

LÉGENDE DES CARTES

ROUTES

Autoroute payante
Autoroute
Nationale
Départementale
Cantonale
Petite route
En construction
Sentier

Sens unique
Voie non carrossable
Rue piétonne/escaliers
Tunnel
Promenade
Détour
Ruelle
Chemin

TRANSPORTS

Ferry
Bus
Métro

Voie ferrée
Voie ferrée souterraine
Train rapide
Tram

HYDROGRAPHIE

Rivière, ruisseau
Rivière intermittente

Canal
Eau

LIMITES ET FRONTIÈRES

Internationale
Provinciale

Régionale
Ancienne enceinte

TOPOGRAPHIE

Aéroport
Zone touristique
Édifice
Information
Divers
Transport
Cimetière chrétien

Autre cimetière
Forêt
Terre
Zone piétonne
Parc
Sports
Ville

POPULATION

CAPITALE (NATIONALE)
Ville importante
Petite ville

CAPITALE RÉGIONALE
Ville moyenne
Village

SYMBOLES

À voir/à faire
Église
Synagogue
Monument
Musée
Centre d'intérêt
Ruine
Piscine
Zoo, ornithologie

Où se restaurer
Restauration

Où prendre un verre
Bar
Où sortir
Spectacle
Achats
Magasins
Où se loger
Hôtel
Transports
Aéroport
Gare routière

Renseignements
Banque, DAB
Ambassade/consulat
Hôpital
Informations
Cybercafé
Police
Poste
Toilettes
Géographie
Sens du courant

Note : tous les symboles ne sont pas utilisés dans cet ouvrage

Cartes et plans

NEW YORK

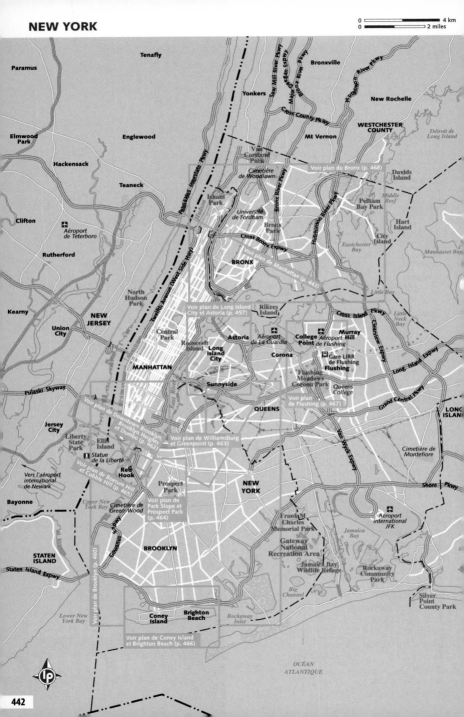

Tenafly

Paramus

Bronxville

Yonkers

New Rochelle

WESTCHESTER COUNTY

Détroit de Long Island

Elmwood Park

Englewood

Mt Vernon

Davids Island

Hackensack

Van Cortlandt Park

Cimetière de Woodlawn

Voir plan du Bronx (p. 468)

Teaneck

Isham Park

Clifton

Aéroport de Teterboro

Université de Fordham

Pelham Bay Park

Middle Reef

Hart Island

Rutherford

Cross Bronx Expwy

BRONX

Bronx Park

Eastchester Bay

City Island

Manhasset Bay

Kearny

North Hudson Park

Voir plan de Long Island City et Astoria (p. 457)

Rikers Island

Little Bay

Little Neck Bay

NEW JERSEY

Union City

Central Park

Roosevelt Island

Astoria

Long Island City

Aéroport de La Guardia

College Point

Murray Hill

Aéroport de Flushing

Cross Island Pkwy

Corona

Gare LIRR de Flushing

Flushing

Long Island Expwy

MANHATTAN

Pulaski Skyway

Sunnyside

Flushing Meadows Corona Park

Queens College

Grand Central Pkwy

Jersey City

Voir plan de Downtown Brooklyn, Brooklyn Heights et Dumbo (p. 462)

QUEENS

Voir plan de Flushing (p. 467)

LONG ISLAND

Liberty State Park

Ellis Island

Statue de la Liberté

Voir plan de Williamsburg et Greenpoint (p. 463)

Cimetière de Montefiore

Vers l'aéroport international de Newark

Red Hook

Voir plan de Boerum Hill et Cobble Hill (p. 465)

Prospect Park

NEW YORK

Shore Pkwy

Bayonne

Upper New York Bay

Cimetière de Green-Wood

Voir plan de Park Slope et Prospect Park (p. 464)

Frank M. Charles Memorial Park

Aéroport international JFK

STATEN ISLAND

Gateway National Recreation Area

Jamaica Bay

BROOKLYN

Jamaica Bay Wildlife Refuge

Rockaway Community Park

Staten Island Expwy

Lower New York Bay

Coney Island

Brighton Beach

Big Channel

Rockaway Inlet

Silver Point County Park

Voir plan de Coney Island et Brighton Beach (p. 466)

OCÉAN ATLANTIQUE

MANHATTAN

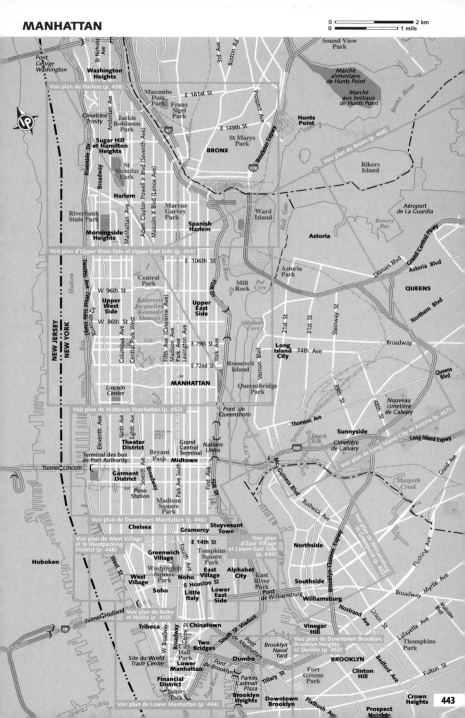

0 |======| 2 km
0 |======| 1 mile

Sound View Park

Pont George Washington

Washington Heights

Voir plan de Harlem (p. 458)

Macombs Dam Park

E 161st St

3rd Ave

Boston Rd

Prospect Ave

Marché alimentaire de Hunts Point

Marché aux bestiaux de Hunts Point

Bronx River

Cimetière Trinity

Amsterdam Ave

Jackie Robinson Park

Franz Sigel Park

E 149th St

Hunts Point

Sugar Hill et Hamilton Heights

St Nicholas Park

Adam Clayton Powell Jr Blvd (Seventh Ave)

Malcolm X Blvd (Lenox Ave)

St Marys Park

BRONX

Rikers Island

Voir plan du Bronx (p. 468)

Broadway

Harlem

Manhattan Ave

Marcus Garvey Park

Spanish Harlem

Ward Island

Aéroport de La Guardia

Riverbank State Park

Morningside Heights

Hudson

Ward Island

Hell Gate

Bowery Bay

Astoria

Voir plan d'Upper West Side et Upper East Side (p. 454)

E 106th St

East River

Mill Rock

Pot Cove

Astoria Park

Ditmars Blvd

Astoria Blvd

Grand Central Pkwy

QUEENS

Central Park

Riverside Dr

West End Ave (Eleventh Ave)

Upper West Side

W 96th St

Réservoir Jacquelin Kennedy Onassis

Upper East Side

Mill Rock

Hallets Cove

21st St

31st St

Steinway St

Northern Blvd

W 86th St

Columbus Ave

Central Park West

Fifth Ave (Cinquième Ave)

Madison Ave

Lexington Ave

E 79th St

York Ave

Vernon Blvd

Long Island City

34th Ave

Broadway

NEW JERSEY
NEW YORK

E 72nd St

MANHATTAN

Roosevelt Island

39th St

Queens Blvd

Lincoln Center

Queensbridge Park

48th St

Nouveau cimetière de Calvary

Voir plan de Midtown Manhattan (p. 452)

Pont de Queensboro

Thomson Ave

Dutch Kills

Sunnyside

Voir plan de Long Island City et Astoria (p. 457)

Eleventh Ave

Ninth Ave

Eighth Ave

Theater District

Bryant Park

Grand Central Terminal

Nations Unies

Cimetière de Calvary

Long Island Expwy

Terminal des bus de Port Authority

Seventh Ave

Broadway

Park Ave South

First Ave

Midtown

495

Mc Guiness Blvd

Maspeth Creek

Tunnel Lincoln

Garment District

Penn Station

Madison Square Park

Bushwick Ave

Grand Ave

Voir plan de Downtown Manhattan (p. 446)

Chelsea

Gramercy

Stuyvesant Town

Voir plan d'East Village et Lower East Side (p. 449)

Voir plan de West Village et le Meatpacking District (p. 448)

E 14th St

Greenwich Village

Tompkins Square Park

Northside

Voir plan de Williamsburg et Greenpoint (p. 463)

Hoboken

West St

Washington Square Park

Fourth Ave

Noho

East Village

Alphabet City

East River Park

Southside

Flushing Ave

Myrtle Ave

West Village

Soho

E Houston St

Little Italy

Lower East Side

Pont de Williamsburg

Williamsburg

Broadway

Nostrand Ave

Union St

Malcolm X Blvd

Tunnel Holland

78

Voir plan de Noho et Nolita (p. 450)

Tribeca

W Broadway

Broadway

Centre St

Chinatown

South St Viaduct

Vinegar Hill

Lafayette Ave

Thompkins Park

Bedford Ave

Fulton St

Site du World Trade Center

City Hall Park

Two Bridges

Pont de Manhattan

Brooklyn Naval Yard

Voir plan de Downtown Brooklyn, Brooklyn Heights et Dumbo (p. 462)

Lower Manhattan

Dumbo

Pont de Brooklyn

Fort Greene Park

BROOKLYN

Clinton Hill

Financial District

Battery Park

East River

Parkes Cadman Plaza

Tillary St

Downtown Brooklyn

Flatbush Ave

Voir plan de Lower Manhattan (p. 444)

Brooklyn Heights

Prospect Heights

Crown Heights

443

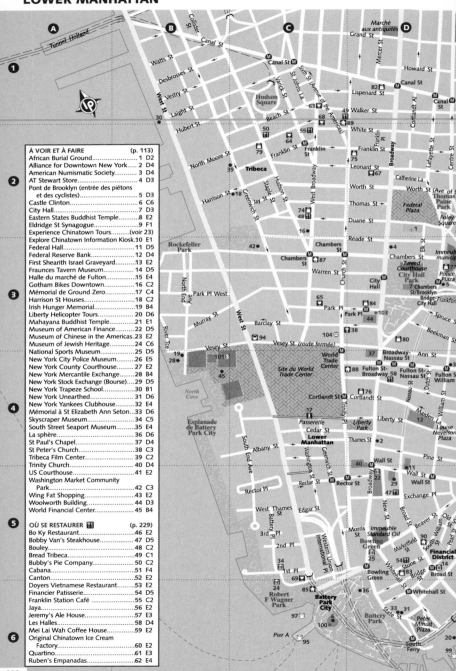

À VOIR ET À FAIRE	(p. 113)
African Burial Ground	1 D2
Alliance for Downtown New York	2 D4
American Numismatic Society	3 D4
AT Stewart Store	4 D3
Pont de Brooklyn (entrée des piétons et des cyclistes)	5 D3
Castle Clinton	6 C6
City Hall	7 D3
Eastern States Buddhist Temple	8 E2
Eldridge St Synagogue	9 F1
Experience Chinatown Tours	(voir 23)
Explore Chinatown Information Kiosk	10 E1
Federal Hall	11 D5
Federal Reserve Bank	12 D4
First Shearith Israel Graveyard	13 E2
Fraunces Tavern Museum	14 D5
Halle du marché de Fulton	15 E4
Gotham Bikes Downtown	16 C2
Mémorial de Ground Zero	17 C4
Harrison St Houses	18 C2
Irish Hunger Memorial	19 B4
Liberty Helicopter Tours	20 D6
Mahayana Buddhist Temple	21 E1
Museum of American Finance	22 D5
Museum of Chinese in the Americas	23 E2
Museum of Jewish Heritage	24 C6
National Sports Museum	25 D5
New York City Police Museum	26 E5
New York County Courthouse	27 D2
New York Mercantile Exchange	28 B4
New York Stock Exchange (Bourse)	29 D5
New York Trapeze School	30 B1
New York Unearthed	31 D6
New York Yankees Clubhouse	32 E4
Mémorial à St Elizabeth Ann Seton	33 D6
Skyscraper Museum	34 C5
South Street Seaport Museum	35 E4
La sphère	36 D6
St Paul's Chapel	37 D4
St Peter's Church	38 C3
Tribeca Film Center	39 C2
Trinity Church	40 D4
US Courthouse	41 E2
Washington Market Community Park	42 C3
Wing Fat Shopping	43 E2
Woolworth Building	44 D3
World Financial Center	45 B4

OÙ SE RESTAURER	(p. 229)
Bo Ky Restaurant	46 E2
Bobby Van's Steakhouse	47 D5
Bouley	48 C2
Bread Tribeca	49 C1
Bubby's Pie Company	50 C2
Cabana	51 F4
Canton	52 E2
Doyers Vietnamese Restaurant	53 E2
Financier Patisserie	54 D5
Franklin Station Café	55 C2
Jaya	56 E2
Jeremy's Ale House	57 E3
Les Halles	58 D4
Mei Lai Wah Coffee House	59 E2
Original Chinatown Ice Cream Factory	60 E2
Quartino	61 E3
Ruben's Empanadas	62 E4

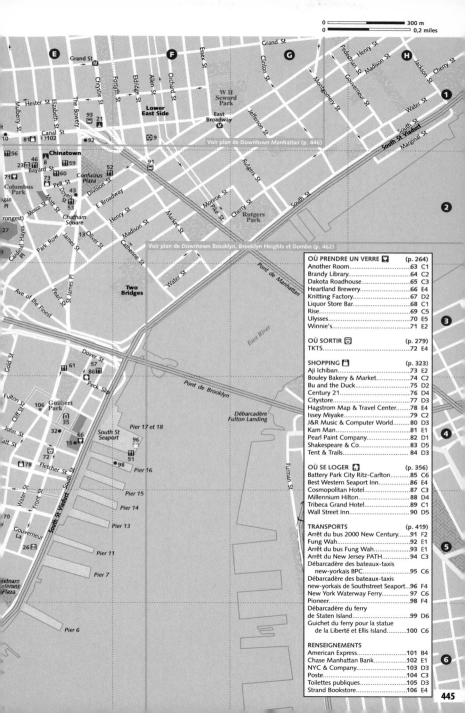

Voir plan de Downtown Manhattan (p. 446)

Voir plan de Downtown Brooklyn, Brooklyn Heights et Dumbo (p. 462)

OÙ PRENDRE UN VERRE (p. 264)

Another Room	63	C1
Brandy Library	64	C2
Dakota Roadhouse	65	C3
Heartland Brewery	66	E4
Knitting Factory	67	D2
Liquor Store Bar	68	C1
Rise	69	C5
Ulysses	70	E5
Winnie's	71	E2

OÙ SORTIR (p. 279)

TKTS	72	E4

SHOPPING (p. 323)

Aji Ichiban	73	E2
Bouley Bakery & Market	74	C2
Bu and the Duck	75	D2
Century 21	76	D4
Citystore	77	D3
Hagstrom Map & Travel Center	78	E4
Issey Miyake	79	C2
J&R Music & Computer World	80	D3
Kam Man	81	E1
Pearl Paint Company	82	D1
Shakespeare & Co	83	D5
Tent & Trails	84	D3

OÙ SE LOGER (p. 356)

Battery Park City Ritz-Carlton	85	C6
Best Western Seaport Inn	86	E4
Cosmopolitan Hotel	87	C3
Millennium Hilton	88	D4
Tribeca Grand Hotel	89	C1
Wall Street Inn	90	D5

TRANSPORTS (p. 419)

Arrêt du bus 2000 New Century	91	F2
Fung Wah	92	E1
Arrêt du bus Fung Wah	93	E1
Arrêt du New Jersey PATH	94	C3
Débarcadère des bateaux-taxis new-yorkais BPC	95	C6
Débarcadère des bateaux-taxis new-yorkais de Southstreet Seaport	96	F4
New York Waterway Ferry	97	C6
Pioneer	98	F4
Débarcadère du ferry de Staten Island	99	D6
Guichet du ferry pour la statue de la Liberté et Ellis Island	100	C6

RENSEIGNEMENTS

American Express	101	B4
Chase Manhattan Bank	102	E1
NYC & Company	103	D3
Poste	104	C3
Toilettes publiques	105	D3
Strand Bookstore	106	E4

445

West St **A**

32
28
London Terrace Gardens **B**

W 23rd St   23rd St   44   **C**   70   39   23rd St   **D**   83

80
3 57 18   16   6   62   52   Chelsea   25
W 22nd St   41   74   58   46

5
7
9   W 21st St

Chelsea Piers
Eleventh Ave
Tenth Ave
Ninth Ave

W 20th St   73   72   Eighth Ave   24   27   45   Seventh Ave   68   43

51   W 19th St   50   48   37   82   Sixth Ave (Ave of the Americas)   13   36   69

18th St   55   23   60

W 18th St   59

31   63   64   61

W 17th St   78 42   65   19   W 17th St   40   71

4   W 16th St

Voir plan de West Village et le Meatpacking District (p. 448)

W 15th St

2

8th Ave-14th St   14th St   6th Ave-14th St
W 14th St   20

W 13th St   W 13th St

Little W 12th St   W 12th St

Meatpacking District   W 11th St

Gansevoort St   Hudson St   W 10th St   Greenwich Village

Horatio St   Abington Square   Greenwich Ave   W 9th St

Jane St   Waverly Pl   W 8th St

3   W 12th St   W 4th St   Gay St   Waverly Pl   Washingto

Bethune St   Perry St   Charles St

Bank St   Bleecker St   Christopher St-Sheridan Square   Christopher Park   Washington Pl   Washington Sq West

W 11th St   W 10th St   W 4th St   Washingto

Washington St   Christopher St   Grove St   Jones St   W 3rd St

Bedford St   Cornelia St   Minetta La

IP

Voir plan de Soho, Noho et Nolita (p. 450)

Greenwich St   Barrow St   Commerce St   Carmine St   Minetta St   Bleecker St

West Village   Hudson St   Morton St   Seventh Ave   Ave of the Americas (Sixth Ave)   MacDougal St

4   St Luke's Pl   W Houston St

James J Walker Park

Leroy St   Houston St

King St

Clarkson St   Charlton St   Sullivan St

West St   Vandam St   Spring St   Spring St

5

Voir plan de Lower Manhattan (p. 444)

Dominick St

NEW YORK   NEW JERSEY   Collister St   Broome St   Canal St

Watts St   Canal St

6   Tunnel Holland   Vestry St   Laight St   Varick St

Desbrosses St   St Johns La

Hudson Square

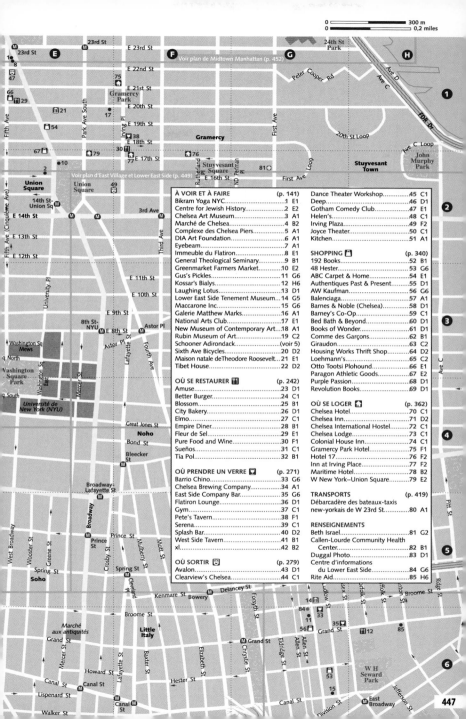

Voir plan de Midtown Manhattan (p. 452)

Voir plan d'East Village et Lower East Side (p. 449)

À VOIR ET À FAIRE	(p. 141)
Bikram Yoga NYC	1 E1
Centre for Jewish History	2 E2
Chelsea Art Museum	3 A1
Marché de Chelsea	4 B2
Complexe des Chelsea Piers	5 A1
DIA Art Foundation	6 A1
Eyebeam	7 A1
Immeuble du Flatiron	8 E1
General Theological Seminary	9 B1
Greenmarket Farmers Market	10 E2
Gus's Pickles	11 G6
Kossar's Bialys	12 H6
Laughing Lotus	13 D1
Lower East Side Tenement Museum	14 G5
Maccarone Inc.	15 G6
Galerie Matthew Marks	16 A1
National Arts Club	17 E1
New Museum of Contemporary Art	18 A1
Rubin Museum of Art	19 C2
Schooner Adirondack	(voir 5)
Sixth Ave Bicycles	20 D2
Maison natale de Theodore Roosevelt	21 E1
Tibet House	22 D2

OÙ SE RESTAURER	(p. 242)
Amuse	23 D1
Better Burger	24 C1
Blossom	25 B1
City Bakery	26 D1
Elmo	27 C1
Empire Diner	28 B1
Fleur de Sel	29 E1
Pure Food and Wine	30 F1
Sueños	31 C1
Tía Pol	32 B1

OÙ PRENDRE UN VERRE	(p. 271)
Barrio Chino	33 G6
Chelsea Brewing Company	34 A1
East Side Company Bar	35 G6
Flatiron Lounge	36 D1
Gym	37 C1
Pete's Tavern	38 E1
Serena	39 C1
Splash Bar	40 D2
West Side Tavern	41 B1
xl	42 B2

OÙ SORTIR	(p. 279)
Avalon	43 D1
Clearview's Chelsea	44 C1

Dance Theater Workshop	45 C1
Deep	46 D1
Gotham Comedy Club	47 E1
Helen's	48 C1
Irving Plaza	49 F2
Joyce Theater	50 C1
Kitchen	51 A1

SHOPPING	(p. 340)
192 Books	52 B1
48 Hester	53 G6
ABC Carpet & Home	54 E1
Authentiques Past & Present	55 D1
AW Kaufman	56 G6
Balenciaga	57 A1
Barnes & Noble (Chelsea)	58 D1
Barney's Co-Op	59 C1
Bed Bath & Beyond	60 D1
Books of Wonder	61 D1
Comme des Garçons	62 B1
Giraudon	63 C2
Housing Works Thrift Shop	64 C2
Loehmann's	65 C2
Otto Tootsi Plohound	66 C1
Paragon Athletic Goods	67 E2
Purple Passion	68 C1
Revolution Books	69 D1

OÙ SE LOGER	(p. 362)
Chelsea Hotel	70 C1
Chelsea Inn	71 D2
Chelsea International Hostel	72 C1
Chelsea Lodge	73 C1
Colonial House Inn	74 C1
Gramercy Park Hotel	75 F1
Hotel 17	76 F2
Inn at Irving Place	77 F2
Maritime Hotel	78 B2
W New York–Union Square	79 E2

TRANSPORTS	(p. 419)
Débarcadère des bateaux-taxis new-yorkais de W 23rd St	80 A1

RENSEIGNEMENTS	
Beth Israel	81 G2
Callen-Lourde Community Health Center	82 B1
Duggal Photo	83 D1
Centre d'informations du Lower East Side	84 G6
Rite Aid	85 H6

0	300 m
0	0,2 miles

À VOIR ET À FAIRE (p. 139)
"La cage" (terrains de basket)....1 E3
AIA Center For Architecture.......2 F1
Bowlmor Lanes.....................3 F1
Body Central......................4 E3
Christopher Park..................5 D2
Christopher Street Pier...........6 C3
Church of the Ascension...........7 F2
Downtown Boathouse................8 D4
Forbes Collection.................9 F1
Perry Street Towers..............10 C3
Rangée des 13 maisons de style grec..12 F2
Tony Dapolito Recreation Center...13 E4
Sculpture sans titre de Tom
  Otterness.......................14 D1
Terrains de basket de West 4th St....(voir 1)
White Columns....................15 C1

OÙ SE RESTAURER (p. 240)
'Ino..............................16 E3
Arturo's Pizzeria.................17 F3
Babbo............................18 E2
Blue Hill........................19 F2
Dean & DeLuca....................20 F2
EJ's Luncheonette................21 E2
EN Japanese Brasserie............22 D3
Florent..........................23 C1
French Roast.....................24 E2
Gobo.............................25 E2
John's Pizzeria..................26 E3
Manna Bento......................27 D2
Mi Cocina........................28 D2
Paradou..........................29 C1
Peanut Butter & Co...............30 E3
Soy Luck Club....................31 E1
Spice Market.....................32 C1
Spotted Pig......................33 D3
Stromboli Pizza..................34 F2
Taïm.............................35 D2
Whole Foods......................36 F1

OÙ PRENDRE UN VERRE (p. 270)
55 Bar...........................37 E3
Back Fence.......................38 E3
Bar Next Door....................39 E3
Blue Note........................40 E3
Brass Monkey.....................41 C2
Chicago B.L.U.E.S................42 D1
Chumley's........................43 D3
Double Seven.....................44 C1
Henrietta Hudson.................45 D3
Hudson Bar & Books...............46 D1
Marie's Crisis...................47 D3
Monster..........................48 D3
Other Room.......................49 C3
Plunge...........................(voir 97)
Pressure.........................50 F3
Room.............................51 E4

Stoned Crow......................52 E2
Stonewall Inn....................53 E2
Sullivan Room....................54 F3
White Horse Tavern...............55 D2

OÙ SORTIR (p. 279)
Cielo............................56 C1
Comedy Cellar....................57 E3
Cornelia St Café.................58 E3
Duplex...........................59 E2
Film Forum.......................60 E4
IFC Center.......................61 D2
LGBT Community Center............62 D1
Lotus............................63 C1
New School University............64 F1
New School Studio School.........65 E4
S.O.B.'s.........................66 E4
Village Vanguard.................67 D2

SHOPPING (p. 339)
Aedes de Venustas................68 E2
Balducci's.......................69 D1
Chocolate Bar....................70 D1
CO Bigelow Chemists..............71 E2
Destination......................72 C1
East-West Books..................73 F1
Filene's Basement................74 F1
Flight 001.......................75 D1
Intermix.........................76 D2
James Perse......................77 D2
Jeffrey New York.................78 C1
Leather Man......................79 D3
Marc Jacobs 1, 2, 3..............80 D2
Marc Jacobs......................81 D3
Marc Jacobs 1, 2, 3..............82 D3
Matt Umanov Guitars..............83 D3
McNulty's Tea & Coffee Co, Inc...83 D3
Murray's Cheese..................84 D3
MXPLYZYCK........................85 D1
NY Artificial....................86 D3
Rags-A-Go-Go.....................87 D1
Rebel Rebel......................88 D3
Ricky's..........................89 D1
Village Chess Shop Ltd...........90 F3
Zachary's Smile..................91 E2

OÙ SE LOGER (p. 360)
Abingdon Guest House.............92 D2
Chelsea Pines Inn................93 D1
Hotel Gansevoort.................94 C1
Incentra Village.................95 D2
Larchmont Hotel..................96 E2
Soho House.......................97 C1
Washington Square Hotel..........98 E2

RENSEIGNEMENTS
Cyberfeld's......................100 F1
Foyer municipal lesbien, gay,
  bisexuel et transsexuel........101 D1
Oscar Wilde Memorial Bookshop...102 E2
Centre médical St Vincent.......103 D1
Three Lives & Company...........104 E2
Village Copier..................105 F1

TRANSPORTS (p. 419)
Council Travel...................99 F2

Union Square
14th St-Union Sq
Union Square
6th Ave-14th St
West Village
8th Ave-14th St
Greenwich Village
West Houston St
Marché de Chelsea
Meatpacking District
West Side Hwy
West 4th St
Eleventh Ave

448

0 _____ 500 m
0 _____ 0,3 miles

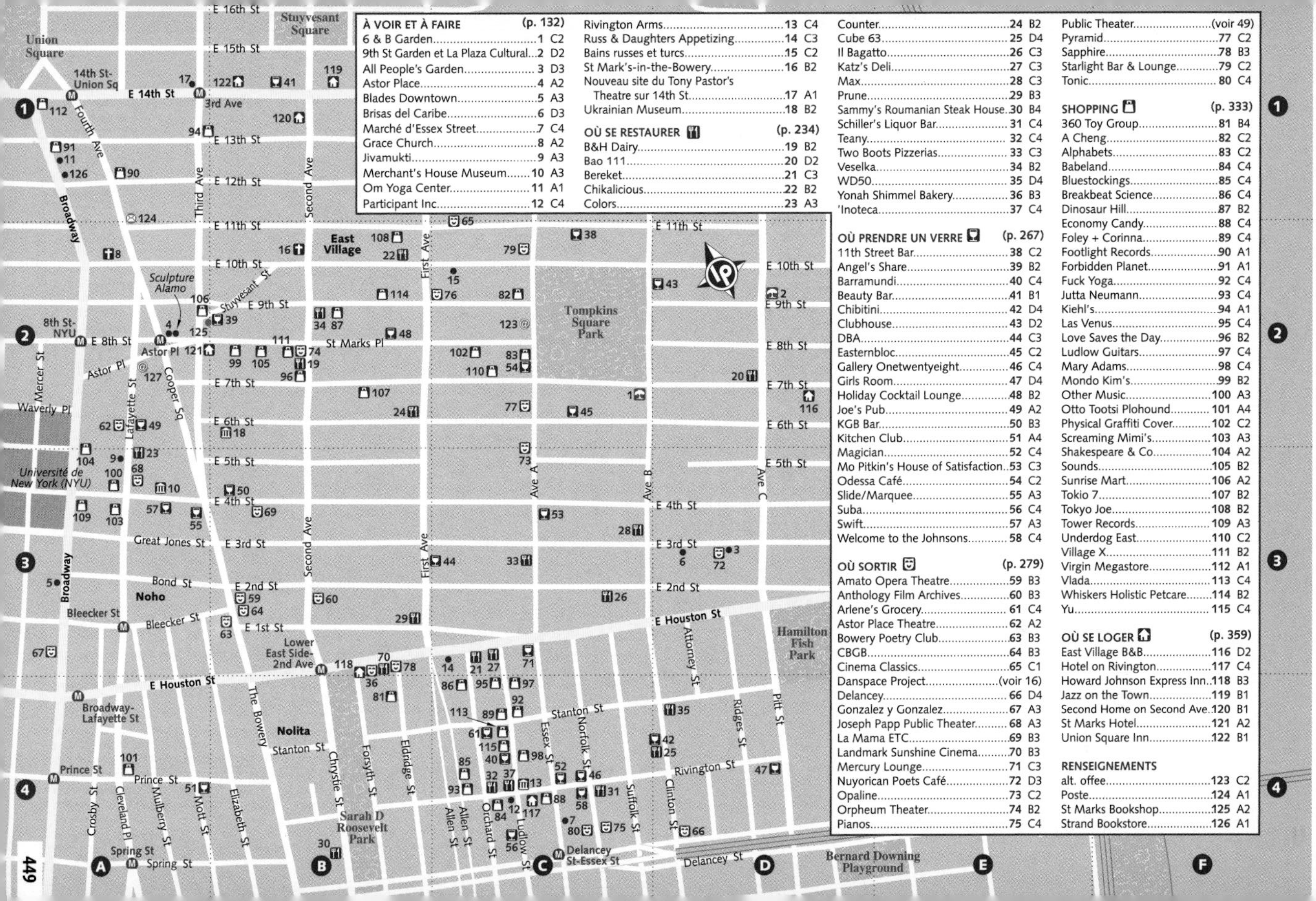

Union
Square

Stuyvesant
Square

East
Village

Noho

Nolita

Sculpture
Alamo

Tompkins
Square
Park

Hamilton
Fish
Park

Bernard Dowling
Playground

Sarah D
Roosevelt
Park

Université de
New York (NYU)

SOHO, NOHO ET NOLITA

0 ————————— 400 m
0 ————————— 0,3 miles

450

MIDTOWN MANHATTAN

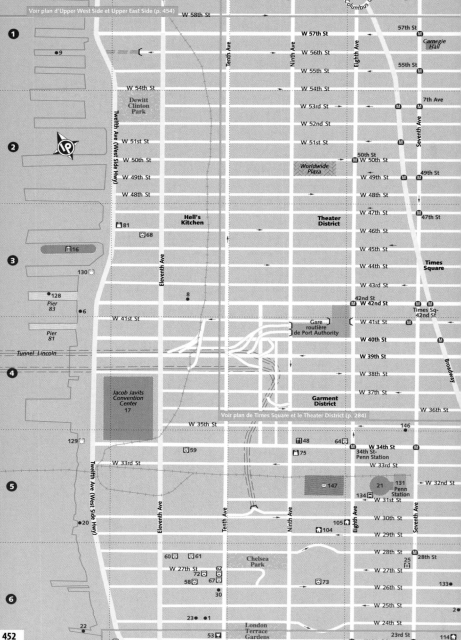

A   B   7   W 59th St   C   59th St-Columbus Circle   D   Central Park South

Voir plan d'Upper West Side et Upper East Side (p. 454)

W 58th St

Columbus Circle

1

●9

W 57th St   57th St

Tenth Ave   Ninth Ave   W 56th St   Eighth Ave   Carnegie Hall

W 55th St   55th St

W 54th St   W 54th St

Dewitt Clinton Park

W 53rd St   7th Ave

Twelfth Ave (West Side Hwy)

W 52nd St

2

W 51st St   W 51st St   Seventh Ave

W 50th St   50th St   M   W 50th St

W 49th St   Worldwide Plaza   W 49th St   M   49th St

W 48th St   W 48th St

Hell's Kitchen   Theater District   W 47th St   M   47th St

81   W 46th St

68   Eleventh Ave   W 45th St

3

16   W 44th St   Times Square

130   W 43rd St

●128   Pier 83   8   W 42nd St   42nd St   M   Times Sq- 42nd St

●6

Pier 81   W 41st St   Gare routière de Port Authority   W 41st St   M

Tunnel Lincoln   W 40th St   M

W 39th St

4

W 38th St   Broadway

Jacob Javits Convention Center 17   Garment District   W 37th St

W 36th St

Voir plan de Times Square et le Theater District (p. 284)

W 35th St

146

129   48   64   W 34th St   M

59   34th St- Penn Station

75   W 33rd St

W 33rd St   W 32nd St

5

147   21   131 Penn Station

134   W 31st St

Twelfth Ave (West Side Hwy)   Eleventh Ave   Tenth Ave   Ninth Ave   Eighth Ave   Seventh Ave

●20   105   W 30th St

104   W 29th St

60   61   W 28th St   M   28th St

Chelsea Park   25

W 27th St   72   73   W 27th St

58   67   W 26th St   133●

30

6

W 25th St   2●

23●   ●1   W 24th St

22   London Terrace Gardens   23rd St   114

53   W 23rd St

Voir plan de Downtown Manhattan (p. 446)

A **B** **C** **D**

110th St
110th St — Cathedral Parkway (W 110th St) — Central Park North
W 109th St
W 108th St
W 107th St
Duke Ellington Blvd (W 106th St)
W 105th St — 99
W 104th St — 92 — 22
W 103rd St — 127
W 102nd St
W 101st St — 80
W 100th St
W 99th St — 81
W 98th St
W 97th St
W 96th St
W 95th St
W 94th St
W 93rd St
W 92nd St
W 91st St
W 90th St — 13
W 89th St
W 88th St
W 87th St
W 86th St
W 85th St
W 84th St
W 83rd St
W 82nd St
W 81st St
W 80th St
W 79th St
W 78th St
W 77th St
W 76th St
W 75th St
W 74th St
W 73rd St
W 72nd St
W 71st St
W 70th St
W 69th St
W 68th St
W 67th St
66th St-Lincoln Center
W 65th St
W 64th St
W 63rd St
W 62nd St
W 61st St
W 60th St
W 59th St

Cathedral Pkwy (110th St)
Central Park No (110th St)
131
132
103rd St — 49
58
East 58
29
Harlem Meer
The Loch
The Pool
North Meadow Recreation Area
97th St Transverse Rd
14
10
Upper West Side
96th St
86th St
Réservoir Jacqueline Kennedy Onassis
Central Park West
44
142
West Dr
West Dr
East Dr
86th St Transverse Rd
Village Seneca
Central Park
81st St-Museum of Natural History
Lac du Belvedère
19
46
6
51
79th St Transverse Rd
48
43
1
40
The Lake
31
66
50
18
7
72nd St Transverse
Naumburg Bandshell
5
91
52
Literary Walk
65th St Transverse Rd
15
9
17
2
57
Center Dr
East Dr
The Pond
59th St-Columbus Circle
Columbus Circle
Central Park South

Riverside Dr
Hudson
Riverbank State Park
Twelfth Ave (West Side Hwy)
West Side Hwy (Twelfth Ave)
West Side Hwy (West Side Hwy)
Freedom Pl
West End Ave (Eleventh Ave)
Amsterdam Ave
Broadway
Columbus Ave
Amsterdam Ave
Columbus Ave

NEW JERSEY
NEW YORK

96th St
86th St
79th St
72nd St

101 — 129
85 — 114
77
67
78 — 12
113
122
82
117
100
128 — 134
61 — 83
110 — 90
71
55
20
86
130
8
87 — 79
95
96 — 112
135
102 — 97
55
30
98
94
Lincoln Center

Voir plan de Midtown Manhattan (p. 452)

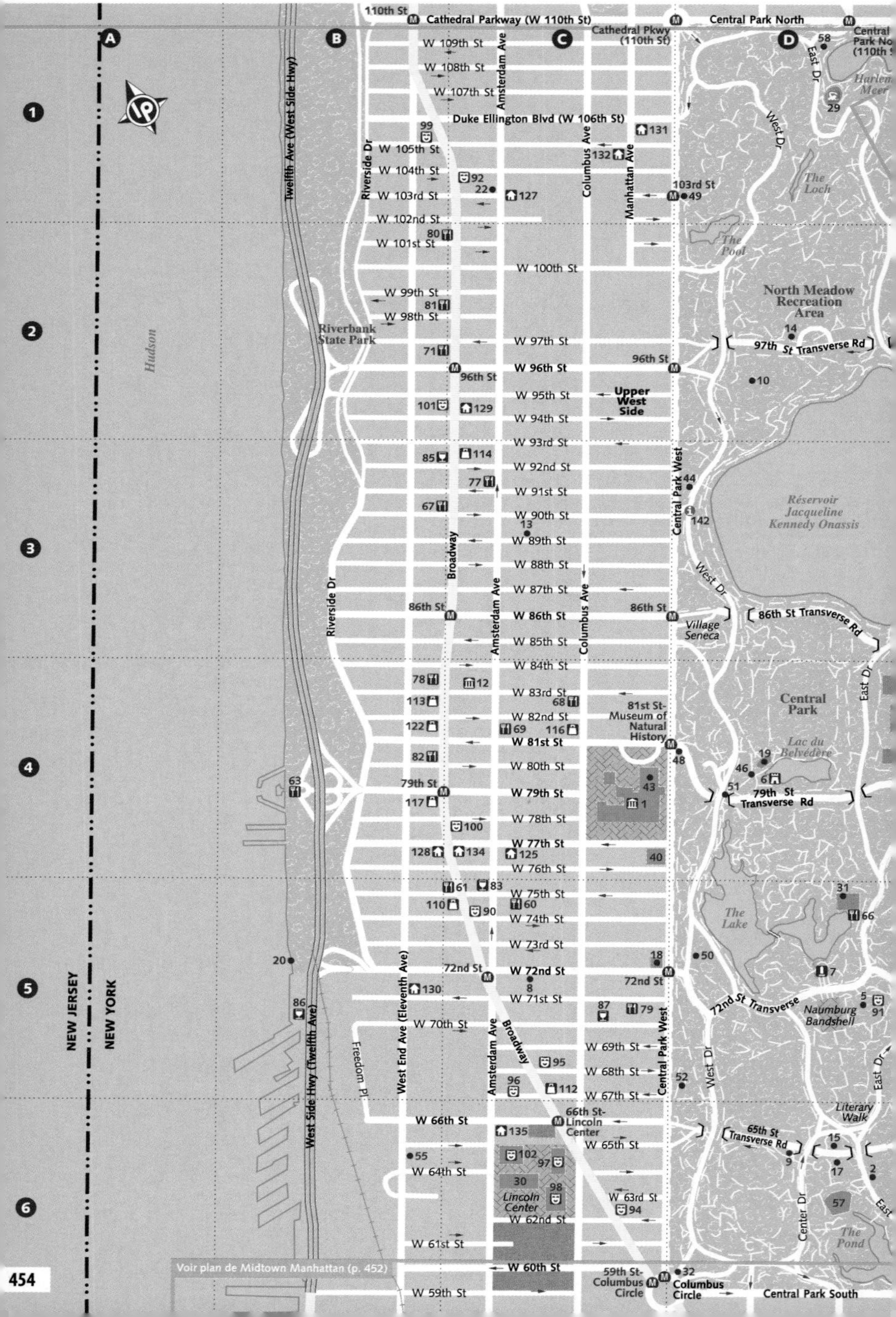

0   500 m
0   0,3 miles

E

F

G

H

1

Frawley C.

110th St
E 109th St
E 108th St
E 107th St
E 106th St
E 105th St
E 104th St
103rd St
E 103rd St
E 102nd St
E 101st St
E 100th St
E 99th St
E 98th St
E 97th St
96th St
E 96th St

Upper East Side

E 95th St
E 94th St
E 93rd St
E 92nd St
E 91st St
E 90th St
E 89th St
E 88th St
E 87th St
86th St
E 86th St

Yorkville

E 85th St
E 84th St
E 83rd St
E 82nd St
E 81st St
E 79th St
E 78th St
77th St
E 77th St
E 76th St
E 75th St
E 74th St
E 73rd St
E 72nd St
E 71st St
E 70th St
E 69th St
68th St–Hunter College
E 68th St
E 67th St
E 66th St
E 65th St
E 64th St
E 63rd St
Lexington Ave
E 62nd St
E 61st St
59th St
E 60th St
59th St

Hôpital Metropolitan

25

Fifth Ave (Cinquième Av.)
Madison Ave
Park Ave
Lexington Ave
Third Ave
Second Ave
First Ave
York Ave
East End Ave

East River

Mill Rock Light Park
Mill Rock

Carl Schurz Park

John Jay Park

Université Rockefeller

Franklin D. Roosevelt Dr

Pot Cove

Pont de Triborough

26th Ave
Second St
Third St
Fourth St
Ninth St
Eighth St
27th Ave
First St

Hallets Cove

East River

Main St

Vernon Blvd
Tenth St
Ninth St
Eleventh St
35th Ave

Rainey Park

Roosevelt Island

38th Ave

Queensbridge Park

40th Ave

41st Ave

Vernon Blvd

Voir plan de Long Island City et Astoria (p. 457)

Roosevelt Island
Main St
East Rd

Pont de Roosevelt Island

Pont de Queensboro

Pont de 59th St

2

3

4

5

6

Conservatory Pond

21
35
38
143
28
16
36 39
47
37
75
34
133
124
64 56
42 141
107
118
23
109
27
119
54
111
11 53
103
33 105
26
120
93 88
121
104
139
140
123
65
70
106
76 74
72
62 59
84
4
137
138
24
126
136
108
89 115
45 73

455

UPPER WEST SIDE ET UPPER EAST SIDE (p. 454)

LONG ISLAND CITY ET ASTORIA

| 0 | 600 m |
| 0 | 0,4 miles |

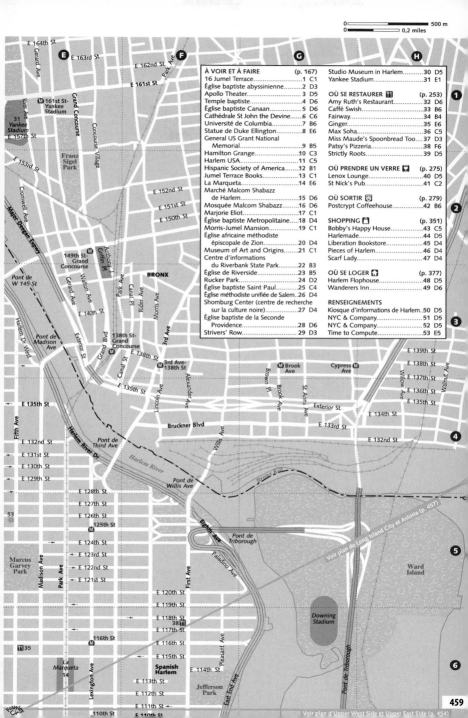

À VOIR ET À FAIRE (p. 167)
16 Jumel Terrace.....................1 C1
Église baptiste abyssinienne.......2 D3
Apollo Theater.......................3 D5
Temple baptiste.....................4 D6
Église baptiste Canaan.............5 D6
Cathédrale St John the Devine......6 C6
Université de Columbia.............7 B6
Statue de Duke Ellington...........8 E6
General US Grant National
  Memorial...........................9 B5
Hamilton Grange....................10 C3
Harlem USA.........................11 C5
Hispanic Society of America.......12 B1
Jumel Terrace Books...............13 C1
La Marqueta........................14 E6
Marché Malcom Shabazz
  de Harlem.........................15 D6
Mosquée Malcom Shabazz............16 D6
Marjorie Eliot.....................17 C1
Église baptiste Metropolitaine....18 D4
Morris-Jumel Mansion..............19 C1
Église africaine méthodiste
  épiscopale de Zion................20 D4
Museum of Art and Origins.........21 C1
Centre d'informations
  du Riverbank State Park...........22 B3
Église de Riverside...............23 B5
Rucker Park........................24 D2
Église baptiste Saint Paul........25 C4
Église méthodiste unifiée de Salem.26 D4
Shomburg Center (centre de recherche
  sur la culture noire).............27 D4
Église baptiste de la Seconde
  Providence........................28 D6
Strivers' Row......................29 D3

Studio Museum in Harlem...........30 D5
Yankee Stadium....................31 E1

OÙ SE RESTAURER (p. 253)
Amy Ruth's Restaurant.............32 D6
Caffé Swish.......................33 B6
Fairway...........................34 B4
Ginger............................35 E6
Max Soha..........................36 C5
Miss Maude's Spoonbread Too.......37 D3
Patsy's Pizzeria..................38 D6
Strictly Roots....................39 D5

OÙ PRENDRE UN VERRE (p. 275)
Lenox Lounge......................40 D5
St Nick's Pub.....................41 C2

OÙ SORTIR (p. 279)
Postcrypt Coffeehouse.............42 B6

SHOPPING (p. 351)
Bobby's Happy House...............43 C5
Harlemade.........................44 D5
Liberation Bookstore..............45 D4
Pieces of Harlem..................46 D4
Scarf Lady........................47 D4

OÙ SE LOGER (p. 377)
Harlem Flophouse..................48 D5
Wanderers Inn.....................49 D6

RENSEIGNEMENTS
Kiosque d'informations de Harlem..50 D5
NYC & Company.....................51 D5
NYC & Company.....................52 D5
Time to Compute...................53 E5

459

Voir plan de Long Island City et Astoria (p. 457)
Voir plan d'Upper West Side et Upper East Side (p. 454)

À VOIR ET À FAIRE (p. 172)
Brooklyn Children's Museum.......................1 D4
Dime Savings Bank...................................(voir 5)
Golf de Dyker Beach.................................2 A6
Metcalf Hall, université de Long Island
  (campus de Brooklyn)...........................3 C3

OÙ SE RESTAURER (p. 255)
Cinco de Mayo..4 C5
Junior's..5 C3
Pho Hoai...6 A6

OÙ SE LOGER (p. 377)
Akwaaba Mansion Inn................................7 D3

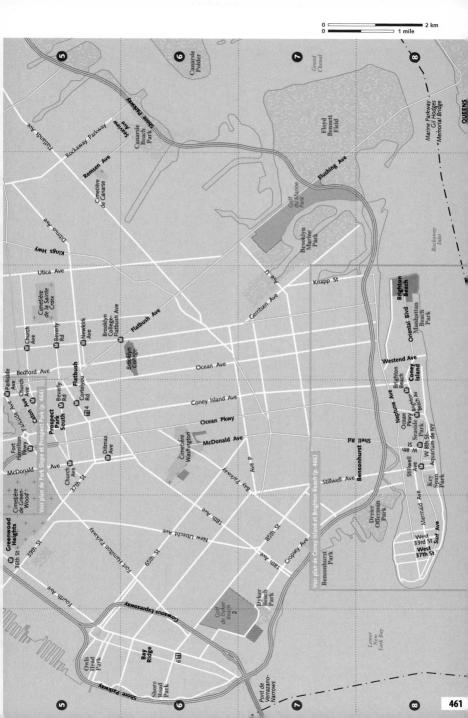

Voir plan de Park Slope et Prospect Park (p. 464)

Voir plan de Coney Island et Brighton Beach (p. 466)

5

6

7

8

QUEENS

Grand
Chenal

Floyd
Bennett
Field

Marina Parkway
Gil Hodges
Memorial Bridge

Rockaway Inlet

Gulf
du Marine
Park

Brooklyn
Marine
Park

Canarsie
Beach
Park

Canarsie
Polder

Rockaway Parkway

Seaview Ave

Remsen Ave

Cimetière
de Canarse

Rutland Ave

Ditmas Ave

Kings Hwy

Utica Ave

Flatbush Ave

Flushing Ave

Knapp St

Gerritsen Ave

U Ave

Cimetière
de la Sainte
Croix

Church
Ave

Beverly
Rd

Newkirk
Ave

Brooklyn
College-
Flatbush Ave

Brooklyn
College

Brighton
Beach

Oriental Blvd

Manhattan
Beach
Park

Westend Ave

Coney
Island

Bedford Ave

Flatbush

Ocean Ave

Coney Island Ave

Brighton
Beach

Neptune Ave

Parkside
Ave

Church
Ave

Prospect
Park
South

Cortelyou
Rd

Beverly
Rd

Ocean Pkwy

Ocean Pkwy

McDonald Ave

Ocean
Pkwy

Brighton
Beach Av

Seaside
Park

Fort
Hamilton
Pkwy

Parkside Ave

Caton Ave

Bedford Ave

Ditmas
Ave

Cimetière
Washington

Ave P

Shell Rd

W 8th St

Aquarium de NY

W 8th
St

Bensonhurst

Stillwell
Ave

Mermaid
Ave

McDonald
Ave

Church
Ave

37th St

Bay Parkway

Stillwell Ave

Dreier
Offerman
Park

Key
Span
Park

Greenwood
Heights

Cimetière
de Green-
Wood

18th Ave

New Utrecht Ave

65th St

Ave P

West
33rd St

Surf Ave

West
37th St

36th St

39th St

Fourth Ave

Fort Hamilton Parkway

18th Ave

85th St

Cropsey Ave

Bensonhurst
Park

Gowanus Expressway

Golf
de Dyker
Beach 2

Dyker
Beach
Park

Lower
New
York Bay

Owls
Head
Park

Bay
Ridge

Shore
Road
Park

Shore Parkway

Pont de
Verrazano-
Narrows

0 ————— 2 km
0 ————— 1 mile

DOWNTOWN BROOKLYN, BROOKLYN HEIGHTS ET DUMBO

0 _____ 300 m
0 _____ 0,2 miles

À VOIR ET À FAIRE	(p. 172)
Brooklyn Borough Hall	(voir 22)
Pont de Brooklyn	
(entrée des piétons et des cyclistes)	1 B2
Brooklyn Historical Society	2 C3
DUMBO Arts Center	3 B2
New York Transit Museum	4 D4
Plymouth Church	5 B3
Recycle-a-Bicycle	6 B2
Sahadi's	7 C4
Demeure de Thomas Wolfe	8 B4
Demeure de Truman Capote	9 B3

OÙ SE RESTAURER	(p. 255)
Bubby's Pie Company	10 B2
Grimaldi's	11 B2
Pacifico	12 D4
Pedro's Bar & Restaurant	13 C1
River Cafe	14 A2

OÙ PRENDRE UN VERRE	(p. 276)
Floyd	15 C4
Long Island Bar & Restaurant	16 C4

OÙ SORTIR	(p. 279)
BargeMusic	17 A2

SHOPPING	(p. 352)
Breukelen/Bark	18 D4
Jacques Torres Chocolate	19 B2

OÙ SE LOGER	(p. 377)
Awesome B&B	20 D3
Marriott at the Brooklyn Bridge	21 C3

RENSEIGNEMENTS	
Office du tourisme	
de Brooklyn	22 C4
Poste	23 C3

WILLIAMSBURG ET GREENPOINT

0 —————————— 500 m
0 —————————— 0,3 miles

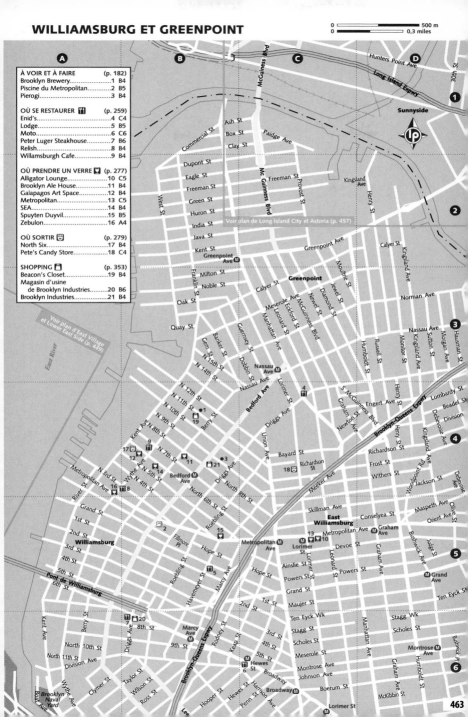

Ⓐ

À VOIR ET À FAIRE	(p. 182)
Brooklyn Brewery	1 B4
Piscine du Metropolitan	2 B5
Pierogi	3 B4

OÙ SE RESTAURER 🍴	(p. 259)
Enid's	4 C4
Lodge	5 B5
Moto	6 C6
Peter Luger Steakhouse	7 B6
Relish	8 B4
Willamsburgh Cafe	9 B4

OÙ PRENDRE UN VERRE 🍷	(p. 277)
Alligator Lounge	10 C5
Brooklyn Ale House	11 B4
Galapagos Art Space	12 B4
Metropolitan	13 C5
SEA	14 B4
Spuyten Duyvil	15 B5
Zebulon	16 A4

OÙ SORTIR 🎭	(p. 279)
North Six	17 C4
Pete's Candy Store	18 C4

SHOPPING 🛍	(p. 353)
Beacon's Closet	19 B4
Magasin d'usine de Brooklyn Industries	20 B6
Brooklyn Industries	21 B4

Voir plan de Long Island City et Astoria (p. 457)

Voir plan de East Village et Lowest East Side (p. 449)

463

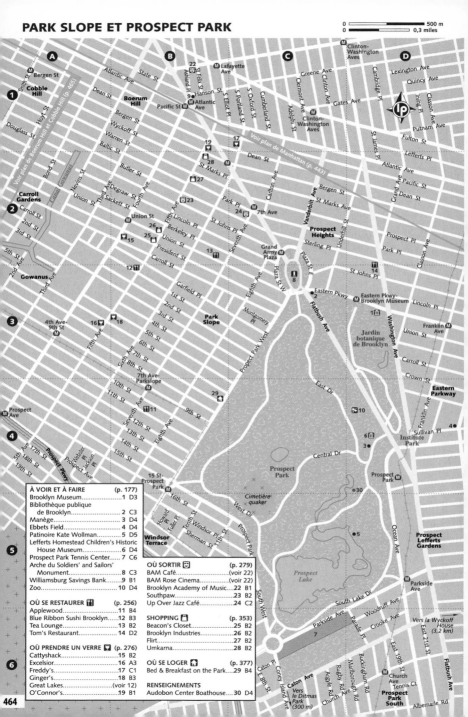

PARK SLOPE ET PROSPECT PARK

0 ———————— 500 m
0 ———————— 0,3 miles

BOERUM HILL ET COBBLE HILL

0 ————————— 500 m
0 ————————— 0,3 miles

A **B** **C** **D**

Pacific St
Amity St
Congress St
Verandah Pl
Congress St
Warren St
Kane St
Baltic St
Butler St
Cheever Pl
Henry St
Strong Pl
Clinton St
Tompkins Pl
Columbia St
Tiffany Pl
Degraw St ▯7
Sackett St
Union St
President St
Carroll St
Summitt St
Summit St
Woodhull St
Rapelye St
1st Pl
2nd Pl
3rd Pl
4th Pl
Clinton St
Coles St

Cobble Hill
Cobble Hill Park 2

Boerum Hill 10
Bergen St
Bergen St
Warren St
Douglass St 12
Degraw St 8
Sackett St 9 14 13
Carroll St
Hoyt St
Smith St

Carroll Gardens
Carroll Park

Voir plan de Downtown Brooklyn, Brooklyn Heights et Dumbo (p. 462)
Tunnel de Brooklyn Battery

Imlay St
Bowne St
Seabring St
Commerce St
Commercial Wharf
Van Brunt St
Delevan St
Verona St
Visitation Pl
Pioneer St
King St
Sullivan St
Richards St
Van Brunt St
Wolcott St
Dikeman St
Coffey St
Van Dyke St
Beard St
Reed St
Conover St
Ferris St
Otsego St
Bay St
Sigourney St

Luquer St
Nelson St
Hamilton Ave
9th St
Mill St
Lorraine St

Red Hook

Hamilton Ave
Huntington St
W Ninth St
Garnet St
Centre St
Bush St
Henry St
Clinton St
Creamer St
Court St
Smith-9th Sts
Gowanus Expwy
Canal Gowanus

Red Hook Recreational Area
Halleck St
Percival St
Bryant St

11
6
5
1

Upper New York Bay

465

CONEY ISLAND ET BRIGHTON BEACH

0 — 1 km
0 — 0,5 miles

QUEENS

Gateway National Recreation Area

Kingsborough Community College

OCÉAN ATLANTIQUE

Lower New York Bay

FLUSHING

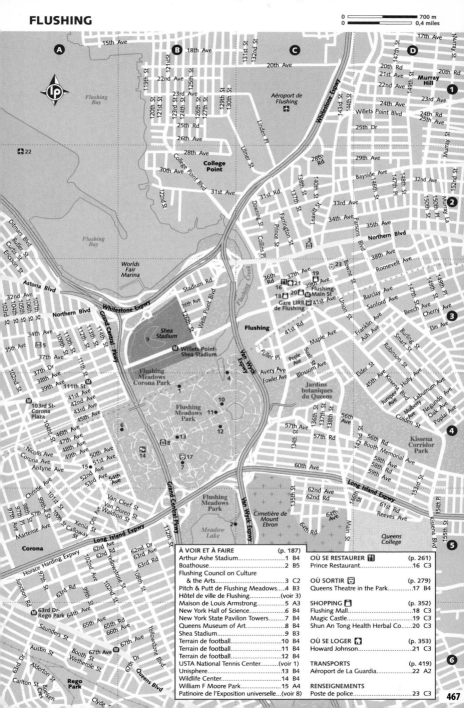

À VOIR ET À FAIRE (p. 187)
Arthur Ashe Stadium.............................1 B4
Boathouse..2 B5
Flushing Council on Culture
  & the Arts...3 C2
Pitch & Putt de Flushing Meadows....4 B3
Hôtel de ville de Flushing.................(voir 3)
Maison de Louis Armstrong.................5 A3
New York Hall of Science.....................6 B4
New York State Pavilion Towers..........7 B4
Queens Museum of Art........................8 B4
Shea Stadium.......................................9 B3
Terrain de football.............................10 B4
Terrain de football.............................11 B4
Terrain de football.............................12 B4
USTA National Tennis Center..........(voir 1)
Unisphere...13 B4
Wildlife Center...................................14 B4
William F Moore Park........................15 A4
Patinoire de l'Exposition universelle....(voir 8)

OÙ SE RESTAURER (p. 261)
Prince Restaurant...............................16 C3

OÙ SORTIR (p. 279)
Queens Theatre in the Park................17 B4

SHOPPING (p. 352)
Flushing Mall......................................18 C3
Magic Castle.......................................19 C3
Shun An Tong Health Herbal Co........20 C3

OÙ SE LOGER (p. 353)
Howard Johnson.................................21 C3

TRANSPORTS (p. 419)
Aéroport de La Guardia......................22 A2

RENSEIGNEMENTS
Poste de police...................................23 C3

467

LE BRONX

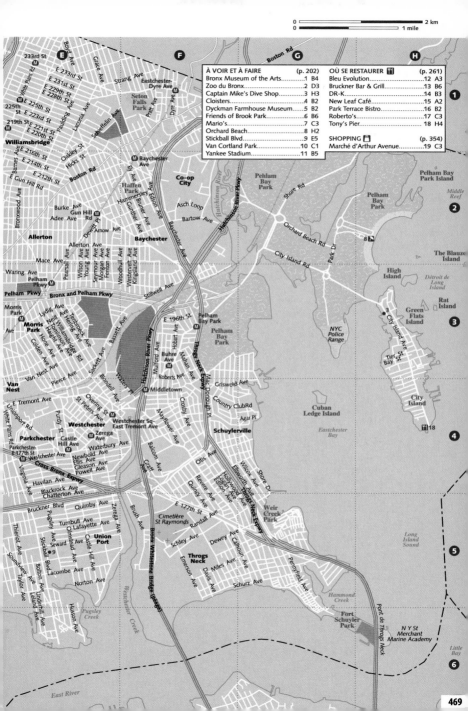

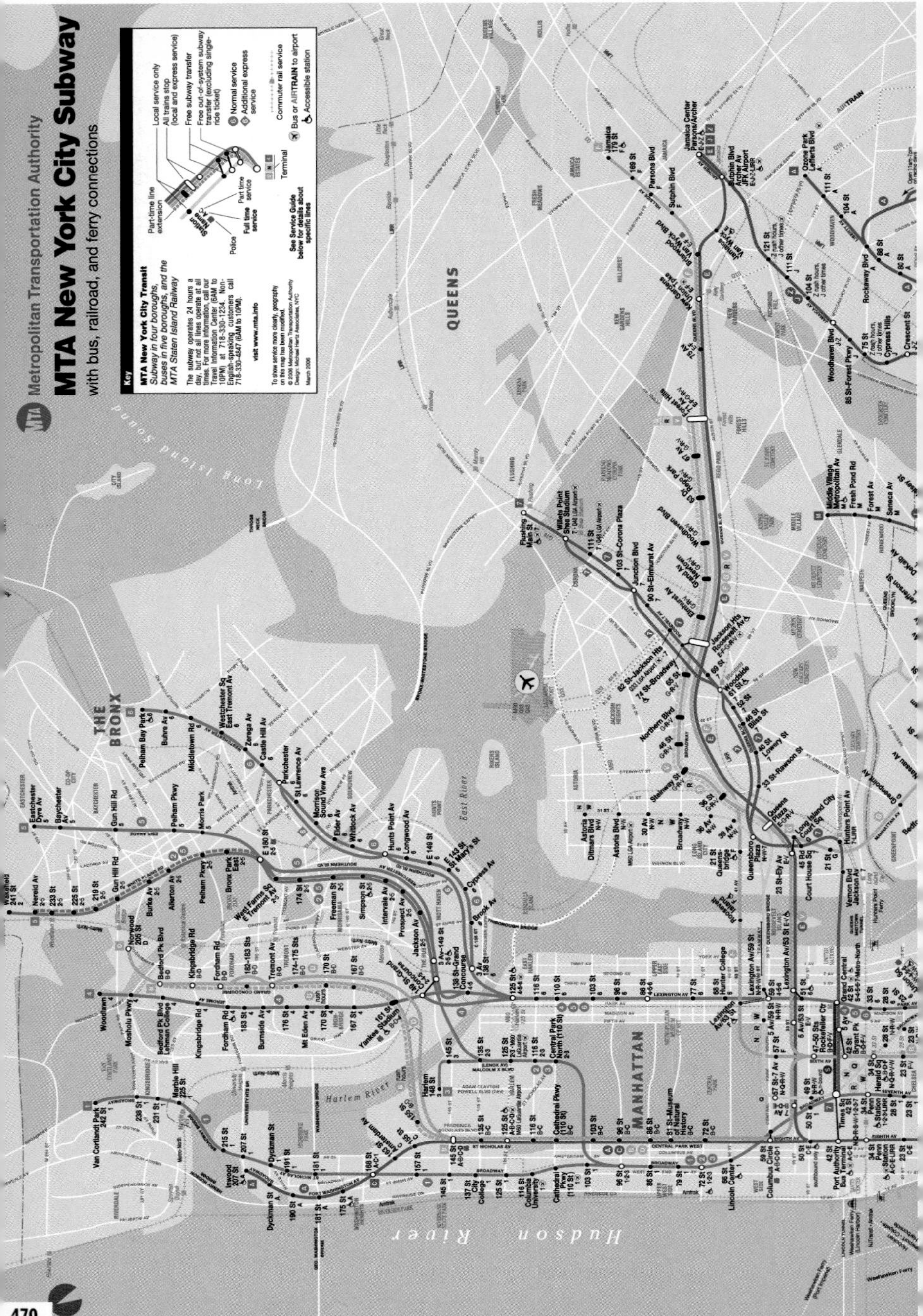

MÉTRO DE NEW YORK

Metropolitan Transportation Authority

MTA New York City Subway

with bus, railroad, and ferry connections

QUEENS

THE BRONX

MANHATTAN

Long Island Sound

East River

Harlem River

Hudson River

MÉTRO DE MANHATTAN

CENTRAL PARK

HUDSON RIVER

EAST RIVER

QUEENS

BROOKLYN

ROOSEVELT ISLAND

Stations (selected labels):

81 St B·C
79 St 1·2·3
72 St 1·2·3
72 St B·C
66 St Lincoln Center 1
59 St Columbus Circle A·B·C·D·1
50 St C·E
50 St 1
49 St N·R
47-50 Sts Rockefeller Ctr B·D·F·V
42 St Port Authority Bus Terminal A·C·E
Times Sq 42 St N·Q·R·W S·W 1·2·3 7
34 St Penn Station A·C·E
34 St Penn Station 1·2·3
34 St B·D·F·N·Q·R·V·W
28 St C·E
28 St 1
28 St N·R·W
23 St C·E
23 St 1
23 St F·V
23 St N·R·W
23 St 6
18 St 1
14 St A·C·E
14 St 1·2·3
14 St F·V
14 St-Union Sq L·N·Q·R·W·4·5·6
8 Av L
6 Av L
3 Av L
1 Av L
8 St-NYU N·R·W
Astor Pl 6
Christopher St Sheridan Sq 1
W 4 St Wash Sq A·B·C·D·E·F·V
Broadway Lafayette St B·D·F·V
Bleecker 6
Lower East Side/2 Av F·V
Houston St 1
Prince St N·R·W
Spring St C·E
Spring St 6
Bowery J·M·Z
Delancey St F J·M·Z
Essex St J·M·Z
Grand St B·D
East Broadway F
Canal St 1
Canal St A·C·E
Canal St J·M·N·Q·R·W·Z·6
Franklin St 1
Chambers St A·C
Chambers St 1·2·3
Chambers St J·M·Z
Park Place 2·3
City Hall R·W
Brooklyn Bridge-City Hall 4·5·6
World Trade Center E
Fulton St-Broadway Nassau A·C·J·M·Z·2·3·4·5
Cortlandt St 1 (closed)
Cortlandt St R·W (closed)
Rector St 1
Rector St R·W
Wall St 4·5
Wall St 2·3
Broad St J·M·Z
Bowling Green 4·5
South Ferry 1
Whitehall St South Ferry R·W
5 Av/59 St N·R·W
57 St 7 Av N·R·W Q·W
57 St N·R
7 Av B·D·E
5 Av/53 St E·V
Lex Av/53 St E·V
51 St 6
Lex Av/59 St N·R·W
59 St N·R·W
68 St 6
77 St 6
79 St 6
Lex Av/63 St F
Roosevelt Island F
5 Av 7 Bryant Pk B·D·F·V
42 St 7
Grand Central 42 St 4·5·6·7
33 St 6
5 Av/53 St

Free walking transfer with Metrocard

MIDTOWN
MURRAY HILL
MADISON SQ PARK
GRAMERCY PARK
UNION SQ PARK
GREENWICH VILLAGE
TOMPKINS SQUARE PARK
EAST VILLAGE
EAST RIVER PARK
CHELSEA
WEST SIDE
SOHO
LITTLE ITALY
TRIBECA
CHINATOWN
LOWER EAST SIDE
WILLIAMSBURG BRIDGE
DELANCEY ST
BATTERY PARK
SOUTH ST
FDR DR

PARK AV
LEXINGTON AV
AV OF AMERICAS
BROADWAY
CENTRAL PARK WEST
7 AV·S
8 AV
9 AV
10 AV
11 AV
12 AV
6 AV
HUDSON ST
VARICK ST
GREENWICH ST
BOWERY
CHRYSTIE
LAFAYETTE
BWAY

LIRR/NJ TRANSIT AMTRAK
METRO NORTH
PATH

Please check www.mta.info often for latest service advisories.

MTA New York City Transit

Manhattan Subway Map

March 2006

472

©2006 Metropolitan Transportation Authority   Unauthorized duplication prohibited   022806

LEGEND

6 Terminal

○ **Station Name**
4·5·6
Full-time Part-time line extension
Service Service   Part-time line

● Local Service only

○ All trains stop (local and express service)

Free subway transfer

● Free out-of-system subway transfer (excluding single-ride ticket)